2026
판례·기출
증보판

조충환·양건

형사소송법

개정 형사소송법·최신 판례 및 기출문제 완벽 반영

경찰채용·승진 / 경찰간부 / 검찰직·법원직
교정보호직·승진 / 철도경찰직 / 해양경찰직

조충환·양건 편저

동영상강의 www.pmg.co.kr

박문각

조충환·양건

SPA 형사소송법

2026 SPA 형사소송법 판례·기출증보판을 출간하면서

이번 2026 판례·기출증보판에서는 최근의 출제경향을 반영하여 다음과 같은 사안에 중점을 두었습니다.

첫째, 기출문제 반영

작년 SPA 형사소송법 출간 이후의 2024년 기출문제(경위공채, 순경 1차·2차, 경력채용, 9급 검찰·마약수사·교정·보호·철도경찰, 9급 법원직, 7급 국가직, 해경경위공채·순경 등)와 2025년 기출문제(변호사시험, 소방간부, 경찰대편입 등)를 전부 비교·분석하여 본문에 수정·교체·추가·기출표기를 하였고 기출문제(객관식)에도 추가하였습니다. 다만, 25년 경찰승진 기출문제는 시험일정 지연으로 이번 증보판에 반영하지 못하였습니다.

둘째, 판례 반영

최근 판례(2025.1.15. 대법원 판례공보 및 미간행판례)까지 빠짐없이 반영하였으며, 최근의 출제경향에 맞추어 기존 판례의 일부를 수정·교체·추가하였고, 판례마다 기출표기를 최신순으로 정리하였습니다.

셋째, 반복학습

본문 ⇨ 확인학습(OX문제) ⇨ 기출문제의 3단계 방식으로 편집하여 기본서, 판례집, 요약집(Sub-note), OX문제집, 객관식문제(기출문제)집을 별개로 공부하지 않고도, SPA 형사소송법 1회독시 3회 이상의 반복학습의 효과로 한번에 형사소송법을 끝낼 수 있도록 하였습니다.

넷째, 강약과 시간절약

법조문, 이론, 판례를 사안마다 키워드와 기출표기를 색표기하여 중요도를 파악하고, 반복학습시 시간을 단축하도록 하였습니다.

SPA 형사소송법을 이해 위주로 반복학습하신다면 본 교재 한 권만으로도 어느 시험에서든지 고득점으로 합격·승진하는 데 아무런 지장이 없을 것이라 확신합니다.
우리 모두 어려운 시기에 무엇보다도 건강에 유의하시고 초지일관하시길 바라며, 수험생 여러분의 조기 합격과 승진을 믿고 간절히 기원합니다.

2025. 2.

공편저자 조충환·양건

CONTENTS

이 책의 차례

형사소송법 Ⅰ

Part 01 서 론

Part 02 수사와 공소

제2장 강제처분과 강제수사

제3장 수사의 종결

CONTENTS

이 책의 차례

형사소송법 Ⅱ

Part 04 공 판

제1장 공판절차

CONTENTS

이 책의 차례

CONTENTS

이 책의 차례

형사소송법 Ⅲ

기출지문 확인학습

Part 01 서 론

Part 02 수사와 공소

Part 03 소송주체와 소송절차의 기본이론

Part 04 공 판

Part 05 상소·비상구제절차·특별형사절차·재판의 집행과 형사보상

핵심정리

형사소송법 관련법령

단계별 형사절차

일반형사절차

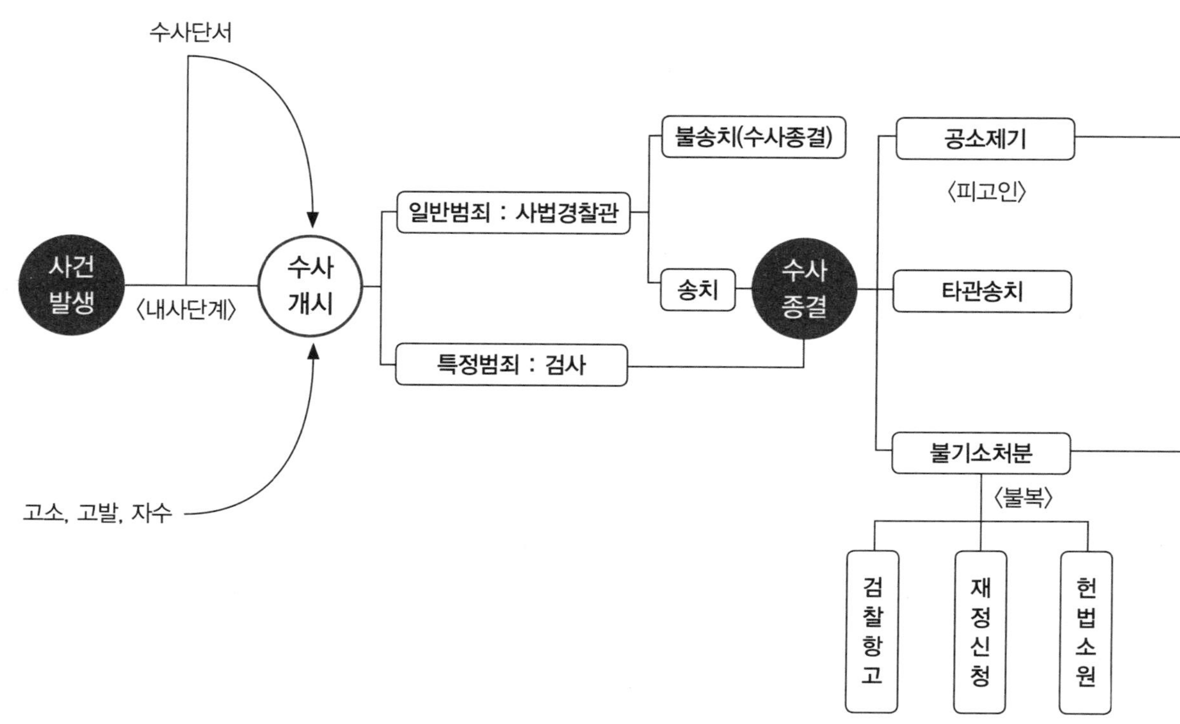

즉결심판절차

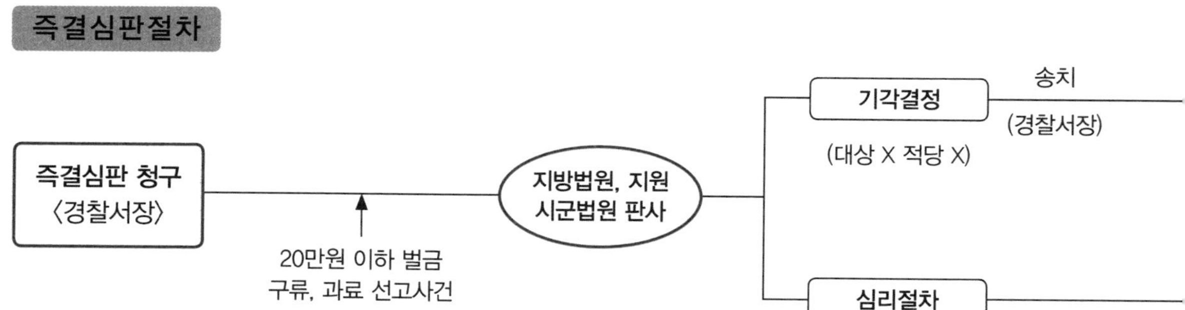

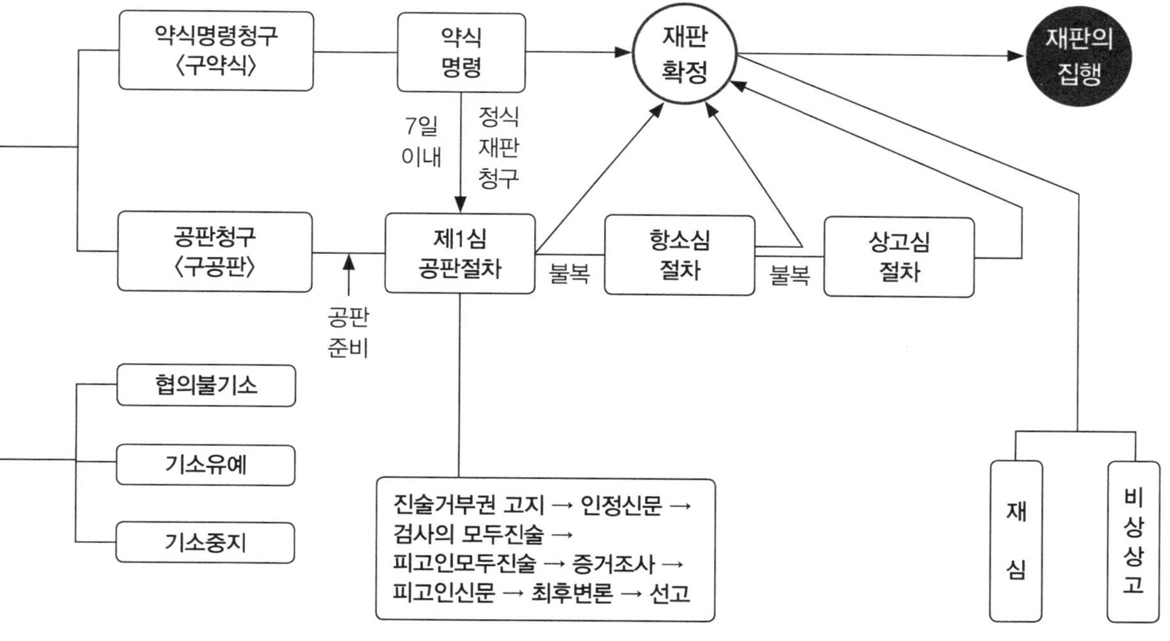
약식명령청구
〈구약식〉
약식
명령
재판
확정
재판의
집행
7일
이내
정식
재판
청구
공판청구
〈구공판〉
제1심
공판절차
불복
항소심
절차
불복
상고심
절차
공판
준비
협의불기소
기소유예
기소중지
진술거부권 고지 → 인정신문 →
검사의 모두진술 →
피고인모두진술 → 증거조사 →
피고인신문 → 최후변론 → 선고
재
심
비
상
상
고

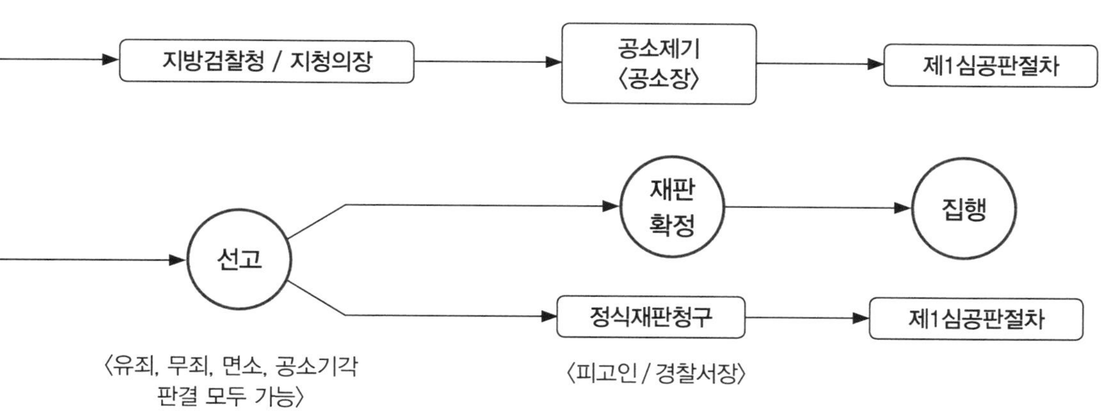
지방검찰청 / 지청의장
공소제기
〈공소장〉
제1심공판절차
선고
재판
확정
집행
정식재판청구
제1심공판절차
〈유죄, 무죄, 면소, 공소기각
판결 모두 가능〉
〈피고인 / 경찰서장〉

조충환·양건

형사소송법

서론

CHAPTER 01

형사소송법의 기초

단원 advice

본 단원은 비록 형사소송법의 기초이론이기는 하나 형사소송법의 '법원과 적용범위' 등은 자주 출제되는 부분이므로 관심 있는 학습이 요망된다.

형사소송법은 특히 뒤에서 설명이 되는 용어가 앞에서 불쑥불쑥 등장함으로써 용어 때문에 처음에는 상당히 어려움을 느끼는 과목이다. 그러나 절대 고민하지 말고 가볍게 넘어가는 식으로 빨리 전체를 1회독 학습하기 바란다. 나중에 단원별로 개념정리가 나오기 때문이다. 형사소송법은 조문과 판례에서만 출제되기 때문에 전체의 흐름과 용어만 극복하면 그 어느 과목보다도 고득점이 용이한 전략 과목임을 알아야 한다. 합격에 대한 기대와 자신감을 가지고 학습에 임하기를 당부드린다.

제1절 형사소송법의 의의와 성격

1 형사소송법의 의의

형사소송법의 개념	형사소송법이란 형법(무엇을 범죄로 하고 그 범죄에 어떠한 형벌을 과할 것인가를 추상적으로 규정한 법률)을 구체적인 사건에 적용·실현하기 위한 절차를 규정하는 법률을 말한다.
형사소송법의 범위	형사절차는 수사절차(범인을 발견하고 증거를 수집하기 위한 절차), 공판절차(공소제기한 때부터 재판이 확정되기까지의 절차), 집행절차(확정된 형을 집행하는 절차) 등으로 구성되며, 이러한 형사절차를 규율하는 법률이 형사소송법이다. ▶ 좁은 의미의 형사소송법 ⇨ 공판절차를 규율하는 법을 의미

2 형사소송법의 성격

공 법	형사소송법은 형법과 함께 공법에 속한다.
절차법	형사소송법은 형사절차를 규정하고 있는 절차법이며, 기술적·동적·발전적 성격을 가지고 있다. 형사소송법은 실체법으로서 윤리적·도덕적 성격이 강하다. (×) 형법이 정적 법률관계에 관한 법이라면 형사소송법은 그러한 법률관계를 규명하기 위한 동적·발전적 과정을 규율하기 위한 법이다. (○) 16. 경찰간부

사법법	형사소송법은 사법법이므로 법적 안정성(법에 의하여 보호되는 사회생활의 안정성을 의미하며, 법이 불명확하고 함부로 변경된다면 법적 안정성을 잃게 된다)을 기본원리로 하고 있다. 그러나 수사절차나 집행절차에 있어서는 법적 안정성보다는 합목적성(일정한 목적을 실현하는데 적합한 성질)이 더욱 강조된다. 96. 경찰승진 수사절차는 법적 안정성의 원리가, 공판절차는 합목적성의 원리가 지배한다. (×) 96. 경찰승진 절차법인 형사소송법은 실체법인 형법과 목적·수단의 관계에 놓여 이는 순수한 합목적성 규범이다. (×) 16. 경찰간부
형사법	① 형사소송법은 형법과 함께 형사법에 속한다. 형사법은 배분적 정의(각자의 능력과 공로에 따라 차등 있게 대우를 받는 것)실현을 목적으로 함에 반해 민사법은 평균적 정의(모든 사람이 동등한 대우를 받는 것)실현을 목적으로 한다. 형사소송법은 평균적 정의가 지배한다. (×) 형사소송법도 형법과 마찬가지로 정의를 지향한다. (○) 13. 경찰간부 ② 형법은 형사절차에 의하지 않고서는 실현될 수 없는 것이나, 민사분쟁의 해결은 반드시 민사소송법이 정한 절차에 따를 것을 요하지 않는다는 점에서 형법과 형사소송법과의 관계는 민법과 민사소송법과의 관계와 그 성질을 달리한다. 형법은 형사절차에 의하지 않고는 실현될 수 없다. (○) 13. 경찰간부 형법과 형사소송법과의 관계는 민법과 민사소송법과의 관계와 같다. (×)

KEY point 타 법과의 비교

형법과의 비교	형법	윤리적·도덕적·정적·고정적 성격
	형사소송법	기술적·동적·발전적 성격
민사소송법과의 비교	민사소송법	평균적 정의문제
	형사소송법	배분적 정의문제, 정치적 색채

제2절 형사소송법의 법원과 적용범위

1 형사소송법의 법원

법원(法源)이란 법이 존재하고 있는 형식을 말한다. 따라서 형사절차를 규율하는 헌법, 법률, 대법원규칙 등은 형사소송법의 법원이 된다.

(1) 헌 법

형사절차는 기본적으로 국회에서 제정된 법률에 의해서 규율되지만 이는 헌법상의 적법절차원칙의 범위 안에서 이루어져야 하며, 헌법의 기본원칙은 형사소송법을 통해 구체화된다. 우리 헌법은 형사절차에 관하여 매우 상세한 규정을 두고 있으며, 이러한 규정들은 형사소송법의 법원이 된다. 23. 경찰승진

☎ 형사소송법의 자율성과 독자성에 따라 형사소송법이 헌법의 기본원칙을 형사절차에 실현할 것이 요구되지 않는다. (×) 13. 경찰간부

헌법에 규정된 형사절차	헌법에 규정이 없는 형사절차
• 형사절차법정주의와 적정절차의 원칙(제12조 제1항) 09. 순경 • 강제수사법정주의(제12조 제1항) 24. 경찰승진 • 고문금지와 진술거부권(제12조 제2항) 16. 순경 2차, 13 · 18. 순경 1차, 19. 경찰간부 • 검사의 영장신청권(제12조 제3항 본문) ▶ 사법경찰관에 대한 검사수사지휘 ⇨ 헌법규정 × 19. 순경 2차 • 영장주의(체포 · 구속 · 압수 · 수색시 법관이 발부한 영장제시)(제12조 제3항 본문) 09. 전의경, 16. 순경 2차 • 사후영장에 의한 체포(현행범인 경우와 장기 3년 이상의 죄를 범하고 도피 또는 증거인멸의 염려가 있을 때 사후에 영장청구 가능)(제12조 제3항 단서) 15. 경찰간부, 16. 순경 2차, 18. 순경 1차 • 변호인의 조력을 받을 권리와 국선변호인(제12조 제4항) 10. 순경, 14. 경찰승진, 16. 순경 2차, 17. 경찰간부 • 구속사유와 변호인의 조력을 받을 권리의 고지(제12조 제5항) • 피의자 가족 등이 구속사유를 통지받을 권리(제12조 제5항) 09. 순경 • 체포 · 구속적부심사청구권(제12조 제6항) 14. 경찰승진, 15. 경찰간부, 16. 순경 2차, 18. 순경 1차 • 자백배제법칙(피고인의 자백이 고문 · 폭행 · 협박 · 구속의 부당한 장기화 또는 기망 기타의 방법에 의하여 자의로 진술된 것이 아니라고 인정될 때 이를 유죄의 증거로 삼을 수 없다)과 자백보강법칙(정식재판에서 피고인의 자백이 그에게 불리한 유일한 증거일 때에는 이를 유죄의 증거로 할 수 없다)(제12조 제7항) 11. 9급 검찰, 14 · 17. 경찰승진, 16. 순경 2차 • 일사부재리의 원칙(제13조 제1항) 09. 순경, 11. 9급 검찰, 14. 경찰승진 • 군사법원의 재판을 받지 아니할 권리(제27조 제2항) • 신속한 재판을 받을 권리(제27조 제3항) 09. 순경 • 공개재판을 받을 권리(제27조 제3항) • 무죄추정의 원칙(제27조 제4항) 09. 순경, 15 · 17 · 19. 경찰간부 • 피해자의 재판절차진술권(제27조 제5항) 09. 순경, 11. 9급 검찰, 13. 순경 1차	• 기피신청권(형사소송법 제18조) 12. 순경 • 보석청구권(동법 제94조) 10. 순경, 11. 9급 검찰, 17. 경찰간부 • 증인신문권(동법 제161조의 2) • 증거보전청구권(동법 제184조) 19. 경찰간부 · 해경승진 • 사법경찰관에 대한 검사의 수사지휘권(동법 제196조 제1항) 15. 경찰간부 • 구속영장실질심사제도(동법 제202조의 2) 12. 순경, 17. 경찰간부 • 집중심리원칙(동법 제267조의 2) 15. 경찰간부 • 구두변론주의(동법 제275조의 3) 15. 경찰간부 • 공판기일출석권(동법 제276조) 10. 순경 • 간이공판절차(동법 제286조의 2) 10 · 12. 순경, 11. 9급 검찰 • 증거신청권(동법 제294조) • 최후진술권(동법 제303조) 18. 순경 1차, 21. 해경 • 이의신청권(동법 제304조) 19. 경찰간부 · 해경승진 • 변론재개신청권(동법 제305조) • 증거재판주의(동법 제307조) 14 · 17. 경찰승진, 24. 해경간부 • 위법수집증거배제법칙(적법절차에 따르지 않고 수집한 증거는 증거로 할 수 없다)(동법 제308조의 2) 11. 9급 검찰, 14 · 17. 경찰승진, 13 · 18. 순경 1차, 21. 해경, 24. 해경간부 • 전문법칙(동법 제310조의 2) 09. 7급 국가직, 10. 순경, 24. 해경간부 • 상소권(동법 제338조) • 불이익변경금지원칙(동법 제368조) 09. 순경, 17. 경찰승진, 21. 해경 ☎ 공소장일본주의 ⇨ 형사소송규칙 제118조 제2항 (형사소송법에 규정 ×)

• 형사보상청구권(제28조) 14·17. 경찰승진, 15·17·19. 경찰간부 • 과잉금지의 원칙(제37조 제2항) • 국회의원 불체포특권(제44조) • 대통령의 형사상 특권(제84조) • 군인의 대법원 상고권(제110조) • 헌법소원권(제111조 제1항) 19. 경찰간부	

도표에 있는 내용은 빈번하게 출제되고 있는 부분이므로 철저한 정리가 필요하다.

(2) 형사소송법

형사소송법은 형식적 의미와 실질적 의미의 형사소송법으로 나눌 수 있는데 모두 형사소송법의 법원이 된다.

구분	내용
형식적 의미의 형사소송법	형사소송법이라는 명칭을 가진 법전을 말함(1954. 9. 23. 공포) ⇨ 가장 중요한 형사소송법의 법원임
실질적 의미의 형사소송법	명칭은 형사소송법이 아니지만 그 실질적 내용이 형사절차를 규율하는 법률을 말한다. 19. 순경 2차
	실질적 의미의 형사소송법 예 ① 법원조직법(▶ 정부조직법은 ×) 99·23. 경찰승진 ② 검찰청법 ③ 변호사법 ④ 경찰관직무집행법 ⑤ 사법경찰관리직무범위에 관한 법률 ⑥ 소년법 23. 경찰승진 ⑦ 즉결심판에 관한 절차법 ⑧ 군사법원법 ⑨ 조세범처벌절차법(조세범처벌법 ⇨ 실질적 의미의 형법) 00. 경찰승진 ⑩ 형사소송비용 등에 관한 법률 ⑪ 형사보상 및 명예회복에 관한 법률 ⑫ 형의 집행 및 수용자의 처우에 관한 법률(구 행형법) ⑬ 사면법 ⑭ 소송촉진 등에 관한 특례법 23. 경찰승진 ⑮ 국가보안법 ⑯ 관세법

폭력행위 등 처벌에 관한 법률 91. 경찰승진, 특정범죄 가중처벌 등에 관한 법률, 군형법, 경범죄 처벌법 ⇨ 실질적 의미의 형법에 해당함(실질적 의미의 형사소송법 ×).

피해자를 위한 배상명령 절차 ⇨ 형사소송법에 규정 ×(소송촉진 등에 관한 특례법에 규정)

형사절차의 기본적 구조와 소송관계자의 이해에 관한 사항은 원칙적으로 대법원규칙으로 정한다. (×) – 법률로 규정함이 원칙이며, 법률에 저촉되지 아니하는 범위 안에서 규칙을 제정

(3) 규칙 · 명령

① 대법원규칙

㉠ 헌법 제108조는 '법률에 저촉되지 아니하는 범위 내에서 소송에 관한 절차, 법원의 내부규율과 사무처리에 관한 규칙을 제정할 수 있다.'라고 규정하여 대법원의 규칙제정권을 인정하고 있다. 따라서 대법원규칙도 형사소송법의 법원이 된다. 02. 경찰승진

대법원규칙은 헌법상 명시적 근거 없이 대법원이 법원의 내부규율과 사무처리의 통일을 위해 제정한 준칙에 불과하므로 형사절차의 법원이 될 수 없다. (×) 19. 순경 2차

형사절차의 기본적 구조나 피고인을 비롯한 소송관계자의 이해에 관한 사항을 제한없이 규칙으로 제정할 수 있다. (×) 23. 경찰승진

㉡ 형사절차에 관한 대법원규칙으로서 가장 중요한 것은 형사소송규칙이나, 그 밖에도 대법원규칙에는 법정 좌석에 관한 규칙 01.경찰승진, 법정 방청 및 촬영 등에 관한 규칙, 법정 등의 질서유지를 위한 재판에 관한 규칙, 소송촉진 등에 관한 특례법 시행규칙, 형사소송비용 등에 관한 규칙 등이 있다.

대법원예규 : 사법부 내부의 복무지침이나 업무처리의 통일을 기하기 위하여 마련된 지침으로 형사소송법의 직접적인 법원성 인정 여부에 대하여 견해가 대립됨.

대법원예규는 형사소송법의 법원성이 인정된다. (×)

② **대통령령 · 법무부령** : 대통령령이나 법무부령이 형사소송법의 법원이 될 수 있을 것인지에 대해서 행정부의 명령제정권(헌법 제75조, 제95조), 형사소송법, 검찰청법 등의 위임의 근거를 이유로 형사소송법의 법원이 된다는 견해와 수사기관 자체의 업무처리지침을 규정한 것에 불과하고 소송관계인들의 권리나 의무를 부여하거나 제한하는 효과가 없으므로 형사소송법의 직접적인 법원이 되지 못한다는 견해가 대립한다.

헌법재판소는 법무부령인 '검찰사건사무규칙'에 대하여 법규성을 부정하고 있다. 대법원도 사법경찰관리 집무규칙(폐지)에 대해서 법원성을 부정하였으나, '재산형 등에 관한 검찰집행사무규칙(구 검찰징수사무규칙)'에 대해서는 법원성을 인정한 바 있다.

관련판례

1. 사법경찰관리집무규칙(2012. 1.1. 폐지)은 법무부령으로서 사법경찰관리에게 범죄수사에 관한 집무상의 준칙을 명시한 것 뿐이므로 구속영장이 사법경찰관리에 의하여 집행된 경우, 검사의 날인 또는 집행지휘서가 없다하여 불법집행이 되는 것은 아니다(대결 1985.7.15, 84모22). ∴ 법원성 부정 08. 순경
2. 재기수사명령(재수사명령)이 있는 사건에 관하여 지방검찰청검사가 다시 불기소처분을 하고자 하는 경우에는 미리 그 명령청의 장의 승인을 얻도록 한 검찰사건사무규칙의 규정은 검찰청 내부의 사무처리지침에 불과할 뿐 법규적 효력을 가진 것은 아니다(헌재결 1991.7.8, 91헌마42). ∴ 법원성 부정 19. 순경 2차
3. 검찰징수사무규칙(재산형 등에 관한 검찰집행사무규칙)은 벌금형 등의 집행에 관한 사항을 정한 것으로서 대외적으로 구속력을 갖는 법규명령이라고 할 것이고, 이를 검찰청 내부의 사무처리준칙에 불과하다고 볼 수는 없다(대판 2005.4.28, 2003다58850). ∴ 법원성 인정

(4) 판 례

① **헌법재판소 판례** : 헌법 제107조 제1항을 "법률이 헌법에 위반되는 여부가 재판의 전제가 된 경우에는 법원은 헌법재판소에 제청하여 그 심판에 의하여 재판한다."고 규정하고 있고, 헌법재판소법 제47조는 "법률의 위헌결정은 법원 기타 국가기관, 지방자치단체를 구속하며, 그 법률 또는 법률의 조항은 그 결정이 있는 날로부터 효력을 상실한다."고 규정하고 있다. 따라서 헌법재판소의 판례도 형사소송법의 중요한 법원이 된다고 볼 수 있다.

관련판례

헌법재판소에서 이미 위헌결정이 난 법률조항을 근거로 대법원이 헌법재판소의 결정에 반하는 재판을 하였다면 이러한 재판은 취소되어야 한다(헌재결 1997.12.24, 96헌마172).

② **대법원 판례** : 상급법원의 판단은 당해사건에 관하여 하급심을 기속하고(법원조직법 제8조), 당해사건 이외의 사건에 대해서는 일반적인 구속력을 가지지 않는다. 따라서 법원성을 인정하기는 곤란하다.

(5) 관습법

성문화된 법이 아니므로 형사소송법의 법원이 될 수 없다.

예 어느 동네에서 불효막심한 사람을 창고에 가두고 조사

(6) 국제조약

형사소송과 관련한 국제조약도 형사소송법의 법원이 된다. 예 한미행정협정

2 형사소송법의 적용범위

(1) 장소적 적용범위

형사소송법은 대한민국영역 내에서 발생한 모든 사건에 적용된다(국적 불문).

대한민국의 영역은 영토·영해·영공뿐만 아니라 북한도 포함하며, 대한민국 영역 외에 있는 대한민국의 선박 또는 항공기 내도 포함된다.

- 북한 ⇨ 우리 영토의 일부(대판 1997.11.20, 97도2021 전원합의체)
- 외국에 소재한 대한민국영사관 내부 ⇨ 소재지 국가의 영토(대한민국의 영토 ×)(대판 2006.9.22, 2006도5010)
- 외국에 소재한 북한이익대표부 ⇨ 소재지 국가의 영토(대한민국이나 북한 영토 ×)(대판 2008.4.17, 2004도4899 전원합의체)

관련판례

1. 중국 북경시에 소재한 대한민국 영사관 내부는 여전히 중국의 영토에 속하므로 그곳에서 외국인이 타인명의의 여권발급신청서를 위조하는 행위(사문서위조)는 외국인의 국외범죄에 해당하나, 형법 제6조(외국인의 국외범처벌규정)의 적용대상은 아니므로 대한민국은 피고인에 대한 재판권이 없다(대판 2006.9.22, 2006도5010). 17. 7급 국가직

중국 북경시에 소재한 대한민국 영사관 내부는 중국의 영토에 속하므로 대한민국 영토로서 그 영역에 해당한다고 할 수 없다. (○) 15. 경찰간부

2. 캐나다 시민권자인 피고인이 캐나다에서 위조사문서를 행사한 경우, 이는 외국인의 국외범죄에 해당하나 외국인의 국외범 처벌조항인 형법 제5조 및 제6조의 적용대상은 아니므로 우리나라에 재판권이 없다(대판 2011.8.25, 2011도6507). 12. 9급 법원직, 13. 순경 2차, 16. 순경 1차, 17. 경찰승진, 14 · 16 · 18. 경찰간부
3. 대한민국 내에 있는 미국문화원이 비록 치외법권지역이기는 하나, 그 곳에서 죄를 범한 대한민국 국민에 대하여 속인주의에 입각해서 우리나라의 재판권도 당연히 미친다(대판 1986.6.24, 86도403). 08. 순경, 12 · 13 · 17. 경찰승진, 16 · 18. 경찰간부
4. 내국 법인의 대표자인 외국인이 내국 법인이 외국에 설립한 특수목적법인에 위탁해 둔 자금을 정해진 목적과 용도 외에 임의로 사용한 데 따른 횡령죄의 피해자는 당해 금전을 위탁한 내국 법인이다. 따라서 그 행위가 외국에서 이루어진 경우에도 행위지의 법률에 의하여 범죄를 구성하지 아니하거나 소추 또는 형의 집행을 면제할 경우가 아니라면 그 외국인에 대해서도 우리 형법이 적용되어(형법 제6조), 우리 법원에 재판권이 있다(대판 2017.3.22, 2016도17465). 17. 7급 국가직
5. 조선족 중국인인 피고인들은 참치잡이 원양어선 페스카마(PESCA MAR) 15호에 승선하여 남태평양 해상에서 근무하던 중 한국인 선원 7명을 살해하고, 인도네시아인, 조선족 중국인 등도 살해한 경우 한국인 선원을 살해하였으므로 형법 제6조의 보호주의 원칙에 의거 형법이 적용되므로 대한민국에 재판권이 있다(대판 1997.7.25, 97도1142).

(2) 인적 적용범위

형사소송법은 원칙적으로 대한민국 영역 내에 있는 모든 사람에게 적용된다. 14. 경찰간부 다만, 다음과 같은 예외가 있다.

국내법상 예외	① 대통령 : 대통령은 내란 또는 외환죄를 제외하고는 재직 중 형사상의 소추를 받지 아니한다(헌법 제84조). ▶ 수사 가능 여부에 대하여는 논의가 있음. 24. 경찰승진 ② 국회의원 : 국회의원은 국회에서 직무상 행한 발언과 표결에 관하여 국회 외에서 책임을 지지 아니하며(헌법 제45조), 현행범인을 제외하고는 회기 중 국회의 동의 없이 체포 또는 구금되지 아니한다(헌법 제44조 제1항). 13. 순경, 15. 경찰간부, 13 · 17. 경찰승진 국회의원이 회기 전에 체포 또는 구금된 때에는 현행범인이 아닌 한 국회의 요구가 있으면 회기 중 석방된다(헌법 제44조 제2항). 국회의원은 현행범인인 경우에도 회기 중 국회의 동의 없이 체포 또는 구금되지 아니한다. (×) 국회의원이 회기 전에 체포 또는 구금된 때는 현행범인일지라도 국회의 요구가 있으면 회기 중 석방한다. (×)
국제법상 예외	① 외국의 원수, 그 가족 및 대한민국 국민이 아닌 수행자 대한민국 국민인 수행자에게도 형사소송법이 적용되지 아니한다. (×) ② 신임받은 외국의 사절과 그 직원 · 가족 ▶ 대사는 자국을 대표하는 외교사절로서 광범위한 면책특권을 누리지만, 영사는 외교사절은 아니며 자국의 무역통상 이익을 도모하고 주재국에 있는 자국민 보호를 주요임무로 하기 때문에 정치성이 없는 것이 원칙이다. 따라서 영사는 특별한 협약에 의하지 않는 한 면책특권을 누리지 못한다.

☎ 밀수범인 주한 A국 대사에 대하여 우리 법원에 공소제기된 경우 판례에 의하면 공소기각판결을 한다. (○)

③ 승인받고 대한민국 영역 내에 주둔하는 외국의 군인에 대하여도 형사소송법이 적용되지 않는다.

▶ 주한미군의 경우는 SOFA협정에 따라 공무수행 중 범죄에 대해서는 미국의 형사소송법이 적용되고, 일반 형사범죄는 우리나라 형사소송법이 적용된다.

☎ 주한미군이 살인죄나 절도죄 등으로 한국 법원에 공소제기된 경우 그 형사절차에 관해서는 미국의 형사소송법이 적용된다. (×)

관련판례

1. 국회의원의 면책특권에 해당하는 사항에 공소제기되었을 때 이는 제327조 제2호의 공소제기절차가 법률의 규정에 위반하여 무효인 때에 해당하므로 공소기각판결을 내려야 한다(대판 1992.9.22, 91도3317). 12. 9급 법원직, 13. 순경 1차·9급 검찰·마약·교정·보호·철도경찰, 14. 경찰간부, 13·17. 경찰승진, 17. 7급 국가직, 20. 순경 2차
2. 국회의원의 면책특권의 대상이 되는 행위는 직무상의 발언과 표결이라는 의사표현행위 자체에 국한되지 아니하고 이에 통상적으로 부수하여 행하여지는 행위까지 포함하고, 그와 같은 부수행위인지 여부는 결국 구체적인 행위의 목적, 장소, 태양 등을 종합하여 개별적으로 판단하여야 한다(대판 1992.9.22, 91도3317). 13. 순경 2차, 16. 순경 1차, 16·18. 경찰간부
3. 국회의원이 대기업 고위관계자와 중앙일간지 사주 간의 사적 대화를 불법 녹음한 자료를 입수한 후 그 대화 내용과, 전직 검찰간부인 피해자가 대기업으로부터 떡값 명목의 금품을 수수하였다는 내용이 게재된 보도자료를 작성하여 국회 법제사법위원회 개의 당일 국회 의원회관에서 기자들에게 배포한 행위는 직무부수행위로서 국회의원 면책특권의 대상이 된다(대판 2011.5.13, 2009도14442). 12. 9급 법원직, 13. 경찰승진

   ▶ **비교판례** : 위의 내용을 자신의 인터넷 홈페이지에 게재한 부분 ⇨ 정당행위 ×(대판 2011.5.13, 2009도14442)
4. 발언 내용이 허위라는 점을 인식하지 못하였다면 발언 내용에 다소 근거가 부족하거나 진위 여부를 확인하기 위한 조사를 제대로 하지 않았다고 하더라도 그것이 직무 수행의 일환으로 이루어진 이상 면책특권의 대상이 된다(대판 2007.1.12, 2005다57752).
5. 미합중국 국적을 가진 미합중국 군대의 군속인 피고인이 범행 당시 10년 넘게 대한민국에 머물면서 한국인 아내와 결혼하여 가정을 마련하고 직장생활을 하는 등 생활의 근거지를 대한민국에 두고 있었던 경우, 대한민국과 아메리카합중국 간의 상호 방위조약에서 군속의 개념에서 배제되는 자인 '통상적으로 대한민국에 거주하는 자'에 해당하므로 위 협정에서 정한 미합중국 군대의 군속에 관한 형사재판권 관련조항이 적용될 수 없다. 따라서 대한민국이 형사재판권을 행사할 수 있다(대판 2006.5.11, 2005도798). 13. 순경 2차, 15. 경찰간부, 16. 순경 1차
6. 한반도의 평시상태에서 미합중국 군 당국은 미합중국 군대의 군속에 대하여 형사재판권을 가지지 않으므로, 대한민국은 미합중국 군대의 군속이 대한민국 영역 안에서 저지른 범죄로서 대한민국 법령에 의하여 처벌할 수 있는 범죄에 대한 형사재판권을 바로 행사할 수 있다(대판 2006.5.11, 2005도798). 16. 경찰간부

7. 미군범죄에 관하여 원칙적으로 합중국의 재산이나 안전에 대한 범죄, 또는 합중국 군대의 타구성원이나 군속 또는 그들의 가족의 신체나 재산에 대한 범죄, 공무집행 중의 작위 또는 부작위에 의한 범죄인 경우에는 합중국 군당국이 재판권을 행사할 1차적 권리를 가지며, 기타의 범죄의 경우에는 대한민국이 재판권을 행사할 1차적 권리를 가진다(대판 1980.9.9, 79도2062). 12. 9급 법원직

▶ **비교판례** : 계엄령이 선포된 지역에서는 대한민국 법원은 계엄령이 해제될 때까지는 미합중국 군대의 구성원을 재판할 권한이 없게 되는 것이므로 계엄령 선포 전에 기소되어 대한민국 법원에 계속된 미합중국 군대의 구성원에 대한 대한민국 법원의 재판권도 계엄령 선포와 동시에 없어지게 됨(대판 1980.9.9, 79도2062).

8. 필리핀국에서 카지노의 외국인 출입이 허용되어 있다 하여도, 한국인인 피고인에게 우리나라 형법이 적용된다(대판 2001.9.25, 99도3337).

(3) 시간적 적용범위

형사소송법이 개정된 후에 소송절차가 개시된 사건이라면 개정 신법을 적용함은 당연하다. 그러나 소송절차 개시 후, 종결 전에 법의 개정이 있는 경우에는 신·구법 중 어느 법을 적용할 것인가가 문제된다.

① 형사소송법은 형법과는 달리 소급효금지원칙은 적용되지 않으며, 신법을 적용할 것인가 구법을 적용할 것인가는 결국 입법정책의 문제이다. 03. 순경, 14. 순경 1차

② 현행 형사소송법은 이러한 문제를 해결하기 위하여 부칙에 규정을 두고 있다.

㉠ 제정 당시 부칙에 의하면, 공소제기시를 기준으로 시행 전에 공소제기사건은 구법을 적용하고(부칙 제1조), 시행 후에 공소가 제기된 사건은 신법을 적용한다(부칙 제2조).

㉡ 2007년 개정 형사소송법 부칙에 의하면, 법 시행 당시 수사 중이거나 법원에 계속 중인 사건에도 개정 신법이 적용되며, 13. 9급 검찰·마약·교정·보호·철도경찰 시행 전에 종전의 규정에 따라 행한 소송행위의 효력에는 영향을 미치지 아니한다(부칙 제2조)라고 규정함으로써 혼합주의를 취하고 있다. 13. 9급 검찰·마약·교정·보호·철도경찰, 20. 순경 2차, 24. 경찰승진

관련판례

1. **형사절차 개시 중에 형사소송법이 개정된 경우** 구법이 정하는 바에 따라 적법하게 진행된 제1심의 증거조사절차 등의 효력을 부정하고 항소심이 다시 절차를 진행하는 것은 허용하지 아니한다. 다만, 이미 적법하게 이루어진 소송행위의 효력을 부정하지 않는 범위 내에서 신법의 절차를 진행하는 것은 허용된다(대판 2008.10.23, 2008도2826). 12. 9급 법원직, 13. 경찰승진, 16. 순경 1차, 15·18. 경찰간부

2. **일반범죄가 반의사불벌죄로 개정된 경우**, 신법이 피고인에게 더 유리할 것이므로 **피고인에 대하여는** 개정법률이 적용되어야 할 것인바, **공소제기 전에 피고인에 대한 처벌을 원하지 아니한다는 진술이 있었는데도 공소제기 된 경우라면 반의사불벌죄에 있어서 공소제기의 절차가 법률의 규정에 위반된 것이므로** 제327조 제2호에 의거 공소기각의 판결을 **선고하여야 한다**(대판 2005.10.28, 2005도4462). 11. 7급 국가직, 20. 순경 2차

제327조 제6호 적용이 아니라 제327조 제2호 적용임에 주의

KEY point

- 헌법에 규정이 있는 형사절차와 규정이 없는 형사절차 필히 암기
- 형사소송법의 적용범위와 관련한 판례정리

용어 해설 **공소기각판결과 공소기각결정**

공소기각재판에는 공소기각판결과 공소기각결정이 있는데, 절차상의 흠결을 이유로 사건의 실체에 대한 심리를 하지 않고 소송을 종결시키는 형식재판 중의 하나이다. 공소기각판결은 제327조에 열거되어 있는 사유에 해당되어야 하며, 흠결의 발견이 쉽지 않아 변론을 열 필요가 있는 경우이고, 공소기각결정은 제328조에 열거되어 있는 사유에 해당되어야 하며, 흠결이 중대하고 명백하여 그 존부 판단에 변론을 열 필요가 없는 경우이다(상세한 내용은 제4편 제3장 참조).

CHAPTER 01

기출문제

01 다음 〈보기〉 중 형사절차와 관련하여 헌법상 명시적으로 규정하지 않은 것은 모두 몇 개인가?

24. 해경간부

㉠ 위법수집증거배제법칙 ㉡ 체포・구속적부심사청구권 ㉢ 고문금지와 불이익진술거부권 ㉣ 자백배제법칙과 자백보강법칙 ㉤ 일사부재리의 원칙 ㉥ 범죄피해자 구조청구권 ㉦ 증거재판주의 ㉧ 전문법칙 ㉨ 강제수사법정주의 ㉩ 피의자 가족 등이 구속사유를 통지받을 권리 ㉪ 신속한 재판을 받을 권리

① 1개 ② 2개 ③ 3개 ④ 4개

해설 ㉠㉦㉧은 헌법에 명시적으로 규정되어 있지 않으며, 나머지(㉡㉢㉣㉤㉥㉨㉩㉪)는 헌법에 명시적인 규정이 있다.

02 형사소송법의 법원(法源)에 대한 설명으로 가장 적절하지 않은 것은?(다툼이 있는 경우 판례에 의함)

23. 경찰승진

① 헌법은 피고인과 피의자의 기본적 인권의 보장을 위하여 형사절차에 관한 규정을 두고 있으며, 이러한 헌법의 규정은 형사소송법의 법원이 된다.
② 실질적 의미의 형사소송법이란 그 실질적 내용이 형사절차를 규정한 법률을 말하며, 법원조직법, 소년법, 소송촉진 등에 관한 특례법을 예로 들 수 있다.
③ 헌법 제108조에 의하여 대법원은 소송에 관한 절차, 법원의 내부규율과 사무처리에 관한 규칙을 제정할 수 있으며, 형사절차의 기본적 구조나 피고인을 비롯한 소송관계자의 이해에 관한 사항을 제한없이 규칙으로 제정할 수 있다.
④ 검찰사건사무규칙 제149조의 재기수사의 명령 관련 규정은 검찰청 내부의 사무처리지침에 불과한 것일 뿐 법규적 효력을 가진 것은 아니다.

Answer 01. ③ 02. ③

해설 ①② 타당한 내용이다.
③ 대법원은 소송에 관한 절차, 법원의 내부규율과 사무처리에 관한 규칙을 법률에 저촉되지 아니하는 범위 내에서 제정할 수 있다(헌법 제108조). 형사절차는 법률에 의하여 규정될 것을 요하므로 형사절차의 기본적 구조나 피고인을 비롯한 소송관계자의 이해에 관한 사항은 법률에 의하여 규정될 것을 요하며, 소송절차에 관한 순수한 기술적 사항에 관해서만 법률에 저촉되지 아니한 범위 내에서만 규칙에서 규정할 수 있다(다수 견해).
④ 헌재결 1991.7.8, 91헌마42

03 형사소송법의 적용범위에 대한 설명으로 가장 적절하지 않은 것은?(다툼이 있는 경우 판례에 의함)

20. 순경 2차

① 국회의원의 면책특권에 속하는 행위에 대하여 공소를 제기한 경우, 법원은 공소기각판결을 선고하여야 한다.
② 형사소송법 부칙(법률 제8496호, 2007. 6. 1) 제2조는 형사절차가 개시된 후 종결되기 전에 형사소송법이 개정된 경우 신법과 구법 중 어느 법을 적용할 것인지에 관한 입법례 중 이른바 혼합주의를 채택하여 구법 당시 진행된 소송행위의 효력은 그대로 인정하되 신법 시행 후의 소송절차에 대하여는 신법을 적용한다는 취지에서 규정된 것이다.
③ 일반 국민이 범한 특정 군사범죄와 그 밖의 일반 범죄가 형법 제37조 전단의 경합범 관계에 있다고 보아 하나의 사건으로 기소된 경우, 특정 군사범죄에 대하여 전속적인 재판권을 가지는 군사법원은 그 밖의 일반 범죄에 대하여도 재판권을 행사할 수 있다.
④ 근로기준법 개정(법률 제7465호, 2005. 3. 31)으로 종전에는 피해자의 의사에 상관없이 처벌할 수 있었던 동법 제112조 위반죄가 반의사불벌죄로 개정된 경우에 비록 부칙에 이에 대한 경과규정이 없을지라도 개정법률이 피고인에게 더 유리할 수 있기에 형법 제1조 제2항에 의하여 개정법률이 적용되어야 한다.

해설 ① 대판 1992.9.22, 91도3317
② 대판 2008.10.23, 2008도2826
③ 군사법원이 특정 군사범죄를 범한 일반 국민에 대하여 재판권을 가진다 하더라도 이는 어디까지나 해당 특정 군사범죄에 한하는 것이지 그 이전 또는 그 이후에 범한 다른 일반 범죄에 대해서까지 재판권을 가지는 것은 아니다(대결 2016.6.16, 2016초기318 전원합의체).
▶ 군사법원에 재판권이 있는 범죄에 대하여 군사법원에서 재판권을 가진다는 이유로 그 범죄와 경합범으로 기소된 다른 범죄에 대하여도 군사법원에 재판권이 있다고 본 종전 대법원의 견해(대판 2004.3.25, 2003도8253)는 변경되었다.
④ 대판 2005.10.28, 2005도4462

Answer 03. ③

04 **형사소송법의 적용범위에 관한 설명으로 가장 적절한 것은?**(다툼이 있는 경우 판례에 의함)

24. 경찰승진

① 대통령은 내란 또는 외환의 죄를 범한 경우를 제외하고는 재직 중에 수사를 받지 아니한다.

② 10년 넘게 대한민국에 머물면서 한국인 아내와 결혼하여 가정을 마련하고 직장생활을 하는 등 생활근거지를 대한민국에 두고 있는 미합중국 국적을 가진 미합중국 군대의 군속이 평시 상태의 대한민국 내에서 공무집행 중 저지른 교통사고처리 특례법 위반 범행에 대하여 대한민국의 형사재판권을 바로 행사할 수 있다.

③ 소급효금지의 원칙은 형사법의 대원칙으로서, 형사소송법의 개정이 이루어지는 경우 개정법 시행 당시 수사 중이거나 법원에 계속 중인 사건에 대해서는 신법을 적용하고 구법에 따라 이미 행한 소송행위의 효력은 인정되지 아니한다.

④ 국회의원 면책특권의 대상이 되는 행위는 국회의 직무수행에 필수적인 국회의원의 국회 내에서의 직무상 발언과 표결이라는 의사표현행위 자체에만 국한되며, 이에 통상적으로 행해지는 직무부수행위까지는 포함되지 않는다.

해설 ① 대통령은 내란 또는 외환의 죄를 범한 경우를 제외하고는 재직 중에 형사소추를 받지 아니한다(헌법 제84조). 수사의 가능 여부에 대해서는 논의가 있다.

② 미합중국 국적을 가진 미합중국 군대의 군속인 피고인이 범행 당시 10년 넘게 대한민국에 머물면서 한국인 아내와 결혼하여 가정을 마련하고 직장생활을 하는 등 생활의 근거지를 대한민국에 두고 있었던 경우, 대한민국과 아메리카합중국 간의 상호 방위조약에서 군속의 개념에서 배제되는 자인 '통상적으로 대한민국에 거주하는 자'에 해당하므로 위 협정에서 정한 미합중국 군대의 군속에 관한 형사재판권 관련조항이 적용될 수 없다. 따라서 대한민국이 형사재판권을 행사할 수 있다(대판 2006.5.11, 2005도798).

③ 형사소송법은 형법과는 달리 소급효금지원칙은 적용되지 않으며, 신법을 적용할 것인가 구법을 적용할 것인가는 결국 입법정책의 문제이다. 형사소송법 2007년 개정부칙에 의하면, 개정에 있어서는 일반적으로 법 시행 당시 수사 중이거나 법원에 계속 중인 사건에도 개정 신법이 적용되나, 시행 전에 종전의 규정에 따라 행한 소송행위의 효력에는 영향을 미치지 아니한다(부칙 제2조)라고 규정함으로써 혼합주의를 취하고 있다.

④ 국회의원의 면책특권의 대상이 되는 행위는 직무상의 발언과 표결이라는 의사표현행위 자체에 국한되지 아니하고 이에 통상적으로 부수하여 행하여지는 행위까지 포함하고, 그와 같은 부수행위인지 여부는 결국 구체적인 행위의 목적, 장소, 태양 등을 종합하여 개별적으로 판단할 수밖에 없다(대판 1992.9.22, 91도3317).

Answer 04. ②

CHAPTER

02 형사소송법의 이념과 구조

www.pmg.co.kr

단원 advice 본 장의 학습포인트는 우리 형사소송법의 이념은 무엇이며, 이를 구현하기 위한 제도는 어떤 것들이 있는가, 그리고 이러한 이념을 달성하기 위한 방법론으로서 타당한 소송구조는 무엇이고, 현행법상 어떤 제도가 직권주의적 요소・당사자주의적 요소인가 등이 될 것이다.

제1절 형사소송법의 기본이념

형사소송법은 절차의 적정(적정절차의 원칙)과 신속(신속재판의 원칙)을 유지하면서 사안의 진상을 밝히는 것(실체적 진실주의)을 이념 내지 목적원리로 하고 있다.

- 우리 형사소송법에 목적규정을 두고 있다. (×)
- 형사소송법의 목적 ⇨ 피의자・피고인・피해자의 인권보장(○), 양형의 공평(○)
  국가의 권위 확보(×), 사권의 보호 및 실현(×), 수형자의 인권보장(×)

이념간의 관계

실체적 진실발견, 적정절차의 원칙, 신속재판의 원칙 모두 형사소송법의 중요한 목적원리이며, 어느 하나가 최고의 목적은 아니다. 적정절차와 신속재판의 원칙은 실체적 진실주의를 제한하는 원리가 되지만, 실체적 진실주의를 희생해서라도 관철해야 하는 것은 아니다. 물론 적정절차의 원칙도 실체적 진실을 발견하기 위한 절차상의 보장이며, 신속한 재판 또한 실체적 진실을 발견하기 위하여 요청된다는 의미에서는 적정절차와 신속재판의 이념은 실체적 진실주의와 일정부분 일치한다고 할 수는 있다.

1 실체적 진실주의

(1) 의 의

소송의 대상인 사건에 대하여 객관적 진실을 발견하여 사안의 진상을 명백히 하자는 주의를 실체적 진실주의라 한다(사안의 진상을 규명하여 객관적 진실을 발견하려는 원리이지 개인의 인권보장을 목적으로 하는 것은 아니다). 형사절차가 지향하는 실체적 진실의 발견은 직권주의뿐만 아니라 당사자주의에서도 부인되지 않고 있다. 10. 경찰승진

형식적 진실주의와의 구별

형식적 진실주의란 법원이 당사자의 소송활동에 의존하여 진실을 발견하는 것을 말한다. 따라서 당사자가 자백한 사실에 대해서는 증명을 요하지 않고 판단을 내리며, 당사자처분권주의가 인정되는 민사소송에서는 형식적 진실주의를 채택하고 있다. 24. 경찰승진 국가형벌권을 실현하는 절차인 형사소송에 있어서는 형식적 진실로서는 만족할 수 없고 법원은 당사자의 주장이나 입증에 구속됨이 없이 실체적 진실을 규명할 것이 요구된다.

실체적 진실주의	형식적 진실주의
당사자의 주장・입증에 구속(×) 09. 9급 검찰	당사자의 주장・입증에 구속(○)
당사자처분권주의(×) 02・03. 순경	당사자처분권주의(○)

(2) 구체적 내용

① **적극적 실체적 진실주의** : 범죄사실을 밝혀 죄 있는 자를 빠짐없이 벌해야 한다는 주의로서 대륙법계의 직권주의 소송구조에서 강조되었다(유죄자 필벌).

- 사회공공의 안녕과 질서유지를 목적으로 하는 것은 적극적 실체적 진실주의와 관련이 있다. (○) 02. 순경
- 수사기관의 압수·수색, 검사의 증거보전 청구, 자유심증주의 등은 적극적 실체적 진실주의와 배치되지 않는다. (○)
- 위법수집증거배제법칙, 자백배제법칙, 전문법칙은 적극적 실체적 진실주의와 배치되며, 소극적 실체적 진실주의와 관련이 있다. (○)
- 법원의 피고인·증인신문제도는 적극적 실체적 진실주의와 관련이 있다. (○) 00. 9급 검찰

② **소극적 실체적 진실주의** : 죄 없는 자를 유죄로 하여서는 안 된다는 주의로서 영미법계의 당사자주의적 소송구조에서 강조되었다(무죄자 불벌). 열 사람의 범인을 놓치는 한이 있더라도 한 사람의 죄 없는 자를 벌해서는 안 된다는 격언이나, 의심스러울 때에는 피고인의 이익으로(in dubio pro reo)라는 격언 등은 이를 반영한 것이다. 02. 순경, 21. 경찰승진 현대 자유민주주의 국가에서는 소극적 실체적 진실주의가 강조된다.

- 현행 형사소송법의 태도 ⇨ 소극적 실체적 진실주의에 중점을 두고 있다. (○) 24. 7급 국가직
- 궐석재판제도는 소극적 실체적 진실주의와 관련이 있다. (×) 00. 9급 검찰

(3) 제도적 구현

현행법상 실체적 진실주의를 구현하기 위한 제도로는 다음과 같은 것을 들 수 있다.

구분	내용
직권에 의한 증거조사	형사소송의 스포츠화를 방지하고 실체적 진실발견이념을 구현하기 위하여 인정 • 법원의 증인과 피고인 신문권(제161조의 2, 제296조의 2) • 직권에 의한 증거조사권(제295조) 06. 9급 검찰·마약수사
증거법칙	합리적인 사실인정을 위해 인정 • 증거재판주의(제307조) 06. 9급 검찰·마약수사 • 자유심증주의(제308조) 09. 경찰승진 • 자백배제법칙(제309조) 09. 경찰승진 • 자백보강법칙(제310조) 09·12. 경찰승진 • 전문법칙(제310조의 2)
상소와 재심	오판방지 내지 오판시정을 위해 인정 • 상소제도(제361조의 5, 제383조) 06. 9급 검찰·마약수사 • 재심제도(제420조) 06. 9급 검찰·마약수사

(4) 한 계

사실상 한계(인간능력의 한계), 이념상 한계(적정절차와 신속재판의 원칙에 의한 제약), 초소송법적 한계(국가·사회·개인적 이익이 더 클 경우)

2 적정절차의 원칙

(1) 의 의

적정절차의 원칙이란 헌법정신을 구현한 공정한 법적 절차에 의하여 형벌권이 실현되어야 한다는 원칙을 말한다.

관련판례

1. 헌법 제12조 제1항 후문이 규정하고 있는 적법절차란 법률이 정한 절차 및 그 실체적 내용이 모두 적정하여야 함을 말하는 것으로서 적정하다고 함은 공정하고 합리적이며 상당성이 있어 정의관념에 합치되는 것을 뜻함(대결 1988.11.16, 88초60). 19·20. 순경 1차, 20. 경찰간부, 16·19·22·24. 경찰승진
2. 헌법 제12조 제1항 후단의 이른바 "적법절차주의"는 절차의 적법성뿐만 아니라 절차의 적정성까지 보장되어야 한다는 뜻으로 이해되어야 한다(헌재결 1993.7.29, 90헌바35). 14. 7급 국가직, 20. 경찰승진, 21. 해경
3. 헌법 제12조 제3항 본문(체포·구속·압수·수색을 할 때에 검사의 신청에 의하여 법관이 발부한 영장 제시)은 동조 제1항과 함께 적법절차원리의 일반조항에 해당하는 것으로서, 형사절차상의 영역에 한정되지 않고 입법, 행정 등 국가의 모든 공권력의 작용에 적용된다(헌재결 1992.12.24, 92헌가8). 04. 순경, 22. 경찰간부, 24. 해경승진·소방간부
   형사절차에 한정(×)

(2) 내 용

현행법상 적정절차를 실현하는 하부원칙으로 흔히 공정한 재판의 원칙, 비례성원칙, 피고인 보호의 원칙을 든다.

<table>
<tr><td rowspan="4">공정한 재판의 원칙</td><td colspan="2">공정한 재판의 원칙이란 독립된 법관에 의하여 재판이 공정하게 진행되어야 한다는 것을 말한다. 공정한 재판에 의한 적정절차의 원리를 구현하기 위하여 현행법은 다음과 같은 제도를 인정하고 있다.</td></tr>
<tr><td>공평한 법원의 구성</td><td>공정한 재판은 공평한 법원의 구성을 전제로 한다. 이를 위하여 현행법은 사법권의 독립 93. 경찰승진 과 법관의 신분보장 93. 경찰승진 은 물론 법관과 법원 직원의 제척·기피·회피제도 93. 경찰승진, 12. 9급 교정·보호·철도경찰 를 인정하고 있다.</td></tr>
<tr><td>피고인의 방어권 보장</td><td>피고인에게 충분한 방어권을 보장해 주지 않을 때에는 공정한 재판이라 볼 수 없는바, 현행법은 피고인의 방어권보장을 위해 다음과 같은 규정을 두고 있다.
① 제1회 공판기일 유예기간(제269조)
② 피고인의 공판정출석권(제276조) 12. 9급 교정·보호·철도경찰
③ 피고인진술거부권(제283조의 2)
④ 증거신청권(제294조) ⑤ 증거보전청구권(제184조)</td></tr>
<tr><td>무기평등의 원칙</td><td>검사와 피고인 사이에 무기가 평등하지 않으면 공정한 재판을 달성할 수 없다. 따라서 형사소송법은 피고인에게 변호인의 조력을 받을 권리를 인정하고 스스로 변호인을 선임할 수 없을 때에는 국선변호인을 선임하여 주는 등 무기평등의 원칙을 실현하려 하고 있다.</td></tr>
</table>

비례성의 원칙	비례성의 원칙이란 국가형벌권 실현을 위한 수단으로서의 강제처분은 구체적 사건의 개별적·사실적 상황을 고려하여 소송의 목적을 달성하는 데 적합하고 다른 수단에 의하여는 그 목적을 달성할 수 없을 뿐만 아니라 그 행사로 인한 침해가 사건의 의미와 범죄혐의의 정도에 비추어 상당해야 한다는 원칙을 말한다.
피고인 보호의 원칙	형사사법기관은 개별절차에서 피의자나 피고인에게 정당한 방어수단을 고지하고 일정한 소송행위에 따른 법적 효과를 설명해 주어야 하며, 권리행사방법도 알려 주어야 한다. **제도적 구현** : 진술거부권 고지 12. 9급 교정·보호·철도경찰 와 같은 각종 고지제도가 이에 해당

관련판례

- **적정절차 위배 ×**

1. 경찰공무원이나 검사의 신문을 받으면서 자신의 신원을 밝히지 않고 지문채취에 불응하는 경우 벌금, 과료, 구류의 형사처벌을 받도록 하고 있는 경범죄처벌법 제1조 제42호는 **형벌에 의한 불이익을 부과함으로써 심리적·간접적으로 지문채취를 강제하고 그것도 보충적으로만 적용하도록 하고 있어 적법절차의 원칙에 위반되지 아니한다**(헌재결 2004.9.23, 2002헌가17). 17. 순경 2차, 15·16·18. 경찰간부, 10·11·14·15·16·19. 경찰승진
2. 17세 이상 모든 국민의 열 손가락 지문정보를 수집하여 경찰청장이 보관하고 있는 지문정보를 범죄수사목적에 이용하는 행위는 **신체의 안정성을 저해한다거나 신체활동의 자유를 제약하는 것으로 볼 수 없으므로** 신체의 자유를 침해하거나 무죄추정원칙과 영장주의 내지 강제수사법정주의에 위배되지 않는다(헌재결 2005.5.26, 99헌마513). 11·14·15. 경찰승진, 12. 순경 3차, 13·18. 경찰간부
3. **법관이 아닌** 사회보호위원회가 치료감호의 종료 여부를 결정하도록 한 구 사회보호법규정은 **행정소송을 제기하여 법관에 의한 재판이 가능하다는 점 등을 고려할 때** 재판청구권을 침해하거나 적법절차에 위배되지 않는다(헌재결 2005.2.3, 2003헌바1). 12. 순경 3차, 13·18. 경찰간부, 11·12·14·21. 경찰승진
4. **구속기간은** 법원이 피고인을 구속한 상태에서 재판할 수 있는 기간을 의미하는 것이지, **법원의 재판기간 내지 심리기간 자체를 제한하려는 규정이라 할 수는 없으며, 구속기간을 엄격히 제한하고 있다 하더라도 공정한 재판을 받을 권리가 침해된다고 볼 수는 없다**(헌재결 2001.6.28, 99헌가14). 10·11·14. 경찰승진, 16. 경찰간부
5. **형사소송법 제219조가 준용하는 제118조는 "압수·수색영장은 처분을 받는 자에게 반드시 제시하여야 한다."고 규정하고 있으나, 이는 영장제시가 현실적으로 가능한 상황을 전제로 한 규정으로 보아야 하고,** 피처분자가 현장에 없거나 현장에서 그를 발견할 수 없는 경우 등 영장제시가 현실적으로 불가능한 경우에는 **영장을 제시하지 아니한 채 압수·수색을 하더라도 위법하다고 볼 수 없다**(대판 2015.1.22, 2014도10978 **전원합의체**). 15. 순경 2차, 16. 경찰간부
6. **경찰관이** 간호사로부터 진료 목적으로 이미 채혈되어 있던 피고인의 혈액 중 일부를 주취운전 여부에 대한 감정을 목적으로 임의로 제출 받아 이를 압수한 경우, **당시 간호사가 위 혈액의 소지자 겸 보관자인 병원 또는 담당의사를 대리하여 혈액을 경찰관에게 임의로 제출할 수 있는 권한이 없었다고 볼 특별한 사정이 없는 이상, 그 압수절차가 피고인 또는 피고인의 가족의 동의 및 영장 없이 행하여졌다고 하더라도** 적법절차를 위반한 위법이 있다고 할 수 없다(**대판** 1999.9.3, 98도968). 15. 경찰간부 11·19. 경찰승진
7. **소송의 지연을 목적으로 함이 명백한 경우에 기피신청을 받은 법원 또는 법관이 이를 기각할 수 있도록 규정한** 형사소송법 제20조 제1항이 **헌법상 보장되는** 공정한 재판을 받을 권리를 침해하였다고 할 수 없다(헌재결 2006.7.27, 2005헌바58). 11. 경찰승진, 15·16. 경찰간부

8. 구치소 및 교도소에 수용되는 과정에서 알몸 상태로 가운만 입고 전자영상장비에 의한 신체검사기에 올라가 다리를 벌리고 용변을 보는 자세로 쪼그려 앉아 항문 부위에 대한 검사는 흉기 기타 위험물이나 금지물품을 교정시설 내로 반입하는 것을 차단함으로써 수용자 및 교정시설 종사자들의 생명・신체의 안전과 교정시설 내의 질서를 유지한다는 공적인 이익이 훨씬 크다 할 것이므로, 과잉금지원칙에 위배되어 청구인의 인격권 내지 신체의 자유를 침해한다고 볼 수 없다(헌재결 2011.5.26, 2010헌마775). 12. 경찰승진, 13. 경찰간부
   ▶ **유사판례** : 교도관이 마약류사범에게 검사의 취지와 방법을 설명하고 반입금지품을 제출하도록 안내한 후 외부와 차단된 검사실에서 같은 성별의 교도관 앞에 돌아서서 하의속옷을 내린 채 상체를 숙이고 양손으로 둔부를 벌려 항문을 보이는 방법으로 실시한 정밀신체검사는 모욕감이나 수치심에 비하여 공익이 보다 크므로 과잉금지의 원칙에 위배되었다고 할 수 없다(헌재결 2006.6.29, 2004헌마826). 21. 해경
   ▶ **비교판례** : 경찰관에게 등을 보인 채 상의를 속옷과 함께 겨드랑이까지 올리고 하의를 속옷과 함께 무릎까지 내린 상태에서 3회에 걸쳐 앉았다 일어서게 하는 방법으로 실시한 정밀신체수색은 헌법 제10조의 인간의 존엄과 가치로부터 유래하는 인격권 및 제12조의 신체의 자유를 침해하는 정도에 이르렀다고 판단된다(헌재결 2002.7.18, 2000헌마327). 15・16. 경찰승진, 17. 순경 2차
9. 도로교통법 제148조의 2 제1항 제1호의 '도로교통법 제44조 제1항을 2회 이상 위반한' 것에 개정된 위 도로교통법이 시행된 2011. 12. 9. 이전에 구 도로교통법 제44조 제1항을 위반한 음주운전 전과까지 포함되는 것으로 해석하는 것이 형벌불소급의 원칙이나 일사부재리의 원칙 또는 비례의 원칙에 위배된다고 할 수 없다(대판 2012.11.29, 2012도10269). 16. 경찰간부
10. 진술을 요할 자가 외국거주로 인하여 진술할 수 없는 경우에 예외적으로 전문증거의 증거능력을 인정하는 형사소송법 제314조 중 외국거주에 관한 부분이 명확성 원칙이나 공정한 재판을 받을 권리를 침해하였다고 볼 수는 없다(헌재결 2005.12.22, 2004헌바45). 14. 7급 국가직
11. 적법절차에 위배되는 행위의 영향이 차단되거나 소멸되었다고 볼 수 있는 상태에서 수집한 증거는 그 증거능력을 인정하더라도 적법절차의 실질적 내용에 대한 침해가 일어나지는 않는다(대판 2013.3.14, 2010도2094). 13. 7급 국가직, 21. 경찰승진
12. 통고의 내용을 이행하지 않게 되면 고발되어 형사재판절차에서 통고처분의 위법・부당함을 얼마든지 다툴 수 있기 때문에 통고처분에 대하여 행정심판이나 행정소송으로 다툴 수 없다는 관세법 규정은 재판받을 권리를 침해한다든가 적법절차의 원칙에 저촉된다고 볼 수 없다(헌재결 1998.5.28, 96헌바4). 04. 순경
13. 항소심이 그 자신의 양형판단과 일치하지 아니한다고 하여 양형부당을 이유로 제1심판결을 파기하는 것이 바람직하지 아니한 점이 있다고 하더라도 양형심리 및 양형판단 방법이 위법하다고까지 할 수는 없다. 그리고 위와 같은 판단의 근거가 된 양형자료와 그에 관한 판단 내용이 모순 없이 설시되어 있는 경우에는 양형의 조건이 되는 사유에 관하여 일일이 명시하지 아니하여도 위법하다고 할 수 없다(대판 2015.7.23, 2015도3260).
14. 분리수용 및 처우제한에 대해 법원에 의한 개별적인 통제절차를 두고 있지 않다는 점만으로 적법절차 원칙에 위반된 것이라고 볼 수는 없다(헌재결 2014.9.25, 2012헌마523).
15. 금치기간 중 집필제한과 서신수수제한에 관한 형의 집행 및 수용자의 처우에 관한 법률의 규정은 표현의 자유와 통신의 자유를 침해하지 아니한다(헌재결 2014.8.28, 2012헌마623).

16. 경찰공무원의 증인적격을 인정한다 하더라도 적법절차의 원칙에 반한다고 볼 수 없다(헌재결 2001.11.29, 2001헌바41). 20. 7급 국가직, 21. 경찰승진
17. 증인신문사항의 서면제출을 명하고 이를 이행하지 않을 경우에 증거결정을 취소할 수 있는 권한의 근거가 되는 형사소송법 제279조(재판장의 소송지휘권) 및 제299조(불필요한 변론 등의 제한)가 헌법상 보장된 무죄추정의 원칙 내지 공정한 재판을 받을 권리를 침해하였다고는 볼 수 없다(헌재결 1998.12.24, 94헌바46).
18. '형의 집행 및 수용자의 처우에 관한 법률' 제112조 제3항 본문 중 제108조 제4호(금치처분을 받은 자에 대하여 30일 이내 공동행사 참가 정지)는 통신의 자유, 종교의 자유를 침해하지 아니하며, 제108조 제6호(금치처분을 받은 자에 대하여 30일 이내 텔레비전시청 제한)는 알 권리를 침해하지 아니한다. 제108조 제7호(금치처분을 받은 자에 대하여 30일 이내 자비구매품 사용제한)는 일반적 행동의 자유를 침해하지 아니한다(헌재결 2016.5.26, 2014헌마45).

• **적정절차 위배** ○

1. 검사가 법원의 증인으로 채택된 수감자를 그 증언에 이르기까지 거의 매일 검사실로 하루 종일 소환하여 피고인측 변호인이 접근하는 것을 차단하고, 검찰에서의 진술을 번복하는 증언을 하지 않도록 회유・압박하는 한편, 때로는 검사실에서 그에게 편의를 제공하기도 한 행위는 피고인의 공정한 재판을 받을 권리를 침해한 것이다(대판 2002.10.8, 2001도3931). 13・15・18. 경찰간부, 11・15・19. 경찰승진
2. 금치처분을 받은 사람에게 원칙적으로 실외운동을 금지하되, 예외적으로 실외운동을 허용할 수 있도록 하는 '형의 집행 및 수용자의 처우에 관한 법률' 제112조 제3항 본문 중 제108조 제13호에 관한 부분은 헌법에 위반된다(헌재결 2016.5.26, 2014헌마45).
   ▶ 금치처분을 받은 사람에 대한 전면적 운동금지 규정인 '형의 집행 및 수용자의 처우에 관한 법률' 제145조 제2항에 대한 헌법재판소의 위헌결정(헌재결 2004.12.16, 2002헌마478) 11. 경찰승진, 12. 순경 3차, 15. 경찰간부에 따라 원칙적으로 실외운동을 금지하되, 예외적으로 실외운동을 허용할 수 있도록 형집행법이 개정된바 있다(제112조 제3항). 그러나 헌법재판소는 다시 이 규정에 대하여 금치처분을 받은 사람에 대한 실외운동은 원칙적으로 허용되어야 하고 징벌대상자의 특성을 고려하여 예외적으로만 제한되어야 한다는 이유로 다시 위헌결정을 하였다(헌재결 2016.5.26, 2014헌마45). 따라서 이제는 금치처분을 받은 사람에 대한 실외운동은 원칙적으로 허용되게 되었고 예외적으로만 금지할 수 있을 뿐이다.
3. 교정시설의 1인당 수용면적이 수형자의 인간으로서의 기본 욕구에 따른 생활조차 어렵게 할 만큼 지나치게 협소하다면, 이는 그 자체로 국가형벌권 행사의 한계를 넘어 수형자의 인간의 존엄과 가치를 침해하는 것이다(헌재결 2016.12.29, 2013헌마142).
4. 경찰관에게 등을 보인 채 상의를 속옷과 함께 겨드랑이까지 올리고 하의를 속옷과 함께 무릎까지 내린 상태에서 3회에 걸쳐 앉았다 일어서게 하는 방법으로 실시한 정밀신체수색은 헌법 제10조의 인간의 존엄과 가치로부터 유래하는 인격권 및 제12조의 신체의 자유를 침해하는 정도에 이르렀다고 판단된다(헌재결 2002.7.18, 2000헌마327). 15・16. 경찰승진, 17. 순경 2차
5. 선거관리위원회 위원・직원이 관계인에게 진술이 녹음된다는 사실을 미리 알려 주지 아니한 채 진술을 녹음하였다면, 그와 같은 조사절차에 의하여 수집한 녹음파일 내지 그에 터 잡아 작성된 녹취록은 형사소송법 제308조의 2에서 정하는 '적법한 절차에 따르지 아니하고 수집한 증거'에 해당한다(대판 2014.10.15, 2011도3509). 16. 경찰간부, 17. 순경 2차

▶ **비교판례** : 개정된 공직선거법상 진술거부권을 고지하도록 하는 규정은 공포한 날부터 시행하므로 그 시행 전에 이루어진 조사절차에서 미리 진술거부권을 고지하지 않았다고 하더라도 선거관리위원회 문답서의 증거능력은 당연히 부정된다고 할 수는 없다(대판 2014.1.16, 2013도5441).

6. 공정한 재판을 받을 권리 속에는 공격·방어권이 충분히 보장되는 재판을 받을 권리가 포함되어 있다. 범인필벌의 요구만을 앞세워 합리성과 정당성을 갖추지 못한 방법이나 절차에 의한 증거수집과 증거조사를 허용하는 것은 적법절차의 원칙 및 공정한 재판을 받을 권리에 위배되는 것이다(헌재결 1996.12.26, 94헌바1). 13. 7급 국가직

7. 헌법과 형사소송법이 정한 절차에 따르지 아니하고 수집한 증거는 물론 이를 기초로 하여 획득한 2차적 증거 역시 기본적 인권보장을 위해 마련된 적법한 절차에 따르지 않은 것으로서 원칙적으로 유죄인정의 증거로 삼을 수 없다(대판 2007.11.15, 2007도3061 전원합의체). 15. 경찰간부

8. 소송촉진 등에 관한 특례법 제23조(제1심 공판절차에서 피고인에 대한 송달불능보고서가 접수된 때로부터 6월이 경과하도록 피고인의 소재를 확인할 수 없는 때에는 피고인의 진술없이 재판할 수 있다. 다만, 사형·무기 또는 단기 3년 이상의 징역이나 금고에 해당하는 사건의 경우에는 그러하지 아니하다)는 과잉금지의 원칙에 위배되어 피고인의 공정한 재판을 받을 권리를 침해하는 것이다(헌재결 1998.7.16, 97헌바22). 04. 순경

▶ 위 위헌결정에 따라 '제1심 공판절차에서 피고인에 대한 송달불능보고서가 접수된 때부터 6개월이 지나도록 피고인의 소재를 확인할 수 없는 경우에는 피고인의 진술 없이 재판할 수 있다. 다만, 사형, 무기 또는 장기 10년이 넘는 징역이나 금고에 해당하는 사건의 경우에는 그러하지 아니한다.'로 개정되었다(소송촉진에 관한 특례법 제23조). ∴ 피고인 불출석 재판 범위 축소

9. 형사재판의 피고인으로 출석하는 수형자에 대하여, 사복착용을 금지하고 교정시설에서 지급하는 재소자용 의류를 입도록 하는 '형의 집행 및 수용자의 처우에 관한 법률' 제88조는 공정한 재판을 받을 권리, 인격권, 행복추구권을 침해한다(헌재결 2015.12.23, 2013헌마712).

▶ **비교판례**

① 민사재판의 당사자로 출석하는 수형자에 대하여 사복착용을 금지하고 교정시설에서 지급하는 재소자용 의류를 입도록 하는 경우는 공정한 재판을 받을 권리, 인격권, 행복추구권을 침해하지 않는다(헌재결 2015.12.23, 2013헌마712).

② 수사 및 재판을 받는 동안 미결수용자에게 재소자용 의류를 입게 하는 것도 무죄추정의 원칙에 위반한다(헌재결 1999.5.27, 97헌마137). 07·08. 순경, 09. 전의경

③ 미결수용자에게 시설 안에서 재소자용 의류를 입게 하는 것은 구금 목적의 달성, 시설의 규율과 안전유지를 위한 필요최소한의 제한으로서 정당성·합리성을 갖춘 재량의 범위 내의 조치이다(헌재결 1999.5.27, 97헌마137).

10. 집회 및 시위에 관한 법률 중 야간시위금지 규정은 '해가 진 후부터 같은 날 24시까지의 시위'에 적용하지 아니한다고 보아야 할 것이므로, 이를 포함하고 있는 한 이 규정은 헌법에 위반된다(헌재결 2014.3.27, 2010헌가2·2012헌가13 병합).

11. 검사실에서의 계구사용을 원칙으로 하면서 심지어는 검사의 계구해제 요청이 있더라도 이를 거절하도록 규정한 계호근무준칙조항은 신체의 자유를 침해하므로 헌법에 위반된다(헌재결 2005.5.26, 2004헌마49).

12. 검사보관의 수사기록에 대하여 변호인의 열람·등사를 지나치게 제한하는 것은 신속·공정한 재판을 받을 권리를 침해하는 것이다(헌재결 1997.11.27, 94헌마60).

• 기 타

1. 헌법상 영장제도와 적법절차원칙의 규정 취지에 비추어 볼 때, 형사재판 중인 피고인에 대하여 법원이 구속영장을 발부하는 경우에는 검사의 신청이 있어야 하는 것이 아니다(대결 1996.8.12, 96모46). 14. 7급 국가직
2. 수사기관이 피의자를 신문함에 있어서 피의자에게 미리 진술거부권을 고지하지 않은 때에는 그 피의자의 진술은 그 임의성이 인정되는 경우라도 증거능력이 부인되어야 한다(대판 1992.6.23, 92도682). 11. 경찰승진
3. 변호인의 접견교통권은 피고인 또는 피의자나 피내사자의 인권보장과 방어준비를 위하여 필수불가결한 권리이므로 법령에 의한 제한이 없는 한 수사기관의 처분은 물론 법원의 결정으로도 이를 제한할 수 없다(대결 1996.6.3, 96모18).

   형사소송법 제34조가 규정한 변호인의 접견교통권은 이를 제한하는 법령이 없다면 법원의 결정으로만 제한할 수 있고, 수사기관의 처분으로는 제한할 수 없다. (×) 11. 경찰승진
4. 음주운전과 관련한 도로교통법 위반죄의 범죄수사를 위하여 미성년자인 피의자의 혈액채취가 필요한 경우에도 피의자에게 의사능력이 있다면 피의자 본인만이 혈액채취에 관한 유효한 동의를 할 수 있고, 피의자에게 의사능력이 없는 경우에도 명문의 규정이 없는 이상 법정대리인이 피의자를 대리하여 동의할 수는 없다(대판 2014.11.13, 2013도1228). 17. 순경 2차

   음주운전과 관련한 도로교통법 위반죄의 범죄수사를 위하여 미성년자인 피의자의 혈액채취가 필요한 경우, 법정대리인은 피의자의 의사능력 유무와 관계없이 미성년자인 피의자를 대리하여 채혈에 관한 동의를 할 수 있다. (×) 16. 경찰간부, 17. 경찰승진
5. 디엔에이감식시료채취영장 발부과정에서 채취대상자에게 자신의 의견을 밝히거나 영장 발부 후 불복할 수 있는 절차 등에 관하여 규정하지 아니한 '디엔에이신원확인정보의 이용 및 보호에 관한 법률' 제8조는 과잉금지원칙을 위반하여 청구인들의 재판청구권을 침해한다(헌재결 2018.8.30, 2016헌마344).
6. 구 계엄법 제15조에서 정하고 있는 '제13조의 규정에 의하여 취한 계엄사령관의 조치'는 대외적으로 구속력이 있는 법규명령으로서 효력을 가진다. 그러므로 법원은 계엄포고에 대한 위헌·위법 여부를 심사할 권한을 가진다(대판 2018.11.29, 2016도14781).
7. 법원이 피고인의 구속 또는 그 유지 여부의 필요성에 관하여 한 재판의 효력이 검사나 다른 기관의 의견이나 불복이 있다 하여 좌우되거나 제한받는다면 영장주의원칙에 위배된다(헌재결 1993.12.23, 93헌가2). 19. 경찰간부
8. 인접한 시기에 같은 피해자를 상대로 저질러진 동종 범죄에 대해서도 각각의 범죄에 따라 피해자 진술의 신빙성이나 그 신빙성 유무를 기초로 한 범죄 성립 여부를 달리 판단할 수 있고, 이것이 실체적 진실발견과 인권보장이라는 형사소송의 이념에 부합한다(대판 2022.3.31, 2018도19472).

3 신속한 재판의 원칙

(1) 의의 · 근거

① 재판은 가능한 신속히 진행·종료해야 한다는 원칙을 말한다. "사법은 신선할수록 향기가 높다."라고 한 Bacon의 말이나 "재판의 지연은 재판의 거부와 같다."라는 법언은 바로 재판의 신속이 형사소송의 목적임을 표현한 것이라 할 수 있다.

② 헌법 제27조 제3항에서 신속한 재판을 받을 권리를 피고인의 기본적 인권으로 보장하고 있다. 16. 경찰간부, 21. 경찰승진

형사소송법 ⇨ 규정 × 21. 해경

(2) 필요성

신속재판은 주로 피고인의 이익을 위해 인정하는 원칙이지만 동시에 실체적 진실의 발견, 소송경제, 재판에 대한 국민의 신뢰와 형벌목적의 달성과 같은 공공의 이익에도 근거를 두고 있다.

관련판례

신속한 재판을 받을 권리는 주로 피고인의 이익을 보호하기 위하여 인정된 기본권이지만 동시에 실체적 진실발견, 소송경제, 재판에 대한 국민의 신뢰와 형벌목적의 달성과 같은 공공의 이익에도 근거가 있기 때문에 어느 면에서는 이중적인 성격을 갖고 있다고 할 수 있다(헌재결 1995.11.30, 92헌마44). 15. 9급 검찰·교정·보호·철도경찰, 17. 검찰·교정승진, 19. 순경 1차, 20. 순경 2차·7급 국가직, 16·21. 경찰간부, 22. 경찰승진

신속한 재판의 원칙은 피고인의 이익을 보호하기 위하여 인정된 원칙이므로 실체적 진실발견, 소송경제, 재판에 대한 국민의 신뢰를 위하여 작동하여서는 안 된다. (×)

(3) 제도적 구현

현행법은 신속한 재판을 위해 다음과 같은 다양한 제도를 두고 있다.

구분	제도
수사와 공소제기의 신속을 위한 제도	① 수사기관의 구속기간 제한(제202조, 제203조) ② 기소편의주의(제247조 제1항) ③ 공소취소(제255조) ④ 공소시효제도(제249조)
공판절차의 신속을 위한 제도	① 공판준비절차(제266조의 5) ② 집중심리주의(제267조의 2) 13. 경찰승진 형사소송법은 집중심리주의를 채택하여 심리에 2일 이상이 필요한 경우에는 부득이한 사정이 없는 한 매일 개정하고, 매일 개정하지 못하는 경우에도 특별한 사정이 없는 한 전회의 공판기일로부터 14일 이내에 다음 공판기일을 지정하도록 규정하고 있다. (○) 11. 순경 2차, 13·21. 경찰승진 ③ 대표변호인제도(제32조의 2) ④ 재판장의 소송지휘권(제279조) ⑤ 결석(궐석)재판제도(제277조의 2) ⑥ 증거동의(제318조) ⑦ 법원의 구속기간제한(제92조) ⑧ 심판범위한정 ⑨ 판결선고기간제한(소송촉진 등에 관한 특례법 제21조) 형사소송법은 신속한 판결선고를 위해 제1심에서는 공소가 제기된 날로부터 6월 이내에, 항소심 및 상고심에서는 항소 또는 상고가 제기된 날로부터 각 4월 이내에 판결을 선고하도록 규정하고 있다. (×) 11. 순경 2차 – 소송촉진 등에 관한 특례법 제21조에 규정됨.

상소심재판의 신속을 위한 제도	상소기간 등 제한(제358조)
재판의 신속을 위한 특수한 공판절차	① 간이공판절차(제297조의 2) ② 약식절차(제448조) ③ 즉결심판절차(즉심법)

형사소송법은 수사의 신속한 종결을 위해 피의자가 체포 또는 구속된 날로부터 30일 이내에 공소장을 제출하도록 규정하고 있다. (×) 11. 순경 2차, 13. 경찰승진

(4) 침해 및 구제

현행법은 재판지연을 구제하기 위한 별도의 명문규정을 두고 있지 않다. 22·23. 경찰승진 따라서 현저한 재판의 지연이 있었다고 하더라도 형식재판으로 사건을 종결시킬 수는 없다. 다만, 공소제기 후 판결이 확정됨이 없이 25년을 경과하게 되면 공소시효가 완성된 것으로 보게 되므로(제249조 제2항), 이러한 경우에는 면소판결로 종결하게 된다. 11. 순경 2차

형사소송법은 신속한 재판의 원칙에 위반한 때에는 공소기각판결을 해야 한다고 규정하고 있다. (×) 16. 경찰간부

재판의 지연이 있다고 하여 형식재판으로 소송을 종결시킬 수는 없다고 할 것이므로 이를 양형에서 고려하는 것이 타당하다는 것이 일반적 견해이다. (○)

관련판례

1. 구속만기 25일을 앞두고 제1회 공판이 있었다 하여, 헌법에 정한 신속한 재판을 받을 권리를 침해하였다 할 수 없다(대판 1990.6.12, 90도672). 13. 7급 국가직, 18·20. 순경 1차, 20. 해경간부·순경 2차, 21·23. 경찰승진
2. 위헌제청신청을 하였는데도 불구하고 재판부 구성원의 변경, 재판의 전제성과 관련한 본안심리의 필요성, 청구인에 대한 송달불능 등을 이유로 법원이 재판을 하지 않다가 5개월이 지나서야 그 신청을 기각했다면 재판을 특별히 지연시켰다고 볼 수 없다(헌재결 1993.11.25, 92헌마169). 10·14. 경찰승진, 23. 해경승진
3. 구속기간(제92조 제1항)은 법원이 피고인을 구속한 상태에서 재판할 수 있는 기간을 의미하는 것이지 '법원이 형사재판을 할 수 있는 기간' 내지 '법원이 구속사건을 심리하는 기간'으로 볼 수는 없다. 따라서 이 법률조항은 미결구금의 부당한 장기화로 인하여 피고인의 신체적 자유가 침해되는 것을 방지하기 위한 목적에서이지, 신속한 재판의 실현을 목적으로 법원의 심리기간 자체를 제한하려는 규정으로 볼 수 없다(헌재결 2001.6.28, 99헌가14). 17. 검찰·교정승진, 10·14·21. 경찰승진
4. 제1심 선고형기를 경과한 후에 제2심 공판이 개정되었다고 하여 반드시 이를 위법이라고 할 수 없고, 또 신속한 재판을 받을 권리를 박탈한 것이라고 할 수도 없다(대판 1972.5.23, 72도840). 18. 순경 1차, 20. 해경간부, 22. 9급 검찰·마약·교정·보호·철도경찰, 13·23. 경찰승진
5. 합리적이고 적정한 변론 진행을 통하여 실현되는 공익은 피고인의 신속한 재판을 받을 권리가 제한되는 정도에 비하여 결코 작다고 할 수 없으므로, 형사소송법 변론의 분리·병합에 관한 조항(제300조)은 신속한 재판을 받을 권리를 침해한다고 할 수 없다(헌재결 2011.3.31, 2009헌바351).
6. 군사법경찰관의 구속기간을 연장을 허용하는 것은 과도한 기본권의 제한으로서, 과잉금지의 원칙에 위반하여 신체의 자유 및 신속한 재판을 받을 권리를 침해하는 것이다(헌재결 2003.11.27, 2002헌마193).
7. 국가보안법 제7조(찬양·고무) 및 제10조(불고지의 죄)의 범죄에 대하여서까지 형사소송법상의 수사기관에 의한 피의자구속기간 30일보다 20일이나 많은 50일을 인정한 것은 과잉금지의 원칙을 현저하게 위배하여 피의자의 신체의 자유, 무죄추정의 원칙 및 신속한 재판을 받을 권리를 침해한 것이다(헌재결 1992.4.14, 90헌마82).

8. 구속기간을 여러 차례에 걸쳐서 갱신하였다 하더라도 반드시 피고인의 신속한 재판을 받을 권리를 침해한 것이라고는 할 수 없다(대판 1967.1.24, 66도1632).

KEY point

- 현행 형사소송법 ⇨ 소극적 실체적 진실주의에 의미 부여
- 당사자처분권주의, 형식적 진실주의 ⇨ 민사소송법
- 실체적 진실주의를 구현하기 위한 현행법상 제도
- 적정절차원리를 구현하기 위한 현행법상 제도 및 관련판례
- 신속절차를 구현하기 위한 현행법상 제도 및 관련판례

제2절 형사소송의 기본구조

1 소송구조론의 의의

소송의 이념을 달성하기 위하여 소송의 주체가 누구이고 소송주체 사이의 관계를 어떻게 설정할 것인가에 대한 이론이 소송구조론이다. 이러한 의미에서 소송구조론은 형사소송의 지도이념을 달성하기 위한 방법론이라고 할 수 있다.

2 규문주의와 탄핵주의의 소송구조

(1) 규문주의

규문주의란 소추기관과 재판기관이 분리되지 않고 법원이 스스로 절차를 개시하여 규문(죄를 따져 묻는)하는 방식으로 심리·재판하는 방식을 말한다.

- 피고인은 단지 조사의 대상일 뿐 방어권의 주체가 될 수 없음.
- 비밀주의, 서면주의, 법정증거주의(증거의 증명력을 미리 법률로 정해놓고 일정한 증거가 갖추어지면 법관의 심증 여하와 무관하게 유죄를 인정하도록 하는 주의) ⇨ 규문주의와 관련 있음. 09. 9급 국가직
- 규문주의하에서는 재판기관이 소추기관의 소추 없이 직권으로 재판절차를 개시하여 심리·판단하므로 피고인은 단지 조사의 대상일 뿐 방어권의 주체가 되기 어렵다. 18. 7급 국가직

(2) 탄핵주의

① 탄핵주의는 재판기관과 소추기관을 분리하여 소추기관의 공소제기에 의하여 법원이 절차를 개시하는 주의를 말한다. 탄핵주의 소송구조하에서 불고불리의 원칙(법원은 공소제기된 사건에 대해서만 심판할 수 있다는 원칙)이 확립되고 피고인도 소송의 주체로서 절차에 관여하여 형사절차는 소송의 구조를 갖게 된다. 10. 9급 국가직

- 불고불리원칙은 헌법상 권력분립의 원칙이 적용된 형사소송법상 원칙이다. 06. 9급 검찰

② 탄핵주의는 영 · 미에서는 물론 모든 대륙의 형사소송법이 채택하고 있는 소송구조이며 우리 형사소송법도 공소는 검사가 제기하여 수행한다라고 규정(제246조)하여 국가소추주의에 의한 탄핵주의 소송구조를 채택하고 있다. 10. 9급 국가직, 20. 경찰승진

탄핵주의와 관련(○) : 불고불리의 원칙, 국가소추주의, 소송구조 등
탄핵주의와 관련(×) : 집중심리주의(공판심리의 기본원칙), 탄핵증거제도(진술의 증명력을 감쇄시키기 위해 내세우는 증거)

3 직권주의와 당사자주의

탄핵주의 소송구조는 소송의 주도적 지위를 누가 담당하느냐에 따라 직권주의와 당사자주의로 나눌 수 있다.

(1) 직권주의

① **의의** : 직권주의라 함은 소송의 주도적 지위를 법원에게 인정하는 소송구조를 말한다(대륙법 체계는 전통적으로 직권주의를 기본원리로 함).

② **직권주의의 장 · 단점**

장 점	• 법원이 소송에서 주도적으로 활동하므로 실체적 진실발견에 효과적이다. • 심리의 능률과 신속을 도모할 수 있다. 18. 7급 국가직 • 법원은 피고인에 대한 후견적 임무를 담당하여 뒤떨어진 소송능력을 보충하여 줄 수 있다.
단 점	• 사건의 심리가 법원의 자의와 독단에 흐를 위험이 있다. 18. 9급 검찰 · 마약 · 교정 · 보호 · 철도경찰, 24. 해경경위공채 • 피고인의 소송당사자로서의 지위가 형식적인 것이 되어 피고인의 방어권을 실질적으로 보장할 수 없으며 인권옹호에 소홀할 우려가 있다. • 법원이 소송에 몰입되어 제3자로서 공정성을 상실할 우려가 있다.

(2) 당사자주의

① **의의** : 당사자주의라 함은 당사자, 즉 검사와 피고인에게 소송의 주도적 지위를 인정하여 당사자의 공격 · 방어에 의해 심리를 진행하고 법원은 제3자적 입장에서 당사자의 주장이나 입증활동을 판단하도록 하는 소송구조를 말한다(영미법 체계는 당사자주의를 기본원리로 함).

좌석배치규정은 당사자주의 소송구조를 간접적으로 확인하는 것이라 할 수 있다. 14. 순경 1차

당사자주의는 형사절차의 민사소송화를 방지할 수 있다. (×) 02. 경찰승진

② **당사자주의의 장 · 단점**

장 점	• 소송결과에 대하여 직접 이해관계를 가진 당사자에게 증거를 수집 · 제출케 함으로써 보다 많은 증거가 법원에 제출될 수 있고 법원은 제3자적 입장에서 공정한 재판이 가능하게 되므로 실체적 진실발견에 효과적이다. 18. 7급 국가직 • 피고인에게 검사와 대등한 지위를 실질적으로 인정하기 때문에 피고인의 방어권행사가 충분히 보장된다. 02. 경찰승진

단 점	• 당사자 사이의 계속적인 공격과 방어의 항쟁에 의해 심리의 능률과 신속을 달성하기 어렵다. • 소송의 운명이 당사자의 열의와 능력에 좌우되는 결과 소위 사법의 스포츠화를 초래하고 국가형벌권의 행사가 당사자의 타협이나 거래의 대상이 될 위험이 있다. 18. 9급 검찰·마약·교정·보호·철도경찰

당사자주의와 관련 여부 ⇨ 대립·갈등하는 당사자 간의 소송활동(○), 법원은 제3자적 입장에서 판단(○), 변증법적원리(○), 탄핵주의와 결합(○) 12. 경찰간부

(3) 현행 형사소송법의 태도

① 현행 형사소송법은 직권주의 요소와 당사자주의 요소를 조화시킨 소송구조를 취하고 있으나(헌재결 2012.5.31, 2010헌바128), 21. 경찰승진 기본적으로는 당사자주의를 그 기본 골격으로 하고 있다(대판 1984.6.12, 84도796). 20. 7급 국가직, 21. 경찰간부, 24. 경찰승진·소방간부

② 직권주의와 당사자주의적 요소로는 다음과 같은 것을 들 수 있다.

직권주의 요소	당사자주의 요소
• 공소장 변경요구제도(제298조 제2항) 12. 7급 국가직, 20. 경찰승진 ▶ 법원의 요구에 검사가 응하지 않으면 공소장변경효과 발생 × ⇨ 직권주의 요소가 아니다. (○) 04. 행시, 05. 순경 2차 • 직권에 의한 증거조사(제295조) 05. 순경 2차 • 법원(재판장)의 증인신문(제161조의 2) 01. 경찰승진, 03. 101단, 04. 행시, 05. 순경 2차, 10. 교정특채 • 피고인에 대한 법원의 신문(제296조의 2) 04. 행시, 05. 순경 2차	• 심판범위확정(제254조 제4항, 제298조) • 공소장변경제도(제298조) • 당사자의 증거신청권(제294조) • 교호신문제도(제161조의 2) 24. 소방간부 • 전문법칙(제310조의 2) • 공소장부본송달(제266조) 10. 교정특채 • 제1회 공판기일 유예기간(제269조) • 피고인의 진술권·진술거부권(제286조, 제289조) • 증거동의(제318조 제1항) 24. 소방간부 ▶ 증거동의에 대한 진정성 판단(제318조 제1항) ⇨ 직권주의요소(○) • 공소장일본주의(규칙 제118조 제2항) 02. 경찰승진, 04. 7급 검찰, 18. 9급 검찰·마약·교정·보호·철도경찰 • 당사자의 최후진술(제302조, 제303조) 01·02. 경찰승진

KEY point

- **탄핵주의 :** 소추기관(국가소추·사인소추)과 심판기관 분리, 불고불리원칙, 피고인도 소송의 주체, 자유주의 형사절차
- **탄핵주의 소송구조 :** 직권주의, 당사자주의
- 직권주의와 당사자주의의 장·단점
- 현행 형사소송법상 직권주의 요소와 당사자주의 요소 혼합(당사자주의 기본)

CHAPTER 02

기출문제

01 **형사소송법의 지도이념에 관한 설명 중 가장 적절하지 않은 것은?**(다툼이 있는 경우 판례에 의함)

20. 경찰승진

① 실체진실주의는 적법절차의 원칙과 신속한 재판의 원칙에 의하여 제약을 받는다.
② 기소편의주의와 자백보강법칙은 실체적 진실주의의 제도적 표현이다.
③ 형사재판의 증거법칙과 관련하여서는 소극적 진실주의가 헌법적으로 보장되어 있다.
④ 적법절차주의는 절차의 적법성뿐만 아니라 절차의 적정성까지 보장되어야 한다는 뜻으로 이해된다.

해설 ① 실체진실주의는 적법절차의 원칙과 신속한 재판의 원칙에 의하여 제약을 받는다. 물론 적법절차의 원칙도 실체적 진실을 발견하기 위한 절차상의 보장이며, 신속한 재판 또한 실체적 진실을 발견하기 위하여 요청된다는 의미에서는 적정절차와 신속재판의 이념은 실체적 진실주의와 일정부분 일치한다고 할 수는 있다.
② 자백보강법칙은 실체적 진실주의의 제도적 표현이나, 기소편의주의는 신속재판의 원칙과 관련이 있다.
③ 자백보강법칙, 자백배제법칙 등은 죄 없는 자를 벌해서는 안 된다는 소극적 실체적 진실주의 표현이며 헌법에 규정을 두어 보장하고 있다. ④ 헌재결 1993.7.29, 90헌바35

02 **형사소송법 이념과 구조에 관한 설명 중 옳지 않은 것은?**(다툼이 있는 경우 판례에 의함) 21. 경찰간부

① 형사소송의 구조를 당사자주의와 직권주의 중 어느 것으로 할 것인가의 문제는 입법정책의 문제로서 우리나라 형사소송법은 그 해석상 소송절차의 전반에 걸쳐 기본적으로 직권주의 소송 구조를 취하고 당사자주의 제도적 요소를 가미하고 있다.
② 적법절차의 원칙은 형사절차상의 영역에 한정되지 않고, 입법, 행정 등 국가의 모든 공권력의 사용에는 절차상의 적법성뿐만 아니라 법률의 구체적 내용도 합리성과 정당성을 갖춘 실체적인 적법성이 있어야 한다는 것을 의미한다.
③ 신속한 재판을 받을 권리는 주로 피고인의 이익을 보호하기 위하여 인정된 원칙이지만 동시에 실체진실의 발견, 소송경제, 재판에 대한 국민의 신뢰와 형벌목적의 달성과 같은 공공의 이익에도 근거를 두고 있다.
④ 검사조사실에 소환되어 피의자신문을 받을 때 포승과 수갑 사용을 정당화할 예외적 사정이 존재하지 않음에도 불구하고, 계호교도관이 포승과 수갑을 채운 상태에서 피의자조사를 받도록 한 것은 신체의 자유를 과도하게 침해한 것이며, 무죄추정원칙의 근본 취지에도 반한다.

해설 ① 형사소송의 구조를 당사자주의와 직권주의 중 어느 것으로 할 것인가의 문제는 입법정책의 문제이다. 우리나라 형사소송법은 그 해석상 직권주의적 요소와 당사자주의적 요소를 조화시킨 구조를 취하고 있으나(헌재결 2012.5.31, 2010헌바128), 기본적으로는 당사자주의를 기본 골격으로 하고 있다(대판 1984.6.12, 84도796).
② 헌재결 2009.6.25, 2007헌마451 ③ 헌재결 1995.11.30, 90헌마44 ④ 헌재결 2005.5.26, 2001헌마728

Answer 01. ② 02. ①

03 **적법절차원칙에 대한 설명으로 가장 적절하지 않은 것은?**(다툼이 있는 경우 판례에 의함) 21. 경찰승진

① 법관이 아닌 사회보호위원회가 치료감호의 종료 여부를 결정하도록 한 구 사회보호법(1996. 12. 12. 법률 제5179호로 개정된 것) 제9조 제2항은 본 위원회의 결정에 대해 행정소송을 제기하여 법관에 의한 재판이 가능하다는 점 등을 고려할 때 재판청구권을 침해하거나 적법절차에 위배된다고 할 수 없다.

② 피고인의 구속기간은 법원이 피고인을 구속한 상태에서 재판할 수 있는 기간을 의미하는 것이지, 법원의 재판기간 내지 심리기간 자체를 제한하려는 규정이라고 할 수는 없으며, 구속기간을 엄격히 제한하고 있다 하더라도 공정한 재판을 받을 권리가 침해된다고 볼 수는 없다.

③ 형사소송법상 법원은 법률에 다른 규정이 없으면 누구든지 증인으로 신문할 수 있기 때문에 경찰 공무원의 증인적격을 인정하더라도 이를 적법절차의 원칙에 반한다고 할 수 없다.

④ 위법하게 수집한 증거는 위법수집의 영향이 차단되거나 소멸되었더라도 적법절차의 원칙에 따라 그 증거능력을 인정할 수 없다.

해설 ① 헌재결 2005.2.3, 2003헌바1
② 헌재결 2001.6.28, 99헌가14
③ 헌재결 2001.11.29, 2001헌바41
④ 적법절차에 위배되는 행위의 영향이 차단되거나 소멸되었다고 볼 수 있는 상태에서 수집한 증거는 그 증거능력을 인정하더라도 적법절차의 실질적 내용에 대한 침해가 일어나지 않는다(대판 2013.3.14, 2010도2094).

04 **신속한 재판의 원칙에 대한 설명으로 가장 적절하지 않은 것은?**(다툼이 있는 경우 판례에 의함) 21. 경찰승진

① 형사소송법은 집중심리주의를 채택하여 심리에 2일 이상이 필요한 경우에는 부득이한 사정이 없는 한 매일 계속 개정하고, 매일 개정하지 못하는 경우에도 특별한 사정이 없는 한 전회의 공판기일부터 14일 이내로 다음 공판기일을 지정해야 한다고 규정하고 있다.

② 형사피고인은 헌법에 의해 신속한 재판을 받을 권리를 보장받고 있다.

③ 구속사건에 대해서는 법원이 구속기간 내에 재판을 하면 되는 것이고 구속 만기 25일을 앞두고 제1회 공판이 있었다면 헌법이 정한 신속한 재판을 받을 권리를 침해하였다고 할 수 없다.

④ 형사소송법에 따르면 검사는 수사의 신속한 종결을 위해 피의자가 체포 또는 구속된 날부터 30일 이내에 공소장을 제출하여야 한다.

해설 ① 제267조의 2
② 헌법 제27조 제3항
③ 대판 1990.6.12, 90도672
④ 공소장 제출 기한의 제한 규정은 없다.

Answer 03. ④ 04. ④

05 **다음은 형사소송의 이념에 대한 설명이다. 아래 ㉠부터 ㉣까지의 설명 중 옳고 그름의 표시(○, ×)가 바르게 된 것은?**(다툼이 있는 경우 판례에 의함) **22. 경찰승진**

> ㉠ 헌법 제12조 제1항 후문이 규정하고 있는 적법절차란 법률이 정한 절차 및 그 실체적 내용이 모두 적정하여야 함을 말하고, 적정하다고 함은 공정하고 합리적이며 상당성이 있어 정의관념에 합치되는 것을 뜻한다.
> ㉡ 검사가 법원에 의하여 증인으로 채택된 수감자를 그 증언에 이르기까지 거의 매일 검사실로 하루 종일 소환하여 피고인측 변호인이 접근하는 것을 차단하고, 검찰에서의 진술을 번복하는 증언을 하지 않도록 회유·압박하는 한편, 때로는 검사실에서 그에게 편의를 제공하기도 한 행위만으로는 피고인의 공정한 재판을 받을 권리를 침해하였다고 할 수 없다.
> ㉢ 신속한 재판을 받을 권리는 주로 피고인의 이익을 보호하기 위하여 인정된 기본권이지만 동시에 실체적 진실발견, 소송경제, 재판에 대한 국민의 신뢰와 형벌목적의 달성과 같은 공공의 이익에도 근거가 있기 때문에 어느 면에서는 이중적인 성격을 갖고 있다.
> ㉣ 신속한 재판을 받을 권리와 관련하여 공판심리의 현저한 지연은 현행법상 명문으로 면소사유뿐만 아니라 공소기각 사유로도 규정하고 있다.

① ㉠(○), ㉡(×), ㉢(○), ㉣(×)
② ㉠(○), ㉡(×), ㉢(×), ㉣(○)
③ ㉠(×), ㉡(×), ㉢(○), ㉣(○)
④ ㉠(×), ㉡(○), ㉢(○), ㉣(×)

해설 ㉠ ○ : 대결 1988.11.16, 88초60
㉡ × : 헌재결 2001.8.30, 99헌마496
㉢ ○ : 헌재결 1995.11.30, 92헌마44
㉣ × : 현행법은 재판지연을 구제하기 위한 별도의 명문규정을 두고 있지 않다. 따라서 현저한 재판의 지연이 있었다고 하더라도 형식재판으로 사건을 종결시킬 수는 없다. 다만, 공소제기 후 판결이 확정됨이 없이 25년을 경과하게 되면 공소시효가 완성된 것으로 보게 되므로(제249조 제2항), 이러한 경우에는 면소판결로 종결하게 된다.

06 **형사소송의 이념과 기본원칙에 대한 설명으로 옳지 않은 것은?**(다툼이 있는 경우 판례에 의함)
22. 9급 검찰·마약·교정·보호·철도경찰

① 헌법과 형사소송법이 정한 절차에 따르지 아니하고 수집한 증거는 물론 이를 기초로 하여 획득한 2차적 증거 역시 기본권 인권보장을 위해 마련된 적법한 절차에 따르지 않은 것으로 원칙적으로 유죄 인정의 증거로 삼을 수 없다.
② 검사와 피고인 쌍방이 항소한 경우에 제1심 선고형기 경과 후 제2심 공판이 개정되었다면 이는 위법으로서 신속한 재판을 받을 권리를 박탈한 것이다.
③ 신속한 재판을 받을 권리는 주로 피고인의 이익을 보호하기 위하여 인정된 기본권이지만 동시에 실체적 진실 발견, 소송 경제, 재판에 대한 국민의 신뢰와 형벌목적의 달성과 같은 공공의 이익에도 근거가 있기 때문에 어느 면에서는 이중적 성격을 갖고 있다고 할 수 있다.

Answer 05. ① 06. ②

④ 실체진실주의는 형사소송의 지도이념이며, 이를 공판절차에서 구현하기 위하여 형사소송법은 법원이 직권에 의한 증거조사를 할 수 있도록 하고 있다.

해설 ① 대판 2007.11.15, 2007도3061 전원합의체
② 검사와 피고인 쌍방이 항소한 경우에 제1심 선고형기 경과 후 제2심 공판이 개정되었다고 하여 이를 위법이라 할 수 없고, 신속한 재판을 받을 권리를 박탈한 것이라고 할 수 없다(대판 1972.5.23, 72도840).
③ 헌재결 1995.11.30, 92헌마44 ④ 제295조

07 신속한 재판의 원칙에 대한 설명으로 가장 적절하지 않은 것은?(다툼이 있는 경우 판례에 의함)

23. 경찰승진

① 구속사건에 대해서는 법원이 구속기간 내에 재판을 하면 되는 것이고 구속만기 25일을 앞두고 제1회 공판이 있었다 하여 헌법에 정한 신속한 재판을 받을 권리를 침해하였다 할 수 없다.
② 검사와 피고인 쌍방이 항소한 경우에 제1심 선고 형기 경과 후 제2심 공판이 개정되었다고 해서 이를 위법이라 할 수 없고 신속한 재판을 받을 권리를 박탈한 것이라고 할 수 없다.
③ 신속한 재판을 받을 권리는 주로 피고인의 이익을 보호하기 위하여 인정된 기본권이지만 동시에 실체적 진실발견, 소송경제, 재판에 대한 국민의 신뢰와 형벌목적의 달성과 같은 공공의 이익에도 근거가 있기 때문에 어느 면에서는 이중적인 성격을 갖고 있다.
④ 형사소송법은 신속한 재판을 받을 권리와 관련하여 공판심리의 현저한 지연을 공소기각의 결정 사유로 명시하고 있다.

해설 ① 대판 1990.6.12, 90도672 ② 대판 1972.5.23, 72도840 ③ 헌재결 1995.11.30, 90헌마44
④ 현행법은 재판지연을 구제하기 위한 별도의 명문규정을 두고 있지 않다. 따라서 현저한 재판의 지연이 있었다고 하더라도 형식재판으로 사건을 종결시킬 수는 없다. 다만, 공소제기 후 판결이 확정됨이 없이 25년을 경과하게 되면 공소시효가 완성된 것으로 보게 되므로(제249조 제2항), 이러한 경우에는 면소판결로 종결하게 된다.

08 형사소송의 구조에 대한 설명으로 옳지 않은 것은?

18. 9급 검찰·마약·교정·보호·철도경찰

① 소추기관과 재판기관이 분리되었는지 여부에 따라 규문주의와 탄핵주의로 구별된다.
② 소송의 스포츠화 또는 합법적 도박이 야기될 수 있다는 점은 당사자주의에 대한 비판이고, 사건의 심리가 국가기관의 자의적 판단이나 독단으로 흐를 수 있다는 점은 직권주의에 대한 비판이다.
③ 증인에 대한 교호신문절차, 증거동의제도는 당사자주의적 요소이다.
④ 피고인신문제도, 법원의 공소장변경 요구의무, 공소장일본주의는 직권주의적 요소이다.

해설 ①②③ 타당한 내용이다.
④ 피고인신문제도, 법원의 공소장변경 요구의무는 직권주의적 요소이지만, 공소장일본주의는 공판정에서 검사와 피고인의 공격·방어를 토대로 법원이 심증을 형성하도록 하는데 본래의 취지가 있으므로 당사자주의적 요소이다.

Answer 07. ④ 08. ④

09 **실체적 진실주의에 대한 설명으로 옳은 것은?** 24. 7급 국가직

① 실체적 진실주의란 법원이 당사자의 사실상의 주장, 사실의 인부 또는 제출한 증거만을 기초로 사안의 진상을 밝혀 진실한 사실을 인정하여야 한다는 형사소송법상의 원리를 의미한다.

② 소극적 실체진실주의는 죄 있는 사람을 빠짐없이 처벌할 것을 요구하고, 적극적 실체진실주의는 죄 없는 사람이 처벌받는 일이 없도록 할 것을 요구한다.

③ 소극적 실체진실주의는 입법정책의 차원에서 입법형성권의 행사로 선택된 것에 불과하다.

④ 형사소송법에서 적극적 실체진실주의의 요구와 소극적 실체진실주의의 요구가 충돌하는 경우에는 소극적 실체진실주의가 우선한다.

해설 ① 실체적 진실주의란 법원이 당사자의 사실상의 주장, 사실의 인부 또는 제출한 증거에 구속되지 않고 사안의 진상을 규명하여 객관적 진실을 발견하려는 형사소송법상의 원리를 의미한다.
② 적극적 실체진실주의는 죄 있는 사람을 빠짐없이 처벌할 것을 요구하고, 소극적 실체진실주의는 죄 없는 사람이 처벌받는 일이 없도록 할 것을 요구한다.
③ 소극적 실체진실주의는 입법정책의 차원에서 입법형성권의 행사로 선택된 것에 불과한 것이 아니라, 실체적 진실의 발견은 형사소송의 최고의 목표이며 중요한 지도이념이다.
④ 형사소송법에서 적극적 실체진실주의의 요구와 소극적 실체진실주의의 요구가 충돌하는 경우에는 소극적 실체진실주의가 우선한다(통설). 헌법재판소에 의하면 "무죄추정의 원칙을 규정하고 있는 헌법 제27조 제4항을 종합하면, 형사재판절차에는 소극적 진실주의가 헌법적으로 보장되어 있음을 인정할 수 있다."라고 판시하고 있다(헌재결 1998.12.24, 94헌바46).

Answer 09. ④

수사와 공소

CHAPTER

01 수 사

단원 advice 수사의 의의, 수사의 조건(함정수사 및 음주관련 판례), 수사의 단서(특히 '고소'는 매우 중요함), 임의수사 방법(피의자신문) 등은 출제 가능성이 높은 부분이다.

제1절 수사의 의의와 구조

1 수사의 의의

(1) 수사의 개념

수사라 함은 형사사건에 관하여 범죄혐의의 유무를 명백히 하여 공소제기 여부 및 공소유지 여부를 결정하기 위하여 범인을 발견·확보하고 증거를 수집·보전하는 수사기관의 활동을 말한다(대판 1999.12.7, 98도3329). 13. 경찰간부, 10·16·21. 경찰승진, 16·17. 수사경과

- 사인의 현행범체포, 법원의 피고인구속 등 ⇨ 수사기관의 활동이 아니므로 수사가 아님.
- 수사는 공소제기 후에도 공소유지를 위하거나 공소유지 여부를 결정하기 위해 허용된다. 95. 경찰승진
- 수사기관의 범죄에 대한 주관적인 혐의로 언제든지 수사에 착수할 수 있다. 주관적인 혐의란 구체적인 사실에 근거를 둔 혐의(구체적 혐의)여야 하며, 수사가 단순한 추측에 의한 것처럼 자의적으로 개시되는 것은 허용되지 아니한다. 98. 경찰승진, 03. 순경, 22. 수사경과

관련판례

수사, 즉 범죄혐의의 유무를 명백히 하여 공소를 제기·유지할 것인가의 여부를 결정하기 위하여 범인을 발견·확보하고 증거를 수집·보전하는 수사기관의 활동은 수사 목적을 달성함에 필요한 경우에 한하여 사회통념상 상당하다고 인정되는 방법 등에 의하여 수행되어야 한다(대판 1999.12.7, 98도3329).

수사와 내사의 구별

1. 수사는 범죄혐의가 인정된다고 생각할 때 수사기관이 개시하는 조사활동이라는 점에서 범죄혐의가 확인되지 아니한 단계에서 단순히 혐의 유무만을 조사하는 내사와 구별된다. 내사를 받고 있는 자를 피내사자(용의자)라고 하며, 수사기관의 범죄인지에 의해 피내사자는 피의자가 된다. 수사와 내사는 그 성질을 달리하므로 피의자는 소송법상의 각종 권리가 인정되지만 피내사자에게는 그러하지 아니하는 등 근본적으로 차이가 있다(피내사자 ⇨ 형사소송법 준용 ×). 14. 순경 1차, 19. 수사경과
   - 수사 이전의 단계를 내사라 하며, 형사소송법은 피의자의 권리에 관한 규정 중 일부를 피내사자에게 준용하는 규칙을 두는 방법으로 피내사자의 권리를 보호한다. (×) 20. 경찰승진
   - 내사사건의 피혐의자를 수사기관으로 임의동행하여 조사하는 것은 피혐의자의 수사기관 출석조사에 해당하여 수사가 개시된 것으로 간주된다(수사준칙 제16조 제1항).

관련판례

피의자의 지위에 있지 아니한 자에 대하여는 진술거부권이 고지되지 아니하였더라도 진술의 증거능력을 부정할 것은 아니다(대판 2011.11.10, 2011도8125).

2. 내사와 수사의 구별의 기준에 대하여 형식적인 형사입건(형사사건등재부에 사건번호가 부여되는 때)으로 보는 입장과 실질적으로 범죄혐의가 있다고 보아 그에 대한 조사를 행하는 때로 보는 입장이 있다. 후자의 견해에 의하면 아직 형식적인 형사입건은 되지 아니하였더라도 실질적으로 조사를 행한 경우라면 수사개시로 본다(판례).

관련판례

1. 검사가 범죄인지서를 작성하여 사건을 수리하는 절차를 거치기 전에 범죄의 혐의가 있다고 보아 수사를 개시하는 행위를 한 때에는 이때에 범죄를 인지한 것으로 보아야 하고, 그 뒤 범죄인지서를 작성하여 사건수리 절차를 밟은 때에 비로소 범죄를 인지하였다고 볼 것이 아니며, 이러한 인지절차가 이루어지기 전에 수사를 하였다는 이유만으로 그 수사가 위법하다고 볼 수는 없고, 그 수사과정에서 작성된 피의자신문조서나 진술조서 등도 인지절차가 이루어지기 전이라는 이유만으로 그 증거능력을 부인할 수 없다(대판 2001.10.26, 2000도2968). 15. 수사경과, 19. 경찰간부, 19 · 20. 경찰승진, 20. 순경 1차, 21. 7급 국가직
2. 수사기관에 의한 진술거부권 고지의 대상이 되는 피의자의 지위는 수사기관이 범죄인지서를 작성하는 등의 형식적인 사건수리 절차를 거치기 전이라도 조사대상자에 대하여 범죄의 혐의가 있다고 보아 실질적으로 수사를 개시하는 행위를 한 때에 인정된다. 특히 조사대상자의 진술 내용이 단순히 제3자의 범죄에 관한 경우가 아니라 자신과 제3자에게 공동으로 관련된 범죄에 관한 것이거나 제3자의 피의사실뿐만 아니라 자신의 피의사실에 관한 것이기도 하여 실질이 피의자신문조서의 성격을 가지는 경우에 수사기관은 진술을 듣기 전에 미리 진술거부권을 고지하여야 한다(대판 2015.10.29, 2014도5939). 21. 해경 1차

범죄인지

범죄인지라 함은 수사기관이 고소 · 고발 · 자수 이외의 원인에 의하여 직접 범죄혐의를 인정하고 수사를 개시하는 것을 말한다(범죄인지 = 수사개시). 범죄인지는 수사기관이 직접 범죄혐의를 인정하고 수사를 개시하는 경우이므로 고소 · 고발 · 자수에 의해서 수사를 개시하는 경우는 범죄를 인지하는 경우가 아니다. 검사 또는 사법경찰관은 범죄인지 권한이 있으나 사법경찰리에게는 권한이 없다. 범죄인지의 경우 검사나 사법경찰관은 범죄인지서를 작성(경찰수사규칙 제18조)하여야 한다(종래 : 사법경찰관은 범죄인지보고서 작성). 범죄인지서 작성시가 수사개시는 아니며, 범죄인지는 실무상 용어일 뿐 아니라 법령상 용어이기도 하다.

내사단계와 수사단계의 비교

구 분	내사단계	수사단계
지 위	용의자	피의자
증거보전청구 여부	×	○
재정신청	×	○
헌법소원	×	○
변호인접견교통권	○	○

(2) 수사절차의 특성

공판절차에서는 이미 공소제기를 통하여 피고인과 피고사건이 한정되고 그 절차도 법률에 따라 정형적으로 진행된다. 이에 대하여 수사절차는 대상이나 사건이 다양하고 유동적이므로 공판절차와는 달리 획일적인 절차에 따라 진행할 수 없고 수사활동의 탄력성, 기동성, 임기응변성, 광역성 등이 요청되는 등 합목적적인 활동이 필요하게 된다. 21. 경찰승진

2 수사의 구조

수사구조론이란 형사절차 가운데 수사절차가 차지하는 성격을 분명히 하고 수사절차에서 등장하는 활동주체의 관계를 어떻게 정립시킬 것인가를 규명하는 이론이다.

이러한 수사구조론에는 수사는 수사기관이 피의자를 조사하는 과정이며, 수사기관과 피의자 간의 불평등한 수직관계로 이해하는 견해인 규문적 수사관(영장은 허가장으로서의 성질을 가진다), 수사를 재판의 준비활동으로 이해하는 탄핵적 수사관(법원중심 수사개념, 영장은 명령장의 성질을 가진다. 95. 7급 검찰), 수사는 기소 · 불기소의 결정을 목적으로 하는 독자적 절차로서 검사를 종국적 판단자로 하고, 사법경찰관리와 피의자가 당사자로서 대립하는 3면관계를 가진다는 소송적 수사관(수사절차의 독자성을 강조하는 견해로서 피의자는 수사의 객체가 아니라 주체로 봄) 등이 있다.

KEY point

- **수사와 내사의 구별기준 :** 실질적인 수사개시 여부(판례)
- **수사의 성격 :** 합목적성, 임기응변성, 기동성, 광역성, 탄력성
- **규문적 수사관 :** 피의자를 조사의 객체로 봄
- **탄핵적 수사관 :** 법원 중심 수사개념(영장 ⇨ 명령장)
- **소송적 수사관 :** 피의자를 수사의 주체로 파악

3 수사의 조건

(1) 의 의

수사의 조건이란 수사절차의 개시와 실행에 필요한 전제조건을 말한다. 일반적으로 요구되는 수사의 조건으로는 수사의 필요성과 상당성을 들 수 있다.

- 수사의 조건은 수사의 합목적성을 강조하기 위함이 아니고, 인권보장을 위해서이다. 00. 경찰승진
- 수사의 조건 ⇨ 임의수사와 강제수사에 모두 적용 20. 순경 1차

(2) 수사의 필요성

수사의 필요성이란 수사는 수사목적을 달성하기 위하여 필요한 때에 할 수 있다는 것을 말하며, 이에는 범죄혐의와 공소제기 가능성을 들 수 있다.

① **범죄혐의와 수사** : 수사를 위해서는 일차적으로 수사기관에 의한 주관적인 범죄혐의가 존재함을 요한다. 주관적 혐의란 구체적 사실에 근거를 둔 혐의(구체적 혐의)여야 하며, 수사가 단순한 추측에 의하는 것처럼 자의적으로 개시되는 것은 허용되지 않는다.

체포, 구속 ⇨ 증거에 의해 뒷받침되는 객관적 혐의 필요

② **공소제기의 가능성**

㉠ 수사절차는 공판절차를 위한 사전절차라는 측면을 감안할 때, 공소제기의 가능성이 없는 사건은 수사의 필요성이 없다.

㉡ 이와 관련하여 문제되는 것이 친고죄의 고소와 수사와의 관계이다. 친고죄에 있어 고소는 소송조건이므로 고소가 없으면 공소를 제기할 수 없다. 문제는 고소가 없더라도 수사는 개시할 수 있는가이다. 이에 대하여 견해의 대립이 있는바, 고소의 가능성이 있으면 수사를 할 수 있다는 견해(제한적 허용설)가 다수설 · 판례의 태도이다. 10. 경찰승진, 13. 경찰간부

고소의 가능성이 있을 때의 수사 ⇨ 임의수사는 물론 강제수사도 허용된다(다수설).

관련판례

1. 친고죄나 세무공무원 등의 고발이 있어야 논할 수 있는 죄(즉시고발사건)에 있어서 고소 또는 고발은 이른바 소추조건에 불과하고 당해 범죄의 성립요건이나 수사의 조건은 아니므로, 그 수사가 장차 고소나 고발이 있을 가능성이 없는 상태하에서 행해졌다는 특단의 사정이 없는 한 고소나 고발이 있기 전에 수사를 하였다는 이유만으로 그 수사가 위법하다고 볼 수 없다(대판 1995.2.24, 94도252). 10. 순경 · 7급 국가직, 18 · 21. 수사경과, 16 · 24. 경찰승진, 24. 경력채용, 25. 소방간부
2. 세무공무원의 고발은 공소제기의 요건이고 수사개시의 요건은 아니므로 수사기관이 고발에 앞서 수사를 하고 피고인에 대한 구속영장을 발부받은 후 검찰의 요청에 따라 세무서장이 고발조치를 하였다고 하더라도 공소제기 전에 고발이 있은 이상 공소제기의 절차가 무효라고 할 수 없다(대판 1995.3.10, 94도3373). 10. 경찰승진

(3) 수사의 상당성

수사의 상당성은 수사개시의 상당성과 수사방법의 상당성으로 구분할 수 있다.

① **개시의 상당성** : 수사개시의 상당성은 범죄인지의 상당성을 의미하므로 범죄로 인한 피해가 극히 경미한 사건에 대해서 범죄인지를 하는 것은 범죄인지권의 남용으로 상당한 수사라고 볼 수 없다.

극히 경미사건에 대한 범죄인지 ⇨ 수사개시의 상당성이 없다.

② **방법의 상당성** : 수사방법의 상당성이라 함은 수사방법이 사회통념상 상당하다고 인정되는 것을 말하며 구체적인 내용으로 수사비례의 원칙과 신의칙을 들 수 있다.

㉠ **수사비례의 원칙** : 수사는 그 목적달성을 위해 필요한 최소한에 그쳐야 하며 수사결과 얻어지는 이익과 수사에 의한 법익침해가 부당하게 균형을 잃을 때는 수사의 방법으로 허용되어서는 안 된다는 것을 수사비례의 원칙이라 한다(예 여자에 대한 전라수색, 경미사건 피의자

구속). 따라서 임의수사라도 상당한 범위 내에서만 가능하며, 강제수사는 법률의 규정이 있는 경우에 한하여 예외적으로만 그리고 가장 경미한 수단을 통하여 이루어져야 한다. 수사기관의 범인식별 절차, 운전자에 대한 혈중알코올농도 측정에 대해서도 수사의 상당성은 존중되어야 한다.

ⓐ 범인식별 절차 : 범인식별절차에서 용의자 한 사람을 단독으로 목격자와 대질시키거나 용의자 사진 한 장만을 목격자에게 제시하여 범인 여부를 확인하게 하는 것은 수사의 상당성이 의심된다. 이와 같이 상당성이 결여된 범인식별 절차에서의 목격자 진술은 그 신빙성이 낮다.

범죄식별절차에 있어 목격자의 진술의 신빙성을 높게 하기 위해서는 ㉮ 목격자의 진술 또는 묘사를 사전에 상세히 기록화한 다음, ㉯ 여러 사람을 동시에 목격자와 대면하게 한 후 범인을 지목하게 하여야 하고, ㉰ 상호 사전접촉을 못하도록 하여야 하며, ㉱ 대질과정·결과를 서면화하는 등의 조치를 취하여야 한다(대판 2008.1.17, 2007도5201). 10. 경찰승진, 17·21. 경찰간부, 24. 해경승진 그러나 범죄발생 직후 목격자에 의한 생생하고 정확한 식별가능성이 열려 있고, 범죄의 신속한 해결을 위한 해결의 필요성이 인정된 경우에는 목격자의 일대일 대면도 허용된다(대판 2009.6.11, 2008도12111).

범인식별 절차와 관련하여, 용의자 한 사람을 단독으로 목격자와 대질시키거나 용의자의 사진 한 장만을 목격자에게 제시하여 범인 여부를 확인하게 하는 것은 부가적인 사정이 없는 한 그 신빙성이 높다고 보아야 한다. (×) 15. 순경 2차, 17. 경찰간부

강간피해자가 수사기관이 제시한 47명의 사진 속에서 피고인을 범인으로 지목하자 이어진 범인식별 절차에서 수사기관이 피해자에게 피고인만을 촬영한 동영상을 보여주거나 피고인만을 직접 보여주어 피해자로부터 범인이 맞다는 진술을 받고, 다시 피고인을 포함한 3명을 동시에 피해자에게 대면시켜 피고인이 범인이라는 확인을 받은 경우, 위 피해자의 진술은 그 신빙성이 낮다. (○) 10. 경찰승진

피해자가 경찰관과 함께 범행 현장에서 범인을 추적하다 골목길에서 범인을 놓친 직후 골목길에 면한 집을 탐문하여 용의자를 확정한 경우, 예외적으로 그 현장에서 용의자와 피해자의 일대일 대면이 허용된다(대판 2009.6.11, 2008도12111). 10. 경찰승진, 17. 경찰간부, 19. 수사경과

야간에 짧은 시간동안 강도의 범행을 당한 피해자가 어떤 용의자의 인상착의 등에 의하여 그를 범인으로 진술하는 경우에 피해자가 범행 전에 용의자를 한번도 본 일이 없고 피해자의 진술 외에는 그 용의자를 범인으로 의심할 만한 객관적인 사항이 존재하지 않는 상태에서, 수사기관이 잘못된 단서에 의하여 범인으로 지목하고 그 신변을 확보한 피의자를 일대일로 대면하고 그가 범인임을 확인한 것이라면, 위 피해자의 진술은 그 신빙성이 낮다(대판 2001.2.9, 2000도4946). 19. 수사경과

ⓑ 음주측정 : 혈중 알콜농도의 측정에도 수사의 상당성은 존중되어야 한다. 호흡측정기에 의한 음주측정은 운전자가 호흡측정기에 숨을 세게 불어넣는 방식으로 행하여지는 것으로 운전자의 자발적인 협조가 필수적이다. 따라서 주취운전 혐의자에게 영장 없는 음주측정에 응할 의무를 지우고 이에 불응한 사람을 처벌한다고 하더라도 영장주의에 위배되지 아니한다.

관련판례

[음주측정 관련]

도로교통법 개정으로 인하여 2019.6.25.부터 음주운전 단속기준이 현행 혈중 알콜농도 0.05%에서 0.03%로 강화되었다. 이에 따라 혈중 알콜농도 0.05%와 관련한 종전 판례의 내용도 현행법에 맞도록 조정이 있으리라고 본다. 다만, 법률이 개정된 관계로 출제하기에 부적절한 판례도 간혹 시험에 출제되는 경우가 있기 때문에 당분간은 개정된 내용을 숙지하면서 종전 판례까지도 그대로 정리할 필요는 있을 것이다.

PART 02

• **측정이 위법** ○

1. 위법한 강제연행 상태에서 호흡측정 방법에 의한 음주측정을 한 다음 **강제연행 상태로부터 시간적·장소적으로 단절되었다고 볼 수도 없고 피의자의 심적 상태 또한 강제연행 상태로부터 완전히 벗어났다고 볼 수 없는 상황에서 피의자가** 호흡측정 결과에 대한 탄핵을 하기 위하여 스스로 혈액채취 방법에 의한 측정을 할 것을 요구하여 혈액채취가 이루어졌다고 하더라도 **그러한 혈액채취에 의한 측정 결과 역시** 유죄인정의 증거로 쓸 수 없다(**피고인이나 변호인이 이를 증거로 함에** 동의한 경우에도 동일 : **대판** 2013.3.14, 2010도2094). 14. 변호사시험, 16. 경찰간부·9급 교정·보호·철도경찰, 17·18. 경찰승진, 19. 수사경과
2. 위법한 체포 상태에서 음주측정요구가 이루어진 경우, **운전자가** 주취운전을 하였다고 인정할 만한 상당한 이유가 있다 하더라도 **위법한 음주측정요구에 해당하므로 음주측정불응죄로 처벌할 수 없다**(**대판** 2006.11.9, 2004도8404).

   도로교통법상 음주측정에 관한 규정들을 근거로 음주운전을 하였다고 인정할 만한 상당한 이유가 있는 자에 대하여 경찰관서에 강제연행하여 음주측정을 요구할 수 있다. (×) 15. 순경 2차
3. 甲은 저녁을 먹으면서 술을 마신 뒤 빌라 주차장에 주차되어 있던 甲의 차량을 그대로 둔 채 귀가하였다. **다음날 아침에 공사를 할 수 없다며 차량을 이동시켜 달라는 취지의 신고전화를 하였고, 이에 경찰관은 차량을 이동할 것을 요구하는 전화를 하였다. 甲은 위 빌라 주차장에 도착하여 술 냄새가 나고** 눈이 빨갛게 충혈 되어 있는 상태에서 차량을 약 2m 가량 운전하여 이동·주차**하였으나, 누군가 피고인이 음주운전을 하였다고 신고를 하여 경찰관은 다시 현장에 출동하였고, 음주감지기에 의한 확인을 요구하였으나 '이만큼 차량을 뺀 것이 무슨 음주운전이 되느냐.'며** 응하지 아니하였고, 임의동행도 거부하였다. 이에 경찰관은 甲을 음주운전죄의 현행범으로 체포하여 위 지구대로 데리고 가 **음주측정을 요구한 경우,** 사안이 경미하고, 도망하거나 증거를 인멸하였다고 단정하기 어려워 甲을 현행범으로 체포한 것은 위법하고, 그와 같이 위법한 체포상태에서 이루어진 음주측정요구 또한 위법하다고 보지 않을 수 없다(**대판** 2017.4.7, 2016도19907).
4. **동행하기를 거절하는 피고인의 팔을 잡아끌고 교통조사계로 데리고 간 것은** 위법한 강제연행에 해당하므로, 교통조사계에서의 음주측정요구 역시 위법하다고 할 것이어서, **피고인이 그와 같은 음주측정요구에 불응하였다고 하여 음주측정불응죄로 처벌할 수는 없다**(**대판** 2015.12.24, 2013도8481).
5. 음주종료 후 4시간 정도 지난 시점에서 물로 입 안을 헹구지 아니한 채 호흡측정기로 측정한 혈중알코올농도 수치가 0.05%로 나타난 사안에서, **위 증거만으로는 피고인이 혈중알코올농도 0.05% 이상의 술에 취한 상태에서 자동차를 운전하였다고 인정하기 부족하다**(**대판** 2010.6.24, 2009도1856).
6. **음주운전을 종료한 후** 40분 이상이 경과한 시점에서 길가에 앉아 있던 운전자를 술냄새가 난다는 점만을 근거로 **음주운전의 현행범으로 체포한 것은 적법한 공무집행으로 볼 수 없다**(**대판** 2007.4.13, 2007도1249). 19. 경찰승진

7. 물로 입 안을 헹굴 기회를 달라는 피고인의 요구를 무시한 채 호흡측정기로 측정한 혈중알코올농도 수치가 0.05%로 나타난 사안에서, 피고인이 당시 혈중알코올농도 0.05% 이상의 술에 취한 상태에서 운전하였다고 단정할 수 없다(대판 2006.11.23, 2005도7034).
8. 피고인에 대한 음주측정시 구강 내 잔류 알코올 등으로 인한 과다측정을 방지하게 하기 위한 조치를 전혀 취하지 않았고, 1개의 불대만으로 연속적으로 측정한 점 등의 사정에 비추어, 혈중알코올농도 측정치가 0.058%로 나왔다는 사실만으로는 피고인이 음주운전의 법정 최저기준치인 혈중알코올농도 0.05% 이상의 상태에서 자동차를 운전하였다고 단정할 수 없다(대판 2006.5.26, 2005도7528).

• 측정이 위법 ×

1. 경찰관이 음주운전 단속시 운전자의 요구에 따라 곧바로 채혈을 실시하지 않은 채 호흡측정기에 의한 음주측정을 하고 1시간 12분이 경과한 후에야 채혈을 하였다는 사정만으로는 법령에 위배되지 아니한다(대판 2008.4.24, 2006다32132). 11. 순경, 14. 경찰승진, 18. 수사경과
2. 음주운전을 목격한 피해자가 있는 상황에서 경찰관이 음주운전 종료시부터 약 2시간 후, 집에 있던 피고인을 임의동행하여 음주측정을 요구하였고, 음주측정 요구 당시에도 피고인은 상당히 술에 취한 것으로 보이는 상황이었다면 그 음주측정 요구는 적법하다(대판 1997.6.13, 96도3069). 14 · 17. 경찰승진
3. 경찰관이 술에 취한 상태에서 자동차를 운전한 것으로 보이는 피고인을 경찰관직무집행법 제4조 제1항에 따른 보호조치 대상자로 보아 경찰서 지구대로 데려온 직후 3회에 걸쳐 음주측정을 요구한 것은 적법한 음주측정요구에 해당한다(대판 2012.2.9, 2011도4328). 15. 순경 2차
4. 음주측정은 당사자의 자발적 협조가 필수적인 것이므로 영장을 필요로 하는 강제처분이라 할 수 없다. 따라서 주취운전의 혐의자에게 영장 없는 음주측정에 응할 의무를 지우고 이에 불응한 사람을 처벌한다고 하더라도 헌법 제12조 제3항에 규정된 영장주의에 위배되지 아니한다(헌재결 1997.3.27, 96헌가11). 15. 순경 2차
5. 운전자가 주취운전을 하였다고 인정할 만한 상당한 이유가 있다 하더라도 그 운전자에게 경찰공무원의 위법한 음주측정요구에 대해서까지 그에 응할 의무가 있다고 보아 이를 강제하는 것은 부당하므로 그에 불응하였다고 하여 음주측정 거부에 관한 도로교통법 위반죄로 처벌할 수 없다(대판 2006.11.9, 2004도8404). 10. 경찰승진
6. 운전자의 자발적인 동의를 얻어 혈액 채취에 의한 측정의 방법으로 다시 음주측정을 하는 것을 위법하다고 볼 수는 없다. 운전자의 혈액 채취에 대한 동의의 임의성을 담보하기 위하여는 운전자의 자발적인 의사에 의하여 혈액 채취가 이루어졌다는 것이 객관적인 사정에 의하여 명백한 경우에 한하여 혈액 채취에 의한 측정의 적법성이 인정된다(대판 2015.7.9, 2014도16051).
7. 피고인이 술냄새가 나고, 혈색이 붉으며, 말을 할 때 혀가 심하게 꼬이고 비틀거리며 걷는 등 술에 취한 것으로 보이자 피고인을 경찰관직무집행법 제4조 제1항에 따른 보호조치 대상자로 보아 순찰차 뒷자리에 태운 뒤 경찰서지구대로 데려왔으며, 경찰관들은 피고인이 지구대에 도착한 직후인 2009. 11. 3. 00 : 47부터 같은 날 01 : 09까지 피고인에게 3회에 걸쳐 음주측정을 요구한 것은 도로교통법 제44조 제2항에 따른 것이라고 할 것이므로, 그러한 음주측정 요구에 불응한 피고인의 행위는, 음주측정불응죄에 해당한다(대판 2012.2.9, 2011도4328). 20. 수사경과

▶ **비교판례** : 화물차 운전자인 피고인이 경찰의 음주단속에 불응하고 도주하였다가 다른 차량에 막혀 더 이상 진행하지 못하게 되자 운전석에서 내려 다시 도주하려다 경찰관에게 지구대로 보호조치된 후 음주측정요구에 불응하고 경찰관을 상해한 경우, 술에 만취하여 정상적인 판단능력이나

의사능력을 상실할 정도에 있었다고 보기 어려운 점, 당시 상황에 비추어 평균적인 경찰관으로서는 보호조치를 필요로 하는 상태에 있었다고 판단하지 않았을 것으로 보이는 점, 경찰관이 보호조치를 하고자 하였다면, 당시 옆에 있었던 피고인 처에게 피고인을 인계하였어야 하는데도, 피고인 처의 의사에 반하여 지구대로 데려간 점 등 제반 사정을 종합할 때 피고인을 지구대로 데려간 행위를 적법한 보호조치라고 할 수 없고, 그와 같이 위법한 체포 상태에서 이루어진 음주측정요구에 불응하였다고 하더라도 음주측정거부죄나 공무집행방해죄로 처벌할 수 없다(다만, 상해죄 처벌은 가능)(대판 2012.12.13, 2012도11162).

경찰관직무집행법 제4조 제1항 제1호의 보호조치요건이 갖추어지지 않았음에도, 경찰관이 실제로는 범죄수사를 목적으로 피의자에 해당하는 사람을 이 사건 조항의 피구호자로 삼아 그의 의사에 반하여 경찰서에 데려간 행위는 현행범체포나 임의동행 등의 적법요건을 갖추었다고 볼 사정이 없다면 위법한 체포에 해당한다. (○) 16. 경찰간부, 17. 순경 2차

8. 운전자가 경찰공무원에 대하여 호흡측정기에 의한 측정결과에 불복하고 혈액채취의 방법에 의한 측정을 요구할 수 있는 것은 경찰공무원이 운전자에게 호흡측정의 결과를 제시하여 확인을 구하는 때로부터 상당한 정도(30분)로 근접한 시점에 한정된다 할 것이고(음주측정 불응에 따른 불이익을 10분 간격으로 3회 이상 명확히 고지하고 최초 측정요구시로부터 30분이 경과한 때에 측정거부로 처리) 운전자가 정당한 이유 없이 그 확인을 거부하면서 상당한 시간이 경과한 후에야 호흡측정 결과에 이의를 제기하면서 혈액채취의 방법에 의한 측정을 요구하는 경우에는 이를 정당한 요구라고 할 수 없으므로, 이와 같은 경우에는 경찰공무원이 혈액채취의 방법에 의한 측정을 실시하지 않았다고 하더라도 호흡측정기에 의한 측정의 결과만으로 음주운전 사실을 증명할 수 있다(대판 2002.3.15, 2001도7121).

• 기 타

1. 음주운전과 관련한 도로교통법 위반죄의 범죄수사를 위하여 미성년자인 피의자의 혈액채취가 필요한 경우에도 피의자에게 의사능력이 있다면 피의자 본인만이 혈액채취에 관한 유효한 동의를 할 수 있고, 피의자에게 의사능력이 없는 경우에도 명문의 규정이 없는 이상 법정대리인이 피의자를 대리하여 동의할 수는 없다(대판 2014.11.13, 2013도1228). 16. 경찰간부, 17. 경찰승진, 18. 순경 3차, 20. 9급 법원직, 22·24. 7급 국가직

   음주운전과 관련한 도로교통법 위반죄의 범죄수사를 위하여 미성년자인 피의자의 혈액채취가 필요한 경우에 피의자 의사능력 유무와 관계없이 법정대리인이 미성년자인 피의자를 대리하여 채혈에 관해 동의할 수 있다. (×) 21. 순경 2차

2. 호흡측정기에 의한 음주측정을 요구하기 전에 사용되는 음주감지기 시험에서 음주반응이 나왔다고 할지라도 그것만으로 바로 운전자가 혈중알코올농도 0.05% 이상의 술에 취한 상태에 있다고 인정할 만한 상당한 이유가 있다고 볼 수는 없고, 거기에다가 운전자의 외관·태도·운전행태 등의 객관적 사정을 종합하여 술에 취한 상태에 있다고 인정할 만한 상당한 이유가 있는지 여부를 판단하여야 한다(대판 2003.1.24, 2002도6632). 14. 경찰승진

3. 운전자의 신체 이상 등의 사유로 호흡측정기에 의한 측정이 불가능 내지 심히 곤란하거나 운전자가 처음부터 호흡측정기에 의한 측정의 방법을 불신하면서 혈액채취에 의한 측정을 요구하는 경우 등에는 호흡측정기에 의한 측정의 절차를 생략하고 바로 혈액채취에 의한 측정으로 나아가야 할 것이고, 이와 같은 경우라면 호흡측정기에 의한 측정에 불응한 행위를 음주측정 불응으로 볼 수 없다. 한편, 특별한 이유 없이 호흡측정기에 의한 측정에 불응하는 운전자에게 경찰공무원이 혈액채취에 의한

측정방법이 있음을 고지하고 그 선택 여부를 물어야 할 의무가 있다고는 할 수 없다(대판 2002.10.25, 2002도4220). 14. 경찰승진, 18. 순경 2차

4. 호흡측정기에 의한 음주측정치와 혈액검사에 의한 음주측정치가 다른 경우에 혈액검사에 의한 음주측정치가 호흡측정기에 의한 음주측정치보다 측정 당시의 혈중알코올농도에 더 근접한 음주측정치라고 보는 것이 경험칙에 부합한다(대판 2004.2.13, 2003도6905). 11. 순경, 18. 순경 2차
5. 위드마크 공식을 사용하여 수학적 방법에 따른 결과로 운전 당시의 혈중알코올농도를 추정할 수 있고, 이때 운전시점의 혈중알코올농도를 추정함에 있어서는, 피검사자의 평소 음주정도, 체질, 음주속도, 음주 후 신체활동의 정도 등 다양한 요소들이 시간당 혈중알코올의 감소치에 영향을 미칠 수 있으나 그 시간당 감소치는 대체로 0.03%에서 0.008% 사이라는 것은 이미 알려진 신빙성 있는 통계자료에 의하여 인정되는바, 위와 같은 역추산 방식에 의하여 운전시점 이후의 혈중알코올분해량을 가산함에 있어서 시간당 0.008%는 피고인에게 가장 유리한 수치이므로 특별한 사정이 없는 한 이 수치를 적용하여 산출된 결과는 운전 당시의 혈중알코올농도를 증명하는 자료로서 증명력이 충분하다(대판 2001.8.21, 2001도2823). 10. 경찰승진, 16. 수사경과
6. 경찰공무원이 운전자에게 음주 여부를 확인하기 위하여 음주측정기에 의한 측정의 전 단계에 실시되는 음주감지기에 의한 시험을 요구하는 경우, 음주감지기에 의한 시험을 거부한 행위도 음주측정기에 의한 측정에 응할 의사가 없음을 객관적으로 명백하게 나타낸 것으로 볼 수 있다(대판 2017.6.8, 2016도16121). – 따라서 음주감지기 시험 거부는 음주측정불응죄에 해당한다. 18. 순경 2차
7. 경찰공무원이 음주감지기에 의한 시험을 요구하였을 당시 피고인은 이미 운전을 종료한 지 약 2시간이 경과하였던 점, 피고인은 자신의 차량을 운전하여 이 사건 현장에 도착한 이후 일행들과 40분 이상 편의점 앞 탁자에 앉아 있었고 그 위에는 술병들이 놓여 있었으므로, 피고인이 운전을 마친 이후 이 사건 현장에서 비로소 술을 마셨을 가능성도 없지 않았던 점 등을 종합적으로 고려하여 보면, 피고인이 술에 취한 상태에서 자동차를 운전하였다고 인정할 만한 상당한 이유가 있다고 하기에 부족하다(대판 2017.6.8, 2016도16121). – 이 경우처럼 술에 취한 상태에서 자동차를 운전하였다고 인정할 만한 상당한 이유가 없으면 음주감지기 시험 거부는 음주측정불응죄에 해당하지 아니한다.
8. 음주측정불응죄에서 말하는 '경찰공무원의 측정에 응하지 아니한 경우'라 함은 전체적인 사건의 경과에 비추어 술에 취한 상태에 있다고 인정할 만한 상당한 이유가 있는 운전자가 음주측정에 응할 의사가 없음이 객관적으로 명백하다고 인정되는 때를 의미하는 것으로 봄이 타당하고, 그러한 운전자가 경찰공무원의 1차 측정에만 불응하였을 뿐 곧이어 이어진 2차 측정에 응한 경우와 같이 측정거부가 일시적인 것에 불과한 경우까지 음주측정불응죄가 성립한다고 볼 것은 아니다(대판 2015.12.14, 2013도8481).
9. "비록 운전시점과 혈중알코올농도의 측정 시점 사이에 시간 간격이 있고 그때가 혈중알코올농도의 상승기로 보이는 경우라 하더라도, 그러한 사정만으로 무조건 실제 운전 시점의 혈중알코올농도가 처벌기준치를 초과한다는 점에 대한 입증이 불가능하다고 볼 수는 없다." 이러한 경우 운전 당시에도 처벌기준치 이상이었다고 볼 수 있는지 여부는 운전과 측정 사이의 시간 간격, 측정된 혈중알코올농도의 수치와 처벌기준치의 차이, 음주량과 운전자의 행동 양상 등 증거에 의해 인정되는 여러 사정을 종합적으로 고려해 합리적으로 판단해야 한다(대판 2013.10.24, 2013도6285).
10. 음주측정불응죄에 있어서 경찰공무원의 측정은 같은 법 제44조 제2항의 호흡조사에 의한 측정만을 의미하는 것으로서 같은 법 제44조 제3항의 혈액채취에 의한 측정을 포함하는 것으로 볼 수 없음은 법문상 명백하다. 따라서, 신체 이상 등의 사유로 인하여 호흡조사에 의한 측정에 응할 수 없는 운전자

가 혈액채취에 의한 측정을 거부하거나 이를 불가능하게 하였다고 하더라도 이를 들어 음주측정에 불응한 것으로 볼 수는 없다(대판 2010.7.15, 2010도2935).

11. 음주측정불응죄가 성립하기 위하여는 **음주측정 요구 당시 운전자가 반드시 음주운전죄로 처벌되는 음주수치인 혈중알코올농도 0.05% 이상의 상태에 있어야 하는 것은 아니고** 혈중알코올농도 0.05% 이상의 상태에 있다고 인정할 만한 상당한 이유가 있으면 되는 것이고, **나아가 술에 취한 상태에 있다고 인정할 만한 상당한 이유가 있는지 여부는 음주측정 요구 당시 개별 운전자마다 그의 외관·태도·운전 행태 등 객관적 사정을 종합하여 판단하여야 한다**(대판 2004.10.15, 2004도4789).

12. **경찰공무원의 음주측정 요구에 응하지 아니한 이상** 그 후 피고인이 스스로 경찰공무원에게 혈액채취의 방법에 의한 음주측정을 요구하였다 하더라도 음주측정불응죄의 성립에 영향이 없으며, **그 혈액채취에 의한 음주측정 결과 음주운전으로 처벌할 수 없는 혈중알코올농도 수치가 나왔다고 하여** 음주측정 불응 당시 피고인이 혈중알코올농도 0.05% 이상의 술에 취한 상태에 있다고 인정할 만한 상당한 이유가 없었다고 볼 수는 없다(대판 2004.10.15, 2004도4789). 18. 순경 2차

13. **호흡측정기에 의한 음주측정을 요구하기 전에 사용되는 음주감지기 시험결과 음주반응이 나온 점, 음주측정을 요구받을 당시 피고인에게서 술 냄새가 났고, 혈색이 붉은 색을 띠고 있었으며, 걸음걸이 등 보행상태가 약간 흔들거렸던 점, 음주측정을 요구받은 피고인이 군인신분증을 보여주면서 자신은 군인이니 좀 봐주면 안 되겠냐고 부탁한 점 등을 종합해 볼 때, 음주측정 요구를 받을 당시 술에 취한 상태에 있다고 인정할만한 상당한 이유가 있다고 판단되므로** 음주측정요구에 불응한 경우 음주측정불응죄가 인정된다(대판 2004.10.15, 2004도4789).

14. **약 21분간** 불대에 입을 대고 부는 시늉만 하면서 입을 떼버리는 것을 반복하여 **호흡측정기에 음주측정 수치가 나타나지 아니하도록 한 행위는 음주측정 불응의 죄에 해당한다**(대판 2002.10.25, 2002도4220).

15. 혈중알코올농도 측정 없이 **위드마크 공식을 사용해 피고인이 마신 술의 양을 기초로 피고인의 운전 당시 혈중알코올농도를 추산하는 경우로서 알코올의 분해소멸에 따른 혈중알코올농도의** 감소기에 운전이 이루어진 것으로 인정되는 경우에는 **피고인에게 가장 유리한 음주 시작 시점부터 곧바로 생리작용에 의하여 분해소멸이 시작되는 것으로 보아야 한다. 이와 다르게** 음주 개시 후 특정 시점부터 알코올의 분해소멸이 시작된다고 인정하려면 **알코올의 분해소멸이 시작되는 시점이 다르다는 점에 관한 과학적 증명 또는 객관적인 반대 증거가 있거나, 음주 시작 시점부터 알코올의 분해소멸이 시작된다고 보는 것이 그렇지 않은 경우보다 피고인에게 불이익하게 작용되는 특별한 사정이 있어야 한다**(대판 2022.5.12, 2021도14074).

16. **음주운전이 의심되는 상황에서 운전자가** 혈중알코올농도 측정 직전에 추가로 음주를 한 경우에 **위드마크 공식을 통해 혈중알코올농도를 추정할 수 있다**(대판 2023.12.28, 2020도6417). 24. 경위공채

㉡ 수사의 신의칙

ⓐ 의의 : 범죄의 혐의를 밝히기 위해 사술을 사용하거나 피의자를 곤궁·궁박상태에 빠뜨리는 방법은 사용해서는 안 된다는 것을 수사의 신의칙이라 한다. 이와 관련하여 수사기관이 함정수사의 방법으로 수사를 행하는 것이 수사의 상당성에 부합하는가 하는 문제가 생긴다.

ⓑ 함정수사

㉮ 의의 : 함정수사란 수사기관이 신분을 숨기고 범죄를 교사한 후 범죄의 실행을 기다렸다가 범인을 체포하는 수사방법을 말한다.

㉯ 구분 : 함정수사는 기회제공형 함정수사(이미 범의를 가지고 있는 자에 대하여 범죄로 나아갈 기회를 제공하는 데 그치는 경우)와 범죄유발형 함정수사(전혀 범의가 없는 자에게 범의를 유발케 하는 경우)로 구분하는 것이 일반적이나, 판례는 후자의 경우를 함정수사로 본다. 범죄유발형 함정수사에 의해 공소가 제기된 경우 법원은 어떠한 재판을 할 것인가에 견해의 대립이 있으나, 판례와 다수설은 공소제기가 무효인 경우에 해당하므로 공소기각판결을 하여야 한다는 입장이다. 16 · 18 · 20. 수사경과, 21. 7급 국가직, 24. 경력채용

- 기회제공형의 경우는 수사의 상당성이 인정되어 적법하다는 점에 이론이 없다(따라서 피교사자 처벌 가능).
- 범죄유발형 함정수사의 경우 신의칙에 반하므로 위법하다는 입장이 판례 · 다수설이다.
- 범죄유발형 함정수사는 수사기관(또는 수사기관과 밀접한 관련을 맺는 자)의 적극적인 유인 · 기망이 있어야 한다(수사기관과 직접 관련이 없는 자가 범행을 교사하는 경우 ⇨ 함정수사 ×).
- 비록 위법수사가 있더라도 공소제기 절차는 유효하므로(그 위법수사에 의해 수집한 증거를 배제할 이유는 될 지언정) 실체재판을 하여야 하나(대판 1996.5.14, 96도561), 함정수사의 경우는 예외적으로 공소제기 자체를 무효로 보아 공소기각판결로 종결하여야 한다는 것이 판례의 입장(대판 2005.10.28, 2005도1247)임에 주의
- 위법한 함정수사의 경우는 무죄판결을 하여야 한다. (×) 10. 9급 국가직, 11 · 16. 경찰승진, 14. 순경 1차, 15. 순경 2차, 15 · 16 · 20. 수사경과

관련판례

1. 범의를 가지지 아니한 자에 대하여 수사기관이 사술이나 계략 등을 써서 범의를 유발케 하여 범죄인을 검거하는 함정수사는 위법함을 면할 수 없고, 이러한 함정수사에 기한 공소제기는 그 절차가 법률의 규정에 위반하여 무효인 때에 해당한다고 볼 것이다(대판 2005.10.28, 2005도1247). ∴ 공소기각판결 11 · 16. 순경 2차, 17. 변호사시험 · 해경간부, 14 · 18. 경찰간부, 16 · 18. 9급 검찰 · 마약수사, 16 · 18 · 20. 9급 교정 · 보호 · 철도경찰, 17 · 18. 수사경과, 12 · 14 · 15 · 17 · 18 · 23. 경찰승진, 21 · 24. 7급 국가직, 25. 소방간부
2. 범의를 가진 자에 대하여 범행의 기회를 주거나 범행을 용이하게 한 것에 불과한 경우에는 함정수사라고 말할 수 없다(대판 1992.10.27, 92도1377). 11. 순경, 15. 경찰승진, 16. 순경 2차, 17. 경찰간부, 16. 수사경과
3. 구체적인 사건에 있어서 위법한 함정수사에 해당하는지 여부는 해당 범죄의 종류와 성질, 유인자의 지위와 역할, 유인의 경위와 방법, 유인에 따른 피유인자의 반응, 피유인자의 처벌 전력 및 유인행위 자체의 위법성 등을 종합하여 판단하여야 한다(대판 2008.7.24, 2008도2794). 24. 7급 국가직

㉰ 아동 · 청소년 대상 디지털 성범죄의 수사상 특례(2021. 3. 23. 신설) : 사법경찰관리는 아동 · 청소년을 대상으로 하는 디지털 성범죄에 대해 신분비공개수사는 물론 신분위장수사도 가능하다(아동 · 청소년의 성보호에 관한 법률 제25조의 2 제1항 · 제2항). 22. 순경 1차, 24. 해경순경

사법경찰관리는 신분비공개수사 또는 신분위장수사를 할 때 다음 각 호의 사항을 준수해야 한다(아동·청소년의 성보호에 관한 법률 시행령 제5조의 2).

> 1. 수사 관계 법령을 준수하고, 본래 범의(犯意)를 가지지 않은 자에게 범의를 유발하는 행위를 하지 않는 등 적법한 절차와 방식에 따라 수사할 것 22. 7급 국가직
> 2. 피해아동·청소년에게 추가 피해가 발생하지 않도록 주의할 것
> 3. 법 제25조의 2 제2항 제3호에 따른 행위를 하는 경우에는 피해아동·청소년이나 성폭력방지 및 피해자보호 등에 관한 법률 제2조 제3호의 성폭력피해자에 관한 자료가 유포되지 않도록 할 것

- **신분비공개수사** : 사전에 상급 경찰관서 수사부서의 장의 승인을 받아야 함(3개월 초과 금지, 연장규정 ×)(아동·청소년의 성보호에 관한 법률 제25조의 3 제1항). 24. 경위공채
- **신분위장수사**
  - 사법경찰관리는 검사에게 허가신청, 검사는 법원에 허가청구(동법 제25조의 3 제3항)
  - 3개월 초과 금지. 3개월 범위 내 연장신청·청구 가능(총 기간은 1년 초과 금지)(동법 제25조의 3 제8항)
  - 긴급신분위장 수사 : 긴급시 법원허가 없이 가능(개시 후 지체 없이 검사에게 허가신청, 48시간 이내에 법원허가를 받지 못한 때에는 즉시 신분위장 수사 중지)(동법 제25조의 4 제1항·제2항) 24. 경위공채

사법경찰관리가 신분비공개수사 또는 신분위장수사로 수집한 증거는 다음 각 호의 어느 하나에 해당하는 외에는 사용할 수 없다(동법 제25조의 6).

> 1. 신분비공개수사 또는 신분위장수사의 목적이 된 디지털 성범죄나 이와 관련되는 범죄를 수사·소추하거나 그 범죄를 예방하기 위하여 사용하는 경우
> 2. 신분비공개수사 또는 신분위장수사의 목적이 된 디지털 성범죄나 이와 관련되는 범죄로 인한 징계절차에 사용하는 경우
> 3. 증거 및 자료 수집의 대상자가 제기하는 손해배상청구소송에서 사용하는 경우
> 4. 그 밖에 다른 법률의 규정에 의하여 사용하는 경우

관련판례

[함정수사]

• 함정수사에 해당 ○

1. 경찰관들이 노래방의 도우미 알선 영업 단속 실적을 올리기 위하여 그에 대한 제보나 첩보가 없는데도 손님을 가장하고 들어가 도우미를 불러낸 경우 수사기관이 사술이나 계략 등을 써서 피고인의 범의를 유발케 한 것으로서 위법한 함정수사에 해당한다(대판 2008.10.23, 2008도7362). 15. 순경 2차, 16. 경찰승진·경찰간부·7급 국가직, 17. 변호사시험, 18. 9급 검찰·마약·교정·보호·철도경찰, 15·16·18·20. 수사경과
2. 수사기관과 직접 관련이 있는 유인자가 피유인자와의 개인적인 친밀관계를 이용하여 피유인자의 동정심이나 감정에 호소하거나, 금전적·심리적 압박이나 위협 등을 가하거나, 거절하기 힘든 유혹을 하거나, 또는 범행방법을 구체적으로 제시하고 범행에 사용될 금전까지 제공하는 등으로 과도하게 개입함으로써 피유인자로 하여금 범의를 일으키게 하는 것은 위법한 함정수사에 해당한다(대판 2008.7.24, 2008도2794). 11. 경찰승진, 22. 순경 1차, 25. 변호사시험
3. 게임장에 잠복근무 중인 경찰관으로부터 게임점수를 환전해 줄 것을 요구받고 거절하였음에도 위 경찰관의 지속적인 요구에 어쩔 수 없이 게임점수를 현금으로 환전해 준 것은 본래 범의를 가지지

않은 자에 대하여 수사기관이 계략으로 범의를 유발하게 한 함정수사에 해당한다(대판 2021.7.29, 2017도16810). 22. 해경간부, 24. 경위공채

• **함정수사에 해당 ×**

1. **경찰관이 취객을 상대로 한 이른바 부축빼기 절도범을 단속하기 위하여 공원 인도에 쓰러져 있는 취객 근처에서 감시하고 있다가, 마침 피고인이 나타나 취객을 부축하여 10m 정도 끌고 가 지갑을 뒤지자 현장에서 체포하여 기소한 경우, 위법한 함정수사라고 볼 수 없다**(대판 2007.5.31, 2007도1903). 14. 순경 1차, 16. 7급 국가직 · 순경 2차, 16 · 18. 경찰간부, 14 · 16 · 17 · 21. 경찰승진, 16 · 17 · 18 · 19 · 20. 수사경과, 22. 해경간부

   경찰관들이 경찰관직무집행법 제4조에 규정된 구호의무에 위반하여 노상에 정신을 잃고 쓰러져 있는 피해자를 이용하여 부축빼기 절도범에 대한 단속 및 수사에 나아가는 것은 경찰의 직분을 도외시하여 범죄수사의 한계를 넘어선 것으로서 위법한 함정수사에 해당하므로 이에 기초한 공소제기는 무효이다. (×) 17. 경찰간부

2. **유인자가** 수사기관과 직접적인 관련을 맺지 아니한 상태에서, **피유인자를 상대로 단순히 수차례 반복적으로 범행을 교사하였을 뿐, 수사기관이** 사술이나 계략 등을 사용하였다고 볼 수 없는 경우는, **설령 그로 인하여 피유인자의 범의가 유발되었다 하더라도** 위법한 함정수사에 해당하지 아니한다(대판 2008.7.24, 2008도2794). 10. 순경 2차, 11. 순경 1차, 14. 변호사시험, 14 · 16. 수사경과, 17 · 18. 경찰간부, 18. 9급 검찰 · 마약 · 교정 · 보호 · 철도경찰, 14 · 16 · 17 · 21 · 23. 경찰승진, 24. 7급 국가직

3. **甲이 수사기관에 체포된 동거남의 석방을 위한 공적을 쌓기 위하여 乙에게 필로폰 밀수입에 관한 정보제공을 부탁하면서 대가의 지급을 약속하고, 이에 乙이 丙에게, 丙은 丁에게 순차 필로폰 밀수입을 권유하여, 이를 승낙하고 필로폰을 받으러 나온 丁을 체포한 경우, 乙, 丙 등이** 각자의 사적인 동기에 기하여 **수사기관과** 직접적인 관련이 없이 **독자적으로 丁을 유인한 것으로서 위법한 함정수사에 해당하지 않는다**(대판 2007.11.29, 2007도7680). 16. 경찰간부 · 7급 국가직, 22. 순경 2차

4. **수사기관이 피고인의 범죄사실을 인지하고도 피고인을 바로 체포하지 않고** 추가 범행을 지켜보고 있다가 범죄사실이 많이 늘어난 뒤에야 피고인을 체포하였다는 사정만으로는 **피고인에 대한 수사와 공소제기가 위법하다거나 함정수사에 해당한다고 할 수 없다**(대판 2007.6.29, 2007도3164). 18. 경찰간부, 14 · 17 · 21. 경찰승진, 15 · 16 · 17 · 20. 수사경과, 22. 해경간부

5. **피고인의 뇌물수수가 공여자들의 함정교사에 의한 것이기는 하나, 뇌물공여자들에게 피고인을 함정에 빠뜨릴 의사만 있었고 뇌물공여의 의사가 전혀 없었다고 보기 어려울 뿐 아니라, 뇌물공여자들의 함정교사라는 사정은 피고인의 책임을 면하게 하는 사유가 될 수 없다**(대판 2008.3.13, 2007도10804).
   – 유인자가 수사기관과 직접적인 관련을 맺고 있는 상황은 아니므로 함정수사문제는 아님. 14. 순경 1차, 16. 경찰승진, 21. 수사경과

6. **이미 범행을 저지른 피고인을 검거하기 위하여** 수사기관이 정보원을 이용하여 피고인을 검거장소로 유인한 것에 불과한 경우는 **함정수사에 해당하지 아니한다**(대판 2007.7.26, 2007도4532). 16 · 17. 경찰간부, 16. 수사경과, 21. 경찰승진, 22. 7급 국가직 · 순경 2차

7. **甲이 2005. 5. 25. 乙에게 필로폰 약 0.03g이 든 1회용 주사기를 교부하고, 같은 달 28. 18 : 00 무렵 필로폰 약 0.03g을 1회용 주사기에 넣고 생수로 희석한 다음 자신의 팔에 주사하여 투약하였는바, 乙이 위 사실을 검찰에 신고하여 甲이 체포되도록 한 경우,** 乙이 수사기관과 관련을 맺은 상태에서 위 甲으로 하여금 위와 같이 필로폰을 교부하도록 하거나 필로폰을 투약하도록 유인했다고 볼 아무런

자료가 없다면 위 甲의 필로폰 투약 등이 함정수사에 의한 것이라고 할 수 없다(대판 2008.7.24, 2008도2794). 11. 경찰승진

8. 경찰관은 게임장에서 불법 환전이 이루어지고 있다는 신고를 받고 위 게임장에 손님으로 가장하여 잠입수사를 하였는데, 그 과정에서 위 게임장 종업원의 제안에 따라 회원카드를 발급받아 게임점수를 적립하였을 뿐 피고인 등에게 회원카드 발급 및 게임점수 적립을 적극적으로 요구하거나 다른 손님들과 게임점수의 거래를 시도한 적은 없는 경우라면, 이 부분 범행은 수사기관이 사술이나 계략 등을 써서 피고인의 범의를 유발한 것이 아니라 이미 이루어지고 있던 범행을 적발한 것에 불과하므로 이에 관한 공소제기가 함정수사에 기한 것으로 볼 수 없다(대판 2021.7.29, 2017도16810).
9. 함정수사라 함은 본래 범의를 가지지 아니한 자에 대하여 수사기관이 사술이나 계략 등을 써서 범죄를 유발케 하여 범죄인을 검거하는 수사방식을 말하는 것이므로 물품반출업무담당자가 소속회사에 밀반출행위를 사전에 알리고 그 정확한 증거를 확보하기 위하여 피고인의 밀반출행위를 묵인하였다는 것이므로 이는 함정수사에 비유할 수는 없는 것이다(대판 1987.6.9, 87도915). 22. 순경 2차

PART 02

(4) 수사조건 위반의 효과

수사조건을 위반한 수사는 준항고(제417조)의 대상이 될 뿐 아니라, 이에 의하여 수집된 증거는 위법수집증거 배제법칙에 의거 증거능력이 배제된다. 뿐만 아니라 형법상 직권남용죄(형법 제123조)를 구성할 수도 있다.

KEY point

- **수사의 필요성** : 범죄혐의, 공소제기 가능성
- **수사의 상당성**
  - 개시의 상당성(범죄인지의 상당성) : 경미사건 범죄인지 ⇨ 상당한 수사 ×
  - 방법의 상당성
    - 수사비례원칙 : 전라수색, 경미사건구속 ⇨ 상당한 수사 ×
    - 신의칙 : 함정수사 ⇨ 상당한 수사 ×
- **함정수사**
  - 기회제공형 함정수사 – 적법(판례)
  - 범의유발형 함정수사 – 위법(공소제기 ⇨ 공소제기 절차 무효 ∴ 공소기각판결 : 판례)

▶ 함정수사, 음주측정 관련판례

CHAPTER 01

기출문제

01 **수사의 조건에 대한 설명 중 가장 적절하지 않은 것은?**(다툼이 있는 경우 판례에 의함) 20. 순경 1차

① 수사기관은 범죄혐의가 있다고 사료하는 때에 수사를 개시하여야 하며, 여기서의 범죄혐의는 수사기관의 주관적 혐의일 뿐만 아니라 구체적 범죄혐의이다.

② 필요성과 상당성이라는 수사의 조건은 임의수사에는 적용되지 않고 강제수사에만 적용된다.

③ 친고죄나 세무공무원 등의 고발이 있어야 논할 수 있는 죄에 있어서 고소 또는 고발은 이른바 소추조건에 불과하고 당해 범죄의 성립 요건이나 수사의 조건은 아니므로 위와 같은 범죄에 관하여 고소나 고발이 있기 전에 수사를 하였다고 하더라도 그 수사가 장차 고소나 고발이 있을 가능성이 없는 상태하에서 행해졌다는 등의 특단의 사정이 없는 한 고소나 고발이 있기 전에 수사를 하였다는 이유만으로 그 수사가 위법하다고 볼 수는 없다.

④ 위법한 함정수사에 해당하는지 여부는 해당 범죄의 종류와 성질, 유인자의 지위와 역할, 유인의 경위와 방법, 유인에 따른 피유인자의 반응, 피유인자의 처벌 전력 및 유인행위 자체의 위법성 등을 종합하여 판단하여야 한다.

해설 ① 수사기관은 범죄혐의가 있다고 사료하는 때에 수사를 개시하여야 하며, 여기서의 범죄혐의란 증거에 의한 뒷받침이 필요한 객관적인 혐의가 아니라, 구체적인 사실에 근거를 둔 수사기관의 주관적인 혐의를 뜻한다.
② 필요성과 상당성이라는 수사의 조건은 임의수사와 강제수사 모두에 적용된다.
③ 대판 2011.3.10, 2008도7724
④ 대판 2013.3.28, 2013도1473

02 **다음 중 범인식별에 관한 설명으로 가장 옳지 않은 것은?**(다툼이 있는 경우 판례에 의함)
24. 해경승진

① 범인식별절차에서의 피해자의 진술을 신빙성이 높다고 평가할 수 있으려면, 범인의 인상착의 등에 관한 피해자의 진술 내지 묘사를 사전에 상세하게 기록한 다음, 용의자를 포함하여 그와 인상착의가 비슷한 여러 사람을 동시에 피해자와 대면시켜 범인을 지목하도록 하여야 하고, 용의자와 비교대상자 및 피해자들이 사전에 서로 접촉하지 못하도록 하여야 한다.

② 용의자의 인상착의 등에 의한 범인식별절차에서 용의자 한사람을 단독으로 목격자와 대질시키거나 용의자의 사진 한 장만을 목격자에게 제시하여 범인 여부를 확인하게 하는 것은 부가적인 사정이 없는 한 그 신빙성이 낮다.

③ 야간에 짧은 시간동안 강도의 범행을 당한 피해자가 어떤 용의자의 인상착의 등에 의하여 그를 범인으로 진술하는 경우에 피해자가 범행 전에 용의자를 한 번도 본 일이 없고 피해자의

Answer 01. ② 02. ④

진술 외에는 그 용의자를 범인으로 의심할 만한 객관적인 사정이 존재하지 않는 상태에서, 수사기관이 잘못된 단서에 의하여 범인으로 지목하고 신병을 확보한 피의자를 일대일로 대면하고 그가 범인임을 확인한 것이라면, 위 피해자의 진술은 그 신빙성이 낮다.

④ 피해자가 경찰관과 함께 범행현장에서 강제추행을 저지른 범인을 추적하다 골목길에서 범인을 놓친 직후 골목길에 면한 집을 탐문하여 용의자를 확정한 경우, 그 현장에서 용의자와 피해자의 일대일 대면은 허용되지 않는다.

해설 ①② 대판 2008.1.7, 2007도5201
③ 대판 2001.2.9, 2000도4946
④ 피해자가 경찰관과 함께 범행 현장에서 범인을 추적하다 골목길에서 범인을 놓친 직후 골목길에 면한 집을 탐문하여 용의자를 확정한 경우, 그 현장에서 용의자와 피해자의 일대일 대면이 허용된다(대판 2009.6.11, 2008도12111).

03 **음주측정에 관한 설명 중 가장 적절한 것은?**(다툼이 있는 경우 판례에 의함) 17. 경찰승진

① 음주운전과 관련한 도로교통법위반죄의 범죄수사를 위하여 미성년자인 피의자의 혈액채취가 필요한 경우, 피의자에게 의사능력이 없다면 피의자의 법정대리인이 피의자를 대리하여 피의자의 혈액채취에 관한 유효한 동의를 할 수 있다.

② 위법한 강제연행 상태에서 호흡측정방법에 의한 음주측정을 한 다음, 강제연행 상태로부터 시간적·장소적으로 단절되었다고 볼 수 없는 상황에서 피의자가 호흡측정결과를 탄핵하기 위하여 스스로 혈액채취에 의한 측정을 할 것을 요구하여 혈액채취가 이루어진 경우 그러한 혈액채취에 의한 측정결과는 유죄인정의 증거로 쓸 수 있다.

③ 주취운전의 혐의자에게 영장 없는 음주측정에 응할 의무를 지우고 이에 불응한 사람을 처벌하는 것은 헌법 제12조 제3항에 규정된 영장주의에 위배된다.

④ 음주운전을 목격한 피해자가 있는 상황에서 경찰관이 음주운전 종료시부터 약 2시간 후 집에 있던 피고인을 임의동행하여 음주측정을 요구하였고, 음주측정 요구 당시에도 피고인이 상당히 취한 것으로 보이는 상황이었다면 그 음주측정 요구는 적법하다.

해설 ① 피의자에게 의사능력이 없는 경우에도 명문의 규정이 없는 이상 법정대리인이 피의자를 대리하여 동의할 수는 없다(대판 2014.11.13, 2013도1228).
② 피의자가 호흡측정 결과에 대한 탄핵을 하기 위하여 스스로 혈액채취 방법에 의한 측정을 할 것을 요구하여 혈액채취가 이루어졌다고 하더라도 그러한 혈액채취에 의한 측정 결과 역시 유죄인정의 증거로 쓸 수 없다(대판 2013.3.14, 2010도2094).
③ 음주측정은 당사자의 자발적 협조가 필수적인 것이므로 영장을 필요로 하는 강제처분이라 할 수 없다. 따라서 주취운전의 혐의자에게 영장없는 음주측정에 응할 의무를 지우고 이에 불응한 사람을 처벌한다고 하더라도 헌법 제12조 제3항에 규정된 영장주의에 위배되지 아니한다(헌재결 1997.3.27, 96헌가11).
④ 대판 1997.6.13, 96도3069

Answer 03. ④

04 **함정수사에 대한 설명으로 옳은 것은?**(다툼이 있는 경우 판례에 따름) 21. 해경

① 수사기관과 직접적인 관련을 맺지 않은 유인자가 수차례 반복적으로 범행을 부탁하였을뿐 수사기관이 사술이나 계략을 사용한 것으로 볼 수 없는 경우라도, 그로 인하여 피유인자의 범의가 유발되었다는 점이 입증되면 위법한 함정수사에 해당한다.

② 위법한 함정수사에 기한 공소제기는 그 절차가 법률의 규정에 위반하여 무효인 때 해당하므로 그 수사에 기하여 수집된 증거는 증거능력이 없으며, 따라서 법원은 형사소송법 제325조에 의하여 무죄판결을 선고해야 한다.

③ 수사기관이 피고인의 범죄사실을 인지하고도 피고인을 바로 체포하지 않고 추가범행을 지켜보고 있다가 범죄사실이 많이 늘어난 뒤에야 피고인을 체포하였다는 사정만으로는 피고인에 대한 수사와 공소제기가 위법하다거나 함정수사에 해당한다고 할 수 없다.

④ 경찰관이 절도범을 단속하기 위하여 취객 근처에서 감시하고 있다가, 피고인이 나타나 취객을 부축하여 10m 정도를 끌고 가 지갑을 뒤지자 현장에서 체포하여 기소한 경우 수사기관이 위계를 사용한 것으로 볼 수 있으므로 위법한 함정수사에 해당한다.

해설 ① 유인자가 수사기관과 직접적인 관련을 맺지 않은 상태에서 피유인자를 상대로 단순히 수차례 반복적으로 범행을 부탁하였을 뿐 수사기관이 사술이나 계략 등을 사용하였다고 볼 수 없는 경우는, 설령 그로 인하여 피유인자의 범의가 유발되었다 하더라도 위법한 함정수사에 해당하지 않는다(대판 2008.7.24, 2008도2794).

② 위법한 함정수사에 기한 공소제기는 그 절차가 법률의 규정에 위반하여 무효인 때 해당하므로 그 수사에 기하여 수집된 증거는 증거능력이 없다(대판 2008.10.23, 2008도7362). 따라서 법원은 형사소송법 제327 제2호에 의하여 공소기각판결을 선고해야 한다.

③ 대판 2007.6.29, 2007도3164

④ 경찰관이 절도범을 단속하기 위하여 취객 근처에서 감시하고 있다가, 피고인이 나타나 취객을 부축하여 10m 정도를 끌고 가 지갑을 뒤지자 현장에서 체포하여 기소한 경우 위법한 함정수사에 의한 공소제기라 할 수 없다(대판 2007.5.31, 2007도1903).

05 **함정수사에 관한 설명으로 가장 적절하지 않은 것은?**(다툼이 있는 경우 판례에 의함) 22. 순경 1차

① 수사기관과 직접 관련이 있는 유인자가 피유인자와의 개인적인 친밀관계를 이용하여 피유인자의 동정심이나 감정에 호소하거나, 금전적 · 심리적 압박이나 위협 등을 가하거나, 거절하기 힘든 유혹을 하거나, 또는 범행방법을 구체적으로 제시하고 범행에 사용될 금전까지 제공하는 등으로 과도하게 개입함으로써 피유인자로 하여금 범의를 일으키게 하는 것은, 위법한 함정수사에 해당하여 허용되지 않는다.

② 본래 범의를 가지지 아니한 자에 대하여 수사기관이 사술이나 계략 등을 써서 범의를 유발케 하여 범죄인을 검거하는 함정수사는 위법함을 면할 수 없고, 이러한 함정수사에 기한 공소제기는 그 절차가 법률의 규정에 위반하여 무효인 때에 해당한다.

③ 범의를 가진 자에 대하여 단순히 범행의 기회를 제공하거나 범행을 용이하게 하는 것에 불과한 수사방법도 경우에 따라 허용될 수 있다.

Answer 04. ③ 05. ④

④ 아동·청소년의 성보호에 관한 법률에 의하면 사법경찰관리는 아동·청소년을 대상으로 하는 디지털 성범죄에 대해 신분비공개수사는 가능하지만, 신분위장수사는 위법한 함정수사로서 허용되지 않는다.

해설 ① 대판 2008.7.24, 2008도2794
② 대판 2005.10.28, 2005도1247
③ 대판 1992.10.27, 92도1377
④ 아동·청소년의 성보호에 관한 법률에 의하면 사법경찰관리는 아동·청소년을 대상으로 하는 디지털 성범죄에 대해 신분비공개수사는 물론 신분위장수사도 가능하다(아동·청소년의 성보호에 관한 법률 제25조의 2 제1항·제2항).

06 함정수사에 대한 설명으로 옳은 것만을 모두 고르면?(다툼이 있는 경우 판례에 의함) 22. 7급 국가직

㉠ 수사기관이 이미 범행을 저지른 범인을 검거하기 위해 정보원을 이용하여 범인을 검거장소로 유인한 경우, 함정수사로 볼 수 없다.
㉡ 수사기관이 피의자의 범죄사실을 인지하고도 바로 체포하지 않고 추가 범행을 지켜보고 있다가 범죄사실이 많이 늘어난 뒤에야 피의자를 체포하였다면 위법한 함정수사에 해당한다.
㉢ 아동·청소년의 성보호에 관한 법률의 아동·청소년대상 디지털 성범죄의 수사 특례에 따른 신분위장수사를 할 때에는 본래 범의를 가지지 않은 자에게 범의를 유발하는 행위를 하는 것이 허용된다.
㉣ 유인자가 수사기관과 직접적인 관련을 맺지 아니한 상태에서 피유인자를 상대로 단순히 수차례 반복적으로 범행을 부탁하였을 뿐 수사기관이 사술이나 계략 등을 사용하였다고 볼 수 없는 경우, 설령 그로 인해 피유인자의 범의가 유발되었다 하더라도 위법한 함정수사에 해당하지 않는다.

① ㉠, ㉢　　② ㉠, ㉣
③ ㉡, ㉢　　④ ㉡, ㉣

해설 ㉠ ○ : 대판 2007.7.26, 2007도4532
㉡ × : 수사기관이 피고인의 범죄사실을 인지하고도 피고인을 바로 체포하지 않고 추가 범행을 지켜보고 있다가 범죄사실이 많이 늘어난 뒤에야 피고인을 체포하였다는 사정만으로는 피고인에 대한 수사와 공소제기가 위법하다거나 함정수사에 해당한다고 할 수 없다(대판 2007.6.29, 2007도3164).
㉢ × : 아동·청소년의 성보호에 관한 법률의 아동·청소년대상 디지털 성범죄의 수사 특례에 따른 신분위장수사를 할 때에는 수사 관계 법령을 준수하고, 본래 범의(犯意)를 가지지 않은 자에게 범의를 유발하는 행위를 하지 않는 등 적법한 절차와 방식에 따라 수사하여야 한다(아동·청소년의 성보호에 관한 법률 시행령 제5조의 2).
㉣ ○ : 대판 2020.1.30, 2019도15987

Answer 06. ②

07 **함정수사에 대한 설명으로 가장 적절한 것은?**(다툼이 있는 경우 판례에 의함) 23. 경찰승진

① 수사기관과 직접적인 관련을 맺지 아니한 상태에서 유인자가 피유인자를 상대로 단순히 수차례 반복적으로 범행을 부탁 하였을 뿐 수사기관이 사술이나 계략 등을 사용하였다고 볼 수 없는 경우 설령 그로 인하여 피유인자의 범의가 유발되었다 하더라도 위법한 함정수사에는 해당하지 않는다.

② 본래 범의를 가지지 아니한 자에 대하여 수사기관이 사술이나 계략 등을 써서 범의를 유발케 하여 범죄인을 검거하는 함정수사에 기한 공소제기는 위법하지만, 형사소송법 제327조 제2호에 규정된 공소제기의 절차가 법률의 규정에 위반하여 무효인 때에 해당한다고 볼 수는 없다.

③ 수사기관이 사술 등을 써서 범행을 유발한 것이 아니라 이미 범행을 저지른 범인을 검거하기 위해 정보원을 이용하여 범인을 검거장소로 유인한 경우 이는 위법한 함정수사에 해당한다.

④ 아동・청소년의 성보호에 관한 법률은 동법 소정의 디지털 성범죄에 대한 신분비공개수사를 허용하는 수사 특례규정을 마련하고 있지만, 다른 방법으로는 그 범죄의 실행을 저지하거나 범인의 체포 또는 증거의 수집이 어려운 경우라도 신분위장수사는 허용하지 않는다.

해설 ① 대판 2008.7.24, 2008도2794

② 본래 범의를 가지지 아니한 자에 대하여 수사기관이 사술이나 계략 등을 써서 범의를 유발케 하여 범죄인을 검거하는 함정수사에 기한 공소제기는 위법하지만, 형사소송법 제327조 제2호에 규정된 공소제기의 절차가 법률의 규정에 위반하여 무효인 때에 해당한다(대판 2005.10.28, 2005도1247). 따라서 법원은 공소기각판결을 선고하여야 한다. ③ 이미 범행을 저지른 범인을 검거하기 위해 정보원을 이용하여 범인을 검거장소로 유인한 것에 불과한 것은 함정수사로 볼 수 없다(대판 2007.7.26, 2007도4532).

④ 사법경찰관리는 아동・청소년을 대상으로 하는 디지털 성범죄에 대해 신분비공개수사는 물론 신분위장수사도 가능하다(아동・청소년의 성보호에 관한 법률 제25조의 2 제1항・제2항).

08 **음주측정에 대한 설명으로 옳지 않은 것은?**(다툼이 있는 경우 판례에 의함) 24. 경위공채

① 운전자가 거부할 경우 사법경찰관에 호흡측정을 강요할 권한은 없으나, 적법한 호흡조사 측정요구를 거부하는 행위 자체가 도로교통법위반(음주측정거부)죄를 구성한다.

② 도로교통법에 따른 호흡측정이 이루어졌으나 호흡측정 당시의 구체적 상황에 비추어 호흡측정 결과에 오류가 있다고 인정할만한 객관적이고 합리적인 사정이 있는 경우에는 혈액 채취에 의한 측정 방법으로 다시 음주측정을 하는 것이 허용될 수 있다.

③ 위드마크 공식의 경우 그 적용을 위한 자료로는 섭취한 알코올의 양, 음주시각, 체중 등이 필요하므로 그런 전제사실을 인정하기 위해서는 엄격한 증명이 필요하다.

④ 음주운전이 의심되는 상황에서 운전자가 혈중알코올농도 측정 직전에 추가로 음주를 한 경우에는 위드마크 공식을 통해 혈중알코올농도를 추정할 수 없다.

해설 ① 도로교통법 제148조의 2 제2항 ② 대판 2015.7.9, 2014도16051 ③ 대판 2008.8.21, 2008도5531

④ 죄증을 인멸하기 위해 추가음주가 이루어지는 경우 정당한 형사처벌의 필요성이 인정되지만, 별도의 입법적 조치가 없는 현상황에서는 위드마크 공식을 통해 혈중알코올농도를 추정할 밖에 없다고 보았다(대판 2023.12.28, 2020도6417).

Answer 07. ① 08. ④

제2절 수사기관과 피의자

1 수사기관

(1) 수사기관의 의의

수사기관이란 법률상 수사권이 인정되는 국가기관을 말한다. 수사기관에는 원칙적으로 수사대상에 제한이 없는 일반수사기관과 수사대상을 일정한 범위의 범죄로 제한된 특별수사기관으로 나누어 볼 수 있다.

(2) 수사기관의 종류

일반수사기관으로는 검사, 경찰공무원인 사법경찰관리, 검찰청직원인 사법경찰관리가 있으며, 특별수사기관으로는 각종 특별법에 의하여 설치되며, '고위공직자범죄수사처 설치 및 운영에 관한 법률'에 의한 고위공직자범죄 수사처의 검사 및 수사관도 특별수사기관에 속한다.

(3) 검 사

① 검사의 의의 · 성격

㉠ 검사란 검찰권을 행사하는 국가기관을 말한다. 현행법하에서 검사는 범죄수사로부터 재판의 집행에 이르기까지 형사절차 전과정에 걸쳐 광범위한 권한을 가지고 있다.

㉡ 검사는 일반 행정공무원과는 달리 개개의 검사가 자기의 책임하에 검찰권을 행사하는 단독제 관청이다.

㉢ 검사는 행정관인 동시에 준사법관적 성격을 가지고 있다.

▶ 이하에서는 수사기관으로서의 검사를 중심으로 살펴보고, 형사절차 전반에 관한 검사의 직무와 권한은 소송의 주체편에서 다루기로 한다.

② 수사권

㉠ 검사는 범죄혐의가 있다고 사료하는 때에는 범인, 범죄사실과 증거를 수사한다(제196조).

㉡ 개정 형사소송법에 의하면 모든 범죄의 제1차적 수사개시권은 경찰이 가지고 있으며, 검사에게는 일정 부분만을 부여하고 있다.

검사가 수사를 개시할 수 있는 범죄의 범위

검찰청법 제4조, 검사의 수사개시 범죄 범위에 관한 규정 제2조
1. 부패범죄, 경제범죄 등 대통령령으로 정한 중요 범죄
2. 경찰공무원이 범한 범죄
3. 위 1.과 2.의 범죄 및 사법경찰관이 송치한 범죄와 관련하여 인지한 각 해당 범죄와 직접 관련성이 있는 범죄

㉢ 사법경찰관리에게는 인정되지 않고 검사에게만 인정하는 권한으로 영장청구권(제201조, 제215조), 판사에 대한 증거보전청구권(제184조), 참고인에 대한 증인신문청구권(제221조의

2), 피의자에 대한 감정유치청구권(제221조의 3), 변사체검시권(제222조), 보완수사요구권(제197조의 2), 시정조치요구권(제197조의 3), 재수사요청권(제245조의 8) 등이 있다.

㉣ 서장이 아닌 경정 이하의 사법경찰관리가 직무 집행과 관련하여 부당한 행위를 하는 경우 지방검찰청 검사장은 해당 사건의 수사 중지를 명하고, 임용권자에게 그 사법경찰관리의 교체임용을 요구할 수 있다. 이러한 요구를 받은 임용권자는 정당한 사유가 없으면 교체임용을 하여야 한다(검찰청법 제54조).

③ **수사지휘권** : 검사의 '형사소송법상' 일반사법경찰관에 대한 수사지휘권은 폐지되었다. 다만, '검찰법상' 일반사법경찰관과 '사법경찰관리의 직무를 수행할 자와 그 직무범위에 관한 법률상'의 특별사법경찰관에 대하여는 검사의 수사지휘권이 인정된다.

검사의 수사지휘권

- 사법경찰관의 직무를 행하는 검찰청직원은 검사의 지휘를 받아 수사하여야 한다(제245조의 9 제2항).
- 특별사법경찰관은 모든 수사에 관하여 검사의 지휘를 받는다(제245조의 10 제2항).

④ **수사종결권** : 종래, 수사종결처분은 검사만이 가능하였으나(단, 즉결심판절차에 의해 처리될 경미사건은 경찰서장이 수사종결권을 가짐), 최근 개정법에 의하면 수사종결은 검사뿐만 아니라 형사소송법상 일반사법경찰관, 공수처검사(판사 · 검사 · 경무관 이상 부패범죄) 등도 가능하게 되었다.

KEY point

- **검사의 성격** : 단독제 관청, 준사법관
- **검사의 수사개시 범죄 범위** : 검찰청법 제4조, 검사의 수사개시 범죄 범위에 관한 규정 제2조
- **검사장의 교체임용 요구** : 서장 아닌 경정 이하 사법경찰관리
- **검사의 수사지휘권** ┌ 경찰공무원인 사법경찰관에 대한 수사지휘권 ⇨ 폐지 ○
  └ 검찰청법상 일반사법경찰관, 특별사법경찰관에 수사지휘권 ⇨ 폐지 ×
- **수사종결권** : 검사, 형사소송법상의 일반사법경찰관, 공수처검사

⑷ 사법경찰관리

사법경찰관리 분류

일반사법 경찰관리	형사소송법 제197조(경찰청 소속)	사법경찰관	경무관, 총경, 경정, 경감, 경위
		사법경찰리	경사, 경장, 순경
	검찰청법 제47조 (검찰청 소속)	사법경찰관	검찰주사(보), 마약수사주사(보)
		사법경찰리	검찰서기(보), 마약수사서기(보)
특별사법 경찰관리	삼림, 해사, 전매, 세무, 군수사기관 기타 특별한 사항에 관하여 사법경찰관리의 직무를 수행하는 자('사법경찰관리의 직무를 수행할 자와 그 직무범위에 관한 법률'에 근거)		

☎ 일반사법경찰관리와 특별사법경찰관리는 직무권한범위의 제한 여부에 의한 기준이다.

☎ 해양경찰관리 ⇨ 일반사법경찰관리에 해당한다(해양경찰법 제13조 제2항 · 제3항, 형사소송법 제197조 제1항 · 제2항). 24. 해경경위공채

① 일반사법경찰관리

㉠ 경찰청 소속 일반사법경찰관리

ⓐ 경찰공무원 가운데 경무관, 총경, 경정, 경감, 경위는 사법경찰관으로서 범죄혐의가 있다고 사료하는 때에는 범죄사실과 증거를 수사한다(제197조 제1항).

종래에는 사법경찰관에 '수사관'이 포함되었으나, 개정법에서 삭제됨.

경사, 경장, 순경은 사법경찰리로서 수사의 보조를 하여야 한다(동조 제2항). 사법경찰관과 사법경찰리를 통칭하여 사법경찰관리라고 부른다.

사법경찰관사무취급 : 사법경찰리가 검사 또는 사법경찰관으로부터 구체적 사건에 관하여 특정한 수사명령을 받으면 사법경찰관 사무를 취급할 권한이 인정되는데 이를 실무상 사법경찰관사무취급이라고 한다.

관련판례

사법경찰관사무취급이 작성한 피의자신문조서, 참고인 진술조서, 압수조서는 형사소송법 제196조 제2항, 사법경찰관리집무규칙 제2조에 의하여 사법경찰관리가 검사 등의 지휘를 받고 조사사무를 보조하기 위하여 작성한 서류이므로 이를 권한 없는 자가 작성한 조서라고 할 수 없다(대판 1981.6.9, 81도1357).

사법경찰관의 권한	검사에 대한 구속영장 신청(제201조 제1항), 피의자구속(제201조 제1항), 피의자신문(제200조 제1항), 참고인조사(제221조), 감정 · 번역 · 통역의 위촉(제221조), 실황조사(수사준칙 제43조), 피의자체포(제200조의 2, 제200조의 3, 제212조) 등을 들 수 있다.
사법경찰리의 권한	경사, 경장, 순경은 사법경찰리로서 수사의 보조를 하여야 한다(제197조 제2항). 현행법상 사법경찰리는 수사의 보조기관이다. 각종 영장의 집행은 검사의 지휘에 의하여 사법경찰관리가 행하므로(제81조, 제115조), 영장집행권은 사법경찰리에게도 인정된다.

ⓑ 경찰공무원은 상관의 지휘 · 감독을 받아 직무를 수행하고, 그 직무수행에 관하여 서로 협력하여야 하며, 구체적 사건수사와 관련된 지휘 · 감독의 적법성 또는 정당성에 대하여 이견이 있을 때에는 이의를 제기할 수 있다(국가경찰과 자치경찰의 조직 및 운영에 관한 법률 제6조).

ⓒ 사법경찰관리는 피의자나 사건관계인과 친족관계 또는 이에 준하는 관계가 있거나 그 밖에 수사의 공정성을 의심 받을 염려가 있는 사건에 대해서는 소속 기관의 장의 허가를 받아 그 수사를 회피해야 한다(수사준칙 제11조).

㉡ 검찰청 소속 일반사법경찰관리

ⓐ 검찰청 직원 가운데 검찰수사서기관, 검찰사무관, 검찰주사, 마약수사주사, 검찰주사보, 마약수사주사보는 사법경찰관의 직무를 수행하며, 검찰서기, 마약수사서기, 검찰서기보 및 마약수사서기보는 사법경찰리로서 직무를 수행한다(검찰청법 제46조, 제47조).

ⓑ 사법경찰관리의 직무를 행하는 검찰청 직원에 대하여는 경찰공무원인 사법경찰관에게 인정하는 수사종결권이 없다.

ⓒ 검찰청 소속 일반사법경찰관리에 대하여는 보완수사(제197조의 2), 시정조치(제197조의 3), 수사경합시 사건송치(제197조의 4), 영장이의신청권(제221조의 5), 사건송치・불송치(제245조의 5), 고소인 불송치 통지서(제245조의 6), 불송치사건의 재수사(제245조의 8) 등은 적용되지 아니한다.

ⓓ 검사는 피의자나 사건관계인과 친족관계 또는 이에 준하는 관계가 있거나 그 밖에 수사의 공정성을 의심 받을 염려가 있는 사건에 대해서는 소속 기관의 장의 허가를 받아 그 수사를 회피해야 한다(수사준칙 제11조).

ⓔ 사법경찰관의 직무를 행하는 검찰청 직원은 검사의 지휘를 받아 수사하여야 한다(제245조의 9 제2항).

② **특별사법경찰관리**

㉠ 삼림, 해사, 전매, 세무, 군수사기관 기타 특별한 사항에 관하여 사법경찰관리의 직무를 수행하는 자를 특별사법경찰관리라고 한다('사법경찰관리의 직무를 수행할 자와 그 직무범위에 관한 법률'에 근거). '고위공직자범죄수사처 설치 및 운영에 관한 법률'에 의한 고위공직자범죄 수사처의 검사 및 수사관도 특별수사기관에 속한다.

㉡ 특별사법경찰관은 범죄혐의가 있다고 인식하는 때에는 범인・범죄사실과 증거에 관하여 수사를 개시・진행하여야 한다(제245조의 10 제3항).

㉢ 경찰공무원인 사법경찰관리와는 달리 특별사법경찰관리는 모든 수사에 관하여 검사의 지휘를 받는다(동조 제2항). 21. 7급 국가직

㉣ 특별사법경찰관리에 대하여는 수사종결권이 없으며, 보완수사(제197조의 2), 시정조치(제197조의 3), 수사경합시 사건송치(제197조의 4), 영장이의신청권(제221조의 5), 사건송치・불송치(제245조의 5), 고소인 불송치 통지서(제245조의 6), 불송치사건의 재수사(제245조의 8) 등의 규정은 적용되지 아니한다.

(5) 검사와 사법경찰관리와의 관계

검・경수사권조정에 의한 개정 형사소송법에 의하면, 검사와 형사소송법상 사법경찰관의 관계를 상호 협력관계로 설정하였으며, 모든 범죄의 1차적 수사권을 경찰에게 부여하고, 몇몇 범죄에 대해서만 검찰의 제1차적인 수사개시권을 인정하면서, 경찰은 자신이 수사한 사건이 범죄혐의가 없다고 사료되는 때에는 검사에게 사건을 송치하지 않고 자체적으로 종결할 수 있게 되었다.

☗ 검・경수사권조정을 위한 개정 형사소송법은 2020. 2. 4. 공포되어, 2021년 1월 1일부터 시행 중에 있다.
☗ 최근 검・경수사권 재조정에 의해 검사의 제1차적인 수사개시 가능 범죄가 축소되었다.
검사의 직접수사 가능범죄로는 '부패범죄'와 '경제범죄' 23. 순경 2차 등 대통령령으로 정한 범죄(공직자범죄, 선거범죄, 방위사업범죄, 대형참사범죄 등 4개 범죄는 직접수사대상에서 제외됨), 경찰공무원 및 고위공직자범죄수사처 소속 공무원이 범한 범죄, 24. 9급 검찰・마약수사 위의 범죄 및 사법경찰관이 송치한 범죄와 관련하여 인지한 각 해당 범죄와 직접 관련성이 있는 범죄이다(검찰청법 제4조 제1항). 〈2022. 9. 10. 시행〉

검사는 자신이 수사개시한 범죄에 대하여는 공소를 제기할 수 없다. 다만, 사법경찰관이 송치한 범죄에 대하여는 그러하지 아니한다(검찰청법 제4조 제2항). 24. 9급 검찰·마약수사 이 규정은 이 법 시행 이후 공소제기하는 경우부터 적용(검찰청법 부칙 제2조). 〈2022. 9. 10. 시행〉

① **경찰청 소속 일반사법경찰관리와의 관계**

㉠ **상호협력관계**

ⓐ 검사와 사법경찰관은 수사, 공소제기 및 공소유지에 관하여 서로 협력하여야 한다(제195조 제1항 : 개정).

검사수사지휘권 삭제 21. 해경간부·해경승진·해경

검사와 사법경찰관은 수사 및 공소제기 뿐만 아니라 공소유지에 관하여도 서로 협력하여야 한다. (○) 24. 경찰간부

ⓑ 수사를 위하여 준수하여야 하는 일반적 수사준칙에 관한 사항은 대통령령으로 정한다(제195조 제2항).

대통령령 ⇨ 검사와 사법경찰관의 상호협력과 일반적 수사준칙에 관한 규정(이하 수사준칙)

ⓒ 검사와 사법경찰관은 다음 각 호의 어느 하나에 해당하는 사건의 경우에는 송치 전에 수사할 사항, 증거 수집의 대상, 법령의 적용, 범죄수익 환수를 위한 조치 등에 관하여 상호 의견을 제시·교환할 것을 요청할 수 있다. 이 경우 검사와 사법경찰관은 특별한 사정이 없으면 상대방의 요청에 응해야 한다(수사준칙 제7조 제1항).

1. 공소시효가 임박한 사건
2. 내란, 외환, 대공(對共), 선거(정당 및 정치자금 관련 범죄를 포함한다), 노동, 집단행동, 테러, 대형참사 또는 연쇄살인 관련 사건
3. 범죄를 목적으로 하는 단체 또는 집단의 조직·구성·가입·활동 등과 관련된 사건
4. 주한 미합중국 군대의 구성원·외국인군무원 및 그 가족이나 초청계약자의 범죄 관련 사건
5. 그 밖에 많은 피해자가 발생하거나 국가적·사회적 피해가 큰 중요한 사건

제1항에도 불구하고 검사와 사법경찰관은 다음 각 호의 어느 하나에 따른 공소시효가 적용되는 사건에 대해서는 공소시효 만료일 3개월 전까지 수사준칙 제7조 제1항 각 호 외의 부분 전단에 규정된 사항 등에 관하여 상호 의견을 제시·교환해야 한다. 다만, 공소시효 만료일 전 3개월 이내에 수사를 개시한 때에는 지체 없이 상호 의견을 제시·교환해야 한다(수사준칙 제7조 제2항).

1. 공직선거법 제268조
2. 공공단체 등 위탁선거에 관한 법률 제71조
3. 농업협동조합법 제172조 제4항
4. 수산업협동조합법 제178조 제5항
5. 산림조합법 제132조 제4항
6. 소비자생활협동조합법 제86조 제4항
7. 염업조합법 제59조 제4항
8. 엽연초생산협동조합법 제42조 제5항
9. 중소기업협동조합법 제137조 제3항
10. 새마을금고법 제85조 제6항
11. 교육공무원법 제62조 제5항

ⓓ 검사와 사법경찰관은 수사와 사건의 송치, 송부 등에 관한 이견의 조정이나 협력 등이 필요한 경우 서로 협의를 요청할 수 있다. 이 경우 특별한 사정이 없으면 상대방의 협의 요청에 응해야 한다(수사준칙 제8조 제1항).

ⓔ 수사준칙 제8조 제1항에 따른 협의에도 불구하고 이견이 해소되지 않는 경우로서 다음 각 호의 어느 하나에 해당하는 경우에는 해당 검사가 소속된 검찰청의 장과 해당 사법경찰관이 소속된 경찰관서(지방해양경찰관서 포함)의 장의 협의에 따른다(수사준칙 제8조 제2항). 22. 경찰승진, 23. 해경승진

> 1. 중요사건에 관하여 상호 의견을 제시·교환하는 것에 대해 이견이 있거나 제시·교환한 의견의 내용에 대해 이견이 있는 경우
> 2. 형사소송법 제197조의 2 제2항 및 제3항에 따른 정당한 이유의 유무에 대해 이견이 있는 경우
> 3. 법 제197조의 4 제2항 단서에 따라 사법경찰관이 계속 수사할 수 있는지 여부나 사법경찰관이 계속 수사할 수 있는 경우 수사를 계속할 주체 또는 사건의 이송 여부 등에 대해 이견이 있는 경우
> 4. 법 제245조의 8 제2항에 따른 재수사의 결과에 대해 이견이 있는 경우

ⓕ 대검찰청, 경찰청 및 해양경찰청 간에 수사에 관한 제도 개선 방안 등을 논의하고, 수사기관 간 협조가 필요한 사항에 대해 서로 의견을 협의·조정하기 위해 수사기관협의회를 둔다(수사준칙 제9조 제1항).

ⓖ 수사기관협의회는 다음 각 호의 사항에 대해 협의·조정한다(수사준칙 제9조 제2항).

> 1. 국민의 인권보호, 수사의 신속성·효율성 등을 위한 제도 개선 및 정책 제안
> 2. 국가적 재난 상황 등 관련 기관 간 긴밀한 협조가 필요한 업무를 공동으로 수행하기 위해 필요한 사항
> 3. 그 밖에 제1항의 어느 한 기관이 수사기관협의회의 협의 또는 조정이 필요하다고 요구한 사항

ⓗ 수사기관협의회는 반기마다 정기적으로 개최하되, 제1항의 어느 한 기관이 요청하면 수시로 개최할 수 있다(수사준칙 제9조 제3항).

㉡ **사법경찰관리에 대한 검사의 통제**

ⓐ 위법·부당행위에 대한 통제

㉮ 등본송부요구

ⅰ 사법경찰관은 피의자를 신문하기 전에 수사과정에서 법령위반, 인권침해 또는 현저한 수사권 남용이 있는 경우 검사에게 구제를 신청할 수 있음을 피의자에게 알려주어야 한다(제197조의 3 제8항).

☎ 사법경찰관은 법 제197조의 3 제8항에 따라 검사에게 구제를 신청할 수 있음을 피의자에게 알려준 경우에는 피의자로부터 고지 확인서를 받아 사건기록에 편철한다. 다만, 피의자가 고지 확인서에 기명날인 또는 서명하는 것을 거부하는 경우에는 사법경찰관이 고지 확인서 끝부분에 그 사유를 적고 기명날인 또는 서명해야 한다(수사준칙 제47조).

ⅱ 검사는 사법경찰관리의 수사과정에서 법령위반, 인권침해 또는 현저한 수사권 남용이 의심되는 사실의 신고가 있거나 그러한 사실을 인식하게 된 경우에는

사법경찰관에게 사건기록 등본의 송부를 요구할 수 있다(제197조의 3 제1항). 21. 순경 2차, 22. 소방간부, 23. 해경승진, 24. 순경 2차 검사는 사법경찰관에게 사건기록 등본의 송부를 요구할 때에는 그 내용과 이유를 구체적으로 적은 서면으로 해야 한다(수사준칙 제45조 제1항). 송부 요구를 받은 사법경찰관은 지체 없이 검사에게 사건기록 등본을 송부하여야 한다(제197조의 3 제2항).

수사준칙 제45조 제2항

요구를 받은 날로부터 7일 이내에 검사에게 사건기록 등본을 송부하여야 한다. 24. 순경 2차

㈏ 시정조치요구

ⅰ 등본송부를 받은 검사는 필요하다고 인정되는 경우에는 사법경찰관에게 시정조치를 요구할 수 있다(제197조의 3 제3항). 23. 해경승진 검사는 사건기록 등본을 송부받은 날부터 30일(사안의 경중 등을 고려하여 10일의 범위에서 한 차례 연장할 수 있다.) 이내에 법 제197조의 3 제3항에 따른 시정조치 요구 여부를 결정하여 사법경찰관에게 통보해야 한다. 이 경우 시정조치 요구의 통보는 그 내용과 이유를 구체적으로 적은 서면으로 해야 한다(수사준칙 제45조 제3항).

ⅱ 사법경찰관은 시정조치 요구를 통보받은 경우 정당한 이유가 있는 경우를 제외하고는 지체 없이 시정조치를 이행하고, 그 이행 결과를 서면에 구체적으로 적어 검사에게 통보해야 한다(수사준칙 제45조 제4항).

㈐ 송치요구

ⅰ 통보를 받은 검사는 시정조치 요구가 정당한 이유 없이 이행되지 않았다고 인정되는 경우에는 사법경찰관에게 사건을 송치할 것을 요구할 수 있다(제197조의 3 제5항). 21. 순경 1차・2차

사법경찰관에게 사건송치를 요구하는 경우에는 그 내용과 이유를 구체적으로 적은 서면으로 해야 한다(수사준칙 제45조 제5항).

검사는 시정조치 불이행으로 인한 송치요구(제197조의 3 제6항), 위법하게 체포・구속된 자에 대한 송치명령(제198조의 2 제2항), 고소인의 이의신청에 의한 송치(제245조의 7 제2항)에 의거 사법경찰관으로부터 송치받은 사건에 관하여는 해당사건과 '동일성'을 해치지 아니하는 범위 내에서 수사할 수 있다(제196조 제2항). ▶ 2022. 9. 10.부터 시행 23. 경찰승진

ⅱ 송치요구를 받은 사법경찰관은 검사에게 사건을 송치하여야 한다(제197조의 3 제6항).

사법경찰관은 제197조의 3 제5항에 따라 서면으로 사건송치를 요구받은 날부터 7일 이내에 사건을 검사에게 송치해야 한다. 이 경우 관계 서류와 증거물을 함께 송부해야 한다(수사준칙 제45조 제6항).

검사는 공소시효 만료일의 임박 등 특별한 사유가 있을 때에는 송치요구서면에 그 사유를 명시하고 별도의 송치기한을 정하여 사법경찰관에게 통지할 수 있다. 이 경우 사법경찰관은 정당한 이유가 있는 경우를 제외하고는 통지받은 송치기한까지 사건을 검사에게 송치해야 한다(수사준칙 제45조 제7항).

㉣ 징계요구 : 검찰총장 또는 각급 검찰청 검사장은 사법경찰관리의 수사과정에서 법령위반, 인권침해 또는 현저한 수사권 남용이 있었던 때에는 권한 있는 사람에게 해당 사법경찰관리의 징계를 요구할 수 있고, 그 징계 절차는 공무원 징계령 또는 경찰공무원 징계령에 따른다(제197조의 3 제7항).

🚨 검찰총장 또는 각급 검찰청 검사장은 사법경찰관리의 징계를 요구할 때에는 서면에 그 사유를 구체적으로 적고 이를 증명할 수 있는 관계 자료를 첨부하여 해당 사법경찰관리가 소속된 경찰관서의 장에게 통보해야 하며(수사준칙 제46조 제1항), 경찰관서장은 징계요구에 대한 처리 결과와 그 이유를 징계를 요구한 검찰총장 또는 각급 검찰청 검사장에게 통보해야 한다(동조 제2항).

ⓑ 불송치처분에 대한 통제 : 사법경찰관은 (고소·고발사건 포함) 범죄를 수사한 때에 범죄혐의가 있다고 인정되지 않는 경우에는 그 이유를 명시한 서면과 함께 관계서류와 증거물을 지체 없이 검사에게 송부하여야 한다. 21. 7급 국가직, 23. 순경 2차 이 경우 검사는 송부받은 날부터 90일 이내에 사법경찰관에게 반환하여야 한다(제245조의 5 제2호). 21. 순경 1차, 22. 소방간부, 23. 해경승진

🚨 사법경찰관은 불송치 결정을 하는 경우 불송치의 이유를 적은 불송치 결정서와 함께 압수물 총목록, 기록목록 등 관계 서류와 증거물을 검사에게 송부해야 한다(수사준칙 제62조 제1항).

🚨 사법경찰관이 사건을 수사한 결과, 불송치 결정 중 죄가 안됨, 공소권 없음에 해당하는 사건이 형법 제10조 제1항에 따라 피의자를 벌할 수 없는 경우, 기소되어 사실심계속 중인 사건과 포괄일죄를 구성하는 관계에 있는 경우에는 해당 사건을 검사에게 이송한다(수사준칙 제51조 제3항). 22. 순경 2차

㉮ 이의신청

ⅰ 사법경찰관은 불송치의 경우에는 그 송부한 날부터 7일 이내에 서면으로 고소인·고발인·피해자 또는 그 법정대리인(피해자가 사망한 경우에는 그 배우자·직계친족·형제자매를 포함한다)에게 사건을 검사에게 송치하지 아니하는 취지와 그 이유를 통지하여야 한다(제245조의 6). 24. 경위공채

ⅱ 제245조의 6에 의한 불송치 통지를 받은 사람(고발인은 제외)은 해당 사법경찰관의 소속 관서의 장에게 이의를 신청할 수 있다(제245조의 7 제1항). 23. 경찰승진

🚨 2022. 9. 10.부터 시행, 이 법 시행 이후 해당 개정규정에 따른 이의신청을 하는 경우부터 적용

ⅲ 사법경찰관은 이의 신청이 있는 때에는 지체 없이 검사에게 사건을 송치하고 관계 서류와 증거물을 송부하여야 하며, 처리결과와 그 이유를 제1항의 신청인에게 통지하여야 한다(제245조의 7 제2항).

㉯ 재수사요청

ⅰ 검사는 사법경찰관이 사건을 송치하지 아니한 것이 위법 또는 부당한 때에는 그 이유를 문서로 명시하여 사법경찰관에게 재수사를 요청할 수 있다(제245조의 8 제1항). 23. 경찰승진

ⅱ 사법경찰관은 재수사 요청이 있는 때에는 사건을 재수사하여야 한다(동조 제2항). 21. 순경 2차, 22. 소방간부

ⅲ 검사는 사법경찰관에게 재수사를 요청하려는 경우에는 관계 서류와 증거물을 송부받은 날부터 90일 이내에 해야 한다. 22. 경찰간부 다만, 다음 각 호의 어느 하나에 해당하는 경우에는 관계 서류와 증거물을 송부받은 날부터 90일이 지난 후에도 재수사를 요청할 수 있다(수사준칙 제63조 제1항). 22. 순경 1차

1. 불송치 결정에 영향을 줄 수 있는 명백히 새로운 증거 또는 사실이 발견된 경우 2. 증거 등의 허위, 위조 또는 변조를 인정할 만한 상당한 정황이 있는 경우

ⅳ 검사는 재수사를 요청할 때에는 그 내용과 이유를 구체적으로 적은 서면으로 해야 한다. 이 경우 법 제245조의 5 제2호에 따라 송부받은 관계 서류와 증거물을 사법경찰관에게 반환해야 한다(수사준칙 제63조 제2항).

ⅴ 검사는 법 제245조의 8에 따라 재수사를 요청한 경우 그 사실을 고소인 등에게 통지해야 한다(수사준칙 제63조 제3항).

ⅵ 사법경찰관은 법 제245조의 8 제1항에 따른 재수사의 요청이 접수된 날부터 3개월 이내에 재수사를 마쳐야 한다(수사준칙 제63조 제4항).

ⅶ 사법경찰관은 재수사요청에 따라 재수사를 한 경우 다음 각 호의 구분에 따라 처리한다(수사준칙 제64조 제1항).

1. 범죄의 혐의가 있다고 인정되는 경우 : 법 제245조의 5 제1호에 따라 검사에게 사건을 송치하고 관계 서류와 증거물을 송부 2. 기존의 불송치 결정을 유지하는 경우 : 재수사 결과서에 그 내용과 이유를 구체적으로 적어 검사에게 통보

사법경찰관은 재수사 후 기소의견으로 사건을 검찰에 송치하거나 재차 불송치결정을 할 수 있다. (○) 23. 순경 2차

ⅷ 검사는 사법경찰관이 재수사 결과를 통보한 사건에 대해서 다시 재수사를 요청하거나 송치 요구를 할 수 없다. 다만, 검사는 사법경찰관이 사건을 송치하지 않은 위법 또는 부당이 시정되지 않아 사건을 송치받아 수사할 필요가 있는 다음 각 호의 경우에는 법 제197조의 3에 따라 사건송치를 요구할 수 있다(수사준칙 제64조 제2항).

1. 관련 법령 또는 법리에 위반된 경우 2. 범죄 혐의의 유무를 명확히 하기 위해 재수사를 요청한 사항에 관하여 그 이행이 이루어지지 않은 경우. 다만, 불송치 결정의 유지에 영향을 미치지 않음이 명백한 경우는 제외한다. 3. 송부받은 관계 서류 및 증거물과 재수사 결과만으로도 범죄의 혐의가 명백히 인정되는 경우 4. 공소시효 또는 형사소추의 요건을 판단하는 데 오류가 있는 경우

ⅸ 검사는 수사준칙 제64조 제2항 각 호 외의 부분 단서에 따른 사건송치 요구 여부를 판단하기 위해 필요한 경우에는 사법경찰관에게 관계 서류와 증거물의 송부를 요청할 수 있다. 이 경우 요청을 받은 사법경찰관은 이에 협력해야 한다(수사준칙 제64조 제3항).

ⅹ 검사는 재수사 결과를 통보받은 날(수사준칙 제64조 제3항에 따라 관계 서류와 증거물의 송부를 요청한 경우에는 관계 서류와 증거물을 송부받은 날을 말한다)부터 30일 이내에 수사준칙 제64조 제2항 각 호 외의 부분 단서에 따른 사건송치 요구를 해야 하고, 그 기간 내에 사건송치 요구를 하지 않을 경우에는 송부받은 관계 서류와 증거물을 사법경찰관에게 반환해야 한다(수사준칙 제64조 제4항).

ⅺ 사법경찰관은 불송치사건에 대하여 검사의 재수사요청으로 재수사 중인 사건에 대해 고소인 등(고발인은 제외)의 이의신청(제245조의 7 제1항)이 있는 경우에는 재수사를 중단해야 하며, 제245조의 7 제2항에 따라 해당 사건을 지체 없이 검사에게 송치하고 관계 서류와 증거물을 송부해야 한다(수사준칙 제65조). 22. 순경 1차

ⓒ 송치처분에 대한 통제 : 경찰공무원인 사법경찰관은 범죄의 혐의가 있다고 인정되는 경우에는 지체 없이 검사에게 사건을 송치하고, 관계 서류와 증거물을 검사에게 송부하여야 한다(제245조의 5 제1호).

㉮ 보완수사요구

ⅰ 검사는 송치사건의 공소제기 여부 결정 또는 공소의 유지에 관하여 필요한 경우, 사법경찰관이 신청한 영장의 청구 여부 결정에 관하여 필요한 경우에 사법경찰관에게 보완수사를 요구할 수 있다(제197조의 2 제1항). 21. 7급 국가직 · 해경, 22. 경찰승진

검사는 사법경찰관에게 송치사건 및 관련사건(법 제11조에 따른 관련사건 및 법 제208조 제2항에 따라 간주되는 동일한 범죄사실에 관한 사건을 말한다. 다만, 법 제11조 제1호의 경우에는 수사기록에 명백히 현출(現出)되어 있는 사건으로 한정한다)에 대해 다음 각 호의 사항에 관한 보완수사를 요구할 수 있다(수사준칙 제59조 제3항).

1. 범인에 관한 사항
2. 증거 또는 범죄사실 증명에 관한 사항
3. 소송조건 또는 처벌조건에 관한 사항
4. 양형 자료에 관한 사항
5. 죄명 및 범죄사실의 구성에 관한 사항
6. 그 밖에 송치받은 사건의 공소제기 여부를 결정하는 데 필요하거나 공소유지와 관련해 필요한 사항

검사는 사법경찰관이 신청한 영장(통신비밀보호법 제6조 및 제8조에 따른 통신제한조치허가서 및 같은 법 제13조에 따른 통신사실 확인자료 제공 요청 허가서를 포함한다. 이하 이 항에서 같다)의 청구 여부를 결정하기 위해 필요한 경우 법 제197조의 2 제1항 제2호에 따라 사법경찰관에게 보완수사를 요구할 수 있다. 이 경우 보완수사를 요구할 수 있는 범위는 다음 각 호와 같다(수사준칙 제59조 제4항).

> 1. 범인에 관한 사항
> 2. 증거 또는 범죄사실 증명에 관한 사항
> 3. 소송조건 또는 처벌조건에 관한 사항
> 4. 해당 영장이 필요한 사유에 관한 사항
> 5. 죄명 및 범죄사실의 구성에 관한 사항
> 6. 법 제11조(법 제11조 제1호의 경우는 수사기록에 명백히 현출되어 있는 사건으로 한정한다)와 관련된 사항
> 7. 그 밖에 사법경찰관이 신청한 영장의 청구 여부를 결정하기 위해 필요한 사항

ⓘⓘ 검사는 사법경찰관으로부터 송치받은 사건에 대해 보완수사가 필요하다고 인정하는 경우에는 직접 보완수사를 하거나 법 제197조의 2 제1항 제1호에 따라 사법경찰관에게 보완수사를 요구할 수 있다. 다만, 송치사건의 공소제기 여부 결정에 필요한 경우로서 다음 각 호의 어느 하나에 해당하는 경우에는 특별히 사법경찰관에게 보완수사를 요구할 필요가 있다고 인정되는 경우를 제외하고는 검사가 직접 보완수사를 하는 것을 원칙으로 한다(수사준칙 제59조 제1항).

> 1. 사건을 수리한 날(이미 보완수사요구가 있었던 사건의 경우 보완수사 이행 결과를 통보받은 날을 말한다)부터 1개월이 경과한 경우
> 2. 사건이 송치된 이후 검사가 해당 피의자 및 피의사실에 대해 상당한 정도의 보완수사를 한 경우
> 3. 법 제197조의 3 제5항, 제197조의 4 제1항 또는 제198조의 2 제2항에 따라 사법경찰관으로부터 사건을 송치받은 경우
> 4. 제7조 또는 제8조에 따라 검사와 사법경찰관이 사건 송치 전에 수사할 사항, 증거수집의 대상 및 법령의 적용 등에 대해 협의를 마치고 송치한 경우

ⓘⓘⓘ 검사는 법 제197조의 2 제1항에 따른 보완수사요구 여부를 판단하는 경우 필요한 보완수사의 정도, 수사 진행 기간, 구체적 사건의 성격에 따른 수사 주체의 적합성 및 검사와 사법경찰관의 상호 존중과 협력의 취지 등을 종합적으로 고려한다(수사준칙 제59조 제2항).

ⓘⓥ 검사는 법 제197조의 2 제1항에 따라 보완수사를 요구할 때에는 그 이유와 내용 등을 구체적으로 적은 서면과 관계 서류 및 증거물을 사법경찰관에게 함께 송부해야 한다. 다만, 보완수사 대상의 성질, 사안의 긴급성 등을 고려하여 관계 서류와 증거물을 송부할 필요가 없거나 송부하는 것이 적절하지 않다고 판단하는 경우에는 해당 관계 서류와 증거물을 송부하지 않을 수 있다(수사준칙 제60조 제1항).

ⓥ 사법경찰관은 검사의 보완수사요구가 있는 때에는 정당한 이유가 없는 한 지체 없이 이를 이행하고, 그 결과를 검사에게 통보하여야 한다(제197조의 2 제2항).

ⓥⓘ 보완수사를 요구받은 사법경찰관은 제1항 단서에 따라 송부받지 못한 관계 서류와 증거물이 보완수사를 위해 필요하다고 판단하면 해당 서류와 증거물을 대출하거나 그 전부 또는 일부를 등사할 수 있다(수사준칙 제60조 제2항).

ⓥⓘⓘ 사법경찰관은 법 제197조의 2 제1항에 따른 보완수사요구가 접수된 날부터 3개월 이내에 보완수사를 마쳐야 한다(수사준칙 제60조 제3항).

ⓥⓘⓘⓘ 사법경찰관은 법 제197조의 2 제2항에 따라 보완수사를 이행한 경우에는 그 이행 결과를 검사에게 서면으로 통보해야 하며, 제1항 본문에 따라 관계 서류와 증거물을 송부받은 경우에는 그 서류와 증거물을 함께 반환해야 한다. 다만, 관계 서류와 증거물을 반환할 필요가 없는 경우에는 보완수사의 이행 결과만을 검사에게 통보할 수 있다(수사준칙 제60조 제4항).

ⓘⓧ 사법경찰관은 법 제197조의 2 제1항 제1호에 따라 보완수사를 이행한 결과 법 제245조의 5 제1호에 해당하지 않는다고 판단한 경우에는 제51조 제1항 제3호에 따라 사건을 불송치하거나 같은 항 제4호에 따라 수사중지할 수 있다(수사준칙 제60조 제5항).

㉯ 징계요구

ⓘ 검찰총장 또는 각급 검찰청 검사장은 사법경찰관이 정당한 이유 없이 검사의 보완수사 요구에 따르지 아니하는 때에는 권한 있는 사람에게 해당 사법경찰관의 직무배제 또는 징계를 요구할 수 있다(제197조의 2 제3항).

ⓘⓘ 검찰총장 또는 각급 검찰청 검사장은 법 제197조의 2 제3항에 따라 사법경찰관의 직무배제 또는 징계를 요구할 때에는 그 이유를 구체적으로 적은 서면에 이를 증명할 수 있는 관계 자료를 첨부하여 해당 사법경찰관이 소속된 경찰관서장에게 통보해야 한다(수사준칙 제61조 제1항).

ⓘⓘⓘ 직무배제 요구를 통보받은 경찰관서장은 정당한 이유가 있는 경우를 제외하고는 그 요구를 받은 날부터 20일 이내에 해당 사법경찰관을 직무에서 배제해야 한다(수사준칙 제61조 제2항).

ⓘⓥ 경찰관서장은 사법경찰관의 직무배제 또는 징계를 요구의 처리결과와 그 이유를 직무배제 또는 징계를 요구한 검찰총장 또는 각급 검찰청 검사장에게 통보해야 한다(수사준칙 제61조 제3항).

㉢ 수사의 경합시 사건처리

ⓐ 검사는 사법경찰관과 동일한 범죄사실을 수사하게 된 때에는 사법경찰관에게 사건을 송치할 것을 요구할 수 있다(제197조의 4 제1항). 21. 7급 국가직, 23. 경찰승진

🚨 검사는 사법경찰관에게 사건송치를 요구할 때에는 그 내용과 이유를 구체적으로 적은 서면으로 해야 한다(수사준칙 제49조 제1항). 24. 순경 2차

ⓑ 동일 범죄사실 수사로 인한 검사로부터 사건송치요구를 받은 사법경찰관은 지체 없이 검사에게 사건을 송치하여야 한다. 다만, 검사가 영장을 청구하기 전에 동일한 범죄사실에 관하여 사법경찰관이 영장을 신청한 경우에는 해당 영장에 기재된 범죄사실을 계속 수사할 수 있다(제197조의 4 제2항). 21. 순경 2차, 23. 해경승진, 24.경찰간부

사법경찰관은 수사의 경합에 따른 송치요구를 받은 날부터 7일 이내에 사건을 검사에게 송치해야 한다. 이 경우 관계 서류와 증거물을 함께 송부해야 한다(수사준칙 제49조 제2항).

ⓒ 검사와 사법경찰관은 수사의 경합과 관련하여 동일한 범죄사실 여부나 영장청구·신청의 시간적 선후관계 등을 판단하기 위해 필요한 경우에는 그 필요한 범위에서 사건기록의 상호 열람을 요청할 수 있다(수사준칙 제48조 제1항). 21. 경력채용

ⓓ 영장 청구·신청의 시간적 선후관계는 검사의 영장청구서와 사법경찰관의 영장신청서가 각각 법원과 검찰청에 접수된 시점을 기준으로 판단한다(수사준칙 제48조 제2항).

ⓔ 검사는 제2항에 따른 사법경찰관의 영장신청서의 접수를 거부하거나 지연해서는 안 된다(수사준칙 제48조 제3항).

㉣ **사건의 이송**

ⓐ 검사는 검찰청법 제4조 제1항 제1호 각 목에 해당되지 않는 범죄(직접 수사대상 사건에 해당되지 않는 범죄)에 대한 고소·고발·진정 등이 접수된 때에는 사건을 검찰청 외의 수사기관에 이송해야 한다(수사준칙 제18조 제1항).

ⓑ 검사는 다음 각 호의 어느 하나에 해당하는 때에는 사건을 검찰청 외의 수사기관에 이송할 수 있다(수사준칙 제18조 제2항).

> 1. 법 제197조의 4 제2항 단서(검사가 영장을 청구하기 전에 동일한 범죄사실에 관하여 사법경찰관이 영장을 신청한 경우에는 사법경찰관은 영장에 기재된 범죄사실을 계속 수사할 수 있다)에 따라 사법경찰관이 범죄사실을 계속 수사할 수 있게 된 때
> 2. 그 밖에 다른 수사기관에서 수사하는 것이 적절하다고 판단되는 때

ⓒ 검사는 수사준칙 제18조 제1항 또는 제2항에 따라 사건을 이송하는 경우에는 관계 서류와 증거물을 해당 수사기관에 함께 송부해야 한다(수사준칙 제18조 제3항).

ⓓ 검사는 수사준칙 제18조 제2항 제2호에 따른 이송을 하는 경우에는 특별한 사정이 없으면 사건을 수리한 날부터 1개월 이내에 이송해야 한다(수사준칙 제18조 제4항).

㉤ **검사의 영장불청구에 대한 심의**

ⓐ 검사가 사법경찰관이 신청한 영장을 정당한 이유 없이 판사에게 청구하지 아니한 경우 사법경찰관은 그 검사 소속의 지방검찰청 소재지를 관할하는 고등검찰청에 영장 청구 여부에 대한 심의를 신청할 수 있다(제221조의 5 제1항). 21. 7급 국가직·해경승진·순경 2차·해경

ⓑ 제1항에 관한 사항을 심의하기 위하여 각 고등검찰청에 영장심의위원회(이하 이 조에서 "심의위원회"라 한다)를 둔다(동조 제2항).

ⓒ 심의위원회는 위원장 1명을 포함한 10명 이내의 외부 위원으로 구성하고, 위원은 각 고등검찰청 검사장이 위촉한다(동조 제3항).

ⓓ 사법경찰관은 심의위원회에 출석하여 의견을 개진할 수 있다(동조 제4항).

ⓔ 심의위원회의 구성 및 운영 등 그 밖에 필요한 사항은 법무부령으로 정한다(동조 제5항).

ⓗ **형사사법업무와 관련된 문서작성** : 검사 또는 사법경찰관은 형사사법절차 전자화촉진법 제2조 제1호에 따른 형사사법업무와 관련된 문서를 작성할 때에는 형사사법정보시스템을 이용해야 하며, 그에 따라 작성한 문서는 형사사법정보시스템에 저장・보관해야 한다. 다만, 다음 각 호의 어느 하나에 해당하는 문서로서 형사사법정보시스템을 이용하는 것이 곤란한 경우는 그렇지 않다(수사준칙 제67조).

> 1. 피의자나 사건관계인이 직접 작성한 문서
> 2. 형사사법정보시스템에 작성 기능이 구현되어 있지 않은 문서
> 3. 형사사법정보시스템을 이용할 수 없는 시간 또는 장소에서 불가피하게 작성해야 하거나 형사사법정보시스템의 장애 또는 전산망 오류 등으로 형사사법정보시스템을 이용할 수 없는 상황에서 불가피하게 작성해야 하는 문서

② 그 밖의 사법경찰관리와의 관계

㉠ 검찰청 소속 일반사법경찰관리

ⓐ 사법경찰관의 직무를 행하는 검찰청 직원은 검사의 지휘를 받아 수사하여야 한다(제245조의 9 제2항).

ⓑ 사법경찰리의 직무를 행하는 검찰청 직원은 검사 또는 사법경찰관의 직무를 행하는 검찰청 직원의 수사를 보조하여야 한다(동조 제3항).

ⓒ 사법경찰관리의 직무를 행하는 검찰청 직원에 대하여는 사법경찰관리의 규정(제197조의 2부터 제197조의 4까지, 제221조의 5, 제245조의 5부터 제245조의 8까지)을 적용하지 아니한다(동조 제4항).

㉡ 특별사법경찰관리

ⓐ 삼림, 해사, 전매, 세무, 군수사기관 기타 특별한 사항에 관하여 사법경찰관리의 직무를 행할 특별사법경찰관리와 그 직무의 범위는 법률로 정한다(제245조의 10 제1항).

특별사법경찰관리와 그 직무의 범위는 '사법경찰관리의 직무를 수행할 자와 그 직무범위에 관한 법률'에 규정을 두고 있다.

선거관리위원, 세무무공원 : 특별사법경찰관리 ×

관련판례

업무의 성질이 수사업무와 유사하거나 이에 준하는 경우에도 명문의 규정이 없는 한 함부로 그 업무를 담당하는 공무원을 사법경찰관리 또는 특별사법경찰관리에 해당한다고 해석할 수 없다. 세관공무원은 특별사법경찰관리에 해당하는 명문의 규정이 있으나, '조세범칙조사를 담당하는 세무공무원'은 규정이 없으므로 특별사법경찰관리에 해당하지 아니한다(대판 2022.12.15, 2022도8824).

ⓑ 특별사법경찰관은 모든 수사에 관하여 검사의 지휘를 받는다(동조 제2항). 21 · 22. 7급 국가직

ⓒ 특별사법경찰관은 범죄의 혐의가 있다고 인식하는 때에는 범인, 범죄사실과 증거에 관하여 수사를 개시 · 진행하여야 한다(동조 제3항).

ⓓ 특별사법경찰관리는 검사의 지휘가 있는 때에는 이에 따라야 한다. 검사의 지휘에 관한 구체적 사항은 법무부령으로 정한다(동조 제4항).

ⓔ 특별사법경찰관은 범죄를 수사한 때에는 지체 없이 검사에게 사건을 송치하고, 관계 서류와 증거물을 송부하여야 한다(동조 제5항).

ⓕ 특별사법경찰관리에 대하여는 사법경찰관리의 규정(제197조의 2부터 제197조의 4까지, 제221조의 5, 제245조의 5부터 제245조의 8까지)을 적용하지 아니한다(동조 제6항).

검찰청법상 일반사법경찰관, 특별사법경찰관(사법경찰관직무법) ⇨ 검사의 포괄적인 지휘와 통제를 받으며, 형사소송법상의 사법경찰관과는 달리 수사종결권이나 영장청구심의신청권 등의 권리는 부여되지 않음.

ⓖ 특별사법경찰관리는 관할구역 밖에서 수사하려는 경우에는 관할 지방검찰청 검사장 또는 지청장에게 미리 보고해야 한다. 다만, 긴급을 요구하여 미리 보고할 시간적 여유가 없을 때에는 사후에 보고할 수 있다(특별사법경찰관리의 수사준칙 제6조 제2항).

관련판례

특별사법경찰관이 관할구역 밖에서 수사할 경우 관할 검사장에 대한 보고의무 규정은 내부적 보고의무 규정에 불과하므로, 특별사법경찰관리가 보고의무를 이행하지 않았다고 하여 적법절차의 실질적인 내용을 침해하는 경우에 해당하지 않는다(대판 2023.6.1, 2020도12157).

정리

검사와 경찰청 소속 일반사법경찰관리와의 관계	상호협력관계	대통령령(검사와 사법경찰관의 상호협력과 일반적 수사준칙에 관한 규정 : 수사준칙)으로 정함. ▶ 검사의 수사지휘권 폐지
	사법경찰관리에 대한 검사의 통제	위법 · 부당행위에 대한 통제 1. 등본송부요구 2. 시정조치요구 3. 송치요구 4. 징계요구
		송치처분에 대한 통제 1. 보완수사요구 2. 징계요구
		불송치처분에 대한 통제 1. 이의신청 2. 재수사요청
	수사경합시 사건처리	검사의 사건송치요구
	검사의 영장불청구	사법경찰관의 고등검찰청에 심의신청
검사와 그 밖의 사법경찰관리와의 관계	검찰청 소속 일반사법경찰관리	검사의 지휘를 받아 수사
	특별사법경찰관리	검사의 지휘를 받아 수사

(6) 수사기관의 관할구역 및 준수사항

① 수사기관의 관할구역

㉠ **검사의 관할구역** : 검사는 법령에 특별한 규정이 있는 경우를 제외하고는 소속 검찰청의 관할구역에서 직무를 수행함이 원칙이나 수사에 필요할 때에는 관할구역이 아닌 곳에서 직무를 수행할 수 있다(검찰청법 제5조).

㉡ **사법경찰관리의 관할구역** : 사법경찰관리는 각 소속관서의 관할구역 내에서 직무를 행한다. 다만, 관할구역 내의 사건과 관련성이 있는 사실을 발견하기 위한 경우, 관할구역이 불분명한 경우, 긴급을 요하는 등 수사에 필요한 경우에는 관할구역 외에서도 직무를 행할 수 있다(경찰수사규칙 제15조). 사법경찰관리가 관할구역 외에서 수사를 하거나, 관할구역 외의 사법경찰관의 촉탁을 받아 수사하는 경우에는 관할 지방검찰청의 검사장 또는 지청장에게 보고하여야 한다(제210조).

② 수사기관의 준수사항

㉠ 피의자에 대한 수사는 불구속 상태에서 함을 원칙으로 한다(제198조 제1항). 11 · 14 · 16. 경찰승진

불구속수사원칙(○), 불구속재판원칙(×)

㉡ 검사 · 사법경찰관리와 그 밖에 직무상 수사에 관계있는 자는 피의자 또는 다른 사람의 인권을 존중하고 수사과정에서 취득한 비밀을 엄수하며 수사에 방해되는 일이 없도록 하여야 한다(제198조 제2항).

㉢ 검사 · 사법경찰관리와 그 밖에 직무상 수사에 관계있는 자는 수사과정에서 수사와 관련하여 작성하거나 취득한 서류 또는 물건에 대한 목록을 빠짐 없이 작성하여야 한다(제198조 제3항). 14. 경찰승진, 20. 순경 2차, 24. 해경승진

검사 및 사법경찰관리와 그 밖에 수사에 관계있는 자는 수사과정에서 수사와 관련하여 작성하거나 취득한 서류 또는 물건에 대하여 중요목록을 작성하여야 한다. (×) 12. 9급 교정 · 보호 · 철도경찰

㉣ 검사 또는 사법경찰관리는 피의자나 사건관계인과 친족관계 또는 이에 준하는 관계가 있거나 그 밖에 수사의 공정성을 의심 받을 염려가 있는 사건에 대해서는 소속 기관의 장의 허가를 받아 그 수사를 회피해야 한다(수사준칙 제11조).

㉤ 검사 또는 사법경찰관은 피의자의 범죄수법, 범행 동기, 피해자와의 관계, 언동 및 그 밖의 상황으로 보아 피해자가 피의자 또는 그 밖의 사람으로부터 생명 · 신체에 위해를 입거나 입을 염려가 있다고 인정되는 경우에는 직권 또는 피해자의 신청에 따라 신변보호에 필요한 조치를 강구해야 한다(수사준칙 제15조). 21. 순경 2차

㉥ 검사 또는 사법경찰관은 수사 중인 사건의 범죄 혐의를 밝히기 위한 목적으로 관련 없는 사건의 수사를 개시하거나 수사기간을 부당하게 연장해서는 안 된다(수사준칙 제16조 제2항).

㉦ 검사 또는 사법경찰관은 입건 전에 범죄를 의심할 만한 정황이 있어 수사 개시 여부를 결정하기 위한 사실관계의 확인 등 필요한 조사를 할 때에는 적법절차를 준수하고 사건관계인의 인권을 존중하며, 조사가 부당하게 장기화되지 않도록 신속하게 진행해야 한다(수사준칙 제16조 제3항).

ⓞ 검사 또는 사법경찰관은 수사준칙 제16조 제3항에 따른 조사 결과 입건하지 않는 결정을 한 때에는 피해자에 대한 보복범죄나 2차 피해가 우려되는 경우 등을 제외하고는 피혐의자 및 사건관계인에게 통지해야 한다(수사준칙 제16조 제4항).

ⓩ 수사기관이 준수사항을 위반한 경우 위법수사를 행한 수사기관에게 징계처분이 부과될 수 있으며(제197조의 3 제7항 참조), 국가는 국가배상책임을 진다.

관련판례

1. 국가배상책임에 있어 공무원의 가해행위는 법령을 위반한 것이어야 하고, 법령을 위반하였다 함은 엄격한 의미의 법령 위반뿐 아니라 인권존중, 권력남용금지, 신의성실과 같이 공무원으로서 마땅히 지켜야 할 준칙이나 규범을 지키지 않고 위반한 경우를 포함하여 널리 그 행위가 객관적인 정당성을 결여하고 있음을 뜻하는 것이므로, 수사기관이 범죄수사를 하면서 지켜야 할 법규상 또는 조리상의 한계를 위반하였다면 이는 법령을 위반한 경우에 해당한다(대판 2020.4.29, 2015다224797).
2. 수사기관은 피의자의 진술을 조서화하는 과정에서 조서의 객관성을 유지하여야 하고, 고의 또는 과실로 위 직무상 의무를 위반하여 피의자신문조서를 작성함으로써 피의자의 방어권이 실질적으로 침해되었다고 인정된다면, 국가는 그로 인하여 피의자가 입은 손해를 배상하여야 한다(대판 2020.4.29, 2015다224797).

ⓧ 수사기관은 수사 중인 사건의 범죄 혐의를 밝히기 위한 목적으로 합리적인 근거 없이 별개의 사건을 부당하게 수사하여서는 아니되고, 다른 사건의 수사를 통하여 확보된 증거 또는 자료를 내세워 관련 없는 사건에 대한 자백이나 진술을 강요하여서도 아니 된다(제198조 제4항 : 2022. 5. 9. 신설). 23. 경찰승진

ⓚ 검사와 사법경찰관은 수사를 할 때 다음 각 호의 사항에 유의하여 실체적 진실을 발견해야 한다.

> 물적 증거를 기본으로 하여 객관적이고 신빙성 있는 증거를 발견하고 수집하기 위해 노력할 것, 과학수사 기법과 관련 지식·기술 및 자료를 충분히 활용하여 합리적으로 수사할 것, 수사과정에서 선입견을 갖지 말고, 근거 없는 추측을 배제하며, 사건관계인의 진술을 과신하지 않도록 주의할 것(수사준칙 제3조 제3항) 24. 경찰간부

(7) 고위공직자범죄수사처

고위공직자범죄수사처 설치 및 운영에 관한 법률(공수처법)이 2020년 1월 14일 제정·공포되었으며, 2020년 7월 15일부터 시행되었다, 이 법의 제정이유는 고위공직자와 그 가족의 직무 관련 부정부패를 독립된 위치에서 엄정수사하고 판사, 검사, 경무관급 이상 경찰에 대해서는 기소할 수 있는 기관인 고위공직자범죄수사처를 설치하여 고위공직자의 범죄 및 비리행위를 감시하고 이를 척결함으로써 투명성과 공직사회의 신뢰성을 높이기 위함이다.

① 고위공직자 및 그 가족

고위공직자	"고위공직자"란 다음의 어느 하나의 직(職)에 재직 중인 사람 또는 그 직에서 퇴직한 사람을 말한다. 다만, 장성급 장교는 현역을 면한 이후도 포함된다(제2조 제1호). ① 대통령 ② 국회의장 및 국회의원 ③ 대법원장 및 대법관 ④ 헌법재판소장 및 헌법재판관 ⑤ 국무총리와 국무총리비서실 소속의 정무직공무원 ⑥ 중앙선거관리위원회의 정무직공무원 ⑦ 공공감사에 관한 법률 제2조 제2호에 따른 중앙행정기관의 정무직공무원 ⑧ 대통령비서실 · 국가안보실 · 대통령경호처 · 국가정보원 소속의 3급 이상 공무원 ⑨ 국회사무처, 국회도서관, 국회예산정책처, 국회입법조사처의 정무직공무원 ⑩ 대법원장비서실, 사법정책연구원, 법원공무원교육원, 헌법재판소 사무처의 정무직공무원 ⑪ 검찰총장 ⑫ 특별시장 · 광역시장 · 특별자치시장 · 도지사 · 특별자치도지사 및 교육감 ⑬ 판사 및 검사 ⑭ 경무관 이상 경찰공무원 ⑮ 장성급 장교 ⑯ 금융감독원 원장 · 부원장 · 감사 ⑰ 감사원 · 국세청 · 공정거래위원회 · 금융위원회 3급 이상 공무원
가 족	"가족"이란 배우자, 직계존비속을 말한다. 다만, 대통령의 경우 배우자와 4촌 이내의 친족을 말한다(제2조 제2호).

② 고위공직자범죄 및 관련범죄

고위공직자 범죄	"고위공직자범죄"란 고위공직자로 재직 중에 본인 또는 본인의 가족이 범한 다음의 어느 하나에 해당하는 죄를 말한다. 다만, 가족의 경우에는 고위공직자의 직무와 관련하여 범한 죄에 한정한다(제2조 제3호). ① 형법 제122조부터 제133조까지의 죄(다른 법률에 따라 가중처벌되는 경우를 포함한다.) 예 직무유기, 직권남용, 불법체포감금, 폭행가혹행위, 피의사실공표, 공무상 비밀누설, 선거방해, 뇌물죄, 알선수뢰 등 ② 직무와 관련되는 형법 제141조, 제225조, 제227조, 제227조의 2, 제229조(제225조, 제227조 및 제227조의 2의 행사죄에 한정한다.), 제355조부터 제357조까지 및 제359조의 죄(다른 법률에 따라 가중처벌되는 경우를 포함한다.) 예 공용서류 등 무효, 공용물파괴, 공문서위조, 공전자기록위작 · 변작, 허위공문서작성, 위조 등 공문서행사, 횡령 · 배임, 배임수증재 등 ③ 알선수재(특정범죄 가중처벌 등에 관한 법률 제3조의 죄) ④ 알선수재(변호사법 제111조의 죄) ⑤ 정치자금법 제45조의 죄

	⑥ 국가정보원법 제21조, 제22조의 죄 ⑦ 국회에서의 증언·감정 등에 관한 법률 제14조 제1항의 죄 ⑧ ①부터 ⑤까지의 죄에 해당하는 범죄행위로 인한 범죄수익은닉의 규제 및 처벌 등에 관한 법률 제2조 제4호의 범죄수익 등과 관련된 같은 법 제3조 및 제4조의 죄
관련범죄	"관련범죄"란 다음의 어느 하나에 해당하는 죄를 말한다(제2조 제4호). ① 고위공직자와 형법 제30조부터 제32조까지의 관계에 있는 자가 범한 제3호의 어느 하나에 해당하는 죄 ② 고위공직자를 상대로 한 자의 형법 제133조, 제357조 제2항의 죄 ③ 고위공직자범죄와 관련된 형법 제151조 제1항, 제152조, 제154조부터 제156조까지의 죄 및 국회에서의 증언·감정 등에 관한 법률 제14조 제1항의 죄 ④ 고위공직자범죄 수사 과정에서 인지한 그 고위공직자범죄와 직접 관련성이 있는 죄로서 해당 고위공직자가 범한 죄

③ 수사처조직과 독립성

조 직	처장, 차장 등	① 수사처에 처장 1명과 차장 1명을 두고, 각각 특정직공무원으로 보한다(제4조 제1항). ② 수사처에 수사처검사와 수사처수사관 및 그 밖에 필요한 직원을 둔다(제4조 제2항).
	처장의 자격과 임명	① 처장은 다음의 직에 15년 이상 있던 사람 중에서 고위공직자범죄수사처장후보추천위원회가 2명을 추천하고, 대통령이 그중 1명을 지명한 후 인사청문회를 거쳐 임명한다(제5조 제1항). 24. 소방간부 ㉠ 판사, 검사 또는 변호사 ㉡ 변호사 자격이 있는 사람으로서 국가기관, 지방자치단체, 공공기관의 운영에 관한 법률 제4조에 따른 공공기관 또는 그 밖의 법인에서 법률에 관한 사무에 종사한 사람 ㉢ 변호사 자격이 있는 사람으로서 대학의 법률학 조교수 이상으로 재직하였던 사람 ② 처장의 임기는 3년으로 하고 중임할 수 없으며, 정년은 65세로 한다(제5조 제3항). 24. 소방간부
	처장추천 위원회	① 처장후보자의 추천을 위하여 국회에 고위공직자범죄수사처장후보추천위원회를 둔다(제6조 제1항). ② 추천위원회는 위원장 1명을 포함하여 7명의 위원으로 구성한다(제6조 제2항). ③ 위원장은 위원 중에서 호선한다(제6조 제3항). ④ 국회의장은 다음의 사람을 위원으로 임명하거나 위촉한다(제6조 제4항). ㉠ 법무부장관 ㉡ 법원행정처장 ㉢ 대한변호사협회장 ㉣ 대통령이 소속되거나 소속되었던 정당의 교섭단체가 추천한 2명 ㉤ ㉣의 교섭단체 외 교섭단체가 추천한 2명 ⑤ 추천위원회는 국회의장의 요청 또는 위원 3분의 1 이상의 요청이 있거나 위원장이 필요하다고 인정할 때 위원장이 소집하고, 재적위원 3분의 2 이상의 찬성으로 의결한다(제6조 제7항).

	수사처 검사	① 수사처검사는 7년 이상 변호사의 자격이 있는 사람 중에서 제9조에 따른 인사위원회의 추천을 거쳐 대통령이 임명한다. 이 경우 검사의 직에 있었던 사람은 제2항에 따른 수사처검사 정원의 2분의 1을 넘을 수 없다(제8조 제1항). ② 수사처검사는 특정직공무원으로 보하고, 처장과 차장을 포함하여 25명 이내로 한다(제8조 제2항). ③ 수사처검사의 임기는 3년으로 하고, 3회에 한하여 연임할 수 있으며, 정년은 63세로 한다(제8조 제3항). ④ 수사처검사는 직무를 수행함에 있어서 검찰청법 제4조에 따른 검사의 직무 및 군사법원법 제37조에 따른 군검사의 직무를 수행할 수 있다(제8조 제4항).
	인사 위원회	① 처장과 차장을 제외한 수사처검사의 임용, 전보, 그 밖에 인사에 관한 중요 사항을 심의·의결하기 위하여 수사처에 인사위원회를 둔다(제9조 제1항). ② 인사위원회는 위원장 1명을 포함한 7명의 위원으로 구성하고, 인사위원회의 위원장은 처장이 된다(제9조 제2항).
	수사처 수사관	① 수사처수사관은 다음의 어느 하나에 해당하는 사람 중에서 처장이 임명한다(제10조 제1항). ㉠ 변호사 자격을 보유한 사람 ㉡ 7급 이상 공무원으로서 조사, 수사업무에 종사하였던 사람 ㉢ 수사처규칙으로 정하는 조사업무의 실무를 5년 이상 수행한 경력이 있는 사람 ② 수사처수사관의 임기는 6년으로 하고, 연임할 수 있으며, 정년은 60세로 한다(제10조 제3항).
독립성	독립수행	수사처는 그 권한에 속하는 직무를 독립하여 수행한다(제3조 제2항).
	관여금지	대통령, 대통령비서실의 공무원은 수사처의 사무에 관하여 업무보고나 자료제출 요구, 지시, 의견제시, 협의, 그 밖에 직무수행에 관여하는 일체의 행위를 하여서는 아니 된다(제3조 제3항).

④ 직무와 권한

수사처장	① 처장은 수사처의 사무를 통할하고 소속 직원을 지휘·감독한다(제17조 제1항). ② 처장은 제8조에 따른 수사처검사의 직을 겸한다(제17조 제5항). ③ 처장은 수사처검사로 하여금 그 권한에 속하는 직무의 일부를 처리하게 할 수 있다(제19조 제1항). ④ 처장은 수사처검사의 직무를 자신이 처리하거나 다른 수사처검사로 하여금 처리하게 할 수 있다(제19조 제2항).
수사처차장	① 차장은 처장을 보좌하며, 처장이 부득이한 사유로 그 직무를 수행할 수 없는 때에는 그 직무를 대행한다(제18조 제1항). ② 차장은 제8조에 따른 수사처검사의 직을 겸한다(제18조 제2항).

수사처검사	① 수사처검사는 제3조 제1항 각 호(고위공직자범죄)에 따른 수사와 공소의 제기 및 유지에 필요한 행위를 한다(제20조 제1항). ▶ 판사(대법원장·대법관 포함), 검사(검찰총장 포함), 경무관 이상 경찰관 ⇨ 수사처검사가 공소제기 및 유지까지 가능(제3조 제1항 제2호) 24. 해경경위공채 ② 수사처검사는 처장의 지휘·감독에 따르며, 수사처수사관을 지휘·감독한다(제20조 제2항). ③ 수사처검사는 구체적 사건과 관련된 제2항의 지휘·감독의 적법성 또는 정당성에 대하여 이견이 있을 때에는 이의를 제기할 수 있다(제20조 제3항).
수사처수사관	① 수사처수사관은 수사처검사의 지휘·감독을 받아 직무를 수행한다(제21조 제1항). ② 수사처수사관은 고위공직자범죄 등에 대한 수사에 관하여 형사소송법 제197조 제1항에 따른 사법경찰관의 직무를 수행한다(제21조 제2항).

⑤ 수사처검사의 수사와 공소제기 및 유지

수사처검사의 수사	수사처검사는 고위공직자범죄의 혐의가 있다고 사료하는 때에는 범인, 범죄사실과 증거를 수사하여야 한다(제23조).
다른 수사기관과의 관계	① 수사처의 범죄수사와 중복되는 다른 수사기관의 범죄수사는 처장이 수사의 진행정도 및 공정성 논란 등에 비추어 수사처에서 수사하는 것이 적절하다고 판단하여 이첩을 요청하는 경우 해당 수사기관은 이에 응하여야 한다(제24조 제1항). ② 다른 수사기관이 범죄를 수사하는 과정에서 고위공직자범죄 등을 인지한 경우 그 사실을 즉시 수사처에 통보하여야 한다(제24조 제2항). ③ 처장은 피의자, 피해자, 사건의 내용과 규모 등에 비추어 다른 수사기관이 고위공직자범죄 등을 수사하는 것이 적절하다고 판단될 때에는 해당 수사기관에 사건을 이첩할 수 있다(제24조 제3항). ④ ②에 따라 고위공직자범죄 등 사실의 통보를 받은 처장은 통보를 한 다른 수사기관의 장에게 수사처규칙으로 정한 기간과 방법으로 수사개시 여부를 회신하여야 한다(제24조 제4항).
수사처검사 및 검사범죄에 대한 수사	① 처장은 수사처검사의 범죄 혐의를 발견한 경우에 관련 자료와 함께 이를 대검찰청에 통보하여야 한다(제25조 제1항). ② 수사처 외의 다른 수사기관이 검사의 고위공직자범죄 혐의를 발견한 경우 그 수사기관의 장은 사건을 수사처에 이첩하여야 한다(제25조 제2항).
수사처검사의 관계 서류와 증거물송부	① 수사처검사는 제3조 제1항 제2호에서 정하는 사건(수사처검사가 공소제기 가능사건)을 제외한 고위공직자범죄 등에 관한 수사를 한 때에는 관계 서류와 증거물을 지체 없이 서울중앙지방검찰청 소속 검사에게 송부하여야 한다(제26조 제1항). ② ①에 따라 관계 서류와 증거물을 송부받아 사건을 처리하는 검사는 처장에게 해당 사건의 공소제기 여부를 신속하게 통보하여야 한다(제26조 제2항).
인지사건 이첩	처장은 고위공직자범죄에 대하여 불기소 결정을 하는 때에는 해당 범죄의 수사과정에서 알게 된 관련범죄 사건을 대검찰청에 이첩하여야 한다(제27조).

형의 집행	① 수사처검사가 공소를 제기하는 고위공직자범죄 등 사건에 관한 재판이 확정된 경우 제1심 관할 지방법원에 대응하는 검찰청 소속 검사가 그 형을 집행한다(제28조 제1항). ② ①의 경우 처장은 원활한 형의 집행을 위하여 해당 사건 및 기록 일체를 관할 검찰청의 장에게 인계한다(제28조 제2항).
재판관할	수사처검사가 공소를 제기하는 고위공직자범죄 등 사건의 제1심 재판은 서울중앙지방법원의 관할로 한다. 다만, 범죄지, 증거의 소재지, 피고인의 특별한 사정 등을 고려하여 수사처검사는 형사소송법에 따른 관할 법원에 공소를 제기할 수 있다(제31조).

⑥ 재정신청에 대한 특례

고소·고발인의 재정신청	① 고소·고발인은 수사처검사로부터 공소를 제기하지 아니한다는 통지를 받은 때에는 서울고등법원에 그 당부에 관한 재정을 신청할 수 있다(공수처법 제29조 제1항). 24. 소방간부 ▶ 형사소송법상 재정신청의 관할 ⇨ 불기소처분을 한 검사소속의 지방검찰청소재지를 관할하는 고등법원 ② 제1항에 따른 재정신청을 하려는 사람은 공소를 제기하지 아니한다는 통지를 받은 날부터 30일 이내에 처장에게 재정신청서를 제출하여야 한다(동조 제2항). ③ 재정신청서에는 재정신청의 대상이 되는 사건의 범죄사실 및 증거 등 재정신청을 이유 있게 하는 사유를 기재하여야 한다(동조 제3항). ④ 재정신청서를 제출받은 처장은 재정신청서를 제출받은 날부터 7일 이내에 재정신청서·의견서·수사관계 서류 및 증거물을 서울고등법원에 송부하여야 한다. 다만, 신청이 이유 있는 것으로 인정하는 때에는 즉시 공소를 제기하고 그 취지를 서울고등법원과 재정신청인에게 통지한다(동조 제4항). ⑤ 이 법에서 정한 사항 외에 재정신청에 관하여는 형사소송법 제262조 및 제262조의 2부터 제262조의 4까지의 규정을 준용한다(동조 제5항).

2 피의자

(1) 피의자의 의의

피의자라 함은 수사기관에 의해 범죄혐의를 받고 수사가 개시된 자를 말한다.

☎ 수사개시 전(용의자), 수사개시(피의자), 공소제기(피고인), 유죄확정(수형자)

(2) 피의자 지위의 발생시점

① 피의자의 지위는 수사를 개시한 때부터 발생한다.

☎ 수사기관의 현행범체포시, 범죄인지의 경우 입건(사건접수부에 등재) 전이라도 실제 조사를 행한 경우(대판 2001.10.26, 2000도2968), 임의동행 형식으로 연행시, 사인으로부터 현행범 인도시에 피의자 지위 발생

☎ 고소·고발·자수가 있는 때 피의자 지위 발생(서면에 의한 고소·고발 ⇨ 서면이 수사기관에 접수된 때, 구두에 의한 고소·고발 ⇨ 수사기관이 조서를 작성한 때)

② 검사와 사법경찰관의 상호협력과 일반적 수사준칙에 관한 규정에 의하면 아래 어느 하나에 해당하는 행위에 착수한 때를 수사를 개시한 것으로 본다(수사준칙 제16조 제1항). 21. 순경 2차 따라서 이 경우에도 피의자가 된다.

> 1. 피혐의자의 수사기관 출석조사
> 2. 피의자신문조서의 작성
> 3. 긴급체포
> 4. 체포・구속영장의 청구 또는 신청
> 5. 사람의 신체, 주거, 관리하는 건조물, 자동차, 선박, 항공기 또는 점유하는 방실에 대한 압수・수색 또는 검증영장(부검을 위한 검증영장은 제외한다)의 청구 또는 신청

(3) 피의자의 대리・대표

① 형법 제9조 내지 제11조의 규정의 적용을 받지 아니하는 범죄사건에 관하여 피의자가 의사능력이 없는 때에는 그 법정대리인이 소송행위를 대리한다(제26조).

② 피의자가 법인인 때에는 그 대표자가 소송행위를 대표한다. 수인이 공동하여 법인을 대표하는 경우에도 소송행위에 관하여는 각자가 대표한다(제27조).

③ 피의자를 대리 또는 대표할 자가 없는 때에는 법원은 검사 또는 이해관계인의 청구에 의하여 특별대리인을 선임하여야 한다. 특별대리인은 피고인 또는 피의자를 대리 또는 대표하여 소송행위를 할 자가 있을 때까지 그 임무를 행한다(제28조).

(4) 피의자 지위의 소멸

피의자의 지위는 경찰공무원인 사법경찰관의 불송치처분에 의하여 소멸하며, 검사의 공소제기, 고위공직자범죄수사처의 공소제기, 경찰서장의 즉결심판청구에 의해 피의자의 지위는 소멸되고 피고인의 지위로 전환된다.

또한 검사의 불기소처분확정에 의해 피의자의 지위가 상실되므로, 검사의 불기소처분에 대한 검찰항고, 재정신청, 헌법소원을 제기한 경우에는 절차가 종결될 때까지는 피의자의 지위가 존속된다. 13. 경찰간부

(5) 피의자의 소송법상 지위

① 수사기관에 의하여 범죄혐의가 인정된 피의자는 수사의 대상이 된다. 그러나 피의자는 단순한 조사의 객체가 아니라 인격권의 주체로서의 지위를 가지고 있다.

② 수사절차에서 사실해명을 위해 불가피한 활동에 협조할 의무를 진다.

(6) 피의자의 권리

현행 형사소송법상 피의자의 권리는 피고인이 가지고 있는 권리와 대부분 중복되지만 체포・구속적부심사청구권은 피의자에게만 인정되는 권리(피고인 권리 ×)이다.

피고인에게만 인정된 권리(피의자에게는 인정 ×) ⇨ 보석청구권, 정식재판청구권, 기피신청권, 관할이전청구권

피의자의 권리 ○	피의자의 권리 ×
• 증거보전청구권 09. 순경 1차, 09 · 16. 경찰승진 • 긴급체포 후 석방시 관련서류에 대한 열람 · 등사청구권 • 접견교통권 • 체포 · 구속적부심사청구권 09 · 16. 경찰승진 • 진술거부권 09 · 16. 경찰승진	• 수사서류 열람 · 등사권 01. 순경 1차, 02. 순경 2차, 04. 경찰승진 • 보석청구권 12. 경찰간부 • 수사상 증인신문청구권 12. 경찰간부, 16. 경찰승진 • 수사중지청구권 • 정식재판청구권 02. 경찰승진 • 기피신청권 • 관할이전청구권

CHAPTER 01

기출문제

01 검사와 사법경찰관리의 관계에 대한 설명으로 옳은 것만을 있는 대로 고른 것은? 22. 소방간부

㉠ 검사는 사법경찰관리의 수사과정에서 법령위반, 인권침해 또는 현저한 수사권 남용이 의심되는 사실의 신고가 있거나 그러한 사실을 인식하게 된 경우에는 사법경찰관에게 사건기록 등본의 송부를 요구할 수 있다.
㉡ 사법경찰관리의 수사과정에서 법령위반을 이유로 검사의 송부 요구를 받은 사법경찰관은 지체 없이 검사에게 사건기록 등본을 송부하여야 한다. 송부를 받은 검사는 필요하다고 인정되는 경우에는 사법경찰관에게 시정조치를 요구할 수 있다.
㉢ 검사는 사법경찰관과 동일한 범죄사실을 수사하게 된 때에는 사법경찰관에게 사건을 송치할 것을 요구할 수 있고, 이 경우 사법경찰관은 지체 없이 검사에게 사건을 송치하여야 한다. 다만, 검사가 영장을 청구하기 전에 동일한 범죄사실에 관하여 사법경찰관이 영장을 신청한 경우에는 해당 영장에 기재된 범죄사실을 계속 수사할 수 있다.
㉣ 사법경찰관이 범죄를 수사한 후 범죄의 혐의가 인정되지 않아 불송치결정을 하는 경우 사법경찰관은 그 이유를 명시한 서면과 함께 관계 서류와 증거물을 지체 없이 검사에게 송부해야 하며, 검사는 송부받은 날부터 90일 이내에 사법경찰관에게 그 서류 등을 반환하여야 한다.
㉤ 검사는 고소·고발된 범죄 사건을 사법경찰관이 수사한 후 사건을 송치하지 아니한 것이 위법 또는 부당한 때에는 그 이유를 문서 또는 구두로 명시하여 사법경찰관에게 재수사를 요청해야 하고, 사법경찰관은 필요한 경우 사건을 재수사할 수 있다.

① ㉠
② ㉠, ㉡
③ ㉠, ㉡, ㉢
④ ㉠, ㉡, ㉢, ㉣
⑤ ㉠, ㉡, ㉢, ㉣, ㉤

해설 ㉠ ○ : 제197조의 3 제1항
㉡ ○ : 제197조의 3 제2항 · 제3항
㉢ ○ : 제197조의 4 제1항 · 제2항
㉣ ○ : 제245조의 5 제2호
㉤ × : 검사는 고소 · 고발된 범죄 사건을 사법경찰관이 수사한 후 사건을 송치하지 아니한 것이 위법 또는 부당한 때에는 그 이유를 문서로 명시하여 사법경찰관에게 재수사를 요청할 수 있다. 사법경찰관은 검사의 재수사요청이 있는 때에는 사건을 재수사하여야 한다(제245조의 8 제1항 · 제2항).

Answer 01. ④

02 **검사와 사법경찰관의 상호협력과 일반적 수사준칙에 관한 규정상 사법경찰관의 사건송치에 관한 설명으로 가장 적절하지 않은 것은?** 22. 순경 1차

① 사법경찰관이 사건을 수사한 결과, 불송치 결정 중 죄가 안됨에 해당하여 형법 제10조 제1항에 따라 피의자를 벌할 수 없는 경우에는 해당 사건을 검사에게 이송한다.

② 검사는 사법경찰관의 불송치 결정이 위법 또는 부당한 경우에는 관계 서류와 증거물을 송부받은 날로부터 90일 이내에 재수사를 요청할 수 있는데, 만약 불송치 결정에 영향을 줄 수 있는 명백히 새로운 증거 또는 사실이 발견된 경우에는 90일이 지난 후에도 재수사를 요청할 수 있다.

③ 사법경찰관은 수사결과에 따라 범죄의 혐의가 있다고 인정되는 경우에는 지체 없이 검사에게 사건을 송치하고 관계 서류와 증거물을 검사에게 송부하여야 하는데, 이때 보완수사가 필요하다고 인정되는 경우에도 검사는 직접 보완수사할 수 없으며 사법경찰관에 대한 보완수사요구만 가능하다.

④ 사법경찰관이 재수사 중인 사건에 대해 형사소송법 제245조의 7 제1항에 따른 고소인 등의 이의신청이 있는 경우에는 사법경찰관은 재수사를 중단해야 하며, 같은 조 제2항에 따라 해당 사건을 지체없이 검사에게 송치하고 관계 서류와 증거물을 송부해야 한다.

해설 ① 수사준칙 제51조 제3항
② 수사준칙 제63조 제1항
③ 검사는 사법경찰관으로부터 송치받은 사건에 대해 보완수사가 필요하다고 인정하는 경우에는 직접 보완수사를 하거나 법 제197조의 2 제1항 제1호에 따라 사법경찰관에게 보완수사를 요구할 수 있다(수사준칙 제59조 제1항).
④ 수사준칙 제65조

03 **다음 중 형사소송법 제197조의 2(보완수사요구)에 관한 설명으로 가장 옳지 않은 것은?** 23. 해경승진

① 형사소송법 제197조의 2 제1항에 따른 보완수사의 요구를 받은 사법경찰관과 검사 사이에 형사소송법 제197조의 2 제2항의 '정당한 이유의 유무에 대하여 이견의 조정이 필요한 경우에 사법경찰관은 검사에 대하여 협의를 요청할 수 있다.

② 형사소송법 제197조의 2 제2항에 따른 '정당한 이유의 유무'에 대하여 이견이 있어 협의를 요청 받은 검사는 이에 응하지 않을 수 있으며, 이 경우에는 해당검사가 소속된 검찰청의 장과 해당 사법경찰관이 소속된 경찰관서의 장의 협의에 따른다.

③ 검사는 '송치사건의 공소제기여부 결정 또는 공소유지에 관하여 필요한 경우' 또는 사법경찰관이 신청한 영장의 청구여부 결정에 관하여 필요한 경우에 사법경찰관에게 보완수사를 요구할 수 있다.

④ 사법경찰관은 형사소송법 제197조의 2 제1항에 따른 검사의 보완수사요구가 있는 때에는 정당한 이유가 없는 한 지체 없이 이행하고, 그 결과를 검사에게 통보하여야 한다.

Answer 02. ③ 03. ②

해설 ① 수사준칙 제8조 제1항
② 제197조의 2 제2항에 따른 '정당한 이유의 유무'에 대하여 이견이 있어 협의를 요청받은 검사는 특별한 사정이 없으면 상대방의 협의 요청에 응해야 한다(수사준칙 제8조 제1항). 협의에도 불구하고 이견이 해소되지 않는 경우에는 해당 검사가 소속된 검찰청의 장과 해당 사법경찰관이 소속된 경찰관서(지방해양경찰관서를 포함한다. 이하 같다)의 장의 협의에 따른다(동 준칙 제8조 제2항).
③ 제197조의 2 제1항 ④ 제197조의 2 제2항

04 형사소송법의 개정내용에 대한 설명으로 가장 적절하지 않은 것은? 23. 경찰승진

① 체포·구속장소의 감찰결과 피의자가 적법한 절차에 의하지 아니하고 체포 또는 구속된 것이라고 의심할 만한 상당한 이유가 있는 경우에 검사는 즉시 체포 또는 구속된 자를 석방하거나 사건을 검찰에 송치할 것을 명하여야 하는데, 이 송치요구에 따라 사법경찰관으로부터 송치받은 사건에 관하여 검사는 동일성을 해치지 아니하는 범위 내에서 수사할 수 있다.
② 수사기관이 수사 중인 사건의 범죄 혐의를 밝히기 위한 목적으로 합리적인 근거 없이 별개의 사건을 부당하게 수사하여서는 아니 된다.
③ 수사기관은 다른 사건의 수사를 통해 확보된 증거 또는 자료를 내세워 관련 없는 사건에 대한 자백이나 진술을 강요하여서는 아니 된다.
④ 사법경찰관의 불송치 결정에 대하여 형사소송법 제245조의 7에 따라 해당 사법경찰관의 소속 관서의 장에게 이의신청을 할 수 있는 주체에는 고발인이 포함된다.

해설 ① 제196조 제2항, 제198조의 2 제2항 ②③ 제198조 제4항
④ 사법경찰관으로부터 불송치 결정의 통지를 받은 사람(고발인을 제외한다)은 해당 사법경찰관의 소속 관서의 장에게 이의를 신청할 수 있다(제245조의 7 제1항).

05 검사와 사법경찰관의 수사권에 관한 설명으로 가장 적절하지 않은 것은? 24. 경찰간부

① 사법경찰관은 피의자를 신문하기 전에 수사과정에서 법령위반, 인권침해 또는 현저한 수사권 남용이 있는 경우 '검사에게 구제를 신청할 수 있음'을 피의자에게 알려주어야 하며, 이때 사법경찰관은 피의자로부터 고지 확인서를 받아 사건기록에 편철하여야 한다.
② 검사와 사법경찰관은 수사 및 공소제기 뿐만 아니라 공소유지에 관하여도 서로 협력하여야 한다.
③ 검사와 사법경찰관은 수사를 할 때 물적 및 인적 증거를 기본으로 하여 객관적이고 신빙성 있는 증거를 발견하고 수집하기 위해 노력하여 실체적 진실을 발견하여야 한다.
④ 검사는 사법경찰관과 동일한 범죄사실을 수사하게 된 때에는 사법경찰관에게 사건을 송치할 것을 요구할 수 있으며 송치요구를 받은 사법경찰관은 지체 없이 검사에게 사건을 송치하여야 하나, 검사가 영장을 청구하기 전에 동일한 범죄사실에 관하여 사법경찰관이 영장을 신청한 경우에는 해당 영장에 기재된 범죄사실을 계속 수사할 수 있다.

Answer 04. ④ 05. ③

해설 ① 제197조의 3 제8항, 수사준칙 제47조 ② 제195조 제1항
③ 검사와 사법경찰관은 수사를 할 때 다음 각 호의 사항에 유의하여 실체적 진실을 발견해야 한다(수사준칙 제3조 제3항).

1. 물적 증거를 기본으로 하여 객관적이고 신빙성 있는 증거를 발견하고 수집하기 위해 노력할 것
2. 과학수사 기법과 관련 지식·기술 및 자료를 충분히 활용하여 합리적으로 수사할 것
3. 수사과정에서 선입견을 갖지 말고, 근거 없는 추측을 배제하며, 사건관계인의 진술을 과신하지 않도록 주의할 것

④ 제197조의 4 제1항·제2항

06 수사에 관한 설명으로 가장 적절하지 않은 것은? 23. 순경 2차

① 사법경찰관은 고소·고발 사건을 포함하여 범죄를 수사한 때, 범죄 혐의가 있다고 인정되면 지체 없이 관계 서류와 증거물을 함께 첨부하여 검사에게 사건을 송치하고, 그 밖의 경우에는 그 이유를 명시한 서면만을 지체 없이 검사에게 송부하여야 한다.
② 검사는 사법경찰관과 동일한 범죄사실을 수사하게 된 때에는 사법경찰관에게 사건을 송치할 것을 요구할 수 있으며, 송치요구를 받은 사법경찰관은 원칙적으로 지체 없이 검사에게 사건을 송치하여야 한다.
③ 검사는 사법경찰관이 사건을 송치하지 아니한 것이 위법 또는 부당한 때에는 그 이유를 문서로 명시하여 재수사를 요청할 수 있는데, 사법경찰관은 재수사 후 기소의견으로 사건을 검찰에 송치하거나 재차 불송치결정을 할 수 있다.
④ 검사의 수사 개시는 예외적으로 인정되는데, 검사는 부패범죄, 경제범죄 등 대통령령으로 정하는 중요 범죄에 대해서는 수사를 개시할 수 있다.

해설 ① 사법경찰관은 고소·고발 사건을 포함하여 범죄를 수사한 때, 범죄 혐의가 있다고 인정되면 지체 없이 관계 서류와 증거물을 함께 첨부하여 검사에게 사건을 송치하고(제245조의 5 제1호), 그 밖의 경우에는 그 이유를 명시한 서면과 함께 관계 서류와 증거물을 지체 없이 검사에게 송부하여야 한다(동조 제2호).
② 제197조의 4 제1항·제2항 ③ 수사준칙 제64조 제1항
④ 검찰청법 제4조 제1항

07 검사와 사법경찰관의 수사에 대한 설명이다. 옳고 그름의 표시가 모두 바르게 된 것은?

㉠ 검사는 법 제245조의 5 제1호에 따라 사법경찰관으로부터 송치받은 사건에 대해 보완수사가 필요하다고 인정하는 경우에는 특별히 직접 보완수사를 할 필요가 있다고 인정되는 경우를 제외하고는 사법경찰관에게 보완수사를 요구하는 것을 원칙으로 한다.
㉡ 공소시효가 임박한 사건에 대하여 검사와 사법경찰관이 송치 전에 수사할 사항, 증거 수집의 대상, 법령의 적용 등에 대하여 상호 의견을 제시·교환할 것을 요청할 수 있으나, 범죄수익 환수를 위한 조치 등에 관하여는 그러하지 아니한다.

Answer 06. ① 07. ④

ㄷ 검사는 그 밖에 다른 수사기관에서 수사하는 것이 적절하다고 판단되어 이송을 하는 경우에는 특별한 사정이 없으면 사건을 수리한 날부터 3개월 이내에 이송해야 한다.
ㄹ 사법경찰관은 법 제197조의 2 제1항에 따른 보완수사요구가 접수된 날부터 1개월 이내에 보완수사를 마쳐야 한다.
ㅁ 사법경찰관은 법 제245조의 8 제1항에 따른 재수사의 요청이 접수된 날부터 3개월 이내에 재수사를 마쳐야 한다.

① ㉠(×), ㉡(×), ㉢(×), ㉣(×), ㉤(×)
② ㉠(×), ㉡(×), ㉢(○), ㉣(○), ㉤(×)
③ ㉠(○), ㉡(×), ㉢(○), ㉣(×), ㉤(○)
④ ㉠(×), ㉡(×), ㉢(×), ㉣(×), ㉤(○)

해설 ㉠ ×: 검사는 사법경찰관으로부터 송치받은 사건에 대해 보완수사가 필요하다고 인정하는 경우에는 직접 보완수사를 하거나 법 제197조의 2 제1항 제1호에 따라 사법경찰관에게 보완수사를 요구할 수 있다. 다만, 송치사건의 공소제기 여부 결정에 필요한 경우로서 수사준칙 제59조 제1항 각호의 어느 하나에 해당하는 경우에는 특별히 사법경찰관에게 보완수사를 요구할 필요가 있다고 인정되는 경우를 제외하고는 검사가 직접 보완수사를 하는 것을 원칙으로 한다(수사준칙 제59조 제1항).
㉡ ×: 검사와 사법경찰관은 송치 전에 수사할 사항, 증거 수집의 대상, 법령의 적용, 범죄수익 환수를 위한 조치 등에 관하여 상호 의견을 제시·교환할 것을 요청할 수 있다(수사준칙 제7조 제1항).
㉢ ×: 검사는 그 밖에 다른 수사기관에서 수사하는 것이 적절하다고 판단되어 이송을 하는 경우에는 특별한 사정이 없으면 사건을 수리한 날부터 1개월 이내에 이송해야 한다(수사준칙 제18조 제4항).
㉣ ×: 사법경찰관은 법 제197조의 2 제1항에 따른 보완수사요구가 접수된 날부터 3개월 이내에 보완수사를 마쳐야 한다(수사준칙 제60조 제3항).
㉤ ○: 수사준칙 제63조 제4항

08 검사와 사법경찰관의 상호협력과 일반적 수사준칙에 관한 규정상 사법경찰관이 그 행위에 착수한 때에는 수사를 개시한 것으로 보고 해당 사건을 즉시 입건해야 하는 경우가 아닌 것은? 21. 순경 2차

① 피혐의자의 수사기관 출석조사
② 피의자신문조서의 작성
③ 현행범인 체포
④ 체포·구속영장의 청구 또는 신청

해설 검사 또는 사법경찰관이 다음 각 호의 어느 하나에 해당하는 행위에 착수한 때에는 수사를 개시한 것으로 본다. 이 경우 검사 또는 사법경찰관은 해당 사건을 즉시 입건해야 한다(수사준칙 제16조 제1항).

1. 피혐의자의 수사기관 출석조사
2. 피의자신문조서의 작성
3. 긴급체포
4. 체포·구속영장의 청구 또는 신청
5. 사람의 신체, 주거, 관리하는 건조물, 자동차, 선박, 항공기 또는 점유하는 방실에 대한 압수·수색 또는 검증영장(부검을 위한 검증영장은 제외한다)의 청구 또는 신청

Answer 08. ③

09 **고위공직자범죄수사처에 관한 설명으로 옳지 않은 것은?** 24. 소방간부

① 고위공직자범죄수사처는 대법원장 및 대법관, 검찰총장, 판사 및 검사, 경무관 이상 경찰공무원이 재직 중에 본인 또는 본인의 가족이 범한 고위공직자범죄 및 관련 범죄의 공소제기와 그 유지를 수행한다.

② 고위공직자범죄수사처장은 고위공직자범죄수사처장후보추천위원회가 2명을 추천하고, 대통령이 그중 1명을 지명한 후 인사청문회를 거쳐 임명한다.

③ 고위공직자범죄수사처검사의 임기는 3년으로 하고, 3회에 한정하여 연임할 수 있다.

④ 고소·고발인은 고위공직자범죄수사처검사로부터 공소를 제기하지 아니한다는 통지를 받은 때에는 서울중앙지방법원에 그 당부에 관한 재정을 신청할 수 있다.

⑤ 고위공직자범죄수사처검사는 수사처에 공소권이 부여된 사건을 제외한 고위공직자범죄 등 사건의 수사를 한 때에는 관계 서류와 증거물을 지체 없이 서울중앙지방검찰청 소속 검사에게 송부하여야 한다.

해설 ① 공수처법 제2조, 제3조
② 동법 제5조 제1항
③ 동법 제5조 제3항
④ 고소·고발인은 수사처검사로부터 공소를 제기하지 아니한다는 통지를 받은 때에는 서울고등법원에 그 당부에 관한 재정을 신청할 수 있다(동법 제29조 제1항).
⑤ 동법 제26조 제1항

10 **다음 중 검사와 사법경찰관 등 수사기관에 대한 설명으로 가장 옳은 것은?**(다툼이 있는 경우 판례에 의함) 24. 해경경위공채

① 삼림, 해사, 세무 등 특수분야의 수사를 담당하는 사법경찰관리를 특별사법경찰관리라고 하므로, 해양경찰의 경찰공무원도 특별사법경찰관리에 해당한다.

② 형사소송법에서 검사는 범죄혐의가 있다고 사료하는 때에는 범인, 범죄사실과 증거를 수사한다고 규정하고 있으나, 검사가 모든 범죄에 대해 수사를 개시할 수 있는 것은 아니다.

③ 형사소송법에 따라 검사와 사법경찰관은 수사에 관하여 서로 협력하여야 하므로, 송치 사건의 공소제기 여부 결정에 필요한 경우 검사는 사법경찰관으로부터 송치받은 모든 사건에 대해 직접 보완수사를 하는 것을 원칙으로 한다.

④ 고위공직자범죄수사처 검사는 그 직무를 수행함에 있어서 검찰청법 제4조에 따른 검사의 직무를 수행할 수 있다. 따라서 고위공직자 등의 모든 범죄에 대하여 원칙적으로 공소제기를 할 수 있다.

해설 ① 해양경찰청 소속 경찰공무원은 일반사법경찰관리에 해당한다(해양경찰법 제13조 제2항·제3항, 제197조 제1항·제2항).
② 형사소송법 제196조 제1항, 검찰청법 제4조 제1항, 검사의 수사개시 범죄 범위에 관한 규정 제2조

Answer 09. ④ 10. ②

③ 검사는 사법경찰관으로부터 송치받은 사건에 대해 보완수사가 필요하다고 인정하는 경우에는 직접 보완수사를 하거나 법 제197조의 2 제1항 제1호에 따라 사법경찰관에게 보완수사를 요구할 수 있다. 다만, 송치사건의 공소제기 여부 결정에 필요한 경우로서 수사준칙 제59조 제1항 각 호의 어느 하나에 해당하는 경우에는 특별히 사법경찰관에게 보완수사를 요구할 필요가 있다고 인정되는 경우를 제외하고는 검사가 직접 보완수사를 하는 것을 원칙으로 한다(수사준칙 제59조 제1항).
④ 수사처검사는 제3조 제1항 제2호에서 정하는 사건에 대해서만 공소제기 가능하고, 이를 제외한 고위공직자범죄 등에 관한 수사를 한 때에는 관계 서류와 증거물을 지체 없이 서울중앙지방검찰청 소속 검사에게 송부하여야 한다(공수처법 제26조 제1항).

11 **형사소송법 제197조의 3**(시정조치요구 등), **제197조의 4**(수사의 경합) **및 검사와 사법경찰관의 상호협력과 일반적 수사준칙에 관한 규정에 대한 설명으로 가장 적절하지 않은 것은?** 24. 순경 2차

① 검사는 사법경찰관리의 수사과정에서 법령위반, 인권침해 또는 현저한 수사권 남용이 의심되는 사실의 신고가 있거나 그러한 사실을 인식하게 된 경우에는 사법경찰관에게 사건기록 등본의 송부를 요구할 수 있다.
② 위의 ①에 따라 검사로부터 사건기록 등본의 송부 요구를 받은 사법경찰관은 지체 없이 검사에게 사건기록 등본을 송부하여야 하며, 이 경우 사법경찰관은 요구를 받은 날부터 7일 이내에 사건기록 등본을 검사에게 송부해야 한다.
③ 검사는 사법경찰관과 동일한 범죄사실을 수사하게 된 때에는 사법경찰관에게 사건을 송치할 것을 요구할 수 있으며, 이때에는 그 내용과 이유를 구체적으로 적은 서면으로 해야 한다.
④ 수사의 경합에 따라 사건송치를 요구받은 사법경찰관은 지체 없이 검사에게 사건을 송치하여야 하며, 검사가 영장을 청구하기 전에 동일한 범죄사실에 관하여 사법경찰관이 영장을 신청한 경우 사법경찰관은 해당 영장에 기재된 범죄사실을 계속 수사할 수 없다.

해설 ①② 제197조의 3 제1항 · 제2항, 수사준칙 제45조 제2항
③ 제197조의 4 제1항, 수사준칙 제49조 제1항
④ 검사가 영장을 청구하기 전에 동일한 범죄사실에 관하여 사법경찰관이 영장을 신청한 경우 사법경찰관은 해당 영장에 기재된 범죄사실을 계속 수사할 수 있다(제197조의 4 제1항 · 제2항).

Answer 11. ④

제3절 수사의 개시

1 수사의 단서

(1) 수사단서의 의의

수사기관은 범죄혐의가 있다고 사료하는 때에는 범인, 범죄사실과 증거를 수사하게 된다(제196조, 제197조 제1항 참조). 수사기관이 범죄혐의가 있다고 판단하게 된 원인을 수사의 단서라고 한다. 수사의 단서는 수사개시의 시발점이 된다. 고소・고발・자수가 있는 때에는 즉시 수사가 개시되고, 그 이외의 것들은 수사의 단서가 있다고 하여 바로 수사가 개시되는 것은 아니고 수사기관의 범죄인지에 의하여 비로소 수사가 개시된다.

▶ 수사기관이 범죄혐의 있음을 외부적으로 표시하는 활동을 한 때 피의자로 보는 실질설에 의하면 임의동행 형식으로 연행시, 현행범 체포시(사인에 의한 현행범체포 ⇨ 인도시)에 피의자가 된다.

수사준칙상 수사개시(수사준칙 제16조)

1. 검사 또는 사법경찰관이 다음 각 호의 어느 하나에 해당하는 행위에 착수한 때에는 수사를 개시한 것으로 본다. 이 경우 검사 또는 사법경찰관은 해당 사건을 즉시 입건해야 한다(동조 제1항).

1. 피혐의자의 수사기관 출석조사	2. 피의자신문조서의 작성
3. 긴급체포	4. 체포・구속영장의 청구 또는 신청
5. 사람의 신체, 주거, 관리하는 건조물, 자동차, 선박, 항공기 또는 점유하는 방실에 대한 압수・수색 또는 검증영장(부검을 위한 검증영장은 제외한다. 24. 해경경위공채)의 청구 또는 신청	

2. 검사 또는 사법경찰관은 수사 중인 사건의 범죄 혐의를 밝히기 위한 목적으로 관련 없는 사건의 수사를 개시하거나 수사기간을 부당하게 연장해서는 안 된다(동조 제2항).

(2) 수사단서의 유형

수사의 단서에는 수사기관 자신의 체험에 의한 경우와 타인의 체험을 근거로 하는 경우로 나눌 수 있다. 현행범체포・변사자검시・불심검문・다른 사건 수사 중 범죄발견・기사・풍문 등은 전자에 해당하고, 고소・고발・자수・진정・범죄신고 등은 후자에 포함된다.

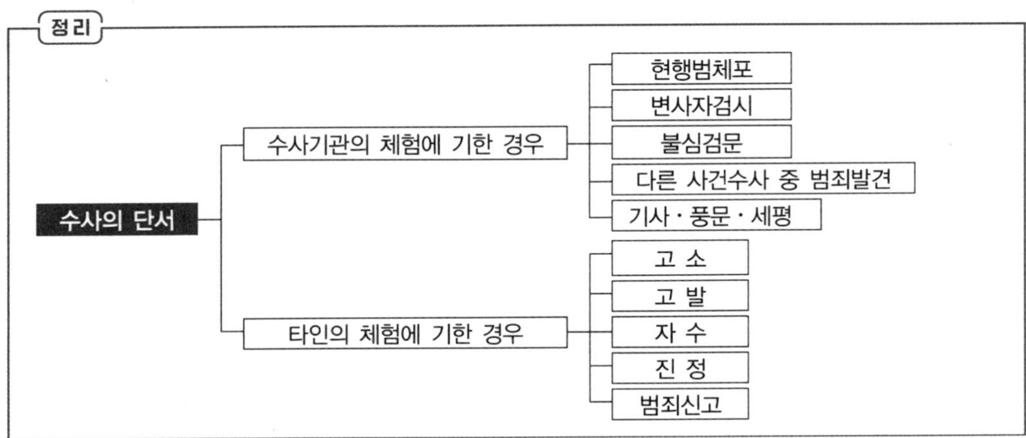

🚨 고소 · 고발 · 자수 ⇨ 수사단서이면서 수사개시요건임.
🚨 고소 · 고발 · 자수를 제외한 수사단서 ⇨ 범죄인지에 의해 수사개시
🚨 형사소송법에 규정된 수사단서 ⇨ 현행범체포, 변사자검시, 고소, 고발, 자수
🚨 수사가 개시(입건)되면 그 대상이 되는 사람은 피의자로 전환된다.
🚨 형사소송법은 수사의 단서로 현행범체포, 불심검문 등을 규정하고 있다. (×)
🚨 고소나 세평은 수사의 단서 중 즉시 수사가 개시되어 피고인의 지위를 갖게 된다. (×)
🚨 진정 · 자수 · 범죄신고는 타인의 체험에 의한 수사단서이나, 불심검문은 수사기관 자신의 체험에 의한 수사단서이다. (○) 15. 경찰승진

2 불심검문

(1) 불심검문의 의의 · 성격

① **불심검문의 의의** : 불심검문(직무질문)이란 경찰관이 거동이 수상한 자를 발견한 때에 이를 정지시켜 질문하는 것을 말한다(경찰관직무집행법 제3조 제1항). 15. 경찰승진

② **불심검문의 성격** : 불심검문은 행정경찰작용 특히 보안경찰분야에 속하는 것으로 형사소송법상의 수사와는 엄격히 구별하는 견해(보안경찰작용설)와 행정경찰작용뿐만 아니라 수사목적 달성을 위한 사법경찰작용도 동시에 내포하고 있다는 견해(병유설)가 대립하고 있다. 보안경찰작용설에 의하면 불심검문은 수사 이전단계에서 행해지는 것으로 수사의 단서에 지나지 않는다고 보게 되나, 병유설에 의하면 불심검문은 수사 이전 단계뿐만 아니라, 수사개시 이후에도 가능하다고 한다.

🚨 2006년 순경 기출문제에서 '수사상 증거자료를 수집하기 위해 불심검문을 할 수 있다.'를 ○, ×로 묻는 박스형으로 출제된 바 있었는데, 이는 어느 학설을 취하느냐에 따라 달라질 수 있으므로 논란의 여지가 있다.

(2) 불심검문의 대상 15. 경찰승진, 16. 순경 2차

① 수상한 행동이나 그 밖의 주위의 사정을 합리적으로 판단하여 볼 때 죄를 범하였거나 범하려고 하고 있다고 의심할 만한 상당한 이유가 있는 사람(경찰관직무집행법 제3조 제1항 제1호)

② 이미 행하여진 범죄나 행하여지려고 하는 범죄행위에 관하여 그 사실을 안다고 인정되는 사람(동법 제3조 제1항 제2호)

🚨 범인으로 호창되어 추적되고 있는 자 ⇨ 불심검문대상 ×〔준현행범이므로 무(無)영장 체포대상임〕

관련판례

1. 피고인의 인상착의가 미리 입수된 용의자에 대한 인상착의와 일부 일치하지 않는 부분이 있다고 하더라도 그것만으로 경찰관들이 피고인을 불심검문 대상자로 삼은 조치가 위법하다고 볼 수는 없다(대판 2014.2.27, 2011도13999). 24. 9급 교정 · 보호 · 철도경찰
2. 불심검문대상자 해당 여부를 판단할 때에는 불심검문 당시의 구체적 상황은 물론 사전에 얻은 정보나 전문적 지식 등에 기초하여 불심검문 대상자인지를 객관적 · 합리적인 기준에 따라 판단하여야 하나, 반드시 불심검문 대상자에게 형사소송법상 체포나 구속에 이를 정도의 혐의가 있을 것을 요한다고 할 수는 없다(대판 2014.2.27, 2011도13999). 17. 순경 2차, 20. 해경, 17 · 21 · 22. 경찰승진, 23. 경찰간부, 15 · 24. 9급 교정 · 보호 · 철도경찰, 25. 소방간부

(3) 불심검문의 방법

불심검문은 정지, 질문, 질문을 위한 동행요구를 그 내용으로 한다. 이와 관련하여 정지를 위해 자동차검문이 허용되는가, 질문의 일환으로 소지품검사가 허용되는가 하는 특수한 문제가 제기된다.

① 정지 및 질문

㉠ **정지의 의의** : 정지는 질문을 하기 위하여 그를 멈추어 세우는 것을 말한다.

㉡ **정지와 그 한계** : 정지는 질문을 위한 수단이므로 강제수단에 의하여 정지시키는 것은 허용되지 아니한다. 이와 관련하여 정지요구에 응하지 않고 지나가거나 질문 도중에 떠나는 경우 실력행사를 인정할 수 있는가가 문제된다. 사회통념상 용인될 수 있는 상당한 방법의 유형력의 행사는 허용된다(판례).

예 길을 막거나 몸에 손을 대는 정도 08. 경찰승진

답변을 강요하기 위한 유형력의 행사는 허용 × 08. 경찰승진

수갑을 채운 뒤 질문을 하는 것은 허용 ×

관련판례

자전거를 이용한 날치기 사건이 발생한 직후 그 인근에서 검문을 실시 중이던 경찰관들이 위 날치기 사건의 범인과 흡사한 인상착의의 피의자를 발견하고 소속과 성명을 고지하면서 검문에 협조해 달라고 하였을 때, 피의자가 자전거를 타고 그대로 진행하였고 이에 경찰봉으로 그 앞을 가로막으면서 진행을 제지하였다면 그 범행의 경중, 범행과의 관련성, 상황의 긴박성, 혐의의 정도, 질문의 필요성 등에 비추어 그 목적달성에 필요한 최소한의 범위 내에서 사회통념상 용인될 수도 있는 상당한 방법으로 적법한 공무집행에 해당한다(대판 2012.9.13, 2010도6203). 20. 해경, 21. 경찰승진 · 경찰간부 · 소방간부, 24. 해경간부

㉢ **질문의 방법** : 거동불심자에게 행선지나 용건 또는 성명 · 주소 · 연령 등을 묻고 필요시 소지품 내용을 질문하여 수상한 점을 밝히는 방법에 의한다. 질문을 하는 경우 경찰관은 상대방에게 신분증을 제시하면서 소속과 성명을 밝히고 그 목적과 이유를 설명하여야 한다(경찰관직무집행법 제3조 제4항). 질문에 대하여 상대방은 답변을 강요당하지 아니한다(동법 제3조 제7항). 다만, 상대방을 설득하여 번의를 구하는 것은 허용될 수 있다.

질문을 하는 경우 경찰관은 질문 전에 진술거부권을 고지하여야 한다. (×)

관련판례

1. 불심검문시 경찰관이 정복을 입고 있었다면, 신분증 제시가 없었더라도 정당하다(대판 2004.10.18, 2004도4029).

   직무질문을 할 당시에 경찰복을 입고 있었다면, 상대방이 요구하더라도 경찰관에게는 상대방에게 자신의 신분을 표시하는 증표를 제시하거나 소속과 성명을 밝힐 의무가 없다. (×) 11. 경찰승진

2. 불심검문을 하게 된 경위, 불심검문 당시의 현장상황과 검문을 하는 경찰관들의 복장, 피고인이 공무원증 제시나 신분 확인을 요구하였는지 여부 등을 종합적으로 고려하여, 검문하는 사람이 경찰관이고 검문하는 이유가 범죄행위에 관한 것임을 피고인이 충분히 알고 있었다고 보이는 경우에는 신분증을

제시하지 않았다고 하여 그 불심검문이 위법한 공무집행이라고 할 수 없다(대판 2014.12.11, 2014도7976). 20. 9급 검찰·마약·교정·보호·철도경찰·해경, 19·21. 수사경과, 17·18·20·22. 경찰승진, 20·21·23. 경찰간부, 23. 순경 1차, 24. 해경간부·9급 교정·보호·철도경찰, 21·25. 소방간부, 25. 경찰대편입

② 동행요구

㉠ 정지한 장소에서 질문함이 당해인에게 불리하거나, 교통에 방해가 된다고 인정되는 때에 한하여 부근의 경찰서 등에 동행을 요구할 수 있다(경찰관직무집행법 제3조 제2항). 14. 9급 교정·보호·철도경찰, 16. 순경 2차, 17. 경찰승진, 18. 수사경과 이 경우에도 상대방은 동행요구를 거절할 수 있음은 물론이다. 11. 경찰승진, 15. 9급 교정·보호·철도경찰

- 불심검문에 대하여 응답을 거부한 자 ⇨ 동행요구 대상 ×
- 누구임을 물음에 대하여 도망하려는 자 ⇨ 동행요구 대상 ×(준현행범 ○)
- 동행요구시 경찰장구 사용 ×(경찰관직무집행법 제10조의 2 참조) 13. 9급 검찰·마약수사, 15. 경찰승진

㉡ 동행요구에 의하여 연행된 상대방은 변호인과의 접견교통권을 행사할 수 있으며, 동행을 한 경우에 경찰관은 상대방을 6시간 초과하여 머무르게 할 수 없다(동조 제6항). 13. 9급 검찰·마약수사, 15·17. 경찰승진, 20. 수사경과, 24. 9급 교정·보호·철도경찰, 25. 소방간부

- 6시간 동안 구금을 허용하는 것은 아니다. 16·18. 수사경과, 21. 경찰간부, 23. 순경 1차

관련판례

1. 임의동행의 형식으로 수사기관에 연행된 피의자에게도 변호인 또는 변호인이 되려는 자와의 접견교통권은 당연히 인정된다고 보아야 할 것이고, 임의동행의 형식으로 연행된 피내사자의 경우에도 마찬가지라 할 것이다(대결 1996.6.3, 96모18).
2. 임의동행은 상대방의 동의 또는 승낙을 그 요건으로 하는 것이므로 경찰관으로부터 임의동행 요구를 받은 경우 상대방은 이를 거절할 수 있을 뿐만 아니라 임의동행 후 언제든지 경찰관서에서 퇴거할 자유가 있다 할 것이고, 임의동행한 자를 6시간 동안 경찰관서에 구금하는 것을 허용하는 것은 아니다(대판 1997.8.22, 97도1240).
   - 경찰관으로부터 임의동행 요구를 받은 경우 상대방은 이를 거절할 수 있을 뿐만 아니라 임의동행 후 언제든지 경찰관서에서 퇴거할 자유가 있다. (○) 13. 경찰간부, 22. 해경간부
   - 6시간까지 구금할 수 있다. (×) 06. 순경 2차, 14. 경찰간부
3. 행정경찰 목적의 경찰활동으로 행하여지는 경찰관직무집행법 제3조 제2항의 질문을 위한 동행요구도 형사소송법의 규율을 받는 수사로 이어지는 경우에는 역시 형사소송법에 의한 임의동행과 동일하게 보아야 한다(대판 2006.7.6, 2005도6810). 23. 순경 1차

보충 **절차적 보장과 관련하여**

1. 실무상 신원을 확인하기 위하여 주민등록증 제시를 요구하는 것은 법적인 근거가 불확실하다. 주민등록법 제26조에 따르면, 사법경찰관리가 범인의 체포 등 그 직무를 수행함에 있어서 17세 이상인 주민의 신원 또는 주민관계를 확인할 필요가 있는 경우에만 주민등록증의 제시를 요구할 수 있다고 하여 제한적으로만 허용하고 있기 때문이다.

▶ 주민등록법에 의하면 사법경찰관리는 범인의 체포 등 그 직무를 수행함에 있어서 주민의 신원 또는 거주관계를 확인할 필요가 있는 경우에는 17세 이상의 자에 대하여 주민등록증의 제시를 요구할 수 있고, 이 경우 사법경찰관리는 정복근무 중인 경우 외에는 미리 신원을 표시하는 증표를 지니고 이를 관계인에게 내보여야 한다. (○) 11. 경찰승진

2. 불심검문시 질문하거나 동행을 요구할 경우 자신의 신분을 표시하는 증표를 제시하면서 소속과 성명을 밝히고 질문이나 동행의 목적과 이유를 설명하여야 하며, 동행을 요구하는 경우에는 동행장소를 밝혀야 한다(경찰관직무집행법 제3조 제4항). 18. 경찰승진 동행 후에는 가족 등에게 동행한 경찰관의 신분, 동행장소, 동행목적과 이유를 알리거나 본인으로 하여금 즉시 연락할 기회를 부여하여야 하며, 변호인의 조력을 받을 권리가 있음을 고지하여야 한다(동조 제5항). 13. 9급 검찰·마약수사, 14. 경찰간부, 11·15. 경찰승진, 20. 해경, 25. 경찰대편입 이는 임의동행이 체포·구속은 아니지만 실제에 있어서는 유사하므로 인권보장적인 측면에서 규정하고 있는 것으로 볼 수 있다.

▶ 경찰관은 동행 후에는 동행한 사람의 가족이나 친지 등에게 동행한 경찰관의 신분, 동행장소, 동행목적과 이유를 알리거나 본인으로 하여금 즉시 연락할 기회를 주어야 하나, 변호인의 조력을 받을 권리가 있음을 알려야 할 필요는 없다. (×) 14. 9급 교정·보호·철도경찰, 16. 순경 2차

③ **소지품검사**

㉠ **의의** : 소지품검사란 불심검문을 하는 과정에서 흉기 기타 물건의 소지 여부를 밝히기 위하여 거동불심자의 착의 또는 휴대품을 조사하는 것을 말한다.

㉡ **소지품검사의 허용성** : 경찰관직무집행법은 거동수상자에 대하여 질문을 할 때 흉기소지 여부를 조사할 수 있다고 규정하고 있다(제3조 제3항). 08. 경찰승진, 13. 9급 검찰·마약수사 경찰관직무집행법에 흉기소지 여부만을 조사할 수 있도록 규정하고 있으나, 23. 경찰간부 흉기 이외의 다른 물건(예 마약, 장물, 위조지폐 등)을 불심검문의 방법으로 조사할 수 있는가가 문제가 된다. 다수설에 따르면 불심검문자의 안전확보와 질문의 실효성을 유지하기 위하여 흉기 이외의 소지품검사도 허용함이 합리적이라 한다. 10. 9급 검찰, 14. 9급 교정·보호·철도경찰

경찰관직무집행법은 흉기소지조사 및 흉기 이외의 다른 물건 조사에 대하여도 명문의 규정을 두고 있다. (×)

㉢ **소지품검사의 한계**

ⓐ 어떤 범위까지 허용할 것인가에 대해서는 견해가 일치하지 않고 있으나 Stop and Frisk, 즉 상대방을 정지시키고(Stop) 의복 또는 휴대품의 외부를 손으로 만져서 확인하는 것(Frisk)은 허용된다.

Stop and Frisk의 허용은 미국 Terry사건에서 확립

Sibron사건에서는 pocket에 손을 넣어 마약을 찾아낸 경우 Frisk(외표검사)의 범위를 벗어나므로 허용되지 않는다고 하였다.

ⓑ 실력행사 허용 여부에 대하여 흉기조사의 경우는 폭력을 사용하지 않는 범위 내에서 상대방의 승낙 없이 호주머니에 손을 넣거나 가방 등을 열어 본다든지 물건을 끄집어 내는 행위는 가능하다고 해야 하나, 흉기 이외의 일반 소지품검사의 경우에는 이러한 실력행사에 의한 조사를 허용할 것인가에 대하여 견해의 대립이 있다.

☎ 흉기소지를 검사하기 위한 조사는 상대방의 의복이나 손가방 등의 휴대품에 한정되며, 잠금장치가 되어 있는 물품이나 조사받는 사람의 직접적인 접촉범위 내에 존재하지 않는 물건에 대해서는 조사할 수 없다. (○)

④ **자동차검문**

㉠ **자동차검문의 의의** : 자동차검문이란 범죄예방과 검거를 목적으로 통행 중인 자동차를 정지케 하여 운전자 또는 동승자에게 질문하는 것을 말한다. 자동차검문에는 교통검문 · 경계검문 · 긴급수배검문이 있다.

☎ 불심검문의 법리에 의하여 자동차에 대한 검문을 하는 경우도 있다. (○) 01. 여경 2차

㉡ **자동차검문의 법적 근거** : 교통검문만이 직접적인 근거규정이 있다(도로교통법 제47조). 그러나 경계검문은 경찰관직무집행법 제3조 제1항에 근거를, 긴급수배검문은 경찰관직무집행법과 형사소송법의 임의수사규정에 근거를 가진다고 해석함이 일반적이다.

㉢ **자동차검문의 내용**

ⓐ 교통검문 : 도로교통법 위반의 단속을 위한 검문(예 무면허운전, 음주운전)

ⓑ 경계검문 : 불특정한 일반범죄의 예방과 검거를 목적으로 하는 검문 10. 9급 국가직

ⓒ 긴급수배검문 : 특정범죄가 발생한 때 범인검거와 수사정보수집을 목적으로 행하는 검문

㉣ **자동차검문의 한계** : 경계검문과 긴급수배검문은 구체적 범죄혐의가 없는 모든 시민에 대하여 무차별적으로 실시된다는 점에서 자동차를 이용한 중대범죄에 제한되어야 하며, 범죄예방과 검거에 필요한 최소한도에 그쳐야 할 것이다.

KEY point

- **불심검문 대상 :** 경찰관직무집행법 제3조 제1항
- **불심검문 :** 답변 의무 ×
- **동행요구 :** 당해인에게 불리 / 교통방해, 6시간 초과하여 머무르게 할 수 없음(구금 ×), 동행 후 가족 · 친지 등에게 변호인의 조력을 받을 권리 고지
- **불심검문시 소지품검사 :** 흉기조사규정 ○(흉기 이외 물건 ⇨ 규정 ×)
- **불심검문에 의해 혐의 인정 :** 수사개시

3 변사자검시

(1) 변사자검시의 의의

① 변사자검시란 사람의 사망이 범죄로 인한 것인가의 여부를 판단하기 위하여 변사체의 상황을 조사하는 것을 말한다(제222조 제1항). 변사자검시의 주체는 검사이며 검사는 사법경찰관리에게 검시를 명할 수 있다(제222조 제3항). 15. 경찰승진

☎ 판례에 의하면 변사자라 함은 자연사 이외의 사망으로 그 원인이 분명하지 않은 자를 말한다. 따라서 범죄로 인하여 사망한 것이 명백한 자도 변사자에 포함되지 않는다(대판 2003.6.27, 2003도1331). 20. 순경 2차

- 익사 또는 천재지변에 의하여 사망한 것이 명백한 사체 ⇨ 검시대상 ×
- 변사자검시의 주체 : 검사(사법경찰관 ×) 10. 순경 2차
- 변사자검시는 수사 전의 처분이므로 검사의 명령 없이 사법경찰관의 권한으로 이루어진다. (×) 14. 경찰간부

② 변사자검시는 수사의 단서에 불과하므로 15. 경찰승진, 22. 해경승진 영장이 필요 없다. 변사자검시를 통해 범죄혐의가 인정되면 수사를 개시하게 되는데 20. 순경 2차 변사자의 사인을 보다 분명히 하고 증거를 확보하기 위하여 행하는 사체해부 등의 검증처분은 수사개시 이후의 처분이므로 변사자검시와 구별되며 영장에 의하여야 한다. 그러나 대상이 사체라는 특수성과 수사의 긴급성 때문에 영장주의 예외가 인정된다(제222조 제2항). 20. 순경 2차

- 변사자검시는 강제처분의 일종이므로 영장주의가 적용된다. (×) 95. 경찰승진, 22. 해경승진
- 사체의 경우 검시를 받지 않으면 원칙적으로 해부할 수 없다(시체의 해부 및 보존에 관한 법률 제7조 제1항).
- 수사기관은 변사자검시로 범죄혐의를 인정하고 긴급을 요할 때에도 영장이 있어야만 검증을 할 수 있다. (×) 14 · 16. 경찰승진, 19. 경찰간부, 20. 순경 2차

(2) 변사자검시의 절차

① 변사자검시의 주체는 변사자 또는 변사의 의심이 있는 사체의 소재지를 관할하는 지방검찰청 검사이다(제222조 제1항).

② 사법경찰관은 변사자 또는 변사한 것으로 의심되는 사체가 있으면 변사사건 발생사실을 검사에게 통보해야 한다(수사준칙 제17조 제1항).

- 사법경찰관리는 변사자 또는 변사의 의심이 있으면 관할지방검찰청 또는 지청의 검사에게 보고하고 지휘를 받아야 한다. 단, 긴급을 요하는 경우에는 그러하지 아니한다. (×) 22. 해경승진

③ 검사는 사법경찰관에게 변사자검시를 명할 수 있다(제222조 제3항).

④ 검사는 변사자검시를 했을 경우에는 검시조서(검증조서 ×)를, 검증영장이나 검시로 범죄혐의를 인정하고 긴급을 요하여 영장 없이 검증을 했을 경우에는 검증조서를 각각 작성하여 사법경찰관에게 송부해야 한다(수사준칙 제17조 제3항).

⑤ 검사와 사법경찰관은 변사자의 검시를 한 사건에 대해 사건 종결 전에 수사할 사항 등에 관하여 상호 의견을 제시 · 교환해야 한다(수사준칙 제17조 제4항).

⑥ 변사자검시를 위해 타인의 주거에 들어갈 필요가 있을 경우 주거권자의 동의가 없는 한 영장을 요한다(다수설).

KEY point

- **변사자검시** : 수사의 단서, 검사의 권한, 검시조서 작성(검증조서 ×), 영장 ×
- **변사자검시 후 사체해부** : 검증영장 要(긴급시 영장 ×)
- 사법경찰관리는 변사자 또는 변사의 의심이 있는 사체가 있으면 관할 지방검찰청 또는 지청의 검사에게 보고하고 지휘를 받아야 한다(×).

4 고 소

(1) 고소의 의의

고소는 범죄의 피해자 또는 그와 일정한 관계에 있는 자(고소권자)가 수사기관에 범죄사실을 신고함으로써 범인의 처벌을 구하는 의사표시를 말한다.

고발·자수와의 구별 : 고소는 피해자나 고소권자의 의사표시인 점에서 그 이외의 사람이 수사기관에 범죄사실을 신고하는 고발과 구별되며, 자기의 범죄사실을 신고하는 것이 아닌 점에서 자수와 구별된다.

① **수사기관에 대한 신고** : 고소는 수사기관에 대한 범죄사실의 신고이다. 따라서 법원에 진정서를 제출하거나 98. 경찰승진 피고인의 처벌을 바란다고 증언함은 고소가 아니다.

관련판례

1. 고소는 서면 또는 구술로써 검사 또는 사법경찰관에게 하여야 하는 것이므로 피해자가 피고인을 심리하고 있는 법원에 피고인을 엄벌에 처하라는 내용의 진술서를 제출하거나 증인으로서 증언하면서 판사의 신문에 대해 피고인의 처벌을 바란다는 취지의 진술을 하였다 하더라도 이는 고소로서의 효력이 없다(대판 1984.6.26, 84도709). 13. 경찰간부
2. 피고인이 고소·고발에 수반하여 이를 알지 못하는 수사기관에 개인정보를 알려준 행위는 개인정보 보호법에 따른 개인정보 '누설'에 해당한다(대판 2022.11.10, 2018도1996).

② **범죄사실의 신고** : 고소는 범죄사실의 신고이므로 범죄사실을 특정해야 한다. 그 특정의 정도는 고소인의 의사가 구체적으로 어떤 범죄사실을 지정하여 범인의 처벌을 구하고 있는지를 확정할 수만 있으면 족하다. 05. 순경 2차, 11. 경찰승진

상대적 친고죄의 경우(비동거친족의 물건을 절취하는 경우처럼 일정한 신분관계가 있기 때문에 친고죄로 되는 범죄)에는 범인과의 신분관계를 적시하여야 한다.

관련판례

1. 범행기간을 특정하고 있는 고소에 있어서는 그 기간 중의 어느 특정범죄에 대하여 범인의 처벌을 원치 않는 고소인의 의사가 있다고 볼 만한 특단의 사정이 없는 이상 그 고소는 특정된 기간 중에 저지른 모든 범죄에 대하여 범인의 처벌을 구하는 의사표시라고 봄이 상당하다(대판 1985.7.23, 85도1213). 12. 순경 1차
2. 범인이 누구인가를 적시할 필요도 없다. 따라서 범인의 이름을 모르거나 잘못 기재했더라도 고소로서 유효하다(대판 1999.4.23, 99도576).
3. 범행의 일시·장소·방법·죄명 등을 명확하게 기술하지 않았거나 틀린 곳이 있더라도 고소의 효력에는 영향이 없다(대판 1984.10.23, 84도1704). 24. 경찰간부
4. 고소는 고소장에 붙인 죄명에 구애될 것이 아니라 고소 내용에 의하여 결정해야 할 것이므로 명예훼손죄라는 죄명을 붙이고, 명예훼손에 관한 사실을 적어 두었으나 그 사실이 명예훼손죄를 구성하지 않고 모욕죄를 구성하는 경우에는 위 고소는 모욕죄에 대한 고소로서의 효력을 갖는다(대판 1981.6.23, 81도1250). 18. 순경 1차, 22. 경찰간부·해경간부
5. 어떤 죄로 고소를 당한 사람(甲)이 그 죄의 혐의가 없다면 고소인(乙)이 자신을 무고한 것이므로 처벌을 해달라는 무고죄의 고소장을 제출한 것은 甲의 행위가 유죄로 인정될 경우에, 설사 그것이

자신의 결백을 주장하기 위한 것이라고 하더라도 고소인(乙)을 무고한다는 범의를 인정할 수 있다(대판 2007.3.15, 2006도9453). ∴ 고소 당한 범죄가 유죄로 인정되는 경우에는 '고소인(乙)을 처벌해 달라.'는 甲의 고소장 제출은 무고죄가 될 수 있다.

어떤 죄로 고소를 당한 사람이 그 죄의 혐의가 없다면 고소인이 자신을 무고한 것이므로 처벌을 해달라는 고소장을 제출한 것은 자신의 결백을 주장하기 위한 것이라고 할 수 있으므로 고소인을 무고한다는 범의를 인정할 수 없다고 할 것이다. (×)

---

③ 범인의 처벌을 구하는 의사표시

㉠ 고소는 범인처벌을 구하는 의사표시이어야 하므로 **단순히** 도난신고나 피해전말서 제출만으로는 고소가 아니다(대판 2008.11.27, 2007도4977). 15. 경찰승진, 15 · 16. 9급 교정 · 보호 · 철도경찰, 22. 9급 법원직

관련판례

1. 피해자가 고소장을 제출하여 처벌을 희망하는 의사를 분명히 표시한 후, 고소를 취소한 바 없다면 비록 고소 전에 피해자가 처벌을 원치 않았다 하더라도 그 후에 한 피해자의 고소는 유효하다(대판 2008.11.27, 2007도4977). 13. 순경 2차, 22. 9급 법원직, 24. 9급 검찰 · 마약 · 교정 · 보호 · 철도경찰
2. 고소인이 사건 당일 범죄사실을 신고하면서 현장에 출동한 경찰관에게 고소장을 교부하였다고 하더라도, 경찰서에 도착하여 최종적으로 고소장을 접수시키지 아니하기로 결심하고 고소장을 반환받은 것이라면, 고소장이 수사기관에 적법하게 수리되어 고소의 효력이 발생되었다고 할 수 없다(대판 2008.11.27, 2007도4977). 18. 수사경과, 17 · 20. 7급 국가직, 22. 경찰간부 · 해경간부, 24. 경위공채
3. 피해자가 경찰청 인터넷 홈페이지에 '피고인을 철저히 조사해 달라.'는 취지의 민원을 접수하는 형태로 피고인에 대한 조사를 촉구하는 의사표시를 한 것은 형사소송법에 따른 적법한 고소로 보기 어렵다(대판 2012.2.23, 2010도9524). 20 · 23. 경찰승진, 24. 순경 1차

㉡ 고소권자는 처벌의사를 표시할 능력, 즉 고소능력이 있어야 한다. 고소능력은 피해를 입은 사실을 이해하고 고소에 따른 사회생활상의 이해관계를 알아차릴 수 있는 사실상의 의사능력으로서 **민법상 행위능력과 구별된다**(대판 2011.6.24, 2011도4451). 13. 9급 법원직, 14. 9급 검찰 · 마약수사, 20. 순경 1차, 17 · 21 · 22 · 23. 경찰승진 · 경찰간부

민법상 행위무능력자(19세 미만)도 고소능력은 인정된다(대판 207.10.11, 2007도4962). 13 · 22. 9급 법원직, 15. 경찰승진

피해사실을 이해하고, 고소에 따른 사회생활상의 이해관계를 알아차릴 수 있는 사실상의 의사능력이 있다 하더라도 민법상의 행위능력이 없으면 고소능력은 인정되지 않는다. (×) 16. 9급 교정 · 보호 · 철도경찰, 14. 수사경과

판례에 의하면 11세의 초등학교 6학년생에 대해 고소능력을 인정(대판 2011.6.24, 2011도4451)

KEY point

- 고소 ⇨ 수사기관에(법원 ×) ▶ 고소취소 ⇨ 수사기관 또는 법원에
- 고소 ⇨ 범인, 범행일시, 장소, 방법, 죄명 등 ⇨ 오기, 불명확해도 고소 효력(○)
- 도난신고, 피해전말서 ⇨ 고소 ×
- 민법상 행위무능력자도 고소능력 인정

(2) 고소와 친고죄

국가형사소추권은 개인의 의사표시에 따라 좌우되지 않는다. 그러나 친고죄나 반의사불벌죄와 같은 특수한 범죄유형의 경우에는 국가의 형사소추권이 사인의 의사표시에 따라 제한을 받는다.

친고죄	친고죄란 피해자의 고소가 있을 때에만 공소제기가 가능한 범죄를 말한다〔피해자의 명예보호, 침해법익의 경미함, 가족관계의 정의(情誼) 등을 고려한 것임〕. ☎ 친고죄의 경우 고소 × ⇨ 공소제기 ×, 고소 없이 공소제기 ⇨ 공소기각판결 • **절대적 친고죄** : 범인의 신분관계와는 무관하게 범죄성질 자체로 인하여 친고죄로 된 경우임 예 모욕죄, 사자명예훼손죄, 비밀침해죄, 업무상 비밀누설죄 • **상대적 친고죄** : 범인과 피해자와의 일정한 신분관계가 있는 경우에만 친고죄로 된 경우임 예 분가하여 살고 있는 형의 물건을 훔친 동생은 형법 제328조 제2항(친족상도례)에 의거 친고죄가 됨(함께 살고 있는 경우 ⇨ 형면제) **친족상도례**(형법 제328조) • **제1항** : 직계혈족, 배우자(내연의 처 ×), 동거친족, 동거가족 또는 그 배우자 간의 재산범죄는 그 형을 면제 예 아들이 아버지물건 절취 ☎ 배우자 ⇨ 직계혈족, 동거친족, 동거가족 모두의 배우자를 의미(대판 2011.5.13, 2011도1765) ☎ 헌법불합치결정에 따라 형법 제328조 제1항은 현재 적용이 중지되었다. – 형법 제328조 제1항은 헌법에 합치되지 아니하므로 헌법불합치결정을 함과 동시에 2025. 12. 31.을 시한으로 입법자의 개선입법이 이루어질 때까지 적용을 중지하여야 한다(헌재결 2024.6.27, 2020헌마468). • **제2항** : 제1항 이외의 친족간의 재산범죄는 친고죄 ☎ 친족관계에 있는 자에 대하여 흉기를 휴대해서 공갈죄를 범한 경우에(폭력행위 등 처벌에 관한 법률 제3조 제1항 위반) 친족상도례가 적용된다(대판 2010.7.29, 2010도5795). ☎ 특정경제범죄 가중처벌에 관한 법률 제3조 제1항에 의해 가중처벌되는 사기죄의 경우에도 친족상도례가 적용된다(대판 2010.2.11, 2009도12627). ☎ 사돈지간인 자를 기망하여 재물을 편취한 경우에 사돈은 민법상 친족으로 볼 수 없으므로 친족상도례를 적용할 수 없다(대판 2011.4.28, 2011도2170). 12. 경찰승진 • **제3항** : 친족상도례는 친족관계에 있는 자에게만 적용되므로 비친족에게는 친족상도례의 적용이 없다. 예 甲과 乙이 공동하여 따로 살고 있는 乙의 외사촌 동생의 물건을 절취한 경우 ⇨ 甲(비친고죄), 乙(친고죄)
반의사불벌죄	반의사불벌죄란 피해자가 처벌을 원치 않는다는 명시적인 의사표시를 하는 경우에 그 의사에 반하여 처벌할 수 없는 범죄를 말한다(피해자에 대한 신속한 피해배상을 촉진하고, 개인적 차원의 분쟁해결을 존중하려는 취지). 예 폭행죄, 협박죄, 명예훼손죄, 출판물에 의한 명예훼손죄 등 ☎ 반의사불벌죄는 고소 없어도 공소제기 가능 ☎ 다만, 처벌불원의사표시 有 ⇨ 공소제기 × ☎ 처벌불원의사표시가 있는데도 공소제기 ⇨ 공소기각판결 ☎ 처벌불원의사 부존재는 법원이 직권으로 조사·판단하여야 한다(대판 2009.12.10, 2009도9939). 15. 순경 1차, 18. 9급 법원직, 21. 순경 2차, 19·22·23. 경찰승진 ☎ 처벌불원의 의사표시는 의사능력이 있는 피해자가 단독으로 할 수 있는 것이고, 피해자가 사망한 후 그 상속인이 피해자를 대신하여 처벌불원의 의사표시를 할 수는 없다(대판 2010.5.27, 2010도2680). 16. 9급 교정·보호·철도경찰, 17. 순경 2차, 18. 순경 1차·수사경과, 19. 경찰승진

📢 강간 등 성범죄, 결혼 목적 약취·유인죄 등 ⇨ 친고죄 ×, 공중 밀집 장소에서의 추행, 통신매체를 이용한 음란행위 ⇨ 친고죄 ×, 간통죄와 혼인빙자간음죄 ⇨ 범죄 폐지

📢 친고죄에 있어 고소나 반의사불벌죄에 있어 처벌을 원치 않는다는 의사표시는 모두 소송조건으로서 수사절차 및 공판절차의 진행 여부를 좌우하는 중요한 의미를 갖는다. 친고죄에 대하여 고소가 없거나, 반의사불벌죄에 대하여 불처벌의 희망표시가 있으면 수사절차는 불기소처분으로 종결되며, 공판절차는 공소기각판결로 종료되기 때문이다.

📢 디지털콘텐츠 거래가 이루어지는 웹사이트를 운영하면서 영리를 위해 상습적으로 다른 사람의 저작재산권을 침해한 경우 비친고죄이므로(저작권침해는 일반적으로는 친고죄임) 고소가 소추조건에 해당하지 않는다(대판 2011.9.8, 2010도14475).

📢 반의사불벌죄에 있어서 피고인 또는 피의자에 대한 처벌을 희망하지 않는다는 의사표시 또는 처벌을 희망하는 의사표시의 철회는, 의사능력이 있는 피해자가 단독으로 이를 할 수 있고, 법정대리인의 동의가 필요하지 아니하며, 법정대리인에 의해 대리되어야 할 필요도 없다(대판 2009.11.19, 2009도6058 전원합의체). 15. 순경 1차, 17·18. 수사경과, 19. 경찰승진, 22. 변호사시험, 20·22. 7급 국가직

📢 피해자가 의식을 회복하지 못하고 있는 이상 피해자에게 반의사불벌죄에서 처벌희망 여부에 관한 의사표시를 피해자의 아버지가 피해자를 대리하여 피고인에 대한 처벌을 희망하지 아니한다는 의사를 표시하는 것 역시 허용되지 아니한다(대판 2013.9.26, 2012도568). 20·22. 7급 국가직

📢 반의사불벌죄에서 성년후견인은 명문의 규정이 없는 한 의사무능력자인 피해자를 대리하여 피고인 또는 피의자에 대하여 처벌을 희망하지 않는다는 의사를 결정하거나 처벌을 희망하는 의사표시를 철회하는 행위를 할 수 없다. 이는 성년후견인의 법정대리권 범위에 통상적인 소송행위가 포함되어 있거나 성년후견개시심판에서 정하는 바에 따라 성년후견인이 소송행위를 할 때 가정법원의 허가를 얻었더라도 마찬가지이다(대판 2023.7.17, 2021도11126 전원합의체). 24. 경위공채

📢 형사소송법은 고소 및 고소취소에 관하여, 대리에 의한 고소 및 고소취소에 관한 명시적 근거규정을 두었다. 반면 반의사불벌죄에 관하여는 고소취소의 시한과 재고소의 금지에 관한 규정을 준용하는 규정 하나만을 두었을 뿐 대리에 관한 근거규정을 두지 않았다. 이는 반의사불벌죄의 특성을 고려하여 고소 및 고소취소에 관한 규정에서 규율하는 법원칙을 반의사불벌죄의 처벌불원의사에 대하여는 적용하지 않겠다는 입법적 결단으로 이해하여야 한다(대판 2023.7.17, 2021도11126 전원합의체).

비친고죄와 고소

1. 고소가 있어야 죄를 논할 수 있는 친고죄의 경우와는 달리 비친고죄에 있어서 고소는 단순한 수사의 단서가 됨에 지나지 아니하므로 고소의 유무 또는 그 고소의 취소 여부에 관계없이 그 죄를 논할 수 있다(대판 1987.11.10, 87도2020).
2. 고소권자가 비친고죄로 고소한 사건이라도 검사가 사건을 친고죄로 공소제기하였다면 법원으로서는 친고죄에서 소송조건이 되는 고소가 유효하게 존재하는지를 직권으로 조사·심리하여야 한다(대판 2015.11.17, 2013도7987). 17. 해경, 20. 경찰승진·순경 1차, 17·21. 순경 2차, 23. 해경승진, 23·24. 9급 법원직, 25. 변호사시험

비친고죄로 공소장변경 : 고소가 없거나 고소가 취소되었음에도 친고죄로 기소되었다가 그 후 비친고죄로 공소장변경이 허용된 경우 그 공소제기의 흠은 치유된다(대판 2011.5.13, 2011도2233). 14. 9급 법원직, 24. 9급 검찰·마약·교정·보호·철도경찰

▶ **비교판례** : 비친고죄로 기소(고소 없거나 고소취소)되었다가 친고죄로 공소장이 변경된 경우에 나중에 고소장의 제출이 있더라도 공소제기 절차의 하자는 치유되지 아니한다(대판 1982.9.14, 82도1504).

친고죄와 양벌규정 : 양벌규정이란 직접 행위를 한 자연인 이외에 법인 또는 본인을 처벌하는 규정을 말한다. 친고죄에 있어 행위자의 범죄에 대한 고소가 있으면 양벌규정에 의하여 처벌받는 자에 대하여 별도의 고소를 필요로 하지 않는다(대판 1996.3.12, 94도2423). 11. 7급 국가직, 15. 경찰승진, 23. 소방간부

(3) 고소의 절차

① **고소권자** : 고소는 고소권자에 의하여 행하여져야 한다. 따라서 고소권이 없는 자의 고소는 고소로서의 효력이 없다. 형사소송법이 규정하고 있는 고소권자는 다음과 같다.

㉠ **피해자**

ⓐ 범죄로 인한 피해자는 고소할 수 있다(제223조). 피해자란 자연인에 한하지 않고 법인은 물론 법인격 없는 단체도 포함한다.

ⓑ 피해자는 직접피해자에 한하며 간접적으로 피해를 당한 자는 포함되지 아니한다. 00. 7급 검찰, 10·15. 경찰승진

예 처가 강간당한 경우 남편 ⇨ 피해자 × 20. 수사경과

예 사기죄에 있어서 피해자에게 채권이 있는 자 ⇨ 피해자 ×

ⓒ 고소권은 상속이나 양도의 대상이 될 수 없다. 00. 경찰승진 다만, 특허권·저작권과 같이 침해가 계속적인 경우에는 권리이전에 따라 고소권도 이전된다(다수설).

관련판례

1. 저작재산권을 양도받은 사람은 그 양도에 관한 등록 여부에 관계없이 그 저작재산권을 침해한 사람을 고소할 수 있다(대판 2002.11.26, 2002도4849). 18. 수사경과
2. 구 컴퓨터프로그램 보호법 제48조는 '프로그램저작권자 또는 프로그램배타적발행권자' 등의 고소가 있어야 공소를 제기할 수 있다고 규정하고 있는데, 프로그램저작권이 명의신탁된 경우 대외적인 관계에서는 명의수탁자만이 프로그램저작권자이므로 제3자의 침해행위에 대한 구 컴퓨터프로그램 보호법 제48조에서 정한 고소 역시 명의수탁자만이 할 수 있다(대판 2013.3.28, 2010도8467). 21. 경찰승진
3. 저작재산권자와 사이에 국내 상품화 계약을 체결한 사람은(저작물의 이용을 허락받은 자에 해당할 수는 있다고 하더라도 저작재산권자로 볼 수는 없으므로) 저작재산권침해에 관하여 독자적으로 고소할 수 있는 권한이 있다고 할 수 없다(대판 2006.12.22, 2005도4002).

㉡ **피해자의 법정대리인**

ⓐ 피해자의 법정대리인은 독립하여(피해자 본인의 명시적 또는 묵시적 의사에 불구하고) 고소할 수 있다(제225조 제1항). 13. 순경 1차, 15. 수사경과

피해자의 법정대리인은 독립하여 고소할 수 없다. (×) 05. 순경 3차

ⓑ 법정대리인의 지위는 고소시에 존재하면 충분하며, 범죄시에 존재하지 않았거나 고소 후에 지위를 상실하여도 고소의 효력에는 영향이 없다.

ⓒ 법정대리인의 고소권의 성질에 관하여 독립대리권설과 고유권설이 대립하고 있다. 독립대리권설(다수설)은 피해자의 고소권이 소멸하면 피해자의 대리인인 법정대리인의 고소권도 소멸된다고 본다(∴ 피해자 본인은 법정대리인이 한 고소를 취소 가능). 반면, 고유권설(판례)은 법정대리인의 고소권은 무능력자 보호를 위하여 법정대리인에게 주어진 고유한 권리로서 피해자의 고소권이 소멸되어도 법정대리인의 고소권은 소멸되

지 않는 것으로 본다(∴ 피해자 본인은 법정대리인이 한 고소를 취소 불가). 따라서 고소기간도 법정대리인이 범인을 안 날로부터 진행한다고 보게 된다. 20. 순경 1차

위 학설의 대립은 법정대리인이 행한 고소의 성질에 관한 것이지 피해자 본인이 행한 고소의 성질에 관한 문제는 아니다. 따라서 피해자 본인이 행한 고소에 대하여 법정대리인은 취소할 수 없음에 주의

피해자 법정대리인의 고소는 취소되었다고 하더라도 본인의 고소가 취소되지 아니한 이상 친고죄의 공소제기 요건은 여전히 충족된다(대판 2011.6.24, 2011도4451). 17. 수사경과

개정민법 시행(2013. 7. 1)으로 성년은 19세 이상(미성년자는 19세 미만)이며, 한정치산자와 금치산자는 각각 피한정후견인과 피성년후견인으로 변경되었다.
개정민법 시행 당시 이미 한정치산 또는 금치산을 선고 받은 사람에 대해서는 종전의 규정을 그대로 적용한다(민법 부칙 제2조).

법정대리인 : 친권을 행사하는 부모(미성년자), 한정후견인, 성년후견인 등과 같이 무능력자의 행위를 일반적으로 대리할 수 있는 자를 말함(재산관리인 · 파산관재인 · 법인의 대표자 ⇨ 법정대리인 ×).

관련판례

1. 법정대리인의 고소권은 무능력자의 보호를 위하여 법정대리인에게 주어진 고유권이므로, 법정대리인은 피해자의 고소권 소멸 여부에 관계없이 고소할 수 있고 14. 9급 검찰 · 마약수사, 이러한 고소권은 피해자의 명시한 의사에 반하여도 행사할 수 있다(대판 1999.12.24, 99도3784). 21. 변호사시험, 09 · 10 · 22. 경찰승진, 12 · 17 · 19 · 22. 경찰간부, 24. 7급 국가직, 25. 경찰대편입
2. 법정대리인의 고소권은 피해자의 고소권 소멸 여부와 관계없이 고소할 수 있는 것이며, 그 고소기간은 법정대리인 자신이 범인을 알게 된 날로부터 진행한다(대판 1987.6.9, 87도857).
3. 법원이 선임한 부재자 재산관리인이 그 관리대상인 부재자의 재산에 대한 범죄행위에 관하여 법원으로부터 고소권 행사에 관한 허가를 얻은 경우 부재자 재산관리인은 형사소송법 제225조 제1항에서 정한 법정대리인으로서 적법한 고소권자에 해당한다(대판 2022.5.26, 2021도2488). 23. 9급 법원직, 24. 경찰간부

㉢ 피해자의 배우자 · 친족

ⓐ 피해자의 법정대리인이 피의자이거나, 피해자의 법정대리인의 친족이 피의자인 때에는 피해자의 친족은 독립하여 고소할 수 있다(제226조). 12. 순경 3차, 16. 경찰승진, 17. 경찰간부

예 미성년자인 딸을 아버지가 추행하였을 때 피해자의 생모가 고소하는 경우가 이에 해당

이 경우 친족의 고소권도 미성년자 보호차원에서 고유권으로 새기는 것이 타당하다(∴ 피해자의 친족은 법정대리인의 명시적인 의사에 반해서도 고소 가능).

관련판례

1. 모자관계는 호적에 입적되어 있는 여부와는 관계없이 자의 출생으로 법률상 당연히 생기는 것이므로 고소 당시 이혼한 생모라도 피해자에 대한 친권자로서 미성년자인 피해자의 법정대리인을 독립하여 고소할 수 있다(대판 1987.9.22, 87도1707). 09. 경찰승진

   생모라 하더라도 고소 당시 배우자 甲과 이혼하였다면 甲의 아들(피해자)을 위하여 독립하여 고소할 수 없다. (×) 17. 경찰간부
2. 피고인이 자신의 딸에게 강제추행을 한 경우 피고인의 생모가 고소를 한 것은 피해자의 법정대리인에 대한 적법한 고소라 할 것이다(대판 1986.11.11, 86도1982). 09. 경찰승진

ⓑ 피해자가 사망한 때에는 그 배우자, 직계친족 또는 형제자매는 피해자의 명시적인 의사에 반하지 아니하는 범위 내에서 고소할 수 있다(제225조 제2항). 07. 9급 법원직, 09. 경찰승진

예 살인죄의 경우 피살자의 처 ⇨ 고소권자 ○ 15. 경찰승진, 13 · 16. 수사경과
강간죄의 피해자가 사망한 경우 그 배우자 ⇨ 고소권자 ○(강간 피해자가 생존한 경우 ⇨ 그 남편은 고소권자 아님)

- 피해자가 사망한 때 그 배우자는 명시한 의사에 반하여 고소할 수 있다. (×) 01. 경찰간부, 05. 순경 3차, 10. 순경 1차
- 피고인에게 미안하다는 말을 했더라도 이를 피고인의 처벌을 희망하지 아니하는 의사가 있었다고는 할 수 없으므로, 사망한 피해자의 동생이 행한 고소를 피해자의 명시한 의사에 반하는 무효의 것이라고 할 수 없다(대판 1985.8.20, 85도1288).
- 신분관계의 존부는 피해자 사망시점을 기준
- 피해자 사망시 고소인과 피해자의 신분관계 소명하는 서면을 제출하여야 함(규칙 제116조 제1항).

ⓒ 사자명예훼손의 경우 친족이나 자손은 고소할 수 있다(제227조).

예 사망한 자의 동생 09. 경찰승진

- 친족이나 자손의 고소권은 피해자의 고소권을 대리행사 하는 것이 아닌 고유권
- 고소인과 피해자와의 신분관계를 소명하는 서면을 제출하여야 함(규칙 제116조 제1항).

㉣ **지정고소권자** : 친고죄의 경우에 고소권자가 없는 때에는 이해관계인의 신청이 있으면 검사는 10일 이내에 고소할 수 있는 자를 지정하여야 한다(제228조). 14. 순경 2차, 16. 경찰승진, 18. 수사경과, 20 · 21. 해경, 24. 7급 국가직

친고죄에 대하여 고소권자가 없기 때문에 소추할 수 없게 되는 사태를 막기 위한 규정이다.

- 검사의 지정을 받은 고소인이 고소를 하는 경우에는 지정을 받은 사실을 소명하는 서면을 제출하여야 함(규칙 제116조 제2항).
- 이해관계는 법률상 · 사실상 사유 모두 포함(단순한 감정상 관계는 ×).
- 피해자와 내연관계에 있는 자도 신청에 의하여 고소권자 지정을 받을 수 있다.
- 지정고소권자 ⇨ 검사(×), 검사로부터 지정받은 자(○) 09. 경찰승진
- 원래의 고소권자가 고소권상실, 고소하지 아니할 의사를 명시하고 사망 ⇨ 고소권자 지정 ×
- 이해관계인의 신청이 있으면 검사는 7일 이내에 고소할 수 있는 자를 지정하여야 한다. (×) 14. 순경 2차, 16. 경찰승진

KEY point

- **간접피해자 :** 고소권 ×
- **고소권의 양도 · 상속 :** 대상 ×
- **법정대리인의 고소권 :** 고유권(판례), 독립대리권(다수설)
- 생존 중인 강간피해자의 남편, 피해자의 숙부 ⇨ 고소권 ×
- **지정고소권자 :** 이해관계인의 신청에 의해 10일 이내 검사가 지정

② 고소의 제한 및 고소기간의 제한

㉠ **고소의 제한** : 자기 또는 배우자의 직계존속은 고소하지 못한다(제224조). 10 · 13. 9급 법원직

1. 성폭력특별법에 의한 성폭력범죄에 대하여는 자기 또는 배우자의 직계존속도 고소할 수 있음(성폭력범죄의 처벌 등에 관한 특례법 제18조). 예 딸이 아버지를 강간죄로 고소

   - 공연음란죄를 범한 자기의 직계존속 : 고소 가능(동법 제17조) 10. 경찰승진

2. 가정폭력범죄의 처벌 등에 관한 특례법에 의해서도 자기 또는 배우자의 직계존속을 고소할 수 있음(제6조 제2항). 예 사위가 장인을 상해죄로 고소

관련판례

범죄피해자의 고소권은 형사절차상의 법적인 권리에 불과하므로 원칙적으로 입법자가 그 나라의 고유한 사법문화와 윤리관, 문화전통을 고려하여 합목적적으로 결정할 수 있는 넓은 입법형성권을 갖는다. 12. 순경 1차 이러한 측면에서 '효'라는 우리 고유의 전통규범을 수호하기 위하여 비속이 존속을 고소하는 행위의 반윤리성을 억제하고자 이를 제한하는 것은 합리적인 근거가 있는 차별이라고 할 수 있다(헌재결 2011.2.24, 2008헌바56).

㉡ 고소기간의 제한

ⓐ 일반범죄의 경우 고소는 기간에 제한이 없으나, 친고죄의 경우에는 범인을 알게 된 날로부터 6개월을 경과하면 고소하지 못한다(제230조 제1항). 06. 9급 교정직 이처럼 고소기간을 둔 이유는 친고죄의 고소는 소송조건이므로 공소제기의 여부를 오랫동안 개인의 의사에 맡겨둘 경우 법률관계의 불확정한 상태가 지속되기 때문이다.

성폭력범죄 중 친고죄 범죄의 고소기간은 1년으로 한다는 규정(성폭력범죄의 처벌 등에 관한 특례법 제19조)은 삭제되었다(2013. 4. 5).

범인이란 교사범 · 종범을 포함하며, 범인을 안다는 것은 범인이 누구인가를 특정할 수 있을 정도로 알게 된다는 것을 의미하고, 범인의 성명 · 주소 · 연령까지 알 필요는 없다.

관련판례

1. 형사소송법 제230조 제1항 본문은 "친고죄에 대하여는 범인을 알게 된 날로부터 6월을 경과하면 고소하지 못한다."고 규정하고 있는바, 여기서 범인을 알게 된다 함은 통상인의 입장에서 보아 고소권자가 고소를 할 수 있을 정도로 범죄사실과 범인을 아는 것을 의미하고, 범죄사실을 안다는 것은 고소권자가 친고죄에 해당하는 범죄의 피해가 있었다는 사실관계에 관하여 확정적인 인식이 있음을 말한다(대판 2001.10.9, 2001도3106). 12. 순경, 18. 경찰간부, 20. 7급 국가직 · 해경, 22. 경찰승진

   확정적인 인식이 있음을 말하는 것이 아니다. (×) 12. 순경 2차, 18. 경찰간부

   범죄의 피해가 있었다는 사실관계에 관하여 미필적 인식이 있음을 말한다. (×) 16. 순경 1차, 17. 해경
2. 사돈지간은 친족이 아니므로 사기 피해자가 사돈지간이라고 하더라도 친족상도례가 적용되는 친고죄가 아니므로 고소기간이 경과하였다는 이유로 공소기각판결을 할 수 없다(대판 2011.4.28, 2011도2170). 12. 경찰승진
3. '범인을 알게 된 날'이란 범죄행위가 종료된 후에 범인을 알게 된 날을 가리키는 것으로서, 고소권자가 범죄행위가 계속되는 도중에 범인을 알았다 하여도, 고소기간은 범죄행위가 종료된 때로부터 계산하여야 하며, 동종행위의 반복이 예상되는 영업범 등 포괄일죄의 경우에는 최후의 범죄행위가 종료한 때에 전체 범죄행위가 종료된 것으로 보아야 한다(대판 2004.10.28, 2004도5014). 21. 변호사시험

ⓑ 수인의 공범이 있는 경우에는 공범 중 1인을 알면 족하다. 상대적 친고죄의 경우 신분관계 있는 공범을 알게 된 날을 기준으로 한다.

☎ 고소기간은 공범 중 1인을 안 때로부터 진행되므로, 상대적 친고죄의 공범 중 신분관계가 있는 자에 대한 고소기간은 그 자를 알지 못하여도 신분관계가 없는 자를 안 때로부터 진행한다. (×) 14. 9급 검찰·마약수사

ⓒ 고소의 대리의 경우에는 대리고소인이 아니라 정당한 고소권자를 기준으로 고소권자가 범인을 알게 된 날로부터 고소기간이 진행된다. 11. 9급 법원직, 22. 해경간부, 24. 경찰간부

ⓓ 고소할 수 있는 자가 수인인 때에는 1인의 기간해태(기간을 지나쳐 버린 경우)는 타인의 고소에 영향이 없다(제231조). 14. 순경 2차

ⓔ 친고죄의 경우에 고소할 수 없는 불가항력의 사유가 있는 때에는 그 사유가 없어진 날로부터 기산한다(제230조 제1항 단서). 07. 9급 법원직

관련판례

1. 범행 당시 피해자가 11세에 불과하여 고소능력이 없었다가 고소 당시에 비로소 고소능력이 생겼다면 그 고소기간은 고소능력이 생긴 때로부터 기산되어야 한다(대판 1995.5.9, 95도696). 10. 순경, 07·24. 7급 검찰
2. 강간피해 당시 14세 4개월 남짓의 지체장애아가 범행일로부터 약 1년 5개월 후에 기숙사 생활지도원과의 상담 중에 범행사실을 말함으로써 주위 사람들에게 범행사실이 알려지게 되어 피해자가 그들로부터 고소의 의미와 취지 등을 설명 들은 경우, 이러한 설명을 들은 때 비로소 고소능력이 생겼다고 보아야 하므로 그로부터 1년 내에 행한 고소(당시 성폭력범죄 고소기간 1년)는 고소기간 내에 제기된 것으로 적법하다(대판 2007.10.11, 2007도4962).
3. 해고될 것이 두려워 고소를 하지 않는 것만으로는 고소를 할 수 없는 불가항력의 사유에 해당하지 않는다(대판 1985.9.10, 85도1273).
4. 한번 적법한 고소를 한 때부터 이혼심판청구소송이 각하되어 위 고소가 그 효력을 상실당할 때까지 다시 새로운 고소를 하지 못할 상태에 있었다거나 그 후 피고소인의 주소를 알지 못하였던 사유는 형사소송법 제230조 제1항 단서 소정 고소할 수 없는 불가항력의 사유에 해당한다고 볼 수 없다(대판 1977.3.8, 77도421).

ⓕ 범죄가 아직 진행 중인 경우에는 범인을 알게 되었을지라도 범죄가 종료한 때로부터 고소기간이 진행된다.

ⓖ 법정대리인의 고소기간은 법정대리인 자신이 범인을 알게 된 날로부터 진행한다(대판 1987.6.9, 87도857). 08. 경찰승진

KEY point

- **고소의 제한** : 자기 또는 배우자의 직계존속은 고소 ×
- **친고죄의 고소기간** : 범인을 안 날로부터 6월
  ▶ 비친고죄는 고소기간 제한 ×
- **고소기간의 기산** : 범행 당시에 고소능력이 없었다가 나중에 고소능력이 생기면 고소기간은 고소능력 생긴 때부터 기산
- **수인의 고소권자 중 1인의 기간해태** : 다른 고소권자 고소 가능

③ 고소의 방식

㉠ **서면 또는 구술** : 고소는 서면 또는 구술로써 검사 또는 사법경찰관에게 하여야 한다(제237조 제1항). 16. 경찰간부, 17. 수사경과 검사 또는 사법경찰관이 구술에 의한 고소를 받은 때에는 조서를 작성하여야 한다(대판 2011.6.24, 2011도4451).

1. 전화 · 전보 · 팩시밀리에 의한 고소 ⇨ 조서작성이 없는 한 유효한 고소로 볼 수 없음
2. 고소조서는 반드시 독립된 조서일 필요는 없다. 처벌을 희망하는 의사표시만 있으면 되기 때문(예 참고인 조사과정에서 고소권자가 처벌을 원하는 의사표시를 하여 참고인진술조서에 기재하더라도 유효한 고소가 될 수 있음) 12. 순경 1차, 14. 순경 2차, 17. 7급 국가직, 21. 해경 · 9급 법원직

조건부 고소(고소취소)의 허용 여부에 대해 견해가 대립되나, 이해관계인이 다수 관여하고 있는 형사절차에 있어서 명확성을 꾀하고 사인에 의한 국가 소추권행사에 지나친 관여를 방지하기 위해서는 조건부 고소(고소취소)는 허용되지 않는다고 보는 견해가 타당 20. 9급 법원직

관련판례

수사기관이 고소권자를 참고인으로 신문하여 조사하는 과정에서 고소권자가 처벌을 희망하는 의사표시를 하여 이를 참고인 진술조서에 기재한 경우도 유효한 고소이다(대판 1966.1.31, 65도1089). 12. 순경 1차, 13. 수사경과, 20 · 22. 9급 검찰 · 마약 · 교정 · 보호 · 철도경찰, 22. 9급 법원직, 18 · 23. 경찰승진, 25. 경찰대편입

㉡ **고소의 대리** : 고소 또는 그 취소는 대리인(대리권 수여에 의한 대리)으로 하여금 하게 할 수 있다(제236조). 22. 순경 2차 대리인에 의한 고소의 경우에도 방식에 제한은 없다(∴ 구술방식 가능). 15. 7급 국가직 대리인이 고소를 하거나 고소를 취소한 때에는 본인의 위임장을 받아야 한다(경찰수사규칙 제23조 제1항). 그러나 대법원은 방식에 특별한 제한은 없다고 하는 입장이다.

관련판례

1. 형사소송법 제236조의 대리인에 의한 고소의 경우, 대리권이 정당한 고소권자에 의하여 수여되었음이 실질적으로 증명되면 충분하고, 그 방식에 특별한 제한은 없으므로, 고소를 할 때 반드시 위임장을 제출한다거나 '대리'라는 표시를 하여야 하는 것은 아니고, 23. 경찰승진 또 고소기간은 대리고소인이 아니라 정당한 고소권자를 기준으로 고소권자가 범인을 알게 된 날부터 기산한다(대판 2001.9.4, 2001도3081). 11. 9급 법원직 · 경찰승진, 12. 순경, 16. 수사경과, 18 · 20. 순경 1차

   대리인에 의한 고소의 경우 구술에 의한 방식으로 고소할 수 없으며, 대리권이 정당한 고소권자에 의하여 수여되었음이 반드시 위임장이나 대리의 표시를 통해 증명되어야 한다. (×) 15. 7급 국가직, 17. 순경 2차
2. 고소기간은 고소대리인이 아니라 정당한 고소권자를 기준으로 고소권자가 범인을 알게 된 날로부터 기산한다(대판 2001.9.4, 2001도3081). 12. 순경, 21. 변호사시험 · 경력채용, 22. 경찰간부

KEY point

- 고소는 서면 또는 구술(조서 작성)
- 전화 · 전보에 의한 고소는 별도의 조서가 작성되지 않으면 효력 ×
- 고소조서 ⇨ 독립조서일 필요 없음
- 고소대리(○)

④ **고소사건 처리**

㉠ 검사 또는 사법경찰관은 고소 또는 고발을 받은 경우에는 이를 수리해야 한다(수사준칙 제16조의 2 제1항).

㉡ 사법경찰관이 고소 또는 고발을 받은 때에는 신속히 조사하여 관계서류와 증거물을 검사에게 송부하여야 한다(제238조).

㉢ 검사 또는 사법경찰관은 고소 또는 고발에 따라 범죄를 수사하는 경우에는 고소 또는 고발을 수리한 날부터 3개월 이내에 수사를 마쳐야 한다(수사준칙 제16조의 2 제2항).

(4) 고소불가분의 원칙

① **의의** : 친고죄에 있어서 고소의 효력은 불가분적으로 미치는데, 이를 고소불가분의 원칙이라고 한다(객관적 불가분의 원칙과 주관적 불가분의 원칙). 친고죄에 있어서 고소의 효력이 미치는 범위에 관한 원칙이다.

형사소송법은 고소의 주관적 불가분원칙만 규정하고 있으나(제233조), 09. 7급 국가직, 13. 경찰승진 객관적 불가분원칙도 이론상 당연한 것으로 인정되고 있다. 이는 한 개의 사건은 나눌 수 없다는 형사소송 전 과정을 관통하는 원칙의 한 표현이기 때문이다.

친고죄의 고소는 소송조건(실체재판을 위한 전제조건)이므로 고소가 없이 공소제기 ⇨ 공소제기 자체가 부적법하므로 공소기각판결로 종결(제327조 제2호)

고소의 추완(친고죄에 대하여 공소제기 후 고소가 있는 경우 그 공소를 적법한 것으로 보게 되는 것) ⇨ 부정(판례)

특허권침해죄(친고죄)의 경우, 특허를 무효로 하는 심결이 확정된 때에는 그 특허권은 처음부터 없었던 것으로 보게 되므로, 무효심결 확정 전의 고소라 하더라도 그러한 특허권에 기한 고소는 무효심결이 확정되면 적법한 고소로 볼 수 없다 할 것이므로, 이러한 고소를 기초로 한 공소는 공소제기의 절차가 법률의 규정에 위반되어 무효(제327조 제2호)인 때에 해당한다(대판 2008.4.10, 2007도6325).

② **객관적 불가분의 원칙**

㉠ **의의 및 취지**

ⓐ 친고죄의 경우에 1개 범죄사실의 일부에 대한 고소 또는 고소의 취소는 그 범죄사실 전부에 대해 효력이 발생한다는 원칙을 고소의 객관적 불가분의 원칙이라 한다. 18. 경찰승진

ⓑ 범죄사실의 신고가 반드시 정확할 수는 없고, 처벌의 범위까지 고소권자의 의사에 좌우되어서는 안 된다는 취지에서 인정하고 있다.

㉡ **적용범위**

ⓐ 단순1죄의 경우 : 단순1죄에 대하여는 이 원칙이 예외 없이 적용된다.

예 수개의 저작권법 위반행위(친고죄)가 포괄일죄의 관계에 있는 경우에 일부의 행위만을 고소한 경우에 그 고소는 포괄일죄의 관계에 있는 모든 행위 전부에 미친다.

ⓑ 과형상 1죄의 경우

모두 친고죄이고 피해자가 동일한 경우	동일 피해자에 대한 2개 이상의 친고죄가 상상적 경합인 경우, 그 일부죄에 대한 고소 또는 취소는 다른 친고죄에 대한 고소 또는 취소로서도 효력이 있다. 예 다른 환자들 앞에서 수술결과에 불만을 품고 거칠게 항의하는 환자 A에 대하여 의사 甲이 욕을 하면서 업무상 지득한 A에 대한 비밀을 누설한 경우, 모욕행위(친고죄)에 대한 A의 고소는 업무상 비밀누설행위(친고죄)에 대하여도 효력이 미친다. 18. 7급 국가직 ▶ 강간죄를 친고죄로 하는 종래의 규정에 의하면 동일 피해자에 대한 강간죄와 모욕죄가 상상적 경합인 경우(여러 사람 앞에서 강간하면서 모욕적인 언사 사용) 모욕죄에 대한 고소는 강간죄에 대한 고소로서도 효력이 있다고 보게 되나 강간죄의 친고죄 규정이 삭제된 현행법상으로는 모욕죄에 대한 고소는 강간죄에 미치지 아니할 뿐 아니라, 강간죄는 고소와 무관하게 처벌이 가능하다.
모두 친고죄이고 피해자가 다른 경우	1인의 피해자가 하는 고소의 효력은 다른 피해자에 대한 범죄사실에는 미치지 않는다. 예 1개의 문서로 甲·乙·丙을 모욕한 경우 甲의 고소는 乙·丙에 대한 범죄사실에는 효력이 없다(∵ 친고죄를 인정하는 취지에 반하기 때문). 09. 순경, 10. 경찰승진, 18. 7급 국가직 ☎ 하나의 문서로 여러 사람을 모욕한 경우 피해자 1인의 고소는 다른 피해자에 대한 모욕에 대해서도 효력이 있다. (×) 13. 경찰간부, 20. 해경승진
일부만이 친고죄인 경우	동일 피해자에 대한 2개 이상의 죄가 친고죄와 비친고죄의 상상적 경합인 경우에 비친고죄에 대한 고소나 취소는 친고죄에 대하여 효력이 없다. 04. 여경, 09. 7급 국가직, 10. 경찰승진 뿐만 아니라, 친고죄에 대한 고소나 그 취소는 비친고죄에 미치지 않는다(친고죄에 대한 고소나 그 취소와 무관하게 비친고죄는 처벌이 가능). 예 모욕죄(친고죄)와 감금죄(비친고죄)가 상상적 경합하는 경우 감금죄에 대한 고소의 효력은 모욕죄에 미치지 않는다. 예 업무상 비밀누설죄는 친고죄이나 명예훼손죄는 반의사불벌죄이지 친고죄는 아니므로 명예훼손행위에 대한 B의 고소는 업무상 비밀누설행위에 미치지 아니한다. 18. 7급 국가직, 21. 경찰간부

ⓒ 수죄의 경우 : 객관적 불가분의 원칙은 1개의 범죄사실을 전제로 하는 원칙이므로 수죄, 즉 경합범에 대하여는 적용되지 않는다.

☎ 경합범의 관계에 있는 수개의 범죄사실 중 일부 범죄사실에 대한 고소의 효력은 그 이외의 범죄사실에 미친다. (×) 12. 해경간부, 14. 9급 교정·보호·철도경찰, 09·18. 7급 국가직

☎ 수죄 중 일부만이 친고죄일 때 친고죄 부분에 대하여 고소가 없거나 취소된 경우 친고죄가 중한 죄라도 경한 비친고죄의 처벌에 영향을 미치지 아니한다. (○) 15. 9급 교정·보호·철도경찰

③ 주관적 불가분의 원칙

㉠ 의의 및 취지

ⓐ 친고죄의 공범 중 1인 또는 수인에 대한 고소 또는 고소의 취소는 다른 공범자에 대하여도 효력이 있다(제233조)는 원칙을 고소의 주관적 불가분의 원칙이라 한다. 12. 순경, 15. 9급

법원직, 16. 경찰승진, 18. 순경 1차, 22. 수사경과 여기서 공범이라 함은 형법총칙에 규정된 공범(임의적 공범, 즉 단독으로 범할 수 있는 범죄를 수인이 범하는 경우)뿐 아니라 필요적 공범(단독으로는 범할 수 없고 2인 이상이 있어야 범할 수 있는 범죄)도 포함한다. 13. 수사경과, 24. 순경 1차

관련판례

1. 고소불가분의 원칙상 공범 중 일부에 대하여만 처벌을 구하고 나머지에 대하여는 처벌을 원하지 않는 내용의 고소는 적법한 고소라고 할 수 없고, 공범 중 1인에 대한 고소취소는 고소인의 의사와 상관없이 다른 공범에 대하여도 효력이 있다. 한편, 친고죄에서 공소제기 전에 고소의 취소가 있었다면 법원은 직권으로 이를 심리하여 공소기각의 판결을 선고하여야 한다(대판 2009.1.30, 2008도7462).
2. 실용신안권을 침해한 공범자(친고죄) 중의 1인에 대한 고소취하의 효력은 형사소송법 233조에 의하여 다른 공범자에 대하여도 효력이 있다(대판 1976.4.27, 76도578).
3. 고소권자가 비친고죄로 고소한 사건이더라도 검사가 사건을 친고죄로 구성하여 공소를 제기하였다면 친고죄에서 고소와 고소취소의 불가분 원칙이 당연히 적용되므로, 만일 공소사실에 대하여 피고인과 공범관계에 있는 사람에 대한 적법한 고소취소가 있다면 고소취소의 효력은 피고인에 대하여 미친다(대판 2015.11.17, 2013도7987).

고소불가분의 원칙은 임의적 공범에게는 적용되지 않는다. (×) 10. 경찰승진

고소불가분의 원칙상 공범 중 일부에 대하여만 처벌을 구하고 나머지에 대하여는 처벌을 원하지 않는 내용의 고소는 적법한 고소라고 할 수 없다. (○) 16. 경찰승진

친고죄의 공범 중 일부에 대하여만 처벌을 구하고 나머지에 대하여는 처벌불원의 의사를 표시한 고소에 대하여 공소기각결정을 하여야 한다. (×) 12. 9급 검찰·마약·교정·보호·철도경찰

ⓑ 취지 : 고소권자가 처벌할 사람의 범위까지 정하는 것은 형사처벌의 공평성을 지나치게 그르친다는 점에서 인정된 것이다.

㉡ **적용범위**

절대적 친고죄	절대적 친고죄에 있어서는 언제나 이 원칙이 적용된다. 따라서 공범자 중 1인에 대한 고소나 그 취소의 효력은 전원에 대하여 미친다. 11. 9급 법원직, 16. 경찰승진 절대적 친고죄 ⇨ 모욕죄, 비밀침해죄, 업무상 비밀누설죄, 사자명예훼손죄
상대적 친고죄	㉠ 공범자 전원이 피해자와 신분관계가 있는 경우 ⇨ 이 원칙이 적용됨(1인의 친족에 대한 고소의 효력은 다른 친족에게도 미침) 예 조카 2명이 삼촌집에 가서 절도를 한 경우 친족상도례규정(형법 제328조 제2항)에 의거 조카들은 친고죄가 되는바, 삼촌이 조카 1명에게만 고소하여도 다른 조카에게도 고소의 효력이 미침. ㉡ 공범자 중 일부가 비신분자인 경우 ⇨ 비신분자에 대한 고소의 효력은 신분자에게 미치지 않으며, 03. 법원사무관 신분자에 대한 고소취소는 비신분자에게 효력이 없다. 04. 순경, 12. 9급 검찰, 10·11·13·16. 경찰승진 예 조카와 타인이 공범으로 절도하였다면 조카는 친고죄가 되나 타인은 비친고죄가 된다. 따라서 타인에 대한 삼촌의 고소는 조카에게 미치지 아니하며, 삼촌의 조카에 대한 고소취소는 타인에게 효력이 없다. 21. 경력채용, 23. 경찰간부

고소불가분의 원칙은 반의사불벌죄(예 폭행죄, 협박죄, 명예훼손죄, 출판물에 의한 명예훼손죄 등)에 적용되지 않으며(대판 1994.4.26, 93도1689), 12. 순경 2차·9급 국가직, 14. 9급 검찰·마약수사, 18·19. 경찰간부, 15·24. 9급 법원직, 24. 9급 검찰·마약·교정·보호·철도경찰 즉시고발(전속고발)사건에도 그 적용이 없다(대판 2004.9.24, 2004도4066). 08. 순경 1차, 10·11·14. 경찰승진, 14. 9급 교정·보호·철도경찰

甲·乙·丙은 공동으로 출판물을 통해서 A의 명예를 훼손(반의사불벌죄)하였다. 피해자가 甲에 대해서만 처벌을 희망하지 않은 의사표시를 한 경우 甲에 대해서만 처벌불원의 효력이 미친다. 06. 순경, 20. 9급 검찰·마약수사

출판물에 의한 명예훼손죄의 공범 중 1인에 대한 고소의 효력은 다른 공범에 대해서도 미친다. (×) 16. 9급 법원직, 18. 경찰간부, 17·20. 수사경과, 22. 경찰승진, 25. 경찰대편입

즉시고발의 경우 피고발인 1인에 대한 고발의 효력은 그 피고발인에 대해서만 미칠 뿐 다른 공범자에게는 미치지 아니한다. 따라서 고발을 당하지 아니한 공범자에 대하여는 공소제기 불가

고소주관적 불가분의 원칙은 조세범처벌법위반죄에서 소추조건으로 되어 있는 세무공무원의 고발에도 적용된다. (×) 14. 변호사시험

관련판례

1. 세무공무원의 고발이 있어야 공소제기할 수 있는 조세범처벌법위반죄에 대하여 고발을 받아 수사한 검사가 불기소처분을 하였다가 나중에 공소제기를 하는 경우에는 세무공무원 등의 새로운 고발이 있어야 하는 것은 아니다(대판 2009.10.29, 2009도6614). 14. 변호사시험, 22. 7급 국가직
2. 친고죄에 관한 고소의 주관적 불가분원칙을 규정하고 있는 형사소송법 제233조가 공정거래위원회의 고발에는 유추적용되지 아니한다(대판 2010.9.30, 2008도4762). 18. 경찰간부, 20·21. 순경 1차, 24. 경찰승진·9급 법원직

   고소의 주관적 불가분의 원칙을 규정하고 있는 형사소송법 제233조는 반의사불벌죄에는 준용되지 않으나, 공정거래위원회의 고발에는 유추적용된다. (×) 13. 경찰승진
3. 조세범처벌법에 의한 고발에 있어서는 고소·고발 불가분의 원칙이 적용되지 아니하므로, 고발의 구비 여부는 양벌규정에 의하여 처벌받는 자연인인 행위자와 법인에 대하여 개별적으로 논하여야 한다(대판 2004.9.24, 2004도4066). 12. 7급 국가직
4. 조세범처벌법이나 관세법상의 즉시고발사건(세무공무원 등의 고발이 있어야 논할 수 있는 사건)의 경우에 즉시고발의 특별요건의 구비 여부는 범인 개개인에 대하여 따져야 하므로 고소불가분의 원칙이 적용되지 않는다. 반의사불벌죄에 있어서도 공범자 사이에 불가분의 원칙이 적용되지 않는다(대판 2004.9.24, 2004도4066). 21. 경찰승진·경력채용
5. 고소와 고소취소의 불가분에 관한 규정을 반의사불벌죄에 준용하는 규정을 두지 아니한 것은 처벌을 희망하지 아니하는 의사표시나 처벌을 희망하는 의사표시의 철회에 관하여 친고죄와는 달리 공범자간에 불가분의 원칙을 적용하지 아니하고자 함에 있다고 볼 것이지, 입법의 불비로 볼 것은 아니다(대판 1994.4.26, 93도1689). 18. 순경 1차, 21. 해경승진·9급 법원직
6. 세무공무원의 고발(전속고발사건)은 공소제기의 요건이고 수사개시의 요건은 아니므로 이 사건에 있어서 수사기관이 고발에 앞서 수사를 하고 피고인에 대한 구속영장을 발부받은 후 검찰의 요청에 따라 세무서장이 고발조치를 하였다고 하더라도 공소제기 전에 고발이 있은 이상 피고인들에 대한 공소제기의 절차가 법률의 규정에 위반하여 무효라고 할 수는 없다(대판 1995.3.10, 94도3373). 21. 순경 1차
7. 공정거래위원회가 사업자에게 독점규제 및 공정거래에 관한 법률의 규정을 위반한 혐의가 있다고 인정하여 공정거래법 제71조에 따라 사업자를 고발하였다면 이로써 소추의 요건은 충족되며 공소가

제기된 후에는 고발을 취소하지 못함에 비추어 보면, 법원이 본안에 대하여 심판한 결과 공정거래법의 규정에 위반되는 혐의 사실이 인정되지 아니하거나 그 위반 혐의에 관한 공정거래위원회의 처분이 위법하여 행정소송에서 취소된다 하더라도 이러한 사정만으로는 그 고발을 기초로 이루어진 공소제기 등 형사절차의 효력에 영향을 미치지 아니한다(대판 2015.9.10, 2015도3926). 21. 순경 1차

KEY point

- 고소불가분원칙 ⇨ 친고죄에만 적용 ▶ 반의사불벌죄와 즉시고발의 경우 적용 ×
- **고소불가분원칙**

```
┌ 객관적 불가분원칙 ┬ 적용(○) ┬ 단순1죄
│                   │          └ 모두 친고죄, 피해자 동일
│                   │          ┌ 모두 친고죄, 피해자 다른 경우
│                   └ 적용(×) ┼ 일부만 친고죄
│                              └ 수 죄
└ 주관적 불가분원칙 ┬ 절대적 친고죄 : 언제나 적용
                    └ 상대적 친고죄 ┬ 공범자 전원이 피해자와 신분관계에 있는 경우 : 적용(○)
                                    └ 공범자 일부만이 피해자와 신분관계에 있는 경우 : 적용(×)
```

(5) 고소의 취소

① 의의 및 취지

㉠ 고소의 취소라 함은 일단 제기한 고소를 철회하는 소송행위를 말한다. 이는 수사기관 또는 법원에 대한 소송행위로서 그 법률적 성질은 법률행위적 소송행위이다. 10. 교정특채

공소제기 전에는 고소사건을 담당하는 수사기관에, 공소제기 후에는 수소법원에 하여야 한다(대판 2012.2.23, 2011도17264). 14. 9급 법원직

고소의 취소나 처벌을 희망하는 의사표기의 철회는 수사기관 또는 법원에 대한 법률행위적 소송행위이므로 공소제기 전에는 고소사건을 담당하는 수사기관에, 공소제기 후에는 고소사건의 수소법원에 대하여 이루어져야 한다. (○) 14. 9급 법원직

㉡ 범인과 피해자 사이의 사적 분쟁해결이 원만하게 이루어지도록 하기 위해서 인정된 제도로서 실제에 있어 피해자의 권리구제에 중대한 역할을 하고 있다.

② 고소취소의 시기

㉠ 고소는 제1심판결 선고 전까지 취소할 수 있다(제232조 제1항). 07. 9급 법원직, 10. 7급 국가직, 13. 9급 검찰, 14. 수사경과, 16. 경찰승진 이는 국가사법권발동이 고소인의 자의에 의하여 좌우됨을 막기 위함이다(이 규정은 친고죄에 관한 것으로 이해하여야 하므로 비친고죄의 고소취소는 기간의 제한이 없는 것으로 보아야 한다. 그러나 법조문상으로는 구분되어 있지 않다).

관련판례

1. 항소심에서 공소장의 변경에 의하여 친고죄가 아닌 범죄를 친고죄로 인정하였더라도 항소심을 제1심이라 할 수는 없는 것이므로, 항소심에 이르러 비로소 고소인이 고소를 취소하였다면 이는 친고죄에 대한 고소취소로서의 효력은 없다(대판 1999.4.15, 96도1922 전원합의체 ∴ 실체판결을 하여야 함). 08·17. 7급 국가직, 18. 순경 3차, 21. 변호사시험·순경 1차, 12·20·23. 9급 법원직

▶ **비교판례** : 비친고죄로 기소되어 항소심에서 친고죄에 해당하는 죄로 공소장이 변경된 경우, 공소제기 전에 이미 고소취소가 있었다면 제327조 제2호에 의거 공소기각판결을 하여야 하고, 실체판결을 해서는 안된다(대판 2002.7.12, 2001도6777).

비친고죄에 해당하는 죄로 기소되어 항소심에서 친고죄에 해당하는 죄로 공소장이 변경된 후 공소제기 전에 행하여진 고소가 항소심단계에서 취소되었다면 항소심법원은 공소기각의 판결을 선고하여야 한다. (×) 14. 변호사시험, 20. 9급 검찰·마약·교정·보호·철도경찰

2. 상소심에서 제1심 공소기각판결을 파기하고 사건을 제1심법원에 환송함에 따라 다시 제1심 절차가 진행된 경우, 종전의 제1심판결은 이미 파기되어 효력을 상실하였으므로 환송 후의 제1심판결 선고 전에는 고소취소의 제한사유가 되는 제1심판결 선고가 없는 경우에 해당한다. 따라서 파기환송 후 다시 진행된 제1심판결 선고 전에 고소가 취소되면 형사소송법 제327조 제5호에 의하여 판결로써 공소를 기각하여야 한다(대판 2011.8.25, 2009도9112). 12. 9급 법원직·순경, 19. 경찰간부·경찰승진

친고죄에서 고소권자가 고소가 유효함에도 고소의 효력이 없다는 이유로 공소를 기각한 제1심판결에 대하여 항소심절차가 진행되던 중 고소인이 고소를 취소하였는데 항소심이 제1심의 공소가 각 부분이 위법하다는 이유로 사건을 파기환송한 경우, 환송 후의 제1심법원은 고소취소를 이유로 공소기각판결을 선고할 수 없다. (×) 18. 변호사시험

3. 흉기 기타 위험한 물건을 휴대하고 공갈죄를 범하여 폭력행위 등 처벌에 관한 법률에 의하여 가중처벌되는 경우에도 친족상도례가 적용되어 친고죄에 해당하므로 제1심판결 선고 전에 피고인의 처벌을 바라지 아니하는 의사가 표시된 합의서가 제출되었다면 공소기각의 판결을 하여야 한다(대판 2010.7.29, 2010도5795). 12. 경찰승진

ⓛ 반의사불벌죄 사건에 있어서 처벌을 희망하는 의사표시의 철회에 관하여도 고소의 취소에 관한 규정이 준용된다(제232조 제3항). 따라서 제1심판결 선고 후에 행한 처벌희망의 의사표시 철회는 효력이 없다. 10. 7급 국가직, 11. 9급 법원직, 13. 9급 검찰

관련판례

1. 항소심에서 반의사불벌죄가 아닌 죄가 반의사불벌죄로 공소장변경(예 상해죄⇨폭행죄)이 있었다 하더라도 항소심인 제2심을 제1심으로 볼 수 없으므로 항소심에서 처벌희망의 의사표시를 철회할 수 없다(대판 1988.3.8, 85도2518). 10. 7급 국가직, 12. 경찰간부, 13. 9급 검찰·마약수사, 12·18. 9급 법원직, 15·18. 순경 1차, 12·18·19·22. 경찰승진, 22. 해경간부, 24. 소방간부, 25. 변호사시험
2. 퇴직금 미지급으로 인한 근로기준법 위반에 대하여 공소제기 후에 일반범죄에서 반의사불벌죄로 개정된 경우, 공소제기 전에 피고인에 대한 처벌을 원하지 아니한다는 진술을 하였다면, 유리한 신법이 적용되어 형사소송법 제327조 제2호에 따라 공소제기의 절차가 법률의 규정에 위반된다고 하여 공소기각의 판결을 선고하여야 한다(대판 2005.10.28, 2005도4462). 11. 7급 국가직
3. 제1심 법원이 반의사불벌죄로 기소된 피고인에 대하여 소송촉진 등에 관한 특례법 제23조에 따라 피고인의 진술 없이 유죄를 선고하여 판결이 확정된 경우, 피고인이 제1심 법원에 재심을 청구하여 재심개시결정이 내려졌다면 피해자는 그 재심의 제1심판결 선고 전까지 처벌을 희망하는 의사표시를 철회할 수 있다(대판 2016.11.25, 2016도9470). 21. 9급 법원직

▶ 그러나 피고인이 제1심법원에 재심을 청구하는 대신 항소권회복청구를 함으로써 항소심재판을 받게 되었다면 항소심절차에서는 처벌을 희망하는 의사표시를 철회할 수 없다(대판 2016.11.25, 2016도9470). 22. 변호사시험·해경간부, 23. 경찰간부

4. 부정수표단속법 제2조 제4항에서 부정수표가 회수된 경우 공소를 제기할 수 없도록 하는 취지는 부정수표가 회수된 경우에는 수표소지인이 부정수표 발행자 또는 작성자의 처벌을 희망하지 아니하는 것과 마찬가지로 보아 같은 조 제2항 및 제3항의 죄를 이른바 반의사불벌죄로 규정한 취지로서 부도수표 회수나 수표소지인의 처벌을 희망하지 아니하는 의사의 표시가 제1심판결 선고 이전까지 이루어지는 경우에는 공소기각의 판결을 선고하여야 할 것이고 이는 부정수표가 공범에 의하여 회수된 경우에도 마찬가지이다(대판 2009.12.10, 2009도9939).
5. 부도수표가 제권판결에 의하여 무효로 됨으로써 수표소지인이 더 이상 발행인 등에게 수표금의 지급을 구할 수 없게 되었다고 하더라도, 이러한 사정만으로는 수표가 회수되거나 수표소지인이 처벌을 희망하지 아니하는 의사를 명시한 경우에 해당한다고 볼 수는 없으므로 제권판결이 선고된 수표들에 대해 공소기각의 판결을 선고하지 않았다고 하여 잘못이 있다고 할 수 없다(대판 2006.5.26, 2006도1711).

㉢ 문제는 공범자 1인에 대하여 제1심판결이 선고되어 고소를 취소할 수 없게 되었을 때 아직 제1심판결 선고 전의 다른 공범자에 대하여 고소를 취소할 수 있는가이다. 판례에 의하면, 공범자 1인에 대하여 제1심판결이 선고되어 고소를 취소할 수 없게 되었을 때 제1심판결 선고 전의 다른 공범에 대해서도 고소는 취소할 수 없다는 입장이다. 고소취소를 허용하게 되면 고소주관적 불가분의 원칙에 반하고, 고소권자의 선택에 의해 불공평한 결과를 초래하기 때문이다.

관련판례

친고죄의 공범 중 그 일부에 대하여 제1심판결이 선고된 후에는 제1심판결 선고 전의 다른 공범자에 대하여는 그 고소를 취소할 수 없고 그 고소의 취소가 있다 하더라도 그 효력을 발생할 수 없으며, 14 · 17. 수사경과 이러한 법리는 필요적 공범이나 임의적 공범이나를 구별함이 없이 모두 적용된다(대판 1985.11.12, 85도1940). 15. 지능특채, 16. 순경 1차, 18. 9급 법원직, 18 · 22. 변호사시험, 22. 해경간부, 20 · 23. 해경, 13 · 16 · 23. 경찰승진, 24. 소방간부 · 9급 검찰 · 마약 · 교정 · 보호 · 철도경찰 · 7급 국가직

친고죄의 공범 중 그 일부에 대하여 제1심판결이 선고된 후에는 제1심판결 선고 전의 다른 공범자에 대하여는 그 고소를 취소할 수 있다. (×) 13. 경찰간부

친고죄의 공범인 甲 · 乙 중 甲에 대하여 제1심판결이 선고되더라도 제1심판결선고 전의 乙에 대하여 고소를 취소할 수 있고, 그 효력은 제1심판결선고 전의 乙에게만 미친다. (×) 14. 변호사시험

---

③ **고소취소권자** : 고소의 취소권자는 고소를 제기한 자이다. 그러나 고유의 고소권자(피해자)가 행한 고소는 대리권에 근거한 고소권자(예 피해자의 父)가 취소할 수 없으며, 03. 순경, 07. 9급 법원직 역으로 대리권에 근거한 고소권자의 고소는 고유의 고소권자가 이를 취소할 수 있다.

관련판례

1. 피해자가 제1심 법정에서 피고인들에 대한 처벌희망 의사표시를 철회할 당시 나이가 14세 10개월이었더라도 그 철회의 의사표시가 의사능력이 있는 상태에서 행해졌다면 법정대리인의 동의가 없었더라도 유효하다. 따라서 청소년 성보호에 관한 법률 제16조에 규정된 반의사불벌죄에서 피해 청소년

이 처벌불원 여부 등의 의사표시를 하는 데에 법정대리인의 동의는 불필요하다(대판 2009.11.19, 2009도6058 전원합의체). 14. 변호사시험, 15. 순경 1차, 19. 경찰간부, 19 · 21 · 22. 경찰승진, 22. 해경간부, 20 · 24. 9급 법원직 · 순경 2차

2. 피해자의 부친이 피해자 사망 후에 피해자를 대신하여 그 피해자가 이미 하였던 고소를 취소하더라도 이는 적법한 고소취소라 할 수 없다(대판 1969.4.29, 69도376). 08. 순경, 11. 경찰승진, 18. 경찰간부
3. 폭행죄는 피해자의 명시한 의사에 반하여 공소를 제기할 수 없는 반의사불벌죄로서 처벌불원의 의사표시는 의사능력이 있는 피해자가 단독으로 할 수 있는 것이고, 피해자가 사망한 후 그 상속인이 피해자를 대신하여 처벌불원의 의사표시를 할 수는 없다고 보아야 한다(대판 2010.5.27, 2010도2680). 12. 경찰승진, 16. 9급 교정 · 보호 · 철도경찰, 18. 순경 1차
4. 자동차 운전자인 피고인이 업무상 과실로 甲에게 상해를 가하였다고 하여 교통사고처리 특례법 위반으로 기소된 사안에서, 의식불명 상태에 있는 성년자 甲의 아버지가 피고인에 대한 처벌을 희망하지 아니한다는 의사를 표시하였더라도 甲의 의사표시로서 소송법상 효력이 없다(대판 2013.9.26, 2012도568).

---

④ 고소취소의 방식

㉠ 고소취소의 방식은 고소의 경우와 같다(제239조). 고소의 취소는 서면 또는 구술로써 할 수 있으며, 13. 9급 검찰 · 마약수사, 21. 경찰승진 구술에 의한 취소는 조서를 작성하여야 한다. 사법경찰관이 고소의 취소를 받은 때에는 즉시 수사서류와 함께 검찰에 송치한다(제239조). 고소의 취소는 공소제기 전에는 수사기관에, 10. 교정특채 공소제기 후에는 수소법원에 하여야 한다(대판 2012.2.23, 2011도17264). 17. 수사경과, 19. 5급 검찰 · 교정승진, 23. 9급 법원직 따라서 합의서가 작성된 것만으로는 고소취소라고 할 수 없다.

관련판례

- **취소 or 철회 인정**

1. 피해자가 당사자 간의 원만한 합의로 민 · 형사상의 문제를 일체 거론하지 않기로 화해되었다는 취지의 합의서를 작성해 주고 관대한 처분을 바란다는 취지의 탄원서를 법원에 제출한 경우에는 고소의 취소가 있은 것으로 보아야 한다(대판 1981.11.10, 81도1171). 02. 7급 검찰, 03. 순경
2. "가해자와 피해자 간에 원만한 합의를 하였으므로 차후 민 · 형사상 어떠한 이의도 제기치 않을 것을 서약하면서 합의서를 제출합니다."라는 내용과 "합의금 이백 중 나머지 일백만원은 11월부터 매월 10만원씩 송금하기로 함."이라는 내용이 기재된 합의서를 제1심법원에 제출하였다면 피고인에 대한 처벌을 희망하지 아니한다는 의사를 명시적으로 표시한 것으로 봄이 상당하다(대판 2008.2.29, 2007도11339). 16. 경찰간부
3. 비록 합의서에 피고인에 대한 고소를 취소한다거나 형사책임을 묻지 않는다는 표현을 명시적으로 기재하지는 않았지만, 피고인의 처벌을 구하는 의사를 철회한다는 의사로 합의서를 제1심법원에 제출하였다면 피고인에 대한 고소는 적법하게 취소되었다고 할 것이고, 따라서 그 후 피해자가 제1심법원에 증인으로 출석하여 위 합의를 취소하고 다시 피고인의 처벌을 원한다는 진술을 함으로써 고소취소를 철회하는 의사표시를 하였다고 하여도 그것은 아무런 효력이 없다(대판 2009.9.24, 2009도6779). 12. 경찰승진

☎ 고소권자가 피고인의 처벌을 구하는 의사를 철회한다는 취지의 합의서를 제1심 법원에 제출하였다면 그 고소는 적법하게 취소되었다고 할 것이고, 그 후 고소취소를 철회하는 의사표시를 다시 하여도 그 의사표시는 효력이 없다. (○) 17. 7급 국가직

4. 경찰에서 처벌의사를 밝혔던 피해자가 가해자와 함께 합의하고 그 합의서를 경찰에 제출하였다면 고소를 취소한 것으로 볼 수 있다(대판 2002.7.12, 2001도6777). 12. 경찰간부
5. 피해자 母명의로 작성된 합의서에 기재된 합의내용이 '피해자는 가해자측으로부터 50만원을 받아 합의를 하였기에 차후 이 사건으로 민·형사상의 이의를 제기하지 않겠다.'는 취지로 작성되어 있고, 그 이전에 母가 피고인에 대한 처벌의 의사를 별도로 표시한 바 없으며, 합의서 작성 당시 피해자가 14세에 불과한 경우 피해자 母명의로 작성된 합의서에 피해자 자신의 처벌불원의 의사가 포함되어 있다고 볼 여지가 있다(대판 2009.12.24, 2009도11859).
6. 고소취소는 범인의 처벌을 구하는 의사를 철회하는 수사기관 또는 법원에 대한 고소권자의 의사표시로서 서면 또는 구술로써 하면 족한 것이므로, 고소권자가 서면 또는 구술로써 수사기관 또는 법원에 고소를 취소하는 의사표시를 하였다고 보여지는 이상 그 고소는 적법하게 취소되었다고 할 것이고, 그 후 고소취소를 철회하는 의사표시를 다시 하였다고 하여도 그것은 효력이 없다 할 것이다(대판 2009.9.24, 2009도6779).
7. 피고인이 그 합의서를 수사기관에 제출한 이상 피해자의 처벌불원의사가 수사기관에 적법하게 표시되었으며, 이후 피고인이 피해자에게 약속한 치료비 전액을 지급하지 아니한 경우에도 민사상 치료비에 관한 합의금지급채무가 남는 것은 별론으로 하고 처벌불원의사를 철회할 수 없다(대판 2001. 12.14, 2001도4283). 21. 경찰승진
8. 검사의 진술조서 작성시에 고소취소의 진술이 있었다면 그 고소는 적법하게 취소되었다고 할 수 있다(대판 1983.7.26, 83도1431).

- **취소 or 철회 부정**

1. 고소인이 합의서를 피고인에게 작성해 준 것만으로는 고소취소라고 할 수 없다(대판 1983.9.27, 83도516). 10. 교정특채, 18. 9급 법원직, 21. 순경 1차, 23. 경찰승진
2. "피의자들의 처벌을 원하는가요?"라는 물음에 대하여 "법대로 처벌하여 주시기 바랍니다."로 되어 있고, 이어서 "더 할 말이 있는가요?"라는 물음에 대하여 "젊은 사람들이니 한번 기회를 주시면 감사하겠습니다."로 기재되어 있었다면, 그 진술의 취지는 법대로 처벌하되 관대한 처분을 바란다는 취지로 보아야 하고 고소를 취소한 것으로 볼 수는 없다(대판 1981.1.13, 80도2210). 09·19. 경찰승진
3. 피고인이 제출한 합의서에 피해자의 성명이 기재되어 있기는 하나 피해자의 날인은 없고, 피해자의 법정대리인인 父의 무인 및 인감증명서가 첨부되어 있을 뿐이어서 피해자 본인이 고소를 취소한다는 의사표시가 여기에 당연히 포함되어 있다고 볼 수는 없다(대판 2011.6.24, 2011도4451).
4. 부도수표가 제권판결에 의하여 무효로 됨으로써 수표소지인이 더 이상 발행인 등에게 수표금의 지급을 구할 수 없게 되었다고 하더라도, 이러한 사정만으로는 수표가 회수되거나 수표소지인이 처벌을 희망하지 아니하는 의사를 명시한 경우에 해당한다고 볼 수는 없다(대판 2006.5.26, 2006도1711).
5. 관련 민사사건에서 '이 사건과 관련하여 서로 상대방에 대하여 제기한 형사 고소 사건 일체를 모두 취하한다.'는 내용이 포함된 조정이 성립된 것만으로는 고소취소나 처벌불원의 의사표시를 한 것으로 보기 어렵다(대판 2004.3.25, 2003도8136). 21. 변호사시험, 24. 경찰간부·소방간부

6. 피해자가 고소장을 제출하여 처벌을 희망하는 의사를 분명히 표시한 후 고소를 취소한 바 없다면 비록 피해자가 고소 전에는 처벌을 원치 않았다 하더라도 그 후에 한 피해자의 고소는 여전히 유효하다(대판 1993.10.22, 93도1620).
7. 피고인의 변호인에 의하여 고소인 명의의 합의서가 제1심 법원에 제출되었으나 위 합의서는 고소인이 고소사실 일체에 대하여 상호간에 원만히 해결되었으므로 이후에 민·형사 간 어떠한 이의도 제기하지 아니할 것을 합의한다는 취지가 기재된 서면에 불과하고, 고소인은 제1심 법정에 나와 고소취소의 의사가 없다고 말함으로써 오히려 피고인에 대한 처벌희망의사를 유지하고 있으므로 위 합의서로 고소취소의 효력이 발생할 수 없다(대판 1981.10.6, 81도1968). – 처벌을 구하는 의사를 철회한다는 취지의 합의서가 아닌 것으로 보는 판례임.

㉡ 고소취소에 대하여도 대리가 허용된다(제236조). 고소취소의 대리인이 고소를 취소하면 고소권자 본인의 고소권이 소멸한다.

- 고소취소할 수 있는 자 ⇨ 고소를 제기한 자(고소인) 또는 고소취소의 대리인
- 대리인을 통한 고소 ⇨ 고소권자 본인이 대리인의 고소를 취소 가능
- 고유의 고소권자(피해자)의 고소 ⇨ 대리권에 근거한 고소권자가 고소의 취소 불가(예 피해자가 고소를 한 후에 사망을 한 경우 그의 부친이 취소불가)
- 대리권에 근거한 고소권자의 고소 ⇨ 고유의 고소권자가 취소 가능

㉢ 고소를 취소한다는 의사 또는 반의사불벌죄에서 처벌희망의사의 철회는 명백하다고 믿을 수 있는 방법으로 하여야 한다.

관련판례

1. 건설업에서 2차례 이상 도급이 이루어진 경우 건설업자가 아닌 하수급인이 그가 사용한 근로자에게 임금을 지급하지 못할 경우에, 하수급인의 처벌을 희망하지 아니하는 근로자의 의사표시에는, 직상 수급인의 처벌을 희망하지 아니하는 의사표시도 포함되어 있다고 볼 수 있는지를 살펴보아야 하고, 직상 수급인을 배제한 채 오로지 하수급인에 대하여만 처벌을 희망하지 아니하는 의사를 표시한 것으로 쉽사리 단정할 것은 아니다(대판 2015.11.12, 2013도8417). 17. 순경 2차
2. 피해자들과의 전화통화 내용을 기재한 수사보고서는 그 증거능력이 없으나, 위 각 수사보고서를 피해자들의 처벌희망 의사표시 철회의 효력 여부를 판단하는 증거로 사용한 것 자체는 정당하다(대판 2010.10.14, 2010도5610·2010전도31).
3. 반의사불벌죄에 있어서 피해자가 처벌을 희망하지 아니하는 의사표시나 처벌을 희망하는 의사표시의 철회를 하였다고 인정하기 위해서는 피해자의 진실한 의사가 명백하고 믿을 수 있는 방법으로 표현되어야 하는바, 21. 경찰승진 피해자가 나이 어린 미성년자인 경우 그 법정대리인이 피고인 등에 대하여 밝힌 처벌불원의 의사표시에 피해자 본인의 의사가 포함되어 있는지는 대상 사건의 유형 및 내용, 피해자의 나이, 합의의 실질적인 주체 및 내용, 합의 전후의 정황, 법정대리인 및 피해자의 태도 등을 종합적으로 고려하여 판단하여야 할 것이다(대판 2010.5.13, 2009도5658).
4. 동생집 현관에 '군입대 후 돈을 주고 제대시켰다.'는 등의 내용이 적힌 편지를 붙여 동생의 명예를 훼손한 혐의로 기소된 피고인에 대하여, 피해자(동생)가 상해부분에 대해서만 고소하겠다고 경찰에 진술한 것만으로는 피해자가 피고인에 대해 명예훼손의 공소사실에 관한 처벌을 희망하지 않은 의사를 표시했다거나 처벌을 희망하는 의사를 철회했다고는 볼 수 없다(대판 2009.12.24, 2009도11610).

5. 피해자가 피고인을 고소한 다음 증인소환을 연기해 달라고 하거나 기일변경신청을 하고 출석하지 않은 것만으로는 처벌희망의 의사표시의 철회로 볼 수 없다(대판 2001.6.15, 2001도1809). 21. 경찰승진

⑤ **고소취소의 효과**

㉠ 고소를 취소한 자는 다시 고소하지 못하며(제232조 제2항), 12 · 16. 경찰승진, 21. 순경 1차, 25. 경찰대편입 고소취소에 대해서도 고소불가분의 원칙이 적용된다(제233조). 따라서 공범자의 1인 또는 수인에 대한 고소의 취소는 다른 공범자에 대해서도 효력이 있고(주관적 불가분의 원칙), 06. 9급 교정직, 16. 경찰승진 1개 범죄사실의 일부에 대한 고소의 취소는 전부에 대하여 효력을 미친다(객관적 불가분의 원칙).

친고죄의 공범 중 1인 또는 수인에 대한 고소는 다른 공범자에게도 효력이 있으나, 그 취소는 취소의 상대방으로 지정된 피고소인에 대해서만 효력이 있다. (×) 11. 9급 법원직

친고죄로 고소하였다가 공소제기 전에 고소를 취소한 후 고소기간 내에 다시 동일한 친고죄로 고소하여 공소제기된 경우, 수소법원은 형사소송법 제327조 제2호에 해당함을 이유로 판결로써 공소를 기각하여야 한다. (○) 18. 변호사시험, 19. 5급 검찰 · 교정승진

고소권자가 비친고죄로 고소한 사건이더라도 검사가 친고죄로 구성하여 공소를 제기하였다면 공소장변경절차를 거쳐 공소사실이 비친고죄로 변경되지 아니하는 한 공소사실에 대하여 피고인과 공범관계에 있는 사람에 대한 고소취소의 효력이 피고인에게도 미친다. 따라서 피고인에 대하여 공소기각판결을 선고하여야 한다. (○) ∴ 피고인 ⇨ 공소기각판결 18. 5급 검찰 · 교정승진, 19. 경찰간부

㉡ 반의사불벌죄의 경우에도 고소취소규정이 준용되므로 처벌을 원치 않는 의사를 표시한 후에 다시 처벌을 구하는 것은 불가능하다. 12. 9급 법원직

㉢ 친고죄나 반의사불벌죄에 있어서 고소가 취소되면 법원은 공소기각판결로 사건을 종결한다.

KEY point

- **고소취소 :** 제1심판결 선고 전까지
- **반의사불벌죄 :** 고소취소 규정 적용
  - 대리인을 통한 고소 ⇨ 고소권자 본인이 대리인의 고소를 취소 가능
  - 고유고소권자의 고소 ⇨ 대리권에 근거한 고소권자가 취소 ×
  - 대리권에 근거한 고소권자의 고소 ⇨ 고유고소권자가 취소 ○
- **공범자의 고소취소 :** 공범자 1인에 대하여 제1심판결 선고 후 다른 공범자의 고소취소 불가
- **고소취소의 주관적 불가분원칙 :** 친고죄의 공범 중 1인과 합의하고 그 1인에 대하여 고소를 취소한 경우 다른 공범에 대해서도 고소취소 효력 ○
- **합의서와 고소취소 :** 합의서 작성만으로는 고소취소 ×(제출 필요)
- **재고소 금지 :** 고소취소한 자는 재고소 ×

(6) **고소권의 포기**

① **의의** : 고소권의 포기란 친고죄의 고소기간 내에 장차 고소권을 행사하지 아니한다는 의사표시를 하는 것을 말한다. 반의사불벌죄의 경우에 처음부터 불처벌 희망의사를 표시한 것도 동일한 성격을 갖는다.

② **허용성** : 고소권의 포기는 인정하지만 고소의 취소와 같은 방식으로 하여야 한다는 절충설이 다수설이며, 판례는 고소권의 포기를 인정하지 않는 소극설의 입장에 있다. 03. 법원사무관, 07. 9급 법원직, 11. 경찰승진 고소권은 형사소송법에 의해 인정되는 공권이므로 사인의 처분에 맡길 수 없고, 포기를 허용한다는 명문규정이 없을 뿐 아니라 포기를 허용한다면 범인과 피해자 사이에 폐단이 야기될 우려가 있는 점을 감안할 때 판례의 태도가 타당하다고 볼 것이다.

관련판례

고소권의 포기에 관하여서는 아무러한 규정이 없으므로 고소 전에 고소권을 포기할 수는 없다고 함이 상당할 것인바, 고소 전에 피해자가 고소포기의 의사를 표하였더라도 그 후에 한 피해자의 고소는 유효하다고 할 것이다(대판 1967.5.23, 67도471). 07. 9급 법원직, 13. 순경 2차, 20. 9급 검찰 · 마약 · 교정 · 보호 · 철도경찰, 21. 순경 1차 · 경력채용, 12 · 22. 해경간부, 22. 변호사시험

5 고발 · 자수

(1) 고 발

① **의의** : 고발이란 고소권자와 범인 이외의 제3자가 수사기관에 대해 범죄사실을 신고하여 범인의 처벌을 희망하는 의사표시를 말한다.

- 고소권자 및 범인 이외의 제3자의 의사표시라는 점이 고소와 구별
- 단순한 범죄신고는 고발 ×(처벌희망 의사표시가 없으므로)
- 고발이란 범죄사실을 수사기관에 고하여 그 소추를 촉구하는 것으로서 범인을 지정할 필요가 없으며, 지정한 범인이 진범인이 아니더라도 고발의 효력에는 영향이 없음.

예 고발인이 농지전용행위를 한 사람을 甲으로 잘못 알고 甲을 피고발인으로 하여 고발하였다고 하더라도 乙이 농지전용행위를 한 이상 乙에 대하여도 고발의 효력이 미친다(대판 1994.6.15, 94도458). 05 · 10. 순경

- 고발은 수사의 단서에 불과하다. 다만, 전문지식을 필요로 한 경우에 처벌의 필요성을 당해 행정청의 판단에 맡기는 것이 바람직하므로 공무원의 고발을 소송조건으로 하고 있는 경우가 있는데 이를 즉시고발사건이라고 한다. 11. 경찰승진

예 관세법 위반의 경우 세관장의 고발이 있어야 검사는 공소제기할 수 있음.

즉시고발사건

1. 처벌의 필요성을 당해 행정청의 판단에 맡기는 것이 바람직한 경우 공무원의 고발을 소송조건으로 하고 있는데 이를 즉시고발사건이라 한다.
   예 관세법 위반의 경우 세관장의 고발이 있어야 검사는 공소제기할 수 있음.
2. 조세범처벌법, 관세법, 독점규제 및 공정거래에 관한 법률, 물가안정에 관한 법률, 출입국관리법, 의무경찰대설치 및 운영에 관한 법률 등
3. 즉시고발사건에는 고발의 주관적불가분의 원칙을 인정하고 있지 않다(피고인에게 불이익한 유추해석에 해당하므로)(대판 2010.9.30, 2008도4762).
4. 즉시고발의 경우 고발기간의 제한이 없다. 21. 순경 2차

② **고발권자** : 누구든지 범죄가 있다고 사료되는 때에는 고발할 수 있다(제234조 제1항). 공무원은 그 직무를 행함에 있어 범죄가 있다고 사료되는 때에는 고발하여야 한다(동조 제2항). 다

만, 공무원이라도 직무집행과 관련 없이 우연히 발견한 범죄는 고발의무가 없다. 11. 경찰승진

고발 의무자로서의 공무원 ⇨ 수사기관은 포함되지 아니함(수사기관은 범죄혐의를 발견하면 수사를 개시하여야 하기 때문)

③ **고발의 제한** : 자기 또는 배우자의 직계존속은 고발할 수 없다(제235조). 11. 경찰승진

④ **고발의 방식 · 절차**

㉠ 고발의 방식 · 절차는 고소의 경우에 준한다(제237조, 제238조, 제239조). 다만, 대리인에 의한 고발이 허용되지 않고(대판 1989.9.26, 88도1533), 14. 경찰승진, 20. 수사경과 고발기간의 제한이 없으며, 고발을 취소한 후에도 다시 고발을 할 수 있다는 점이 고소와 다르다.

㉡ 사법경찰관이 고소 · 고발을 받은 때에는 신속히 조사하여 관계 서류와 증거물을 검사에게 송부하여야 한다(제238조).

KEY point 고소와 고발

구 분	고 소	고 발
주 체	고소권자	제3자
대 리	허 용	불허용
기 간	범인을 안 날로부터 6월	무제한
취 소	제1심판결 선고 전까지	무제한
취소 후 재고소 · 재고발	불허용	허 용
헌법소원	고소인 불가능	고발인 불가능
직계존속	불허용	불허용
방 식	서면 또는 구술	서면 또는 구술

관련판례

1. 조세범처벌법 위반죄에 관하여 일단 불기소처분이 있었더라도 세무공무원 등이 종전에 한 고발은 여전히 유효하다(대판 2009.10.29, 2009도6614 ∴ 나중에 공소를 제기함에 있어 새로운 고발 불필요함). 12. 경찰간부, 14. 변호사시험, 20. 순경 2차, 21. 경찰승진
2. 고발인은 개인적 주관적 권리나 재판절차에서의 진술권 등의 기본권이 허용될 수 없다(헌재결 2013.10.24, 2012헌마41). 15. 순경 1차
3. 주관적 불가분의 원칙은 고발의 경우에는 적용되지 않는다. 따라서 공정거래위원회의 고발 대상에서 제외된 피고인들에 대한 독점규제 및 공정거래에 관한 법률 위반의 공소사실에 관해서는 소추요건의 결여로 공소기각판결을 선고하여야 한다(대판 2010.9.30, 2008도4762). 13. 순경

▶ **비교판례**

• 고발은 고발장에 기재된 범죄사실과 동일성이 인정되는 사실 모두에 미치므로 16. 7급 국가직, 범칙사건에 대한 고발이 있는 경우 그 고발의 효과는 범칙사건에 관련된 범칙사실의 전부에 미치고 한 개의 범칙사실의 일부에 대한 고발은 그 전부에 대하여 효력이 생기므로, 24. 순경 1차 동일한 부가가치세의 과세기간 내에 행하여진 조세포탈기간이나 포탈액수의 일부에 대한 조세포탈죄의 고발이 있는 경우 그 고발의 효력은 그 과세기간 내의 조세포탈기간 및 포탈액수 전부에 미친다.

21. 경찰승진 따라서 일부에 대한 고발이 있는 경우 기본적 사실관계의 동일성이 인정되는 범위 내에서 조세포탈기간이나 포탈액수를 추가하는 공소장변경은 적법하다(대판 2009.7.23, 2009도3282). 10. 순경 2차

- 수개의 범칙사실 중 일부만을 범칙사건으로 하는 고발이 있는 경우 고발장에 기재된 범칙사실과 동일성이 인정되지 않는 다른 범칙사실에 대해서까지 고발의 효력이 미칠 수는 없다(대판 2014.10.15, 2013도5650). 20. 순경 2차, 21. 경찰승진, 23. 경찰간부

4. 위증사실의 신고는 고소의 형식을 취하였더라도 고발이며, 고발의 대리는 허용되지 않으므로 타인명의의 고소장 제출에 의해 위증사실의 신고가 행하여졌더라도 피고인이 위증죄 고소장을 작성하여 수사기관에 제출하고 수사기관에 대하여 고발인 진술을 하는 등 피고인의 의사로 고발행위를 주도하였다면 그 고발인은 피고인이다(대판 1989.9.26, 88도1533). 03. 순경
5. 지방국세청장 또는 세무서장이 조세범칙행위에 대하여 고발을 한 후에 통고처분을 하였다면 그 통고처분은 효력이 없고, 조세범칙행위자가 이러한 통고처분을 이행하였더라도 일사부재리의 원칙이 적용될 수 없다(대판 2016.9.28, 2014도10748).
6. 조세범칙사건에 대하여 관계 세무공무원의 즉시고발이 있으면 그로써 소추의 요건은 충족되는 것이고, 법원은 본안에 대하여 심판하면 되는 것이지 즉시고발 사유에 대하여 심사할 수 없다(대판 2014.10.15, 2013도5650).
7. 특정범죄 가중처벌 등에 관한 법률 제8조의 2 제1항의 죄는 조세범 처벌법 제10조 제3항 및 제4항 전단의 죄 중 영리의 목적이 있고 공급가액 등의 합계액이 일정금액 이상인 경우를 가중 처벌하는 것에 불과하므로, 특가법 제8조의 2 제1항의 죄는 조세범 처벌법 제21조에 따라 국세청장 등의 고발을 소추조건으로 한다고 봄이 타당하다(대판 2014.9.24, 2013도5758).
8. 일반사법경찰관리가 출입국사범에 대한 출입국관리사무소장 등의 고발이 있기 전에 수사를 하였더라도, 달리 위에서 본 특단의 사정이 없는 한 그 사유만으로 수사가 소급하여 위법하게 되는 것은 아니다(대판 2011.3.10, 2008도7724). 21. 경찰승진
9. 고발하였다는 사실이 주위에 알려졌다고 하여 그 고발사실 자체만으로 고발인의 사회적 가치나 평가가 침해될 가능성이 있다고 볼 수는 없다. 다만, 그 고발의 동기나 경위가 불순하다거나 온당하지 못하다는 등의 사정이 함께 알려진 경우에는 고발인의 명예가 침해될 가능성이 있다(대판 2009.9.24, 2009도6687).
10. 조세범처벌법에 의한 고발장은 반드시 공소장 기재요건과 동일한 범죄의 일시 · 장소를 표시하여 사건의 동일성을 특정할 수 있을 정도로 표시하여야 하는 것은 아니고, 조세범처벌법이 정하는 어떠한 태양의 범죄인지를 판명할 수 있을 정도의 사실을 일응 확정할 수 있을 정도로 표시하면 족하다(대판 2009.7.23, 2009도3282).
11. 세무서장이 특정 업체의 조세포탈 범칙행위를 조세범처벌법 등 위반으로 고발하면서, 그중 일부 관련 업체에 대해서는 개개 업체별로 죄명, 범칙자의 주소 · 성명, 범칙년월일 및 범칙사실 등을 구체적으로 기재한 각 고발장을 제출한 사안에서, 위 고발이 해당 공소사실에 대하여 피고인의 처벌을 구하는 의사표시로서 유효하다(대판 2009.7.23, 2009도3282).
12. 통고처분을 할 것인지의 여부는 관세청장 또는 세관장의 재량에 맡겨져 있고, 따라서 관세청장 또는 세관장이 관세범에 대하여 통고처분을 하지 아니한 채 고발하였다는 것만으로는 그 고발 및 이에 기한 공소의 제기가 부적법하게 되는 것은 아니다(대판 2007.5.11, 2006도1993).

13. 고발에 있어서는 고소·고발 불가분의 원칙이 적용되지 아니하므로, 고발의 구비 여부는 양벌규정에 의하여 처벌받는 자연인인 행위자와 법인에 대하여 개별적으로 논하여야 한다. 따라서 피고발인을 법인으로 명시한 다음, 법인의 등록번호와 대표자의 인적 사항을 기재한 고발장의 표시를 자연인인 개인까지를 피고발자로 표시한 것이라고 볼 수는 없다(대판 2004.9.24, 2004도4066).
14. 세무서에서 근무하는 공무원이 그 관할 검찰청 검사장으로부터 범칙사건을 조사할 수 있는 자로 지명을 받지 않은 경우, 조세범처벌절차법에 따른 통고처분이나 고발을 할 권한이 없다(대판 1997.4.11, 96도2753).
15. 조세범처벌법 위반 사건에 대한 세무공무원의 고발취소는 제1심판결 선고 전에 한하여 취소할 수 있다(대판 1957.3.29, 4290형상58).
16. 국회증언감정법은 국정감사나 국정조사에 관한 국회 내부의 절차를 규정한 것으로서 국회에서의 위증죄에 관한 고발 여부를 국회의 자율권에 맡기고 있고, 위증을 자백한 경우에는 고발하지 않을 수 있게 하여 자백을 권장하고 있으므로 국회증언감정법 제14조 제1항 본문에서 정한 위증죄는 같은 법 제15조의 고발을 소추요건으로 한다고 봄이 타당하다(대판 2018.5.17, 2017도14749 전원합의체).
17. 국회에서의 증언·감정 등에 관한 법률 제15조 제1항 본문의 고발은 위원회가 존속하고 있을 것을 전제로 한다. 국회증언감정법 제15조 제1항 단서는 "다만, 청문회의 경우에는 그 위원의 이름으로 고발할 수 있다."라고 규정하고 있다. 이 단서에 의한 고발도 위원회가 존속하는 동안에 이루어져야 한다고 해석하는 것이 타당하다(대판 2018.5.17, 2017도14749 전원합의체).
18. 조세범처벌법 제6조의 세무종사 공무원의 고발은 공소제기의 요건이고 수사개시의 요건은 아니므로 수사기관이 고발에 앞서 수사를 하고 피고인에 대한 구속영장을 발부받은 후 검찰의 요청에 따라 세무서장이 고발조치를 하였다고 하더라도 공소제기 전에 고발이 있은 이상 조세범처벌법 위반사건 피고인에 대한 공소제기의 절차가 법률의 규정에 위반하여 무효라고 할 수 없다(대판 1995.3.10, 94도3373). 23. 9급 검찰·마약수사
19. 공정거래위원회가 사업자에게 독점규제 및 공정거래에 관한 법률의 규정을 위반한 혐의가 있다고 인정하여 공정거래법 제71조에 따라 사업자를 고발하였다면 이로써 소추의 요건은 충족되며 공소가 제기된 후에는 고발을 취소하지 못함에 비추어 보면, 법원이 본안에 대하여 심판한 결과 공정거래법의 규정에 위반되는 혐의 사실이 인정되지 아니하거나 그 위반 혐의에 관한 공정거래위원회의 처분이 위법하여 행정소송에서 취소된다 하더라도 이러한 사정만으로는 그 고발을 기초로 이루어진 공소제기 등 형사절차의 효력에 영향을 미치지 아니한다(대판 2015.9.10, 2015도3926). 21. 순경 1차

(2) 자 수

① 자수란 범인이 수사기관에 대하여 자신의 범죄사실을 신고하여 자신에 대한 처벌을 희망하는 의사표시를 말한다.

- 수사기관의 질문에 범죄사실 진술(대판 2011.12.22, 2011도12041) ⇨ 자수 ×(자백 ○) 13. 수사경과
- 범죄발각 전후불문(지명수배 중인 자도 수사기관에 스스로 출석한 때는 자수에 해당)
- 친지에게 전화로 자수의사 전달 ⇨ 자수 ×

② 자수는 수사의 단서이면서 동시에 형법상 임의적 감면사유이다. 03. 순경, 04. 9급 법원직

③ 자수는 수사기관에 대한 의사표시라는 점에서 반의사불벌죄의 경우 피해자에게 범죄사실을 알려서 용서를 구하는 자복과도 구별된다(자복은 임의적 감면사유라는 점에서 자수와 동일하므로 준자수라고도 함).

④ 자수는 성질상 대리인에 의하여 할 수 없다.

제3자를 통한 자수는 가능(부탁받은 제3자가 수사기관에 신고 ○ ⇨ 자수 ○, 신고 × ⇨ 자수 ×) 17 · 20. 수사경과

⑤ 자수의 절차는 고소 · 고발의 방식에 관한 규정(제237조, 제238조)을 준용한다.

자수는 서면 또는 구술로서 수사기관에 하여야 함.

⑥ 사법경찰관이 자수를 받은 때에는 신속히 조사하여 관계 서류와 증거물을 검사에 송부하여야 한다(제240조). 11. 경찰승진, 19. 수사경과

⑦ 일단 자수가 성립한 이상 자수의 효력은 확정적으로 발생하고, 그 후에 범인이 번복하여 법정에서 범행을 부인하여도 일단 발생한 자수의 효력이 소멸되지는 않는다(대판 1999.7.9, 99도1695). 10. 경찰승진, 18 · 20. 수사경과

피고인이 검찰의 소환에 따라 자진 출석하여 검사에게 범죄사실에 관하여 자백함으로써 형법상 자수의 효력이 발생하였다고 하더라도, 그 후 검찰이나 법정에서 범죄사실을 일부 부인하였다면 일단 발생한 자수의 효력은 소멸한다. (×) 15. 경찰승진

관련판례

1. 신문지상에 혐의사실이 보도되기 시작하였는데도 자진출석하여 담당 검사에게 전화를 걸어 조사를 받게 해달라고 요청하여 출석시간을 지정받은 다음 자진출석하여 혐의사실을 모두 인정하는 내용의 진술서를 작성하고 검찰 수사과정에서 혐의사실을 모두 자백한 경우 피고인은 수사책임 있는 관서에 자기의 범죄사실을 자수한 것으로 보아야 하고 법정에서 수수한 금원의 직무관련성에 대하여만 수사기관에서의 자백과 차이가 나는 진술을 하였다 하더라도 자수의 효력에는 영향이 없다(대판 1994.9.9, 94도619). 11. 경찰승진

   ▶ **유사판례** : 범죄사실이 발각된 후에 신고하거나, 지명수배를 받은 후라 할지라도 체포 전에 자발적으로 신고한 이상 자수에 해당한다(대판 1968.7.30, 68도754). 03. 순경

2. 세관 검색시 금속탐지기에 의해 대마 휴대 사실이 발각될 상황에서 세관 검색원의 추궁에 의하여 대마 수입 범행을 시인한 경우, 자발성이 결여되어 자수에 해당하지 않는다(대판 1999.4.13, 98도4560). 11. 경찰승진, 14 · 21. 수사경과

3. 법률상의 형의 감경사유가 되는 자수를 위하여는, 범인이 자기의 범행으로서 범죄성립요건을 갖춘 객관적 사실을 자발적으로 수사관서에 신고하여 그 처분에 맡기는 것으로 족하고, 더 나아가 법적으로 그 요건을 완전히 갖춘 범죄행위라고 적극적으로 인식하고 있을 필요까지는 없다(대판 1995.6.30, 94도1017). 10. 경찰승진, 21. 해경, 22. 해경승진

4. 뉘우침이 없는 자수는 자수라고 볼 수 없다(대판 1994.10.14, 94도2130). 10. 경찰승진, 20 · 21. 수사경과, 21. 해경

5. 범인이 수개의 범죄사실 중의 일부라도 수사기관에 자진 신고한 이상, 그 동기가 투명치 않고 그후 공범을 두둔하더라도 그 자수한 부분 범죄사실에 대하여는 자수의 효력이 있다(대판 1969.7.22, 69도779). 10. 경찰승진, 16. 수사경과, 22. 해경승진

6. 제3자에게 자수의사를 전달하여 달라고 한 것만으로는 자수라고 할 수 없다(대판 1967.1.24, 66도1662). 03. 순경
7. 피고인이 자수하였다 하더라도 자수한 자에 대하여는 법원이 임의로 형을 감경할 수 있음에 불과한 것으로서 원심이 자수감경을 하지 아니하였다거나 자수감경 주장에 대하여 판단을 하지 아니하였다 하여 위법하다고 할 수 없다(대판 2004.6.11, 2004도2018). 21. 해경
8. 법인의 직원 또는 사용인이 위반행위를 하여 양벌규정에 의하여 법인이 처벌받는 경우, 법인에게 자수감경에 관한 형법 제52조 제1항의 규정을 적용하기 위하여는 법인의 이사 기타 대표자가 수사책임이 있는 관서에 자수한 경우에 한하고, 그 위반행위를 한 직원 또는 사용인이 자수한 것만으로는 위 규정에 의하여 형을 감경할 수 없다(대판 1995.7.25, 95도391).
9. 범죄사실을 신고하는 한 범죄사실의 세부에 다소 차이가 있어도 관계가 없다(대판 1969.4.29, 68도1780).
10. 신고하는 방법에는 제한이 없으므로 3자를 통하여 자수를 할 수 있다(대판 1964.8.31, 64도252).
11. 수개의 범죄사실 중 일부에 관하여만 자수한 경우에는 그 부분 범죄사실에 대하여만 자수의 효력이 있다(대판 1994.10.14, 94도2130). 21. 수사경과
12. 수사기관에 뇌물수수의 범죄사실을 자발적으로 신고하였으나 그 수뢰액을 실제보다 적게 신고함으로써 적용법조와 법정형이 달라지게 된 경우, 자수가 성립하였다고 할 수 없다(대판 2004.6.24, 2004도2003). 21. 수사경과

용어 해설 **자수 · 자복 · 자백**

자 수	자 복	자 백
범인이 죄를 범한 후 수사책임이 있는 관서에 대하여 자발적으로 자기의 범죄사실을 신고하는 것을 말함. ▶ 형법상 임의적 감면사유(형법 제52조 제1항) ▶ 타인의 범죄사실을 신고하는 고소·고발과 구별되며, 비자발성을 가진 자백과도 구별됨.	피해자의 명시한 의사에 반하여 처벌할 수 없는 범죄(반의사불벌죄)에 있어서 피해자에게 범죄를 고백하여 용서를 구하는 것을 말함. ▶ 형법상 임의적 감면사유(형법 제52조 제2항) ▶ 상대방이 수사기관이 아닌 점에서 자수와 구별되나, 효과측면에서 자수와 동일(준자수)	자신의 범죄사실의 전부 또는 일부를 인정하는 진술을 말함. 재판상 자백(법원), 수사상 자백(수사기관), 상대방 없는 자백(예 일기장) ▶ 구성요건해당사실을 긍정하면서 위법성조각사유나 책임조각사유의 주장도 자백에 해당

CHAPTER 01

기출문제

01 **경찰관 직무집행법상 불심검문에 대한 설명으로 적절하지 않은 것은 모두 몇 개인가?**(다툼이 있는 경우 판례에 의함) 21. 경찰승진

> ㉠ 불심검문 대상자에게 형사소송법상 체포나 구속에 이를 정도의 혐의가 없을지라도, 경찰관은 당시의 구체적 상황과 사전에 얻은 정보나 전문적 지식 등에 기초하여 객관적·합리적인 기준에 따라 불심검문 대상 여부를 판단한다.
> ㉡ 불심검문에 따른 동행요구는 형사소송법상 임의수사로서 임의동행의 한 종류로 취급하여야 한다.
> ㉢ 검문하는 사람이 경찰관이고 검문하는 이유가 범죄행위에 관한 것임을 검문받는 사람이 충분히 알고 있었다고 보이는 경우에는 경찰관이 신분증을 제시하지 않았다고 하여 그 불심검문이 위법한 공무집행이라고 할 수 없다.
> ㉣ 검문 중이던 경찰관들이, 자전거를 이용한 날치기 사건 범인과 흡사한 인상착의의 사람이 자전거를 타고 다가오는 것을 발견하고 정지를 요구하였으나 멈추지 않아, 앞을 가로막고 소속과 성명을 고지한 후 검문에 협조해 달라고 하였음에도 불응하고 그대로 전진하자, 따라가서 재차 앞을 막고 검문에 응하라고 요구한 경우, 이는 적법한 불심검문에 해당한다.
> ㉤ 경찰관은 임의동행에 앞서 당해인에 대해 진술거부권과 변호인의 조력을 받을 권리를 고지해야 한다.

① 2개 ② 3개 ③ 4개 ④ 5개

해설 ㉠ ○ : 대판 2014.12.11, 2014도7976
㉡ × : 임의동행은 경찰관 직무집행법 제3조 제2항에 따른 행정경찰 목적의 경찰활동으로 행하여지는 것 외에도 형사소송법 제199조 제1항에 따라 범죄수사를 위하여 오로지 피의자의 자발적인 의사에 의하여 이루어진 경우에도 가능하다(대판 2020.5.14, 2020도398). 전자는 범죄의 예방과 진압을 위한 행정경찰상의 처분이라는 성질을 가지나, 후자는 임의수사로서의 성질을 가지기 때문에 양자가 구별된다는 견해와 경찰관 직무집행법 제3조는 보안경찰작용으로서의 불심검문과 범죄수사작용으로서의 불심검문을 함께 규정하고 있기 때문에 경찰관 직무집행법상의 동행요구는 보안경찰작용으로서의 동행요구와 범죄수사작용으로서의 동행요구로 나누어진다고 보는 견해가 대립한다. 불심검문에 의한 임의동행으로 인하여 수사가 계속된 경우에는 형사소송법에 의한 임의동행과 동일하게 보아야 함은 물론이다.
㉢ ○ : 대판 2014.12.11, 2014도7976
㉣ ○ : 대판 2012.9.13, 2010도6203
㉤ × : 경찰관은 불심검문에서 동행 후에는 변호인의 조력을 받을 권리가 있음을 고지하여야 하나(경찰관 직무집행법 제3조 제5항), 진술거부권을 고지할 필요는 없다.

Answer 01. ①

02 **불심검문에 관한 설명 중 가장 적절한 것은?**(다툼이 있는 경우 판례에 의함) **23. 경찰 1차, 전의경 경채**

① 경찰관이 불심검문 대상자 해당 여부를 판단할 때에는 불심검문 당시의 구체적 상황은 물론 사전에 얻은 정보나 전문적 지식 등에 기초하여 그 대상자인지를 객관적·합리적 기준에 따라 판단하여야 하므로, 불심검문의 적법요건으로 불심검문 대상자에게 형사소송법상 체포나 구속에 이를 정도의 혐의가 있을 것을 요한다.

② 행정경찰 목적의 경찰활동으로 행하여지는 경찰관 직무집행법 제3조 제2항 소정의 질문을 위한 동행요구가 형사소송법의 규율을 받는 수사로 이어지는 경우에는 형사소송법 제199조 제1항 및 제200조 규정에 의하여야 한다.

③ 경찰관 직무집행법 제3조 제4항은 경찰관이 불심검문을 하고자 할 때에는 자신의 신분을 표시하는 증표를 제시하여야 한다고 규정하고 있고, 동법 시행령은 위 법에서 규정한 신분을 표시하는 증표가 경찰관의 공무원증이라고 규정하고 있으므로, 경찰관이 불심검문 과정에서 공무원증을 제시하지 않았다면 어떠한 경우라도 그 불심검문은 위법한 공무집행에 해당한다.

④ 경찰관 직무집행법 제3조 제6항은 불심검문에 관하여 임의동행한 사람을 6시간을 초과하여 경찰관서에 머물게 할 수 없다고 규정하고 있으므로, 대상자를 6시간 동안 경찰관서에 구금하는 것이 허용된다.

해설 ① 불심검문 대상자 해당 여부를 판단할 때에는 불심검문 당시의 구체적 상황은 물론 사전에 얻은 정보나 전문적 지식 등에 기초하여 불심검문 대상자인지를 객관적·합리적인 기준에 따라 판단하여야 하나, 반드시 불심검문 대상자에게 형사소송법상 체포나 구속에 이를 정도의 혐의가 있을 것을 요한다고 할 수는 없다(대판 2014.2.27, 2011도13999).
② 대판 2006.7.6, 2005도6810
③ 불심검문을 하게 된 경위, 불심검문 당시의 현장상황과 검문을 하는 경찰관들의 복장, 피고인이 공무원증 제시나 신분 확인을 요구하였는지 여부 등을 종합적으로 고려하여, 검문하는 사람이 경찰관이고 검문하는 이유가 범죄행위에 관한 것임을 피고인이 충분히 알고 있었다고 보이는 경우에는 신분증을 제시하지 않았다고 하여 그 불심검문이 위법한 공무집행이라고 할 수 없다(대판 2014.12.11, 2014도7976).
④ 임의동행한 자를 6시간 동안 경찰관서에 구금하는 것을 허용하는 것은 아니다(대판 1997.8.22, 97도1240).

03 **다음 중 불심검문에 대한 설명으로 가장 옳은 것은?**(다툼이 있는 경우 판례에 의함) **24. 해경간부**

① 검문하는 사람이 경찰관이고 검문하는 이유가 범죄행위에 관한 것임을 피검문자가 충분히 알고 있었다고 보이는 경우라도 검문시 경찰관이 신분증을 제시하지 않았다면 그 불심검문은 위법한 공무집행에 해당한다.

② 동행을 한 경우에 경찰관은 동행한 사람의 가족이나 친지 등에게 동행한 경찰관의 신분, 동행 장소, 동행 목적과 이유를 알리거나 본인으로 하여금 즉시 연락할 수 있는 기회를 주어야 하며, 변호인의 도움을 받을 권리가 있음을 알려야 한다.

Answer 02. ② 03. ②

③ 경찰관이 불심검문 대상자에의 해당 여부를 판단할 때에는 불심검문 당시의 구체적인 상황은 물론 사전에 얻은 정보나 전문적 지식 등에 기초하여 불심검문 대상자인지를 객관적·합리적인 기준에 따라 판단하여, 반드시 불심검문 대상자에게 형사소송법상 체포나 구속에 이를 정도의 혐의가 있을 것을 요한다.

④ 검문 중이던 경찰관들이 자전거를 이용한 날치기 사건 범인과 흡사한 인상착의의 피고인이 자전거를 타고 다가오는 것을 발견하고 정지를 요구하였으나 멈추지 않아 앞을 가로막고 소속과 성명을 고지한 후 검문에 협조해 달라는 취지로 말하였음에도 불응하고 그대로 전진하자, 따라가서 재차 앞을 막고 검문에 응하라고 요구한 것은 적법한 불심검문에 해당하지 않는다.

해설 ① 검문하는 사람이 경찰관이고 검문하는 이유가 범죄행위에 관한 것임을 피고인이 충분히 알고 있었다고 보이는 경우에는 신분증을 제시하지 않았다고 하여 그 불심검문이 위법한 공무집행이라고 할 수 없다(대판 2014.12.11, 2014도7976).
② 경찰관직무집행법 제3조 제5항
③ 반드시 불심검문 대상자에게 형사소송법상 체포나 구속에 이를 정도의 혐의가 있을 것을 요한다고 할 수는 없다(대판 2014.2.27, 2011도13999).
④ 범행의 경중, 범행과의 관련성, 상황의 긴박성, 혐의의 정도, 질문의 필요성 등에 비추어 경찰관들은 목적 달성에 필요한 최소한의 범위 내에서 사회통념상 용인될 수 있는 상당한 방법을 통하여 경찰관직무집행법 제3조 제1항에 규정된 자에 대해 의심되는 사항을 질문하기 위하여 정지시킨 것으로 보아야 한다(대판 2012.9.13, 2010도6203).

04 **다음 중 변사자 검사에 관한 설명으로 옳은 것은 모두 몇 개인가?** 22. 해경승진

㉠ 변사자의 검시는 수사가 아닌 수사의 단서에 불과하다.
㉡ 검시는 검증과 유사하므로 유족의 동의가 없으면 판사의 영장을 발부받아 검시를 하여야 한다.
㉢ 검사와 사법경찰관의 상호협력과 일반적 수사준칙에 관한 규정 제17조 제1항에 의하면 사법경찰관리는 변사자 또는 변사의 의심이 있으면 관할 지방검찰청 또는 지청의 검사에게 보고하고 지휘를 받아야 한다. 단, 긴급을 요하는 경우 그러하지 아니하다.
㉣ 변사자 또는 변사의 의심있는 사체가 있는 때에는 그 소재지를 관할하는 사법경찰관이 검시하여야 한다.

① 없 음 ② 1개 ③ 2개 ④ 3개

해설 ㉠ ○ : 변사자의 검시는 수사의 단서에 불과하며, 검시를 통해 범죄혐의가 인정되면 수사를 개시하게 된다. ㉡ × : 검시는 변사자의 상황을 조사하는 것이므로 수사의 단서에 불과하여 영장이 필요 없다. 변사자검시 후 사체해부 등 검증처분은 수사개시 이후의 처분이므로 영장이 있어야 하나, 대상이 사체라는 특수성과 수사의 긴급성 때문에 영장주의 예외가 인정된다(제222조 제2항).
㉢ × : 사법경찰관은 변사자 또는 변사한 것으로 의심되는 사체가 있으면 변사사건 발생사실을 검사에게 통보해야 한다(수사준칙 제17조 제1항).
㉣ × : 변사자검시의 주체는 변사자 또는 변사의 의심이 있는 사체의 소재지를 관할하는 지방검찰청 검사이다(제222조 제1항).

Answer 04. ②

05 **고소에 대한 설명으로 가장 적절하지 않은 것은?**(다툼이 있는 경우 판례에 의함) 22. 경찰간부

① 고소장에 명예훼손죄라는 죄명을 붙이고, 명예훼손에 관한 사실을 적어 두었으나 그 사실이 명예훼손죄를 구성하지 않고 모욕죄를 구성하는 경우, 위 고소는 모욕죄에 대한 고소로서의 효력을 갖는다.

② 고소인이 사건 당일 범죄사실을 신고하면서 현장에 출동한 경찰관에게 고소장을 교부한 경우, 경찰서에 도착하여 최종적으로 고소장을 접수시키지 아니하기로 결심하고 고소장을 반환받았더라도, 고소장이 수사기관에 적법하게 수리되어 고소의 효력이 발생되었다고 할 수 있다.

③ 피해자의 법정대리인은 피해자의 고소권 소멸 여부에 관계없이 고소할 수 있고, 이러한 고소권은 피해자의 명시한 의사에 반하여도 행사할 수 있다.

④ 형사소송법 제236조(대리고소)에 의하면 고소 또는 그 취소는 대리인으로 하여금 하게 할 수 있는데, 이와 같은 대리인에 의한 고소의 경우, 고소기간은 대리고소인이 아니라 정당한 고소권자를 기준으로 고소권자가 범인을 알게 된 날부터 기산한다.

해설 ① 대판 1981.6.23, 81도1250

② 고소인이 사건 당일 범죄사실을 신고하면서 현장에 출동한 경찰관에게 고소장을 교부한 경우, 경찰서에 도착하여 최종적으로 고소장을 접수시키지 아니하기로 결심하고 고소장을 반환받은 것이라면 고소장이 수사기관에 적법하게 수리되어 고소의 효력이 발생되었다고 할 수 없다(대판 2008.11.27, 2007도4977).

③ 대판 1999.12.24, 99도3784

④ 대판 2001.9.4, 2001도3081

06 **甲·乙·丙은 '피고인들은 공모하여 여성잡지에 허위 사실을 게재함으로써 사망한 전 국회의원 A와 A의 전 보좌관 B 그리고 모델 C의 명예를 훼손하였다.'라는 사자명예훼손 및 출판물명예훼손의 공소사실로 기소가 되었다. 제1심 공판 도중 고소인 D(A의 처), E(A의 동생), B는 乙·丙에 대해서만 고소를 취소하였고 또한 고소인 C도 乙·丙에 대해서만 처벌을 희망하는 의사표시를 철회하였다. 이 경우 법원이 甲에 대하여 취해야 할 조치로서 가장 옳은 것은?**(다툼이 있는 경우 판례에 의함) 22. 해경승진

① 사자명예훼손 및 출판물명예훼손의 공소사실 모두에 대해서 실체재판을 하여야 한다.

② 사자명예훼손 및 출판물명예훼손의 공소사실 모두에 대해서 공소기각판결을 선고하여야 한다.

③ 사자명예훼손의 공소사실에 대해서는 실체재판을 하여야 하고, 출판물명예훼손의 공소사실에 대해서는 공소기각판결을 선고하여야 한다.

④ 사자명예훼손의 공소사실에 대해서는 공소기각 판결을 선고하여야 하고, 출판물명예훼손의 공소사실에 대해서는 실체재판을 하여야 한다.

해설 A에 대해서는 사자명예훼손죄(친고죄), B·C에 대해서는 출판물에 대한 명예훼손죄(반의사불벌죄)의 문제이다. 공범인 경우에 친고죄에서는 1인에 대한 고소나 취소의 효력은 전원에 미치나, 반의사불벌죄의 경우는 불가분의 원칙이 적용되지 아니한다. 따라서 A의 유족 D, E의 乙·丙에 대한 고소취소는 甲에게도 미치게 되어 모두 공소기각판결을 내려야 한다. 그러나 B, C의 乙·丙에 대한 고소취소의 효력은 甲에게는 미치지 않으므로 甲에게는 유·무죄의 실체재판을 선고하여야 한다.

Answer 05. ② 06. ④

07 **다음 설명 중 옳은 것은 모두 몇 개인가?**(다툼이 있는 경우 판례에 의함) **23. 경찰간부**

㉠ 甲이 자신의 친구 乙과 함께 다른 도시에 살고 있는 甲의 삼촌 A의 물건을 절취한 경우, A가 乙에 대해서만 고소를 하였다면, 그 고소의 효력은 甲에게도 미친다.
㉡ 甲이 제1심 법원에서 소송촉진 등에 관한 특례법에 따라 甲의 진술없이 A에 대한 폭행죄로 유죄를 선고받고 확정된 후 적법하게 제1심 법원에 재심을 청구하여 재심개시결정이 내려졌다면 A는 그 재심의 제1심 판결 선고 전까지 처벌희망의사표시를 철회할 수 없으나, 甲이 재심을 청구하는 대신 항소권회복청구를 함으로써 항소심재판을 받게 되었다면 그 항소심 절차에서는 처벌희망의사표시를 철회할 수 있다.
㉢ 수개의 범칙사실 중 일부만을 범칙사건으로 하는 고발이 있는 경우에 고발장에 기재된 범칙사실과 동일성이 인정되지 않는 다른 범칙사실에 대해서는 고발의 효력이 미치지 아니한다.
㉣ 甲과 乙이 공모하여 A에 대하여 사실적시에 의한 명예훼손을 한 혐의로 공소제기 되었으나 A가 甲에 대하여만 처벌불원의 의사를 표시하였다면, 법원은 A의 이러한 의사에 기하여 乙에 대하여 공소기각판결을 선고해서는 안 된다.

① 1개　　② 2개　　③ 3개　　④ 4개

해설 ㉠ × : 甲의 범죄는 상대적 친고죄에 해당한다(형법 제328조 제2항). 상대적 친고죄에서 공범 중 일부만 피해자와 일정한 신분관계가 있는 경우 비신분자에 대한 고소나 고소취소의 효력은 신분관계에 있는 공범자에 대하여 미치지 아니한다(형법 제328조 제3항).
▶ **참고판례** : 상대적 친고죄의 경우 신분자에 대한 고소취소는 비신분자에게 효력이 없다(대판 1964.12.15, 64도481).
㉡ × : 피고인이 제1심 법원에 소송촉진법 제23조의2에 따른 재심을 청구하는 대신 항소권회복청구를 함으로써 항소심 재판을 받게 되었다면 항소심을 제1심이라고 할 수 없는 이상 항소심 절차에서는 처벌을 희망하는 의사표시를 철회할 수 없다(대판 2016.11.25, 2016도9470).
㉢ ○ : 대판 2014.10.15, 2013도5650
㉣ ○ : 명예훼손죄는 반의사불벌죄인데, 반의사불벌죄에는 고소의 주관적 불가분의 원칙이 적용되지 않는다.
▶ **참고판례** : 대판 1994.4.26, 93도1689

08 **다음 〈보기〉 중 친고죄와 반의사불벌죄에 대한 설명으로 옳은 것만을 있는 대로 고른 것은?**(다툼이 있는 경우 판례에 의함) **22. 해경간부**

㉠ 제1심 법원이 반의사불벌죄로 기소된 피고인에 대하여 소송촉진 등에 관한 특례법 제23조에 따라 피고인에 대한 송달불능보고서가 접수된 때부터 6개월이 지나도록 피고인의 소재를 확인할 수 없어, 피고인의 진술 없이 유죄를 선고하여 판결이 확정된 경우, 만일 피고인이 항소권회복청구를 함으로써 항소심 재판을 받게 되었다면 피해자는 그 항소심 절차에서 처벌을 희망하는 의사표시를 철회할 수 없다.
㉡ 반의사불벌죄에 있어서 청소년인 피해자에게 비록 의사능력이 있다 하더라도 피고인에 대하여 처벌을 희망하지 않는다는 의사표시 또는 처벌을 희망하는 의사표시의 철회는 피해자가 단독으로 이를 할 수 없고 법정대리인의 동의가 있어야 한다.

Answer 07. ② 08. ④

ⓒ 고소는 제1심판결 선고 전까지 취소할 수 있으므로 친고죄의 공범 중 일부에 대하여 제1심판결이 선고된 후라도 제1심판결 선고 전의 다른 공범자에 대하여는 그 고소를 취소할 수 있고, 고소를 취소한 경우 친고죄에 대한 고소 취소로서의 효력이 있다.
ⓔ 친고죄에 있어서의 피해자의 고소권은 공법상의 권리라고 할 것이므로 법이 특히 명문으로 인정하는 경우를 제외하고는 자유처분을 할 수 없고, 따라서 일단 제기한 고소는 취소할 수 있으나 고소 전에 고소권을 포기할 수는 없다.

① ㉠, ㉡ ② ㉠, ㉢ ③ ㉡, ㉢ ④ ㉠, ㉣

해설 ㉠ ○ : 대판 2016.11.25, 2016도9497
㉡ × : 반의사불벌죄에 있어서 피해자의 피고인 또는 피의자에 대한 처벌을 희망하지 않는다는 의사표시 또는 처벌을 희망하는 의사표시의 철회는, 의사능력이 있는 피해자가 단독으로 이를 할 수 있고, 거기에 법정대리인의 동의가 있어야 한다거나 법정대리인에 의해 대리되어야만 한다고 볼 것은 아니다(대판 2009.11.19, 2009도6058 전원합의체).
㉢ × : 친고죄의 공범 중 그 일부에 대하여 제1심판결이 선고된 후에는 제1심판결 선고 전의 다른 공범자에 대하여는 그 고소를 취소할 수 없고 그 고소의 취소가 있다 하더라도 그 효력을 발생할 수 없다(대판 1985.11.12, 85도1940). ㉣ ○ : 대판 1967.5.23, 67도471

09 고소에 대한 설명으로 가장 적절한 것은?(다툼이 있는 경우 판례에 의함) 23. 경찰승진

① 형사소송법 제236조의 대리인에 의한 고소의 경우, 대리권이 정당한 고소권자에 의하여 수여되었음이 실질적으로 증명되면 충분하고 그 방식에 특별한 제한은 없지만, 고소를 할 때 반드시 위임장을 제출하거나 '대리'라는 표시를 하여야 한다.
② 피해자가 경찰청 홈페이지에 '피고인을 철저히 조사해 달라'는 취지의 신고민원을 접수하는 형태로 피고인에 대한 조사를 촉구하는 의사표시를 한 것은 적법한 고소에 해당한다.
③ 수사기관이 고소권자를 증인 또는 피해자로서 신문한 경우에 그 진술에 범인의 처벌을 요구하는 의사표시가 포함되어 있고 그 의사표시가 조서에 기재되면 고소는 적법하게 이루어진 것이다.
④ 고소능력은 피해를 입은 사실을 이해하고 고소에 따른 사회생활상의 이해관계를 알아차릴 수 있는 사실상의 의사능력으로 충분하지만, 민법상 행위능력이 없는 사람은 위와 같은 능력을 갖추었더라도 고소능력이 인정되지 않는다.

해설 ① 형사소송법 제236조의 대리인에 의한 고소의 경우, 대리권이 정당한 고소권자에 의하여 수여되었음이 실질적으로 증명되면 충분하고, 그 방식에 특별한 제한은 없으므로, 고소를 할 때 반드시 위임장을 제출한다거나 '대리'라는 표시를 하여야 하는 것은 아니다(대판 2001.9.4, 2001도3081).
② 피해자가 경찰청 인터넷 홈페이지를 통해 이 사건 신고민원을 접수한 것은 형사소송법에 따른 적법한 고소가 아니다(대판 2012.2.23, 2010도9524). ③ 대판 1996.1.31, 65도1089
④ 고소능력은 피해를 입은 사실을 이해하고 고소에 따른 사회생활상의 이해관계를 알아차릴 수 있는 사실상의 의사능력으로 충분하므로, 민법상 행위능력이 없는 자라도 위와 같은 능력을 갖추었다면 고소능력이 인정된다(대판 2011.6.24, 2011도4451).

Answer 09. ③

10 **고소에 관한 다음 설명 중 가장 옳지 않은 것은?**(다툼이 있는 경우 판례에 의하고, 전원합의체 판결의 경우 다수의견에 의함) 23. 9급 법원직

① 법원이 선임한 부재자 재산관리인이 그 관리대상인 부재자의 재산에 대한 범죄행위에 관하여 법원으로부터 고소권 행사에 관한 허가를 얻은 경우 부재자 재산관리인은 형사소송법 제225조 제1항에서 정한 법정대리인으로서 적법한 고소권자에 해당한다고 보아야 한다.

② 법원은 고소권자가 비친고죄로 고소한 사건이더라도 검사가 사건을 친고죄로 구성하여 공소를 제기하였다면 공소장 변경절차를 거쳐 공소사실이 비친고죄로 변경되지 아니하는 한, 법원으로서는 친고죄에서 소송조건이 되는 고소가 유효하게 존재하는지를 직권으로 조사·심리하여야 한다.

③ 고소는 제1심판결 선고 전까지 취소할 수 있으나, 항소심에서 공소장의 변경에 의하여 또는 공소장변경절차를 거치지 아니하고 법원 직권에 의하여 친고죄가 아닌 범죄를 친고죄로 인정하였다면, 항소심이 실질적으로 제1심이라 할 것이므로, 항소심에서 고소인이 고소를 취소하였다면 이는 친고죄에 대한 고소취소로서의 효력이 있다.

④ 고소의 취소나 처벌을 희망하는 의사표시의 철회는 수사기관 또는 법원에 대한 법률행위적 소송행위이므로 공소제기 전에는 고소사건을 담당하는 수사기관에, 공소제기 후에는 고소사건의 수소법원에 대하여 이루어져야 한다.

해설 ① 대판 2022.5.26, 2021도2488 ② 대판 2015.11.17, 2013도7987
③ 항소심을 제1심이라 할 수는 없는 것이므로 항소심에 이르러 비로소 고소인이 고소를 취소하였다면 이는 친고죄에 대한 고소취소로서의 효력은 없다고 할 것이다(대판 1999.4.15, 96도1922 전원합의체).
④ 대판 2012.2.23, 2011도17264

11 **고소에 관한 설명으로 옳은 것을 모두 고른 것은?**(다툼이 있는 경우 판례에 의함) 24. 경찰간부

㉠ 고소는 어떤 범죄사실 등이 구체적으로 특정되어야 하는데, 그 특정의 정도는 범인의 동일성을 식별할 수 있을 정도로 인식하면 족하고 범인의 성명이 불명 또는 오기가 있었다거나, 범행일시·장소·방법 등이 명확하지 않거나 틀리는 것이 있다고 하더라도 고소의 효력에는 영향이 없다.

㉡ 법원이 선임한 부재자 재산관리인은 관리대상 재산에 관한 범죄행위에 대하여 법원으로부터 고소권행사 허가를 받은 경우, 독립하여 고소권을 가지는 법정대리인에 해당한다.

㉢ 고소조서는 반드시 독립된 조서일 필요가 없으므로 참고인으로 조사하는 과정에서 고소권자가 처벌을 희망하는 의사표시를 하고 그 의사표시가 참고인진술조서에 기재된 경우에도 고소는 유효하나, 다만 그러한 의사표시가 사법경찰관의 질문에 답하는 형식으로 이루어진 것은 유효하지 않다.

㉣ 친고죄 피해자 A의 법정대리인 甲의 고소기간은 甲이 범인을 알게 된 날로부터 진행하고, A가 변호사 乙을 선임하여 乙이 고소를 제기한 경우에는 乙이 범인을 알게 된 날부터 고소기간이 기산된다.

Answer 10. ③ 11. ①

ⓜ 관련 민사사건에서 제1심판결 선고 전에 '이 사건과 관련하여 서로 상대방에 대하여 제기한 형사 고소 사건의 일체를 모두 취하한다'는 내용이 포함된 조정이 성립되었다면, 조정성립 후 고소인이 제1심 법정에서 여전히 피고인의 처벌을 원한다는 취지로 진술하더라도 고소를 취소한 것으로 볼 수 있다.

① ㉠, ㉡ ② ㉠, ㉡, ㉢
③ ㉢, ㉣, ㉤ ④ ㉠, ㉡, ㉣, ㉤

해설 ㉠ ○ : 대판 1984.10.23, 84도1704
㉡ ○ : 대판 2022.5.26, 2021도2488
㉢ × : 그 조서는 반드시 독립된 조서가 아니라 하여도 수사기관이 고소권자를 증인 또는 피해자로서 신문한 경우에 그 진술에서 범인의 처벌을 요구하는 의사표시를 하고 그 의사표시를 그 조서에 기재하였을 경우에는 고소요건은 구비하였다고 해석하여야 할 것이다(대판 1966.1.31, 65도1089).
㉣ × : 법정대리인의 고소기간은 법정대리인 자신이 범인을 알게 된 날로부터 진행하며(대판 1987.6.9, 87도857), 대리고소인이 한 고소기간은 정당한 고소권자를 기준으로 고소권자가 범인을 알게 된 날부터 기산한다(대판 2001.9.4, 2001도3081).
㉤ × : '이 사건과 관련하여 서로 상대방에 대하여 제기한 형사 고소 사건 일체를 모두 취하한다'는 내용이 포함된 조정이 성립된 것만으로는 고소 취소나 처벌불원의 의사표시를 한 것으로 보기 어렵다(대판 2004.3.25, 2003도8136).

12 **고소에 관한 설명으로 가장 적절하지 않은 것은?**(다툼이 있는 경우 판례에 의함) 24. 경찰승진

① 법원이 선임한 부재자 재산관리인이 그 관리대상인 부재자의 재산에 대한 범죄행위에 관하여 법원으로부터 고소권 행사에 관한 허가를 얻은 경우, 부재자 재산관리인은 형사소송법 제225조 제1항에서 정한 법정대리인으로서 적법한 고소권자에 해당한다.
② 고소권자가 비친고죄로 고소한 사건이더라도 검사가 사건을 친고죄로 구성하여 공소를 제기하였다면 공소장 변경절차를 거쳐 공소사실이 비친고죄로 변경되지 아니하는 한, 법원으로서는 친고죄에서 소송조건이 되는 고소가 유효하게 존재하는지를 직권으로 조사·심리하여야 한다.
③ 고소의 취소는 수사기관 또는 법원에 대한 법률행위적 소송행위이므로 공소제기 전에는 고소사건을 담당하는 수사기관에 공소제기 후에는 고소사건의 수소법원에 대하여 이루어져야 한다.
④ 형사소송법이 고소 및 고소취소에 대하여 대리를 허용하는 규정을 두면서도 처벌불원의사에 대하여는 이에 관한 규정을 두지 않은 것은 해석에 의한 보충이 필요한 입법의 불비이자 법률의 흠결에 해당한다.

해설 ① 대판 2022.5.26, 2021도2488
② 대판 2015.11.17, 2013도7987 ③ 대판 2012.2.23, 2011도17264
④ 형사소송법이 친고죄와 달리 반의사불벌죄에 관하여 고소취소의 시한과 재고소의 금지에 관한 규정을 준용하는 규정 외에 다른 근거규정이나 준용규정을 두지 않은 것은 이러한 반의사불벌죄의 특성을 고려하여 고소 및 고소취소에 관한 규정에서 규율하는 법원칙을 반의사불벌죄의 처벌불원의사에 대하여는 적용하지 않겠다는 입법적 결단으로 이해하여야 한다(대판 2023.7.17, 2021도11126 전원합의체).

Answer 12. ④

13 **전속고발에 대한 설명으로 가장 적절하지 않은 것은?**(다툼이 있는 경우 판례에 의함) **21. 순경 1차**

① 공정거래위원회의 고발이 있어야 공소를 제기할 수 있는 독점규제 및 공정거래에 관한 법률 위반죄를 적용하여 위반행위자들 중 일부에 대하여 공정거래위원회가 고발을 하였다면 나머지 위반행위자에 대하여도 위 고발의 효력이 미친다.

② 전속고발사건에 있어서 수사기관이 고발에 앞서 수사를 하고 甲에 대한 구속영장을 발부받은 후 검찰의 요청에 따라 관계 공무원이 고발조치를 하였다고 하더라도 공소제기 전에 고발이 있은 이상 甲에 대한 공소제기의 절차가 법률의 규정에 위반하여 무효라고 할 수는 없다.

③ 세무공무원 등의 고발이 있어야 공소를 제기할 수 있는 조세범처벌법 위반죄에 관하여 일단 불기소처분이 있었더라도 세무공무원 등이 종전에 한 고발은 여전히 유효하고, 따라서 나중에 공소를 제기함에 있어 세무공무원 등의 새로운 고발이 있어야 하는 것이 아니다.

④ 공정거래위원회가 사업자에게 독점규제 및 공정거래에 관한 법률의 규정을 위반한 혐의가 있다고 인정하여 동법 제71조에 따라 사업자를 고발하였다면, 법원이 본안에 대하여 심판한 결과 위반되는 혐의 사실이 인정되지 아니하더라도 이러한 사정만으로는 그 고발을 기초로 이루어진 공소제기 등 형사절차의 효력에 영향을 미치지 아니한다.

해설 ① 형사소송법 제233조가 공정거래위원회의 고발에도 유추적용된다고 해석한다면 이는 공정거래위원회의 고발이 없는 행위자에 대해서까지 형사처벌의 범위를 확장하는 것으로서, 결국 피고인에게 불리하게 형벌법규의 문언을 유추해석한 경우에 해당하므로 죄형법정주의에 반하여 허용될 수 없다(대판 2010.9.30, 2008도4762). 따라서 위반행위자들 중 일부에 대하여 공정거래위원회가 고발을 하였다면 나머지 위반행위자에 대하여는 위 고발의 효력이 미치지 아니한다.
② 대판 1995.3.10, 94도3373 ③ 대판 2009.10.29, 2009도6614 ④ 대판 2015.9.10, 2015도3926

14 **2018. 1. 1.부터 2020. 12. 31.까지 사업자 甲은 다른 사업자 乙, 丙과 함께 독점규제 및 공정거래에 관한 법률**(이하 '공정거래법'이라고 한다)**에서 금지하고 있는 부당한 공동행위를 하였는데, 2021. 5. 1. 공정거래위원회는 이를 인지하여 조사한 후 甲만을 검찰에 고발하고, 乙과 丙에 대하여는 시정조치를 명하였다. 참고로 공정거래법상 부당한 공동행위를 할 경우에는 공정거래위원회의 고발이 있어야 공소를 제기할 수 있다. 이에 대한 설명으로 옳은 것은 모두 몇 개인가?**(다툼이 있는 경우 판례에 의함) **24. 경찰승진**

㉠ 甲에 대한 공정거래위원회의 고발이 있기 전에 수사기관이 甲에 대한 공정거래법 위반 혐의를 수사하였다면 그 수사는 위법하다.
㉡ 공정거래위원회의 甲에 대한 고발은 친고죄에 관한 고소의 주관적 불가분 원칙을 규정한 형사소송법 제233조의 준용에 의하여 乙, 丙에 대하여도 그 효력이 발생한다.
㉢ 검사가 2021. 5. 20. 甲에 대하여 불기소처분을 한 이후 甲이 2022년도에 다시 공정거래법상 금지되고 있는 부당한 공동행위를 한 경우, 만약 공정거래위원회가 甲의 2022년도 위반행위에 대하여만 검찰에 고발하였더라도 甲의 2020년도 위반행위에 대하여 공소를 제기할 수 있다.

Answer 13. ① 14. ①

> ㉣ 공정거래위원회가 甲에게 공정거래법의 규정을 위반한 혐의가 있다고 인정하여 공정거래법에 따라 甲을 고발하였더라도, 해당 혐의에 관한 공정거래위원회의 처분이 위법하여 행정소송에서 취소된다면 공정거래위원회의 고발을 기초로 이루어진 공소제기의 효력이 부정된다.

① 1개 ② 2개 ③ 3개 ④ 4개

해설 ㉠ ×: 고소나 고발이 있기 전에 수사를 하였다고 하더라도, 그 수사가 장차 고소나 고발이 있을 가능성이 없는 상태하에서 행해졌다는 등의 특단의 사정이 없는 한, 고소나 고발이 있기 전에 수사를 하였다는 이유만으로 그 수사가 위법하게 되는 것은 아니다(대판 1995.2.24, 94도252).
㉡ ×: 공정거래위원회가 법 위반행위자 중 일부에 대하여만 고발을 한 경우에 그 고발의 효력이 나머지 법 위반행위자에게도 미치는지 여부, 즉 고발의 주관적 불가분원칙의 적용 여부에 관하여는 명시적으로 규정하고 있지 아니하고, 형사소송법도 제233조에서 친고죄에 관한 고소의 주관적 불가분원칙을 규정하고 있을 뿐 고발에 대하여 그 주관적 불가분의 원칙에 관한 규정을 두고 있지 않고 또한 형사소송법 제233조를 준용하고 있지도 아니하다. 따라서 공정거래위원회의 甲에 대한 고발은 乙, 丙에 대하여 그 효력이 발생하지 아니한다(대판 2010.9.30, 2008도4762).
㉢ ○: 대판 2009.10.29, 2009도6614
㉣ ×: 법원이 본안에 대하여 심판한 결과 공정거래법의 규정에 위반되는 혐의 사실이 인정되지 아니하거나 그 위반 혐의에 관한 공정거래위원회의 처분이 위법하여 행정소송에서 취소된다 하더라도 이러한 사정만으로는 그 고발을 기초로 이루어진 공소제기 등 형사절차의 효력에 영향을 미치지 아니한다(대판 2015.9.10, 2015도3926).

15 **고소와 고발에 대한 설명으로 옳은 것은?** 23. 7급 국가직

① 검사는 고소 또는 고발있는 사건에 관하여 공소를 제기하지 아니하는 처분을 한 경우에 고소인 또는 고발인의 청구가 있는 때에는 7일 이내에 고소인 또는 고발인에게 그 이유를 구두 또는 서면으로 설명하여야 한다.

② 수사기관은 고소장에 범죄사실로 기재된 내용이 불명확하고 특정되어 있지 않은 경우에도 고소의 수리를 거부하거나 진정으로 접수하여 처리할 수는 없다.

③ 법원이 선임한 부재자 재산관리인이 그 관리대상인 부재자의 재산에 대한 범죄행위에 관하여 법원으로부터 고소권행사에 관한 허가를 얻은 경우, 형사소송법 제225조 제1항에서 정한 법정대리인으로서의 적법한 고소권자에 해당한다.

④ 사법경찰관으로부터 불송치결정(형사소송법 제245조의 5 제2호)의 통지(형사소송법 제245조의 6)를 받은 고소인·고발인·피해자 또는 그 법정대리인은 해당 사법경찰관의 소속 관서의 장에게 이의를 신청할 수 있고, 사법경찰관은 그러한 신청이 있는 때에는 지체 없이 검사에게 사건을 송치하고 관계 서류와 증거물을 송부하여야 하며, 처리결과와 그 이유를 신청인에게 통지하여야 한다.

해설 ① 검사는 고소 또는 고발있는 사건에 관하여 공소를 제기하지 아니하는 처분을 한 경우에 고소인 또는 고발인의 청구가 있는 때에는 7일 이내에 고소인 또는 고발인에게 그 이유를 서면으로 설명하여야 한다(제259조).

Answer 15. ③

② 검사는 고소 또는 고발사건으로 제출된 서류가 고소인 또는 고발인의 진술이나 고소장 또는 고발장에 따른 내용이 불분명하거나 구체적 사실이 적시되어 있지 않은 경우 이를 진정사건으로 수리할 수 있다(검찰사건사무규칙 제224조 제3항, 경찰수사규칙 제21조 제2항).
③ 대판 2022.5.26, 2021도2488
④ 사법경찰관으로부터 불송치통지를 받은 사람(고발인을 제외한다)은 해당 사법경찰관의 소속 관서의 장에게 이의를 신청할 수 있다(제245조의 7 제1항). 사법경찰관은 제1항의 신청이 있는 때에는 지체 없이 검사에게 사건을 송치하고 관계 서류와 증거물을 송부하여야 하며, 처리결과와 그 이유를 제1항의 신청인에게 통지하여야 한다(동법 제2항).

16 **다음 중 자수에 관한 설명으로 옳지 않은 것은 몇 개인가?**(다툼이 있는 경우 판례에 따름)

22. 해경승진

㉠ 범인이 수개의 범죄사실 중의 일부를 수사기관에 자진 신고하였으나 그 동기가 투명치 않고 그 후 공범을 두둔하였다면 그 자수한 부분 범죄사실에 대하여 자수의 효력이 없다. ㉡ 일단 자수가 성립한 이상 자수의 효력은 확정적으로 발생하고 그 후에 범인이 번복하여 수사기관이나 법정에서 범행을 부인한다고 하더라도 일단 발생한 자수의 효력이 소멸하는 것은 아니다. ㉢ 범죄사실을 부인하거나 죄의 뉘우침이 없는 자수는 그 외형은 자수일지라도 법률상 형의 감경사유가 되는 진정한 자수라고는 할 수 없다. ㉣ 법률상의 형의 감경사유인 자수를 위하여는, 범인이 자기의 범행으로서 범죄성립요건을 갖춘 객관적 사실을 자발적으로 수사관서에 신고하여 그 처분에 맡기는 것뿐만 아니라 법적으로 그 요건을 완전히 갖춘 범죄행위라고 적극적으로 인식하고 있어야 한다.

① 1개　　② 2개　　③ 3개　　④ 4개

해설 ㉠ × : 범인이 수개의 범죄사실 중의 일부를 수사기관에 자진 신고하였으나 그 동기가 투명치 않고 그 후 공범을 두둔하였더라도 그 자수한 부분 범죄사실에 대하여 자수의 효력이 있다(대판 1969.7.22, 69도779).
㉡ ○ : 대판 2011.12.22, 2011도12041
㉢ ○ : 대판 1994.10.14, 94도2130
㉣ × : 자수를 위하여는, 범인이 자기의 범행으로서 범죄성립요건을 갖춘 객관적 사실을 자발적으로 수사관서에 신고하여 그 처분에 맡기는 것으로 족하고, 더 나아가 법적으로 그 요건을 완전히 갖춘 범죄행위라고 적극적으로 인식하고 있을 필요까지는 없다(대판 1995.6.30, 94도1017).

Answer 16. ②

17 **해양경찰관의 수사로 범행이 밝혀지자 피해자 A**(甲의 비동거친족)**는 수사단계에서 甲**(절도교사죄, 장물취득죄), **乙·丙**(특수절도죄)**을 고소하였다. 이후 제1심 공판 과정에서 A가 甲에 대하여 처벌을 원하지 않는다는 취지로 고소취소장을 제출하였고 甲·乙·丙이 함께 재판을 받고 있다. 이에 대한 설명으로 가장 옳지 않은 것은?**(다툼이 있는 경우 판례에 의함) 24. 해경경위공채

① 친고죄의 공범 중 그 1인 또는 수인에 대한 고소 또는 그 취소는 다른 공범자에 대하여도 효력이 있다.

② 상대적 친고죄에서 공범자 중 일부만이 피해자와 일정한 신분관계가 있는 경우에 비신분자에 대한 고소는 신분자에 대하여 효력이 없고, 신분자에 대한 고소취소는 비신분자에 대하여 효력이 없다.

③ 법원은 乙·丙에 대해서는 유·무죄의 실체판결을 하여야 한다.

④ 법원은 甲에 대해서는 공소기각의 결정을 하여야 한다.

해설 ① 제233조
② 통설의 입장으로 옳은 설명이다.
③ 乙·丙은 친고죄가 아니므로 법원은 유·무죄의 실체재판을 하여야 한다.
④ 신분자인 甲(친고죄)에 대해서는 고소가 취소되었으므로 제327조 제5호에 의거 공소기각판결을 하여야 한다.

18 **친고죄의 고소에 대한 설명으로 옳지 않은 것은?** 24. 7급 국가직

① 친고죄의 공범 중 일부에 대하여 제1심판결이 선고된 후에는 아직 제1심판결을 선고받지 않은 다른 공범자에 대하여 고소취소가 있다 하더라도 그 고소취소는 효력이 없지만, 이러한 법리는 필요적 공범에는 적용되지 않는다.

② 법정대리인의 고소권은 무능력자의 보호를 위하여 법정대리인에게 주어진 고유권이므로, 법정대리인은 피해자의 고소권 소멸 여부에 관계없이 고소할 수 있고, 피해자의 명시한 의사에 반하여도 고소할 수 있다.

③ 범행 당시 고소능력이 없던 피해자가 그 후에 비로소 고소능력이 생겼다면 그 고소기간은 고소능력이 생긴 때로부터 기산해야 한다.

④ 친고죄에 대하여 고소할 자가 없는 경우에 이해관계인의 신청이 있으면 검사는 10일 이내에 고소할 수 있는 자를 지정해야 한다.

해설 ① 친고죄의 공범 중 그 일부에 대하여 제1심판결이 선고된 후에는 제1심판결 선고 전의 다른 공범자에 대하여는 그 고소를 취소할 수 없고 그 고소의 취소가 있다 하더라도 그 효력을 발생할 수 없으며, 이러한 법리는 필요적 공범이나 임의적 공범이나를 구별함이 없이 모두 적용된다(대판 1985.11.12, 85도1940).
② 대판 1999.12.24, 99도3784
③ 대판 1995.5.9, 95도696
④ 제228조

Answer 17. ④ 18. ①

19 **고소·고발에 관한 다음 설명 중 가장 옳지 않은 것은?** 24. 9급 법원직

① 피해자가 반의사불벌죄의 공범 중 그 1인에 대하여 처벌을 희망하는 의사를 철회한 경우, 다른 공범자에 대하여 처벌 희망의사가 철회된 것으로 볼 수 없다.

② 폭행죄의 피해자가 의사능력 있는 미성년자인 경우, 그 미성년자가 가해자에 대한 처벌을 원하지 않는다는 의사표시를 명백히 하면 공소를 제기할 수 없다.

③ 공정거래위원회의 고발이 있어야 공소를 제기할 수 있는 독점규제 및 공정거래에 관한 법률 위반죄를 적용하여 위반행위자들 중 일부에 대하여 공정거래위원회가 고발을 하였다면 나머지 위반행위자에 대하여도 위 고발의 효력이 미친다.

④ 고소권자가 비친고죄로 고소한 사건이더라도 검사가 사건을 친고죄로 구성하여 공소를 제기하였다면 공소장 변경절차를 거쳐 공소사실이 비친고죄로 변경되지 아니하는 한, 법원으로서는 친고죄에서 소송조건이 되는 고소가 유효하게 존재하는지를 직권으로 조사·심리하여야 한다.

해설 ① 대판 1994.4.26, 93도1689

② 대판 2009.11.19, 2009도6058 전원합의체

③ 공정거래위원회의 고발이 있어야 공소를 제기할 수 있는 독점규제 및 공정거래에 관한 법률 위반죄를 적용하여 위반행위자들 중 일부에 대하여 공정거래위원회가 고발을 하였다면 나머지 위반행위자에 대하여 위 고발의 효력이 미치지 아니한다(대판 2010.9.30, 2008도4762).

④ 대판 2015.11.17, 2013도7987

Answer 19. ③

제4절 임의수사

1 임의수사와 강제수사

(1) 임의수사의 의의

수사의 방법에는 임의수사와 강제수사가 있다. 임의수사란 강제력을 행사하지 않고 상대방의 동의나 승낙을 받아서 행하는 수사를 말하고, 강제수사는 강제처분에 의한 수사를 말한다.

┌ 임의수사 ⇨ 피의자신문, 참고인조사, 공무소에 대한 사실조회, 감정·통역·번역의 위촉
└ 강제수사 ⇨ 체포, 구속, 압수·수색·검증

강제수사에는 영장주의와 법률주의가 적용되며, 위법수집증거에 대하여 증거능력을 부정

임의수사의 경우에도 법률이 수사활동의 요건·절차를 규정하고 있는 경우에 그에 위반하여 수집한 증거는 위법수집증거로서 증거능력 부정

예 피의자신문시 진술거부권 불고지 ⇨ 증거능력 부정

(2) 임의수사와 강제수사의 구별기준

임의수사와 강제수사의 구별기준에 관하여, 형사소송법에 규정된 강제처분만이 강제수사이고 그 밖의 것은 임의수사라는 견해인 형식설, 기본권침해의 위험성 여부를 기준으로 하여 판단하려는 견해인 적법절차기준설, 상대방의 법익침해를 수반하지 않는 수사는 임의수사이고 상대방의 의사에 반하여 실질적으로 그 법익을 침해하는 처분을 강제수사라고 보는 실질설(다수설) 등이 대립하고 있다.

2 임의수사의 원칙과 강제수사의 규제

(1) 임의수사의 원칙

① 수사는 원칙적으로 임의수사에 의하고(임의수사의 원칙), 강제수사는 법률에 규정된 경우에 한하여 예외적으로 허용된다(제199조 제1항). 10·14·16·23. 경찰승진 그러나 임의수사라고 하여 인권침해의 가능성이 전혀 없는 것은 아니므로 형사소송법은 임의수사에 대해서도 일정한 경우 통제장치를 두고 있다(피의자신문에 관한 적법절차규정).

비례원칙(수사는 필요한 한도 내에서 허용되어야 한다)은 임의수사에도 적용됨.

② 피의자에 대한 수사는 불구속상태에서 함을 원칙으로 한다(제198조 제1항). 11·14·16. 경찰승진

피고인에 대한 불구속재판원칙 ⇨ 규정 × 16. 경찰간부

(2) 강제수사의 규제

강제수사는 임의수사에 비해서 개인의 기본권을 중대하게 제한하는 결과를 초래하므로, 강제수사의 엄격한 요건과 절차를 규정하고 있다(제199조 제1항 단서). 이와 같이 강제수사는 법률에 특별히 규정되어 있는 경우에만 허용하고 있는데, 이를 강제수사법정주의라고 한다.

비례의 원칙 : 비례의 원칙이란 형사절차에 의한 개인의 기본권침해는 사건의 중요성과 기대되는 형벌에 비추어 상당성이 유지될 때에만 허용된다는 원칙을 말한다. 형사소송법이 "강제처분은 필요한 최소한도의 범위 안에서만 하여야 한다."고 규정하고 있는 것도(제199조) 비례성의 원칙을 선언한 것이다.

3 임의수사와 강제수사의 한계영역

임의수사에 해당하는가, 강제수사에 해당하는가에 관해 논란이 있는 문제로 임의동행, 전기통신의 감청, 사진촬영, 거짓말탐지기 사용, 보호실유치, 승낙수색・검증, 공도상 수색・검증, 마취분석 등이 있다.

(1) 임의동행

임의동행이란 수사기관이 피의자의 동의를 얻어 함께 수사관서로 가는 수사방법을 말한다.

형사소송법 자체에는 임의동행을 허용하는 명문의 규정이 없다.

당사자의 진실한 동의를 전제로 한 임의동행은 임의수사의 일종으로서 허용된다고 보며, 다만 그 과정에서 강제력이나 심리적 압박이 개입된 경우에는 강제연행에 해당한다.

검사 또는 사법경찰관은 임의동행을 요구하는 경우 상대방에게 동행을 거부할 수 있다는 것과 동행하는 경우에도 언제든지 자유롭게 동행 과정에서 이탈하거나 동행 장소에서 퇴거할 수 있다는 것을 알려야 한다(수사준칙 제20조). 22. 순경 2차

임의동행은 경찰관직무집행법 제3조 제2항에 따른 행정경찰 목적의 경찰활동으로 행하여지는 것 외에도 형사소송법 제199조 제1항에 따라 범죄수사를 위하여 수사관이 동행에 앞서 피의자에게 동행을 거부할 수 있음을 알려주었거나, 동행한 피의자가 언제든지 자유로이 동행과정에서 이탈 또는 동행장소로부터 퇴거할 수 있었음이 인정되는 등 오로지 피의자의 자발적인 의사에 의하여 이루어진 경우에도 가능하다(대판 2020.5.14, 2020도398). 21. 7급 국가직 전자는 범죄의 예방과 진압을 위한 행정경찰상의 처분이라는 성질을 가지나, 후자는 임의수사로서의 성질을 가지기 때문에 양자가 구별된다는 견해와 경찰관직무집행법 제3조는 보안경찰작용으로서의 불심검문과 범죄수사작용으로서의 불심검문을 함께 규정하고 있기 때문에 경찰관직무집행법상의 동행요구는 보안경찰작용으로서의 동행요구와 범죄수사작용으로서의 동행요구로 나누어진다고 보는 견해가 대립한다. 불심검문에 의한 임의동행으로 인하여 수사가 계속된 경우에는 형사소송법에 의한 임의동행과 동일하게 보아야 함은 물론이다.

관련판례

1. 수사관이 수사과정에서 당사자의 동의를 받는 형식으로 수사관서 등에 동행하는 것은 피의자의 자발적인 의사에 의하여 수사관서 등에의 동행이 이루어졌음이 객관적인 사정에 의하여 명백하게 입증된 경우에 한하여, 그 적법성이 인정되는 것으로 봄이 상당하다(대판 2006.7.6, 2005도6810). 16. 7급 국가직, 14・16・17. 경찰간부, 18. 경찰승진, 21. 소방간부, 16・20・22. 수사경과, 15・16・17・22. 순경 2차
2. 사법경찰관이 피고인을 수사관서까지 동행한 것이 사실상의 강제연행, 즉 불법체포에 해당한다면 불법체포로부터 6시간이 경과한 후에 이루어진 긴급체포 또한 위법하며, 법률에 의하여 체포 또는 구금된 자가 아니므로 도주죄의 주체가 될 수 없다(대판 2006.7.6, 2005도6810). 09. 순경 2차, 15. 변호사시험, 16・20. 수사경과, 16. 경찰간부, 18. 경찰승진

   수사관이 피의자에게 동행거부권을 고지하지 않는 등 임의동행이 사실상의 강제연행에 해당하더라도 임의동행 이후 긴급체포의 절차를 밟았다면, 긴급체포가 반드시 불법이라고 볼 수 없으므로 법원은 긴급체포의 요건을 따로 심리하여 불법 여부를 밝혀야 한다. (×) 09・15. 순경 2차, 15・16・20・21. 수사경과

☎ 경찰관직무집행법상 보호조치 요건이 갖추어지지 않았음에도, 경찰관이 실제로는 범죄수사를 목적으로 피의자에 해당하는 사람을 피구호자로 삼아 그의 의사에 반하여 경찰관서에 데려간 행위는, 달리 현행범체포나 임의동행 등의 적법 요건을 갖추었다고 볼 사정이 없다면, 위법한 체포에 해당한다. (○) 18. 경찰승진

3. 피고인은 경찰관들로부터 언제라도 자유로이 퇴거할 수 있음을 고지받고 파출소까지 자발적으로 동행한 경우, 위 파출소에서의 음주측정요구를 위법한 체포 상태에서 이루어진 것이라고 할 수 없다(대판 2015.12.24, 2013도8481). 22. 순경 2차
4. 피의자가 동행을 거부하는 의사를 표시하였음에도 불구하고 경찰관들이 영장에 의하지 아니하고 피의자를 강제로 연행한 행위는 수사상의 강제처분에 관한 형사소송법상의 절차를 무시한 채 이루어진 것으로 위법한 체포에 해당한다(대판 2013.3.14, 2012도13611).
5. 경찰관은 불심검문에서 당시 피고인의 정신 상태, 신체에 있는 주사바늘 자국, 알콜솜 휴대, 전과 등을 근거로 피고인의 마약류 투약 혐의가 상당하다고 판단하여 경찰서로 임의동행을 요구하였고, 동행장소인 경찰서에서 피고인에게 마약류 투약 혐의를 밝힐 수 있는 소변과 모발의 임의제출을 요구하였으므로 피고인에 대한 임의동행은 마약류 투약 혐의에 대한 수사를 위한 것이어서 형사소송법 제199조 제1항에 따른 임의동행에 해당한다. 그런데도 이 사건의 임의동행을 경찰관직무집행법 제3조 제2항에 따른 것으로 판단한 데에는 임의동행에 관한 법리를 오해한 잘못이 있다(대판 2020.5.14, 2020도398). 22. 순경 2차
6. 경찰관이 피고인을 경찰서로 동행할 당시 피고인에게 언제든지 동행을 거부할 수 있음을 고지한 다음 동행에 대한 동의를 구하였고, 이에 피고인이 고개를 끄덕이며 동의의 의사표시를 하였던 점, 피고인은 동행 당시 경찰관에게 욕을 하거나 특별한 저항을 하지도 않고 동행에 순순히 응하였던 점, 비록 동행 당시 피고인이 술에 취한 상태이기는 하였으나, 동행 후 경찰서에서 주취운전자정황진술보고서의 날인을 거부하고 "이번이 3번째 음주운전이다. 난 시청 직원이다. 1번만 봐 달라."고 말하기도 하는 등 동행 전후 피고인의 언행에 비추어 피고인이 당시 경찰관의 임의동행 요구에 대하여 이에 따를 것인지 여부에 관한 판단을 할 정도의 의사능력은 충분히 있었던 것으로 보이는 점 등 그 판시와 같은 사정을 종합하여, 피고인에 대한 임의동행은 피고인의 자발적인 의사에 의하여 이루어진 것으로서 적법하다(대판 2012.9.13, 2012도8890). 22. 순경 2차

(2) 사진촬영

사진촬영의 법적 성질에 대하여 초상권을 침해한다는 점에서 강제수사의 일종이다(영장이 필요함). 다만, 사진촬영의 성질을 강제수사로 보더라도 일정한 조건이 충족된 때에는 영장 없는 촬영이 허용된다.

관련판례

1. 무인장비에 의한 제한속도 위반차량 단속은 긴급하게 증거보전을 할 필요가 있는 상태에서 일반적으로 허용되는 한도를 넘지 않는 상당한 방법에 의한 것이라고 판단되므로, 위법하게 수집된 증거라고 볼 수 없다(대판 1999.12.7, 98도3329). 16. 9급 교정·보호·철도경찰, 24. 경찰간부
2. 일본 또는 중국에서 북한 공작원들과 회합하는 모습을 동영상으로 촬영한 것은 위 피고인들이 회합한 증거를 보전할 필요가 있어서 이루어진 것이고, 피고인들이 반국가단체의 구성원과 회합 중이거나 회합하기 직전 또는 직후의 모습을 촬영한 것으로 그 촬영 장소도 차량이 통행하는 도로 또는 식당

앞길, 호텔 프런트 등 공개적인 장소인 점 등을 알 수 있으므로, 이러한 촬영이 일반적으로 허용되는 상당성을 벗어난 방법으로 이루어졌다거나, 영장 없는 강제처분에 해당하여 위법하다고 볼 수 없다(대판 2013.7.26, 2013도2511).

3. 누구든지 자기의 얼굴 기타 모습을 함부로 촬영당하지 않을 자유를 가지나 이러한 자유도 국가권력의 행사로부터 무제한으로 보호되는 것은 아니고, 국가의 안전보장 · 질서유지 · 공공복리를 위하여 필요한 경우에는 상당한 제한이 따르는 것이고, 수사기관이 범죄를 수사함에 있어 현재 범행이 행하여지고 있거나 행하여진 직후이고, 증거보전의 필요성 및 긴급성이 있으며, 일반적으로 허용되는 상당한 방법에 의하여 촬영을 한 경우라면 위 촬영이 영장 없이 이루어졌다 하여 이를 위법하다고 단정할 수 없다(대판 1999.9.3, 99도2317). 23. 순경 1차
4. 경찰관들이 피고인들에 대한 범죄 혐의가 포착된 상태에서 클럽 내에서의 음란행위 영업에 관한 증거를 보전하기 위하여, 불특정 다수에게 공개된 장소인 클럽에 통상적인 방법으로 출입하여 손님들에게 공개된 모습을 촬영한 것이므로, 영장 없이 촬영이 이루어졌더라도 위 촬영물과 이를 캡처한 영상사진은 증거능력이 인정된다(대판 2023.4.27, 2018도8161).
5. 일반음식점영업자인 피고인이 음향시설을 갖추고 손님이 춤을 추는 것을 허용하여 영업자가 지켜야 할 사항을 지키지 않았다는 이유로 식품위생법 위반으로 기소된 사안에서, 경찰관들이 범죄혐의가 포착된 상태에서 그에 관한 증거를 보전하기 위하여, 불특정 다수가 출입할 수 있는 이 사건 음식점에 통상적인 방법으로 출입하여 음식점 내에 있는 사람이라면 누구나 볼 수 있었던 손님들의 춤추는 모습을 확인하고 이를 촬영한 것은 영장 없이 이루어졌다 하여 위법하다고 볼 수 없다(대판 2023.7.13, 2019도7891). 24. 7급 국가직

---

(3) 거짓말탐지기 사용

거짓말탐지기 검사란 피의자 등의 피검자에 대하여 피의사실에 관계있는 질문을 하여 그에 대한 응답시에 나타나는 피검자의 호흡 · 혈압 · 맥박 · 피부 전기반사 등의 생리적 변화를 검사지에 기록하고 이를 관찰 · 분석하여 답변의 진위 또는 피의사실에 대한 인식 유무를 판단하는 것을 말한다. 거짓말탐지기의 사용은 피검사자의 동의가 있는 경우에는 임의수사로서 허용된다는 것이 현재의 지배적인 입장이다.

🚨 대법원도 거짓말탐지기에 의한 검사는 피검사자가 동의한 때에만 증거로 할 수 있으며, 다만 일정한 조건을 구비하여 적법한 것으로 허용된다고 하더라도 공소사실의 존부를 인정하는 직접증거로는 사용할 수 없고, 진실의 신빙성 유무를 판단하는 정황증거로만 사용할 수 있을 뿐이라고 판시하고 있다. 13. 9급 법원직, 21. 경찰승진

🚨 거짓말탐지기의 사용은 기계적인 방법을 통하여 답변의 진실성을 판단함으로써 결국 진술을 강요하는 결과로 되어 인격권을 침해하므로 원칙적으로 허용되지 않는다(판례에 의함). (○) 13. 9급 법원직

🚨 상대적으로 처리하여야 하는 객관식 문제의 특성상 맞는 지문으로 출제되었으나, '피의자의 동의가 없는 경우'를 전제로 하는 내용으로 보아야 한다.

(4) 보호실유치

보호실유치는 피의자의 의사와 관계없이 수사기관에서 강제로 유치하는 강제유치와 피의자의 승낙을 받아 유치하는 승낙유치로 나눌 수 있다. 강제로 유치하는 강제유치는 실질적으로 구속에 해당하므로 영장에 의하지 않으면 허용될 수 없지만, 승낙에 의한 유치가 임의수사의 방법으

로 허용될 수 있겠는가가 문제된다. 실질적인 구속을 본인의 동의를 이유로 허용하는 것은 영장주의를 유린하는 결과를 가져오므로 승낙유치도 허용되지 않는다.

승낙유치 ⇨ 허용 × 17·22. 수사경과, 21. 경찰승진

관련판례

1. 경찰의 음주단속에 불응하고 도주하였다가 다른 차량에 막혀 더 이상 진행하지 못하게 되자 운전석에서 내려 다시 도주하려다 경찰관에게 검거되어 지구대로 보호조치된 후 음주측정요구를 거부하였다고 하여 음주측정거부로 기소된 사안에서, 피고인을 지구대로 데려간 행위를 적법한 보호조치라고 할 수 없다(대판 2012.12.13, 2012도11162). 14·16. 경찰간부
2. 즉결심판 피의자의 정당한 귀가요청을 거절한 채 다음날 즉결심판법정이 열릴 때까지 피의자를 경찰서 보호실에 강제유치시키려고 함으로써 피의자를 경찰서 내 즉결피의자 대기실에 10~20분 동안 있게 한 행위는 불법감금죄에 해당한다(대판 1997.6.13, 97도877). 15. 경찰승진, 18. 순경 2차
3. 수사의 편의상 피의자를 임의동행한 경우에도 조사 후 귀가시키지 아니하고 그의 의사에 반하여 경찰서 조사실 또는 보호실 등에 계속 유치함으로써 신체의 자유를 속박하였다면 이는 구금에 해당한다(대결 1985.7.29, 85모16). 15·20. 순경 2차
4. 경찰서에 설치되어 있는 보호실은 영장대기자나 즉결대기자 등의 도주방지와 경찰업무의 편의 등을 위한 수용시설로서 사실상 설치·운영되고 있으나 현행법상 그 설치근거나 운영 및 규제에 관한 법령의 규정이 없고, 이러한 보호실은 그 시설 및 구조에 있어 철창으로 된 방으로 되어 있어 그 안에 대기하고 있는 사람들이나 그 가족들의 출입이 제한되는 등 일단 그 장소에 유치되는 사람은 그 의사에 기하지 아니하고 일정 장소에 구금되는 결과가 되므로, 경찰관직무집행법상 정신착란자, 주취자, 자살기도자 등 응급의 구호를 요하는 자를 24시간을 초과하지 아니하는 범위 내에서 경찰관서에 보호조치할 수 있는 시설로 제한적으로 운영되는 경우를 제외하고는 구속영장을 발부받음이 없이 피의자를 보호실에 유치함에 영장주의에 위배되는 위법한 구금으로서 적법한 공무수행이라고 볼 수 없다(대판 1994.3.11, 93도958). 18. 9급 검찰·마약·교정·보호·철도경찰

(5) 승낙수색·검증

승낙수색과 승낙검증이 임의수사로 허용되느냐에 견해의 대립이 있으나 승낙의 임의성이 인정되는 경우에는 임의수사로서 법관의 영장을 요하지 아니한다고 보는 견해가 타당하다(다수설).

(6) 마취분석

마취분석이란 약품의 작용에 의하여 진실을 진술하게 하는 것으로 이러한 수사방법은 피의자의 승낙이 있는 경우라도 허용될 수 없다.

(7) 계좌추적

각종 경제범죄를 수사하기 위하여 계좌추적이 행해진다. 계좌추적은 정보지배권의 하나로 금융정보에 대한 개인의 자기결정권을 침해한다는 점에서 강제수사이며, 특히 압수·수색의 하나로 볼 수 있다. 따라서 개인의 계좌를 추적하기 위해서는 압수·수색영장을 발부받아야 한다.

(8) 음주운전측정

운전자가 자발적으로 협력하지 않는 한 경찰관은 강제할 권한은 없으므로, 임의수사로 볼 수 있을 것이다.

4 임의수사의 유형

형사소송법이 규정하고 있는 임의수사의 유형으로는 피의자신문, 참고인조사, 감정・통역・번역 위촉, 사실조회가 있다. 24. 경찰간부

형사소송법이 규정하고 있는 임의수사의 유형으로는 피의자신문, 참고인조사, 감정・통역・번역 위촉, 사실조회, 임의동행, 실황조사가 있다. (×)

(1) 피의자신문

① **의의** : 피의자신문은 검사, 사법경찰관 등이 수사에 필요한 경우 피의자를 출석시켜 신문하고 진술을 듣는 것을 말한다(제200조). 피의자신문은 **임의수사**에 해당하나(통설・판례), 신문하는 과정에서 수사기관이 피의자의 자백을 얻어내기 위하여 진술을 강요할 위험이 크다는 점을 고려하여, 현행법은 신문에 따른 절차 및 피의자의 권리에 대하여 **명문규정**을 두고 있다.

판례는 피의자가 수사기관의 출석요구에 응하지 아니하는 경우에 영장에 의한 체포가 가능하다는 이유로 강제수사로 보고 있다. (×) 12. 순경 1차

② **피의자신문의 절차 및 방식**

㉠ **출석요구**

ⓐ 수사기관이 피의자를 신문하기 위하여는 피의자의 출석을 요구하여야 한다(제200조). 출석요구의 방법에는 제한이 없다(수사준칙 제19조 제3항). 13・17. 경찰간부, 20. 수사경과 원칙적으로는 출석요구서의 발부에 의하나, 전화나 구두로 하는 것도 가능하다. 출석요구하는 장소는 반드시 수사관서일 필요는 없다.

출석요구서에 의하여 소환한 경우에만 가능하다. (×) 20. 수사경과

출석요구는 반드시 출석요구서를 발부하는 방식으로 하여야 한다. (×)

사법경찰관은 출석요구서를 발부하였을 때에는 그 사본을 수사기록에 첨부하여야 하며, 출석요구서 외의 방법으로 출석을 요구하였을 때에는 그 취지를 적은 수사보고서를 수사기록에 첨부하여야 한다(수사준칙 제19조 제4항).

ⓑ 피의자에게는 출석요구에 응할 의무가 없다. 따라서 피의자는 출석을 거부할 수 있고, 출석한 때에도 언제나 퇴거할 수 있다. 임의수사에 불과하기 때문이다. 12. 순경

피의자신문을 위한 구인은 허용 ×

ⓒ 검사 또는 사법경찰관은 피의자에게 출석요구를 하려는 경우에는 피의자와 조사의 일시・장소에 관하여 협의해야 하고, 변호인이 있는 때에는 변호인과도 협의해야 한다(수사준칙 제19조 제2항). 제2항의 규정은 피의자 외의 사람에 대한 출석요구의 경우에도 적용한다(동조 제6항). 21. 순경 2차

ⓓ 검사 또는 사법경찰관은 피의자가 치료 등 수사관서에 출석하여 조사를 받는 것이 현저히 곤란한 사정이 있는 경우에는 수사관서 외의 장소에서 조사할 수 있다(수사준칙 제19조 제5항).

관련판례

구속된 피의자가 수사기관의 피의자신문을 위한 출석요구에 불응하면서 조사실에 출석을 거부한 경우에는 구속영장의 효력에 의하여 피의자를 조사실로 구인할 수 있다. 다만, 이러한 경우에도 그 피의자신문 절차는 어디까지나 임의수사의 한 방법으로 진행되어야 할 것이므로, 피의자는 일체의 진술을 하지 아니하거나 개개의 질문에 대하여 진술을 거부할 수 있고, 수사기관은 피의자를 신문하기 전에 그와 같은 권리를 알려주어야 한다(대결 2013.7.1, 2013모160). 21. 9급 검찰·마약수사·경력채용, 14·21. 순경 2차, 22. 경찰간부, 16·21·23. 경찰승진, 18·22·24. 순경 1차, 23·25. 소방간부

㉡ 진술거부권의 고지

ⓐ 검사 또는 사법경찰관은 피의자를 신문하기 전에 피의자에게 진술거부권 등 일정한 사항을 알려주어야 한다(제244조의 3 제1항). 13. 경찰간부, 14. 경찰승진, 18·20. 수사경과

고지하여야 할 내용

1. 일체의 진술을 하지 아니하거나, 개개의 질문에 대하여 진술을 하지 아니할 수 있다는 것 09. 순경, 11. 경찰승진
   ▶ 구속된 피의자의 경우에도 일체의 진술을 하지 아니하거나 개개의 질문에 대하여 진술을 거부할 수 있고, 수사기관은 피의자를 신문하기 전에 그와 같은 권리를 알려주어야 한다(대결 2013.7.1, 2013모160). 20. 순경 2차
2. 진술을 하지 아니하더라도 불이익을 받지 아니한다는 것 09. 순경, 11. 경찰승진
3. 진술을 거부할 권리를 포기(불행사)하고 행한 진술은 법정에서 유죄의 증거로 사용될 수 있다는 것 24. 순경 2차
   ▶ 진술을 거부할 권리를 포기하고 행한 진술은 법정에서 유죄의 증거로 사용되지 아니한다는 것(×) 09. 순경, 11. 경찰승진, 13. 수사경과
4. 신문을 받을 때에는 변호인을 참여하게 하는 등 변호인의 조력을 받을 수 있다는 것 09. 순경, 11. 경찰승진, 15. 경찰간부, 24. 순경 2차

신문시마다 할 필요는 없으나, 새로운 출석요구에 기하여 피의자를 신문하는 경우, 신문 사이에 시간적 간격이 긴 때, 조사관이 경질된 때에는 진술거부권을 고지해야 한다고 본다.

피의자가 진술거부권의 자유를 알고 있거나, 변호인이 출석한 경우라 하더라도 고지하여야 한다.

고지하여야 할 내용(제244조의 3 제1항) ⇨ 피고인신문의 경우에도 진술거부권을 고지하여야 하나 위 규정(제244조의 3 제1항)의 적용은 없다.

┌ 피내사자 ⇨ 고지의 대상 × 16. 순경 2차
└ 참고인 ⇨ 고지의 대상 × 17. 경찰간부

수사기관에 의한 진술거부권 고지의 대상이 되는 피의자의 지위는 수사기관이 범죄인지서를 작성하는 등의 형식적인 사건수리 절차를 거치기 전이라도 조사대상자에 대하여 범죄의 혐의가 있다고 보아 실질적으로 수사를 개시하는 행위를 한 때에 인정된다(대판 2015.10.29, 2014도5939). 19. 수사경과, 25. 소방간부

☎ 조사대상자의 진술 내용이 단순히 제3자의 범죄에 관한 경우가 아니라 자신과 제3자에게 공동으로 관련된 범죄에 관한 것이거나 제3자의 피의사실뿐만 아니라 자신의 피의사실에 관한 것이기도 하여 실질이 피의자신문조서의 성격을 가지는 경우에 수사기관은 진술을 듣기 전에 미리 진술거부권을 고지하여야 한다(대판 2015.10.29, 2014도5939). 16. 순경 2차

ⓑ 진술거부권을 고지하지 않고 신문한 경우에 그 피의자신문조서는 비록 그 진술에 임의성이 인정되더라도 증거능력이 없다(대판 2009.8.20, 2008도8213). 09. 9급 · 7급 국가직, 14. 경찰간부, 16 · 18 · 20. 수사경과, 21. 해경, 11 · 23. 경찰승진

☎ 진술거부권을 고지하지 않고 수집한 자백은 위법수집증거로서 당사자가 동의하더라도 증거능력 부정(대판 1997.9.30, 97도1230)

ⓒ 위 고지하여야 할 내용을 알려준 때에는 피의자가 진술을 거부할 권리와 변호인의 조력을 받을 권리를 행사할 것인지의 여부를 질문하고, 이에 대한 피의자의 답변을 조서에 기재하여야 한다. 이 경우 피의자의 답변은 피의자로 하여금 자필로 기재하게 하거나, 검사 또는 사법경찰관이 피의자의 답변을 기재한 부분에 기명날인 또는 서명하게 하여야 한다(제244조의 3 제2항).

관련판례

사법경찰관이 피의자에게 진술거부권을 행사할 수 있음을 알려 주고 그 행사 여부를 질문하였다 하더라도, 형사소송법 제244조의 3 제2항에 규정한 방식에 위반하여 진술거부권 행사 여부에 대한 피의자의 답변이 자필로 기재되어 있지 아니하거나 그 답변 부분에 피의자의 기명날인 또는 서명이 되어 있지 아니한 사법경찰관 작성의 피의자신문조서는 특별한 사정이 없는 한 형사소송법 제312조 제3항에서 정한 '적법한 절차와 방식'에 따라 작성된 조서라 할 수 없으므로 그 증거능력을 인정할 수 없다(대판 2013.3.28, 2010도3359). 18. 순경 3차, 21. 해경

㉢ **구제신청 고지** : 사법경찰관은 피의자를 신문하기 전에 수사과정에서 법령위반, 인권침해 또는 현저한 수사권 남용이 있는 경우 검사에게 구제를 신청할 수 있음을 피의자에게 알려주어야 한다(제197조의 3 제8항).

㉣ **피의자신문사항 및 신문방법**

ⓐ 검사 또는 사법경찰관은 먼저 성명 · 연령 · 등록기준지 · 주거와 직업을 물어 피의자임에 틀림없는지 확인하는 인정신문을 하여야 한다(제241조). 17. 수사경과

☎ 인정신문 단계에서도 진술을 거부할 수 있다는 견해가 일반적이다.

ⓑ 피의자신문은 신문주체가 피의자를 직접적 · 개별적으로 신문하는 방식으로 진행하여야 한다.

관련판례

검사가 임석하지 아니한 상태에서 참여한 검찰주사가 피의자신문을 마친 후 자백하는 취지의 진술을 기재한 피의자신문조서를 작성하여 가져오자 검사가 이를 살펴본 후 비로소 피고인이 조사를 받고 있던 방으로 와서 피의자신문조서를 손에 든 채 그에게 "이것이 모두 사실이냐."는 취지로 개괄적으로 질문한 사실이 있을 뿐, 피의사실에 관하여 위 피고인을 직접 · 개별적으로 신문한 바 없는 경우, 위

피의자신문조서는 검사작성의 피의자신문조서로 볼 수 없으므로, 검사 이외의 수사기관이 작성한 피의자신문조서와 마찬가지로 보아야 한다(대판 2003.10.9, 2002도4372). 11. 순경 2차, 12. 경찰승진

ⓒ 구속피의자에 대해 수갑이나 포승 등 계구를 사용하는 것은 도주 또는 증거인멸의 우려가 있거나 조사실 내의 안전과 질서를 유지하기 위하여 꼭 필요한 경우에만 허용될 수 있으며(헌재결 2005.5.26, 2001헌마728), 검사는 조사실에서 피의자를 신문할 때 해당 피의자에게 그러한 특별한 사정이 없는 이상 교도관에게 보호장비의 해제를 요청할 의무가 있고, 교도관은 이에 응하여야 한다(대결 2020.3.17, 2015모2357). 21. 7급 국가직

ⓓ 피의자에게 신문할 사항은 범죄사실과 정상에 관하여 필요한 사항이며, 피의자에 대하여 이익이 되는 사실을 진술할 기회를 주어야 한다(제242조). 18. 순경 3차, 21. 수사경과 수사기관은 피의자에 대립하는 반대 당사자가 아니라, 국가형벌권의 실현을 담당하는 국가기관으로서 객관적인 업무수행이 요구되기 때문이다.

ⓔ 검사 또는 사법경찰관이 사실을 발견함에 필요한 때에는 피의자와 다른 피의자 또는 피의자 아닌 자와 대질하게 할 수 있다(제245조). 21. 수사경과

㉤ **피의자신문조서의 작성**

ⓐ 피의자의 진술은 조서에 기재하여야 하며(제244조 제1항), 조서는 피의자신문조서에 의한다(검찰사건사무규칙 제13조 제1항, 경찰수사규칙 제39조 제1항).

검사가 피의자를 구속 기소한 후 다시 피의자를 소환하여 공범들과의 조직구성 및 활동 등에 관한 신문을 하면서 피의자신문조서가 아닌 일반적인 진술조서의 형식으로 조서를 작성한 사안에서, 미리 피의자에게 진술거부권을 고지하지 않았다면 위법수집증거에 해당하므로, 유죄인정의 증거로 사용할 수 없다(대판 2009.8.20, 2008도8213). 12. 순경, 16. 순경 2차·수사경과

ⓑ 피의자신문조서는 피의자에게 열람하게 하거나 읽어 들려주어야 하며, 진술한대로 기재되지 아니하였거나, 사실과 다른 부분의 유무를 물어 피의자가 증감 또는 변경의 청구 등 이의를 제기하거나 의견을 진술한 때에는 이를 조서에 추가로 기재하여야 한다(동조 제2항). 이 경우 피의자가 이의를 제기하였던 부분은 읽을 수 있도록 남겨두어야 한다(동조 제3항). 21. 경찰승진

ⓒ 피의자가 조서에 대하여 이의나 의견이 없음을 진술한 때에는 피의자로 하여금 그 취지를 자필로 기재하게 하고 조서에 간인한 후 기명날인 또는 서명하게 한다(동조 제3항). 17. 수사경과 피의자가 기명날인이나 서명을 거부한 때에는 그 사유를 기재하여야 한다(제48조 제7항 단서 참조).

관련판례

1. 검사 작성의 피의자신문조서에 작성자인 검사의 서명날인(개정법에 의하면 기명날인 또는 서명)이 되어 있지 아니한 경우, 피의자신문조서에 진술자인 피고인의 서명날인이 되어 있다거나, 피고인이 법정에서 그 피의자신문조서에 대하여 진정성립과 임의성을 인정하였다고 하더라도 무효이며 증거능력을 인정할 수 없다(대판 2001.9.28, 2001도4091).

2. 피의자신문조서 말미에 피고인의 서명만이 있고, 그 날인(현행법상으로는 서명 또는 기명날인)이나 간인이 없는 검사 작성의 피고인에 대한 피의자신문조서는 증거능력이 없다고 할 것이고, 그 날인이나 간인이 없는 것이 피고인이 그 날인이나 간인을 거부하였기 때문이어서 그러한 취지가 조서말미에 기재되었다거나, 피고인이 법정에서 그 피의자신문조서의 임의성을 인정하였다고 하여 달리 볼 것은 아니다(대판 1999.4.13, 99도237).
3. 피의자신문조서를 작성함에 있어 피고인들에게 조서의 기재내용을 알려 주지 아니하였다 하더라도 그 사실만으로는 피의자신문조서의 증거능력이 없다고 할 수 없다(대판 1993.5.14, 93도486).
4. 피의자의 서명·날인(개정법에 의하면 기명날인 또는 서명) 및 간인이 없는 피의자신문조서는 증거능력이 없다(대판 1992.6.23, 92도954).

ⓓ 피의자신문의 주체는 검사 또는 사법경찰관이다. 검사가 피의자를 신문함에는 검찰청 수사관 또는 서기관이나 서기를 참여하게 하여야 하고, 사법경찰관이 피의자를 신문함에는 사법경찰관리를 참여하게 하여야 한다(제243조). 17. 수사경과, 23. 경찰간부

☎ 사법경찰리라 할지라도 사법경찰관사무취급(사법경찰관의 사무를 취급할 권한이 인정된 자)이 작성한 피의자신문조서는 사법경찰관작성 피의자신문조서에 준하여 증거능력이 인정된다(대판 1982.12.28, 82도1080). 12. 경찰간부

☎ 사법연수생인 검사직무대리의 피의자신문조서 ⇨ 검사작성 피의자신문조서와 동일(처리 당시 단독사건에 한함)

③ 피의자신문의 투명성과 적법절차 보장

㉠ 변호인의 피의자신문 참여

☎ 종래 형사소송법은 피의자신문시 변호인참여권 보장에 관한 규정이 없었으므로 이를 인정할 것인가에 대하여 긍정하는 견해(헌법재판소, 대법원)와 부정하는 견해가 대립하였다. 그러나 현행 형사소송법은 변호인 참여를 인정하는 규정을 둠으로써 14. 수사경과 학설의 대립은 사실상 의미를 잃게 되었다.

ⓐ 검사 또는 사법경찰관은 피의자 또는 그 변호인·법정대리인·배우자·직계친족·형제자매의 신청 11·14. 경찰승진 이 있는 경우, 변호인의 참여로 인하여 신문이 방해되거나 수사기밀이 누설되는 등 정당한 사유가 있는 경우를 제외하고는 변호인을 피의자에 대한 신문에 참여하게 하여야 한다(제243조의 2 제1항, 경찰수사규칙 제12조 제1항). 08. 7급 국가직, 09. 9급 국가직, 10. 순경·9급 법원직, 14. 순경 2차, 17·18·20. 수사경과, 15·22. 경찰승진 참여신청은 서면 또는 구술로 할 수 있다(검찰사건사무규칙 제22조 제2항).

☎ 변호인의 참여는 불구속피의자에 대한 피의자신문에도 허용된다. (○) 15. 9급 검찰·마약·교정·보호·철도경찰, 18. 순경 2차, 11·21. 경찰승진

☎ 정당한 사유가 없는 한 변호인을 피의자에 대한 신문에 참여하게 할 수 있다. (×)

☎ 변호인의 피의자신문 참여권은 피의자의 방어권을 보장하기 위한 본질적 권리로서 어떠한 경우에도 제한할 수 없다. (×) 08. 9급 국가직

☎ 신문 이외의 수사기관의 활동에 해당하는 '조사'의 경우에까지 허용은 아니며, 국선변호인을 선정해 주어야 한다는 의미도 아니다.

관련판례

1. 변호인의 피의자신문 참여권을 규정한 형사소송법 제243조의 2 제1항에서 '정당한 사유'란 변호인이 피의자신문을 방해하거나 수사기밀을 누설할 염려가 있음이 객관적으로 명백한 경우 등을 말하는 것이므로, 수사기관이 피의자신문을 하면서 위와 같은 정당한 사유가 없는데도 변호인에 대하여 피의자로부터 떨어진 곳으로 옮겨 앉으라고 지시를 한 다음 이러한 지시에 따르지 않았음을 이유로 변호인의 피의자신문 참여권을 제한하는 것은 허용될 수 없다(대결 2008.9.12, 2008모793). 09. 순경, 10·22. 경찰승진

   수사기관이 정당한 사유가 없음에도 변호인에게 피의자로부터 떨어진 곳으로 옮겨 앉으라는 지시를 하고, 이에 불응하였다는 이유를 들어 변호인의 피의자신문 참여권을 제한하였다면, 변호인은 항고를 제기할 수 있다. (×) 18. 순경 3차

   ▶ 항고가 아니라 제417조에 규정된 준항고를 제기할 수 있다(대결 2008.9.12, 2008모793).
2. 피의자가 변호인의 참여를 원한다는 의사를 명백하게 표시하였음에도 수사기관이 정당한 사유 없이 변호인을 참여하게 하지 아니한 채 피의자를 신문하여 작성한 피의자신문조서는 형사소송법 제312조에 정한 '적법한 절차와 방식'에 위반된 증거일 뿐만 아니라, 형사소송법 제308조의 2에서 정한 '적법한 절차에 따르지 아니하고 수집한 증거'에 해당하므로 이를 증거로 할 수 없다(대판 2013.3.28, 2010도3359). 14. 9급 법원직, 17. 순경 1차, 20. 해경, 22. 수사경과, 24. 소방간부
3. 변호인이 피의자신문에 자유롭게 참여할 수 있는 권리는 피의자가 가지는 변호인의 조력을 받을 권리를 실현하는 수단이므로 헌법상 기본권인 변호인의 변호권으로서 보호되어야 하며, 18. 순경 2차 수사기관이 피의자신문에 참여한 변호인에게 후방착석요구행위는 변호인인 청구인의 변호권을 침해한다(헌재결 2017.11.30, 2016헌마503). 23. 해경승진, 20·24. 순경 1차
4. 불구속 피의자나 피고인의 경우 형사소송법상 특별한 명문의 규정이 없더라도 스스로 선임한 변호인의 조력을 받기 위하여 변호인을 옆에 두고 조언과 상담을 구하는 것은 수사절차의 개시에서부터 재판절차의 종료에 이르기까지 언제나 가능하다(헌재결 2004.9.24, 2000헌마138).
5. 피의자가 "변호인의 조력을 받을 권리를 행사할 것인가요?"라는 사법경찰관의 물음에 "예"라고 답변하였음에도 사법경찰관이 변호인의 참여를 제한하여야 할 정당한 사유 없이 변호인이 참여하지 아니한 상태에서 계속하여 피의자를 상대로 신문을 행한 경우, 그 내용을 기재한 피의자신문조서는 적법한 절차에 따르지 않고 수집한 증거에 해당한다(대판 2013.3.28, 2010도3359). 18. 순경 2차, 19. 수사경과
6. 검사 또는 사법경찰관의 부당한 신문방법에 대한 이의제기는 원칙적으로 변호인에게 인정된 권리의 행사에 해당하며, 신문을 방해하는 행위로는 볼 수 없다. 따라서 검사 또는 사법경찰관이 그러한 특별한 사정 없이, 단지 변호인이 피의자신문 중에 부당한 신문방법에 대한 이의제기를 하였다는 이유만으로 변호인을 조사실에서 퇴거시키는 조치는 정당한 사유 없이 변호인의 피의자신문 참여권을 제한하는 것으로서 허용될 수 없다(대결 2020.3.17, 2015모2357).

ⓑ 신문에 참여하고자 하는 변호인이 2인 이상인 때에는 피의자가 신문에 참여할 변호인 1인을 지정한다. 지정이 없는 경우에는 검사 또는 사법경찰관이 이를 지정할 수 있다 (제243조의 2 제2항). 18. 경찰간부, 14·18·20. 경찰승진, 20. 해경, 24. 경력채용

피의자신문에 참여하고자 하는 변호인이 2인 이상인 경우 검사는 피의자의 의견을 물어 신문에 참여할 변호인을 지정하여야 한다. (×) 15. 9급 검찰·마약·교정·보호·철도경찰

🚨 신문에 참여하고자 하는 변호인이 2인 이상인 때에는 피의자가 신문에 참여할 변호인 1인을 지정한다. 지정이 없는 경우에는 검사 또는 사법경찰관이 이를 지정하여야 한다. (×) 12. 순경, 16. 경찰승진

🚨 신문시에 참여하고자 하는 변호인이 2인 이상인 때에는 검사 또는 사법경찰관이 참여할 변호인 1인을 지정하고, 지정이 없는 경우에는 피의자가 직접 지정할 수 있다. (×) 11. 경찰승진, 13 · 15. 수사경과

ⓒ 피의자신문에 참여한 변호인은 검사 또는 사법경찰관의 신문 후 조서를 열람하고 의견을 진술할 수 있다. 10. 7급 국가직 이 경우 변호인은 별도의 서면으로 의견을 제출할 수 있으며, 검사 또는 사법경찰관은 해당 서면을 사건기록에 편철한다(수사준칙 제14조 제1항). 22. 경찰승진 피의자신문에 참여한 변호인은 신문 중이라도 검사 또는 사법경찰관의 승인을 받아 의견을 진술할 수 있다. 10. 9급 법원직, 14 · 16 · 18. 경찰승진, 18. 경찰간부, 12 · 20. 순경 1차, 15. 수사경과, 12 · 21. 순경 2차 이 경우 검사 또는 사법경찰관은 정당한 사유가 있는 경우를 제외하고는 변호인의 의견진술 요청을 승인해야 한다(수사준칙 제14조 제2항). 피의자신문에 참여한 변호인은 제2항에도 불구하고 부당한 신문방법에 대해서는 검사 또는 사법경찰관의 승인 없이 이의를 제기할 수 있다(수사준칙 제14조 제3항). 14. 9급 법원직, 19. 수사경과, 20. 해경, 21. 순경 2차, 25. 변호사시험 검사 또는 사법경찰관은 제1항부터 제3항까지의 규정에 따른 의견진술 또는 이의제기가 있는 경우 해당 내용을 조서에 적어야 한다(수사준칙 제14조 제4항).

🚨 신문에 참여한 변호인은 신문 중 의견을 진술할 수 있고, 이 경우 검사 또는 사법경찰관의 승인을 얻을 필요는 없다. (×) 11. 경찰승진, 13. 9급 법원직

ⓓ 검사 또는 사법경찰관은 피의자신문에 참여한 변호인이 피의자의 옆자리 등 실질적인 조력을 할 수 있는 위치에 앉도록 해야 하고, 정당한 사유가 없으면 피의자에 대한 법적인 조언 · 상담을 보장해야 하며, 법적인 조언 · 상담을 위한 변호인의 메모를 허용해야 한다(수사준칙 제13조 제1항). 22. 경찰승진 · 경찰간부 검사 또는 사법경찰관은 피의자에 대한 신문이 아닌 단순 면담 등이라는 이유로 변호인의 참여 · 조력을 제한해서는 안 된다(수사준칙 제13조 제2항). 21. 순경 2차

ⓔ 참여변호인의 의견이 기재된 피의자신문조서는 변호인에게 열람하게 한 후 변호인으로 하여금 그 조서에 기명날인 또는 서명하게 하여야 한다(제243조의 2 제4항). 10 · 11. 순경, 14. 9급 법원직, 19. 경찰간부, 20. 수사경과 · 해경

ⓕ 검사 또는 사법경찰관은 변호인의 신문참여 및 그 제한에 관한 사항을 피의자신문조서에 기재하여야 한다(제243조의 2 제5항). 13. 순경 2차 · 9급 법원직, 14. 경찰승진, 18. 순경 3차, 18 · 20. 수사경과, 23. 경찰간부

🚨 피의자신문조서에 기재할 수 있다. (×)

ⓖ 검사 또는 사법경찰관의 변호인 참여 등에 관한 처분에 대하여 불복이 있으면 그 직무집행지의 관할법원 또는 검사의 소속검찰청에 대응한 법원에 그 처분의 취소 또는 변경을 청구할 수 있다(제417조, 준항고). 09. 순경, 10. 7급 국가직, 10 · 14 · 18 · 19. 경찰승진, 19. 경찰간부

ⓗ 검사는 수사기밀 등 유출될 경우, 수사에 현저한 지장을 초래하는 사항을 기록하는 경우, 신문을 종료한 후 피의자신문조서의 내용을 옮겨 쓰는 경우, 다른 사람의 개인정보 등 유출될 경우, 사생활의 비밀 또는 자유를 침해할 우려가 있는 사항을 기록하는 경우를 제외하고는 피의자 및 신문에 참여한 변호인이 법적인 조언·상담을 위하여 신문 내용을 메모하는 것을 제한해서는 안 된다(검찰사건사무규칙 제47조 제1항).

ⓛ **신뢰관계에 있는 자의 동석**

ⓐ 검사 또는 사법경찰관은 피의자를 신문하는 경우 직권 또는 피의자, 법정대리인의 신청에 의하여 피의자와 신뢰관계에 있는 자를 동석하게 할 수 있다(제244조의 5 본문). 11. 경찰승진

- 신뢰관계자의 범위 ⇨ 피의자의 배우자, 직계친족, 형제자매, 가족, 동거인, 보호시설 또는 교육시설의 보호 또는 교육담당자 등 피의자의 심리적 안정과 원활한 의사소통에 도움을 줄 수 있는 사람(규칙 제84조의 3 제1항) 21. 경찰승진
- 동석 허락 여부는 여러 사정 고려 재량에 따라 판단(대판 2009.6.23, 2009도1322) 19. 수사경과

ⓑ 제244조의 5 본문의 신뢰관계자가 동석할 수 있는 경우로는 피의자가 신체적 또는 정신적인 장애로 사물을 변별하거나 의사를 결정·전달할 능력이 미약한 때 또는 피의자의 연령·성별·국적 등의 사정을 고려하여 그 심리적 안정의 도모와 원활한 의사소통을 위하여 필요한 경우이다(동조 제1호·제2호).

- 법정대리인의 신청이 없더라도 검사 또는 사법경찰관리는 직권으로 신뢰관계자를 동석하게 할 수 있음. 14. 경찰승진, 18. 경찰간부
- 검사 또는 사법경찰관은 피의자가 신체적 또는 정신적인 장애로 사물을 변별하거나 의사를 결정·전달할 능력이 미약한 때에는 직권 또는 피의자, 법정대리인의 신청에 따라 피의자와 신뢰관계에 있는 자를 동석하게 하여야 한다. (×) 13. 경찰승진, 17. 수사경과, 19. 경찰간부
- 수사기관은 피의자가 신체적 또는 정신적 장애로 사물을 변별하거나 의사를 결정·전달할 능력이 미약한 때에는 신뢰관계에 있는 자를 동석하게 하여야 하며, 이때 신뢰관계인이 동석하지 않은 상태로 행한 진술은 임의성이 인정되더라도 유죄인정의 증거로 사용할 수 없다. (×) 20. 경찰승진, 24. 순경 2차

ⓒ 검사 또는 사법경찰관은 동석한 신뢰관계에 있는 자가 부당하게 신문의 진행을 방해한 때에는 동석을 중지시킬 수 있다(규칙 제126조의 2 제3항). 16. 경찰간부, 20. 순경 2차, 21. 경찰승진

ⓓ 신뢰관계자는 동석이 허용되더라도 피의자를 대신하여 진술할 수 없다. 20. 순경 2차 만약 동석한 사람이 피의자를 대신하여 진술한 부분이 피의자신문조서에 기재된다면 그 부분은 피의자의 진술을 기재한 것이 아니라, 동석한 사람의 진술을 기재한 조서에 해당한다(대판 2009.6.23, 2009도1322). 11. 9급 검찰, 17. 순경 1차, 18. 경찰간부, 13·18·23. 경찰승진

- 동석한 사람의 진술조서, 즉 참고인진술조서에 해당하므로 참고인진술조서의 증거능력인정 요건을 구비하여야 증거능력이 인정된다.
- 피의자와 동석한 신뢰관계에 있는 자가 피의자를 대신하여 진술한 부분이 조서에 기재되어 있는 경우, 그 부분은 동석한 사람에 대한 진술조서로서의 증거능력을 취득하기 위한 요건을 충족하지 않았다 하더라도 이를 유죄인정의 증거로 사용할 수 있다. (×) 18. 경찰간부, 20. 순경 1차

㉢ **피의자진술의 영상녹화**

ⓐ 피의자의 진술은 영상녹화할 수 있다(하여야 한다 ×). 이 경우 미리 영상녹화 사실을 알려주어야 하며, 10. 교정특채, 16. 경찰승진 조사의 개시부터 종료시까지의 전과정 및 객관적 정황을 영상녹화하여야 한다(제244조의 2 제1항). 17. 수사경과, 15 · 21. 경찰승진, 23. 경찰간부

피의자의 경우 영상녹화 사실을 미리 알려주는 것으로 족하며 동의를 받을 필요는 없다(참고인은 동의 필요). 따라서 거부하더라도 수사기관은 영상녹화 가능 12. 9급 국가직, 13. 순경, 18. 순경 3차, 13 · 16 · 18 · 19. 경찰간부, 14 · 19 · 20. 경찰승진, 20. 해경, 16 · 18 · 20 · 21. 수사경과, 17 · 24. 순경 1차, 25. 소방간부

ⓑ 조사의 개시부터 종료까지의 전과정이란 조사가 개시된 시점부터 조사가 종료되어 피의자가 조서에 기명날인 또는 서명을 마치는 시점까지의 전과정을 의미한다(규칙 제134조의 2 제3항). 13 · 16. 경찰승진 따라서 일부분만을 선별하여 영상녹화하는 것은 허용되지 않는다. 22. 경찰간부 그러나 여러 차례 조사가 이루어진 경우에 최초의 조사부터 모든 조사 과정을 영상녹화해야 하는 것은 아니다(대판 2022.7.14, 2020도13957).

ⓒ 조서 정리에 장시간을 요하는 경우에는 조서 정리과정을 녹화하지 않고 조서를 열람하는 때부터 영상녹화를 다시 시작할 수 있다(경찰수사규칙 제43조 제2항).

ⓓ 조사 도중 영상녹화의 필요성이 발견된 때는 그 시점에서 진행 중인 조사를 중단하고, 중단한 조사를 다시 시작한 때부터 조서에 기명 · 날인 또는 서명을 마치는 시점까지의 모든 과정은 영상녹화하여야 한다(경찰수사규칙 제43조 제1항).

ⓔ 영상녹화가 완료된 때에는 피의자 또는 변호인 앞에서 지체 없이 그 원본을 봉인하고 피의자로 하여금 기명날인 또는 서명하게 하여야 한다(제244조의 2 제2항). 17. 수사경과, 15 · 16 · 21. 경찰승진, 22. 해경승진, 24. 순경 2차 이때 원본이라 함은 영상녹화파일을 이용하여 제작한 영상녹화물(CD · DVD 등)을 말한다.

ⓕ 영상녹화 원본을 봉인함에 있어 피의자 또는 변호인의 요구가 있는 때에는 영상녹화물을 재생하여 시청하게 하여야 한다. 15. 경찰승진, 13 · 18. 경찰간부, 24. 순경 2차 이 경우에 그 내용에 대하여 이의를 진술하는 때에는 그 취지를 기재한 서면을 첨부하여야 한다(제244조의 2 제3항). 20. 순경 1차 · 해경, 21. 경력채용, 22. 해경승진

영상녹화가 완료된 이후 피의자가 영상녹화물의 내용에 대하여 이의를 진술한 때에는 그 진술을 따로 영상녹화하여 첨부하여야 한다. (×) 12. 순경, 13 · 16 · 20. 경찰승진, 17 · 19 · 21. 수사경과

ⓖ 피의자진술을 내용으로 하는 영상녹화물은 그 자체로 범죄사실을 인정하기 위한 증거로 사용할 수 없다. 20. 경찰승진 · 순경 2차, 22. 경찰간부 또한 피고인의 진술을 탄핵하기 위한 탄핵증거로도 사용이 불가능하다(제318조의 2 제2항 반대해석). 13 · 18. 경찰간부

영상녹화물은 조서의 진정성립을 증명하거나(제312조 제4항), 피고인이 진술함에 있어 기억이 명백하지 아니한 사항에 관하여 기억을 환기시킬 필요가 있다고 인정되는 때에 한하여 피고인에게 재생하여 시청하게 할 수 있다(제318조의 2 제2항). 20. 경찰승진, 21. 경력채용

기억환기를 위한 영상물의 재생은 검사의 신청이 있는 경우에 한하고, 기억의 환기가 필요한 피고인 또는 피고인 아닌 자에게만 이를 재생하여 시청하게 하여야 한다(규칙 제134조의 5 제1항). 13. 경찰승진, 20. 해경

참고인에 대한 영상녹화물은 증인의 기억을 환기시키는 수단 및 참고인진술조서의 진정성립을 증명하는 자료가 될 수 있다. (○) 18. 경찰간부

㉣ **수사과정의 기록** : 검사 또는 사법경찰관은 피의자가 조사장소에 도착한 시각, 조사를 시작하고 마친 시각, 그 밖에 조사과정의 진행경과(예 조사 중간에 휴식시간 등)를 확인하기 위하여 필요한 사항을 피의자신문조서에 기록하거나 별도의 서면에 기록한 후 수사기록에 편철하여야 한다(제244조의 4 제1항). 12. 9급 국가직, 13·17·18. 수사경과, 15·20·21·23. 경찰승진

㉤ **조사의 제한**

ⓐ 검사 또는 사법경찰관은 조사, 신문, 면담 등 그 명칭을 불문하고 피의자나 사건관계인에 대해 오후 9시부터 오전 6시까지 사이에 조사를 해서는 안 된다. 다만, 이미 작성된 조서의 열람을 위한 절차는 자정 이전까지 진행할 수 있다(수사준칙 제21조 제1항). 22. 경찰승진, 23. 해경승진

ⓑ 제1항에도 불구하고 다음 각 호의 어느 하나에 해당하는 경우에는 심야조사를 할 수 있다. 이 경우 심야조사의 사유를 조서에 명확하게 적어야 한다(수사준칙 제21조 제2항).

1. 피의자를 체포한 후 48시간 이내에 구속영장의 청구 또는 신청 여부를 판단하기 위해 불가피한 경우 24. 순경 2차
2. 공소시효가 임박한 경우 24. 순경 2차
3. 피의자나 사건관계인이 출국, 입원, 원거리 거주, 직업상 사유 등 재출석이 곤란한 구체적인 사유를 들어 심야조사를 요청한 경우(변호인이 심야조사에 동의하지 않는다는 의사를 명시한 경우는 제외한다)로서 해당 요청에 상당한 이유가 있다고 인정되는 경우
4. 그 밖에 사건의 성질 등을 고려할 때 심야조사가 불가피하다고 판단되는 경우 등 법무부장관, 경찰청장 또는 해양경찰청장이 정하는 경우로서 검사 또는 사법경찰관의 소속 기관의 장이 지정하는 인권보호 책임자의 허가 등을 받은 경우

ⓒ 검사 또는 사법경찰관은 조사, 신문, 면담 등 그 명칭을 불문하고 피의자나 사건관계인을 조사하는 경우에는 대기시간, 휴식시간, 식사시간 등 모든 시간을 합산한 조사시간이 12시간을 초과하지 않도록 해야 한다. 다만, 피의자나 사건관계인의 서면 요청에 따라 조서를 열람하는 경우(제1호), 제21조 제2항 각 호의 어느 하나에 해당하는 경우(제2호)에는 예외로 한다(수사준칙 제22조 제1항).

ⓓ 검사 또는 사법경찰관은 특별한 사정이 없으면 총조사시간 중 식사시간, 휴식시간 및 조서의 열람시간 등을 제외한 실제 조사시간이 8시간을 초과하지 않도록 해야 한다(수사준칙 제22조 제2항).

ⓔ 검사 또는 사법경찰관은 피의자나 사건관계인에 대한 조사를 마친 때부터 8시간이 지나기 전에는 다시 조사할 수 없다. 다만, 제22조 제1항 제2호에 해당하는 경우에는 예외로 한다(수사준칙 제22조 제3항).

ⓕ 검사 또는 사법경찰관은 조사에 상당한 시간이 소요되는 경우에는 특별한 사정이 없으면 피의자 또는 사건관계인에게 조사 도중에 최소한 2시간마다 10분 이상의 휴식시간을 주어야 한다(수사준칙 제23조 제1항). 23. 경찰승진

ⓖ 검사 또는 사법경찰관은 조사 도중 피의자, 사건관계인 또는 그 변호인으로부터 휴식시간의 부여를 요청받았을 때에는 그때까지 조사에 소요된 시간, 피의자 또는 사건관계인의 건강상태 등을 고려해 적정하다고 판단될 경우 휴식시간을 주어야 한다(수사준칙 제23조 제2항).

ⓗ 검사 또는 사법경찰관은 조사 중인 피의자 또는 사건관계인의 건강상태에 이상 징후가 발견되면 의사의 진료를 받게 하거나 휴식하게 하는 등 필요한 조치를 해야 한다(수사준칙 제23조 제3항).

KEY point 피의자신문

- **피의자출석** : 의무 ×(임의수사)
- **피의자신문주체** : 검사 or 사법경찰관
- **진술거부권 고지 내용** : 상세내용 규정(피고인 ⇨ 규정 ×)
- **진술거부권 불고지** : 임의성 있어도 증거능력 부정
- **변호인의 피의자신문 참여** : 신청 있는 경우에 정당한 사유가 없는 한 허용
- **2인 이상의 변호인** : 피의자가 1인을 지정(피의자의 지정 × ⇨ 검사 or 사법경찰관이 지정)
- **변호인참여 제한** : 준항고
- **신뢰관계자 동석** : 임의적
- **영상녹화** ┌ **고지**(동의 불필요), **참고인** : 동의 필요
  └ 본증 ×, 탄핵증거 사용 ×, 피의자신문조서의 진정성립 증명 ×, 기억환기용 사용 ○
- 오후 9시부터 오전 6시까지 사이에 조사 ×(이미 작성된 조서의 열람을 위한 절차 ⇨ 자정 이전까지 가능)
- 식사시간 등 모든 시간을 합산한 조사시간이 12시간을 초과 ×(실제 조사시간 ⇨ 8시간 초과 ×)
- 조사를 마친 후 8시간 이내 ⇨ 다시 조사 ×
- 조사 도중에 최소한 2시간마다 10분 이상의 휴식시간을 주어야 함

(2) 참고인조사

① 검사 또는 사법경찰관은 수사에 필요한 때에는 피의자 아닌 자의 출석을 요구하여 진술을 들을 수 있다(제221조 전단). 09. 순경 1차 여기서 피의자 아닌 제3자로서 수사기관에 진술하는 자를 참고인이라 한다.

참고인과 증인의 비교정리

구 분	참고인	증 인
진술기관	수사기관에 대하여	법원 또는 법관에 대하여
구인 여부	×	○
각종의무	×	선서 · 출석 · 증언 의무
제재 여부	×	50만원 이하 과태료

참고인과 피의자의 비교정리

구 분	참고인	피의자
진술여부권 고지의무	×	○
체포·구속의 대상	×	○
영상녹화	동 의	고 지

② 참고인은 강제로 소환 내지 구인을 당하지 않으며, 불출석에 따른 과태료 등의 제재도 받지 않는다. 10. 경찰승진 뿐만 아니라, 참고인이 수사기관에 대하여 허위진술을 한 경우에도 위증죄나 위계에 의한 공무집행방해죄는 성립하지 아니한다.

③ 참고인이 출석을 거부하거나 진술을 거부하는 경우에는 검사는 제1회 공판기일 전에 판사에게 증인신문을 청구할 수 있다(후술함).

④ 검사 또는 사법경찰관은 피의자 아닌 자가 조사장소에 도착한 시각, 조사를 시작하고 마친 시각 그 밖에 조사과정의 진행 경과를 확인하기 위하여 필요한 사항을 참고인 진술조서에 기록하거나 별도의 서면에 기록한 후 수사기록에 편철하여야 한다(제244조의 4 제3항). 24. 경찰승진

⑤ 참고인에 대한 조서와 조서작성방법은 피의자신문에 준한다(제48조 참조). 01·05. 경찰승진 다만, 참고인에 대해서는 진술거부권을 고지할 필요가 없다(대판 2014.4.30, 2012도725). 02. 행시, 13. 순경 2차, 11·24. 경찰승진 그러나 참고인조사에서도 고문금지나 진술거부권은 그대로 보장된다.

수사기관에 의한 진술거부권 고지의 대상이 되는 피의자의 지위는 수사기관이 조사대상자에 대한 범죄혐의를 인정하여 수사를 개시하는 행위를 한 때에 인정되는 것으로 봄이 상당하다. 따라서 이러한 피의자의 지위에 있지 아니한 자에 대하여는 진술거부권이 고지되지 아니하였다 하더라도 그 진술의 증거능력을 부정할 것은 아니다(대판 2014.4.30, 2012도725).

⑥ 참고인조사의 하나로서 용의자들을 보고 자신이 목격한 범인을 식별케 하는 수사방법은 임의수사의 하나이다.

⑦ 검사 또는 사법경찰관은 피의자 아닌 자의 진술을 들을 때 그의 동의를 얻어 영상녹화할 수 있다(제221조 제1항). 08·09. 순경, 10. 교정특채, 14. 경찰승진, 18. 순경 1차, 20. 해경

동의 × ⇨ 영상녹화 불가 09. 순경, 11. 경찰승진, 20. 수사경과

⑧ 수사기관이 참고인을 조사하는 과정에서 작성한 영상녹화물은 본증이나 탄핵증거로 사용될 수 없으며, 참고인진술조서의 진정성립의 증명(제312조 제4항)과 참고인이 진술함에 있어 기억이 명백하지 아니한 사항에 관하여 기억을 환기시킬 필요가 있을 경우에 사용될 수 있다(제318조의 2 제2항). 18. 수사경과

기억을 환기시켜야 할 필요가 있는 때에 한하여 참고인의 진술을 내용으로 하는 영상녹화물을 참고인에게 재생하여 시청하게 할 수 있다. (○) 13·20. 경찰승진

관련판례

수사기관이 참고인을 조사하는 과정에서 작성한 영상녹화물은 공소사실을 직접 증명할 수 있는 독립적인 증거로 사용할 수 없다(대판 2014.7.10, 2012도5041). 17. 경찰간부, 20. 해경

▶ **예외** : '성폭력범죄의 처벌 등에 관한 특례법' 제30조 제6항 중 '제1항(성폭력범죄의 피해자가 19세

미만이거나 신체적인 또는 정신적인 장애로 사물을 변별하거나 의사를 결정할 능력이 미약한 경우)에 따라 촬영한 영상물에 수록된 피해자의 진술은 공판준비기일 또는 공판기일에 조사 과정에 동석하였던 신뢰관계에 있는 사람 또는 진술조력인의 진술에 의하여 그 성립의 진정함이 인정된 경우에 증거로 할 수 있다'(성폭력범죄의 처벌 등에 관한 특례법' 제30조 제6항). ⇨ 이 부분 가운데 19세 미만 성폭력범죄 피해자에 관한 부분은 과잉금지원칙을 위반하여 공정한 재판을 받을 권리를 침해한다는 이유로 위헌(헌재결 2013.12.26, 2011헌바108) – 상세한 내용은 제2권 p.121~122 참조

⑨ 성폭력범죄의 19세 미만 피해자 등의 진술 내용과 조사 과정을 영상녹화장치로 녹화하고, 그 영상녹화물을 보존하여야 한다(성폭력범죄의 처벌 등에 관한 특례법 제30조 제1항).

19세 미만 피해자 또는 법정대리인이 이를 원하지 아니하는 경우에는 촬영을 하여서는 아니 된다. 다만, 법정대리인이 가해자이거나 가해자의 배우자인 경우는 그러하지 아니하다(동법 제30조 제3항).

⑩ 검사 또는 사법경찰관은 범죄로 인한 피해자를 참고인으로 하여 진술을 듣는 경우 참고인의 연령, 심신상태 그 밖의 사정을 고려하여 참고인이 현저하게 불안 또는 긴장을 느낄 우려가 있다고 인정된 때에는 직권 또는 피해자·법정대리인의 신청에 따라 피해자와 신뢰관계에 있는 자를 동석하게 할 수 있다(제221조 제3항, 제163의 2 제1항).

⑪ 검사 또는 사법경찰관은 범죄로 인한 피해자가 13세 미만이거나 신체적 또는 정신적 장애로 사물을 변별하거나 의사를 결정할 능력이 미약한 경우에는 수사에 지장을 초래할 우려가 있는 등 부득이한 경우가 아닌 한 피해자와 신뢰관계가 있는 자를 동석하게 하여야 한다(제221조 제3항, 제163조의 2 제2항). 09. 9급 국가직, 21. 경찰승진

부득이한 사유 ○ ⇨ 동석하지 않을 수 있음

피해자의 진술을 들을 경우에 피해자가 13세 미만이거나 신체적 또는 정신적 장애로 사물을 변별하거나 의사를 결정할 능력이 미약한 경우에는 언제나 피해자와 신뢰관계에 있는 자를 동석하게 하여야 한다. (×)

사법경찰관이 13세 미만의 범죄피해자를 조사하는 경우에 법정대리인의 신청이 있으면 피해자와 신뢰관계에 있는 자의 동석을 거부할 수 없다. (×) 09. 9급 국가직

⑫ 공판준비 또는 공판기일에서 이미 증언을 마친 증인을 검사가 소환한 후 피고인에게 유리한 증언 내용을 추궁하여 이를 일방적으로 번복시키는 방식으로 작성한 진술조서는 피고인이 증거로 할 수 있음에 동의하지 아니하는 한 증거능력이 없다(대판 2012.6.14, 2012도534). 17. 변호사시험·경찰간부, 19. 수사경과, 25. 경찰대편입

⑬ 검사 또는 사법경찰관이 피고인이 아닌 자의 진술을 기재한 조서는 적법한 절차와 방식에 따라 작성된 것으로서 그 조서가 검사 또는 사법경찰관 앞에서 진술한 내용과 동일하게 기재되어 있음이 원진술자의 공판준비 또는 공판기일에서의 진술에 의하여 증명되고, 피고인 또는 변호인이 공판준비 또는 공판기일에 그 기재 내용에 관하여 원진술자를 신문할 수 있었던 때에는 증거로 할 수 있다. 다만, 그 조서에 기재된 진술이 특히 신빙할 수 있는 상태하에서 행하여졌음이 증명된 때에 한한다(제312조 제4항).

피고인이 아닌 자가 수사과정에서 진술서를 작성하였지만 수사기관이 그에 대한 조사과정을 기록하지 아니하여 형사소송법 제244조의 4 제3항, 제1항에서 정한 절차를 위반한 경우에는, 특별한 사정이 없는 한 '적법한 절차와 방식'에 따라 수사과정에서 진술서가 작성되었다 할 수 없으므로 증거능력을 인정할 수 없다(대판

2015.4.23, 2013도3790). 19. 수사경과

검사 작성의 참고인진술조서는 피고인들이 이를 증거로 함에 부동의하였고 원 진술자인 참고인이 제1심에서 증인으로 나와 위 진술기재 내용을 열람하거나 고지받지 못한 채 단지 검사 신문에 대하여 수사기관에서 사실대로 진술하였다는 취지의 증언을 하고 있을 뿐이므로 위 진술조서는 그 증거능력이 없다(대판 1994.9.9, 94도1384). 19. 수사경과

수사기관이 항소심 공판기일에 증인으로 신청하여 신문할 수 있는 사람을 특별한 사정 없이 미리 수사기관에 소환하여 작성한 진술조서는 피고인이 증거로 할 수 있음에 동의하지 않는 한 증거능력이 없다(대판 2019.11.28, 2013도6825). 22. 7급 국가직, 25. 경찰대편입

⑭ 검사는 피의자가 아닌 자가 공판준비 또는 공판기일에서 조서가 자신이 검사 또는 사법경찰관 앞에서 진술한 내용과 동일하게 기재되어 있음을 인정하지 아니하는 경우 그 부분의 성립의 진정을 증명하기 위하여 영상녹화물의 조사를 신청할 수 있으며(규칙 제134조의 3 제1항), 검사는 영상녹화물의 조사를 신청하는 때에는 피의자가 아닌 자가 영상녹화에 동의하였다는 취지로 기재하고 기명날인 또는 서명한 서면을 첨부하여야 한다(동조 제2항).

⑮ 법원은 검사가 영상녹화물의 조사를 신청한 경우 이에 관한 결정을 함에 있어 원진술자와 함께 피고인 또는 변호인으로 하여금 그 영상녹화물이 적법한 절차와 방식에 따라 작성되어 봉인된 것인지 여부에 관한 의견을 진술하게 하여야 한다(규칙 제134조의 4 제1항).

⑯ 법원은 공판준비 또는 공판기일에서 봉인을 해체하고 영상녹화물의 전부 또는 일부를 재생하는 방법으로 조사하여야 한다. 이때 영상녹화물은 그 재생과 조사에 필요한 전자적 설비를 갖춘 법정 외의 장소에서 이를 재생할 수 있다(동 규칙 제134조의 4 제3항).

⑰ 재판장은 조사를 마친 후 지체 없이 법원사무관 등으로 하여금 다시 원본을 봉인하도록 하고, 원진술자와 함께 피고인 또는 변호인에게 기명날인 또는 서명하도록 하여 검사에게 반환한다. 다만, 피고인의 출석 없이 개정하는 사건에서 변호인이 없는 때에는 피고인 또는 변호인의 기명날인 또는 서명을 요하지 아니한다(동 규칙 제134조의 4 제4항).

신뢰관계자 동석제도 정리

피의자(제244조의 5)	**피해자**(제221조 제3항, 제163조의 2)	**피고인**(제276조의 2)
〈임의적〉 • 피의자가 신체적 또는 정신적인 장애로 사물을 변별하거나 의사를 결정·전달할 능력이 미약한 경우 • 피의자의 연령·성별·국적 등의 사정을 고려하여 그 심리적 안정의 도모와 원활한 의사소통을 위하여 필요한 경우 동석하게 할 수 있다(직권, 피의자·법정대리인의 신청).	〈필요적〉 피해자가 13세 미만이거나 신체적 또는 정신적 장애로 사물을 변별하거나 의사를 결정할 능력이 미약한 경우에 재판에 지장을 초래할 우려가 있는 등 부득이한 경우가 아닌 한 피해자와 신뢰관계에 있는 자를 동석하게 하여야 한다. 〈임의적〉 참고인의 연령, 심신상태 그 밖의 사정을 고려하여 참고인이 현저하게 불안 또는 긴장감을 느낄 우려가 있다고 인정된 때 동석하게 할 수 있다(직권, 피해자·법정대리인의 신청). ▶ 피해자가 아닌 참고인 ⇨ 신뢰관계자 동석제도 적용 ×	〈임의적〉 • 피고인이 신체적 또는 정신적인 장애로 사물을 변별하거나 의사를 결정·전달할 능력이 미약한 경우 • 피고인의 연령·성별·국적 등의 사정을 고려하여 그 심리적 안정의 도모와 원활한 의사소통을 위하여 필요한 경우 동석하게 할 수 있다(직권, 피고인·법정대리인, 검사의 신청).

⑶ 사실조회

수사기관은 수사에 관하여 공무소 기타 공·사단체에 조회하여 필요한 사항의 보고를 요구할 수 있다(제199조 제2항). 10·16. 경찰승진, 17. 순경 2차 이를 널리 사실조회 또는 공무소에의 조회라 한다(예 전과조회). 조회내용에 대한 제한은 없으며, 상대방은 보고의무는 있으나 의무이행을 강제할 방법은 없다. 따라서 임의수사의 일종이다.

⑷ 수사상 기타 조사활동

① 감정·통역·번역의 위촉

㉠ 검사 또는 사법경찰관은 수사에 필요한 때에는 감정·통역 또는 번역을 위촉할 수 있다(제221조 제2항).

㉡ 수사상 감정위촉에 대한 수락 여부는 위촉받은 자의 자유이며, 출석이나 퇴거도 자유롭고 이를 강제하는 방법은 없다. 이러한 의미에서 수사상 감정위촉 등은 임의수사의 일종이다.

㉢ 감정위촉을 받은 자는 검사의 청구로 판사의 허가를 얻어(감정처분허가장) 타인의 주거·간수자 있는 가옥·건조물·항공기·선차 내에 들어갈 수 있고, 신체검사·사체해부, 분묘의 발굴, 물건의 파괴를 할 수 있다(제173조 제1항, 제221조의 4 제1항). 또한 감정을 위촉하는 경우에 감정을 위해 유치처분이 필요하다고 인정되는 경우에는 검사가 판사에게 감정유치를 청구할 수 있다(제221조의 3).

수사상 감정위촉은 법원의 증거조사방법의 하나로 행하여지는 감정과 구별된다. 수사상 감정위촉을 받는 자를 감정수탁자라 하고, 법원으로부터 감정위촉을 받는 자를 감정인이라 하는데 감정수탁자는 선서를 하지 않고 당사자 참여에 관한 규정이 적용되지 않는다는 점에서 감정인과 구별된다(감정인에 대해서는 후술하기로 함).

② 전문수사자문위원

㉠ 2007년 개정 형사소송법은 첨단산업분야, 지적재산권, 국제금융 기타 전문적인 지식이 필요한 사건에서 법관이나 검사가 전문가의 조력을 받아 재판 및 수사절차를 보다 충실하게 할 필요가 있어 전문심리위원(공판절차에서 설명) 및 전문수사자문위원 제도를 도입하였다.

㉡ 검사는 공소제기 여부와 관련된 사실관계를 분명히 하기 위하여 필요한 경우에는 직권이나 피의자 또는 변호인의 신청에 의하여 전문수사자문위원을 지정하여 수사절차에 참여하게 하고 자문을 들을 수 있다(제245조의 2 제1항). 10. 7급 국가직, 14. 순경 1차, 15. 9급 교정·보호·철도경찰

㉢ 전문수사자문위원은 전문적인 지식에 의한 설명 또는 의견을 기재한 서면을 제출하거나 전문적인 지식에 의하여 설명이나 의견을 진술할 수 있고(동조 제2항), 검사는 전문수사자문위원이 제출한 서면이나 전문수사자문위원의 설명 또는 의견의 진술에 관하여 피의자 또는 변호인에게 구술 또는 서면에 의한 의견진술의 기회를 주어야 한다(동조 제3항). 10. 7급 국가직, 14. 순경 1차

설명 또는 의견을 기재한 서면을 제출할 수 있을 뿐이고, 설명이나 의견을 직접 진술할 수는 없다. (×)
제1회 공판기일 전까지 피의자 또는 변호인에게 구술 또는 서면에 의한 의견진술의 기회를 주어야 한다. (×)
피의자 또는 변호인에게 구술 또는 서면에 의한 의견진술의 기회를 줄 수 있다. (×)

㉣ 전문수사자문위원을 수사절차에 참여시킨 경우 검사는 각 사건마다 1인 이상의 전문수사자문위원을 지정하여야 하며(제245조의 3 제1항), 검사는 자문위원의 지정사실을 피의자 또는 변호인에게 구두 또는 서면으로 통지하여야 하고(운영규칙 제3조 제3항), 피의자 또는 변호인은 검사의 전문수사자문위원 지정에 대하여 관할고등검찰청 검사장(지방검찰청 검사장 ×)에게 이의를 제기할 수 있다(제245조의 3 제3항). 10. 7급 국가직, 14. 순경 1차, 15. 9급 교정·보호·철도경찰

㉤ 검사는 상당하다고 인정하는 때에는 전문수사자문위원의 지정을 취소할 수 있다(제245조의 3 제2항). 10. 7급 국가직, 14. 순경 1차

CHAPTER 01

기출문제

01 **임의동행에 대한 설명 중 가장 적절하지 않은 것은?**(다툼이 있는 경우 판례에 의함) 18. 경찰승진

① 경찰관 직무집행법상 보호조치 요건이 갖추어지지 않았음에도, 경찰관이 실제로는 범죄수사를 목적으로 피의자에 해당하는 사람을 피구호자로 삼아 그의 의사에 반하여 경찰관서에 데려간 행위는, 달리 현행범체포나 임의동행 등의 적법 요건을 갖추었다고 볼 사정이 없다면, 위법한 체포에 해당한다.

② 위법한 강제연행 상태에서 호흡측정 방법에 의한 음주측정을 한 다음, 강제연행 상태로부터 시간적·장소적으로 단절되었다고 볼 수 없는 상황에서 피의자가 호흡측정 결과를 탄핵하기 위하여 스스로 혈액채취 방법에 의한 측정을 할 것을 요구하여 혈액채취가 이루어진 경우 그 사이에 위법한 체포 상태에 의한 영향이 완전하게 배제되고 피의자의 의사결정의 자유가 확실하게 보장되었다고 볼 만한 다른 사정이 개입되지 않은 이상 그러한 혈액채취에 의한 측정 결과를 유죄인정의 증거로 쓸 수 없다. 그러나 이 경우에도 피고인이 이를 증거로 함에 동의하였다면, 혈액채취에 의한 측정 결과는 유죄인정의 증거로 사용할 수 있다.

③ 사법경찰관이 피고인을 수사관서까지 동행한 것이 임의성이 결여되어 사실상의 강제연행, 즉 불법체포에 해당하는 경우 불법체포로부터 6시간 상당이 경과한 후에 이루어진 긴급체포 또한 위법하다.

④ 임의동행의 경우 수사관이 동행에 앞서 피의자에게 동행을 거부할 수 있음을 알려주었거나 동행한 피의자가 언제든지 자유로이 동행과정에서 이탈 또는 동행장소로부터 퇴거할 수 있었음이 인정되는 등 오로지 피의자의 자발적인 의사에 의하여 수사관서 등에의 동행이 이루어졌음이 객관적인 사정에 의하여 명백하게 입증된 경우에 한하여, 그 적법성이 인정된다.

해설 ① 대판 2012.12.13, 2012도11162
② 피고인이 이를 증거로 함에 동의한 경우에도 혈액채취에 의한 측정 결과는 유죄인정의 증거로 사용할 수 없다(대판 2013.3.14, 2010도2094).
③④ 대판 2006.7.6, 2005도6810

02 **피의자신문에 관한 설명 중 가장 적절하지 않은 것은?**(다툼이 있는 경우 판례에 의함) 20. 경찰승진

① 피고인이 피의자신문조서에 기재된 피고인 진술의 임의성을 다투면서 그것이 허위자백이라고 다투는 경우, 법원은 구체적인 사건에 따라 피고인의 학력, 경력, 직업, 사회적 지위, 지능 정도, 진술의 내용, 조서의 형식 등 제반 사정을 참작하여 자유로운 심증으로 위 진술이 임의로 된 것인지 여부를 판단할 수 있다.

Answer 01. ② 02. ②

② 수사기관은 피의자가 신체적 또는 정신적 장애로 사물을 변별하거나 의사를 결정·전달할 능력이 미약한 때에는 신뢰관계에 있는 자를 동석하게 하여야 하며, 이때 신뢰관계인이 동석하지 않은 상태로 행한 진술은 임의성이 인정되더라도 유죄인정의 증거로 사용할 수 없다.
③ 신문에 참여하고자 하는 변호인이 2인 이상인 때에는 피의자가 신문에 참여할 변호인 1인을 지정한다. 지정이 없는 경우에는 검사 또는 사법경찰관이 이를 지정할 수 있다.
④ 사법경찰관은 피의자가 조사장소에 도착한 시각, 조사를 시작하고 마친 시각, 그 밖에 조사과정의 진행경과를 확인하기 위하여 필요한 사항을 피의자신문조서에 기록하거나 별도의 서면에 기록한 후 수사기록에 편철하여야 한다.

해설 ① 임의성 유무가 다투어지는 경우에는 자유로운 증명으로 그 임의성 유무를 판단하면 된다(대판 1986.11.25, 83도1718).
② 수사기관은 피의자가 신체적 또는 정신적 장애로 사물을 변별하거나 의사를 결정·전달할 능력이 미약한 때에는 신뢰관계에 있는 자를 동석하게 할 수 있다(제244조의 5). 신뢰관계자 동석 여부는 재량이므로 신뢰관계인이 동석하지 않은 상태로 행한 진술을 위법수집증거라고 할 수는 없다.
③ 제243조의 2 제2항 ④ 제244조의 4 제1항

03 다음 중 형사소송법과 형사소송규칙상 영상녹화에 대한 설명으로 가장 옳지 않은 것은?

23. 해경승진

① 피의자 진술에 대한 영상녹화가 완료된 이후 피의자 또는 변호인에게 영상녹화물을 재생하여 시청하게 하여야 하며, 그 내용에 대하여 이의를 진술하는 때에는 해당 내용을 삭제하고 그 진술을 영상녹화하여 첨부하여야 한다.
② 피고인 또는 피고인이 아닌 자의 진술을 내용으로 하는 영상녹화물은 공판준비 또는 공판기일에 피고인 또는 피고인이 아닌 자가 진술함에 있어서 기억이 명백하지 아니한 사항에 관하여 기억을 환기시켜야 할 필요가 인정되는 때에 한하여 피고인 또는 피고인이 아닌 자에게 재생하여 시청하게 할 수 있다.
③ 검사는 피의자가 아닌 자가 공판준비 또는 공판기일에서 조서가 자신이 검사 또는 사법경찰관 앞에서 진술한 내용과 동일하게 기재되어 있음을 인정하지 아니하는 경우 그 부분의 성립의 진정을 증명하기 위하여 영상녹화물의 조사를 신청할 수 있다.
④ 법원은 검사가 영상녹화물의 조사를 신청한 경우 이에 관한 결정을 함에 있어 원진술자와 함께 피고인 또는 변호인으로 하여금 그 영상녹화물이 적법한 절차와 방식에 따라 작성되어 봉인된 것인지 여부에 관한 의견을 진술하게 하여야 한다.

해설 ① 피의자 또는 변호인의 요구가 있는 때에는 영상녹화물을 재생하여 시청하게 하여야 한다. 이 경우 그 내용에 대하여 이의를 진술하는 때에는 그 취지를 기재한 서면을 첨부하여야 한다(제244조의 2 제3항). 해당 내용을 삭제하는 것은 아님.
② 제318조의 2 제2항 ③ 규칙 제134조의 3 제1항 ④ 규칙 제134조의 4 제1항

Answer 03. ①

04 **검사와 사법경찰관의 상호협력과 일반적 수사준칙에 관한 규정상 심야조사 및 장시간 조사에 대한 설명으로 가장 적절하지 않은 것은?** 22. 경찰승진

① 검사 또는 사법경찰관은 조사, 신문, 면담 등 그 명칭을 불문하고 피의자나 사건관계인을 조사하는 경우에는 원칙적으로 대기시간, 휴식시간, 식사시간 등 모든 시간을 합산한 조사시간이 12시간을 초과하지 않도록 해야 한다.

② 검사 또는 사법경찰관은 피의자나 사건관계인에 대해 원칙적으로 오후 9시부터 오전 6시까지 사이에 심야조사를 해서는 안 되지만, 이미 작성된 조서의 열람을 위한 절차는 예외적으로 오후 9시부터 오전 6시까지 사이에 진행할 수 있다.

③ 검사 또는 사법경찰관은 피의자를 체포한 후 48시간 이내에 구속영장의 청구 또는 신청 여부를 판단하기 위해 불가피한 경우 오후 9시부터 오전 6시까지 사이에 심야조사를 할 수 있다.

④ 검사 또는 사법경찰관은 사건의 성질 등을 고려할 때 심야조사가 불가피하다고 판단되는 경우 등 법무부장관, 경찰청장 또는 해양경찰청장이 정하는 경우로서 검사 또는 사법경찰관의 소속기관의 장이 지정하는 인권보호 책임자의 허가 등을 받은 때에는 오후 9시부터 오전 6시까지 사이에 심야조사를 할 수 있다.

해설 ① 수사준칙 제22조 제1항
② 검사 또는 사법경찰관은 조사, 신문, 면담 등 그 명칭을 불문하고 피의자나 사건관계인에 대해 오후 9시부터 오전 6시까지 사이에 조사를 해서는 안 된다. 다만, 이미 작성된 조서의 열람을 위한 절차는 자정 이전까지 진행할 수 있다(수사준칙 제21조 제1항).
③ 수사준칙 제21조 제2항 제1호 ④ 수사준칙 제21조 제2항 제4호

05 **수사절차에 대한 설명으로 가장 적절하지 않은 것은?** 23. 경찰승진

① 검사 또는 사법경찰관은 조사에 상당한 시간이 소요되는 경우에는 특별한 사정이 없으면 피의자 또는 사건관계인에게 조사 도중에 최소한 2시간마다 10분 이상의 휴식시간을 주어야 한다.

② 검사 또는 사법경찰관은 피의자가 조사장소에 도착한 시각, 조사를 시작하고 마친 시각, 그 밖에 조사과정의 진행경과를 확인하기 위하여 필요한 사항을 피의자신문조서에 기록하거나 별도의 서면에 기록한 후 수사기록에 편철하여야 한다.

③ 수사는 원칙적으로 임의수사에 의하고 강제수사는 법률에 규정된 경우에 한하여 허용된다.

④ 사법경찰관은 형사소송법 제197조의 2 제1항에 따른 검사의보완수사의 요구가 있는 때에는 정당한 이유가 없는 한 지체 없이 이를 이행하면 충분하고, 그 결과를 검사에게 통보할 의무는 없다.

해설 ① 수사준칙 제23조 제1항 ② 제244조의 4 제1항 ③ 제199조 제1항
④ 사법경찰관은 형사소송법 제197조의 2 제1항에 따른 검사의보완수사의 요구가 있는 때에는 정당한 이유가 없는 한 지체 없이 이를 이행하고, 그 결과를 검사에게 통보하여야 한다(제197조의 2 제2항).

Answer 04. ② 05. ④

06 **피의자신문에 관한 설명으로 가장 적절하지 않은 것은?**(다툼이 있는 경우 판례에 의함) 24. 경찰간부

① 검사 또는 사법경찰관은 피의자신문 전에 진술거부권과 신문받을 때 변호인의 조력을 받을 수 있음을 고지해야 하나, 이러한 권리를 행사할 것인지의 여부에 대한 피의자의 답변을 반드시 조서에 기재할 필요는 없다.

② 검사 또는 사법경찰관은 조사, 신문, 면담 등 그 명칭을 불문하고 피의자에 대해 원칙적으로 오후 9시부터 오전 6시까지 사이에는 심야조사를 해서는 안 되며, 조서를 열람하거나 예외적으로 심야조사가 허용되는 경우를 제외하고는 총 조사시간은 12시간을 초과하지 않아야 한다.

③ 변호인의 수사방해나 수사기밀의 유출에 대한 우려가 없고, 조사실의 장소적 제약 등이 없음에도 수사관이 피의자신문에 참여한 변호인에게 '피의자 후방에 앉으라'고 요구한 행위는 변호인의 변호권을 침해하는 것이다.

④ 피의자의 진술은 피의자 또는 변호인의 동의없이도 영상을 녹화할 수 있으나, 다만 미리 영상녹화사실을 알려주어야 하며 조사의 개시부터 종료까지의 전 과정 및 객관적 정황을 영상녹화해야 한다.

해설 ① 검사 또는 사법경찰관은 피의자가 진술을 거부할 권리와 변호인의 조력을 받을 권리를 행사할 것인지의 여부를 질문하고, 이에 대한 피의자의 답변을 조서에 기재하여야 한다. 이 경우 피의자의 답변은 피의자로 하여금 자필로 기재하게 하거나 검사 또는 사법경찰관이 피의자의 답변을 기재한 부분에 기명날인 또는 서명하게 하여야 한다(제244조의 3 제2항).
② 수사준칙 제21조 제1항, 제22조 제1항
③ 헌재결 2017.11.30, 2016헌마503
④ 제244조의 2 제1항

07 **참고인 조사에 관한 설명으로 가장 적절하지 않은 것은?**(다툼이 있는 경우 판례에 의함) 24. 경찰승진

① 진술거부권의 고지가 갖는 실질적인 의미를 고려해 볼 때, 피의자의 지위에 있지 아니한 참고인으로서 조사를 받으면서 수사기관으로부터 진술거부권을 고지받지 않았다면 그 진술조서는 위법수집증거로서 증거능력이 없다.

② 검사 또는 사법경찰관이 참고인을 조사하는 경우에는 조사장소에 도착한 시각, 조사를 시작하고 마친 시각, 그 밖에 조사과정의 진행경과를 확인하기 위하여 필요한 사항을 조서에 기록하거나 별도의 서면에 기록한 후 수사기록에 편철하여야 한다.

③ 참고인이 수사과정에서 진술서를 작성하였지만 수사기관이 그에 대한 조사과정을 기록하지 아니하여 형사소송법 제244조의 4 제3항, 제1항에서 정한 절차를 위반한 경우에는, 특별한 사정이 없는 한 '적법한 절차와 방식'에 따라 수사과정에서 진술서가 작성되었다 할 수 없으므로 그 증거능력을 인정할 수 없다.

④ 수사기관이 참고인을 조사하는 과정에서 형사소송법에 따라 작성한 영상녹화물은, 다른 법률에서 달리 규정하고 있는 등의 특별한 사정이 없는 한, 공소사실을 직접 증명할 수 있는 독립적인 증거로 사용될 수는 없다.

Answer 06. ① 07. ①

해설 ① 수사기관에 의한 진술거부권 고지의 대상이 되는 피의자의 지위는 수사기관이 조사대상자에 대한 범죄혐의를 인정하여 수사를 개시하는 행위를 한 때에 인정되는 것으로 봄이 상당하다. 따라서 이러한 피의자의 지위에 있지 아니한 자에 대하여는 진술거부권이 고지되지 아니하였다 하더라도 그 진술의 증거능력을 부정할 것은 아니다(대판 2014.4.30, 2012도725).
② 제244조의 4 제3항
③ 대판 2015.4.23, 2013도3790
④ 대판 2014.7.10, 2012도5041

08 다음은 전문수사자문위원에 대한 설명이다. 적절하지 않은 것은 모두 몇 개인가?

10. 7급 국가직, 14. 순경 1차

㉠ 검사는 공소제기 여부와 관련된 사실관계를 분명하게 하기 위하여 필요한 경우에는 직권이나 피의자 또는 변호인의 신청에 의하여 전문수사자문위원을 지정하여 수사절차에 참여하게 하고 자문을 들을 수 있다.
㉡ 전문수사자문위원은 전문적인 지식에 의한 설명 또는 의견을 기재한 서면을 제출하거나 전문적인 지식에 의하여 설명이나 의견을 진술할 수 있다. 이에 대해서 검사는 피의자 또는 변호인에게 구술 또는 서면에 의한 의견진술의 기회를 줄 수 있다.
㉢ 검사는 상당하다고 인정하는 때에는 전문수사자문위원의 지정을 취소할 수 있다.
㉣ 피의자 또는 변호인은 검사의 전문수사자문위원 지정에 대하여 관할 지방검찰청검사장에게 이의를 제기할 수 있다.

① 1개 ② 2개 ③ 3개 ④ 4개

해설 ㉠ ○ : 제245조의 2 제1항
㉡ × : 검사는 피의자 또는 변호인에게 구술 또는 서면에 의한 의견진술의 기회를 주어야 한다(제245조의 2 제3항).
㉢ ○ : 제245조의 3 제2항
㉣ × : 피의자 또는 변호인은 검사의 전문수사자문위원 지정에 대하여 관할 고등검찰청검사장에게 이의를 제기할 수 있다(제245조의 3 제3항).

Answer 08. ②

09 피의자신문에 관한 설명으로 옳은 것을 모두 고른 것은? 24. 순경 2차

㉠ 검사 또는 사법경찰관은 피의자를 신문하기 전에 진술을 하지 아니할 수 있다는 것, 진술을 거부할 권리를 포기하고 행한 진술은 법정에서 유죄의 증거로 사용될 수 있다는 것, 신문을 받은 때에는 변호인을 참여하게 하는 등 변호인의 조력을 받을 수 있다는 것을 고지하여야 한다.
㉡ 검사 또는 사법경찰관은 피의자의 연령·성별·국적 등의 사정을 고려하여 그 심리적 안정의 도모와 원활한 의사소통을 위하여 필요한 경우 피의자와 신뢰관계에 있는 자를 동석하게 하여야 하며, 신뢰관계인이 동석하지 않은 상태에서 행한 진술은 임의성이 인정되더라도 유죄인정의 증거로 사용할 수 없다.
㉢ 검사 또는 사법경찰관은 오후 9시부터 오전 6시까지 사이에 조사를 해서는 안되지만, 공소시효가 임박하거나 피의자를 체포한 후 48시간 이내에 구속영장의 청구 또는 신청 여부를 판단하기 위해 불가피한 경우에는 심야조사를 할 수 있다.
㉣ 피의자의 진술을 영상녹화하는 경우 미리 영상녹화사실을 알려주어야 하며, 조사의 개시부터 종료까지의 전 과정 및 객관적 정황을 영상녹화하여야 하고, 영상녹화가 완료된 때에는 피의자 또는 변호인의 요구가 없더라도 피의자 또는 변호인 앞에서 영상녹화물을 재생하여 시청하게 한 후 지체 없이 그 원본을 봉인하고 피의자로 하여금 기명날인 또는 서명하게 하여야 한다.

① ㉠, ㉢ ② ㉠, ㉣ ③ ㉡, ㉢ ④ ㉠, ㉡, ㉢, ㉣

해설 ㉠ ○ : 제244조의 3 제1항
㉡ × : 검사 또는 사법경찰관은 피의자의 연령·성별·국적 등의 사정을 고려하여 그 심리적 안정의 도모와 원활한 의사소통을 위하여 필요한 경우 피의자와 신뢰관계에 있는 자를 동석하게 할 수 있다(제244조의 5). 신뢰관계인이 동석하지 않은 상태에서 행한 진술이 임의성이 인정될 경우 유죄인정의 증거로 사용할 수 있는가에 대해서는 관점에 따라 해석이 달라질 수 있는 문제로 보여진다.
㉢ ○ : 수사준칙 제21조 제1항·제2항
㉣ × : 피의자의 진술을 영상녹화하는 경우 미리 영상녹화사실을 알려주어야 하며, 조사의 개시부터 종료까지의 전 과정 및 객관적 정황을 영상녹화하여야 하고(제244조의 2 제1항), 영상녹화가 완료된 때에는 피의자 또는 변호인의 요구가 있는 때에는 피의자 또는 변호인 앞에서 영상녹화물을 재생하여 시청하게 한 후(제244조의 2 제3항) 지체 없이 그 원본을 봉인하고 피의자로 하여금 기명날인 또는 서명하게 하여야 한다(제244조의 2 제2항).

Answer 09. ①

CHAPTER

02 강제처분과 강제수사

형사소송에 있어서 개인의 자유와 권리를 침해할 가능성이 가장 큰 분야가 바로 강제처분이다. 따라서 본장의 중요성은 아무리 강조해도 지나침이 없을 것이다.

제1절 서 설

1 강제처분의 의의

일반적으로 강제처분이라 함은 소송의 진행과 형벌의 집행을 확보하기 위하여 강제력을 사용하는 것을 말한다. 강제처분은 체포·구속·압수·수색 등과 같이 직접 물리적 강제력의 행사를 내용으로 하는 처분과 소환·동행명령·제출명령 등과 같이 상대방에게 일정한 의무를 과하는 것을 내용으로 하는 처분으로 나누어 볼 수 있다.

강제처분은 광의에 있어서는 강제적 요소를 가지는 모든 처분을 포함하지만, 협의에 있어서는 법원의 검증·증인신문·감정·통역·번역 등 증거조사의 성질을 가지는 것(영장이 불필요한 경우임)은 제외된다. 97. 경찰승진

서술체계 : 형사소송법은 법원의 강제처분을 원칙적으로 규정하고(제68조 내지 제145조), 강제수사에 관해서는 대부분 법원의 강제처분에 관한 규정을 준용하고 있다(제209조, 제219조).

2 강제처분의 법적 규제

(1) 강제처분법정주의

헌법 제12조 제1항 후단 및 형사소송법 제199조 제1항은 강제처분이 반드시 법률에 근거를 두어야 함을 명시하고 있는데, 이를 강제처분법정주의라고 한다.

헌법 제12조의 영장주의와 형사소송법 제199조 제1항 단서의 강제처분 법정주의는 수사기관의 증거수집뿐만 아니라 강제처분을 통하여 획득한 증거의 사용까지 아우르는 형사절차의 기본원칙이다(대판 2023.6.1, 2018도18866).

(2) 영장주의

① 영장주의란 법원 또는 법관이 발부한 적법한 영장에 의하지 않으면 형사절차상의 강제처분을 할 수 없다는 원칙을 말한다(헌법 제12조 제3항). 19. 경찰간부, 20. 수사경과

헌법 제12조 제3항에 규정된 영장주의는 구속의 개시시점뿐만 아니라 구속영장의 취소 또는 실효의 여부도 법관의 판단에 의하여 결정되어야 한다는 것을 의미한다(헌재결 1993.12.23, 93헌가2). 15. 9급 검찰·마약·교정·보호·철도경찰

사법경찰관이 법관에게 영장을 청구할 수 있도록 하기 위해서는 헌법개정이 필요함.

형집행장 ⇨ 검사가 발부(영장 ×) 19. 경찰간부

☞ 영장 ⇨ 소환장, 체포영장, 구속영장, 압수·수색·검증영장, 감정유치장, 감정처분허가장

② 영장주의는 법원과 수사기관의 강제처분 모두에 적용된다. 06. 순경

③ 수사절차는 검사 청구에 의하여 지방법원판사가 발부(허가장), 공소제기 후 공판절차는 법원이 직권발부(명령장)

☞ 제시되는 영장은 반드시 정본이어야 하며, 사본의 제시는 허용되지 아니한다(대판 1997.1.24, 96다40547). 10. 경찰승진

☞ 법관이 발부한 영장은 내용이 특정되어야 한다. 즉, 일반영장의 발부는 금지된다. 13. 경찰간부

☞ **체포·구속·압수·수색·검증영장** : 사전제시 원칙(예외 규정 ○)

④ 영장주의에 위반한 경우 구속취소(제93조, 제209조), 체포·구속적부심사(제214조의 2), 항고(제403조), 준항고(제417조), 증거능력부정(제308조의 2) 등을 들 수 있으며, 불법체포·구속한 공무원은 형사책임을 질 수도 있다(형법 제124조).

⑤ 영장은 사전영장을 원칙으로 하지만, 긴급체포, 현행범체포, 체포목적의 수색, 체포현장에서 압수·수색·검증, 범죄장소에서 압수·수색·검증, 임의제출물의 압수, 공판정 압수·수색 등은 영장을 요하지 아니한다.

관련판례

1. 마약류사범인 청구인에게 마약류반응검사를 위하여 소변을 받아 제출하도록 한 것은 교도소의 안전과 질서유지를 위한 것으로 수사에 필요한 처분이 아닐 뿐만 아니라 검사대상자들의 협력이 필수적이어서 강제처분이라고 할 수도 없어 영장주의의 원칙이 적용되지 않는다(헌재결 2006.7.27, 2005헌마277). 11·13. 9급 법원직, 18·20. 수사경과, 20. 경찰승진, 17·24. 경찰간부

   ☞ 마약류 관련 수형자의 마약류반응검사를 위한 소변강제채취는 법관의 영장을 필요로 하는 강제처분이므로 구치소 등 교정시설 내에서의 소변채취가 법관의 영장 없이 실시되었다면 헌법 제12조 제3항의 영장주의에 위배된다. (×) 14. 경찰승진

2. 범죄의 피의자로 입건된 사람들에게 경찰공무원이나 검사의 신문을 받으면서 자신의 신원을 밝히지 않고 지문채취에 불응하는 경우 형사처벌을 통하여 지문채취를 강제하는 구 경범죄처벌법 제1조 제42호는 영장주의의 원칙에 위반되지 않는다(헌재결 2004.9.23, 2002헌가17). 13. 9급 법원직, 11·14. 경찰승진, 23. 순경 1차

3. 우편물 통관검사절차에서 이루어지는 우편물의 개봉, 시료채취, 성분분석 등의 검사는 수출입물품에 대한 적정한 통관 등을 목적으로 한 행정조사의 성격을 가지는 것으로서 수사기관의 강제처분이라고 할 수 없으므로, 압수·수색영장 없이 우편물의 개봉, 시료채취, 성분분석 등의 검사가 진행되었다 하더라도 위법하다고 볼 수 없다(대판 2013.9.26, 2013도7718).

   ▶ **비교판례** : 마약류 불법거래 방지에 관한 특례법 제4조 제1항에 따른 조치의 일환으로 특정한 수출입물품을 개봉하여 검사하고 그 내용물의 점유를 취득한 행위는 우편물 통관검사절차에서 이루어지는 우편물의 개봉, 시료채취, 성분분석 등의 수출입물품에 대한 적정한 통관 등을 목적으로 조사하는 경우와 달리, 범죄수사인 압수 또는 수색에 해당하여 사전 또는 사후에 영장을 받아야 한다(대판 2017.7.18, 2014도8719).

4. 음주측정은 성질상 강제될 수 있는 것이 아니며 궁극적으로 당사자의 자발적 협조가 필수적인 것이므로 이를 두고 법관의 영장을 필요로 하는 강제처분이라 할 수 없다. 따라서 이 사건 법률조항이 주취운

전의 협의자에게 영장 없는 음주측정에 응할 의무를 지우고 이에 불응한 사람을 처벌한다고 하더라도 헌법 제12조 제3항에 규정된 영장주의에 위배되지 아니한다(헌재결 1997.3.27, 96헌가11). 17. 경찰승진

5. 경찰관직무집행법상 정신착란자, 주취자, 자살기도자 등 응급의 구호를 요하는 자를 24시간을 초과하지 아니하는 범위 내에서 경찰관서에 보호조치할 수 있는 시설로 제한적으로 운영되는 경우를 제외하고는 구속영장을 발부받음이 없이 피의자를 보호실에 유치함은 영장주의에 위배되는 위법한 구금으로서 적법한 공무수행이라고 볼 수 없다(대판 1994.3.11, 93도958). 20. 수사경과
6. 법원이 피고인의 구속 또는 그 유지 여부의 필요성에 관하여 한 재판의 효력이 검사나 다른 기관의 의견이나 불복이 있다 하여 좌우되거나 제한받는다면 영장주의원칙에 위배된다(헌재결 1993.12.23, 93헌가2). 19. 경찰간부, 20. 경찰승진

   ▶ 이러한 취지에 입각해서 보석허가결정이나 구속집행정지결정에 대한 즉시항고권이 삭제됨.
7. 수사기관이 범죄 수사를 목적으로 금융실명거래 및 비밀보장에 관한 법률 제4조 제1항에 정한 '거래정보 등'을 획득하기 위해서는 법관의 영장이 필요하고, 신용카드에 의하여 물품을 거래할 때 '금융회사 등'이 발행하는 매출전표의 거래명의자에 관한 정보 또한 금융실명법에서 정하는 '거래정보 등'에 해당하므로, 수사기관이 금융회사 등에 그와 같은 정보를 요구하는 경우에도 법관이 발부한 영장에 의하여야 한다(대판 2013.3.28, 2012도13607).
8. 수사기관이 2013. 11. 2. 네트워크 카메라 등을 설치 · 이용하여 피고인의 행동과 피고인이 본 태블릿 개인용 컴퓨터(PC) 화면내용을 촬영한 것이 수사의 비례성 · 상당성 원칙과 영장주의 등을 위반한 것이므로 그로 인해 취득한 영상물 등의 증거는 증거능력이 없다(대판 2017.11.29, 2017도9747). 23. 소방간부

---

(3) 비례성의 원칙

형사소송법에 의한 강제처분이라 할지라도 부득이한 경우에 한해서 필요한 최소한의 범위 내에서 허용되어야 한다. 18. 수사경과

3 강제처분의 종류

(1) 주체에 따른 분류

강제처분은 처분의 주체에 따라 수사기관에 의한 강제처분(수사기관에 의한 강제처분을 강제수사라 함), 수소법원에 의한 강제처분, 판사가 행하는 강제처분으로 나눌 수 있다.

구분	내용
수사기관의 강제처분	① 피의자체포(체포영장에 의한 체포, 긴급체포, 현행범체포) ② 피의자구속 ③ 압수 · 수색 · 검증
수소법원의 강제처분	① 피고인구속 ② 피고인소환 ③ 압수 · 수색 ④ 제출명령 ⑤ 피고인감정유치 ⑥ 검 증 03. 행시 ⑦ 증인신문 ⑧ 감정 · 통역 · 번역
수임판사의 강제처분	① 증거보전처분 ② 참고인에 대한 증인신문 ③ 수사상 감정유치(피의자감정유치)

(2) 대상에 따른 분류

강제처분의 대상이 사람인가 물건인가에 따라 대인적 강제처분(예 체포 · 구속 · 소환 · 증인신문 · 감정유치)과 대물적 강제처분(예 압수 · 수색 · 검증 · 제출명령)으로 나눌 수 있다.

수색이나 검증은 원칙적으로 대물적 강제처분에 해당하지만 사람의 신체가 그 대상이 된 경우, 즉 신체수색 · 신체검증은 대인적 강제처분이다.

(3) 기소 전 · 후에 따른 분류

수사기관에 의한 강제처분이 기소 전 강제처분이며, 수소법원에 의한 강제처분이 기소 후 강제처분에 속한다. 판사에 의한 강제처분은 수사단계에서 뿐 아니라 제1회 공판기일 전까지는 기소 후에도 행하여진다.

(4) 강제의 정도에 따른 분류

체포 · 구속 · 압수 · 수색과 같이 직접 물리적인 힘을 행사하는 경우가 직접강제이고, 소환 · 제출명령과 같이 심리적 강제에 의하여 일정한 행동을 하게 하는 경우가 간접강제이다.

소환에 불응하면 구속영장을 발부하여 구속할 수 있으며, 제출명령에 불응하면 압수영장을 발부하여 압수할 수 있다.

4 강제처분에 대한 구제

구분	내용	
사전적 구제제도	① 강제처분 법정주의 및 비례성 원칙 ③ 무죄추정의 법리 ⑤ 변호인제도 ⑦ 자백배제의 법칙 ⑨ 진술거부권제도	② 영장주의 11. 경찰승진 ④ 구속 전 피의자신문 20. 경찰승진 ⑥ 재구속 · 재체포의 제한 09. 경찰승진 ⑧ 자백보강의 법칙
사후적 구제제도	① 구속취소 ③ 보 석 09. 경찰승진 ⑤ 강제처분에 대한 준항고 ⑦ 구속기간제한 ⑧ 검사의 구속장소감찰제도(사전적 구제 의미도 有)	② 구속집행정지 ④ 체포 · 구속적부심사제도 09. 경찰승진 ⑥ 형사보상제도

자유심증주의 ⇨ '인권보장을 위한 구제제도'와는 무관함. 11. 경찰승진

CHAPTER 02

기출문제

01 **영장주의에 관한 설명 중 가장 적절하지 않은 것은?**(다툼이 있는 경우 판례에 의함) 20. 경찰승진

① 법원이 직권으로 발부하는 영장은 집행기관에 대한 허가장의 성격을 가지나, 수사기관의 청구에 의하여 발부하는 영장은 수사기관에 대한 명령장으로서의 성질을 갖는 것으로 이해되고 있다.

② 교도소의 안전과 질서유지를 위하여 마약류 수형자에게 소변을 받아 제출하게 한 것은 응하지 않을 경우 불리한 처우를 받을 수 있다는 심리적 압박이 존재하리라는 것을 충분히 예상할 수 있는 점에 비추어 공권력의 행사에 해당하나, 영장 없이 실시되었다 하더라도 영장주의에 위배되지 않는다.

③ 법원이 피고인의 구속 또는 그 유지 여부의 필요성에 관하여 한 재판의 효력이 검사나 다른 기관의 이견이나 불복이 있다 하여 좌우되거나 제한받는다면 이는 헌법 제12조 제3항의 영장주의에 위배된다.

④ 수사기관이 영장에 의하지 아니하고 신용카드회사가 발행한 매출전표의 거래명의자에 관한 정보를 획득하였다면, 그와 같이 수집된 증거는 원칙적으로 '적법한 절차에 따르지 아니하고 수집한 증거'에 해당하여 특별한 사정이 없는 한 유죄의 증거로 삼을 수 없다.

해설 ① 법원이 직권으로 발부하는 영장은 명령장으로서의 성질을 갖지만, 수사기관의 청구에 의하여 발부하는 영장은 허가장으로서의 성질을 갖는 것으로 이해되고 있다(헌재결 1997.3.27, 96헌바28).
② 헌재결 2006.7.27, 2005헌마277 ③ 헌재결 2012.6.27, 2011헌가36 ④ 대판 2013.3.28, 2012도13607

02 **영장주의에 관한 설명으로 가장 옳지 않은 것은?**(다툼이 있는 경우 판례에 따름) 22. 해경승진

① 형집행장은 사형 또는 자유형을 집행하기 위하여 검사가 발부하는 것이며, 수형자를 대상으로 한다. 따라서 형집행장은 영장에 해당하지 않는다.

② 검사의 구속영장 청구 전 피의자 대면조사에 있어 피의자는 검사의 출석 요구에 응할 의무가 없고, 피의자 검사의 출석 요구에 동의한 때에 한하여 사법경찰관리는 피의자를 검찰청으로 호송하여야 한다.

③ 일반영장의 발부는 금지된다. 따라서 구속영장에 있어서는 범죄사실과 피의자는 물론 인치·구금할 장소가 특정되어야 하며, 압수·수색영장에 있어서는 압수·수색의 대상이 특정되어야 한다.

④ 긴급체포는 영장주의 원칙에 대한 예외인 만큼 요건을 갖추지 못한 긴급체포로서 위법한 체포에 해당하는 것이고, 여기서 긴급체포의 요건을 갖추었는지 여부는 사후에 밝혀진 객관적 사정을 기초로 판단하여야 하고, 이에 관한 검사나 사법 경찰관 등 수사주체의 판단에는 재량의 여지가 없다.

해설 ① 제473조 ② 대판 2010.10.28, 2008도11999 ③ 제75조, 제114조 제1항, 제209조, 제219조
④ 긴급체포의 요건을 갖추었는지 여부는 사후에 밝혀진 객관적 사정을 기초로 판단하여야 하는 것이 아니라, 체포당시의 상황을 기초로 판단하여야 하고 이에 관한 검사나 사법 경찰관 등 수사주체의 판단에는 재량의 여지가 있다고 할 것이다(대판 2008.3.27, 2007도11400).

Answer 01. ① 02. ④

제2절 피의자체포

현행 형사소송법하에서의 인신구속제도는 체포와 구속제도로 대별할 수 있으며, 체포는 체포영장에 의한 체포(통상체포)와 영장에 의하지 아니하는 긴급체포, 현행범인의 체포로 구분된다. 이 점에서 영장에 의해서만 가능한 구속(피의자, 피고인)의 경우와는 다르다.

구속과 관련한 문제에 대해서는 해당 편에서 다루게 되겠지만 아래에서는 편의상 구속과 함께 도표화하였다.

현행법상 인신구속제도

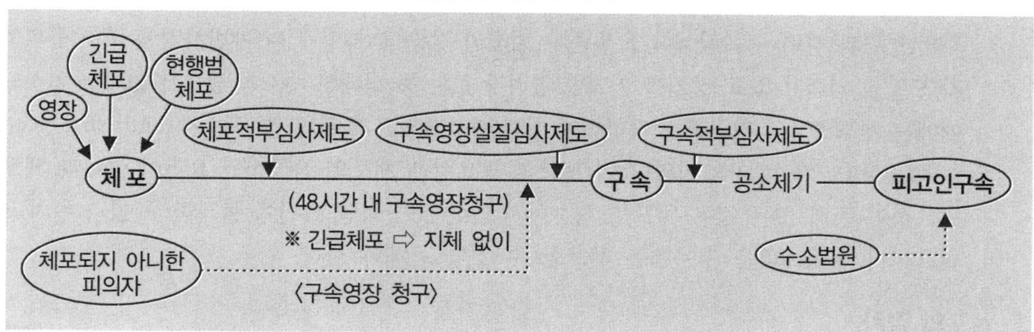

1 체포영장에 의한 체포(통상체포)

(1) 체포의 의의

① **의의** : 체포영장에 의한 체포라 함은 죄를 범하였다고 의심할 만한 상당한 이유가 있는 피의자를 사전영장에 의하여 단시간 동안 수사관서 등 일정한 장소에 인치하는 제도이다.
수사 초기에 피의자의 신병을 확보하기 위한 구속의 전단계 처분으로서 체포기간이 단기이고 요건이 완화되어 있는 점에서 구속과 구별된다.

② **제도의 취지** : 피의자에 대한 간편한 인치제도를 마련함으로써 임의동행이나 보호실유치와 같은 탈법적인 수사관행을 근절하고, 불필요한 구속을 억제하기 위해 도입된 제도이다.

(2) 체포의 요건

① **범죄혐의의 상당성** : 체포영장을 발부하기 위해서는 피의자가 죄를 범하였다고 의심할 만한 상당한 이유가 있어야 한다(제200조의 2 제1항).

수사기관의 주관적 혐의로는 부족하고, 객관적 혐의가 있어야 한다(합리적인 평균인을 기준으로 판단). 범죄혐의의 정도에 관해서는 견해가 대립하나, 구속의 경우와 같이 유죄판결에 대한 고도의 개연성 내지 충분한 범죄혐의가 있어야 한다는 것이 일반적이다.

② **출석불응 또는 불응우려** 10. 경찰승진 : 피의자를 체포하기 위해서는 피의자가 정당한 이유(예 사업상 중요한 계약문제로 출석하지 않은 경우) 없이 수사기관의 출석요구에 불응하거나 불응할 우려(예 지명수배 중인 자)가 있어야 한다(동조 제1항). 16. 경찰승진, 22. 순경 2차

- 구속사유인 도망 or 증거인멸 우려 ⇨ 체포사유 ×
- 정당한 이유가 있으면 출석에 불응하였을지라도 체포영장발부요건 ×
- 피의자가 출석요구에 1회 응하지 아니하는 것만으로는 바로 체포사유인정 ×
- 경미사건(다액 50만원 이하의 벌금, 구류 또는 과료에 해당하는 사건) ⇨ 주거가 없거나 출석요구에 응하지 아니한 경우(불응우려 ×)에 한하여 체포 가능(동조 제1항 단서) : 수사비례원칙에 입각한 규정임. 00. 7급 검찰, 15・19. 수사경과, 22. 순경 2차, 10・23. 경찰승진

③ **체포의 필요성** : 체포영장의 청구를 받은 판사는 체포사유가 있다고 인정되는 경우에도 피의자의 연령과 경력, 가족관계나 교우관계, 범죄의 경중 및 태양 기타 제반사정에 비추어 피의자가 도망할 염려가 없고, 증거를 인멸할 염려가 없는 등 명백히 체포의 필요가 없다고 인정되는 때에는 체포영장의 청구를 기각하여야 한다(제200조의 2 제2항 단서, 규칙 제96조의 2). 15. 수사경과, 13・19. 경찰승진, 24. 경찰간부 이와 같이 체포의 필요성은 체포의 적극적인 요건이 아니라 체포의 필요성이 전혀 없는 경우 체포를 허용하지 않은 소극적인 요건에 불과하다. 따라서 체포의 필요성이 의심스러운 경우에는 체포할 수 있다고 해야 한다.

(3) 체포의 절차

① 체포영장의 청구

㉠ 체포영장은 검사가 청구하고 관할 지방법원판사가 발부한다. 00. 7급 검찰
사법경찰관도 검사에 신청하여 검사의 청구로 관할 지방법원판사의 체포영장을 발부받아 피의자를 체포할 수 있다(제200조의 2 제1항). 13. 경찰승진

영장
- 검사청구 ⇨ 지방법원판사 ⇨ 발부
- 사법경찰관 신청 ⇨ 검사 ⇨ 청구 ⇨ 지방법원판사 ⇨ 발부

㉡ 영장의 청구는 서면으로 하며, 체포영장 청구서에는 범죄사실의 요지를 따로 기재한 서면 1통(수통의 영장을 청구한 때에는 그에 상응하는 통수)을 첨부하여야 한다(규칙 제93조 제1항・제2항).

㉢ 체포영장의 청구에는 체포의 사유 및 필요를 인정할 수 있는 자료를 제출하여야 한다(규칙 제96조 제1항).

㉣ 피의자 또는 변호인, 법정대리인, 배우자, 직계친족, 형제자매나 가족, 동거인 또는 고용주는 체포영장청구를 받은 판사에게 유리한 자료를 제출할 수 있다(규칙 제96조 제3항).

㉤ 동일범죄 사실에 관하여 그 피의자에 대하여 전에 체포영장을 청구하였거나, 발부받은 사실이 있는 때에는 다시 체포영장을 청구하는 취지 및 이유를 기재하여야 한다(제200조의 2 제4항). 13・16. 경찰승진, 22. 수사경과

- 재체포제한 × 10・13. 경찰승진

㉥ 7일을 넘는 유효기간을 필요로 하는 때에는 그 취지 및 사유를 체포영장의 청구서에 기재하여야 한다(규칙 제95조 제4호). 14. 경찰승진

② **체포영장의 발부**

㉠ 체포영장의 청구를 받은 지방법원판사는 상당하다고 인정하는 때에는 체포영장을 발부한다(제200조의 2 제2항). 구속영장의 경우는 구속 전 피의자심문제도(제201조의 2)가 있으나 체포영장은 발부하기 전에 지방법원판사가 피의자를 심문하는 것은 인정되지 않는다. 13. 경찰승진, 17·19. 수사경과 따라서 검사가 체포영장신청서에 첨부한 서류와 자료만을 검토하여 영장을 발부하게 된다. 검사가 제출한 자료만에 의한 영장발부의 문제점을 해소하기 위하여 피의자 등은 판사에게 유리한 자료를 제출할 수 있다고 규정하고 있다(규칙 제96조 제3항).

㉡ 체포영장을 발부하지 아니한 때에는 청구서에 그 취지 및 이유를 기재하고 서명날인하여 청구한 검사에게 교부한다(제200조의 2 제3항). 체포영장은 여러 통 작성하여 사법경찰관리에게 교부할 수 있고, 이 경우에는 그 사유를 체포영장에 기재하여야 한다(제200조의 6, 제75조, 제82조).

㉢ 영장의 유효기간은 7일이며, 판사가 상당하다고 인정하는 때에는 7일을 넘는 기간을 정할 수 있다(규칙 제178조). 체포영장의 유효기간을 연장할 필요가 있다고 인정한 때에는 그 사유를 소명(증명 ×)하여 다시 체포영장을 청구하여야 한다(규칙 제96조의 4). 21. 7급 국가직

유효기간은 체포권을 행사할 수 있는 기간이고, 체포영장에 기하여 피의자를 유치할 수 있는 기간이 아니다.

㉣ 체포영장의 방식은 구속영장의 방식에 관한 규정이 준용된다(제200조의 6). 따라서 체포영장에는 피의자의 성명(성명이 분명하지 아니한 때에는 인상, 체격 그 밖의 피의자를 특정할 수 있는 사항), 주거, 죄명, 피의사실요지, 인치·구금할 장소, 발부연월일, 그 유효기간과 그 기간을 경과하면 집행에 착수하지 못하며 영장을 반환하여야 할 취지를 기재하고 법관이 서명날인하여야 한다(제200조의 6, 제75조 제1항).

관련판례

1. 검사의 체포영장 또는 구속영장 청구에 대한 지방법원판사의 재판은 항고의 대상이 되는 '법원의 결정'에 해당하지 아니하고, 준항고의 대상이 되는 '재판장 또는 수명법관의 구금 등에 관한 재판'에도 해당하지 아니한다(대결 2006.12.18, 2006모646 ∴ 불복 불가). 21. 순경 2차, 22. 7급 국가직
2. 검사에게 영장의 청구를 신청할 수 있을 뿐인 사법경찰관의 수사활동이나 판단·처분 등이 곧바로 판사의 영장의 발부 여부에 관한 결정을 기속하거나 좌우하는 것은 아니다(대판 2024.3.12, 2020다290569).

(4) 체포영장의 집행

① **영장의 집행**

㉠ 체포영장의 집행에도 구속영장의 집행에 관한 규정이 준용된다(제200조의 6). 따라서 검사의 지휘로 사법경찰관리가 집행하며, 교도소 또는 구치소에 있는 피의자의 경우에는 검사의 지휘에 의하여 교도관이 집행한다(제200조의 6, 제81조 제3항). 22. 해경간부

㉡ 검사는 필요에 의하여 관할구역 외에서 구속영장의 집행을 지휘할 수 있고 또는 당해 관할구역의 검사에게 집행지휘를 촉탁할 수 있다(제200조의 6, 제83조 제1항). 사법경찰관리는 필요에 의하여 관할구역 외에서 체포영장을 집행하거나 관할구역의 사법경찰관리에게 집행을 촉탁할 수 있다(제200조의 6, 제83조 제2항). 사법경찰관리가 관할구역 밖에서 사법경찰관리의 촉탁을 받아 피의자를 체포한 때에는 관할 지방검찰청 검사장 또는 지청장에게 보고하여야 한다(제210조).

㉢ 체포 전에 피의사실의 요지, 체포의 이유와 변호인을 선임할 수 있음을 고지하여 변명할 기회를 주어야 하며(제200조의 5), 체포영장 집행시 진술거부권을 알려주어야 한다(수사준칙 제32조 제1항). 피의자에게 알려주어야 하는 진술거부권은 일체의 진술을 하지 아니하거나 개개의 질문에 대하여 진술을 하지 아니할 수 있다는 것, 진술을 하지 아니하더라도 불이익을 받지 아니한다는 것, 진술을 거부할 권리를 포기하고 행한 진술은 법정에서 유죄의 증거로 사용될 수 있다는 것을 내용으로 한다(동준칙 제32조 제2항). 체포영장을 집행함에는 체포영장을 피의자에게 반드시 제시하고 그 사본을 교부하여야 하며, 신속히 지정된 법원 기타 장소에 인치하여야 한다(제200조의 6, 제85조 제1항). 21 · 23. 경찰승진, 24. 경찰간부 다만, 체포영장을 소지하지 아니한 경우에 급속을 요하는 때에는 피의자에 대하여 피의사실의 요지와 영장이 발부되었음을 고지하고 집행할 수 있다. 이 경우에 집행완료 후 신속히 체포영장을 제시하고 그 사본을 교부하여야 한다(제200조의 6, 제85조 제3항 · 제4항). 제시된 영장은 정본(원본)이어야 하며, 사본의 제시는 위법하다(대판 1996.8.8, 96다40547).

- 체포 · 구속영장 집행시 피의자에게 진술거부권을 알려줄 필요는 없다. (×)
- '급속을 요하는 때'에 해당하여 체포영장을 제시하지 않은 채 체포영장에 기한 체포절차에 착수하였으나, 이에 피의자가 저항하면서 경찰관을 폭행하여 새로운 피의사사실인 공무집행방해를 이유로 적법하게 현행범으로 체포한 경우, 집행완료에 이르지 못한 체포영장을 사후에 피의자에게 제시할 필요는 없다. (○) 22. 경찰간부
- 검사 또는 사법경찰관은 피의자에게 영장의 사본을 교부한 경우에는 피의자로부터 영장 사본 교부 확인서를 받아 사건기록에 편철한다(수사준칙 제32조의 2 제3항).
- 피의자가 영장의 사본을 수령하기를 거부하거나 영장 사본 교부 확인서에 기명날인 또는 서명하는 것을 거부하는 경우에는 검사 또는 사법경찰관이 영장 사본 교부 확인서 끝 부분에 그 사유를 적고 기명날인 또는 서명해야 한다(수사준칙 제32조의 2 제4항).

관련판례

1. 사법경찰관 등이 체포영장을 소지하고 피의자를 체포하기 위하여는 체포 당시에 피의자에게 체포영장을 제시하고 피의자에 대한 범죄사실의 요지, 구속의 이유와 변호인을 선임할 수 있음을 말하고 변명할 기회를 주어야 하는데 체포영장의 제시나 고지 등은 체포를 위한 실력행사에 들어가기 이전에 미리 하여야 하는 것이 원칙이나, 달아나는 피의자를 쫓아가 붙들거나 폭력으로 대항하는 피의자를 실력으로 제압하는 경우에는 붙들거나 제압하는 과정에서 하거나, 그것이 여의치 않은 경우에라도 일단 붙들거나 제압한 후에 지체 없이 행하여야 한다(대판 2008.2.14, 2007도10006). 21. 변호사시험, 21. 경력채용
2. 경찰관들이 체포를 위한 실력행사에 나아가기 전에 체포영장을 제시하고 미란다 원칙을 고지할 여유가 있었음에도 애초부터 미란다 원칙을 체포 후에 고지할 생각으로 먼저 체포행위에 나선 행위는 적법한 공무집행이라고 보기 어렵다(대판 2017.9.21, 2017도10866). 18. 순경 2차, 22. 경찰승진

3. 긴급을 요하여 체포영장을 제시하지 않은 채 체포영장에 기한 체포 절차에 착수하였으나, 이에 피고인이 저항하면서 경찰관을 폭행하는 등 행위를 하여 특수공무집행방해의 현행범으로 체포한 후 체포영장을 별도로 제시하지 않은 경우, 피고인에 대한 체포절차가 적법하다(대판 2021.6.24, 2021도4648). 23. 순경 2차, 24. 7급 국가직 · 해경경위공채

㉣ 체포영장을 집행한 경우 피의자를 영장에 기재된 장소에 인치 · 구금하여야 한다(제200의 6, 제85조 제1항). 검사는 체포영장을 발부 받은 후 피의자를 체포하기 이전에 체포영장을 첨부하여 판사에게 인치 · 구금할 장소의 변경을 청구할 수 있다(규칙 제96조의 3). 22. 해경간부 수사기관에 의한 구금장소의 임의적 변경은 피의자의 방어권이나 변호인의 접견교통권의 중대한 장애를 초래하는 위법한 조치이며 준항고의 대상이 된다. 20. 경찰간부

㉤ 검사 또는 사법경찰관은 체포영장의 유효기간 내에 영장의 집행에 착수하지 못했거나, 그 밖의 사유로 영장의 집행이 불가능하거나 불필요하게 되었을 때에는 즉시 해당 영장을 법원에 반환해야 한다. 이 경우 체포영장이 여러 통 발부된 경우에는 모두 반환해야 한다(수사준칙 제35조 제1항). 검사 또는 사법경찰관은 제1항에 따라 체포영장을 반환하는 경우에는 반환사유 등을 적은 영장반환서에 해당 영장을 첨부하여 반환하고, 그 사본을 사건기록에 편철한다(동 준칙 제35조 제2항). 제1항에 따라 사법경찰관이 체포영장을 반환하는 경우에는 그 영장을 청구한 검사에게 반환하고, 검사는 사법경찰관이 반환한 영장을 법원에 반환한다(동 준칙 제35조 제3항).

② 체포에 수반하는 강제처분

㉠ 체포영장을 집행함에는 영장 없이 타인의 주거에서 피의자를 수색하거나(수색영장을 발부받기 어려운 긴급사정이 있는 때에 한함), 체포현장에서 압수 · 수색 · 검증을 할 수 있다(제216조 제1항). 13. 변호사시험

관련판례

1. 체포영장을 집행하는 경우 필요한 때에는 타인의 주거 등에서 피의자 수사를 할 수 있도록 한 형사소송법 제216조 제1항 제1호 중 제200조의 2에 관한 부분은 영장을 발부받기 어려운 긴급한 사정이 있는지 여부를 구별하지 아니하고 피의자가 소재할 개연성만 소명되면 영장 없이 타인의 주거 등을 수색할 수 있도록 허용하고 있다. 이는 체포영장이 발부된 피의자가 타인의 주거 등에 소재할 개연성은 소명되나, 수색에 앞서 영장을 발부받기 어려운 긴급한 사정이 인정되지 않는 경우에도 영장 없이 피의자 수색을 할 수 있다는 것이므로, 헌법 제16조의 영장주의 예외 요건을 벗어나는 것으로서 영장주의에 위반된다(헌재결 2018.4.26, 2015헌바370). 18 · 19. 순경 2차
▶ 헌법재판소는 형사소송법 제216조 제1항 제1호 중 제200조의 2에 관한 부분에 대하여 내용은 위헌이지만 단순위헌결정을 하는 대신 2020. 3. 31.까지는 개정하라는 헌법불합치결정을 내렸다.
▶ 위와 같은 헌법재판소의 결정에 따라 제216조 제1항 제1호가 다음과 같이 개정되었다(2019.12.31. 개정). – 체포영장이나 구속영장의 집행시 주거 등에서의 무영장 피의자 수색은 미리 수색영장을 발부받기 어려운 긴급한 사정이 있는 때에 한정한다(제216조 제1항 제1호). 20. 순경 1차, 22. 순경 2차, 24. 7급 국가직

2. 제216조 제1항 제1호 중 제200조의 2에 관한 부분은 피의자가 소재할 개연성이 소명되면 타인의 주거 등 내에서 수사기관이 피의자를 수색할 수 있음을 의미하는 것으로 누구든지 충분히 알 수 있으므로, **명확성원칙에는 위반되지 아니한다**(헌재결 2018.4.26, 2015헌바370).
3. 헌법불합치결정에 따라 개정된 형사소송법은 제216조 제1항 제1호 단서의 소급적용에 관하여 아무런 규정을 두고 있지 않지만, 헌법불합치결정을 하게 된 당해사건 및 당시 법원에 계속 중인 사건에 대하여도 위헌성이 제거된 **현행 형사소송법의 규정을 적용하여야 한다**(대판 2021.5.27, 2018도13458).

㉡ 경찰관은 체포시 상당한 이유가 있는 때에는 무기를 사용할 수 있다(경찰관직무집행법 제10조의 4).

경찰관이 무기를 사용할 수 있는 사유

• 범인의 체포	• 범인의 도주방지
• 사람의 생명 · 신체 방호	• 공무집행에 대한 항거 제지

(5) 집행 후의 조치

① **체포사실의 통지** : 변호인이 있는 경우에는 **변호인에게**, 변호인이 없는 경우에는 법정대리인 · 배우자 · 직계친족, 형제자매 가운데 **피의자가 지정한 자**에게 피의사건명, 체포일시 · 장소, 피의사실의 요지, 체포이유와 변호인을 선임할 수 있음을 알려야 한다. 22. 경찰승진 체포의 통지는 **지체 없이 서면**(구술 ×)으로 하여야 하며(제87조 제1항 · 제2항, 제200조의 6), 19. 경찰간부 · 순경 2차 늦어도 **24시간 이내에** 하여야 한다(규칙 제51조 제2항). 급속을 요하는 경우에는 전화 또는 모사전송기 기타 상당한 방법에 의하여 통지할 수는 있으나 이 경우에도 체포통지는 다시 서면으로 하여야 한다(규칙 제51조 제3항). 15. 순경 3차

☗ 통지의 대상이 없어서 통지를 못한 때에는 그 취지를 기재한 서면을 기록에 철하여야 한다(규칙 제51조 제2항).

② **구속영장청구 또는 석방** : 피의자를 체포한 후 그를 다시 구속하고자 할 때에는 체포한 때로부터 **48시간**(24시간 ×) 내에 **구속영장**(제201조)을 **청구하여야** 하고 10 · 14 · 20. 경찰승진, 그 기간 내에 구속영장을 청구하지 아니하거나(사법경찰관의 신청을 검사가 기각한 경우 포함) 구속영장은 청구하였으나 발부받지 못한 때에는 피의자를 **즉시**(법정기간 내 ×) **석방하여야** 한다(제200조의 2 제5항, 규칙 제100조 제2항). 13 · 16. 변호사시험, 17. 순경 1차, 10 · 22. 경찰승진 **체포영장**에 의하여 체포된 피의자를 구속영장에 의하여 구속한 때에는 구속기간은 **체포된 때로부터** 기산한다(제203조의 2).

☗ 구속과는 달리 체포기간은 연장제도 없음

☗ 48시간 내에 구속영장을 청구하면 족하며 반드시 구속영장이 발부될 것을 요하는 것은 아님

☗ 검사 또는 사법경찰관은 체포한 피의자를 석방하려는 때에는 피의자 석방서를 작성해야 한다(수사준칙 제36조 제1항).

☗ 사법경찰관은 체포한 피의자를 석방한 때에는 지체 없이 검사에게 석방사실을 통보하고, 그 통보서 사본을 사건기록에 편철한다(수사준칙 제36조 제2항 제1호).

③ **법원에 통지**

㉠ 체포영장을 발부받은 후 피의자를 체포하지 않거나 체포한 피의자를 석방한 때에는 **지체 없이** 검사는 영장을 발부한 **법원**에 그 사유를 **서면으로 통지**하여야 한다(제204조).

㉡ 체포를 하지 않거나 못한 경우에는 법원에 하는 통지서에 체포영장의 **원본**을 첨부하여야 한다(규칙 제96조의 19 제3항).

④ **체포적부심사청구** : 체포 후 피의자 등은 체포적부심사를 청구할 수 있고(제214조의 2), 이때에는 법원이 수사관계서류와 증거물을 **접수한 때부터** 결정 후 검찰청에 **반환될 때까지의** 기간은 48시간의 청구제한기간에 산입하지 아니한다. 검사 또는 사법경찰관은 법 제214조의 2 제1항에 따른 자가 체포·구속영장 등본의 교부를 청구하면 그 등본을 교부해야 한다(수사준칙 제34조).

체포영장에 의하여 체포된 피의자만이 체포적부심사를 청구할 수 있다. (×) 17. 경찰승진, 13·19. 수사경과

⑤ **재체포** : 체포되었다가 석방된 피의자라도 동일사건에 대하여 **영장에 의한 재체포가 가능**하다.

검사 또는 사법경찰관에 의하여 영장에 의해 체포되었다가 석방된 자는 다른 중요한 증거를 발견한 경우를 제외하고는 동일한 범죄사실로 재차 체포하지 못한다. (×) 23. 9급 검찰·마약·교정·보호·철도경찰

KEY point

- **체포요건** : 제200조의 2
- **체포영장청구** : 검사의 청구로 지방법원판사가 발부(사법경찰관은 검사에게 신청)
- **체포영장집행** : 검사 지휘, 사법경찰관리 집행(교도소 ⇨ 교도관이 집행)
- **체포영장** : 영장실질심사제도 ×
- **구속영장청구 또는 석방** : 체포시로부터 48시간 내에 구속영장청구(청구 × or 구속영장발부 × ⇨ 피의자 즉시석방)

2 긴급체포

(1) 긴급체포의 의의

① **의의** : 긴급체포라 함은 중대한 범죄혐의가 있고 체포의 필요성이 인정되며 긴급을 요하는 경우에 현행범인이 아닌 피의자를 영장 없이 먼저 체포하여 놓고 그 후에 구속이 필요할 경우 구속영장의 발부를 받는 제도로서 헌법 제12조 제3항 단서에서 그 근거를 마련하고 있다.

② **제도의 취지** : 중대범죄의 범인을 놓치는 결과를 방지하여 체포의 긴급성에 대처함으로써 수사의 합목적성을 실현하기 위한 제도이다.

③ **현행범체포와의 구별** : 긴급체포는 수사의 능률과 합목적성의 관점에서 사전영장주의의 예외를 인정하는 것으로서 현행범체포와 유사하지만, 중대범죄에 한하고 현행범인을 요하지 아니한다는 점에서 현행범체포와 구별된다.

(2) 긴급체포의 요건(제200조의 3 제1항)

긴급체포를 하기 위해서는 다음과 같은 요건이 충족되어야 한다. 또한 긴급체포의 요건을 갖추

었는가의 여부는 사후에 밝혀진 사정을 기초로 판단하는 것이 아니라 체포 당시 상황을 기초로 판단하여야 한다.

긴급체포의 요건을 갖추었는지의 여부는 체포 당시의 상황을 토대로 판단하는 것이 아니라, 사후에 밝혀진 사정을 기초로 판단하여야 한다. (×) 17. 순경 2차, 20. 경찰승진

관련판례

긴급체포의 요건을 갖추었는지 여부는 사후에 밝혀진 사정을 기초로 판단하는 것이 아니라 체포 당시의 상황을 기초로 판단하여야 하고, 10. 순경, 12. 변호사시험, 17. 경찰간부, 13 · 18. 순경 1차, 20. 순경 2차, 15 · 20 · 21. 수사경과, 22. 9급 법원직 · 해경간부, 14 · 16 · 21 · 22 · 23. 경찰승진, 25. 소방간부 이에 관한 검사나 사법경찰관 등 수사주체의 판단에는 상당한 재량의 여지가 있다고 할 것이나, 19. 경찰간부 긴급체포 당시의 상황으로 보아서도 그 요건의 충족 여부에 관한 검사나 사법경찰관의 판단이 경험칙에 비추어 현저히 합리성을 잃은 경우에는 그 체포는 위법한 체포라 할 것이다(대판 2008.3.27, 2007도11400). 11. 9급 검찰

① **범죄의 중대성** : 피의자가 사형 · 무기 또는 장기 3년(단기 3년 ×) 이상의 징역이나 금고에 해당하는 죄를 범하였다고 의심할 만한 상당한 이유가 있어야 한다. 09. 순경, 13. 9급 검찰 · 마약 · 교정 · 보호 · 철도경찰, 14 · 15. 경찰승진, 13 · 18 · 21. 수사경과

긴급체포는 50만원 이하 경미사건에 대한 특칙 규정 없음.

긴급체포 대상 범죄가 아닌 것			
• 직무유기	• 음화제조	• 공무상 비밀누설	• 공연음란
• 위조통화지정행사	• 도 박	• 공문서부정행사	• 사문서부정행사
• 낙 태	• 음화반포	• 폭행(협박 ⇨ 대상범죄에 해당) 11. 경찰승진	
• 명예훼손	• 모 욕 14. 경찰승진	• 각종 과실범	

- ▶ 업무상 과실범 또는 중과실범은 긴급체포 대상범죄에 해당함(단, 업무상 과실장물죄, 중과실장물죄 ⇨ 긴급체포 대상범죄 ×)
- ▶ 음주운전(0.2% 이상) ⇨ 긴급체포 대상범죄 ○(도로교통법 제44조 제1항, 제148조의 2 제3항 제1호)
- ▶ 음주운전 또는 음주측정 거부로 벌금 이상 확정 후 10년 이내에 음주운전(0.03% 이상) 또는 음주측정 거부 ⇨ 긴급체포 대상범죄 ○(도로교통법 제44조 제1항 · 제2항, 제148조의 2 제1항) : 위헌결정에 의한 개정(2023. 4. 4. 시행)
- ▶ 음주측정거부 ⇨ 긴급체포 대상범죄 ○(도로교통법 제44조 제2항, 제148조의 2 제2항)
- ▶ 무면허운전 ⇨ 긴급체포 대상범죄 ×(도로교통법 제43조, 제152조 제1호) 10. 교정특채, 19. 수사경과

관련판례

1. 음주운전 금지규정 위반 또는 음주측정 거부 전력이 1회 이상 있는 사람이 다시 음주운전 금지규정 위반행위를 한 경우 2년 이상 5년 이하의 징역이나 1천만원 이상 2천만원 이하의 벌금에 처하도록 규정한 도로교통법 제148조의 2 제1항 중 '제44조 제1항 또는 제2항을 1회 이상 위반한 사람으로서 다시 같은 조 제1항을 위반한 사람'에 관한 부분이 책임과 형벌 간의 비례원칙에 위반된다(헌재결 2022.5.26, 2021헌가30).

2. 음주운전 금지규정 위반 전력이 1회 이상 있는 사람이 다시 음주측정 거부를 한 경우 2년 이상 5년 이하의 징역이나 1천만원 이상 2천만원 이하의 벌금에 처하도록 규정한 구 도로교통법 제148조의 2 제1항 및 도로교통법 제148조의 2 제1항 중 각 '제44조 제1항을 1회 이상 위반한 사람으로서 다시 같은 조 제2항을 위반한 사람'에 관한 부분(이하 '심판대상조항'이라 한다)이 책임과 형벌 간의 비례원칙에 위반된다(헌재결 2022.5.26, 2021헌가32).
3. 음주측정 거부 전력이 1회 이상 있는 사람이 다시 음주운전 금지규정 위반행위를 한 경우 2년 이상 5년 이하의 징역이나 1천만원 이상 2천만원 이하의 벌금에 처하도록 한 구 도로교통법 제148조의 2 제1항 중 '제44조 제2항을 1회 이상 위반한 사람으로서 다시 같은 조 제1항을 위반한 사람'에 관한 부분이 책임과 형벌 간의 비례원칙에 위반된다(헌재결 2022.8.31, 2022헌가14).
4. 음주측정 거부 전력이 1회 이상 있는 사람이 다시 음주측정 거부행위를 한 경우 2년 이상 5년 이하의 징역이나 1천만원 이상 2천만원 이하의 벌금에 처하도록 규정한 도로교통법 제148조의 2 제1항 중 '제44조 제2항을 2회 이상 위반한 사람'에 관한 부분이 책임과 형벌 간의 비례원칙에 위반된다(헌재결 2022.8.31, 2022헌가18).
5. 음주운전 금지규정을 2회 이상 위반한 사람을 2년 이상 5년 이하의 징역이나 1천만원 이상 2천만원 이하의 벌금에 처하도록 한 구 도로교통법 제148조의 2 제1항 중 '제44조 제1항을 2회 이상 위반한 사람'에 관한 부분이 책임과 형벌 간의 비례원칙에 위반된다(헌재결 2021.11.25, 2019헌바446).

---

② **긴급체포의 필요성** : 피의자가 제70조 제1항 제2호·제3호의 사유, 즉 ㉠ 증거를 인멸할 염려가 있거나, ㉡ 피의자가 도망 또는 도망할 염려가 있어야 한다.

구속사유 중 주거부정(제70조 제1항 제1호) ⇨ 긴급체포 요건 ×

③ **긴급성** : 긴급을 요하여 체포 전에 미리 지방법원판사의 체포영장을 받을 수 없는 경우(예 피의자를 우연히 발견)라야 한다(제200조의 3 제1항). 09. 순경

관련판례

1. 甲이 인터넷 신문고를 통해 피고인(乙)을 고발하여 2000. 9. 4. 서울지방검찰청에 진정사건으로 수리됨으로써 이 사건 수사가 개시되었는데, 검사로서는 그때부터 丙을 긴급체포하기까지 체포영장을 발급받을 시간적 여유가 충분히 있었던 것으로 보이고, 위 甲은 피고인(乙)을 고발하였지 丙을 고발한 것이 아니었으며, 丙과 관련된 비자금 부분은 丁에 대하여 조사하면서 비로소 밝혀졌는데 검사 등은 그 전에 丙을 긴급체포한 사실, 검사 등은 丙을 긴급체포하고 조사를 하고서도 丙을 입건도 하지 아니한 사실 등을 알 수 있는바, 이러한 사정을 종합하면, 위 丙에 대한 긴급체포는 위법하다(대판 2007.1.12, 2004도8071).
2. 변호사 甲에 대하여 무죄가 선고되자 무죄가 선고된 공소사실에 대한 보완수사를 한다며 甲의 변호사 사무실 사무장이던 乙에게 검사실로 출석하라고 요구(참고인조사)하여, 자진출석한 사무장 乙에 대하여 검사는 참고인조사를 하지 아니한 채 곧바로 위증 및 위증교사혐의의 피의자신문조서를 받기 시작하였고, 이에 사무장 乙의 전화연락을 받고 변호사 甲이 검사실로 찾아와서 사무장 乙에게 "여기서 나가라."고 지시하였다. 이후 乙이 일어서서 검사실에서 나가려 하자 검사가 乙에게 "지금부터 긴급체포하겠다."고 말하면서 乙의 퇴거를 제지한 경우 乙의 퇴거 제지는 적법한 공무집행이라 볼 수 없다(대판 2006.9.8, 2006도148). 17. 경찰간부, 21. 수사경과

▶ **비교판례** : 甲이 고소인의 자격으로 자진출석하여 피고소인 乙과 함께 **검사로부터 대질조사를 받고 나서 조서에 무인하기를 거부하자 검사가 甲에게 무고혐의가 인정된다면서** 무고죄를 인지하여 조사하겠다고 하였고, 이에 조사를 받지 않겠다고 하면서 나가려고 하자 **검사가 긴급체포한 것은 적법하다**(대판 1998.7.6, 98도785). 21. 수사경과

※ <판례 2>는 자진출석한 참고인에 대하여 예상과는 달리 갑자기 피의자신문을 하자 나가려는 자를 긴급체포하는 경우이며, <비교판례>는 조사과정에서 혐의가 드러나 긴급체포하는 경우라는 점에서 차이가 있다.

3. 소재를 감추자 법원의 압수・수색영장에 의한 휴대전화 위치추적 등의 방법으로 피고인의 소재를 파악하려고 하던 중, 주거지로 귀가하던 피고인을 발견하고, 긴급체포한 것은 적법하다(대판 2005.12.9, 2005도7569).
4. 도로교통법위반 피의사건에서 담당검사의 교체를 요구하고자 부장검사 부속실에 대기하고 있는 피의자를 긴급체포하여 감금한 경우, 그 긴급체포는 형사소송법이 규정하는 긴급체포의 요건을 갖추지 못한 것으로서 당시의 상황과 경험칙에 비추어 **현저히 합리성을 잃은 위법한 체포**에 해당한다(대결 2003.3.27, 2002모81). 17. 경찰간부
5. 현직 군수인 甲을 뇌물사건으로 소환・조사하기 위하여 검사의 명을 받은 검찰주사보가 군청 군수실에 도착하였으나 위 군수가 군수실에 없어 도시행정계장에게 군수의 행방을 확인하였더니, "검사가 자신을 소환하려 한다는 사실을 미리 알고 자택 옆에 있는 초야농장 농막에서 기다리고 있을 것이니 수사관이 오거든 그 곳으로 오라."고 하였다고 하므로, 그 곳에서 수사관을 기다리고 있던 군수를 긴급체포하였는바, 피고인의 소재를 쉽게 알 수 있었고, 시간적 여유도 있었으며, 도망이나 증거인멸의 의도가 없었음은 물론, 언제든지 검사의 소환조사에 응할 태세를 갖추고 있었다 할 것이어서, 위 긴급체포는 위법하다(대판 2002.6.11, 2000도5701). 17. 경찰간부, 21. 수사경과
6. 피고인이 필로폰을 투약한다는 제보를 받은 경찰관이 피고인의 주거지를 방문하였다가, 현관에서 담배를 피우고 있는 피고인을 발견하고 피고인의 전화번호로 전화를 하여 차량 접촉사고가 났으니 나오라고 하였으나 나오지 않고, 또한 경찰관임을 밝히고 만나자고 하는데도 현재 집에 있지 않다는 취지로 거짓말을 하자 피고인의 집 문을 강제로 열고 들어가 피고인을 긴급체포한 경우, 피고인이 마약에 관한 죄를 범하였다고 의심할 만한 상당한 이유가 있었더라도 경찰관이 이미 피고인의 신원과 주거지 및 전화번호 등을 모두 파악하고 있었고, 당시 마약투약의 범죄증거가 급속하게 소멸될 상황도 아니었던 점을 감안하면 긴급성이 인정되지 않아 위법하다(대판 2016.10.13, 2016도5814). 17. 9급 교정・보호・철도경찰, 19・20. 수사경과, 21. 해경, 22. 해경승진・순경 2차, 24. 해경순경

---

(3) 긴급체포의 절차

① 긴급체포의 방법

㉠ 검사 또는 사법경찰관은 긴급체포의 요건을 갖춘 때에는 그 사유를 고지하고 영장 없이 피의자를 체포할 수 있다(제200조의 3 제1항). 사법경찰관이 긴급체포를 한 경우에는 즉시 검사의 승인을 얻어야 한다(동조 제2항). 17. 순경 2차, 18. 순경 1차, 17・18・19・21. 수사경과

- 긴급체포된 후 사후에 체포영장은 불필요
- 사법경찰리도 사법경찰관사무취급자의 지위에서는 긴급체포 가능(대판 1965.1.19, 64도740)
- 검사의 사전 지휘 받지 않아도 무방

☎ 사법경찰관이 피의자를 긴급체포하는 경우에는 즉시 검사의 승인을 받아야 하지만(제200조의 3 제2항), 검사가 피의자를 긴급체포한 경우에는 법원의 승인을 받을 필요가 없다. 18. 7급 국가직

㉡ 긴급체포를 할 때에는 피의사실의 요지, 체포이유와 변호인을 선임할 수 있음을 말하고, 변명의 기회를 주어야 하며(제200조의 5), 24. 경찰승진 **진술거부권을 알려주어야 한다**(수사준칙 제32조 제1항).

☎ 진술거부권 고지 내용 ⇨ 수사준칙 제32조 제2항

피의자를 체포한 경우에는 **즉시 긴급체포서를 작성**하여야 한다(제200조의 3 제3항).

☎ 긴급체포서에는 범죄사실의 요지, 긴급체포사유 등 기재(제200조의 3 제4항) 17. 순경 2차

☎ 사법경찰관이 피의자를 긴급체포한 경우에는 즉시 긴급체포서를 작성하여야 할 뿐 아니라, 즉시 검사의 승인을 얻어야 한다(제200조의 3 제2항). 13. 9급 검찰·마약·교정·보호·철도경찰, 17·21. 경찰승진

☎ 사법경찰관이 피의자를 긴급체포하는 경우에는 피의사실의 요지, 체포의 이유와 변호인을 선임할 수 있음을 말하고 진술거부권을 고지하여야 한다. (○) 15. 순경 1차, 16. 수사경과, 22. 해경간부

㉢ 사법경찰관은 긴급체포 후 **12시간 이내에** 검사에게 긴급체포의 승인을 요청하여야 한다. 다만, 피의자 중지 또는 기소중지된 피의자를 해당 수사관서가 위치하는 특별시·광역시·도 또는 특별자치도 이외의 지역에서 긴급체포하였을 때, 해양경비법에 따른 경비수역에서 체포하였을 때에는 **24시간 이내에** 긴급체포에 대한 승인을 요청해야 한다(수사준칙 제27조 제1항). 19. 순경 2차

☎ 긴급체포의 승인을 요청할 때에는 **긴급체포 승인요청서**로 요청해야 한다. 다만, 긴급한 경우에는 **형사사법정보시스템 또는 팩스**를 이용하여 긴급체포의 승인을 요청할 수 있다(수사준칙 제27조 제2항).

㉣ 검사는 사법경찰관의 긴급체포 승인 요청이 이유 없다고 인정하는 경우에는 **지체 없이** 사법경찰관에게 불승인 통보를 해야 한다. 이 경우 사법경찰관은 긴급체포된 피의자를 **즉시 석방**하고 그 석방 일시와 사유 등을 검사에게 **통보해야 한다**(수사준칙 제27조 제4항). 23. 경찰승진

관련판례

1. 사법경찰관이 검사에게 긴급체포된 피의자에 대한 긴급체포 승인건의와 함께 구속영장을 신청한 경우, **검사의 구속영장 청구 전 피의자 대면조사는** 긴급체포의 적법성을 의심할 만한 사유가 기록 기타 객관적 자료에 나타나고 피의자의 대면조사를 통해 그 여부의 판단이 가능할 것으로 보이는 **예외적인 경우에 한하여 허용될 뿐**, 24. 7급 국가직 **긴급체포의 합당성이나 구속영장 청구에 필요한 사유를 보강하기 위한 목적으로 실시되어서는 아니 된다**. 11. 순경, 17. 경찰간부, 18. 7급 국가직 나아가 검사의 구속영장 청구 전 피의자 대면조사는 강제수사가 아니므로 피의자는 검사의 출석 요구에 응할 의무가 없고, 피의자가 검사의 출석 요구에 **동의한 때에 한하여** 사법경찰관리는 피의자를 검찰청으로 호송하여야 한다(대판 2010.10.28, 2008도11999). 11. 순경, 20. 순경 1차

   ☎ 사법경찰관이 검사에게 긴급체포된 피의자에 대한 승인 건의와 함께 구속영장을 신청한 경우 검사는 긴급체포의 합당성이나 구속영장 청구에 필요한 사유를 보강하기 위하여 긴급체포한 피의자를 검찰청으로 출석시켜 직접 대면조사할 수 있다. (×) 14. 수사경과, 17. 9급 교정·보호·철도경찰·해경

2. 경찰관들이 미란다 원칙상 고지사항의 일부만 고지하고 신원확인절차를 밟으려는 순간 범인이 유리조각을 쥐고 휘둘러 이를 제압하려는 경찰관들에게 상해를 입힌 경우, 그 제압과정 중이나 후에 지체 없이 미란다 원칙을 고지하면 되는 것이므로 위 경찰관들의 긴급체포업무에 관한 정당한 직무집행을 방해한 경우에 해당한다(대판 2007.11.29, 2007도7961).

㉤ 긴급체포한 피의자를 호송 중 필요한 때에는 가장 접근한 교도소 또는 구치소에 임시로 유치할 수 있다(제200조의 6, 제86조).

② **긴급체포에 수반한 강제처분**

㉠ **긴급체포와 압수 · 수색 · 검증** : 피의자를 긴급체포할 때 영장 없이 타인의 주거에서 피의자를 수색하거나, 체포현장에서 압수 · 수색 · 검증을 할 수 있다(제216조 제1항). 18. 경찰승진 영장에 의하여 체포 · 구속하는 경우에 무영장 피의자 수색은 미리 수색영장을 발부받기 어려운 긴급한 사정이 있는 때에 한정한다(제216조 제1항 제1호). 그러나 긴급체포의 경우에는 긴급한 사정이라는 요건을 필요로 하지 아니한다. 24. 해경경위공채

㉡ 긴급체포된 피의자가 소유 · 소지 · 보관한 물건에 대해서는 체포한 때로부터 24시간(48시간 ×) 이내에 영장 없이 압수 · 수색 · 검증할 수 있다(제217조 제1항). 10 · 11. 9급 국가직, 11 · 13 · 14. 경찰승진, 13 · 14 · 20. 수사경과, 17 · 23. 해경, 24. 9급 법원직 압수한 물건을 계속 압수할 필요가 있는 때에는 지체 없이 압수 · 수색영장을 청구(체포한 때로부터 48시간 이내)하여야 하며, 18. 경찰승진, 20. 순경 2차, 21. 해경 이를 발부받지 못한 때에는 압수한 물건을 즉시 반환하여야 한다(제217조 제2항 · 제3항). 23. 경찰승진

관련판례

긴급체포된 자가 소유 · 소지 또는 보관하는 물건에 대하여 긴급히 압수할 필요가 있어 체포한 때부터 24시간 이내에 영장 없이 압수 · 수색 또는 검증을 하는 경우 체포현장이 아닌 장소에서도 긴급체포된 자가 소유 · 소지 또는 보관하는 물건을 대상으로 할 수 있다(대판 2017.9.12, 2017도10309). 20. 경찰승진

경찰이 피의자의 집에서 20m 떨어진 곳에서 피고인을 체포하여 수갑을 채운 후 피고인의 집으로 가서 집안을 수색하여 칼과 합의서를 압수하였고 적법한 시간 내에 압수 · 수색영장을 청구하여 발부받지도 않았다면, 사후에 경찰이 피의자로부터 칼과 합의서에 대한 임의제출동의서를 받았다고 하더라도 증거능력이 인정되지 아니한다(대판 2010.7.22, 2009도14376). 16. 7급 국가직

긴급체포된 자가 소유 · 소지 · 보관한 물건에 대해서는 체포 후 24시간 이내에 영장 없이 압수 · 수색 · 검증할 수 있지만, 압수한 물건을 계속 압수할 필요가 있는 때에는 지체 없이 압수한 때로부터 48시간 이내에 압수영장을 청구하여야 한다. (×) 13. 9급 검찰 · 마약 · 교정 · 보호 · 철도경찰

㉡ **무기사용** : 피의자에 대한 긴급체포시 상당한 이유가 있으면 경찰관은 무기를 사용할 수 있다(경찰관직무집행법 제10조의 4).

③ **체포 후의 조치**

㉠ 변호인이 있으면 변호인에게, 변호인이 없으면 변호인선임권자(제30조 제2항) 중 피의자가 지정한 자에게 체포사실을 알려야 한다. 통지는 지체 없이 서면으로 하여야 하며, 늦어도 24시간 내에 서면으로 하여야 한다. 급속을 요하는 때에는 체포되었다는 취지 및 체포일시 · 장소를 전화 또는 모사전송 기타방법에 의하여 통지할 수 있다. 다만, 이경우에도 다시 서면으로 통지하여야 한다(제200조의 6, 제87조, 규칙 제51조, 제100조 제1항).

☎ 통지의 내용 ⇨ 피의사건명, 체포일시·장소, 피의사실의 요지, 체포이유 및 변호인을 선임할 수 있다는 취지

☎ 통지의 대상이 없어서 통지를 못한 때에는 그 취지를 기재한 서면을 기록에 철하여야 한다.

㉡ 검사 또는 사법경찰관이 피의자를 긴급체포한 경우에 피의자를 구속하고자 할 때에는 검사는 지체 없이 관할 지방법원판사에게 구속영장(체포영장 ×)을 청구하여야 하고, 05. 순경 3차, 09. 9급 국가직 사법경찰관은 검사에 신청하여 검사의 청구로 관할 지방법원판사에 구속영장을 청구하여야 한다(제200조의 4 제1항).

㉢ 구속영장의 청구시간은 48시간을 초과할 수 없으며, 22. 순경 2차 구속영장 청구시에는 긴급체포서를 첨부하여야 한다(제200조의 4 제1항 후단). 09. 9급 국가직 48시간 이내에 구속영장을 청구하지 아니하거나, 발부받지 못한 때에는 피의자를 즉시 석방하여야 한다(동조 제2항). 13·14. 경찰승진, 13·18. 수사경과 48시간 이내에 청구하면 족하므로 이 기간이 넘어서 구속영장이 발부되었다고 해서 피의자를 석방해야 하는 것은 아니다. 19. 경찰간부 물론 긴급체포 후 구속할 필요가 없으면 즉시 석방하여야 한다.

☎ 긴급체포 후 피의자를 구속하고자 할 때에는 48시간 이내에만 구속영장을 청구하면 된다. (×)

☎ 긴급체포의 위법이 구속영장 기각사유에 해당하는지 여부 ⇨ 긴급체포의 위법을 실효적으로 통제하기 위해서는 구속영장 기각사유로 보는 견해가 타당

㉣ 검사 또는 사법경찰관은 긴급체포된 피의자에 대해 구속영장을 청구하거나 신청하지 않고(사법경찰관이 신청하였으나 검사가 기각한 경우를 포함) 체포한 피의자를 석방하려는 때에는 피의자 석방서를 작성해야 한다(수사준칙 제36조 제1항). 사법경찰관이 긴급체포한 피의자를 석방한 때에는 즉시 검사에게 석방 사실을 보고하고, 그 보고서 사본을 사건기록에 편철한다(수사준칙 제36조 제2항 제2호). 10·18·22. 경찰승진, 19. 순경 2차, 24. 해경순경

☎ 석방 전 검사의 지휘 ⇨ 필요 × 24. 9급 법원직

☎ 검사에게 보고 ⇨ 검사의 승인 여부와 무관하게 언제나 행하여야 함.

☎ 피의자에게 유리하므로 석방 후 30일 이내에 보고하면 족하다. (×) 13. 순경 1차, 12·16. 경찰승진

☎ 사법경찰관은 긴급체포한 피의자에 대하여 구속영장을 신청하지 아니하고, 석방한 경우에는 즉시 법원에 통지하여야 한다. (×) 11. 경찰승진, 19. 경찰간부

㉤ 검사는 구속영장을 청구하지 아니하고 석방한 경우에는 석방한 날로부터 30일 이내(즉시 ×)에 서면으로 법원에 통지하여야 한다(긴급체포서 사본 첨부)(제200조의 4 제4항). 13. 경찰승진

☎ 법원으로부터 사후승인까지 얻을 필요는 없다. 19. 경찰간부, 20. 수사경과, 19·23. 순경 2차, 25. 소방간부

관련판례

피의자가 2009. 11. 2. 22 : 00경 긴급체포되어 조사를 받고 구속영장이 청구되지 아니하여 2009. 11. 4. 20 : 10경 석방되었음에도 검사가 그로부터 30일 이내에 형사소송법 제200조의 4에 따른 석방통지를 법원에 하지 않았다 하더라도, 피의자에 대한 긴급체포 당시의 상황과 경위, 긴급체포 후 조사 과정 등에 특별한 위법이 없다고 볼 수 있는 이상, 단지 사후에 석방통지가 법에 따라 이루어지지 않았다는 사정만으로 그 긴급체포에 의한 유치 중에 작성된 피의자에 대한 피의자신문조서들의 작성이 소급하여 위법하게 된다고 볼 수는 없다(**대판** 2014.8.26, 2011도6035). 17·21·22. 순경 1차, 24. 9급 법원직

ⓗ 긴급체포 후 석방된 자 또는 그 변호인 · 법정대리인 · 배우자 · 직계친족 · 형제자매는 사후에 통지서 및 관련서류를 열람 · 등사할 수 있다(제200조의 4 제4항 · 제5항). 10. 9급 국가직, 11 · 14. 경찰승진, 17. 9급 교정 · 보호 · 철도경찰 · 해경, 18. 순경 1차, 21. 수사경과

가족 · 동거인 또는 고용주 ⇨ × 23. 7급 국가직

통지서 기재사항(제200조의 4 제4항)

1. 긴급체포 후 석방된 자의 인적 사항
2. 긴급체포의 일시 · 장소와 긴급체포하게 된 구체적 사유
3. 석방의 일시 · 장소 및 사유
4. 긴급체포 및 석방한 검사 또는 사법경찰관의 성명

통지제도는 긴급체포의 남용을 방지하기 위함이고, 통지서 및 관련서류의 열람 · 등사 허용은 긴급체포로 인한 위법행위의 시정이나 배상을 구하는 데 석방자 측에서 이를 이용할 수 있도록 하기 위함이다. 09. 순경

(4) 재긴급체포의 제한

긴급체포되었다가 구속영장을 청구하지 아니하였거나 발부받지 못하여 석방된 자는 영장 없이는 동일한 범죄사실에 관하여 다시 체포하지 못한다(제200조의 4 제3항). 17. 9급 교정 · 보호 · 철도경찰, 14 · 19 · 21. 수사경과, 24. 경찰간부 따라서 체포영장이나 구속영장에 의한 체포는 가능하다(대판 2001.9.28, 2001도4291). 13. 경찰간부, 14. 9급 법원직, 15. 순경 3차, 18. 7급 국가직, 12 · 20. 순경 2차 · 교정특채, 14 · 20 · 21. 수사경과, 22. 해경간부, 21 · 24. 경찰승진

긴급체포의 요건을 갖추었거나 다른 중요한 증거가 발견된 경우라면 다시 동일한 범죄사실로 긴급체포하는 것도 가능하다. (×) 17. 해경, 22. 7급 국가직

긴급체포 후 석방된 피의자일지라도 법원으로부터 구속영장을 발부받아 구속할 수 있다. (○) 18. 순경 1차, 22. 9급 법원직

(5) 긴급체포된 자의 지위

① **접견교통권 보장** : 긴급체포된 자도 접견교통권이 보장된다.

② **구속기간의 계산** : 피의자에 대한 구속영장이 발부된 경우 구속기간의 기산점은 체포된 때이다(제203조의 2). 17. 순경 2차, 20 · 22. 수사경과, 13 · 15 · 16 · 21. 경찰승진

구속된 피의자가 피고인으로 된 경우 피고인 구속기간 ⇨ 공소제기시부터 기산(제92조 제3항)

③ **체포적부심사청구권** : 긴급체포된 피의자에게도 체포적부심사청구권이 인정된다(제214조의 2 제1항 참조).

④ **위법한 긴급체포** : 위법한 긴급체포 중에 수집한 증거는 특별한 사정이 없는 한 증거사용이 불가능하며, 위법체포 후 긴급체포 역시 위법하다.

관련판례

1. 긴급체포가 그 요건을 갖추지 못할 경우, 단순히 체포가 위법함에 그치는 것이 아니라 그 체포에 의한 유치 중에 작성된 피의자신문조서도 특별한 사정이 없는 한 증거능력이 부정된다(대판 2008.3.27, 2007도11400). 09 · 10 · 13. 순경, 10. 9급 국가직, 11. 9급 검찰, 12. 변호사시험, 10 · 11 · 16. 경찰승진

2. 사법경찰관이 피고인을 수사관서까지 동행한 것이 사실상의 강제연행, 즉 불법체포에 해당하고, 불법체포로부터 6시간 상당이 경과한 후에 이루어진 긴급체포 또한 위법하므로 15. 수사경과 피고인이 불법체포된 자로서 형법 제145조 제1항에 정한 '법률에 의하여 체포 또는 구금된 자'가 아니어서 도주죄의 주체가 될 수 없다(대판 2006.7.6, 2005도6810). 11. 9급 검찰, 13. 순경 2차, 10 · 17. 경찰승진

⑤ **긴급체포서 등 등본 교부청구권** : 구속영장이 청구되거나 체포 또는 구속된 피의자, 그 변호인, 법정대리인, 배우자, 직계친족, 형제자매나 동거인 또는 고용주는 긴급체포서, 현행범인체포서, 체포영장, 구속영장 또는 그 청구서를 보관하고 있는 검사, 사법경찰관 또는 법원사무관 등에게 그 등본의 교부를 청구할 수 있다(규칙 제101조).

KEY point

- **긴급체포의 요건** : 제200조의 3
- **긴급체포요건 판단** : 체포당시 상황을 기초(사후 사정 기초 ×)
- **긴급체포권자** : 검사 또는 사법경찰관(사법경찰리 ×)
- **긴급체포대상 범죄가 아닌 것** : 도표 참조
- **긴급체포 후 구속영장청구** : 구속 필요시 지체 없이 구속영장청구(늦어도 48시간 초과 금지)
- **긴급체포된 자 즉시 석방**
  - 구속의 필요가 없을 때
  - 지체 없이 구속영장을 청구하지 아니한 때
  - 구속영장청구가 있었으나 영장이 발부되지 않을 때
- **사법경찰관 긴급체포** : 즉시 검사의 승인 요함
- **구속영장청구** : 필요시 지체 없이(늦어도 48시간 이내)
- **긴급체포시 압수 · 수색 · 검증** : 무영장
- 긴급체포된 자의 물건에 대한 긴급 압수 ⇨ 24시간 이내(48시간 ×)
- **재긴급체포제한** : 영장 없이는 재체포 ×
- **긴급체포 후 석방** : 검사는 30일 내에 법원에 통지(서면), 사법경찰관은 검사에 즉시 보고

3 현행범인체포

(1) 현행범의 의의

① **의의** : 현행범인은 누구든지 영장 없이 체포할 수 있고 긴급체포와 함께 영장주의의 예외에 속한다(헌법 제12조 제3항 단서). 형사소송법은 현행범인을 고유한 의미의 현행범인(제211조 제1항)과 준현행범인(제211조 제2항)으로 나누어 규정하고 있다.

- 현행범에게 영장주의 예외를 인정함은 범행과 시간적으로 밀접해 있어 범죄의 명확성이 인정되기 때문이다.
- 현행범인 경우에는 회기 중인 국회의원이라도 국회의 동의 없이 체포할 수 있다.

② **현행범인** : 현행범인은 범죄의 실행 중이거나 실행 직후인 자를 말한다(제211조 제1항). 16. 순경 2차 범죄의 실행 즉후란 범죄실행행위의 종료 직후를 말하며, 결과발생 유무와는 상관 없을 뿐 아니라 실행행위를 전부 종료할 것도 요하지 않는다.

㉠ 범죄의 실행 중이란 범죄의 실행에 착수하여 아직 종료하지 못한 상태를 말한다. 미수가 처벌되는 범죄에 있어서는 실행의 착수가 있으면 족하며, 예비・음모를 벌하는 경우에는 예비・음모행위가 실행행위에 해당한다.

㉡ 교사범・방조범은 정범의 실행을 전제로 하므로 정범의 실행행위가 개시된 때에 현행범이 된다고 해야 한다(다수설).

㉢ 간접정범의 경우 간접정범의 이용행위가 있으면 족하다는 견해와 피이용자의 실행행위가 개시된 때를 기준으로 하자는 견해가 있다. 이용행위를 기준으로 하면 현행범인의 범위가 넓어진다 할 것이므로 후자가 타당하다고 본다.

㉣ 범죄의 실행 직후란 범죄실행행위를 종료한 직후를 말한다. 따라서 시간적 접착성이 인정되어야 한다. 시간이 지남에 따라 범인이 범죄장소로부터 이동하는 것이 일반적이고 그렇게 되면 다른 사람과 섞여 혼동될 가능성도 있기 때문에 장소적 접착성도 필요하다고 보아야 한다.

관련판례

1. "범죄의 실행의 즉후인 자"라고 함은, 범죄의 실행행위를 종료한 직후의 범인이라는 것이 체포하는 자(제3자 ×, 일반인 ×)의 입장에서 볼 때 명백한 경우를 일컫는 것이고, 11. 순경 1차, 13. 순경 2차, 12・14・16. 경찰승진, 18. 7급 국가직, 18・20. 경찰간부, 14・19・20・21. 수사경과, 24. 경위공채 "범죄의 실행행위를 종료한 직후"라고 함은, 범죄행위를 실행하여 끝마친 순간 또는 이에 아주 접착된 시간적 단계를 의미하는 것으로 해석되므로, 시간적으로나 장소적으로 보아 체포를 당하는 자가 방금 범죄를 실행한 범인이라는 점에 관한 죄증이 명백히 존재하는 것으로 인정되는 경우에만 현행범인으로 볼 수 있는 것이다(대판 2007.4.13, 2007도1249). 10. 경찰승진, 16. 9급 검찰・마약수사・7급 국가직・순경 2차, 16・23. 순경 1차

   형사소송법 제211조가 현행범인으로 규정한 '범죄의 실행의 즉후인 자'라고 함은 범죄의 실행행위를 종료한 직후의 범인이라는 것이 객관적인 제3자의 입장에서 볼 때 명백한 경우를 일컫는 것이고, '범죄의 실행행위를 종료한 직후'라고 함은 범죄행위를 실행하여 끝마친 순간 또는 이에 아주 접착된 시간적 단계를 의미하는 것으로 해석된다. (×) 20. 경찰승진

2. 피고인이 음주운전을 종료한 후 40분 이상이 경과한 시점에서 길가에 앉아 있던 피고인에게서 술냄새가 난다는 점만을 근거로 피고인을 음주운전의 현행범으로 체포한 것은 피고인이 '방금 음주운전을 실행한 범인이라는 점에 관한 죄증이 명백하다고 할 수 없는 상태'에서 이루어진 것으로서 적법한 공무집행이라고 볼 수 없고, 그 이후에 피고인에 대하여 음주측정을 요구한 것은 절차적 적법성을 구비하지 못한 것이고 피고인에 대한 조사행위 역시 적법한 직무집행행위라고 볼 수 없다(대판 2007.4.13, 2007도1249). 15・20. 경찰간부, 21. 수사경과, 20. 해경, 14・19・21. 경찰승진, 23. 해경승진

3. 무학여고 앞길에서 싸움을 한 지 10분밖에 지나지 않았고, 체포된 장소도 범행현장에 인접한 위 학교운동장인 경우 현행범체포로서 적법한 공무집행에 해당한다(대판 1993.8.13, 93도926). 11. 순경 2차, 11・15. 경찰승진, 13・15・18・20. 수사경과, 24. 순경 1차

4. 교장실에 들어가 약 5분 동안 식칼을 휘두르며 소란을 피우다 부모의 만류로 그만둔 후 40분 정도 지나서 교장실이 아닌 서무실에서 체포하는 것은 현행범체포에 해당하지 아니한다(대판 1991.9.24, 91도1314). 04. 순경・9급 법원직, 09. 순경 1차, 11. 순경 2차, 14・15. 수사경과, 16. 경찰간부, 19. 경찰승진

5. 목욕탕 탈의실에서 구타하고 약 1분여 동안 피해자의 목을 잡고 있다가 그 곳에 있던 다른 사람들이 말리자 잡고 있던 목을 놓은 후 목욕탕 탈의실 의자에 앉아 있다가 피고인이 옷을 입고 있었던 중 경찰관들이 현장에 출동하여 현행범인으로 체포함은 적법하다(대판 2006.2.10, 2005도7158).
6. 주민의 신고를 받고 현장에 도착했을 때에는 이미 싸움이 끝난 상태였다면 현행범 내지는 준현행범이 아니므로 이를 체포하였다면 적법한 공무집행이라고 볼 수 없다(대판 1989.12.12, 89도1934). 04. 9급 법원직

③ **준현행범인** : 준현행범인은 현행범은 아니지만 형사소송법에 의해 현행범인으로 간주되는 자를 말한다.

현행범인으로 간주되는 자(제211조 제2항)

1. 범인으로 불리며 추적되고 있을 때 13. 경찰간부
2. 장물이나 범죄에 사용되었다고 인정하기에 충분한 흉기나 그 밖의 물건을 소지하고 있을 때
3. 신체나 의복류에 증거가 될만한 뚜렷한 흔적이 있을 때(대판 2012.11.15, 2011도15258)
4. 누구냐고 묻자 도망하려고 할 때 10. 교정특채, 11. 순경

㉠ **추적 중** : 원칙적으로 범죄종료 후로부터 추적 · 호창이 계속됨을 요하나 극히 단시간의 중단은 무방하다고 본다. 예 범인을 추적하던 중 범인을 놓쳤다가 잠시 후 그 부근에서 범인을 발견한 경우는 준현행범에 해당

㉡ **장물 · 흉기 소지** : 장물 · 흉기의 소지가 범죄실행행위의 종료와 시간적 접착성이 인정되어야 한다. 예 범죄가 있은 수일 후에 장물 또는 흉기를 소지하고 있는 자는 준현행범이 아님

관련판례

순찰 중이던 경찰관이 교통사고를 낸 차량이 도주하였다는 무전연락을 받고 주변을 수색하다가 범퍼 등의 파손상태로 보아 사고차량으로 인정되는 차량에서 내리는 사람을 발견한 경우, 형사소송법 제211조 제2항 제2호 소정의 '장물이나 범죄에 사용되었다고 인정함에 충분한 흉기 기타의 물건을 소지하고 있는 때'에 해당하므로 준현행범으로서 영장 없이 체포할 수 있다(대판 2000.7.4, 99도4341). 09. 순경 1차, 11. 순경 2차, 13 · 14. 7급 국가직, 15. 경찰승진, 19. 9급 법원직, 13 · 16 · 17 · 21. 수사경과, 20. 해경, 19 · 21. 경찰간부

㉢ **누구인지 물음에 도망** : 누구인지 묻는 주체는 수사기관에 한하지 않고 사인을 포함하며, 반드시 말로써 누구냐고 물을 것도 요하지 않는다.

불심검문하는 경찰관이 누구임을 물음에 대하여 도망하려는 자는 현행범인으로 간주하여 체포될 수 있다. (○) 14. 9급 교정 · 보호 · 철도경찰

(2) 현행범체포의 요건

현행범을 체포하려면 ① 범죄나 범인의 명백성이 있어야 하고 ② 체포의 필요성(체포사유)이 있어야 하며, ③ 현행범체포의 비례성이 있어야 한다. 현행범체포의 적법성 여부는 체포 당시의 구체적 상황을 기초로 객관적으로 판단하여야 하고 사후에 범인으로 인정되었는지에 의할 것은 아니다.

관련판례

1. 비록 소란행위가 업무방해죄의 구성요건에 해당하지 않아 사후적으로 무죄로 판단된다고 하더라도, 피고인이 상황을 설명해 달라거나 밖에서 얘기하자는 경찰관의 요구를 거부하고 경찰관 앞에서 소리를 지르고 양은그릇을 두드리면서 소란을 피운 당시 상황에서는 객관적으로 보아 피고인이 업무방해죄의 현행범이라고 인정할 만한 충분한 이유가 있으므로, 경찰관들이 피고인을 체포하려고 한 행위는 적법한 공무집행이라고 보아야 한다(대판 2013.8.23, 2011도4763). 16. 9급 검찰·마약수사, 18·20. 순경 2차, 22. 해경승진, 24. 해경순경
2. 현행범인 체포의 요건을 갖추었는지는 체포 당시의 상황을 기초로 판단하여야 하고, 24. 순경 2차 이에 관한 수사주체의 판단에는 상당한 재량의 여지가 있다고 할 것이다. 따라서 체포 당시의 상황에서 보아 그 요건에 관한 수사주체의 판단이 경험칙에 비추어 현저히 합리성이 없다고 인정되지 않는 한 수사주체의 현행범인 체포를 위법하다고 단정할 것은 아니다(대판 2018.3.29, 2017도21537). 18. 순경 2차, 24. 7급 국가직

① **범죄와 범인의 명백성** : 형식상 죄를 범한 것으로 보일지라도 범죄가 성립하지 않을 때에는 현행범인으로 체포할 수 없다. 따라서 형법상 구성요건에 해당하고 위법성조각사유와 책임조각사유가 없음이 명백한 경우라야 현행범인으로 체포할 수 있다.

예 형사미성년자 ⇨ 현행범체포 대상 ×, 소송조건의 존재 ⇨ 체포의 요건 ×

∴ 친고죄의 경우 고소가 없더라도 현행범체포 가능함(다만, 고소가능성이 전혀 없다면 체포 ×)

② **체포의 필요성**(체포사유) : 긴급체포와는 달리 현행범인의 체포에 도망이나 증거인멸의 우려와 같은 구속사유가 필요하다는 명문의 규정은 없다. 필요설과 불필요설의 대립이 있으나, 판례는 전자의 입장에 있다.

관련판례

1. 현행범인은 누구든지 영장 없이 체포할 수 있으므로 사인의 현행범인체포는 법령에 의한 행위로서 위법성이 조각된다고 할 것인데, 현행범인체포의 요건으로서는 행위의 가벌성, 범죄의 현행성 및 시간적 접착성, 범인·범죄의 명백성 외에 체포의 필요성, 즉 도망 또는 증거인멸의 염려가 있을 것을 요한다(대판 2011.5.26, 2011도3682). 19. 7급 국가직, 16·20. 순경 1차, 15·18·19·20. 수사경과, 14·16·18·21. 경찰승진, 17·22. 경찰간부, 22. 해경승진, 13·20·24. 순경 2차, 25. 소방간부
2. 甲과 乙이 주차문제로 다투던 중 乙이 112신고를 하였고, 甲이 출동한 경찰관에게 폭행을 가하여 공무집행방해죄의 현행범으로 체포된 경우, 112에 신고를 한 것은 乙이었고, 甲이 현행범으로 체포되어 파출소에 도착한 이후에도 경찰관의 신분증 제시요구에 20여 분 동안 응하지 아니하면서 인적사항을 밝히지 아니하였다면, 甲에게는 현행범체포 당시에 도망 또는 증거인멸의 염려가 있었다고 할 수 있다(대판 2018.3.29, 2017도21537). 21. 7급 국가직

③ **비례성** : 경미사건(50만원 이하의 벌금, 구류 또는 과료에 해당하는 죄)의 현행범인에 대해서는 범인의 주거가 분명하지 아니한 경우에만 그 체포가 허용된다(제214조) 16·19·20. 수사경과, 21. 해경, 24. 해경간부 고 규정하고 있는바, 17. 순경 1차 이는 비례성 원칙의 표현이다. 13. 순경 2차, 20. 경찰승진

- 경미사건 ⇨ 사람이 살지 않은 빈집 침입, 노상방뇨, 장난전화, 무임승차·무전취식, 음주소란, 불안감조성, 125cc 이하 원동기장치의 자전거 무면허운전 ∴ 제214조 적용(○)
- 관공서에서 주취 소란, 범죄나 재해사실 거짓신고 ⇨ 60만원 이하 벌금·구류 또는 과료 ∴ 제214조 적용(×) 18. 수사경과

(3) 현행범체포절차

① **주체** : 현행범체포는 누구든지 할 수 있다. 따라서 수사기관뿐 아니라 사인도 현행범인을 영장 없이 체포할 수 있다(다만, 사인은 체포의무는 없고 체포권한만 가짐). 16. 순경 2차

현행범인은 누구든지 체포하여야 한다. (×)

수사기관이 현행범인을 발견하거나 사인으로부터 인도받은 경우에 그 발견시 또는 인도를 받은 때가 피의자의 시기(始期)이다.

② **체포권한**

㉠ **일반인의 현행범체포** : 일반인의 체포권한은 현행범을 검사나 사법경찰관리가 올 때까지 붙들고 있거나, 가장 가까운 경찰관서로 끌고가 경찰관에 인도하는 것이다(제213조 제1항). 이를 위해 필요한 최소한도의 폭력이 사용될 수 있다. 사인이 체포한 현행범인을 인도하지 않고 석방하는 것은 허용되지 않는다. 12. 경찰간부

현행범인 체포에 있어서 체포의 목적을 달성하기 위하여 필요한 범위 내에서 사인이라도 강제력을 행사할 수 있다. (○) 13. 변호사시험

체포현장에서 압수·수색은 검사나 사법경찰관의 권한이므로 일반사인에게는 체포현장에서 압수·수색이 허용되지 아니한다. (○)(제216조 제1항 제2호 참조) 20. 경찰간부

㉡ **사법경찰관리의 현행범체포**

ⓐ 사법경찰관리가 현행범을 체포할 때에는 일반 시민이 체포한 경우와는 달리 적법절차를 준수하여야 한다. 즉, 피의사실의 요지 및 체포의 이유와 변호인을 선임할 수 있음을 말하고 변명할 기회를 주어야 하며(제200조의 5), 진술거부권을 알려주어야 한다(수사준칙 제32조 제1항). 10·14·16. 순경 2차, 10·15·16. 경찰승진, 16. 7급 국가직·경찰간부

진술거부권 고지 내용 ⇨ 수사준칙 제32조 제2항

관련판례

1. 경찰관들이 현행범으로 체포하거나 현행범인체포서를 작성할 때 체포사유 및 변호인선임권을 고지하지 아니하였음에도 불구하고, '체포의 사유 및 변호인 선임권 등을 고지 후 현행범인 체포한 것임'이라는 내용의 허위의 현행범인체포서와 '현행범인으로 체포하면서 범죄사실의 요지, 구속의 이유와 변호인을 선임할 수 있음을 고지하고 변명의 기회를 주었다.'는 내용의 허위의 확인서를 작성한 경우, 허위공문서작성죄가 성립(대판 2010.6.24, 2008도11226) 16. 경찰승진, 24. 경위공채
2. 피고인은 전투경찰순경 甲에게 체포되어 바로 호송버스에 탑승하게 되면서 경찰관 乙에게서 피의사실의 요지 및 현행범인체포의 이유와 변호인을 선임할 수 있음을 고지받고 변명의 기회를 제공받은 경우, 형사소송법 제200조의 5에 규정된 적법한 고지가 이루어졌다고 본다(대판 2012.2.9, 2011도7193).
3. 사법경찰관리가 현행범인을 체포하는 경우(긴급체포의 경우에도 동일)에는 반드시 범죄사실의 요지, 체포의 이유와 변호인을 선임할 수 있음을 말하고 변명할 기회를 주어야 하고, 이와 같은 고지는

체포를 위한 실력행사에 들어가기 이전에 미리 하여야 하는 것이 원칙이나, **달아나는 피의자를 쫓아가 붙들거나 폭력으로 대항하는 피의자를 실력으로 제압하는 경우에는 붙들거나 제압하는 과정에서 하거나, 그것이 여의치 않은 경우 일단 붙들거나 제압한 후에 지체 없이 행하였다면 경찰관의 현행범인 체포는 적법한 공무집행이라고 할 수 있다**(대판 2010.6.24, 2008도11226). 24. 경위공채

☎ 현행범인체포의 미란다 고지는 체포를 위한 실력행사 이전에 행하여야 하며, 제압 후에 하여서는 안된다. (×) 11. 9급 검찰 · 마약수사, 17. 경찰승진, 20. 수사경과

4. 甲은 저녁을 먹으면서 술을 마신 뒤 위 식당 건너편 빌라 주차장에 주차되어 있던 甲의 차량을 그대로 둔 채 귀가하였다. 다음 날 아침에 공사를 할 수 없다며 차량을 이동시켜 달라는 취지의 신고전화를 하였고, 이에 경찰관은 차량을 이동할 것을 요구하는 전화를 하였다. 甲은 위 빌라 주차장에 도착하여 술 냄새가 나고 눈이 빨갛게 충혈 되어 있는 상태에서 차량을 약 2m 가량 운전하여 이동 · 주차하였으나, 누군가 피고인이 음주운전을 하였다고 신고를 하여 경찰관은 음주감지기에 의한 확인을 요구하였으나 '이만큼 차량을 뺀 것이 무슨 음주운전이 되느냐.'며 응하지 아니하였고, 임의동행도 거부하였다. 이에 경찰관은 甲을 음주운전죄의 현행범으로 체포하여 위 지구대로 데리고 가 음주측정을 요구하였다. 사안이 경미하고, 도망하거나 증거를 인멸하였다고 단정하기 어려워 甲을 현행범으로 체포한 것은 위법하다(대판 2017.4.7, 2016도19907).
5. 피고인이 甲과 주차문제로 언쟁을 벌이던 중, 112 신고를 받고 출동한 경찰관 乙이 甲을 때리려는 피고인을 제지하자 자신만 제지를 당한 데 화가 나서 손으로 乙의 가슴을 1회 밀치고, 계속하여 욕설을 하면서 피고인을 현행범으로 체포하며 순찰차 뒷좌석에 태우려고 하는 乙의 정강이 부분을 양발로 2회 걷어차는 등 폭행함으로써 경찰관의 112 신고처리에 관한 직무집행을 방해하였다는 내용으로 기소된 사안에서, 공소사실을 무죄라고 판단한 원심판결에 공무집행방해죄의 폭행이나 직무집행, 현행범 체포의 요건 등에 관한 법리오해 등의 잘못이 있다(대판 2018.3.29, 2017도21537).
6. 조합원들을 체포하는 과정에서 체포의 이유 등을 제대로 고지하지 않다가 30~40분이 지난 후 피고인 등의 항의를 받고 나서야 비로소 체포의 이유 등을 고지한 것은 형사소송법상 현행범인 체포의 적법한 절차를 준수한 것이 아니므로 적법한 공무집행이라고 볼 수 없다(대판 2017.3.15, 2013도2168). 21. 7급 국가직 · 수사경과, 22. 해경승진, 24. 소방간부 · 해경순경

ⓑ 사법경찰관리는 현행범을 체포하기 위하여 영장 없이 타인의 주거에 들어갈 수 있고 (제216조 제1항 제1호)(일반인은 타인의 주거에 들어가지 못함), 11. 경찰승진 **불가피한 경우 필요한 최소한의 범위에서 무기를 사용할 수 있으며**(경찰관직무집행법 제11조), **체포현장에서 영장 없이 압수 · 수색 · 검증을 할 수 있다**(제216조 제1항 제2호). **압수한 물건을 계속 압수할 필요가 있는 경우에는 지체 없이 압수 · 수색영장을 청구하여야 한다**(체포 후 48시간 이내)(제217조 제2항). 15. 수사경과

관련판례

현행범 체포 현장이나 범죄 장소에서도 소지자 등이 임의로 제출하는 물건은 영장 없이 압수할 수 있고, 이 경우에는 검사나 사법경찰관이 사후에 영장을 받을 필요가 없다(대판 2016.2.18, 2015도13726). 24. 순경 2차

ⓒ 사법경찰관리가 현행범을 체포하였을 때에는 체포경위를 상세히 적은 현행범인체포서를 작성하여야 한다(경찰수사규칙 제52조 제2항).

관련판례

1. 피고인들을 비롯한 경찰관들이 현행범으로 체포하거나 현행범인체포서를 작성할 때 체포사유 및 변호인선임권을 고지하지 아니하였음에도 불구하고, '체포의 사유 및 변호인 선임권 등을 고지 후 현행범인 체포한 것임'이라는 내용의 허위의 현행범인체포서를 작성한 사안에서, 당시 피고인들에게 허위공문서작성에 대한 범의도 있었다고 보아야 한다(대판 2010.6.24, 2008도11226). 14·16. 경찰승진
2. 경찰관의 현행범인 체포경위 및 그에 관한 현행범인체포서와 공소 범죄사실의 기재에 다소 차이가 있더라도, 그것이 논리와 경험칙상 장소적·시간적 동일성이 인정되는 범위 내라면 그 체포행위는 적법한 공무집행에 해당한다(대판 2008.10.9, 2008도3640). 14. 수사경과, 16. 경찰간부, 15·17. 순경 1차, 24. 해경간부

㉢ **실력행사** : 현행범체포시 필요하고 상당하다고 인정되는 범위 내에서 실력행사를 할 수 있으나, 아무리 현행범이라 할지라도 강제연행을 적법한 공무집행이라 볼 수 없다.

관련판례

1. 피고인이 경찰관의 불심검문을 받아 운전면허증을 교부한 후 경찰관에게 큰 소리로 욕설을 하였는데, 경찰관이 모욕죄의 현행범으로 체포하겠다고 고지한 후 피고인의 오른쪽 어깨를 붙잡자 반항하면서 경찰관에게 상해를 가한 사안에서, 피고인은 경찰관의 불심검문에 응하여 이미 운전면허증을 교부한 상태이고, 경찰관뿐 아니라 인근 주민도 욕설을 직접 들었으므로, 피고인이 도망하거나 증거를 인멸할 염려가 있다고 보기는 어렵고, 피고인의 모욕 범행은 불심검문에 항의하는 과정에서 저지른 일시적·우발적인 행위로서 사안 자체가 경미할 뿐 아니라, 피해자인 경찰관이 범행현장에서 즉시 범인을 체포할 급박한 사정이 있다고 보기도 어려우므로, 경찰관이 피고인을 체포한 행위는 적법한 공무집행이라고 볼 수 없고, 피고인이 체포를 면하려고 반항하는 과정에서 상해를 가한 것은 불법체포로 인한 신체에 대한 현재의 부당한 침해에서 벗어나기 위한 행위로서 정당방위에 해당한다(대판 2011.5.26, 2011도3682). 16. 변호사시험, 16·21. 수사경과, 12·19·22. 경찰승진
   ▶ 모욕죄 : 유죄, 상해죄 : 무죄(위법성조각), 공무집행방해죄 : 무죄(구성요건해당성 ×)
2. 현행범인으로서의 요건을 갖추고 있었다고 인정되지 않는 상황에서 경찰관들이 동행을 거부하는 자를 체포하거나 강제로 연행하려고 하였다면, 이는 적법한 공무집행이라고 볼 수 없고, 그 체포를 면하려고 반항하는 과정에서 경찰관에게 상해를 가한 것은 정당방위에 해당하여 위법성이 조각된다(대판 2002.5.10, 2001도300). 16. 순경 2차, 18. 경찰승진
3. 의경이 피고인을 파출소로 끌고 가려고 한 것은 음주측정을 하기 위한 것일 뿐, 피고인을 음주운전이나 음주측정 거부의 현행범으로 체포하려는 의사였는지도 의심스러울 뿐 아니라, 가사 현행범으로 체포하려 하였더라도 현행범을 체포함에 있어서는 원심이 판시한 바와 같은 적법절차를 준수하여야 함에도 현행범으로 체포한다는 사실조차 고지하지 아니한 채 실력으로 연행하려 한 위 의경의 행위는 적법한 공무집행으로 볼 수 없다(대판 1994.10.25, 94도2283). 09. 순경

4. 피고인이 시비 중 피해자를 주먹으로 그 얼굴을 4, 5회 치고 배를 발로 찬 후 멱살을 잡고 그를 인근 파출소로 끌고가면서 폭행을 하였다면 비록 그 과정에서 피고인도 얻어 맞았다 하더라도 현행범체포에 해당되지 아니한다(대판 1969.12.9, 69도1846). 03. 여경
5. 부산지방경찰청 외사계 소속 경사 甲에게 출입국관리법 위반죄 등의 현행범인으로 체포되어 지체 없이 피의사실의 요지, 체포이유, 변호인선임권 등을 고지하는 등의 절차를 밟지 않고 피고인의 승용차에 승차하여 이동하던 중 피고인이 뒷좌석 유리창을 내리고 도주하려는 것을 위 甲이 수갑을 채우면서 제지하려고 하자 주먹으로 위 甲의 얼굴을 1회 때리는 등 폭행한 사안에서 경찰관 甲의 체포행위는 적법한 공무집행이라고 볼 수 없다(대판 2006.11.23, 2006도2732).
6. 차를 손괴하고 도망하려는 자를 체포함에 있어 멱살을 잡고 흔들어 피해자에게 전치 14일의 흉부찰과상을 입게 된 사실이 인정되더라도 그것은 사회통념상 허용되는 행위라고 볼 것이므로 현행범에 대한 체포는 정당하다(대판 1999.1.26, 98도3029).
7. 피고인이 교통단속 경찰관의 면허증 제시 요구에 응하지 않고 교통경찰관을 폭행한 사안에 대하여 경찰관의 면허증 제시 요구에 순순히 응하지 않은 것은 잘못이라고 하겠으나, 피고인이 위 경찰관에게 먼저 폭행 또는 협박을 가한 것이 아니라면 경찰관의 오만한 단속 태도에 항의한다고 하여 피고인을 그 의사에 반하여 교통초소로 연행해 갈 권한은 경찰관에게 없는 것이므로, 이러한 강제연행에 항거하는 와중에서 경찰관의 멱살을 잡는 등 폭행을 가하였다고 하여도 공무집행방해죄가 성립되지 않는다(대판 1992.2.11, 91도2797).
8. 경찰관이 피고인을 불심검문 끝에 임의동행을 요구하고, 도망치는 피고인을 체포하려는 행위가 구속영장의 집행으로 하는 것인지, 현행범인으로 체포하려는 것인지 알 수 없다면 적법한 공무집행행위였다고 단정할 수 없다(대판 1977.8.23, 77도2111).
9. 피고인이 경찰관들과 마주하자마자 도망가려는 태도를 보이거나 먼저 폭력을 행사하며 대항한 바 없는 등 경찰관들이 체포를 위한 실력행사에 나아가기 전에 체포영장을 제시하고 미란다 원칙을 고지할 여유가 있었음에도 애초부터 미란다 원칙을 체포 후에 고지할 생각으로 먼저 체포행위에 나선 행위는 적법한 공무집행이라고 보기 어렵다(대판 2017.9.21, 2017도10866). 21. 순경 2차
10. 적정한 한계를 벗어나는 현행범인 체포행위는 그 부분에 관한 한 법령에 의한 행위로 될 수 없다고 할 것이나, 적정한 한계를 벗어나는 행위인가 여부는 결국 정당행위의 일반적 요건을 갖추었는지 여부에 따라 결정되어야 할 것이지 그 행위가 소극적인 방어행위인가 적극적인 공격행위인가에 따라 결정되어야 하는 것은 아니다(대판 1999.1.26, 98도3029). 23. 순경 1차

---

③ 체포 후의 절차

㉠ 현행범인의 인도

ⓐ 일반인이 현행범인을 체포한 경우에는 즉시 검사 또는 사법경찰관리에게 인도하여야 한다(제213조 제1항). 13. 수사경과, 13 · 14 · 16. 순경 2차, 13 · 20. 경찰간부

여기서 '즉시'라고 함은 반드시 체포시점과 시간적으로 밀착된 시점이어야 하는 것은 아니고, '정당한 이유 없이 인도를 지연하거나 체포를 계속하는 등으로 불필요한 지체를 함이 없이'라는 뜻으로 볼 것이다(대판 2011.12.22, 2011도12927). 16. 7급 국가직, 18. 경찰간부 · 경찰승진, 16 · 20. 순경 2차, 21. 수사경과 · 해경

ⓑ 사법경찰관리가 현행범인의 인도를 받은 때에는 체포자의 성명·주거·체포사유를 묻고 필요한 경우 체포자에게 경찰관서에 동행할 것을 요구할 수 있다(제213조 제2항). 13·14. 순경 2차, 20. 7급 국가직, 22. 수사경과, 16·23. 경찰승진 현행범인을 체포한 자는 그 사건에 관하여 중요한 참고인(증인)으로 된다는 점을 고려한 규정이다. 현행범인을 인도받은 사법경찰관리는 현행범인 인수서를 작성하여야 한다(경찰수사규칙 제52조 제2항). 00. 경찰승진

ⓒ 수사기관이 사인에 의해 체포된 현행범인을 인도받은 경우에도 피의사실요지, 체포이유와 변호인을 선임할 수 있음을 말하고 변명할 기회를 주어야 한다(제200조의 5, 제213조의 2). 16. 7급 국가직

ⓛ **구속영장청구** : 현행범을 체포한 후 구속하고자 할 때에는 48시간 이내에 구속영장을 청구하여야 하고, 14. 경찰승진, 20. 수사경과 청구하지 아니한 때에는 즉시 피의자를 석방하여야 한다(제213조의 2). 48시간 이내에 청구하면 족하고 그 기간 내에 구속영장이 발부되어야 하는 것이 아님은 체포영장에 의한 체포·긴급체포의 경우와 같다. 또한 구속영장의 청구가 기각된 경우에도 즉시 석방하여야 한다(규칙 제100조 제2항).

☎ 사법경찰관이 현행범인을 석방한 경우에는 피의자 석방의 일시와 석방사유 등을 적은 피의자 석방서를 작성해 사건기록에 편철한다. 이 경우 사법경찰관은 석방 후 지체 없이 검사에게 석방사실을 통보해야 한다(수사준칙 제28조 제2항). – 미리 지휘를 받을 필요는 없다.

☎ 사법경찰관이 현행범인으로 체포된 피의자를 석방하고자 하는 경우에는 미리 검사의 지휘를 받아야 하고, 체포된 현행범인을 석방한 때에는 지체 없이 피의자석방보고서를 작성하여야 한다. (×) 11. 경찰승진

관련판례

1. 검사 등이 아닌 이에 의하여 현행범인이 체포된 후 불필요한 지체 없이 검사 등에게 인도된 경우 구속영장 청구시한인 48시간의 기산점은 체포시가 아니라 검사 등이 현행범인을 인도받은 때라고 할 것이다(대판 2011.12.22, 2011도12927). 18·20. 수사경과, 20. 해경, 18·19·22. 경찰간부, 20·21. 경찰승진, 22. 해경승진·7급 국가직, 21·23. 순경 2차, 24. 소방간부, 17·21·24. 순경 1차
2. 소말리아 해적인 피고인들 등이 아라비아해 인근 공해상에서 대한민국 해운회사가 운항 중인 선박을 납치하여 대한민국 국민인 선원 등에게 해상강도 등 범행을 저질렀다는 내용으로 국군 청해부대에 의해 체포·이송되어 국내 수사기관에 인도된 후 구속·기소된 사안에서, 청해부대 소속 군인들이 피고인들을 현행범인으로 체포한 것은 검사 등이 아닌 이에 의한 현행범인 체포에 해당하고, 피고인들 체포 이후 국내로 이송하는 데에 약 9일이 소요된 것은 공간적·물리적 제약상 불가피한 것으로 정당한 이유 없이 인도를 지연하거나 체포를 계속한 경우로 볼 수 없으며, 경찰관들이 피고인들의 신병을 인수한 때로부터 48시간 이내에 청구하여 발부된 구속영장에 의하여 피고인들이 구속되었으므로, 적법한 체포, 즉시 인도 및 적법한 구속에 의하여 공소제기 당시 국내에 구금되어 있다 할 것이다(대판 2011.12.22, 2011도12927). 23. 순경 1차, 24. 해경간부

☎ 비록 9일만에 인도하였더라도 즉시 인도한 것으로 보아야 한다는 취지

☎ 수사기관이 아닌 자에 의하여 현행범이 체포된 경우 구속영장의 청구시한인 48시간의 기산점은 체포시이다. (×) 17. 경찰간부, 18. 경찰승진

ⓒ **체포의 통지** : 변호인이 있는 경우에는 변호인에게, 변호인이 없는 경우에는 법정대리인, 배우자, 직계친족, 형제자매 중 피의자가 지정한 자에게 피의사건명, 체포일시와 장소, 피의사실의 요지, 체포이유와 변호인을 선임할 수 있음을 지체 없이 서면으로 알려야 하며, 늦어도 24시간 내에 서면으로 하여야 한다(제200조의 6, 제87조, 규칙 제51조, 제100조 제1항). 15. 수사경과

KEY point

- **현행범** : 범행 중 또는 범행 즉후인 자(판단기준 : 체포한 자)
- 범죄불성립 ⇨ 현행범체포 ×
- **체포요건** : 범인 · 범죄 명백성, 체포필요성(도망 또는 도망 및 증거인멸의 염려)
- 경미사건(50만원 이하 벌금, 구류, 과료) ⇨ 주거부정인 때에만 체포 허용
- ┌ 교사, 방조범 ⇨ 정범의 실행행위 필요(다수설)
  └ 간접정범 ⇨ 이용행위시 / 피이용자의 실행행위시 견해 대립
- **준현행범인** : 제211조 제2항
- **현행범체포의 주체** : 누구든지(사법경찰관리 ⇨ 타인주거에 들어갈 수 있음, 일반인 ⇨ 타인주거에 들어갈 수 없음)
- **구속필요** : 체포시로부터 48시간 이내 구속영장청구(인도 받은 경우 ⇨ 인도 받은 때로부터 48시간)
- **즉시 석방** : 구속영장 불청구, 구속영장 기각

체포 · 구속의 유형별 정리

구 분	체 포			구 속
	체 포	긴급체포	현행범체포	
요 건	• 객관적 혐의 • 출석불응(우려) • 경미사건 ⇨ 주거부정 또는 출석불응	• 범죄중대성(장기 3년 이상 징역 · 금고) • 증거인멸 우려 • 도망 또는 도망 우려 • 긴급성	• 현행범(준현행범) • 경미사건 ⇨ 주거부정	• 객관적 혐의 • 주거부정 • 증거인멸 우려 • 도망 또는 도망 우려 • 경미사건 ⇨ 주거부정
영 장	체포영장(검사청구 ⇨ 지방법원판사 발부)	영장 ×	영장 ×	구속영장(검사청구 ⇨ 지방법원판사 발부) ▶ 피고인 : 수소법원 발부 (검사청구 ×)
통 지	○	○	○	○
재체포 · 구속	영장 없이는 불가	영장 없이는 불가	영장 없이는 불가	영장에 의한 재구속 가능(다른 중요한 증거 발견시) ⇨ 재구속 제한은 피고인구속에는 적용 ×(대판)

CHAPTER

02 기출문제

01 **영장에 의한 체포에 대한 설명으로 가장 적절한 것은?**(다툼이 있는 경우 판례에 의함) 22. 경찰승진

① 수사기관이 영장에 의한 체포를 하고자 하는 경우, 검사는 관할 지방법원 판사에게 체포영장을 청구할 수 있고, 사법경찰관리는 검사의 승인을 받아 관할 지방법원 판사에게 체포영장을 청구할 수 있다.

② 체포한 피의자를 구속하고자 할 때에는 체포한 때부터 48시간 이내에 구속영장을 청구하여야 하고, 그 기간 내에 구속영장을 청구하지 아니하는 때에는 피의자를 즉시 석방하여야 한다.

③ 체포영장을 발부받은 후 피의자를 체포하지 아니한 경우 검사는 변호인이 있는 때에는 피의자의 변호인에게, 변호인이 없는 때에는 피의자 또는 피의자의 동거가족 중 피의자가 지정하는 자에게 지체 없이 그 사유를 서면으로 통지해야 한다.

④ 경찰관들이 체포를 위한 실력행사에 나아가기 전에 체포영장을 제시하고 미란다 원칙을 고지할 여유가 있었음에도 애초부터 미란다 원칙을 체포 후에 고지할 생각으로 먼저 체포행위에 나선 경우라도 이러한 행위를 위법하다고 할 수 없다.

해설 ① 사법경찰관은 검사에게 신청하여 검사의 청구로 관할 지방법원 판사의 체포영장을 발부 받아 피의자를 체포할 수 있다(제200조의 2 제1항).
② 제200조의 2 제5항
③ 체포영장 또는 구속영장의 발부를 받은 후 피의자를 체포 또는 구속하지 아니하거나 체포 또는 구속한 피의자를 석방한 때에는 지체 없이 검사는 영장을 발부한 법원에 그 사유를 서면으로 통지하여야 한다(제204조).
④ 경찰관들이 체포를 위한 실력행사에 나아가기 전에 체포영장을 제시하고 미란다 원칙을 고지할 여유가 있었음에도 애초부터 미란다 원칙을 체포 후에 고지할 생각으로 먼저 체포행위에 나선 행위는 적법한 공무집행이라고 보기 어렵다(대판 2017.9.21, 2017도10866).

02 **영장에 의한 체포에 관한 설명으로 가장 적절하지 않은 것은?**(다툼이 있는 경우 판례에 의함) 24. 경찰승진

① 사법경찰관은 체포영장의 유효기간 내에 영장의 집행에 착수하지 못했거나 그 밖의 사유로 영장의 집행이 불가능하거나 불필요하게 되었을 때에는 그 영장을 청구한 검사에게 반환하고, 검사는 사법경찰관이 반환한 영장을 법원에 반환한다.

② 검사 또는 사법경찰관은 체포된 피의자의 배우자가 체포영장 등본의 교부를 청구하면 그 등본을 교부해야 한다.

③ 사법경찰관이 피의자를 영장에 의하여 체포한 후 구속한 경우에 있어서 구속기간은 피의자를 구속한 날부터 기산한다.

Answer 01. ② 02. ③

④ 검사는 체포영장을 발부받은 후 피의자를 체포하기 이전에 체포영장을 첨부하여 판사에게 인치 · 구금할 장소의 변경을 청구할 수 있다.

해설 ① 수사준칙 제35조 제1항 · 제3항
② 동 준칙 제34조
③ 사법경찰관이 피의자를 영장에 의하여 체포한 후 구속한 경우에 있어서 구속기간은 피의자를 체포한 날부터 기산한다(제203조의 2).
④ 규칙 제96조의 3

03 **긴급체포에 관한 설명 중 옳지 않은 것은?**(다툼이 있는 경우 판례에 따름) 21. 해경

① 甲이 필로폰을 투약한다는 제보를 받은 경찰관이 제보된 주거지를 甲이 살고 있는지 등 제보의 정확성을 사전에 확인한 후에 제보자를 불러 조사하기 위하여 甲의 주거지를 방문하였다가, 현관에서 담배를 피우고 있는 甲을 발견하고 사진을 찍어 제보자에게 전송하여 사진에 있는 사람이 제보한 대상자가 맞다는 확인을 한 후, 가지고 있던 甲의 전화번호로 전화를 하여 차량 접촉사고가 났으니 나오라고 하였으나 나오지 않고, 또한 경찰관임을 밝히고 만나자고 하는데도 현재 집에 있지 않다는 취지로 거짓말을 하자 甲의 집 문을 강제로 열고 들어가 甲을 긴급체포한 경우, 甲에 대한 긴급체포는 위법하다.
② 사법경찰관이 형사소송법 제200조의 3(긴급체포) 제1항의 규정에 의하여 피의자를 체포한 경우 즉시 검사의 승인을 얻어야 한다.
③ 검사 또는 사법경찰관은 형사소송법 제200조의 3(긴급체포)에 따라 체포된 자가 소유 · 소지 또는 보관하는 물건에 대하여 긴급히 압수할 필요가 있는 경우에는 체포한 때부터 24시간 이내에 한하여 영장 없이 압수 · 수색 또는 검증을 할 수 있다. 압수한 물건을 계속 압수할 필요가 있는 경우에는 지체 없이 압수 · 수색영장을 청구하여야 한다. 이 경우 압수 · 수색영장의 청구는 체포한 때부터 48시간 이내에 하여야 한다.
④ 긴급체포 후 석방된 자 또는 그 변호인 · 법정대리인 · 배우자 · 직계친족 · 형제자매나 가족, 동거인 또는 고용주는 통지서 및 관련 서류를 열람하거나 등사할 수 있다.

해설 ① 대판 2016.10.13, 16도5814
② 제200조의 3 제2항
③ 제217조 제1항 · 제2항
④ 긴급체포 후 석방된 자 또는 그 변호인 · 법정대리인 · 배우자 · 직계친족 · 형제자매는 통지서 및 관련 서류를 열람하거나 등사할 수 있다(제200조의 4 제5항).

Answer 03. ④

04 **긴급체포에 대한 설명으로 가장 적절하지 않은 것은?**(다툼이 있는 경우 판례에 의함) 23. 경찰승진

① 긴급체포의 요건을 갖추었는지 여부는 사후에 밝혀진 사정을 기초로 판단하는 것이 아니라 체포 당시의 상황을 기초로 판단하여야 하고, 이에 관한 검사나 사법경찰관 등 수사주체의 판단에는 상당한 재량의 여지가 있다.

② 검사는 사법경찰관의 긴급체포 승인 요청이 이유 없다고 인정하는 경우에는 지체 없이 사법경찰관에게 불승인 통보를 해야 하며, 이 경우 사법경찰관은 긴급체포된 피의자를 즉시 석방하고 그 석방 일시와 사유 등을 검사에게 통보해야 한다.

③ 피의자를 긴급체포하는 경우에 필요한 때에는 영장 없이 체포 현장에서 압수·수색을 할 수 있고, 이에 따라 압수한 물건을 계속 압수할 필요가 있는 경우에는 지체 없이 압수·수색영장을 청구하여야 하며, 청구한 압수·수색영장을 발부받지 못한 때에는 압수한 물건을 즉시 반환하여야 한다.

④ 형사소송법 제208조(재구속의 제한)의 '구속되었다가 석방된 자'에는 긴급체포나 현행범으로 체포되었다가 사후영장발부 전에 석방된 경우도 포함된다.

해설 ① 대판 2008.3.27, 2007도1140
② 수사준칙 제27조 제4항
③ 제216조 제1항 제2호, 제217조 제2항·제3항
④ 제208조의 '구속되었다가 석방된 자'라 함은 구속영장에 의하여 구속되었다가 석방된 경우를 말하는 것이지, 긴급체포나 현행범으로 체포되었다가 사후영장발부 전에 석방된 경우는 포함되지 않는다(대판 2001.9.28, 2001도4291).

05 **긴급체포에 관한 설명으로 가장 적절하지 않은 것은?**(다툼이 있는 경우 판례에 의함) 24. 경찰승진

① 검사 또는 사법경찰관이 피의자를 긴급체포하는 경우에는 반드시 피의사실의 요지, 체포의 이유와 변호인을 선임할 수 있음을 말하고, 변명할 기회를 주어야 한다.

② 검사 또는 사법경찰관은 긴급체포된 자가 소유·소지 또는 보관하는 물건에 대하여 긴급히 압수할 필요가 있는 경우에는 체포한 때부터 24시간 이내에 한하여 영장 없이 압수·수색 또는 검증을 할 수 있으며, 이는 현행범인 체포의 경우에도 준용된다.

③ 사법경찰관이 검사에게 긴급체포된 피의자에 대한 긴급체포승인 건의와 함께 구속영장을 신청한 경우, 검사는 긴급체포의 적법성 여부를 심사하면서 수사서류뿐만 아니라 피의자를 검찰청으로 출석시켜 직접 대면조사할 수 있는 권한을 가진다.

④ 영장 없이는 긴급체포 후 석방된 피의자를 동일한 범죄사실에 관하여 체포하지 못하지만, 이와 같이 석방된 피의자라도 법원으로부터 구속영장을 발부받아 구속할 수 있다.

해설 ① 제200조의 5
② 현행범인 체포의 경우에는 제217조 제1항이 준용되지 않는다.
③ 대판 2010.10.28, 2008도11999
④ 대판 2001.9.28, 2001도4291

Answer 04. ④ 05. ②

06 **현행범체포에 대한 설명으로 옳지 않은 것은?**(다툼이 있는 경우 판례에 의함) 21. 7급 국가직

① 현행범을 체포한 경찰관의 진술이라 하더라도 범행을 목격한 부분에 관하여는 여느 목격자의 진술과 다름없이 증거능력이 있으며, 다만 그 증거의 신빙성만 문제가 된다.

② 甲과 乙이 주차문제로 다투던 중 乙이 112신고를 하였고, 甲이 출동한 경찰관에게 폭행을 가하여 공무집행방해죄의 현행범으로 체포된 경우, 112에 신고를 한 것은 乙이었고, 甲이 현행범으로 체포되어 파출소에 도착한 이후에도 경찰관의 신분증 제시요구에 20여 분 동안 응하지 아니하면서 인적 사항을 밝히지 아니하였다면, 甲에게는 현행범체포 당시에 도망 또는 증거인멸의 염려가 있었다고 할 수 있다.

③ 범행 중 또는 범행 직후의 범죄 장소에서 영장 없이 압수·수색 또는 검증을 할 수 있도록 규정한 형사소송법 제216조 제3항의 요건 중 어느 하나라도 갖추지 못한 경우 압수·수색 또는 검증은 잠정적으로 위법하지만, 이에 대하여 사후에 법원으로부터 영장을 발부받게 되면 그 위법성은 소급하여 치유될 수 있다.

④ 전투경찰대원들이 공장에서 점거농성 중이던 조합원들을 체포하는 과정에서 체포의 이유 등을 제대로 고지하지 않다가 30~40분이 지난 후 체포된 조합원 등의 항의를 받고 나서야 비로소 체포의 이유 등을 고지한 것은 현행범체포의 적법한 절차를 준수한 것이 아니므로 적법한 공무집행이라고 볼 수 없다.

해설 ① 대판 1995.5.9, 95도535 ② 대판 2018.3.29, 2017도21537

③ 범행 중 또는 범행 직후의 범죄 장소에서 긴급을 요하여 법원 판사의 영장을 받을 수 없는 때에는 영장 없이 압수·수색 또는 검증을 할 수 있으나, 사후에 지체 없이 영장을 받아야 한다(형사소송법 제216조 제3항). 형사소송법 제216조 제3항의 요건 중 어느 하나라도 갖추지 못한 경우에 그러한 압수·수색 또는 검증은 위법하며, 이에 대하여 사후에 법원으로부터 영장을 발부받았다고 하여 그 위법성이 치유되지 아니한다(대판 2017.11.29, 2014도16080).

④ 대판 2017.3.15, 2013도2168

07 **현행범 체포에 대한 설명으로 가장 적절한 것은?**(다툼이 있는 경우 판례에 의함) 21. 경찰승진

① 현행범으로 체포하기 위하여는 행위의 가벌성, 범죄의 현행성·시간적 접착성, 범인·범죄의 명백성이 있으면 족하고, 도망 또는 증거인멸의 염려가 있어야 하는 것은 아니다.

② 신고를 받고 출동한 경찰관이 음주운전을 종료한 후 40분 이상이 경과한 시점에서 길가에 앉아 있던 피의자에게서 술냄새가 난다는 점만을 근거로 하여 피의자를 음주운전의 현행범으로 체포한 것은 적법한 공무집행이라고 볼 수 있다.

③ 현행범을 체포한 경찰관의 진술이라 하더라도 범행을 목격한 부분에 관하여는 여느 목격자의 진술과 다름없이 증거능력이 있다.

④ 수사기관이 일반인으로부터 체포된 현행범을 인도받고 현행범을 구속하고자 하는 경우 48시간 이내에 구속영장을 청구해야 하며, 그 48시간의 기산점은 일반인에 의한 체포시점으로 보아야 한다.

Answer 06. ③ 07. ③

해설 ① 현행범으로 체포하기 위하여는 행위의 가벌성, 범죄의 현행성·시간적 접착성, 범인·범죄의 명백성 이외에 체포의 필요성, 즉 도망 또는 증거인멸의 염려가 있어야 한다(대판 2011.5.26, 2011도3682).
② 신고를 받고 출동한 경찰관이 음주운전을 종료한 후 40분 이상이 경과한 시점에서 길가에 앉아 있던 피의자에게서 술냄새가 난다는 점만을 근거로 하여 피의자를 음주운전의 현행범으로 체포한 것은 죄증이 명백하다고 할 수 없는 상태에서 이루어진 것으로서 적법한 공무집행이라고 볼 수 없다(대판 2007.4.13, 2007도1249).
③ 대판 1995.5.9, 95도535
④ 수사기관이 일반인으로부터 체포된 현행범을 인도받고 현행범을 구속하고자 하는 경우 48시간 이내에 구속영장을 청구해야 하며, 그 48시간의 기산점은 체포시가 아니라 수사기관이 인도받은 때라 할 것이다(대판 2011.12.22, 2011도12927).

08 **甲은 경찰관 P로부터 불심검문을 받고 운전면허증을 교부하였는데 P가 이를 곧바로 돌려주지 않고 신분조회를 위해 순찰차로 가는 것을 보자 화가 나 인근 주민들 여러 명이 있는 가운데 경찰관 P에게 큰 소리로 욕설을 하였다. 이에 P는 형사소송법 제200조의 5에 따라 미란다 원칙을 고지한 후 甲을 모욕죄의 현행범으로 체포하였고, 그 과정에서 甲은 P에게 반항하면서 몸싸움을 하다가 가슴과 다리 부위에 타박상 등을 가하였다. 이에 대한 설명으로 가장 적절하지 않은 것은?**(다툼이 있는 경우 판례에 의함)

22. 경찰승진

① P가 甲을 체포할 당시 甲은 모욕 범행을 실행하고 있거나 실행하고 난 직후의 사람에 해당하므로 현행범인에 해당한다.
② 甲은 P의 불심검문에 응하여 운전면허증을 교부하였지만, 도망하거나 증거를 인멸할 염려가 있으므로 체포의 필요성이 인정된다.
③ 甲에 대한 체포는 현행범인 체포의 요건을 갖추지 못하였다.
④ 甲에 대한 체포는 형사소송법 제200조의 3에서 규정하고 있는 긴급체포의 요건을 갖추지 못하였다.

해설 ①②③ 피고인은 경찰관의 불심검문에 응하여 이미 운전면허증을 교부한 상태이고, 경찰관뿐 아니라 인근 주민도 욕설을 직접 들었으므로, 피고인이 도망하거나 증거를 인멸할 염려가 있다고 보기는 어렵고, 피고인의 모욕 범행은 불심검문에 항의하는 과정에서 저지른 일시적·우발적인 행위로서 사안 자체가 경미할 뿐 아니라, 피해자인 경찰관이 범행현장에서 즉시 범인을 체포할 급박한 사정이 있다고 보기도 어려우므로, 경찰관이 피고인을 체포한 행위는 적법한 공무집행이라고 볼 수 없고, 피고인이 체포를 면하려고 반항하는 과정에서 상해를 가한 것은 불법체포로 인한 신체에 대한 현재의 부당한 침해에서 벗어나기 위한 행위로서 정당방위에 해당한다(대판 2011.5.26, 2011도3682).
④ 모욕죄의 법정형은 1년 이하의 징역·금고 또는 200만원 이하의 벌금에 처할 수 있는 범죄이므로(형법 제311조), 이는 긴급체포의 대상 범죄가 아니다.

Answer 08. ②

09 **현행범인의 체포에 관한 다음 설명 중 옳고 그름의 표시(○, ×)가 바르게 된 것은?**(다툼이 있는 경우 판례에 의함) 23. 순경 1차 · 전의경 경채

> ㉠ 사인의 현행범 체포과정에서 일어날 수 있는 물리적 충돌이 적정한 한계를 벗어났는지 여부는 그 행위가 소극적인 방어행위인가 적극적인 공격행위인가에 따라 결정된다.
> ㉡ 형사소송법 제211조 제1항이 현행범인으로 규정한 '범죄를 실행하고 난 직후의 사람'이라고 함은, 범죄의 실행행위를 종료한 직후의 범인이라는 것이 체포하는 자의 입장에서 볼 때 명백한 경우를 일컫는 것으로서, '범죄의 실행행위를 종료한 직후'라고 함은, 범죄행위를 실행하여 끝마친 순간 또는 이에 아주 접착된 시간적 단계를 의미하는 것으로 해석된다.
> ㉢ 현행범인은 누구든지 영장 없이 체포할 수 있고, 검사 또는 사법경찰관리가 아닌 자가 현행범인을 체포한 때에는 즉시 검사 등에게 인도하여야 하며, 이때 인도시점은 반드시 체포시점과 시간적으로 밀착된 시점이어야 한다.
> ㉣ 공장을 점거하여 농성 중이던 조합원들이 경찰과 부식반입 문제를 협의하거나 기자회견장 촬영을 위해 공장 밖으로 나오자, 전투경찰대원들은 '고착관리'라는 명목으로 그 조합원들을 방패로 에워싸고 이동하지 못하게 한 사안에서, 위 조합원들이 어떠한 범죄행위를 목전에서 저지르려고 하는 등 긴급한 사정이 있는 경우가 아니라면, 위 전투경찰대원들의 행위는 형사소송법상 체포에 해당한다.

① ㉠(○), ㉡(×), ㉢(○), ㉣(×)
② ㉠(○), ㉡(○), ㉢(×), ㉣(○)
③ ㉠(×), ㉡(×), ㉢(○), ㉣(×)
④ ㉠(×), ㉡(○), ㉢(×), ㉣(○)

해설 ㉠ × : 적정한 한계를 벗어나는 현행범인 체포행위는 그 부분에 관한 한 법령에 의한 행위로 될 수 없다고 할 것이나, 적정한 한계를 벗어나는 행위인가 여부는 결국 정당행위의 일반적 요건을 갖추었는지 여부에 따라 결정되어야 할 것이지 그 행위가 소극적인 방어행위인가 적극적인 공격행위인가에 따라 결정되어야 하는 것은 아니다(대판 1999.1.26, 98도3029).
㉡ ○ : 대판 2007.4.13, 2007도1249
㉢ × : 검사 또는 사법경찰관리가 아닌 이가 현행범인을 체포한 때에는 즉시 검사 등에게 인도하여야 한다(형사소송법 제213조 제1항). 여기서 '즉시'라고 함은 반드시 체포시점과 시간적으로 밀착된 시점이어야 하는 것은 아니고, '정당한 이유 없이 인도를 지연하거나 체포를 계속하는 등으로 불필요한 지체를 함이 없이'라는 뜻으로 볼 것이다(대판 2011.12.22, 2011도12927).
㉣ ○ : 대판 2017.3.15, 2013도2168

Answer 09. ④

종합문제

01 **체포절차에 대한 설명으로 가장 적절하지 않은 것은?** 23. 경찰승진

① 사법경찰관은 검사에게 신청하여 검사의 청구로 관할 지방법원 판사의 체포영장을 발부받아 피의자를 체포할 수 있지만, 다액 50만원 이하의 벌금, 구류 또는 과료에 해당하는 사건에 관하여는 피의자가 일정한 주거가 없는 경우 또는 정당한 이유없이 형사소송법 제200조의 규정에 의한 출석요구에 응하지 아니한 경우에 한한다.

② 사법경찰관이 체포영장을 집행함에는 피의자에게 이를 제시하는 것으로 충분하고, 신속히 지정된 법원 기타 장소에 인치하여야 한다.

③ 사법경찰관이 피의자를 체포한 때에는 변호인이 있는 경우에는 변호인에게, 변호인이 없는 경우에는 변호인선임권자 중 피의자가 지정한 자에게 지체 없이 서면으로 체포의 통지를 하여야 한다.

④ 사법경찰관리가 현행범인의 인도를 받은 때에는 체포자의 성명, 주거, 체포의 사유를 물어야 하고 필요한 때에는 체포자에 대하여 경찰관서에 동행함을 요구할 수 있다.

해설 ① 제200조의 2 제1항
② 사법경찰관이 체포영장을 집행함에는 피의자에게 반드시 이를 제시하고, 그 사본을 교부하여야 하며, 신속히 지정된 법원 기타 장소에 인치하여야 한다(제85조 제1항, 제200조의 6).
③ 제87조 제1항 · 제2항, 제200조의 6 ④ 제213조 제2항

02 **체포에 관한 설명 중 옳지 않은 것만을 모두 고른 것은?**(다툼이 있는 경우 판례에 의함) 23. 순경 2차

㉠ 경찰관들이 성폭력범죄 혐의에 대한 체포영장을 근거로 체포절차에 착수하였으나 피의자가 흥분하여 타고 있던 승용차를 출발시켜 경찰관들에게 상해를 입히는 범죄를 추가로 저지르자, 경찰관들이 그 승용차를 멈춘 후 저항하는 피의자를 별도 범죄인 특수공무집행방해치상의 현행범으로 적법하게 체포하였더라도, 집행완료에 이르지 못한 성폭력범죄 체포영장은 사후에 그 피의자에게 제시하여야 한다.

㉡ 긴급체포의 요건을 갖추었는지 여부는 사후에 밝혀진 사정을 기초로 판단하는 것이 아니라 체포 당시 상황을 기초로 판단하여 수사주체의 판단에 상당한 재량의 여지가 있지만, 긴급체포 당시의 상황으로 보아서도 그 요건의 충족 여부에 관한 수사주체의 판단이 경험칙에 비추어 현저히 합리성을 잃은 경우에는 그 체포는 위법한 체포가 된다.

㉢ 사법경찰관은 긴급체포한 피의자에 대하여 구속영장을 신청하지 아니하고 석방한 경우에는 즉시 검사에게 보고하여야 하고, 검사는 석방한 날부터 30일 이내에 서면으로 긴급체포 후 석방된 자의 인적사항, 긴급체포의 일시 · 장소와 긴급체포하게 된 구체적 이유 등을 법원에 통지하여야 한다.

Answer 01. ② 02. ①

> ㉣ 체포한 피의자를 구속하고자 할 때에는 체포한 때부터 48시간 이내에 구속영장을 청구해야 하는데, 검사 또는 사법경찰관이 아닌 이에 의하여 현행범인이 체포된 후 불필요한 지체 없이 검사 등에게 인도된 경우 위 48시간의 기산점은 체포시이다.

① ㉠, ㉣　　② ㉠, ㉢, ㉣　　③ ㉡, ㉢　　④ ㉣

해설 ㉠ × : 경찰관이 체포영장에 기재된 범죄사실이 아닌 새로운 피의사실인 특수공무집행방해치상을 이유로 피고인을 현행범으로 체포하였고, 현행범 체포에 관한 제반 절차도 준수하였던 이상 피고인에 대한 체포 및 그 이후 절차에 위법이 없으며, 집행완료에 이르지 못한 체포영장을 사후에 적시할 필요도 없다(대판 2021.6.24, 2021도4648).
㉡ ○ : 대판 2008.3.27, 2007도11400
㉢ ○ : 제200조의 4 제4항・제6항
㉣ × : 검사 또는 사법경찰관이 아닌 이에 의하여 현행범인이 체포된 후 불필요한 지체 없이 검사 등에게 인도된 경우 구속영장청구기간인 48시간의 기산점은 검사 등이 현행범인을 인도받은 때라고 할 것이다(대판 2011.12.22, 2011도12927).

03 체포에 관한 설명으로 가장 적절하지 않은 것은?(다툼이 있는 경우 판례에 의함) 24. 경찰간부

① 피의자가 죄를 범하였다고 의심할 만한 상당한 이유가 있고 정당한 이유없이 출석요구에 응하지 아니하거나 응하지 아니할 우려가 있는 때라고 하더라도 명백히 체포의 필요가 없다고 인정되는 때에는 체포영장 청구를 받은 지방법원판사는 체포영장의 청구를 기각하여야 한다.

② 검사 또는 사법경찰관은 긴급체포되었다가 구속영장이 청구되지 아니하여 석방된 자를 영장 없이는 동일한 범죄사실에 관하여 다시 체포하지 못한다.

③ 체포영장의 청구서에는 체포사유로서 도망이나 증거인멸의 우려가 있는 사유를 기재하여야 한다.

④ 체포영장을 집행하는 경우 피의자에게 반드시 체포영장을 제시하고 그 사본을 교부하여야 하며 신속히 지정된 법원 기타 장소에 인치하여야 한다.

해설 ① 규칙 제96조의 2 ② 제200조의 4 제3항
③ 도망이나 증거인멸의 우려는 체포영장의 청구서에 기재하여야 할 사유는 아니다(규칙 제95조 참조).
④ 제85조 제1항, 제200조의 6

04 체포에 관한 설명으로 가장 적절하지 않은 것은?(다툼이 있는 경우 판례에 의함) 24. 순경 2차

① 체포영장에 의하여 체포된 자가 그 후 석방되었더라도, 동일한 범죄사실에 관하여 다시 체포영장을 청구하는 취지 및 이유를 기재한 후 체포영장을 다시 청구할 수 있다.

② 체포된 피의자는 관할 법원에 체포의 적부심사를 청구할 수 있으며, 청구를 받은 법원은 그 청구가 이유 있다고 인정한 경우에는 심사 청구 후 피의자에 대하여 공소제기가 있는 경우에도 결정으로 체포된 피의자의 석방을 명하여야 한다.

Answer 03. ③ 04. ③

③ 사법경찰관은 체포영장에 의해 피의자를 체포하는 경우에는 미리 수색영장을 발부받기 어려운 긴급한 사정이 있는 때에 한정하여 영장 없이 타인의 주거나 타인의 간수하는 가옥, 건조물, 항공기, 선차 내에서의 피의자 발견을 위한 수색을 할 수 있다. 이 경우에는 사후에 지체 없이 수색영장을 받아야 한다.
④ 현행범인으로 체포하기 위하여는 행위의 가벌성, 범죄의 현행성·시간적 접착성, 범인·범죄의 명백성 외에 체포의 필요성, 즉 도망 또는 증거인멸의 염려가 있어야 하며, 이러한 현행범인 체포의 요건을 갖추었는지는 체포 당시의 상황을 기초로 판단하여야 하고, 이에 관한 수사주체의 판단에는 상당한 재량의 여지가 있다.

해설 ① 제200조의 2 제4항
② 제214조의 2 제1항·제4항
③ 사법경찰관은 체포영장에 의해 피의자를 체포하는 경우에는 미리 수색영장을 발부받기 어려운 긴급한 사정이 있는 때에 한정하여 영장 없이 타인의 주거나 타인의 간수하는 가옥, 건조물, 항공기, 선차 내에서의 피의자 발견을 위한 수색을 할 수 있다(제216조 제1항 제1호). 이 경우에는 사후에 지체 없이 수색영장을 받을 필요는 없다.
④ 대판 2011.5.26, 2011도3682 ; 대판 2018.3.29, 2017도21537

05 체포에 대한 설명으로 옳은 것만을 모두 고르면? 24. 7급 국가직

㉠ 체포영장 집행 시 미리 수색영장을 발부받기 어려운 긴급한 사정이 있는 때에는 수색영장 없이 타인의 주거에 들어가서 피의자의 발견을 위한 수색을 할 수 있다.
㉡ 사법경찰관이 긴급체포된 피의자에 대한 긴급체포 승인 건의와 함께 구속영장을 검사에게 신청한 경우, 검사는 긴급체포의 승인 및 구속영장의 청구가 피의자의 인권에 대한 부당한 침해를 초래하지 않도록 긴급체포의 적법성 여부를 심사하면서 필요한 경우 피의자를 검찰청으로 출석시켜 직접 대면 조사할 수 있는 권한을 가진다.
㉢ 현행범 체포의 적법성은 체포 당시의 구체적 상황을 기초로 객관적으로 판단되어야 하고, 사후에 범인으로 인정되었는지 여부도 고려하여 판단되어야 한다.
㉣ 경찰관들이 체포영장을 발부받았으나 급속을 요하여 그 체포영장을 제시하지 않은 채 체포절차에 착수하였는데, 피의자가 흥분하며 타고 있던 승용차를 출발시켜 경찰관들에게 상해를 입히는 범죄를 추가로 저지른 경우, 저항하는 피의자를 특수공무집행방해치상죄의 현행범으로 적법하게 체포한 후 위 체포영장을 별도로 제시하지 않았더라도 피의자에 대한 체포절차는 적법하다.

① ㉠, ㉡ ② ㉠, ㉣ ③ ㉠, ㉡, ㉣ ④ ㉡, ㉢, ㉣

해설 ㉠ ○ : 제216조 제1항 제1호
㉡ ○ : 대판 2010.10.28, 2008도11999
㉢ × : 현행범 체포의 적법성은 체포 당시의 구체적 상황을 기초로 객관적으로 판단하여야 하고, 사후에 범인으로 인정되었는지에 의할 것은 아니다(대판 2013.8.23, 2011도4763).
㉣ ○ : 대판 2021.6.24, 2021도4648

Answer 05. ③

제3절 피의자와 피고인의 구속

1 구속의 의의 · 목적

(1) 구속의 의의

① 구속이란 피의자 또는 피고인의 신체자유를 제한하는 대인적 강제처분을 말한다.

② 구속은 구인과 구금을 포함하는 개념으로서 구인은 피의자나 피고인을 일정한 장소에 인치하는 강제처분을 말하고, 구금은 피의자나 피고인을 교도소 또는 구치소에 가두는 처분을 말한다.

구인한 피고인을 법원에 인치한 경우에 구금할 필요가 없다고 인정한 때에는 인치한 때로부터 24시간 이내(48시간 ×)에 석방하여야 한다(제71조). 04. 법원주사보, 08. 순경, 15 · 18. 9급 법원직, 16. 순경 2차, 18 · 22. 경찰승진, 15 · 16 · 18. 순경 1차

③ 구속은 공소제기 전 검사의 청구에 의하여 지방법원판사가 영장을 발부하여 행하는 피의자구속과 공소제기 후 법원이 영장을 발부(검사청구 ×)하여 행하는 피고인구속(검사가 구속 피의자를 기소한 경우에는 당연히 피고인 구속영장으로 전환되기 때문에 수소법원으로부터 다시 구속영장을 발부받을 필요는 없음)으로 구분할 수 있다. 피의자구속은 체포되지 않은 경우와 체포된 후에 하는 경우로 나누어지므로 현행법상 반드시 체포를 거친 후에 구속으로 이행하는 체포전치주의를 채택하고 있지는 않다. 02. 행시, 06. 순경

사전구속영장
피의자 구속영장은 수사기관이 체포영장 또는 긴급체포나 현행범체포 등에 의해 피의자의 신병을 확보한 상태에서 청구하는 경우와 신병을 확보하지 않은 상태에서 청구하는 경우가 있는데 후자를 흔히 '사전구속영장'이라고 부른다. 생각건대, 영장 없이 먼저 구속을 한 후 나중에 구속영장을 받은 제도가 없는 현행법하에서 사전구속영장과 사후구속영장이라는 용어의 사용은 적절하지 않아 보인다.

④ 현행 형사소송법의 피고인구속에 관한 규정은 수사기관의 피의자구속에 준용하는 입법방식을 채택하고 있다(제209조). 그러나 법원이 불구속 피고인을 구속하는 것은 극히 예외적으로 허용되므로 피의자구속에 관한 규정을 피고인구속에 준용하는 입법방식이 합리적이라는 견해도 있다.

KEY point **체포 · 구속의 비교정리**

구 분	체 포	구 속
영장실질심사	×	○
무영장	○	×
기 간	짧 다.	길 다.
요 건	완 화	강 화

(2) 구속의 목적

구속은 형사절차의 진행(출석보장, 수사와 심리의 방해제거)과 형의 집행을 확보함을 목적으로 한다.

불구속수사의 원칙 천명(제198조 제1항) 17·18·20. 수사경과
구속은 단순히 수사를 용이하게 하기 위한 제도는 아니므로 자백을 받기 위하거나 수사의 편의를 위하여 구속하는 것은 허용되어서는 안된다.

2 구속의 요건

피의자나 피고인의 구속의 요건으로 죄를 범하였다고 의심할 만한 상당한 이유가 있고, 구속사유가 있어야 한다(제201조, 제70조). 즉, ① 범죄혐의와 ② 구속의 사유가 있어야 하고 ③ 상당성의 측면에서 비례의 원칙이 적용되어야 한다.

피의자와 피고인구속 ⇨ 절차상 차이가 있을뿐 구속의 요건은 동일함.

(1) 범죄의 혐의

피의자나 피고인의 구속의 요건으로 죄를 범하였다고 의심할 만한 상당한 이유(유죄판결을 받을 고도의 개연성을 의미)가 있어야 한다.

- **수사개시** : 수사기관의 주관적 혐의
- **구속** : 무죄추정을 깨뜨릴만한 객관적 혐의(체포영장 발부의 경우와 동일)

혐의를 인정할 수 없는 경우 : 위법성조각사유나 책임조각사유가 있을 때, 소송조건의 흠결이 명백한 때

(2) 구속사유

① 피의자(피고인)가 일정한 주거가 없는 때
② 피의자(피고인)가 증거를 인멸할 염려가 있는 때
③ 피의자(피고인)가 도망하거나 도망할 염려가 있는 때

1. 다액 50만원 이하의 벌금·구류·과료에 해당 범죄 ⇨ 피의자(피고인)의 주거부정만 구속사유이다. 10. 9급 법원직, 13·17·18. 수사경과
2. 출석요구에 응하지 아니할 우려 ⇨ 구속사유 ×
3. 주거부정은 도망의 염려를 판단하는 중요한 자료일 뿐 독자적인 구속사유로 볼 수 없으므로 도망과 증거인멸의 염려가 없는데도 주거부정이라는 이유로 구속함은 옳지 못하다는 비판이 있음.
4. 야간에 지나가는 여자에게 불안감을 조성한 경우는 경미사건이므로, 피의자가 주거부정인 때에만 구속사유가 된다(제70조 제2항, 제201조 제1항). 03. 순경
5. 국회의원은 현행범인을 제외하고는 회기 중 국회의 동의 없이 체포 또는 구속 불가(헌법 제44조), 회기 전에 체포 또는 구속된 때에는 현행범이 아닌 한 국회의 요구가 있으면 회기 중 석방(헌법 제44조, 형사소송법 제101조)

(3) 구속의 비례성

구속은 사건의 의미와 기대되는 형벌에 비추어 상당한 경우에만 허용되어야 한다.

구속사유심사시 고려사항(제70조 제2항, 제209조)
법원은 구속사유를 심사함에 있어서 ㉠ 범죄의 중대성, ㉡ 재범의 위험성, ㉢ 피해자 및 중요 참고인 등에 대한 위해 우려 등을 고려하여야 한다. 이는 구속사유가 아니라 구속사유를 심사함에 있어서 고려하여야 할 사항이다.
08. 순경, 10. 9급 법원직 · 7급 국가직, 21. 9급 검찰 · 마약수사

범죄의 중대성, 재범의 위험성, 피해자 및 중요 참고인 등에 대한 위해 우려 등은 독립한 구속사유에 해당한다. (×)
24. 9급 검찰 · 마약 · 교정 · 보호 · 철도경찰

3 구속의 절차

(1) 구속영장의 청구

① 피의자를 구속하기 위해서는 검사가 관할 지방법원판사에게 구속영장을 청구하여야 한다(영장청구권은 검사의 권한이므로 긴급을 요하는 경우라도 사법경찰관은 청구 불가).

관련판례

검사가 구속영장 청구 전에 피의자를 대면조사하기 위하여 사법경찰관리에게 피의자를 검찰청으로 인치할 것을 명하는 것은, 긴급체포의 적법성을 의심할 만한 사유가 기록 기타 객관적 자료에 나타나고 피의자의 대면조사를 통해 그 여부의 판단이 가능할 것으로 보이는 예외적인 경우에 한하여 허용될 뿐, 긴급체포의 합당성이나 구속영장 청구에 필요한 사유를 보강하기 위한 목적으로 실시되어서는 아니 된다. 나아가 검사의 구속영장 청구 전 피의자 대면조사는 강제수사가 아니므로 피의자는 검사의 출석 요구에 응할 의무가 없고, 피의자가 검사의 출석 요구에 동의한 때에 한하여 사법경찰관리는 피의자를 검찰청으로 호송하여야 한다(대판 2010.10.28, 2008도11999). 17. 경찰간부, 18. 수사경과, 18 · 22. 순경 1차

② 사법경찰관도 검사에게 신청하여 검사의 청구로 법관이 발부한 영장에 의하여 피의자를 구속할 수 있다(피고인구속을 위한 영장발부에는 청구나 신청절차를 요하지 않음).

사법경찰리 ⇨ 검사에게 영장신청 ×
피고인구속 ⇨ 수소법원의 직권(검사의 청구 ×) 04. 순경, 16. 7급 국가직, 17. 경찰간부
사법경찰관이 법관에게 직접 영장청구 ×(직접 청구 ⇨ 개헌이 필요함) 11. 경찰승진

③ 구속영장의 청구는 서면에 의하여야 하고(규칙 제93조), 구속의 필요를 인정할 수 있는 자료를 제출하여야 한다(제201조 제2항). 물론, 피의자도 구속영장청구를 받은 판사에게 유리한 자료를 제출할 수 있다(규칙 제96조 제3항).

(2) 구속 전 피의자심문제도(영장실질심사제도)

① **의의** : 구속영장을 청구받은 판사가 피의자를 직접 심문하여 구속사유의 존부를 심리 · 판단하는 제도를 말한다(제201조의 2).

영장실질심사제도 ┬ 피의자구속(○)
└ 피고인구속(×)

체포영장 발부 ⇨ 영장실질심사제도 × 12. 경찰간부, 13. 경찰승진, 17. 수사경과

② **필요적 피의자심문제도** : 종래에는 필요하다고 인정한 때 구속 전 피의자심문을 하였으나, 2007년 개정법에서는 구속영장의 청구를 받은 판사는 지체 없이 피의자심문을 하여야 한다 24. 해경순경고 규정함으로써 필요적으로 구속 전 피의자심문을 실시하도록 하였다(제201조의 2 제1항). 15. 9급 법원직, 22. 경찰승진, 14·24. 경찰승진

🚨 구속 전 피의자심문은 체포되어 있는지의 여부를 불문하고 필요적으로 취하여야 하는 절차이다(단, 미체포된 피의자가 도망 등의 사유로 심문이 불가능한 경우는 심문생략이 가능함). 13. 변호사시험

③ **유형** : 영장실질심사의 방식은 피의자가 이미 수사기관에 체포되어 있는 경우와 체포되지 아니한 경우로 나누어 규정하고 있다.

④ **피의자 인치** : 판사가 구속 전 피의자를 심문하려면 먼저 피의자를 법원에 인치하는 것이 필요하다. 체포된 피의자는 체포의 효력을 이용하여 법원에 인치(제201조의 2 제1항)하면 된다. 그러나 체포되지 아니한 피의자는 먼저 구인을 위한 구속영장을 발부하여 피의자를 구인한 후 심문하여야 한다. 다만, 도망하는 등의 사유로 인해 피의자를 심문할 수 없는 경우에는 그러하지 아니한다(동조 제2항 단서). 따라서 체포되지 아니한 피의자가 도망하는 등 심문이 불가능한 경우에는 예외적으로 심문을 생략할 수 있다. 18. 9급 법원직, 20. 경찰승진, 24. 순경 1차

⑤ **심문기일의 지정과 통지**

심문기일의 지정	㉠ **체포된 피의자** : 구속영장을 청구받은 판사는 지체 없이 피의자를 심문하여야 한다. 특별한 사정이 없는 한 구속영장이 청구된 날의 다음 날까지(24시간 이내 ×) 심문하여야 한다(제201조의 2 제1항). 15. 순경 1차, 15·18. 순경 2차, 18. 경찰간부, 13·14·19. 경찰승진, 20. 9급 법원직·7급 국가직, 21. 해경 ㉡ **미체포 피의자** : 체포되지 아니한 피의자의 심문기일은 관계인에 대한 심문기일의 통지 및 그 출석에 소요되는 시간 등을 고려하여 피의자가 법원에 인치된 때로부터 가능한 한 빠른 일시로 지정하여야 한다(규칙 제96조의 12 제2항). 15. 7급 국가직, 18. 경찰승진 🚨 심문의 시한 제한 × 🚨 판사는 지정된 심문기일에 심문할 수 없는 특별한 사정이 있는 경우 ⇨ 심문기일을 변경 가능(규칙 제96조의 22) 09. 순경, 15. 경찰승진
심문기일의 통지	㉠ **체포된 피의자** : 구속영장을 청구받은 판사는 즉시 심문기일과 장소를 검사, 피의자 및 변호인에게 통지하여야 한다(제201조의 2 제3항). ㉡ **미체포 피의자** : 구속영장을 청구받은 판사는 피의자를 인치한 후 즉시 심문기일과 장소를 검사·피의자 및 변호인에게 통지하여야 한다(제201조의 2 제3항). 🚨 **심문기일·장소의 통지** : 검사, 피의자 또는 변호인(×) 🚨 심문기일의 통지 ⇨ 서면 이외에 구술·전화·모사전송·전자우편·휴대전화 문자전송 그 밖에 적당한 방법으로 신속하게 하여야 한다(규칙 제96조의 12 제3항). 11. 경찰승진

⑥ 심문기일의 절차와 방법

심문 장소와 피의자 출석	㉠ 피의자심문은 법원청사 내에서 하여야 한다. 다만, 피의자가 출석을 거부하거나 질병 기타 부득이한 사유로 법원에 출석할 수 없는 때에는 경찰서, 구치소 기타 적당한 장소에서 심문할 수 있다(규칙 제96조의 15). 23. 경찰간부, 24. 순경 1차 ㉡ 검사는 심문기일에 피의자를 출석시켜야 한다(제201조의 2 제3항). 그러나 피의자가 심문기일에의 출석을 거부하거나 질병 그 밖의 사유로 출석이 현저하게 곤란하고, 피의자를 심문법정에 인치할 수 없다고 인정되는 때에는 피의자의 출석 없이 심문절차를 진행할 수 있다(규칙 제96조의 13 제1항). 14. 경찰간부, 15. 9급 법원직, 15 · 16 · 17. 경찰승진 피의자가 심문기일에의 출석을 거부하거나 질병 그 밖의 사유로 출석이 현저하게 곤란하고, 피의자를 심문법정에 인치할 수 없다고 인정되는 때에는 피의자의 출석 없이 심문절차를 진행할 수는 없고, 심문절차를 연기하여야 한다. (×) ㉢ 검사는 피의자가 심문기일에의 출석을 거부한 때에는 판사에게 그 취지 및 사유를 기재한 서면을 작성하여 제출하여야 한다(규칙 제96조의 13 제2항). ㉣ 피의자의 출석 없이 심문절차를 진행할 경우에는 출석한 검사 및 변호인의 의견을 듣고, 수사기록 그 밖에 정당하다고 인정하는 방법으로 구속사유의 유무를 조사할 수 있다(규칙 제96조의 13 제3항).
심문절차	㉠ 피의자에 대한 심문절차는 공개하지 아니한다. 14. 경찰간부, 11 · 15 · 16 · 17. 경찰승진, 11 · 18. 순경 2차 다만, 판사는 상당하다고 인정하는 경우에는 피의자의 친족, 이해관계인의 방청을 허가할 수 있다(규칙 제96조의 14). 09. 순경, 15. 9급 법원직 · 7급 국가직, 13 · 14 · 16. 경찰승진, 15 · 23 · 24. 경찰간부, 24. 해경순경 • **예외적 공개** : 상당하다고 인정하는 경우(국가의 안전보장 또는 안녕질서를 방해하거나 선량한 풍속을 해할 염려가 있을 때 ⇨ ×) 19. 경찰승진 • **예외적 방청의 대상** : 피해자의 친족, 이해관계인(일반인 ⇨ ×) 19. 해경간부 ㉡ 심문기일에 피의자를 심문하는 경우에 법원사무관 등은 심문의 요지 등을 조서로 작성하여야 한다(제201조의 2 제6항). 09. 9급 법원직, 11. 순경 2차, 13. 경찰승진 이 심문조서는 공판조서의 작성 예에 따라 작성되어야 한다(제201조의 2 제10항). 2007년 형사소송법 개정시 조서작성을 의무화하였다. ㉢ 지방법원판사는 심문할 피의자에게 변호인이 없는 때에는 직권으로 변호인을 선정하여야 한다. 11. 순경 1차, 12. 교정특채, 14. 9급 교정 · 보호 · 철도경찰, 15. 9급 법원직, 11 · 17. 경찰승진, 15 · 23. 경찰간부 이 경우 변호인의 선정은 피의자에 대한 구속영장 청구가 기각되어 효력이 소멸한 경우를 제외하고는 제1심까지 효력이 있다(제201조의 2 제8항). 16. 9급 법원직, 18 · 24. 9급 검찰 · 마약 · 교정 · 보호 · 철도경찰 · 순경 2차, 10 · 11 · 20 · 22 · 24. 순경 1차, 24. 해경간부 · 소방간부 구속영장 청구가 기각된 경우 ⇨ 제1심까지 효력 × 20. 9급 검찰 · 마약수사 ㉣ 법원은 변호인의 사정이나 그 밖의 사유로 변호인 선정결정이 취소되어 변호인이 없게 된 때에는 직권으로 변호인을 다시 선정할 수 있다(제201조의 2 제9항). 22. 경찰승진 다시 선정하여야 한다. (×) 11. 순경 1차, 24. 해경순경

	㉤ 영장실질심사 기일에 판사는 피의자에게 구속영장 청구서에 기재된 범죄사실의 요지를 고지하고, 피의자에게 일체의 진술을 하지 아니하거나 개개의 질문에 대하여 진술을 거부할 수 있으며, 이익이 되는 사실을 진술할 수 있음을 알려 주어야 한다(규칙 제96조의 16 제1항). ㉥ 변호인은 구속영장이 청구된 피의자에 대한 심문이 시작되기 전에 피의자와 접견할 수 있다(규칙 제96조의 20 제1항). 09. 순경, 15. 7급 국가직, 11 · 18. 순경 2차, 19 · 22. 경찰승진 판사의 허가를 필요로 하지는 않음.

⑦ 심문방법

심문의 범위	㉠ 판사는 구속 여부를 판단하기 위하여 필요한 사항에 관하여 신속하고 간결하게 심문하여야 한다(규칙 제96조의 16 제2항). ㉡ 증거인멸 또는 도망의 염려를 판단하기 위하여 필요한 때에는 피의자의 경력, 가족관계나 교우관계 등 개인적인 사항에 대하여 심문할 수 있다(동조 제2항). 23. 경찰간부 · 해경승진 ㉢ 판사는 구속 여부의 판단을 위하여 필요하다고 인정한 때에는 심문장소에 출석한 피해자 그 밖의 제3자를 심문할 수 있다(동조 제5항). 23. 9급 법원직 판사는 구속 여부의 판단을 위하여 심문장소에 출석한 피해자 그 밖의 제3자를 심문하여야 한다. (×) 18. 경찰승진
의견진술	㉠ 검사와 변호인은 판사의 심문이 끝난 후 의견을 진술할 수 있다. 다만, 필요한 경우에는 심문 도중에도 판사의 허가를 얻어 의견을 진술할 수 있다(규칙 제96조의 16 제3항). 11. 순경 2차, 14. 경찰간부, 15. 7급 국가직 13 · 16 · 19. 경찰승진, 20. 순경 1차 · 9급 법원직 검사와 피의자의 변호인은 구속 전 피의자 심문기일에 출석하여 의견을 진술하여야 한다. (×) 18. 순경 2차 ㉡ 검사와 변호인은 의견을 진술할 수 있을 뿐 피의자를 신문(訊問)할 수는 없다(법관면전에서 자백획득을 위한 절차로 변질될 우려가 있기 때문). 12. 순경 2차 ㉢ 피의자는 판사의 심문 도중에도 변호인에게 조력을 구할 수 있다(동조 제4항). 14. 경찰간부, 11 · 18. 순경 2차, 16 · 19 · 22. 경찰승진 ㉣ 피의자의 법정대리인, 배우자, 직계친족, 형제자매나 가족, 동거인 또는 고용주는 판사의 허가를 얻어 사건에 관한 의견을 진술할 수 있다(동조 제6항). ㉤ 판사는 공범의 분리심문이나 그 밖의 수사상의 비밀보호를 위하여 필요한 조치를 하여야 한다(제201조의 2 제5항). 09. 9급 법원직, 13. 경찰승진

⑧ 기 타

구속기간 불산입	피의자심문을 하는 경우 법원이 구속영장청구서 · 수사관계서류 및 증거물을 접수한 날부터 구속영장을 발부하여 검찰청에 반환한 날까지의 기간은 검사와 사법경찰관의 구속기간에 산입하지 아니한다(제201조의 2 제7항). 20. 순경 1차 · 9급 법원직, 21. 9급 검찰 · 마약수사, 15 · 17 · 20 · 22. 경찰승진, 12 · 24. 순경 2차, 13 · 22 · 24. 경찰간부

	예 2009. 1. 4. 10 : 00 긴급체포되어 동년 1. 6. 09 : 00 법원에 구속영장청구서 · 수사관계 서류 및 증거물이 접수되었고, 동년 1. 7. 영장실질심사 후 구속영장이 발부되어 동년 1. 9. 서류가 검찰청에 반환되었을 경우 사법경찰관의 피의자 구속기간은 10일이며, 1월 6일부터 1월 9일까지의 기간은 구속기간의 계산에서 제외되므로 1월 17일 24 : 00까지 구속이 가능하다.
서류열람	㉠ 피의자심문에 참여할 변호인은 지방법원판사에게 제출된 구속영장청구서 및 그에 첨부된 고소 · 고발장, 피의자의 진술을 기재한 서류와 피의자가 제출한 서류를 열람할 수 있다(규칙 제96조의 21 제1항). ㉡ 검사는 증거인멸 또는 피의자나 공범 관계에 있는 자가 도망할 염려가 있는 등 수사에 방해가 될 염려가 있는 때에는 지방법원판사에게 제1항에 규정된 서류(구속영장청구서는 제외)의 열람 제한에 관한 의견을 제출할 수 있고, 지방법원판사는 검사의 의견이 상당하다고 인정하는 때에는 제1항에 규정된 서류의 전부 또는 일부의 열람을 제한할 수 있다(동조 제2항). 23. 경찰간부 ㉢ 지방법원판사는 제1항의 열람에 관하여 그 일시, 장소를 지정할 수 있다(동조 제3항).
준용규정	㉠ 피의자를 심문하는 경우에 법원사무관 등은 심문의 요지 등을 조서로 작성하여야 한다(제201조의 2 제6항). 09. 9급 법원직, 11. 순경 2차, 13 · 19. 경찰승진, 24. 해경간부 심문조서 작성에는 제48조, 제51조, 제53조의 규정이 준용 ㉡ 제52조(공판조서 작성상의 특례)는 준용대상에서 제외하고 있으므로, 법원이 구속 전 피의자심문조서를 작성하는 때에는 조서작성의 일반원칙에 따라 조서기재 내용의 정확성 여부를 진술자에게 확인하고, 조서에 간인하여 서명날인을 받아야 한다. ㉢ 조서는 당연히 증거능력이 인정된다(제315조).

KEY point 구속 전 피의자심문

- 필요적 심문(임의적 ×) ▶ 체포되지 아니한 경우 ⇨ 도망 등 일정한 경우에는 심문생략 가능
- **심문기일 통지** ┌ 체포된 경우 ⇨ 즉시
  └ 체포되지 아니한 경우 ⇨ 피의자 인치 후 즉시
- **피의자심문** ┌ 체포된 경우 ⇨ 지체 없이(특별사정이 없는 한 구속영장청구 다음 날까지)
  └ 체포되지 아니한 경우 ⇨ 시한 제한 없음(인치된 때로부터 가능한 빠른 일시)
- 일정한 경우 피의자 출석 없이 심문절차 진행 가능
- 심문절차 비공개
- 피의자심문기일에 조서작성의 의무화
- 피의자심문시 필요적 변호(제1심까지 효력)
- 검사와 변호인은 판사의 심문이 끝난 후에 의견진술 가능, 필요시 심문도중에 판사 허가를 얻어 의견진술 가능 ▶ 의견진술(○), 신문(×)
- 피의자심문 도중에도 변호인 조력을 받을 수 있음.
- **관계서류 접수한 날부터 검찰청에 반환한 날까지 기간** : 구속기간 불산입
- 작성된 조서에 진술자로 하여금 간인 후 서명날인

(3) 구속영장의 발부

① 피의자의 경우 검사로부터 구속영장의 청구를 받은 지방법원판사는 상당하다고 인정할 때에는 구속영장을 발부하고, 발부하지 아니한 때에는 구속영장청구서에 그 취지와 이유를 기재하고 서명날인하여 청구한 검사에게 교부한다(제201조 제4항).
구속영장을 발부한 결정이나 기각한 결정에 대하여 불복방법이 없다(항고나 준항고가 허용되지 않음). 10. 순경·9급 국가직·경찰승진, 13. 7급 국가직, 15. 순경 2차·경찰간부, 21. 9급 검찰·마약수사

관련판례

구속기간 연장을 허가하지 아니한 지방법원판사의 재판은 형사소송법 제402조의 규정에 의하여 항고의 대상이 되는 법원의 결정에는 해당되지 아니하고, 준항고의 대상이 되는 '재판장 또는 수명법관의 구금 등에 관한 재판'에도 해당되지 아니한다(대결 1997.6.16, 97모1). 19. 경찰승진, 22. 7급 국가직, 19·23. 순경 2차

② 피고인구속의 경우에는 피의자구속과는 달리 검사의 청구 없이 수소법원의 직권으로 구속영장을 발부한다(제73조). 상소기간 또는 상소제기로 이미 상소 중에 있는 사건은 소송기록이 아직 원심법원에 있거나 상소법원에 도달하기까지는 원심법원이 구속영장을 발부하여야 한다(규칙 제57조 제1항). 10. 경찰승진, 11. 순경

- 재판장, 수명법관, 수탁판사가 발부하는 경우도 있다(제77조, 제80조).
- 촉탁에 의하여 구속영장을 발부한 판사는 피고인을 인치한 때로부터 24시간 이내에 그 피고인임에 틀림없는가를 조사하여야 하며, 피고인임에 틀림없는 때에는 신속히 지정된 장소에 송치하여야 한다(제78조). 15. 9급 법원직
- 불구속상태의 피고인에 대하여 본안재판을 선고한 원심법원은 그 선고 이후에는 피고인을 구속할 권한이 없다. (×) 17. 경찰승진
- 법원의 피고인에 대한 구속은 결정에 의함(명령 ×)

③ 피고인구속의 경우 피고인에 대하여 범죄사실의 요지, 구속의 이유와 변호인을 선임할 수 있음을 말하고 변명할 기회를 준 경우가 아니면 구속할 수 없다. 다만, 피고인이 도망한 경우에는 그러하지 아니하다(제72조). 15. 9급 법원직, 19. 경찰승진

- 진술거부권을 고지하여야 한다. (×)

관련판례

- **사전청문**(집행기관이 취하는 절차 ×)

1. 형사소송법 제72조는 "피고인에 대하여 범죄사실의 요지, 구속의 이유와 변호인을 선임할 수 있음을 말하고 변명할 기회를 준 후가 아니면 구속할 수 없다."고 규정하고 있는바, 19. 7급 국가직 이는 피고인을 구속함에 있어 법관에 의한 사전 청문절차를 규정한 것으로서, 구속영장을 집행함에 있어 집행기관이 취하여야 하는 절차가 아니라 구속영장 발부함에 있어 수소법원 등 법관이 취하여야 하는 절차라 할 것이므로, 21. 순경 2차 법원이 피고인에 대하여 구속영장을 발부함에 있어 사전에 위 규정에 따른 절차를 거치지 아니한 채 구속영장을 발부하였다면 그 발부결정은 위법하다고 할 것이나, 위 규정은 피고인의 절차적 권리를 보장하기 위한 규정이므로 이미 변호인을 선정하여 공판절차에서 변명과 증거의 제출을 다하고 그의 변호 아래 판결을 선고받은 경우 등과 같이 위 규정에서 정한

절차적 권리가 실질적으로 보장되었다고 볼 수 있는 경우에는, 이에 해당하는 절차의 전부 또는 일부를 거치지 아니한 채 구속영장을 발부하였다 하더라도 그 발부결정이 위법하다고 볼 것은 아니다(대결 2000.11.10, 2000모134). 14. 순경 1차, 21. 경찰간부 · 순경 2차

2. 법원이 구속영장을 발부하기 전에 제72조에 따른 절차를 따로 거치지 아니하였더라도 위 규정에서 정한 절차적 권리가 실질적으로 보장되었다고 볼 수 있는 경우에는 구속영장 발부결정을 위법하다고 볼 것은 아니지만, 검사가 모두진술에 의하여 공소사실 등을 낭독하고 피고인과 변호인이 모두진술에 의하여 공소사실의 인정 여부 및 이익이 되는 사실 등을 진술하였다는 점만으로는 위 규정에서 정한 절차적 권리가 실질적으로 보장되었다고 보기는 어렵다(대결 2016.6.14., 2015모1032).

④ 법원은 합의부원으로 하여금 형사소송법 제72조의 사전청문절차를 이행하게 할 수 있다(제72조의 2 제1항). 21. 경찰간부 법원은 피고인이 출석하기 어려운 특별한 사정이 있고 상당하다고 인정하는 때에는 검사와 변호인의 의견을 들어 비디오 등 중계장치에 의한 중계시설을 통하여 제72조의 절차를 진행할 수 있다(제72조의 2 제2항).

⑤ 구속영장에는 피의자 또는 피고인의 성명, 주거, 죄명, 피의사실 또는 공소사실의 요지, 인치 · 구금할 장소, 발부연월일, 유효기간과 유효기간이 경과되면 집행에 착수하지 못하고 영장을 반환해야 한다는 취지를 기재하고, 피의자의 경우에는 지방법원판사가, 피고인의 경우에는 재판장 또는 수명법관이 서명날인하여야 한다(제209조, 제75조 제1항).

관련판례

구금장소의 임의적 변경은 청구인의 방어권이나 접견교통권의 행사에 중대한 장애를 초래하는 것이므로 위법하다(대결 1996.5.15, 95모94). 14. 경찰승진, 20. 9급 검찰 · 마약수사, 20 · 22. 수사경과

⑥ 피의자나 피고인의 성명이 분명하지 않은 때에는 인상 · 체격 기타 피의자나 피고인을 특정할 수 있는 사항으로 표시하고 주거가 분명하지 않은 때에는 주거의 기재를 생략할 수 있다(제209조, 제75조 제2항 · 제3항). 14. 수사경과, 24. 9급 법원직

⑦ 피의자구속영장의 경우에는 영장청구검사의 성명과 그 검사의 청구에 의하여 발부한다는 취지를 기재하여야 한다(규칙 제94조).

관직은 삭제되었음.

⑧ 피의자 또는 피고인 구속영장의 유효기간은 7일이며, 상당하다고 인정하는 때에는 7일을 넘는 기간을 정할 수 있다(규칙 제178조).

⑨ 피의자 또는 피고인 구속영장은 수통 작성하여 사법경찰관리 수인에게 교부할 수 있으며, 이 때에는 그 사유를 구속영장에 기재하여야 한다(제82조). 14. 수사경과

(4) 구속영장의 성격

피의자에 대한 구속영장이 허가장의 성격을 가지는 데 비하여, 피고인에 대한 구속영장은 명령장의 성격을 가진다(헌재결 1997.3.27, 96헌바28). 20. 경찰승진, 24. 경찰간부 즉, 피의자에 대한 구속영장은 수사기관이 법관으로부터 허가장을 받아 자기 자신의 권한으로서 구속하는 것이므로 설령 영장이

발부되었더라도 그 후의 사정변경에 의하여 구속의 필요가 없게 되면 구속하지 아니하여도 무방하다. 그러나 피고인에 대한 구속영장은 피의자에 대한 경우와는 달리 법원 스스로 구속하는 경우에 발부하는 것이므로 그 집행기관인 검사는 피고인에 대한 구속영장을 집행할 의무를 진다.

(5) 구속영장의 집행

① 집행시 절차

㉠ 피의자와 피고인의 경우 원칙적으로 차이가 없다. 즉, 구속영장은 검사의 지휘에 의하여 사법경찰관리가 집행하며, 08. 9급 법원직 교도소 또는 구치소에 있는 피의자나 피고인에 대해서는 검사의 지휘에 의하여 교도관이 집행한다(제209조, 제81조 제1항).

☎ 영장의 집행은 검사가 서명 또는 날인하여 교부한 영장이나, 검사가 영장의 집행에 관한 사항을 적어 교부한 서면에 따른다(경찰수사규칙 제55조 제2항).

관련판례

1. 구금장소의 임의적 변경은 청구인의 방어권이나 접견교통권의 행사에 중대한 장애를 초래하는 것이므로 위법하다(대결 1996.5.15, 95모94). 17. 경찰간부
2. 사법경찰관리 집무규칙은 법무부령으로서 사법경찰관리에게 범죄수사에 관한 집무상의 준칙을 명시한 것 뿐이므로 합법적으로 발부된 구속영장이 사법경찰관리에 의하여 집행된 경우, 위 집무규칙 제23조 제3항 소정의 검사의 날인 또는 집행지휘서가 없다하여 곧 불법집행이 되는 것은 아니다(대결 1985.7.15, 84모22).
3. 구속영장의 집행이 정당한 사유 없이 지체된 기간 동안의 피고인에 대한 체포 내지 구금 상태는 위법하다. 구속영장이 주말인 토요일에 발부되어 담당경찰서의 송치담당자가 월요일 일과시간 중 이를 받아왔고 피고인에 대한 사건 담당자가 외근 수사 중이어서 화요일에 구속영장 원본 제시에 의한 집행을 한 사정은 구속영장 집행 지연에 대한 정당한 사유에 해당하지 않는다. 다만, 피고인에 대한 구속영장 집행이 위법하더라도 그로 인하여 피고인의 방어권, 변호권이 본질적으로 침해되어 판결의 정당성마저 인정하기 어렵다고 보여지는 정도에 이르지 않았다면 그 위법이 상고이유가 된다고는 할 수 없다(대판 2020.4.29, 2020도16438). 22. 순경 1차, 23. 9급 법원직

㉡ 피고인구속영장의 경우 급속을 요하는 경우에는 재판장, 수명법관 또는 수탁판사가 그 집행을 지휘할 수 있으며, 이 경우에는 법원사무관 등에게 그 집행을 명할 수 있다(제81조 제1항 단서 · 제2항). 10. 9급 법원직 법원사무관 등은 그 집행에 관하여 필요한 때에는 사법경찰관리, 교도관 또는 법원경위에게 보조를 요구할 수 있으며, 관할구역 외에서도 집행할 수 있다(동조 제2항). 05 · 08. 9급 법원직

☎ 피의자구속의 경우 ⇨ 적용 ×

☎ 사법경찰관리, 교도관 또는 법원 경위에게 보조를 요구할 수 있는 것이지 위탁하여야 하는 것이 아님.

㉢ 검사는 관할구역 외에서 구속영장의 집행을 지휘할 수 있고 또는 당해 관할구역의 검사에게 집행지휘를 촉탁할 수 있다. 사법경찰관리는 관할구역 외에서 구속영장을 집행할 수 있고 또는 당해 관할구역의 사법경찰관리에게 집행을 촉탁할 수 있다(제209조, 제83조).

㉣ 피의자에 대하여 피의사실의 요지, 구속의 이유와 변호인을 선임할 수 있음을 말하고 변명할 기회를 주어야 하며(제200조의 5, 제209조), 진술거부권을 알려주어야 한다(수사준칙 제32조 제1항).

㉤ 구속영장을 집행함에는 피고인(피의자)에게 반드시 이를 제시하고 그 사본을 교부하여야 하며 신속히 지정된 법원 기타 장소에 인치하여야 한다(제85조 제1항, 제209조, 수사준칙 제32조의 2 제1항). 22. 순경 2차 구속영장을 소지하지 아니한 경우에 급속을 요하는 때에는 피고인(피의자)에 대하여 공소사실(피의사실)의 요지와 영장이 발부되었음을 고하고 집행할 수 있으며(동조 제3항, 제209조), 22. 순경 1차 집행을 완료한 후에는 신속히 구속영장을 제시하고 그 사본을 교부하여야 한다(동조 제4항, 제209조).

☎ 제시되는 영장은 정본(원본)이어야 하고, 사본의 제시는 위법(대판 1997.1.24, 96다40547) 10. 경찰승진

☎ 검사 또는 사법경찰관은 수사준칙 제32조의 2 제1항에 따라 피의자에게 영장의 사본을 교부한 경우에는 피의자로부터 영장 사본 교부 확인서를 받아 사건기록에 편철한다(수사준칙 제32조의 2 제3항).

☎ 피의자가 영장의 사본을 수령하기를 거부하거나 영장 사본 교부 확인서에 기명날인 또는 서명하는 것을 거부하는 경우에는 검사 또는 사법경찰관이 영장 사본 교부 확인서 끝 부분에 그 사유를 적고 기명날인 또는 서명해야 한다(수사준칙 제32조의 2 제4항).

② 집행 후의 절차

㉠ 피고인을 구속한 때에는 공소사실의 요지와 변호인을 선임할 수 있음을 알려야 한다(제88조).

관련판례

• 피고인구속 집행 후 고지의무 규정의 의미와 위반효과

형사소송법 제88조는 "피고인을 구속한 때에는 공소사실의 요지와 변호인을 선임할 수 있음을 알려야 한다."라고 규정되어 있는바, 이는 사후 청문절차에 관한 규정으로 이를 위반하였다 하여 구속영장의 효력에는 영향을 미치지 아니한다(대결 2000.11.10, 2000모134). 14. 순경 1차, 21. 경찰간부

☎ 형사소송법 제88조는 '피고인을 구속한 때에는 즉시 공소사실의 요지와 변호인을 선임할 수 있음을 알려야 한다.'고 규정하고 있는바, 이를 위반하였다면 구속영장의 효력은 당연히 상실된다. (×) 18. 경찰승진

㉡ 피의자나 피고인을 구속한 때에는 변호인이 있는 경우에는 변호인에게, 변호인이 없는 경우에는 제30조 제2항(변호인선임권자)에 규정한 자 중 피의자나 피고인이 지정한 자(1인)에게 피의사건명 또는 피고사건명, 구속일시, 장소, 범죄사실의 요지, 구속의 이유와 변호인을 선임할 수 있는 취지를 지체 없이(늦어도 24시간 이내) 서면으로 알려야 한다(제209조, 제87조, 규칙 제51조, 수사준칙 제33조 제1항). 18 · 22. 경찰간부

☎ 구속의 통지는 늦어도 24시간 이내에 서면으로 하여야 하며 통지를 할 자가 없어서 통지를 못한 경우에는 그 취지를 기재한 서면을 기록에 편철하여야 한다. 급속을 요하는 경우에는 구속이 되었다는 취지 및 구속의 일시 · 장소를 전화 또는 모사전송기 기타 상당한 방법에 의하여 통지할 수 있으나 다시 서면으로 하여야 한다(규칙 제51조). 피구속자의 동의나 합목적적인 고려를 이유로 통지하지 않음은 허용할 수 없다.

관련판례

구속통지를 하지 않은 위법이 있었다 할지라도, 통지를 받지 못하여 사선변호인을 선임하지 못하였다는 주장이 없거나 또는 법원이 직권으로 국선변호인을 선정하였다면, 위 위법은 판결에 영향을 미쳤다고 할 수 없어 상고이유가 되지 아니한다(대판 1966.9.20, 66도1045).

㉢ 피의자를 체포·구속한 검사 또는 사법경찰관은 체포·구속된 피의자와 체포·구속적부심사 청구권자 중에서 피의자가 지정하는 자에게 체포·구속적부심사를 청구할 수 있음을 알려야 한다(제214조의 2 제2항). 19. 5급 검찰·교정승진

㉣ 구속영장에 의해 구금된 피의자가 피의자신문을 위한 출석요구에 불응하면서 수사기관 조사실에 출석을 거부한다면 수사기관은 그 구속영장의 효력에 의하여 피의자를 조사실로 구인할 수 있다(대결 2013.7.1, 2013모160). 17. 경찰간부, 22. 경찰승진

③ **영장의 불집행**

㉠ 피의자에 대한 구속영장을 발부받은 후 피의자를 구속하지 않거나 구속한 피의자를 석방한 때에는 지체 없이 검사는 영장을 발부한 법원에 그 사유를 서면으로 통지하여야 한다(제204조). 20. 해경간부

피의자를 구속하지 않거나 못한 경우 ⇨ 법원에 통지시 구속영장의 원본을 첨부(규칙 제96조의 19 제3항).

㉡ 검사 또는 사법경찰관은 구속영장의 유효기간 내에 영장의 집행에 착수하지 못했거나, 그 밖의 사유로 영장의 집행이 불가능하거나 불필요하게 되었을 때에는 즉시 해당 영장을 법원에 반환해야 한다. 이 경우 구속영장이 여러 통 발부된 경우에는 모두 반환해야 한다(수사준칙 제35조 제1항). 22. 순경 2차

㉢ 검사 또는 사법경찰관은 제1항에 따라 구속영장을 반환하는 경우에는 반환사유 등을 적은 영장반환서에 해당 영장을 첨부하여 반환하고, 그 사본을 사건기록에 편철한다(수사준칙 제35조 제2항).

㉣ 제1항에 따라 사법경찰관이 구속영장을 반환하는 경우에는 그 영장을 청구한 검사에게 반환하고, 검사는 사법경찰관이 반환한 영장을 법원에 반환한다(수사준칙 제35조 제3항). 22. 경찰간부

4 구속기간의 제한

(1) 구속기간

① **피의자**

㉠ 사법경찰관이 피의자를 구속할 때에는 10일 이내에 피의자를 검사에 인치하지 아니하면 석방하여야 한다(제202조). 17. 순경 1차, 18. 수사경과

예 사법경찰관이 2014년 2월 15일 토요일 23 : 30에 피의자 甲을 구속한 경우에는 2014년 2월 24일 24 : 00 이내에 피의자 甲을 검사에게 인치하지 아니하면 석방하여야 함.

구속기간 허용은 무죄추정원칙에서 파생되는 불구속수사원칙의 예외이다(헌재결 2003.11.27, 2002헌마193). 24. 9급 검찰 · 마약 · 교정 · 보호 · 철도경찰

㉡ 검사가 피의자를 구속하거나 사법경찰관으로부터 피의자의 인치를 받은 때에는 10일 이내에 공소를 제기하지 아니하면 석방하여야 한다(제203조). 다만, 검사는 지방법원판사의 허가를 얻어 10일을 초과하지 않는 한도 내에서 1회에 한하여 구속기간을 연장할 수 있다(제205조 제1항). 11. 경찰승진 며칠을 연장할 것인가는 판사의 재량이다. 이 경우에 검사는 구속기간의 연장의 필요성을 인정할 수 있는 자료를 제출하여야 한다(동조 제2항). 00. 9급 법원직

검사의 신청에 의해 지방법원판사는 3일을 연장해 줄 수도 있다. 98. 9급 법원직

사법경찰관의 구속기간 ⇨ 연장 ×

국가보안법 제19조 : 지방법원판사는 동법 위반사건에 대하여 사법경찰관에게 1회, 검사에게 2회에 한하여 구속기간의 연장을 허가할 수 있다. 다만, 동법 제7조(찬양 · 고무) 및 제10조(불고지)의 죄에 관한 구속기간 연장은 위헌결정을 받았다(헌재결 1992.4.14, 90헌마82). 따라서 이 경우는 형사소송법 규정이 적용되어 사법경찰관 10일, 검사 10일(1회 연장 가능)이 구속기간이 된다.

㉢ 구속기간연장이나 그 신청을 기각하는 결정에 대해서는 불복할 수 없다. 따라서 항고 또는 준항고가 허용되지 않는다(대결 1997.6.16, 97모1). 17 · 18. 경찰승진

② **피고인**

㉠ 피고인에 대한 구속기간은 2개월이다. 구속은 계속할 필요가 있는 경우에는 심급마다 2개월 단위로 2차에 한하여 결정으로 갱신할 수 있다. 다만, 상소심은 피고인 또는 변호인(검사 ×)이 신청한 증거의 조사, 상소이유를 보충하는 서면의 제출 등으로 추가심리가 필요한 부득이한 경우에 3차에 한하여 갱신할 수 있다(제92조 제1항 · 제2항). 13. 9급 법원직, 11 · 12. 순경, 18. 경찰간부 · 경찰승진, 21. 9급 법원직 · 순경 2차 이렇게 되면 각 심급마다 최대구속기간은 6개월이다.

제1심에서 구속된 경우 최장 18개월까지 구속가능

피고인구속기간 갱신 ⇨ 법원의 결정에 의함(피의자구속기간 연장은 지방법원판사가 행함)

부정수표단속법에 의하여 벌금가납판결이 선고된 경우라도 벌금을 가납할 때까지는 구속이 계속되므로 구속만기가 도래하면 갱신하여야 한다(부정수표단속법 제6조).

관련판례

'구속기간'은 '법원이 피고인을 구속한 상태에서 재판할 수 있는 기간'을 의미하는 것이지, '법원이 형사재판을 할 수 있는 기간' 내지 '법원이 구속사건을 심리할 수 있는 기간'을 의미한다고 볼 수 없다. 그러므로 구속사건을 심리하는 법원으로서는 만약 심리를 더 계속할 필요가 있다고 판단하는 경우에는 피고인의 구속을 해제한 다음 구속기간의 제한에 구애됨이 없이 재판을 계속할 수 있음이 당연하다(헌재결 2001.6.28, 99헌가14). 10 · 11. 14. 경찰승진

㉡ 구속피고인에 대한 감정유치기간(제172조)과 기피신청기간(제22조), 16 · 21. 9급 법원직 공소장변경(제298조 제4항), 10. 7급 국가직, 21. 9급 법원직 피고인의 심신상실과 질병(제306조 제1항 · 제2항) 등으로 공판절차가 정지된 기간 및 공소제기 전의 체포, 구인, 구금기간은 피고인구속기간에 산입되지 아니한다(제92조 제3항). 10. 순경 · 9급 국가직 · 7급 국가직, 19. 경찰승진, 22 · 23. 해경승진

┌ 병합심리에 의한 소송절차정지기간(구속기간 불산입 ×)
├ 관할이전으로 인한 공판절차 정지기간(구속기간 불산입 ×) 24. 소방간부
└ 호송 중의 가유치기간(구속기간 불산입 ×)

㉢ 상소기간 또는 상소제기로 이미 상소 중에 있는 사건은 소송기록이 아직 원심법원에 있거나 상소법원에 도달하기까지는 피고인의 구속, 구속기간갱신, 보석, 보석취소, 구속집행정지와 그 취소의 결정은 원심법원이 행하여야 한다(규칙 제57조 제1항). 이는 원심법원이 상소법원의 권한을 대행하는 것으로 원심법원에 의한 결정은 아니다. 따라서 상소법원은 나머지 1차(예외적으로 2차)에 한해서 구속기간 갱신결정을 할 수 있다.

㉣ 이송, 파기환송 또는 파기이송 중의 사건에 관한 제57조 제1항의 결정(구속기간 갱신 등)은 소송기록이 이송 또는 환송법원에 도달하기까지는 이송 또는 환송한 법원이 이를 하여야 한다(규칙 제57조 제2항). 이 역시 이송 또는 환송 받은 법원이 내려야 할 결정을 편의상 이송·환송법원 등이 대행하는 것이므로 이송 또는 환송받은 법원은 나머지 1차(예외적으로 2차)에 한하여 구속기간 갱신 등의 결정을 할 수 있다.

관련판례

1. 대법원의 파기환송 판결에 의하여 사건을 환송받은 법원은 형사소송법 제92조 제1항에 따라 2월의 구속기간이 만료되면 특히 계속할 필요가 있는 경우에는 2차(대법원이 구속기간을 갱신한 경우 1차)에 한하여 결정으로 구속기간을 갱신할 수 있다(대판 2001.11.30, 2001도5225). 21. 9급 법원직, 24. 소방간부
2. 상소제기 후 소송기록이 상소법원에 도달하지 않고 있는 사이에는 피고인을 구속할 필요가 있는 경우에도 기록이 없는 상소법원에서 구속의 요건이나 필요성 여부에 대한 판단을 하여 피고인을 구속하는 것이 실질적으로 불가능하다는 점 등을 고려하면, 상소기간 중 또는 상소 중의 사건에 관한 피고인의 구속을 소송기록이 상소법원에 도달하기까지는 원심법원이 하도록 규정한 형사소송규칙 제57조 제1항의 규정이 형사소송법 제105조의 규정에 저촉된다고 보기는 어렵다(대결 2007.7.10, 2007모460).
   ▶ 형사소송법 제105조 : 상소기간 중 또는 상소 중의 사건에 관하여 구속기간의 갱신, 구속의 취소, 보석, 구속의 집행정지와 그 정지의 취소에 대한 결정은 소송기록이 원심법원에 있는 때에는 원심법원이 하여야 한다.
3. 항소법원은 항소피고사건의 심리 중 또는 판결선고 후 상고제기 또는 판결확정에 이르기까지 수소법원으로서 구속사유 있는 불구속 피고인을 구속할 수 있고 또 수소법원의 구속에 관하여는 검사 또는 사법경찰관이 피의자를 구속함을 규율하는 형사소송법 제208조의 규정은 적용되지 아니하므로 구속기간의 만료로 피고인에 대한 구속의 효력이 상실된 후 항소법원이 피고인에 대한 판결을 선고하면서 피고인을 구속하였다 하여 위 법 제208조의 규정(재구속제한)에 위배되는 재구속 또는 이중구속이라 할 수 없다(대결 1985.7.23, 85모12).

(2) 구속기간의 계산

① 구속기간연장 허가결정이 있는 경우에 그 연장기간은 구속기간 만료일 다음 날부터 기산한다(규칙 제98조). 15. 경찰간부, 17·18. 경찰승진, 23. 9급 검찰·마약·교정·보호·철도경찰

그 연장기간은 결정이 있는 다음 날부터 기산한다. (×)

② 피의자가 체포되거나 구인된 경우에 검사 또는 사법경찰관의 구속기간은 체포·구인한 날로부터 기산한다(제203조의 2). 10. 9급 국가직, 12. 순경, 13. 수사경과, 13·14·15·17. 경찰승진, 20. 순경 2차

③ 구속기간의 계산은 초일을 1일로 산입하며, 16. 9급 법원직, 24. 순경 2차 기간의 말일이 공휴일 또는 토요일에 해당하는 경우에도 구속기간에 산입한다. 10. 순경, 17·20. 경찰승진, 22. 해경승진

④ 구속된 피의자가 피고인으로 된 경우 그 피고인에 대한 법원의 구속기간은 공소제기시부터 기산한다(제92조 제3항). 08. 순경, 10. 9급 국가직, 13. 순경 1차, 14. 9급 법원직, 15. 순경 2차

예 2008년 1월 1일에 구속된 자가 동년 1월 20일에 공소제기 되었다. 제1심법원에서 구속을 계속할 수 있는 최장기간(6개월)의 말일은 2008년 7월 19일이다.

(3) 구속기간 경과의 효력

구속기간을 경과하면 구속영장의 효력은 상실되므로 그 후의 구속은 불법구속이 된다는 것이 통설이나, 대법원은 구속기간이 경과해도 구속영장의 효력이 당연히 실효되는 것은 아니라는 태도를 보이고 있다.

관련판례

법원이 구속기간을 넘어서 구속한 때라도 구속영장의 효력이 당연히 실효되는 것은 아니다(대판 1964. 11.17, 64도428).

(4) 재구속의 제한

검사 또는 사법경찰관에 의하여 구속되었다가 석방된 자는 다른 중요한 증거가 발견된 경우를 제외하고는 동일한 범죄사실에 관하여 재차 구속하지 못한다(제208조 제1항). 09. 경찰승진, 12. 교정특채, 13. 9급 교정·보호·철도경찰, 15. 순경 2차, 20. 수사경과, 22. 7급 국가직 서로 다른 범죄사실이라도 1개의 목적을 위하여 동시(예 은행직원이 고객의 예금을 수회 횡령) 또는 수단·결과의 관계에서 행하여진 행위(예 주거침입과 절도)는 동일한 범죄사실로 간주한다(동조 제2항). 07. 7급 국가직, 08. 순경, 18·19. 경찰승진, 22. 소방간부

국가보안법 위반으로 공소보류처분을 받은 피의자는 그 공소보류가 취소된 경우에 동일한 범죄사실로 재구속 가능(국가보안법 제20조 제4항)

재구속영장의 청구서에는 재구속영장의 청구라는 취지와 제208조 제1항 또는 제214조의 3에 규정한 재구속사유를 기재하여야 한다(규칙 제99조 제2항).

관련판례

1. 재구속 제한은 피의자에게만 적용되고 법원이 피고인을 구속한 경우에는 적용되지 않는다. 04·05·06. 순경, 12. 교정특채, 15. 경찰승진 구속기간 만료로 피고인에 대한 구속의 효력이 상실된 후 항소법원이 피고인에 대한 판결을 선고하면서 피고인을 구속하였더라도 다른 중요한 증거발견을 요건으로 하는 구속의 제한규정(제208조)에 위배되는 것은 아니다(대결 1985.7.23, 85모12). 18. 9급 법원직, 23·24. 순경 2차, 24. 9급 검찰·마약·교정·보호·철도경찰
2. 재구속 제한은 구속 자체의 효력에 관한 문제이고 공소제기 효력에는 영향을 미치지 않으므로 재구속 제한에 위반하더라도 공소제기 자체가 무효로 되는 것은 아니다(대판 1966.11.22, 66도1288). 07. 순경, 15. 경찰승진

3. 제208조 '구속되었다가 석방된 자는 다른 중요한 증거를 발견하는 경우를 제외하고는 재구속하지 못한다.'는 구속영장에 의하여 구속되었다가 석방된 경우를 말하는 것이지, 긴급체포나 현행범으로 체포되었다가 사후영장발부 전에 석방된 경우는 포함되지 않는다 할 것이므로, 22. 해경간부 피고인이 긴급체포되었다가 석방된 후 법원이 발부한 구속영장에 의하여 구속이 이루어진 경우 다른 중요한 증거발견이 없는 경우라도 위법한 구속이라고 볼 수 없다(대판 2001.9.28, 2001도4291). 12. 순경, 13. 순경 1차, 13·20. 9급 교정·보호·철도경찰, 13·15·20. 순경 2차, 21. 수사경과, 10·12·23. 경찰승진

피의자구속과 피고인구속의 차이점

구 분	피의자구속	피고인구속
영장청구 여부	○(검사)	×
영장발부 주체	지방법원판사	수소법원
영장실질심사	○	×
구속기간	최장 30일	최장 18개월
구속기간 기산점	체포된 때	공소제기시

경미범죄(다액 50만원 이하 벌금, 구류, 과료)의 체포·구속

구 분	사 유
구속영장	주거가 없는 경우(주거부정)
체포영장	주거가 없는 경우(주거부정), 출석요구에 불응
현행범체포	주거가 분명하지 아니한 경우(주거부정)
긴급체포	×

KEY point 구속영장 발부·집행 및 구속기간 등

- **구속영장발부** ┌ 피의자 ⇨ 검사청구로 지방법원판사가 발부(항고·준항고 ×)
  └ 피고인 ⇨ 수소법원 직권으로 발부
- **구속영장의 성격 :** 피의자(허가장), 피고인(명령장)
- **피고인구속시 고지의무**(제72조) : 구속영장발부시 수소법원이 취할 절차(영장을 집행할 때 집행기관이 취할 절차 ×)
- **피고인 구속집행 후 고지의무 규정**(제88조) : 위반하였더라도 구속영장 효력에 영향 ×
- **구속 후 통지 :** 서면(늦어도 24시간 내)
- **구속기간** ┌ 피의자 최장 30일(검사 10일+1회 연장, 사법경찰관 10일)
  │ ▶ 국가보안법위반 ⇨ 최장 50일
  └ 피고인 최장 18개월(2개월+심급마다 2개월씩 2회 갱신(2·3심은 3회 갱신 가능)
- **피고인구속기간 :** 감정유치기간과 기피신청기간·공소장변경·피고인 심신상실·질병 등 공판절차 정지기간, 공소제기 전 체포·구속기간은 피고인구속기간에 산입 ×
- **재구속 제한 :** 피의자구속(피고인구속 ⇨ ×)

5 구속영장의 효력

(1) 구속영장의 집행정지

① **보석** : 보증금 등 다양한 출석담보수단을 조건으로 구속영장의 효력을 정지하고 석방시키는 제도를 말한다(보석편에서 상세히 다루기로 한다).

② **구속집행정지**

㉠ **의 의**

ⓐ 피의자에 대한 구속집행정지 : 구속된 피의자에 대해서 지방법원판사는 구속의 집행을 정지할 수 있다(제101조 제1항, 제209조). 피의자에 대한 구속집행정지는 검사 또는 사법경찰관이 직권으로 할 수도 있다. 검사가 구속 중인 피의자에 대한 구속집행정지의 결정을 할 경우 구속집행정지결정서에 따른다(검찰사건사무규칙 제86조). 사법경찰관이 피의자 구속집행정지를 할 경우에 구속의 집행을 정지한 사법경찰관은 지체 없이 구속집행정지 통보서를 작성하여 검사에게 그 사실을 통보하고, 그 통보서 사본을 사건기록에 편철해야 한다(경찰수사규칙 제62조).

ⓑ 피고인에 대한 구속집행정지 : 법원은 상당한 이유가 있는 때에는 결정으로 피고인의 구속집행을 정지할 수 있다(제101조 제1항).

㉡ **구별개념** : 보증금과는 무관하다는 점, 직권으로만 가능하다는 점이 보석과 다르며, 구속영장의 효력이 소멸되지 않는다는 점이 구속취소와 다르다. 13. 경찰승진

구속집행정지, 보석, 구속취소의 비교

구 분	구속집행정지	보 석	구속취소
보증금	×	○(보증금납입을 조건으로 할 경우)	×
직 권	○	청구 가능	청구 가능
즉시항고	×	×	○
영장효력상실	×	×	○

㉢ **절 차**

ⓐ 법원이 피고인에 대한 구속집행정지결정을 함에는 검사의 의견을 물어야 한다. 단, 급속을 요하는 경우에는 예외로 한다(제101조 제2항). 10. 9급 법원직, 20. 순경 2차, 21·23. 경찰승진

ⓑ 법원의 구속집행정지결정에 대해서 검사는 즉시항고할 수 없다. 11. 9급 법원직, 20. 9급 교정·보호·철도경찰

관련판례

1. 구속집행정지결정에 대한 검사의 즉시항고를 인정하는 조항(제101조 제3항)은 검사의 불복을 그 피고인에 대한 구속집행을 정지할 필요가 있다는 법원의 판단보다 우선시킬 뿐만 아니라, 사실상

법원의 구속집행정지결정을 무의미하게 할 수 있는 권한을 검사에게 부여한 것이라는 점에서 헌법 제12조 제3항의 영장주의원칙에 위배된다(헌재결 2012.6.27, 2011헌가36). 13. 경찰승진

위헌결정에 의해 제101조 제3항 삭제됨.

2. 구속집행정지 제도 취지에 부합한다면 피고인의 도주 방지 및 출석을 확보하기 위하여 전자장치의 부착을 구속집행정지의 조건으로 부가할 수도 있다(대결 2022.11.22, 2022모1799).

ⓒ 구속된 국회의원에 대한 국회의 석방요구가 있으면 당연히 구속영장의 집행이 정지된다(제101조 제4항). 20. 경찰승진, 21. 해경간부 석방요구의 통고를 받은 검찰총장은 즉시 석방을 지휘하고 그 사유를 수소법원에 통지하여야 한다(동조 제5항).

구속된 국회의원에게 석방요구가 있으면 법원은 구속집행정지결정을 하여야 한다. (×)

ⓓ 검사가 피의자에 대한 구속집행을 정지한 경우에는 지체 없이 구속영장을 발부한 지방법원판사에게 그 사유를 서면으로 통지하여야 한다(규칙 제96조의 19 제5호). 21. 경찰승진

검사의 법원에 대한 통지(규칙 제96조의 19) – 체포영장 또는 구속영장의 원본을 첨부

영장발부법원에 서면통지하여야 할 사유(규칙 제96조의 19 제1항)

1. 피의자를 체포 또는 구속하지 아니하거나 못한 경우
2. 구속영장 청구기간이 만료하거나 구속 후 구속기간이 만료하여 피의자를 석방한 경우
3. 체포 또는 구속의 취소로 피의자를 석방한 경우
4. 체포된 국회의원에 대하여 석방요구가 있어 체포영장의 집행이 정지된 경우
5. 구속집행정지의 경우

㉣ **구속집행정지의 취소**

ⓐ 보석취소사유(제102조)와 동일한 사유가 있을 때, 피의자에 대해서 지방법원판사는 직권 또는 검사의 청구에 의해 피의자의 구속집행정지를 취소할 수 있다(제209조, 제102조 제2항). 검사나 사법경찰관도 구속집행정지를 취소할 수 있다.

ⓑ 법원은 보석취소사유와 동일한 사유가 있을 때, 직권 또는 검사의 청구가 있을 때 결정으로 구속집행정지를 취소할 수 있다(제102조 제2항). 10. 순경

ⓒ 국회의원에 대한 구속집행정지는 그 회기 중 취소하지 못한다(동조 제2항 단서). 20. 순경 2차, 21. 경찰승진

ⓓ 구속집행정지취소의 결정이 있는 때 또는 기간을 정한 구속집행정지결정의 기간이 만료된 때에는 검사는 그 취소결정의 등본 또는 기간을 정한 구속집행정지결정의 등본에 의하여 피고인을 재구금하여야 한다. 다만, 급속을 요하는 경우에는 재판장, 수명법관 또는 수탁판사가 재구금을 지휘할 수 있다(규칙 제56조 제1항). 03. 법원사무관

집행정지기간이 만료되면 별도의 결정 없이 영장의 효력에 의해 다시 구금한다. (○)

ⓔ 제1항 단서의 경우에는 법원사무관 등에게 그 집행을 명할 수 있다. 이 경우에 법원사무관 등은 그 집행에 관하여 필요한 때에는 사법경찰관리 또는 교도관에게 보조를 요구할 수 있으며 관할구역 외에서도 집행할 수 있다(동조 제2항).

ⓕ 상소기간 중 또는 상소 중의 사건에 관한 피고인의 구속, 구속기간갱신, 구속취소, 보석, 보석의 취소, 구속집행정지와 그 정지의 취소의 결정은 소송기록이 상소법원에 도달하기까지는 원심법원이 이를 하여야 한다(규칙 제57조 제1항). 24. 경찰승진 이송, 파기환송 또는 파기이송 중의 사건에 관한 제1항의 결정은 소송기록이 이송 또는 환송법원에 도달하기까지는 이송 또는 환송한 법원이 이를 하여야 한다(규칙 제57조 제2항).

(2) **구속영장의 실효**

구속영장의 효력이 상실되는 경우로는 구속취소와 구속의 당연실효가 있다.

① **구속취소**

㉠ **의 의**

ⓐ **피의자에 대한 구속취소** : 구속의 사유가 없거나 소멸된 때에는 피의자에 대하여 지방법원판사는 직권 또는 검사, 피의자, 변호인 또는 변호인선임권자의 청구에 의하여 구속을 취소하여야 한다(제209조, 제93조). 23. 경찰승진 검사·사법경찰관도 구속취소가 가능하다.

ⓑ **피고인에 대한 구속취소** : 피고인에 대하여 구속취소사유가 있는 때에는 법원은 직권 또는 검사, 피고인, 변호인과 변호인선임권자(법정대리인·배우자·직계존속·형제자매)의 청구에 의하여 결정으로 구속을 취소하여야 한다(제93조). 09·18. 경찰승진, 20. 7급 국가직, 21. 해경, 24. 순경 2차

취소할 수 있다. (×) 21. 해경

관련판례

구속취소는 구속영장의 효력이 존속하고 있음을 전제로 하는 것이므로, 다른 사유로 이미 구속영장이 실효된 경우(자유형 확정)에는 피고인이 계속 구금되어 있는 경우라도 구속취소결정을 할 수 없다(대결 1999.9.7, 99초355). 20. 9급 교정·보호·철도경찰

㉡ **사유** : 구속사유가 없는 때라 함은 구속사유가 처음부터 존재하지 않았던 경우를 말하고, 구속사유가 소멸된 때라 함은 구속사유가 사후적으로 소멸한 때를 말한다.

관련판례

1. 체포·구금 당시에 헌법 및 형사소송법에 규정된 사항(체포·구금의 이유 및 변호인의 조력을 받을 권리) 등을 고지받지 못하였고, 그 후의 구금기간 중 면회거부 등의 처분을 받았다 하더라도 이와 같은 사유는 형사소송법 제93조 소정의 구속취소사유에는 해당하지 아니한다(대결 1991.12.30, 91모76). 18. 7급 국가직
2. 미결구금일수가 본형 형기를 초과할 것이 명백한 경우라면 피고인을 구속할 사유는 소멸되었다고 볼 것이므로 피고인의 구속은 취소되어야 한다(대결 1991.4.11, 91모25).
3. 피고인에 대한 형이 그대로 확정된다고 하더라도 잔여형기가 8일 이내이고 또한 피고인의 주거가 일정할 뿐 아니라 증거인멸이나 도망의 염려도 없어 보인다면 피고인을 구속할 사유는 소멸하였다고 보아야 할 것이니 구속취소의 신청은 이유 있다(대결 1983.8.18, 83모42).

4. 하급심이 불법하게 구속기간을 갱신하여 불법구속을 하였다 하더라도, 구속사유가 엄존하는 이상 상소심에서는 구속을 계속할 법률상 근거가 소멸되는 것이라고는 할 수 없을 것이고, 상소심에서 구속기간을 갱신하였다 하여 구속영장의 효력이 당연히 실효된 것이라고도 할 수 없다(대판 1963.9.24, 63도256).

ⓒ **절 차**

ⓐ 재판장이 피고인에 대한 구속취소결정을 함에는 검사의 의견을 물어야 한다. 단, 검사의 청구에 의하거나 급속을 요하는 경우에는 예외로 한다(제97조 제2항).

ⓑ 검사는 구속취소결정을 따른 의견요청에 대하여 지체 없이 의견을 표명하여야 한다(동조 제3항).

ⓒ 검사는 구속취소결정에 대하여 즉시항고할 수 있다(동조 제4항). 10. 9급 법원직

ⓓ 구속취소사건에 있어서는 공판절차를 필요로 하지 않는다.

관련판례

구속취소사건에 있어서는 공판절차를 필요로 하는 것이 아니므로 공판절차의 갱신에 관한 형사소송법 제301조는 그 적용이 없고 따라서 제1심결정에 관여하지 아니한 법관이 항고에 대한 의견서를 첨부하여 항고법원에 송부하였다 하여 직접심리주의에 위배되는 위법이 있다고 할 수 없다(대결 1986.4.30, 86모10).

② **구속의 당연실효**

㉠ **구속기간의 만료** : 구속기간이 만료되면 구속영장의 효력은 당연히 상실된다(통설). 그러나 판례는 당연히 상실되는 것은 아니라고 한다. 07. 순경, 10. 경찰승진

㉡ **구속영장의 실효** : 무죄, 면소, 형의 면제, 형의 선고유예, 형의 집행유예, 공소기각 또는 벌금이나 과료를 과하는 판결이 선고되면 구속영장은 효력을 잃는다(제331조). 18. 9급 법원직, 19. 경찰승진, 24. 7급 국가직

관련판례

무죄 등 판결 선고 후 석방대상 피고인이 교도소에서 지급한 각종 지급품의 회수, 수용시의 휴대금품 또는 수용 중 영치된 금품의 반환 내지 환급문제 때문에 임의로 교도관과 교도소에 동행하는 것은 무방하나, 피고인의 동의를 얻지 않고 의사에 반하여 교도소로 연행하는 것은 헌법 제12조의 규정에 비추어 도저히 허용될 수 없다(헌재결 1997.12.24, 95헌마247).

㉢ **사형 · 자유형의 확정** : 사형 · 자유형의 판결이 확정된 때에도 구속영장은 효력이 상실된다. 판결확정 후에 계속되는 신체구속은 확정판결 자체의 효력에 의한 것이지 구속영장의 효력에 의한 것은 아니다.

정리

구속영장의 효력상실 · 집행정지 사유

구속영장 집행정지사유	① 구속집행정지 ② 보 석
구속영장 효력상실사유	① 구속의 취소 ② 구속적부심에 의한 석방 ③ 구속기간 만료 ④ 무죄 등 선고(무죄, 형면제, 선고유예, 집행유예, 벌금, 과료, 면소, 공소기각판결) 11. 순경, 21. 해경간부 ▶ 무죄 등 판결이 선고되어도 검사가 사형, 무기, 10년 이상 징역 · 금고형을 구형한 사건은 구속영장이 실효되지 아니한다는 규정(제331조 단서)은 위헌결정으로 인하여 개정 형사소송법에서 삭제되었음. ⑤ 사형, 자유형 확정 ⑥ 구속 중인 소년에 대한 법원의 소년부 송치 결정이 있는 경우에 소년부판사가 소년 감호에 관한 결정을 한 때(소년법 제52조)

6 관련문제

(1) 이중구속

이중구속이란 이미 구속영장이 발부되어 구속되어 있는 피고인 또는 피의자에 대하여 다시 구속영장을 집행하는 것을 말한다. 다수설은 구속영장의 효력은 구속영장에 기재된 범죄사실에 대해서만 미치고(사건단위설), 구속된 피고인 또는 피의자가 석방되는 경우를 대비하여 미리 구속해 둘 필요가 있다는 이유로 이중구속도 허용된다고 해석하고 있다.

A죄의 구속이 집행 중인 상태에서 피고인이 B죄로 기소되고 그 후에 B죄에 대하여 구속영장이 발부되었다면 B죄의 구속기간의 기산점은 A죄에 대한 구속기간이 만료한 시점이 아니고 B죄에 대한 구속영장이 발부되어 집행된 시점이다.

관련판례

구속의 효력은 원칙적으로 위 방식에 따라 작성된 구속영장에 기재된 범죄사실에만 미치는 것이므로, 구속기간이 만료될 무렵에 종전 구속영장에 기재된 범죄사실과 다른 범죄사실로 피고인을 구속하였다는 사정만으로는 피고인에 대한 구속이 위법하다고 할 수 없다(대결 2000.11.10, 2000모134). 14 · 22. 경찰승진, 22. 소방간부, 21 · 23. 순경 2차, 17 · 18 · 24. 경찰간부, 20 · 24. 7급 국가직

(2) 별건구속

수사기관이 본래 수사하고자 하는 본건에 대하여는 구속의 요건이 구비되지 못하였기 때문에 (예 객관적 혐의에 대한 증거불충분) 본건의 수사에 이용할 목적으로 구속의 요건이 구비된 별건으로 구속영장을 발부받아 피의자를 구속하는 것을 말한다.

영장주의에 반하고 구속사유가 없음에도 자백강요 내지 수사의 편의를 위하여 구속이 행해질 가능성이 있으므로 이는 인정될 수 없다(다수설). 그러나 본건에 대한 적법한 구속영장으로 여죄를 수사하는 것은 문제될 것이 없다.

(3) 검사의 체포 · 구속장소 감찰

① 지방검찰청검사장(지청장)은 검사로 하여금 매월 1회 이상 관하 수사관서의 피의자 체포 · 구속장소를 감찰하게 하여야 한다(제198조의 2 제1항). 17. 순경 1차

② 검사는 체포 · 구속된 자를 심문하고 관계서류를 조사하여야 하며 적법절차에 의하지 아니한 것이라고 의심할 만한 상당한 이유가 있는 경우에는 즉시 석방하거나 사건을 검찰에 송치할 것을 명하여야 한다(동조 제2항).

CHAPTER 02

기출문제

01 **구속 전 피의자심문제도에 대한 설명으로 적절하지 않은 것을 모두 고른 것은?** 22. 경찰승진

㉠ 체포영장에 의한 체포·긴급체포 또는 현행범인의 체포에 의하여 체포된 피의자에 대하여 구속영장을 청구받은 판사는 구속의 사유를 판단하기 위하여 필요하다고 인정하는 때에는 피의자를 심문할 수 있다.
㉡ 구속 전 피의자심문시 피의자에게 변호인이 없는 때에는 지방법원판사는 직권으로 변호인을 선정하여야 한다.
㉢ 변호인은 구속영장이 청구된 피의자에 대한 심문 시작 전에 피의자와 접견할 수 있고, 피의자는 판사의 심문이 끝난 후에만 변호인에게 조력을 구할 수 있다.
㉣ 판사는 지정된 심문기일에 피의자를 심문할 수 없는 특별한 사정이 있는 경우에는 그 심문기일을 변경할 수 있으며, 법원은 변호인의 사정이나 그 밖의 사유로 변호인 선정결정이 취소되어 변호인이 없게 된 때에는 직권으로 변호인을 다시 선정할 수 있다.
㉤ 피의자심문을 하는 경우 법원이 구속영장 청구서·수사관계 서류 및 증거물을 접수한 날부터 구속영장을 발부하여 검찰청에 반환한 날까지의 기간은 사법경찰관이나 검사의 피의자 구속기간에 산입하지 아니한다.

① ㉠, ㉡　② ㉠, ㉢　③ ㉡, ㉢　④ ㉢, ㉣, ㉤

해설 ㉠ × : 체포영장에 의한 체포·긴급체포 또는 현행범인의 체포에 의하여 체포된 피의자에 대하여 구속영장을 청구받은 판사는 지체 없이 피의자를 심문하여야 한다(제201조의 2 제1항).
㉡ ○ : 제201조의 2 제8항
㉢ × : 변호인은 구속영장이 청구된 피의자에 대한 심문 시작 전에 피의자와 접견할 수 있다(규칙 제96조의 20 제1항). 피의자는 판사의 심문 도중에도 변호인에게 조력을 구할 수 있다(규칙 제96조의 16 제4항).
㉣ ○ : 제201조의 2 제9항
㉤ ○ : 제201조의 2 제7항

02 **피의자에 대한 구속영장 청구 사건의 심문절차에 관한 설명 중 가장 옳지 않은 것은?**(다툼이 있는 경우 판례에 의하고, 전원합의체 판결의 경우 다수의견에 의함) 23. 9급 법원직

① 판사는 피의자가 심문기일에의 출석을 거부하거나 질병 그 밖의 사유로 출석이 현저하게 곤란하고, 피의자를 심문 법정에 인치할 수 없다고 인정되는 때에는 피의자의 출석 없이 심문절차를 진행할 수 있다.
② 검사와 변호인은 판사의 심문이 끝난 후에 의견을 진술할 수 있다. 다만, 필요한 경우에는 심문 도중에도 판사의 허가를 얻어 의견을 진술할 수 있다.

Answer 01. ② 02. ④

③ 심문기일의 통지는 서면 이외에 구술·전화·모사전송·전자우편·휴대전화 문자전송 그 밖에 적당한 방법으로 신속하게 하여야 한다. 이 경우 통지의 증명은 그 취지를 심문조서에 기재함으로써 할 수 있다.

④ 판사는 구속 여부의 판단을 위하여 필요하다고 인정하는 때에는 심문절차를 일시 중단하고 피해자 그 밖의 제3자가 의견을 진술하도록 할 수는 있으므로 심문장소에 출석한 피해자 그 밖의 제3자를 심문할 수는 없다.

해설 ① 규칙 제96조의 13 제1항 ② 규칙 제96조의 16 제3항 ③ 규칙 제96조의 12 제3항
④ 판사는 구속 여부의 판단을 위하여 필요하다고 인정하는 때에는 심문장소에 출석한 피해자 그 밖의 제3자를 심문할 수 있다(규칙 제96조의 16 제5항).

03 구속에 관한 설명으로 옳고 그름의 표시(○, ×)가 바르게 된 것은?(다툼이 있는 경우 판례에 의함)

24. 경찰간부

㉠ 수사기관의 청구에 의하여 발부하는 구속영장은 허가장으로서의 성질을 가지며, 법원이 직권으로 발부하는 영장은 명령장으로서의 성질을 가진다.
㉡ 구속기간이 만료될 무렵에 종전 구속영장에 기재된 범죄사실과 다른 범죄사실로 다시 구속영장을 집행하는 것은 위법하다.
㉢ 적법하게 체포된 피의자에 대하여 구속영장을 청구받은 판사는 필요하다고 인정되는 때에는 지체 없이 영장실질심사를 위하여 피의자를 심문할 수 있으며, 심문할 피의자에게 변호인이 없는 때에는 판사는 직권으로 변호인을 선정하여야 한다.
㉣ 구속 전 피의자심문을 하는 경우 법원이 구속영장청구서·수사관계 서류 및 증거물을 접수한 날부터 구속영장을 발부하여 검찰청에 반환한 날까지의 기간은 사법경찰관 및 검사의 피의자 구속기간에 산입하지 아니한다.
㉤ 피의자에 대한 심문절차는 공개하지 아니하지만, 판사는 상당하다고 인정하는 경우에는 일반인의 방청을 허가할 수 있다.

① ㉠(×), ㉡(×), ㉢(○), ㉣(×), ㉤(×)
② ㉠(○), ㉡(×), ㉢(○), ㉣(○), ㉤(○)
③ ㉠(○), ㉡(○), ㉢(×), ㉣(○), ㉤(○)
④ ㉠(○), ㉡(×), ㉢(×), ㉣(○), ㉤(×)

해설 ㉠ ○ : 헌재결 1997.3.27, 96헌바28
㉡ × : 구속기간이 만료될 무렵에 종전 구속영장에 기재된 범죄사실과 다른 범죄사실로 피고인을 구속하였다는 사정만으로는 피고인에 대한 구속이 위법하다고 할 수 없다(대결 2000.11.10, 2000모134).
㉢ × : 체포된 피의자에 대하여 구속영장을 청구받은 판사는 지체 없이 피의자를 심문하여야 한다(제201조의 2 제1항).
㉣ ○ : 제201조의 2 제7항
㉤ × : 피의자에 대한 심문절차는 공개하지 아니한다. 다만, 판사는 상당하다고 인정하는 경우에는 피의자의 친족, 피해자 등 이해관계인의 방청을 허가할 수 있다(규칙 제96조의 14).

Answer 03. ④

04 **다음 중 구속기간에 관한 설명으로 가장 옳지 않은 것은?** 22. 해경승진

① 구속기간의 말일이 공휴일 또는 토요일이면 구속기간에 산입하지 아니한다.

② 공소장변경으로 피고인의 불이익이 증가할 염려가 있다고 인정되어 공판절차가 정지된 기간은 구속기간에 산입하지 아니한다.

③ 기피신청으로 소송진행이 정지된 기간은 구속기간에 산입하지 아니한다.

④ 구속 전 피의자심문을 위하여 법원이 구속영장 청구서·수사 관계 서류 및 증거물을 접수한 날부터 구속영장을 발부하여 검찰청에 반환한 날까지의 기간은 구속기간에 산입하지 아니한다.

해설 ① 기간의 말일이 공휴일이거나 토요일이면 그날은 기간에 산입하지 아니한다. 다만, 시효와 구속기간에 관하여는 예외로 한다(제66조 제3항).
②③ 제92조 제3항 ④ 제201조의 2 제7항

05 **구속집행정지에 관한 설명으로 가장 적절하지 않은 것은?**(다툼이 있는 경우 판례에 의함) 24. 경찰승진

① 검사는 법원으로부터 구속집행정지에 관한 의견요청이 있을 때에는 의견서와 소송서류 및 증거물을 지체 없이 법원에 제출하여야 하는데, 이 경우 특별한 사정이 없는 한 의견요청을 받은 다음날까지 제출하여야 한다.

② 법원의 구속집행정지 결정에 대하여 검사는 보통항고를 할 수 있다.

③ 피의자·피고인에 대한 구속집행정지의 결정 여부는 법원의 권한이므로, 검사는 이를 할 수 없다.

④ 상소 중의 사건에 관한 피고인의 구속집행정지와 그 정지의 취소의 결정은 소송기록이 상소법원에 도달하기까지는 원심법원이 이를 하여야 한다.

해설 ① 규칙 제54조 제1항 ② 제403조 제2항
③ 구속된 피의자에 대하여 지방법원판사는 구속집행을 정지할 수 있으며(제101조 제1항, 제209조), 피의자에 대한 구속집행정지는 검사 또는 사법경찰관이 직권으로 할 수도 있다. 검사가 구속 중인 피의자에 대한 구속집행정지의 결정을 할 경우 구속집행정지결정서에 따른다(검찰사건사무규칙 제86조).
사법경찰관이 피의자 구속집행정지를 할 경우에 구속의 집행을 정지한 사법경찰관은 지체 없이 구속집행정지 통보서를 작성하여 검사에게 그 사실을 통보하고, 그 통보서 사본을 사건기록에 편철해야 한다(경찰수사규칙 제62조).
④ 규칙 제57조 제1항

06 **구속에 대한 설명으로 가장 적절하지 않은 것은?**(다툼이 있는 경우 판례에 의함) 23. 경찰승진

① 구속기간이 만료될 무렵에 종전 구속영장에 기재된 범죄사실과 다른 범죄사실로 피고인을 구속하였다는 사정만으로는 피고인에 대한 구속이 위법하다고 할 수 없다.

② 구속의 사유가 없거나 소멸된 때에는 법원은 직권 또는 검사, 피고인, 변호인과 형사소송법 제30조 제2항에 규정된 자의 청구에 의하여 결정으로 구속을 취소하여야 한다.

Answer 04. ① 05. ③ 06. ③

③ 구속영장 발부에 의하여 적법하게 구금된 피의자가 피의자신문을 위한 출석요구에 응하지 아니하면서 수사기관 조사실에 출석을 거부한다면 수사기관은 그 구속영장의 효력에 의하여 피의자를 조사실로 구인할 수 있으며, 이에 따른 피의자신문의 절차도 강제수사의 한 방법으로 진행되지 않을 수 없으므로 이 경우 피의자는 수사기관의 질문에 대하여 진술을 거부할 수 없다.

④ 법원은 상당한 이유가 있는 때에는 결정으로 구속된 피고인을 친족·보호단체 기타 적당한 자에게 부탁하거나 피고인의 주거를 제한하여 구속의 집행을 정지할 수 있으며, 이때 급속을 요하는 경우를 제외하고는 검사의 의견을 물어야 한다.

해설 ① 대결 2000.11.10, 2000모134 ② 제93조
③ 구속영장 발부에 의하여 적법하게 구금된 피의자가 피의자신문을 위한 출석요구에 응하지 아니하면서 수사기관 조사실에 출석을 거부한다면 수사기관은 그 구속영장의 효력에 의하여 피의자를 조사실로 구인할 수 있다고 보아야 한다. 다만, 이러한 경우에도 그 피의자신문 절차는 어디까지나 임의수사의 한 방법으로 진행되어야 하므로, 피의자는 일체의 진술을 하지 아니하거나 개개의 질문에 대하여 진술을 거부할 수 있고, 수사기관은 피의자를 신문하기 전에 그와 같은 권리를 알려주어야 한다(대결 2013.7.1, 2013모160).
④ 제101조 제1항·제2항

07 구속에 관한 설명으로 가장 적절하지 않은 것은?(다툼이 있는 경우 판례에 의함) 23. 순경 2차

① 항소법원이 구속기간의 만료로 피고인에 대한 구속의 효력이 상실된 후 피고인에 대한 판결을 선고하면서 피고인을 구속하였다 하여 형사소송법 제208조의 규정에 위배되는 재구속 또는 이중구속이라 할 수 없다.

② 구속적부심사 청구에 대한 법원의 기각결정 및 석방결정에 대해서는 항고할 수 없지만, 보증금납입조건부 석방결정에 대해서는 피의자나 검사가 그 취소의 실익이 있으면 형사소송법 제402조에 의하여 항고할 수 있다.

③ 지방법원 판사가 구속기간의 연장을 허가하지 않는 결정을 하더라도 형사소송법 제402조 또는 제403조가 정하는 항고의 방법으로는 불복할 수 없으며, 다만 형사소송법 제416조가 정하는 준항고의 대상이 될 뿐이다.

④ 구속의 효력은 원칙적으로 형사소송법 제75조 제1항의 방식에 따라 작성된 구속영장에 기재된 범죄사실에만 미치는 것이므로, 구속기간이 만료될 무렵에 종전 구속영장에 기재된 범죄사실과 다른 범죄사실로 피고인을 구속하였다는 사정만으로는 피고인에 대한 구속이 위법하다고 할 수 없다.

해설 ① 대결 1985.7.28, 85모12 ② 대결 1997.8.27, 97모21
③ 구속기간의 연장을 허가하지 아니하는 지방법원 판사의 결정에 대하여는 같은 법 제402조, 제403조가 정하는 항고의 방법으로는 불복할 수 없고, 나아가 그 지방법원 판사는 수소법원으로서의 재판장 또는 수명법관도 아니므로 그가 한 재판은 같은 법 제416조가 정하는 준항고의 대상이 되지도 않는다(대결 1997.6.16, 97모1).
④ 대결 2000.11.10, 2000모134

Answer 07. ③

08 **구속에 관한 설명으로 가장 적절하지 않은 것은?**(다툼이 있는 경우 판례에 의함) 24. 경찰승진

① 피고인이 구속된 경우에 변호인이 없는 때에는 법원은 직권으로 변호인을 선정하여야 하는데, 여기서 '피고인이 구속된 경우'란 피고인이 당해 형사사건에서 구속되어 재판을 받고 있는 경우 뿐만 아니라 피고인이 별건으로 구속되어 있거나 다른 형사 사건에서 유죄로 확정되어 수형 중인 경우도 이에 포함된다.

② 법관에 대한 기피신청이 있을 때에는 소송의 지연을 목적으로 함이 명백하거나 기피신청의 관할 규정에 위배된 경우를 제외하고는 소송진행을 정지하여야 하지만 급속을 요하는 경우에는 예외로 하고, 기피신청으로 소송진행이 정지되더라도 구속기간의 진행은 정지되지 아니한다.

③ 교도소에 구속된 자에 대한 공소장의 송달은 교도소장에게 송달하면 구속된 자에게 전달된 여부와 관계없이 효력이 생긴다.

④ 형집행정지 중에 있는 경우는 법률에 따라 구속 중인 경우에 해당한다고 볼 수 없다.

해설 ① 형사소송법 제33조 제1항 제1호의 '피고인이 구속된 때'라고 함은 피고인이 당해 형사사건에서 구속되어 재판을 받고 있는 경우를 의미하고, 피고인이 별건으로 구속되어 있거나 다른 형사사건에서 유죄로 확정되어 수형 중인 경우는 이에 해당하지 아니한다고 할 것이다(대판 2009.5.28, 2009도579).

② 대판 1990.6.8, 90도646

▶ 공판절차가 정지된 기간에도 구속기간은 진행된다는 종전의 규정하에서 나온 판례인데, 공판절차 정지기간은 구속기간에 산입되지 아니한다는 현행법(제92조 제3항)하에서는 기피신청으로 공판절차가 정지되면 구속기간의 진행도 정지되므로, 이제는 그 의미를 잃었다고 보아야 한다. 그러나 출제의 적절성 여부를 떠나 상대적으로 골라야 하는 객관식문제의 특성을 염두에 두면서 문제를 해결하여야 할 것으로 보인다.

③ 대결 1972.2.18, 72모3

④ 대판 1986.10.14, 86도588

09 **다음 〈보기〉 중 구속전 피의자심문제도에 대한 설명으로 옳은 것은 모두 몇 개인가?** 24. 해경순경

> ㉠ 체포된 피의자에 대하여 구속영장을 청구받은 판사는 지체 없이 피의자를 심문하여야 한다. 이 경우 특별한 사정이 없는 한 구속영장이 청구된 날까지 심문하여야 한다.
> ㉡ 피의자에 대한 심문절차는 원칙적으로 공개하지 아니하나, 판사는 상당하다고 인정하는 경우에는 피의자의 친족, 피해자 등 이해 관계인의 방청을 허가할 수 있다.
> ㉢ 심문할 피의자에게 변호인이 없는 때에는 지방법원 판사는 직권으로 변호인을 선정하여야 한다. 이 경우 변호인의 선정은 피의자에 대한 구속영장 청구가 기각되어 효력이 소멸한 경우를 제외하고는 제1심까지 효력이 있다.
> ㉣ 검사와 변호인은 판사의 심문이 끝난 후에 의견을 진술할 수 있으며, 피의자는 판사의 심문 도중에도 변호인에게 조력을 구할 수 있다.
> ㉤ 법원은 변호인의 사정이나 그 밖의 사유로 변호인 선정결정이 취소되어 변호인이 없게 된 때에는 직권으로 변호인을 다시 선정하여야 한다.

① 4개 ② 3개 ③ 2개 ④ 1개

Answer 08. ① 09. ②

해설 ㉠ ×: 체포된 피의자에 대하여 구속영장을 청구받은 판사는 지체 없이 피의자를 심문하여야 한다. 이 경우 특별한 사정이 없는 한 구속영장이 청구된 날의 다음날까지 심문하여야 한다(제201조의 2 제1항).
㉡ ○: 규칙 제96조의 14
㉢ ○: 제201조의 2 제8항
㉣ ○: 규칙 제96조의 16 제3항·제4항
㉤ ×: 법원은 변호인의 사정이나 그 밖의 사유로 변호인 선정결정이 취소되어 변호인이 없게 된 때에는 직권으로 변호인을 다시 선정할 수 있다(제201조의 2 제9항).

10 **구속에 관한 설명으로 가장 적절하지 않은 것은?**(다툼이 있는 경우 판례에 의함) 24. 순경 2차

① 구속기간의 만료로 피고인에 대한 구속의 효력이 상실된 후 항소법원이 피고인에 대한 판결을 선고하면서 피고인을 구속한 경우, 이는 형사소송법 제208조(재구속의 제한)의 규정에 위배되는 재구속 또는 이중구속에 해당하지 않는다.

② 피의자가 체포 또는 구인된 경우 경찰 수사과정에서의 구속기간 또는 검찰 수사과정에서의 구속기간은 피의자를 체포 또는 구인한 날부터 기산하며, 구속기간의 초일은 시간을 계산함이 없이 1일로 산정한다.

③ 구속의 사유가 없거나 소멸된 때에는 피고인, 피고인의 변호인·법정대리인·배우자·직계친족·형제자매·가족·동거인 또는 고용주는 법원에 구속된 피고인의 구속취소를 청구할 수 있다.

④ 구속 전 피의자심문을 하는 경우 법원이 구속영장청구서·수사관계서류 및 증거물을 접수한 날부터 구속영장을 발부하여 검찰청에 반환한 날까지의 기간은 사법경찰관 및 검사의 피의자에 대한 구속기간에 산입하지 않는다.

해설 ① 대결 1985.7.23, 85모12
② 제66조 제1항, 제203조의 2
③ 구속의 사유가 없거나 소멸된 때에는 피고인, 피고인의 변호인·법정대리인·배우자·직계친족·형제자매의 청구에 의하여 결정으로 구속을 취소하여야 한다(제93조).
④ 제201조의 2 제7항

Answer 10. ③

종합문제

01 **다음 중 괄호 (   ) 안의 숫자를 큰 순서대로 나열한 것은?** 20. 해경 1차

> ㉠ 긴급체포된 피의자를 구속하기 위해서는 피의자를 체포한 때로부터 (   )시간 내에 구속영장을 청구하여야 한다.
> ㉡ 검사가 긴급체포된 피의자에 대하여 구속영장을 청구하지 아니하고 피의자를 석방한 경우에는 석방한 날부터 (   )일 이내에 긴급체포 후 석방된 자의 인적사항, 긴급체포의 일시·장소와 긴급체포하게 된 구체적 이유 등을 법원에 통지하여야 한다.
> ㉢ 피의자를 구속하는 경우 다액 (   )만원 이하의 벌금, 구류 또는 과료에 해당하는 범죄에 관하여는 피의자가 일정한 주거가 없는 경우에 한한다.
> ㉣ 사법경찰관이 피의자를 구속한 때에는 (   )일 이내에 피의자를 검사에게 인치하지 않으면 석방하여야 한다.

① ㉠-㉡-㉢-㉣ ② ㉠-㉡-㉣-㉢
③ ㉢-㉠-㉡-㉣ ④ ㉢-㉠-㉣-㉡

해설 ㉠ 48(제200조의 4 제1항) ㉡ 30(제200조의 4 제4항) ㉢ 50(제201조 제1항) ㉣ 10(제202조)

02 **다음은 체포·구속에 관한 설명이다. ㉠부터 ㉣까지의 설명 중 옳고 그름의 표시(○, ×)가 모두 바르게 된 것은?**(다툼이 있는 경우 판례에 의함) 22. 순경 1차

> ㉠ 검사는 긴급체포한 피의자를 구속영장 청구 없이 석방한 경우에는 석방한 날로부터 30일 이내에 긴급체포서 사본과 함께 법정기재사항이 기재된 서면으로 법원에 통지하여야 하고, 만약 사후에 석방통지가 법에 따라 이루어지지 않은 사정이 있다면 그와 같은 사정만으로도 긴급체포 중에 작성된 피의자신문조서의 증거능력은 소급하여 부정된다.
> ㉡ 구속영장 발부에 의하여 적법하게 구금된 피의자가 피의자 신문을 위한 출석요구에 응하지 아니하면서 수사기관 조사실에 출석을 거부한다면 수사기관은 그 구속영장의 효력에 의하여 피의자를 조사실로 구인할 수 있는데, 이 경우 피의자신문절차도 강제수사의 한 방법으로 진행되어야 하므로 수사기관은 피의자를 신문하기 전에 진술거부권이 있음을 고지하여야 한다.
> ㉢ 검사의 구속영장 청구 전 피의자 대면조사는 강제수사가 아니므로 피의자는 검사의 출석 요구에 응할 의무가 없다.
> ㉣ 영장실질심사는 필요적 변호사건이므로 심문할 피의자에게 변호인이 없는 때에는 지방법원판사는 직권으로 변호인을 선정하여야 한다. 이 경우 변호인 선정의 효력은 구속영장 청구가 기각된 경우에도 제1심까지 효력이 있다.

Answer 01. ③ 02. ④

ⓜ 공동피의자의 순차적인 체포·구속적부심사청구가 수사방해를 목적으로 하고 있음이 명백한 때에는 법원은 피의자에 대한 심문 없이 결정으로 청구를 기각할 수 있으며, 이와 같은 결정에 대해서는 피의자가 항고할 수 없다.

① ㉠(○), ㉡(○), ㉢(×), ㉣(○), ㉤(×)
② ㉠(○), ㉡(×), ㉢(○), ㉣(○), ㉤(×)
③ ㉠(×), ㉡(○), ㉢(○), ㉣(×), ㉤(○)
④ ㉠(×), ㉡(×), ㉢(○), ㉣(×), ㉤(○)

해설 ㉠ ×: 검사는 긴급체포한 피의자를 구속영장 청구 없이 석방한 경우에는 석방한 날로부터 30일 이내에 법원에 석방통지를 하지 않았더라도 긴급체포 당시의 상황과 경위, 긴급체포 후 조사 과정 등에 특별한 위법이 있다고 볼 수 없는 이상, 단지 사후에 석방통지가 법에 따라 이루어지지 않았다는 사정만으로 그 긴급체포에 의한 유치 중에 작성된 피의자신문조서들의 작성이 소급하여 위법하게 된다고 볼 수는 없다(대판 2014.8.26, 2011도6035).
㉡ ×: 구속영장 발부에 의하여 적법하게 구금된 피의자가 피의자 신문을 위한 출석요구에 응하지 아니하면서 수사기관 조사실에 출석을 거부한다면 수사기관은 그 구속영장의 효력에 의하여 피의자를 조사실로 구인할 수 있다. 다만, 이러한 경우에도 피의자신문절차는 임의수사의 한 방법으로 진행되어야 하므로, 피의자는 일체의 진술을 하지 아니하거나 개개의 질문에 대하여 진술을 거부할 수 있고, 수사기관은 피의자를 신문하기 전에 진술거부권이 있음을 고지하여야 한다(대결 2013.7.1, 2013모160).
㉢ ○: 대판 2010.10.28, 2008도11999
㉣ ×: 변호인 선정의 효력은 구속영장 청구가 기각되어 효력이 소멸하는 경우를 제외하고는 제1심까지 효력이 있다(제201조의 2 제3항·제8항).
㉤ ○: 제214조의 2 제3항·제8항

03 재체포·재구속에 대한 설명으로 옳은 것은?

23. 9급 검찰·마약·교정·보호·철도경찰

① 보증금 납입을 조건으로 석방된 피의자가 주거의 제한이나 그 밖에 법원이 정한 조건을 위반한 때에는 동일한 범죄사실로 재차 체포하거나 구속할 수 있다.
② 체포 또는 구속 적부심사결정에 의하여 석방된 피의자가 도망하거나 범죄의 증거를 인멸할 염려가 있다고 믿을 만한 충분한 이유가 있는 때에는 동일한 범죄사실로 재차 체포하거나 구속할 수 있다.
③ 보증금 납입을 조건으로 석방된 피의자가 피해자, 당해 사건의 재판에 필요한 사실을 알고 있다고 인정되는 자 또는 그 친족의 생명·신체·재산에 해를 가하거나 가할 염려가 있다고 믿을 만한 충분한 이유가 있는 때에는 동일한 범죄사실로 재차 체포하거나 구속할 수 있다.
④ 검사 또는 사법경찰관에 의하여 영장에 의해 체포되었다가 석방된 자는 다른 중요한 증거를 발견한 경우를 제외하고는 동일한 범죄사실로 재차 체포하지 못한다.

해설 ① 보증금납입조건부로 석방된 피의자는 도망한 때, 도망하거나 죄증을 인멸할 염려가 있다고 믿을 만한 충분한 이유가 있는 때, 출석요구를 받고 정당한 이유 없이 출석하지 아니한 때, 주거의 제한 기타 법

Answer 03. ①

원이 정한 조건을 위반한 때 동일한 범죄사실에 관하여 재체포・재구속할 수 있다(제214조의 3 제2항). 따라서 ③은 재체포・재구속사유가 아니다.
② 체포 또는 구속 적부심사결정에 의하여 석방된 피의자가 도망하거나 범죄의 증거를 인멸하는 경우 동일한 범죄사실로 재차 체포하거나 구속할 수 있다(제214조의 3 제1항).
④ 검사 또는 사법경찰관에 의하여 영장에 의해 구속되었다가 석방된 자는 다른 중요한 증거를 발견한 경우를 제외하고는 동일한 범죄사실로 재차 구속하지 못한다(제208조 제1항). 검사 또는 사법경찰관에 의하여 영장에 의해 체포되었다가 석방된 자는 다른 중요한 증거를 발견한 경우가 아니라도 동일한 범죄사실로 재차 체포할 수 있다.

04 **인신구속에 관한 다음 설명 중 가장 옳지 않은 것은?**(다툼이 있는 경우 판례에 의하고, 전원합의체 판결의 경우 다수의견에 의함) 23. 9급 법원직

① 피의자에 대한 구속영장의 제시와 집행이 그 발부시로부터 정당한 사유 없이 시간이 지체되어 이루어졌다 하더라도 구속영장이 그 유효기간 내에 집행되었다면, 위 기간 동안의 체포 내지 구금 상태를 위법하다고 볼 수는 없다.

② 검사 또는 사법경찰관이 체포영장을 집행할 때에는 피의자에게 반드시 체포영장을 제시하여야 하지만, 체포영장을 소지하지 아니한 경우에 급속을 요하는 때에는 피의자에게 범죄사실의 요지와 영장이 발부되었음을 고하고 체포영장을 집행할 수 있다.

③ 검사 등이 현행범인을 체포하거나 현행범인을 인도받은 후 현행범인을 구속하고자 하는 경우 48시간 이내에 구속영장을 청구하여야 하고 그 기간 내에 구속영장을 청구하지 아니하는 때에는 즉시 석방하여야 한다. 검사 등이 아닌 이에 의하여 현행범인이 체포된 후 불필요한 지체 없이 검사 등에게 인도된 경우 위 48시간의 기산점은 체포시가 아니라 검사 등이 현행범인을 인도받은 때라고 할 것이다.

④ 긴급체포의 요건을 갖추었는지 여부는 사후에 밝혀진 사정을 기초로 판단하는 것이 아니라 체포 당시의 상황을 기초로 판단하여야 하고, 이에 관한 검사나 사법경찰관 등 수사주체의 판단에는 상당한 재량의 여지가 있다고 할 것이나, 긴급체포 당시의 상황으로 보아서도 그 요건의 충족 여부에 관한 검사나 사법경찰관의 판단이 경험칙에 비추어 현저히 합리성을 잃은 경우에는 그 체포는 위법한 체포라 할 것이다.

해설 ① 피의자에 대한 구속영장의 제시와 집행이 그 발부시로부터 정당한 사유 없이 시간이 지체되어 이루어졌다면, 구속영장이 그 유효기간 내에 집행되었다고 하더라도 위 기간 동안의 체포 내지 구금 상태는 위법하다(대판 2021.4.29, 2020도16438).
② 제85조 제1항・제3항, 제200조의 6
③ 대판 2011.12.22, 2011도12927
④ 대판 2008.3.27, 2007도11400

Answer 04. ①

7 접견교통권

(1) 의 의

접견교통권에는 두 가지 측면이 내포되어 있다.

① 접견교통권이란 피의자나 피고인이 변호인이나 가족, 친지 등 타인과 접견하고 서류나 물건을 수수하며, 의사의 진료를 받을 권리를 말한다. 헌법은 체포·구속을 당한 피고인·피의자의 변호인의 조력을 받을 권리를 기본적 인권으로 보장하고 있다(헌법 제12조 제4항).

② 변호인 또는 변호인이 되려는 자(변호인선임의뢰는 받았지만 아직 변호인선임신고가 되지 않는 자)도 신체구속을 당한 피고인이나 피의자와 접견하고 서류 또는 물건을 수수할 수 있으며 의사로 하여금 진료하게 할 수 있다(제34조). 16. 경찰간부, 21. 수사경과

변호인은 신체구속을 당한 피의자와 접견하고 서류 또는 물건을 수수할 수 있으며, 의사로 하여금 진료하게 할 수 있으나, 변호인이 되려는 자는 일정한 범위 내에서 접견교통권이 제한될 수 있다. (×) 16. 경찰간부

PART 02

관련판례

1. '변호인이 되려는 자'의 접견교통권은 피의자 등을 조력하기 위한 핵심적인 부분으로서, 피의자 등이 가지는 헌법상의 기본권인 '변호인이 되려는 자'와의 접견교통권과 표리의 관계에 있다. 따라서 피의자 등이 가지는 '변호인이 되려는 자'의 조력을 받을 권리가 실질적으로 확보되기 위해서는 '변호인이 되려는 자'의 접견교통권 역시 헌법상 기본권으로서 보장되어야 한다(헌재결 2019.2.28, 2015헌마1204). 22. 7급 국가직, 24. 경찰승진
   - ▶ 변호인접견권에 대하여 형사소송법 제34조의 권리로 보았던 헌법재판소판례(헌재결 1991.7.8, 89헌마181 ; 대결 2002.5.6, 2000모112)도 이제는 변경된 것으로 보아야 할 듯 싶다. 20. 7급 국가직
   - ▶ 미결수용자가 가지는 변호인과의 접견교통권은 그와 표리 관계인 변호인(변호인이 되려고 하는 사람을 포함한다)의 접견교통권과 함께 헌법상 기본권으로 보장되고 있다(대판 2022.6.30, 2021도244). 24. 경찰승진
2. 우리 헌법은 변호인의 조력을 받을 권리가 불구속 피의자·피고인 모두에게 포괄적으로 인정되는지 여부에 관하여 명시적으로 규율하고 있지는 않지만, 불구속 피의자의 경우에도 변호인의 조력을 받을 권리는 우리 헌법에 나타난 법치국가원리, 적법절차원칙에서 인정되는 당연한 내용이다(헌재결 2004.9.23, 2000헌마138). 16·20. 경찰승진, 22. 소방간부, 13·25. 변호사시험

   접견교통권의 주체는 체포·구속을 당한 피의자이고 신체구속상태에 있지 않은 피의자는 포함되지 아니한다. (×) 13. 변호사시험, 16·17. 경찰승진
3. 변호인이 되려는 의사를 표시한 자가 객관적으로 변호인이 될 가능성이 있다고 인정되는데도, 형사소송법 제34조에서 정한 '변호인 또는 변호인이 되려는 자'가 아니라고 보아 신체구속을 당한 피고인 또는 피의자와 접견하지 못하도록 제한하여서는 아니 된다(대판 2017.3.9, 2013도16162). 18. 경찰간부, 21. 해경, 20·23. 경찰승진, 23. 순경 1차, 24. 해경승진·해경간부, 23·25. 변호사시험
4. 파업투쟁으로 인한 대량 연행자 발생시 '신속한 변호사 접견이 이루어질 수 있도록 적절한 조치를 취해 줄 것을 부탁한다.'는 내용의 공문을 노동조합으로부터 받은 변호사는 형사소송법 제34조에서 정한 접견교통권이 인정된다(대판 2017.3.9, 2013도16162). 18. 순경 2차

5. 변호인 또는 변호인이 되려는 자의 접견교통권은 신체구속제도 본래의 목적을 침해하지 아니하는 범위 내에서 행사되어야 하므로, 변호인 또는 변호인이 되려는 자가 구체적인 시간적 · 장소적 상황에 비추어 현실적으로 보장할 수 있는 한계를 벗어나 피고인 또는 피의자를 접견하려고 하는 것은 정당한 접견교통권의 행사에 해당하지 아니하여 허용될 수 없다(대결 2007.1.31, 2006모657).
6. 피의자 · 피고인의 구속 여부를 불문하고 조언과 상담을 통하여 이루어지는 변호인의 조력자로서의 역할은 변호인선임권과 마찬가지로 변호인의 조력을 받을 권리의 내용 중 가장 핵심적인 것이고, 변호인과 상담하고 조언을 구할 권리는 변호인의 조력을 받을 권리의 내용 중 구체적인 입법형성이 필요한 다른 절차적 권리의 필수적인 전제요건으로서 변호인의 조력을 받을 권리 그 자체에서 막바로 도출되는 것이다(헌재결 2004.9.23, 2000헌마138).
7. 변호인의 접견교통권은 피의자 등이 변호인의 조력을 받을 권리를 실현하기 위한 것으로서, 피의자 등이 헌법 제12조 제4항에서 보장한 기본권의 의미와 범위를 정확히 이해하면서도 이성적 판단에 따라 자발적으로 그 권리를 포기한 경우까지 피의자 등의 의사에 반하여 변호인의 접견이 강제될 수 있는 것은 아니다(대판 2018.12.27, 2016다266736). 22. 소방간부
8. 수용자 접견시간 조항(형의 집행 및 수용자의 처우에 관한 법률 시행령 제58조 제1항)은 수용자의 접견을 '국가공무원 복무규정'에 따른 근무시간 내로 한정함으로써 피의자와 변호인 등의 접견교통을 제한하고 있는데, 위 조항은 교도소장 · 구치소장이 그 허가 여부를 결정하는 변호인 등의 접견신청의 경우에 적용되는 조항으로서, 형사소송법 제243조의 2 제1항에 따라 검사 또는 사법경찰관이 그 허가 여부를 결정하는 피의자신문 중 변호인 등의 접견신청의 경우에는 적용된다고 볼 수 없다(헌재결 2019.2.28, 2015헌마1204).
9. 신체구속을 당한 사람의 변호인이 여러 명인 경우, 변호인의 접견교통권의 행사가 그 한계를 일탈한 것인지의 여부는 해당 변호인을 기준으로 하여 개별적으로 판단하여야 할 것이다(대결 2007.1.31, 2006모656). 23. 9급 검찰 · 마약 · 교정 · 보호 · 철도경찰

미국에서는 1964년 Escobedo 사건과 1966년 Miranda 사건을 통하여 변호인과의 접견교통권이 보장되고 있다.

(2) 근 거

변호인의 접견교통권보장은 변호인의 피의자 · 피고인을 위한 방어준비 · 변론준비에 주된 목적이 있으며, 구속된 피의자나 피고인의 접견교통권은 방어준비와 인권보장을 위해서 인정된다.

(3) 변호인과의 접견교통권

① **주체와 상대방** : 접견교통권의 주체는 피의자 · 피고인 및 그 변호인이다. 수형자가 누리는 접견교통권은 형의 집행 및 수용자의 처우에 관한 법률상의 권리이다(형의 집행 및 수용자의 처우에 관한 법률 제41조). 따라서 형이 확정되어 집행 중에 있는 수형자에 대해서는 제34조의 규정에 의한 접견교통권이 그대로 적용될 수 없다. 20. 7급 국가직

현행범체포, 긴급체포, 감정유치에 의하여 구금된 자는 물론이고 임의동행에 의하여 연행된 피의자나 피내사자에게도 변호인과의 접견교통권이 당연히 인정된다. 09. 경찰승진, 11. 9급 국가직, 14 · 16 · 21. 경찰간부

관련판례

1. 변호인의 조력을 받을 권리를 실질적으로 보장하기 위하여는 변호인과의 접견교통권의 인정이 당연한 전제가 되므로, 임의동행의 형식으로 수사기관에 연행된 피의자에게도 변호인 또는 변호인이 되려는 자와의 접견교통권은 당연히 인정된다고 보아야 하고, 임의동행의 형식으로 연행된 피내사자의 경우에도 이는 마찬가지이다(대결 1996.6.3, 96모18). 11. 9급 국가직, 20. 7급 국가직, 22. 소방간부, 19·24. 경찰승진
2. 형사소송법 제34조는 "변호인 또는 변호인이 되려는 자는 신체구속을 당한 피고인 또는 피의자와 접견하고 서류 또는 물건을 수수할 수 있으며 의사로 하여금 진료하게 할 수 있다."고 규정하고 있는바, 이 규정은 형이 확정되어 집행 중에 있는 수형자에 대한 재심청구절차에는 그대로 적용될 수 없다(대판 1998.4.28, 96다48831). ∴ 재심청구한 수형자의 접견제한가능 09. 경찰승진

② 접견교통권의 보장

㉠ 변호인과의 접견교통권이나 변호인의 피의자·피고인에 대한 접견교통권을 제한하는 법률의 규정은 없으며, 절대적으로 보장하고 있다. 따라서 법원의 결정이나 수사기관의 처분에 의한 제한이 허용되지 않는다. 16. 경찰간부, 21. 해경

관련판례

1. 변호인과의 자유로운 접견은 신체구속을 당한 사람에게 보장된 변호인의 조력을 받을 권리의 가장 중요한 내용이어서 국가안전보장, 질서유지, 공공복리 등 어떠한 명분으로도 제한될 수 있는 성질의 것이 아니다(헌재결 1992.1.28, 91헌마111). 10. 경찰승진, 11. 9급 국가직, 17. 9급 법원직
2. 헌법재판소가 91헌마111 결정에서 미결수용자와 변호인과의 접견에 대해 어떠한 명분으로도 제한할 수 없다고 한 것은 구속된 자와 변호인 간의 접견이 실제로 이루어지는 경우에 있어서의 '자유로운 접견', 즉 '대화내용에 대하여 비밀이 완전히 보장되고 어떠한 제한, 영향, 압력 또는 부당한 간섭 없이 자유롭게 대화할 수 있는 접견'을 제한할 수 없다는 것이지, 변호인과의 접견 자체에 대해 아무런 제한도 가할 수 없다는 것을 의미하는 것이 아니므로 미결수용자의 변호인 접견권 역시 국가안전보장·질서유지 또는 공공복리를 위해 필요한 경우에는 법률로써 제한될 수 있음은 당연하다(헌재결 2011.5.26, 2009헌마341).

   변호인과의 자유로운 접견은 신체구속을 당한 자에게 보장된 변호인의 조력을 받을 권리의 가장 중요한 요소이지만 국가안전보장 등의 이유로 제한될 수 있다는 것이 헌법재판소의 입장이다. (×) 11. 9급 교정·보호·철도경찰

   미결수용자의 변호인 접견권은 국가안전보장·질서유지 또는 공공복리를 위해 필요한 경우 법률로써 제한될 수 있다. (○) 13. 변호사시험

   변호인과의 자유로운 접견은 어떠한 명분으로도 제한될 수 있는 성질의 것이 아니므로, 미결수용자의 변호인 접견권 자체는 국가안전보장, 질서유지 또는 공공복리를 위해 필요한 경우라도 법률로써 제한될 수 없다. (×) 14. 순경 1차, 17. 해경, 20. 경찰간부
3. 형사소송법 제34조가 규정한 변호인의 접견교통권은 신체구속을 당한 피고인이나 피의자의 인권보장과 방어준비를 위하여 필수불가결한 권리이므로, 법령에 의한 제한이 없는 한 수사기관의 처분은 물론, 법원의 결정으로도 이를 제한할 수 없는 것이다(대결 1990.2.13, 89모37). 11·17. 경찰승진, 23. 순경 1차, 24. 해경간부

🚨 변호인의 구속된 피고인 또는 피의자와의 접견교통권은 헌법상 보장된 권리로 법령에 의하여 제한할 수 없다. (×) 17. 9급 법원직, 19. 경찰간부

4. 변호인의 접견교통의 상대방인 신체구속을 당한 사람이 그 변호인을 자신의 범죄행위에 공범으로 가담시키려고 하였다는 등의 사정만으로 그 변호인의 신체구속을 당한 사람과의 접견교통을 금지하는 것이 정당화될 수는 없다(대결 2007.1.31, 2006모656). 22. 소방간부, 23. 순경 1차

㉡ 접견이 이루어진 경우에도 자유로운 접견이 보장되어야 한다. 교도관이 참여하거나 대화를 감시하거나 그 내용을 청취하거나 녹취해서도 안 된다. 16. 경찰간부, 17. 경찰승진·경찰간부 다만, 보이는 거리에서 감시하는 것은 가능하며, 07. 7급 국가직, 21. 수사경과 미결수용자와 변호인과의 접견은 시간과 횟수의 제한이 없다(형의 집행 및 수용자의 처우에 관한 법률 제84조). 구속장소의 질서유지를 위해 일요일이나 퇴근시간 등 일반적인 시간제한은 허용된다. 접견교통권이 즉시 허용되지 않는 경우도 접견교통권의 침해에 해당된다. 따라서 접견교통의 지연은 접견교통의 불허처분과 동일하다(판례). 수사 중이라는 이유로 변호인의 접견교통을 지연시켰다가 일정시간 경과 후에 허용하는 것도 변호인의 접견교통권의 제한으로 볼 수 있다.

관련판례

미결수용자(피의자, 피고인)의 변호인 접견에 교도관이 참여할 수 있게 한 것은 신체구속을 당한 미결수용자에게 보장된 변호인 조력을 받을 권리를 침해하는 것이어서 헌법에 위반된다(헌재결 1992.1.28, 91헌마111). 12. 경찰승진

㉢ 피의자나 피고인이 변호인으로부터 수수한 서류나 우편물에 대해서는 이를 압수하거나 검열하는 것이 허용되지 않는다. 그러나 구금장소의 안전관계상 위험한 물건 등의 포함여부를 확인하기 위한 정도의 검열과 수수금지는 허용된다.

🚨 미결수용자와 변호인 간의 편지는 교정시설에서 상대방이 변호인임을 확인할 수 없는 경우를 제외하고는 검열할 수 없다(형의 집행 및 수용자의 처우에 관한 법률 제84조 제3항).

관련판례

1. 미결수용자와 변호인 사이의 서신으로서 그 비밀을 보장받기 위하여는 첫째, 교도소 측에서 상대방이 변호인이라는 사실을 확인할 수 있어야 하고 둘째, 서신을 통하여 마약 등 소지금지품의 반입을 도모한다든가 그 내용에 도주·증거인멸·수용시설의 규율과 질서의 파괴 기타 형벌법령에 저촉되는 내용이 기재되어 있다고 의심할 만한 합리적인 이유가 있는 경우가 아니어야 한다(헌재결 1995.7.21, 92헌마144).
2. 수용자가 밖으로 내보내는 모든 서신을 봉함하지 않은 상태로 교정시설에 제출하도록 규정하고 있는 '형의 집행 및 수용자의 처우에 관한 법률 시행령 제65조 제1항'이 통신비밀의 자유를 침해하는 것이다(헌재결 2012.2.23, 2009헌마333).
   ▶ 위헌결정에 따라, 서신을 봉함하여 교정시설에 제출할 수 있도록 하되, 마약류사범·조직폭력사범 등이 변호인 외의 자에게 서신을 보내려는 경우, 같은 교정시설에 수용 중인 다른 수용자에게

서신을 보내려는 경우, 규율위반으로 조사 중이거나 징벌집행 중인 수용자가 다른 수용자에게 서신을 보내려는 경우 등 예외적 사유가 있는 경우에만 봉함하지 않은 상태로 서신을 제출하게 하도록 개정하였다(동 시행령 제65조 제1항).

3. 교도관이 수용자의 접견, 서신수수, 전화통화 등의 과정에서 수용자의 처우에 특히 참고할 사항을 알게 된 경우에 그 요지를 수용기록부에 기록하는 행위는 형집행법 제43조 제3항과 제8항에 근거를 두고 있는 것으로, 서류확인 및 등재는 변호인 접견이 종료된 뒤 이루어지고, 변호인과 미결수용자가 지켜보는 가운데 서류를 확인하여 그 제목 등을 소송관계처리부에 기재하여 등재하는 행위는 그 내용에 대한 검열이라 할 수 없을뿐 아니라 침해의 최소성 요건을 갖추었고, 법익의 균형성도 갖추었으므로, 서류 확인 및 등재행위는 변호인의 조력을 받을 권리를 침해한다고 할 수 없다(헌재결 2016.4.28, 2015헌마243).

㉣ 변호인 또는 변호인이 되려는 자는 의사로 하여금 구속된 피의자·피고인을 진료하게 할 수 있다. 이는 인도적인 견지에서 요청되는 것이므로 원칙적으로 제한이 인정되지 않는다.

관련판례

경찰서 유치장은 미결수용실에 준하는 것이어서(행형법 제68조) 그 곳에 수용된 피의자에 대하여는 행형법 및 그 시행령이 적용되고, 행형법시행령 제176조는 "형사소송법 제34조, 제89조, 제209조의 규정에 의하여 피고인 또는 피의자가 의사의 진찰을 받는 경우에는 교도관 및 의무관이 참여하고 그 경과를 신분장부에 기재하여야 한다."고 규정하고 있는바, 이는 피고인 또는 피의자의 신병을 보호·관리해야 하는 수용기관의 입장에서 수진과정에서 발생할지도 모르는 돌발상황이나 피고인 또는 피의자의 신체에 대한 위급상황을 예방하거나 대처하기 위한 것으로서 합리성이 있으므로, 행형법 제176조의 규정은 변호인의 수진권 행사에 대한 법령상의 제한에 해당한다고 보아야 할 것이고, 그렇다면 국가정보원 사법경찰관이 경찰서 유치장에 구금되어 있던 피의자에 대하여 의사의 진료를 받게 할 것을 신청한 변호인에게 국가정보원이 추천하는 의사의 참여를 요구한 것은 행형법시행령 제176조의 규정에 근거한 것으로서 적법하고, 이를 가리켜 변호인의 수진권을 침해하는 위법한 처분이라고 할 수는 없다(대결 2002.5.6, 2000모112). 12. 순경, 10·12·17·18. 경찰승진

---

(4) 비변호인과의 접견교통권

① **원칙적 보장** : 체포 또는 구속된 피의자 또는 피고인은 법률의 범위 내에서 타인과 접견하고, 서류 또는 물건을 수수하며, 의사의 진료를 받을 수 있다(제89조, 제200조의 6, 제209조).

비변호인과의 접견교통권을 무제한 인정한다면 공범자와의 통모에 의한 증거인멸의 염려는 물론 구금장소의 안전을 위태롭게 할 우려가 있기 때문에 형사소송법은 비변호인과의 접견교통권을 원칙적으로 보장하면서, 다만 이를 법률에 의하여 제한할 수 있도록 하고 있다.

관련판례

1. 구속된 피의자 또는 피고인이 갖는 변호인 아닌 자와의 접견교통권은 헌법상의 기본권에 속한다고 보아야 할 것이다. 미결수용자의 접견교통권은 헌법재판소가 헌법 제10조의 행복추구권에 포함되는

기본권의 하나로 인정하고 있는 일반적 행동자유권으로부터 나온다고 보아야 할 것이고, 무죄추정의 원칙을 규정한 헌법 제27조 제4항도 그 보장의 한 근거가 될 것이다(헌재결 2003.11.27, 2002헌마193). 11. 경찰승진

2. 미결수용자의 가족이 미결수용자와 접견하는 것 역시 헌법 제10조가 보장하고 있는 인간으로서의 존엄과 가치 및 행복추구권 가운데 포함되는 헌법상의 기본권이라고 보아야 할 것이다(헌재결 2003.11.27, 2002헌마193).

---

② **제한** : 비변호인과의 접견교통권은 법률(제89조)이나 법원의 결정(제91조) 또는 수사기관의 처분(다수설)에 의하여 제한할 수 있다. 11. 경찰승진, 17. 9급 법원직

- 전면적 · 개별적, 조건부 · 기한부 금지도 가능 00. 7급 검찰
- 의류 · 양식 · 의료품의 수수를 금지하거나 압수하는 것은 허용되지 아니한다(제91조 단서). 08 · 12. 경찰승진, 11. 경찰승진 · 9급 국가직, 14 · 16. 수사경과

(5) 접견교통권의 침해와 구제

① **침해** : 접견교통권의 침해란 변호인과의 접견교통권을 제한하거나 의류, 양식, 의료품의 수수를 금지한 때 또는 적법절차에 의하지 아니하고 접견교통권을 제한하는 경우를 말한다.

관련판례

1. 수사기관이나 법원의 접견불허처분이 없는 경우에도 피의자들에 대한 접견이 접견신청일로부터 상당한 기간이 경과하도록 허용되지 않고 있는 것은 접견불허처분이 있는 것과 동일시된다고 봄이 상당하다(대결 1990.2.13, 89모37). 11 · 16. 경찰승진, 17. 순경 2차, 21. 수사경과
2. 구금장소의 임의적 변경은 청구인의 방어권이나 접견교통권의 행사에 중대한 장애를 초래하는 것이므로 위법하다(대결 1996.5.15, 95모94). 10 · 16 · 19. 경찰승진, 21. 수사경과
3. 신체구속을 당한 피의자가 범하였다고 의심받는 범죄행위에 변호인을 자신의 범죄행위에 공범으로 가담시키려고 하였다는 등의 사정만으로 그 변호인의 신체구속을 당한 사람과의 접견교통을 금지하는 것이 정당화될 수는 없다(대결 2007.1.31, 2006모656). 14 · 18. 경찰간부, 17. 순경 2차, 20. 7급 국가직, 23. 경찰승진
4. 변호인접견실에 CCTV를 설치하여 미결수용자와 변호인 간의 접견을 관찰한 행위는 변호인의 조력을 받을 권리를 침해한다고 볼 수 없다(헌재결 2016.4.28, 2015헌마243). 20. 경찰승진
5. 미결수용자 또는 변호인이 원하는 특정한 시점에 접견이 이루어지지 못하였다 하더라도 그것만으로 곧바로 변호인의 조력을 받을 권리가 침해되었다고 단정할 수는 없는 것이고, 변호인의 조력을 받을 권리가 침해되었다고 하기 위해서는 접견이 불허된 특정한 시점을 전후한 수사 또는 재판의 진행 경과에 비추어 보아, 그 시점에 접견이 불허됨으로써 피의자 또는 피고인의 방어권 행사에 어느 정도는 불이익이 초래되었다고 인정할 수 있어야만 한다(헌재결 2011.5.26, 2009헌마341).
   ▶ 불구속 상태에서 재판을 받은 후 선고기일만을 남겨 놓았다가 그 기일에 출석하지 않아 비로소 구속된 피고인에 대하여 변호인이 접견을 신청하였는데, 접견을 희망한 6. 6.이 현충일로 공휴일이라는 이유로 접견이 거부되었고, 이로부터 이틀 후인 6. 8. 청구인과 변호인의 접견이 실시되었다. 그 후로도 공판기일까지는 열흘 넘는 기간이 남아 있었던 경우, 변호인의 조력을 받을 권리를 침해하였다고 볼 수 없다(헌재결 2011.5.26, 2009헌마341).

6. 교도소장이 금치기간 중에 있는 피징벌자와 변호사와의 접견을 불허한 조치는 피징벌자의 접견권과 재판청구권을 침해하여 위법하다(대판 2004.12.9, 2003다50184).
7. 변호인이 피의자를 접견할 때 국가정보원 직원이 승낙 없이 사진촬영을 한 것은 접견교통권 침해에 해당하며, 14·16. 수사경과 변호인이 되려는 변호사는 국가정보원에게 변호인이 되려는 의사를 표시함에 있어, 국가정보원이 그 의사를 인식하는 데 적당한 방법을 사용하면 되고, 반드시 문서로서 그 의사를 표시하여야 할 필요는 없다(대판 2003.1.10, 2002다56628). 17. 9급 법원직
8. 교도관이 미결수용자와 변호인 간에 주고받는 서류를 확인하고, 소송관계서류처리부에 그 제목을 기재하여 등재한 행위는 구금시설의 안전과 질서를 유지하고, 금지물품이 외부로부터 반입 또는 외부로 반출되는 것을 차단하기 위한 것으로서 변호인의 조력을 받을 권리를 침해한다고 할 수 없다(헌재결 2016.4.28, 2015헌마243). 17·18. 순경 2차, 20. 경찰승진
9. 헌법 제12조 제4항 본문에 규정된 변호인의 조력을 받을 권리는 행정절차에서 구속(난민인정심사 불회부결정으로 인천국제공항 송환 대기실에서 수용)을 당한 사람에게도 보장된다(헌재결 2018.5.31, 2014헌마346). 18. 순경 2차
10. 체포 및 압수·수색현장에서 변호인의 체포영장 등사요구를 거절한 것만으로 변호인의 조력을 받을 권리를 원천적으로 침해한 행위라고 보기 어렵다(대판 2017.11.29, 2017도9747). 20. 경찰승진
11. 수사기관에서의 구금의 장소, 변호인의 접견 등 구금에 관한 처분이 위법한 것이라는 사실만으로는 그와 같은 위법이 판결에 영향을 미친 것이 아닌 한 독립한 상소이유가 될 수 없는 것이다(대판 1990.6.8, 90도646). 16. 수사경과

② **침해에 대한 구제**

㉠ **항고·준항고** : 법원의 접견교통권 제한결정에 대하여 불복이 있는 때에는 보통항고를 할 수 있고(제402조), 검사 또는 사법경찰관의 접견교통권의 제한은 구금에 대한 처분이므로 준항고에 의하여 취소 또는 변경을 청구할 수 있다(제417조). 11. 경찰승진, 14·16. 수사경과, 21. 해경

구금시설의 직원(예 교도소장)에 의해 접견교통권이 침해된 경우에는 항고나 준항고가 불가능하므로 행정심판, 행정소송, 헌법소원 및 국가배상 등의 방법으로 구제받을 수 있다.

관련판례

영장에 의하지 아니한 구금이나 변호인 또는 변호인이 되려는 자와의 접견교통권을 제한하는 처분뿐만 아니라 구금된 피의자에 대한 신문에 변호인의 참여를 불허하는 처분 역시 구금에 관한 처분에 해당하는 것으로 보아야 한다(대결 2003.11.11, 2003모402). ∴ 제417조 준항고의 대상 23. 변호사시험

㉡ **증거능력의 배제** : 접견교통권을 침해한 가운데 수집된 피고인·피의자의 자백이나 진술, 증거물은 위법수집증거로서 증거능력이 인정되지 않는다.

관련판례

1. 피의자가 변호인의 참여를 원한다는 의사를 명백하게 표시하였음에도 수사기관이 정당한 사유 없이 변호인을 참여하게 하지 아니한 채 피의자를 신문하여 작성한 피의자신문조서는 형사소송법 제312조

에 정한 '적법한 절차와 방식'에 위반된 증거일 뿐만 아니라, 형사소송법 제308조의 2에서 정한 '적법한 절차에 따르지 아니하고 수집한 증거'에 해당하므로 이를 증거로 할 수 없다(대판 2013.3.28, 2010도3359). 17. 순경 2차, 23. 경찰승진

2. 검사작성의 피의자신문조서가 검사에 의하여 피의자에 대한 변호인접견이 부당하게 제한되고 있는 동안에 작성된 경우에는 위법한 절차에 의해 수집된 증거이므로 증거능력이 없다(대판 1990.8.24, 90도1285). 14. 경찰승진 · 수사경과, 24. 9급 법원직
3. 피고인이 구속되어 국가안전기획부에서 조사를 받다가 변호인의 접견신청이 불허되어 이에 대한 준항고를 제기 중에 검찰로 송치되어 검사가 피고인을 신문하여 제1회 피의자신문조서를 작성한 후 준항고절차에서 위 접견불허처분이 취소되어 접견이 허용된 경우에는 검사의 피고인에 대한 위 제1회 피의자신문은 변호인의 접견교통을 금지한 위법상태가 계속된 상황에서 시행된 것으로 보아야 할 것이므로 그 피의자신문조서는 증거능력이 없다(대판 1990.9.25, 90도1586). 09. 경찰승진
4. 검사의 비변호인과의 접견금지 결정으로 피고인들의 접견이 제한된 상황하에서 피의자신문조서가 작성되었다는 사실만으로 바로 그 조서가 임의성이 없는 것이라고는 볼 수 없다(대판 1984.7.10, 84도846). 98. 경찰승진, 21. 해경
5. 변호인접견 전에 작성되었다는 이유만으로 피의자신문조서의 증거능력이 없다고 볼 수는 없다(대판 1990.9.25, 90도1613).

KEY point

- **변호인 되려고 하는 자** : 접견교통권(○)
- **변호인과의 자유로운 접견**(대화 내용의 비밀) : 어떠한 명분으로도 제한할 수 없음(판례)
  ▶ 미결수용자의 변호인접견 자체에 대하여 아무런 제한을 둘 수 없다는 의미는 아님(판례)
- **변호인의 접견교통권** : 절대적 보장(단, 제한법률 규정을 둘 수는 있음 : 판례)
  ▶ 수사기관의 처분, 법원의 결정으로 제한 불가능
- **비변호인과의 접견교통권** : 법률, 법원의 결정, 수사처분에 의해 제한 가능
- **감정유치된 자, 임의동행 형식으로 연행된 피의자 · 피내사자** : 변호인접견교통권 인정
- **접견교통권 침해** : 항고, 준항고, 증거능력 부정

CHAPTER

02 기출문제

01 변호인의 조력을 받을 권리에 관한 설명 중 가장 적절하지 않은 것은?(다툼이 있는 경우 판례에 의함)

20. 경찰승진

① 변호인의 조력을 받을 권리는 불구속 피의자 · 피고인 모두에게 포괄적으로 인정되는 권리이므로 신체 구속상태에 있지 아니한 자도 변호인의 조력을 받을 권리의 주체가 될 수 있다.

② 변호인이 되려는 의사를 표시한 자가 객관적으로 변호인이 될 가능성이 있다고 인정되는데도, 형사소송법 제34조에서 정한 '변호인 또는 변호인이 되려는 자'가 아니라고 보아 신체구속을 당한 피고인 또는 피의자와 접견하지 못하도록 제한하여서는 아니 된다.

③ 구치소장이 형의 집행 및 수용자의 처우에 관한 법률 및 그 시행규칙의 규정에 따라 변호인 접견실에 영상녹화, 음성수신, 확대기능 등이 없는 CCTV를 설치하여 미결수용자와 변호인간의 접견을 관찰하였다 하더라도 이를 통해 대화내용을 알게 되는 것이 불가능하였다면 변호인의 조력을 받을 권리를 침해한 것이라고 할 수 없다.

④ 교도관이 변호인 접견이 종료된 뒤 변호인과 미결수용자가 지켜보는 가운데 미결수용자와 변호인 간에 주고받는 서류를 확인하여 그 제목을 소송관계처리부에 기재하여 등재한 행위는 이를 통해 내용에 대한 검열이 이루어질 수 없었다 하더라도 침해의 최소성 요건을 갖추지 못하였으므로 변호인의 조력을 받을 권리를 침해한다.

해설 ① 헌재결 2004.9.23, 2000헌마138 ② 대판 2017.3.9, 2013도16162
③ 헌재결 2016.4.28, 2015헌마243
④ 교도관이 수용자의 접견, 서신수수, 전화통화 등의 과정에서 수용자의 처우에 특히 참고할 사항을 알게 된 경우에 그 요지를 수용기록부에 기록하는 행위는 형집행법 제43조 제3항과 제8항에 근거를 두고 있는 것으로, 서류확인 및 등재는 변호인 접견이 종료된 뒤 이루어지고, 변호인과 미결수용자가 지켜보는 가운데 서류를 확인하여 그 제목 등을 소송관계처리부에 기재하여 등재하는 행위는 그 내용에 대한 검열이라 할 수 없을뿐 아니라 침해의 최소성 요건을 갖추었고, 법익의 균형성도 갖추었으므로, 서류 확인 및 등재행위는 변호인의 조력을 받을 권리를 침해한다고 할 수 없다(헌재결 2016.4.28, 2015헌마243).

02 접견교통권에 관한 설명으로 옳지 않은 것은?(다툼이 있는 경우 판례에 의함) 22. 소방간부

① 임의동행 형식으로 수사기관에 연행된 피의자 또는 피내사자에게는 변호인 또는 변호인이 되려는 자와 접견교통권이 인정된다.

② 신체구속을 당한 사람이 그 변호인을 자신의 범죄행위에 공범으로 가담시키려 하였다는 사정만으로 그 변호인의 신체구속을 당한 사람과의 접견교통을 금지하는 것은 정당화될 수 없다.

③ 변호인이 피의자에 대한 접견신청을 하였을 때 피의자가 변호인의 조력을 받을 권리의 의미와 범위를 정확히 이해하면서 이성적 판단에 따라 자발적으로 그 권리를 포기한 경우라도 피의자 등의 의사에 반하여 변호인의 접견이 강제될 수 있다.

Answer 01. ④ 02. ③

④ 변호인의 조력을 받을 권리는 불구속 피의자 · 피고인 모두에게 포괄적으로 인정되는 권리이므로 신체 구속상태에 있지 아니한 자도 변호인의 조력을 받을 권리의 주체가 될 수 있다.

⑤ 변호인의 구속된 피고인과의 접견교통권에 관한 형사소송법 제34조는 형이 확정되어 집행중에 있는 수형자에 대한 재심개시의 여부를 결정하는 재심청구절차에는 그대로 적용될 수 없다.

해설 ① 대결 1996.6.3, 96모18
② 대결 2007.1.31, 2006모656
③ 변호인의 접견교통권은 피의자 등이 변호인의 조력을 받을 권리를 실현하기 위한 것으로서, 피의자 등이 헌법 제12조 제4항에서 보장한 기본권의 의미와 범위를 정확히 이해하면서도 이성적 판단에 따라 자발적으로 그 권리를 포기한 경우까지 피의자 등의 의사에 반하여 변호인의 접견이 강제될 수 있는 것은 아니다(대판 2018.12.27, 2016다266736).
④ 헌재결 2004.9.23, 2000헌마138
⑤ 대판 1998.4.28, 96다48831

03 접견교통권에 대한 설명으로 가장 적절하지 않은 것은?(다툼이 있는 경우 판례에 의함) 23. 경찰승진

① 변호인의 접견교통 상대방인 신체구속을 당한 사람이 그 변호인을 자신의 범죄행위에 공범으로 가담시키려고 하였다는 등의 사정만으로 그 변호인의 신체구속을 당한 사람과의 접견교통을 금지하는 것이 정당화될 수는 없다.

② 변호인이 되려는 의사를 표시한 자가 객관적으로 변호인이 될 가능성이 있다고 인정되는데도, 형사소송법 제34조에서 정한 '변호인 또는 변호인이 되려는 자'가 아니라고 보아 신체구속을 당한 피고인 또는 피의자와 접견하지 못하도록 제한하여서는 아니 된다.

③ 형사소송법 제34조가 규정한 변호인의 접견교통권은 법령에 의한 제한이 없더라도 수사기관의 처분은 물론 법원의 결정으로도 제한할 수 있다.

④ 피의자가 변호인의 참여를 원한다는 의사를 명백하게 표시하였음에도 수사기관이 정당한 사유 없이 변호인을 참여하게 하지 아니한 채 피의자를 신문하여 작성한 피의자신문조서의 증거 능력은 없다.

해설 ① 대결 2007.1.31, 2006모656
② 대판 2017.3.9, 2013도16162
③ 형사소송법 제34조가 규정한 변호인의 접견교통권은 신체구속을 당한 피고인이나 피의자의 인권보장과 방어준비를 위하여 필수불가결한 권리이므로, 법령에 의한 제한이 없는 한 수사기관의 처분은 물론, 법원의 결정으로도 이를 제한할 수 없는 것이다(대결 1990.2.13, 89모37).
④ 대판 2013.3.28, 2010도3359

Answer 03. ③

04 **접견교통권에 관한 설명으로 가장 적절하지 않은 것은?**(다툼이 있는 경우 판례에 의함) 24. 경찰승진

① 미결수용자가 가지는 변호인과의 접견교통권은 그와 표리 관계인 변호인의 접견교통권과 함께 헌법상 기본권으로 보장되고 있다.

② 미결수용자의 변호인이 교도관에게 변호인 접견을 신청하는 경우 미결수용자의 형사사건에 관하여 변호인이 실제 변호를 할 의사가 있는지 여부는 교도관의 심사대상이 된다.

③ 임의동행의 형식으로 수사기관에 연행된 피의자에게도 변호인 또는 변호인이 되려는 자와의 접견교통권은 당연히 인정되고, 이는 임의동행의 형식으로 연행된 피혐의자의 경우에도 마찬가지이다.

④ 변호인의 접견교통권이 제한된 위법한 상태에서 얻어진 피의자의 자백은 그 증거능력을 부인하여 유죄의 증거에서 배제하여야 하며, 이러한 위법증거의 배제는 실질적이고 완전하게 증거에서 제외함을 뜻하는 것이다.

해설 ① 대판 2022.6.30, 2021도244

② 미결수용자의 변호인이 교도관에게 변호인 접견을 신청하는 경우 미결수용자의 형사사건에 관하여 변호인이 구체적으로 어떠한 변호 활동을 하는지, 실제 변호를 할 의사가 있는지 여부 등은 교도관의 심사대상이 되지 않는다. 따라서 이 사건 접견변호사들이 미결수용자의 개인적인 업무나 심부름을 위해 접견신청행위를 하였다는 이유만으로 교도관들에 대한 위계에 해당한다거나 그로 인해 교도관의 직무집행이 구체적이고 현실적으로 방해되었다고 볼 수 없다(대판 2022.6.30, 2021도244).

③ 대결 1996.6.3, 96모18

④ 대판 2007.12.13, 2007도7257

Answer 04. ②

8 체포 · 구속적부심사제도

(1) 체포 · 구속적부심사제도의 의의

① **의의** : 체포 · 구속적부심사제도라 함은 수사기관에 의하여 체포되거나 구속된 피의자에 대하여 법원이 체포 · 구속의 적부를 심사하여 체포 또는 구속이 부적법하거나 부당한 경우에 피의자를 석방하는 제도를 말한다(제214조의 2 제1항).

- 사인(私人)에 의해 불법구금된 자 ⇨ 대상 × 17. 해경
- 적법 여부뿐만 아니라, 체포 · 구속계속의 필요성까지 심사대상으로 한다는 점에서 법관이 발부한 영장에 대한 재심절차 내지 항고적 성격을 갖는다.
- 체포 · 구속의 적법 · 불법만을 심사 · 판단한다. (×)
- 체포 또는 구속이 불법 및 부당한 경우에 피의자를 석방하는 제도이다. (×)

② **제도의 취지** : 체포 · 구속적부심사제도는 수사기관의 불법 또는 부당한 인신구속에 대하여 사후적 사법통제를 통해 피의자의 인권을 보장하기 위하여 인정되는 헌법상 권리이다.

③ **구별의 개념**

㉠ **보석제도와의 구별** : 체포 · 구속적부심사제도는 수사단계에서 체포 · 구속된 피의자를 석방하는 제도이며, 구속영장 자체의 효력을 상실시킨다는 점에서 보석과 구별된다.

㉡ **구속취소와의 구별** : 체포 · 구속적부심사제도는 법원의 결정으로 피의자를 석방하는 제도이기 때문에 검사가 피의자를 석방하는 피의자 구속취소와 구별된다.

각 제도와의 비교정리

구 분	구속적부심	보 석	구속취소
객 체	피의자(전격기소된 피고인 포함)	피고인, 피의자	피고인, 피의자
주 체	법 원	법 원	• 피의자 : 지방법원판사 · 검사 · 사법경찰관 • 피고인 : 법원
사 유	구속의 불법 또는 부당	제95조, 제96조, 제214조의 2 제5항	구속사유가 없거나 소멸된 때
구속영장효력	소 멸	지 속	소 멸
보증금	×	가 능	×

(2) 체포 · 구속적부심사의 청구

① **청구권자** : 체포 · 구속적부심사의 청구권자는 체포되거나 구속된 피의자, 그 피의자의 변호인 · 법정대리인 · 배우자 · 직계친족 · 형제자매 · 가족 · 동거인 · 고용주이다(제214조의 2 제1항).
10. 순경, 13. 9급 법원직 · 경찰간부, 13 · 14. 순경 2차 15. 7급 국가직, 17 · 18. 수사경과, 21. 해경, 13 · 22 · 24. 경찰승진

- 가족 · 동거인 · 고용주 ⇨ **체포 · 구속적부심사의 청구권자, 보석청구권자임에 주의!** 14. 수사경과

☎ 체포·구속적부심사청구 후에 전격적으로 검사의 공소제기가 있어 피고인이 되었다고 하더라도 법원은 체포·구속적부심사를 계속하여야 한다(제214조의 2 제4항). 19. 수사경과, 21. 해경, 23. 해경승진, 24. 순경 2차, 25. 변호사시험·소방간부 ∴ 법원은 피고인에 대하여 적부심에 의한 석방결정 가능〔피의자⇨청구권(○), 피고인 ⇨청구권(×), 대상(○)〕

☎ 피의자 ⇨ 절차존속요건이 아니라 절차개시요건이다. 05. 경찰승진

☎ 구속적부심사청구 후에 피의자에 대하여 공소제기가 있어 피고인 신분을 갖게 되면 체포·구속적부심사 청구는 효력을 잃게 되므로 피고인에 대하여 법원은 석방을 명할 수 없다. (×) 10. 7급 국가직, 11. 9급 법원직, 12. 순경 1차, 10·13. 9급 국가직, 13. 순경 2차, 14. 경찰간부

☎ 체포영장·구속영장이 발부되지 않고 체포 또는 구속된 피의자(예 임의동행에 의해 보호실에 유치되었거나 긴급체포 또는 현행범체포에 의하여 체포)도 체포·구속적부심청구권이 있는가에 대하여 긍정설(판례)과 부정설(다수설)의 대립이 있었으나, 2007년 개정법에서 '영장'의 요건을 삭제하여 영장에 의한 체포 이외에도 적부심사를 허용하였다. 11. 경찰승진, 14. 경찰간부·수사경과, 17. 순경 2차, 24. 9급 법원직

② **적부심청구의 고지** : 피의자를 체포하거나 구속한 검사 또는 사법경찰관은 체포되거나 구속된 피의자와 적부심청구권자 중에서 피의자가 지정한 사람에게 적부심사를 청구할 수 있음을 알려야 한다(제214조의 2 제2항). 18. 수사경과

③ **청구사유** : 청구사유에는 제한이 없다. 따라서 체포 또는 구속이 불법한 경우뿐만 아니라 부당, 즉 구속계속의 필요성에 대한 판단을 포함한다.

㉠ **체포·구속이 불법한 경우의 예**

ⓐ 영장의 발부가 위법한 경우(예 재구속제한위반, 영장청구기간 도과)

ⓑ 체포·구속요건을 갖추지 못한 경우(예 범죄혐의 미흡, 주거가 일정한 경미한 범죄자)

ⓒ 영장발부 자체는 적법하나 구속기간이 경과된 경우

㉡ **체포·구속이 부당한 경우의 예** : 구속영장의 발부가 위법하지는 않더라도 계속구금의 필요성이 없는 경우(예 피해변상, 합의, 고소취소)

☎ 구속을 계속할 필요가 있는가의 판단기준 ⇨ 심사시를 기준으로 판단(체포·구속시 ×)

④ **청구대상** : 적부심청구의 대상범죄는 제한이 없다.

⑤ **청구방법** : 체포·구속적부심사의 청구는 피의사건 관할법원에 하여야 한다. 서면으로 하여야 한다는 견해(규칙 제102조)와 서면 또는 구술로 할 수 있다는 견해(규칙 제176조)가 대립하고 있다. 체포·구속적부심사청구서에는 체포 또는 구속된 피의자의 성명, 주민등록번호 등, 주거, 체포 또는 구속일자, 청구의 취지 및 청구이유, 청구인의 성명 및 체포 또는 구속된 피의자와의 관계 등을 기재하여야 한다(규칙 제102조).

☎ 체포영장, 구속영장의 발부일자 ⇨ 기재사항 ×(규칙 개정시 삭제됨)

⑥ **서류열람**

㉠ 체포·구속적부심사를 청구한 피의자의 변호인은 법원에 제출된 구속영장청구서 및 그에 첨부된 고소·고발장, 피의자의 진술을 기재한 서류와 피의자가 제출한 서류를 열람할 수 있다(규칙 제104조의 2, 규칙 제96조의 21 제1항).

☎ 서류열람 가능(등사 ×)

🚨 구속적부심사 사건에서 구속된 피의자의 변호인에게 경찰서 수사기록 중 고소장과 피의자신문조서에 대한 열람·등사 허용(헌재결 2003.3.27, 2000헌마474) 10. 7급 국가직, 11·14·15. 경찰승진, 16. 순경 1차

㉡ 검사는 증거인멸 또는 피의자나 공범 관계에 있는 자가 도망할 염려가 있는 등 수사에 방해가 될 염려가 있는 때에는 법원에 서류(구속영장 청구서는 제외)의 열람 제한에 관한 의견을 제출할 수 있고, 법원은 검사의 의견이 상당하다고 인정하는 때에는 제1항에 규정된 서류의 전부 또는 일부의 열람을 제한할 수 있다(동조 제2항).

㉢ 법원은 위 ㉠의 열람에 관하여 그 일시, 장소를 지정할 수 있다(동조 제3항).

㉣ 체포·구속적부심 청구권자는 체포영장, 구속영장 또는 그 청구서를 보관하고 있는 검사, 사법경찰관 또는 법원사무관 등에게 그 등본의 교부를 청구할 수 있다(규칙 제101조).

(3) 법원의 심사

① **심사법원** : 체포·구속적부심사 청구사건은 지방법원합의부 또는 단독판사가 심사한다. 체포영장이나 구속영장을 발부한 판사는 심사에 관여할 수 없다. 12. 9급 법원직, 11·13. 경찰승진 다만, 체포영장이나 구속영장을 발부한 법관 외에는 심문·조사·결정을 할 판사가 없는 경우에는 그러하지 아니하다(제214조의 2 제12항). 01. 순경, 03. 행시, 21. 해경, 22. 경찰간부, 24. 9급 법원직

🚨 체포영장 또는 구속영장을 발부한 법관은 체포·구속적부심사 청구된 피의자의 석방 여부를 결정하기 위한 심문·조사·결정에 관여하지 못하고 이는 체포영장 또는 구속영장을 발부한 법관 외에는 심문·조사·결정을 할 판사가 없는 경우에도 마찬가지이다. (×) 18. 경찰간부

② **피의자심문 및 수사관계서류 등의 조사**

㉠ 체포·구속적부심사의 청구를 받은 법원은 청구서가 접수된 때로부터 48시간 이내에 피의자를 심문하고 수사관계서류와 증거물을 조사한다(제214조의 2 제4항). 09. 9급 국가직, 14. 경찰승진, 14·15. 순경 2차, 15. 순경 1차, 13·22. 경찰간부, 24. 해경승진

㉡ 체포·구속적부심사의 청구를 받은 법원은 지체 없이 청구인, 변호인, 검사 및 피의자를 구금하고 있는 관서의 장에게 심문기일과 장소를 통지하여야 한다(규칙 제104조 제1항). 16. 경찰승진 통지는 전화, 모사전송, 전자우편, 휴대전화, 문자전송 그 밖에 적당한 방법으로 할 수 있다(동조 제3항).

㉢ 사건을 수사 중인 검사 또는 사법경찰관은 수사관계서류와 증거물을 심문기일까지 법원에 제출해야 하고, 피의자를 구금하고 있는 관서의 장은 피의자를 출석시켜야 한다(규칙 제104조 제2항). ⇨ 피의자의 출석은 절차개시 요건 96. 9급 법원직

㉣ 검사, 변호인, 체포·구속적부심사청구인은 관할법원의 심문기일에 출석하여 의견을 진술할 수 있다(제214조의 2 제9항). 심문기일에 출석한 검사·변호인·청구인은 법원의 심문이 끝난 후 의견을 진술(피의자심문 ×)할 수 있다. 18. 9급 법원직 다만, 필요한 경우 심문 도중에도 판사의 허가를 얻어 의견을 진술할 수 있다(규칙 제105조 제1항). 체포 또는 구속된 피의자, 변호인, 청구인은 피의자에게 유리한 자료를 낼 수 있다(동조 제3항).

🚨 검사·변호인·청구인은 법원의 심문이 끝난 후 피의자심문을 할 수 있다. (×) 15. 순경 1차

㉤ 체포·구속적부심사를 청구한 피의자에게 변호인이 없는 경우에 제33조의 사유에 해당하는 때에는 법원은 국선변호인을 선임하여야 한다(제214조의 2 제10항). 09·11. 경찰승진, 19. 수사경과 이 경우 국선변호인의 출석도 절차개시의 요건이다. 20. 경찰승진

체포적부심사를 청구한 피의자에게 변호인이 없는 경우에 제33조의 사유에 해당하는 때에는 지체 없이 국선변호인을 선정해야 하나, 심문 없이 적부심사청구에 대해 기각 결정을 하는 경우에는 그러하지 아니하다. (×) 13. 변호사시험 심문 없이 적부심사청구에 대해 기각 결정을 하는 경우에도 국선변호인을 선정하여야 한다(제214조의 2 제10항 참조). 18. 9급 법원직

㉥ 법원이 피의자를 심문하는 경우에 법원사무관 등은 심의요지 등을 조서로 작성하여야 한다(제214조의 2 제14항). 심문조서는 영장실질심사절차의 심문조서와 같이 공판조서의 예에 따라 작성한다(제214조의 2 제14항, 제201조의 2 제6항).

작성된 심문조조서는 형사소송법 제315조 제3호에 의거 당연히 증거능력이 인정된다(대판 2004.1.16, 2003도5693). 11. 9급 법원직, 11·13. 경찰승진, 14. 순경 1차, 17·21. 경찰간부, 22. 순경 2차

(4) 법원의 결정

① 법원은 체포 또는 구속된 피의자에 대한 심문이 종료된 때로부터 24시간 이내에 체포·구속적부심사청구에 대한 결정을 하여야 한다(규칙 제106조). 11. 9급 검찰·마약수사, 14. 순경 1차, 16. 경찰승진, 24. 해경승진

48시간 이내 ×

② 법원이 수사관계서류와 증거물을 접수한 때로부터 결정 후 검찰청에 반환된 때까지의 기간은 수사기관의 체포제한기간, 구속제한기간에 산입하지 아니한다(제214조의 2 제13항). 14. 순경 1차 따라서 영장청구기간 또는 법정구속기간이 지나더라도 그 기간만큼 더 체포나 구속을 할 수 있게 된다. 이는 체포 또는 구속적부심사청구권의 남용을 방지하고 사실상 체포기간 또는 구속기간 단축으로 인한 수사상의 지장을 해소하는 한편, 검사에 의한 전격기소의 폐해를 방지하기 위함이다.

예 피의자 甲은 2014. 4. 12. 09 : 00 체포영장이 발부되어 2014. 4. 13. 10 : 00 체포되었다. 이에 甲의 변호인은 체포 당일 체포적부심을 청구하였고, 2014. 4. 14. 11 : 00 수사 관계서류와 증거물이 법원에 접수되어 청구기각결정 후 2014. 4. 15. 13 : 00 검찰청에 반환되었을 경우

- 검사가 甲에 대한 구속영장을 법원에 청구할 수 있는 일시 ⇨ 체포한 피의자를 구속하고자 할 때에는 체포한 때부터 48시간 이내(2014. 4. 15. 10 : 00까지)에 구속영장을 청구하여야 하나(제200조의 2 제5항), 서류가 접수 후 반환할 때까지의 시간(2014. 4. 14. 11 : 00~2014. 4. 15. 13 : 00)은 48시간에 산입하지 않으므로(제214조의 2 제13항), 2014. 4. 16. 12 : 00까지 구속영장을 청구하여야 한다.
- 사법경찰관이 甲을 구속할 수 있는 일시 ⇨ 수사기관이 피의자를 구속할 수 있는 기간은 10일인데(제202조, 제203조), 피의자를 실제로 체포한 날로부터 기산한다(제203조의 2). 검사는 10일을 초과하지 아니하는 범위 내에서 1차에 한하여 구속기간 연장허가를 받을 수 있지만(제205조 제1항), 사법경찰관에게는 구속기간연장제도가 없으므로 사법경찰관은 2014. 4. 22. 24 : 00까지 피의자를 구속할 수 있으나, 서류가 접수되어 반환된 때까지의 일수인 14일과 15일은 구속기간에 산입하지 않으므로(제203조의 2), 결국 사법경찰관은 2014. 4. 24. 24 : 00까지 甲을 구속할 수 있다.

③ 체포・구속적부심사청구에 대한 법원의 결정에는 기각결정과 석방결정이 있으며 이에 대해서 항고할 수 없다(제214조의 2 제8항). 14・15. 순경 1차, 13・17. 순경 2차, 14・17. 수사경과, 12・13・18. 9급 법원직, 13・18. 경찰간부, 20. 9급 검찰・마약수사, 21. 해경, 11・16・24. 경찰승진

㉠ **기각결정** : 법원은 심사결과 청구가 이유 없다고 인정되면 결정으로 그 청구를 기각해야 한다(제214조의 2 제4항). 다만, 다음과 같은 사유가 있으면 심문 없이 결정으로 청구를 기각할 수 있다(동조 제3항).

법원이 심문 없이 청구를 기각할 수 있는 사유 13. 9급 법원직

1. 청구권자 아닌 자가 청구하거나, 동일한 체포영장 또는 구속영장의 발부에 대하여 재청구한 때 13. 9급 법원직, 24. 경찰승진
2. 공범 또는 공동피의자의 순차청구가 수사방해의 목적임이 분명한 때 10. 7급 국가직, 14・16. 경찰승진, 20. 9급 검찰・마약수사, 17・18・19・21. 수사경과, 18・21. 경찰간부, 22. 순경 1차

㉡ **석방결정** : 법원은 심사결과 청구가 이유 있다고 인정되면 결정으로 피의자의 석방을 명하여야 한다(제214조의 2 제4항).

- 심사청구 후 공소제기가 있는 경우에도 동일하다. 10. 9급 국가직
- 석방결정은 그 결정서의 등본이 검찰청에 송달된 때에 효력이 발생한다(제42조, 제44조). 11. 9급 법원직, 20. 9급 검찰・마약수사

④ **피의자의 보석**(보증금납입조건부 피의자석방)

㉠ **의의** : 법원은 구속된 피의자에 대하여 구속적부심사의 청구가 있는 경우 그에 대하여 출석을 보증할 만한 보증금의 납입을 조건으로 하여 결정으로 피의자의 석방을 명할 수 있다(제214조의 2 제5항). 이를 피의자보석제도라 한다.

- 체포적부심사청구의 피의자에 대해서는 피의자보석 불인정(대결 1997.8.27, 97모21) 14. 순경 1차, 18. 경찰간부・9급 교정・보호・철도경찰, 20. 9급 검찰・마약수사, 21. 수사경과・해경, 14・20・22. 경찰승진, 16・24. 변호사시험, 25. 소방간부
- 심사청구 후 공소제기된 자에게도 피의자보석 가능(제214조의 2 제5항)

㉡ **피고인보석과의 차이점** : 보증금납입조건부 피의자석방제도는 구속적부심사를 청구한 피의자만을 대상으로 하고 있고, 법원의 직권보석이며(피의자에게 보석청구권을 인정하지 않음), 21. 경력채용 보석 여부는 법원의 재량사항이므로 재량보석이다. 이러한 점에서 피고인보석제도와는 차이가 있다(피고인보석제도 참조). 11. 9급 법원직, 13. 9급 교정・보호・철도경찰, 14. 7급 국가직, 15. 순경 1차

㉢ **보증금의 결정** : 보증금액은 피의자의 출석을 보증할 만한 금액이어야 하고 이를 정함에는 범죄의 성질, 죄상, 증거의 증명력, 피의자의 전과・성격・환경과 자산, 피해자에 대한 배상 등 범행 후의 정황에 관련된 사항을 고려하여야 한다. 그리고 피의자의 자산 정도로는 납부하기에 불가능한 보석금액을 정해서는 안 된다(제214조의 2 제7항, 제99조).

㉣ **보석의 조건** : 법원은 피의자석방결정을 하는 경우에 주거의 제한, 법원 또는 검사가 지정하는 일시·장소에 출석할 의무, 그 밖의 기타 적당한 조건을 부가할 수 있다(제214조의 2 제6항). 15. 순경 3차, 17. 순경 2차

㉤ **피의자보석 불허사유**(제214조의 2 제5항 단서)

> ⓐ 범죄의 증거를 인멸할 염려가 있다고 믿을 만한 충분한 이유가 있거나
> ⓑ 피해자나 당해 사건의 재판에 필요한 사실을 알고 있다고 인정되는 사람 또는 그 친족의 생명·신체나 재산에 해를 가하거나 가할 염려가 있다고 믿을 만한 충분한 이유가 있는 때에는 보석결정을 할 수 없다.

㉥ **보석집행절차** : 피의자보석의 집행에도 피고인보석의 집행절차(제100조)가 준용된다(제214조의 2 제7항). 따라서 보석허가결정은 보석금을 납입한 후가 아니면 집행하지 못하며, 24. 9급 법원직 구속적부심사청구인 이외의 자에게 보증금의 납입을 허가할 수 있다. 13. 9급 법원직 법원은 유가증권 또는 피의자 이외의 자가 제출한 보증서로서 보증금에 갈음할 것을 허가할 수 있다. 이 경우 보증서에는 보증금액을 언제든지 납입할 것을 기재하여야 한다(제214조의 2 제7항, 제100조).

㉦ **보증금의 몰수**

ⓐ 임의적 몰수 : 피의자보석으로 석방된 자의 재체포·재구속 사유에 의거 재차 구속하거나, 공소제기된 후 법원이 피의자보석의 규정에 의거 석방된 자를 동일한 범죄사실에 관하여 재차 구속할 경우에 법원은 직권 또는 검사의 청구에 의하여 결정으로 보증금의 전부 또는 일부를 몰수할 수 있다(제214조의 4 제1항).

ⓑ 필요적 몰수 : 피의자보석의 규정에 의하여 석방된 자가 동일한 범죄사실에 관하여 형의 선고를 받아 그 판결이 확정된 후 집행하기 위한 소환을 받고 정당한 이유 없이 출석하지 아니하거나 도망한 때에는 법원은 직권 또는 검사의 청구에 의하여 결정으로 보석금의 전부 또는 일부를 몰수하여야 한다(제214조의 4 제2항). 22. 경찰간부, 23. 7급 국가직

㉧ **항고** : 보증금납입조건부 피의자 석방결정에 대하여 항고할 수 있는가에 대하여는 논의가 있다. 형사소송법은 제214조의 2 제8항에서 체포·구속적부심사에 대한 기각결정과 석방결정에 대하여 항고하지 못한다고 규정하고 있으면서 보증금납입조건부 피의자 석방결정에 대하여는 명문의 규정을 두고 있지 않기 때문이다.

체포·구속적부심사에서의 석방결정과 보증금납입조건부 피의자 석방결정은 취지와 내용을 달리하는 것이고, 기소 후 보석결정에 대하여 항고가 인정되는 점에 비추어 그 보석결정과 유사한 보증금납입조건부 피의자 석방결정에 대하여 항고할 수 있도록 하는 것이 균형에 맞는 측면도 있다 할 것이므로 항고를 할 수 있다고 보아야 한다. 판례도 동일한 취지이다.

관련판례

보증금납입조건부 피의자 석방결정에 대하여 피의자나 검사가 그 취소의 실익이 있는 한 같은 법 제402조에 의하여 항고할 수 있다(대결 1997.8.27, 97모21). 21. 7급 국가직 · 수사경과, 23. 순경 2차, 13 · 22 · 24. 경찰승진, 23 · 25. 변호사시험, 25. 경찰대편입

보증금납입조건부 피의자 석방결정에 대하여 검사만이 항고할 수 있다는 것이 판례의 입장이다. (×)

(5) 재체포 및 재구속의 제한

체포 · 구속적부심사 결정에 의하거나, 피의자보석에 의하여 석방된 자는 다음의 경우를 제외하고는 재차 체포 또는 구속하지 못한다(제214조의 3 제1항 · 제2항).

재체포 · 재구속 사유

체포 · 구속적부심사(제214조의 3 제1항) 15. 순경 3차, 14 · 16. 순경 1차, 14 · 17. 순경 2차, 18. 변호사시험, 17 · 18 · 19. 수사경과, 15 · 23. 7급 국가직	① 도망하거나 ② 범죄의 증거를 인멸한 때 도망 또는 증거인멸 우려(×) 출석을 요구받고 정당한 이유 없이 출석하지 아니한 때(×)
보증금납입조건부 피의자석방 (제214조의 3 제2항) 22. 경찰간부	① 도망한 때 ② 도망하거나 범죄의 증거를 인멸할 염려가 있다고 믿을 만한 충분한 이유가 있는 때 ③ 출석을 요구받고 정당한 이유 없이 출석하지 아니한 때 ④ 주거의 제한이나 그 밖에 법원이 정한 조건을 위반한 때

기타 구속되었다가 석방된 자의 피의자 재구속사유 ⇨ '다른 중요한 증거발견'을 요건으로 함.

KEY point

- 체포 · 구속적부심제도와 보석, 구속취소제도와의 구별
- 체포 · 구속적부심사 청구권자 ⇨ 체포 또는 구속피의자(영장불문) ▶ 피고인 ⇨ 청구권 ×
- 체포 · 구속적부심사청구 방법 ⇨ 서면으로 관할법원에(구술로도 가능하다는 견해 有)
- 체포 · 구속적부심사 법원 ⇨ 지방법원 합의부 또는 단독판사
- 피의자심문 및 수사관계서류조사 ⇨ 체포 · 구속적부심사청구서가 접수된 때부터 48시간 이내(심문 종료 후 24시간 내 결정)
- 체포 · 구속적부심사기간 ⇨ 체포 · 구속기간 불산입(제214조의 2 제13항)
- 체포 · 구속적부심사청구에 대한 법원의 결정 ⇨ 항고불가(제214조의 2 제8항)
- 피의자보석 ⇨ 항고가능
- 피의자보석 ⇨ 법원의 직권, 재량보석 ▶ 체포적부심사청구 피의자 ⇨ 피의자보석 불인정
- 피의자보석 불허사유 ⇨ 제214조의 2 제5항 단서
- 피의자보석 보증금의 몰수 ┌ 임의적 몰수(원칙) └ 필요적 몰수(예외)
- 체포 · 구속적부심사에 의해 석방된 자의 재체포 · 재구속 사유 ⇨ 제214조의 3 제1항
- 피의자보석에 의해 석방된 자의 재체포 · 재구속사유 ⇨ 제214조의 3 제2항

CHAPTER

02 기출문제

01 **체포 · 구속적부심사에 대한 설명으로 옳은 것만을 모두 고르면?** 23. 7급 국가직

> ㉠ 체포영장이나 구속영장을 발부한 법관은 체포 · 구속적부심사의 심문 · 조사 · 결정에 관여할 수 없지만, 체포영장이나 구속영장을 발부한 법관 외에는 심문 · 조사 · 결정을 할 판사가 없는 경우에는 그러하지 아니하다.
> ㉡ 체포 · 구속적부심사결정에 의하여 석방(보증금납입조건부 피의자석방의 경우는 제외한다)된 피의자가 도망할 우려가 있거나 범죄의 증거를 인멸할 염려가 있는 경우에는 동일한 범죄사실로 재차 체포하거나 구속할 수 있다.
> ㉢ 보증금납입을 조건으로 석방된 피의자가 동일한 범죄사실에 관하여 형의 선고를 받고 그 판결이 확정된 후, 집행하기 위한 소환을 받고 정당한 이유 없이 출석하지 아니하거나 도망한 때에는 검사의 결정으로 보증금의 전부 또는 일부를 몰수하여야 한다.
> ㉣ 구속적부심문조서는 특히 신용할 만한 정황에 의하여 작성된 문서라고 할 것이므로, 특별한 사정이 없는 한 피고인이 증거로 함에 부동의하더라도 형사소송법 제315조 제3호에 의하여 당연히 그 증거능력이 인정된다.

① ㉠, ㉡ ② ㉠, ㉣ ③ ㉡, ㉢ ④ ㉢, ㉣

해설 ㉠ ○ : 제214조의 2 제12항 ㉡ × : 체포 · 구속적부심사결정에 의하여 석방(보증금납입조건부 피의자석방의 경우는 제외한다)된 피의자가 도망하거나 범죄의 증거를 인멸하는 경우를 제외하고는 동일한 범죄사실로 재차 체포하거나 구속할 수 없다(제214조의 3 제1항).
㉢ × : 보증금납입을 조건으로 석방된 피의자가 동일한 범죄사실에 관하여 형의 선고를 받고 그 판결이 확정된 후, 집행하기 위한 소환을 받고 정당한 이유 없이 출석하지 아니하거나 도망한 때에는 직권 또는 검사의 청구에 의하여 결정으로 보증금의 전부 또는 일부를 몰수하여야 한다(제214조의 4 제2항).
㉣ ○ : 대판 2004.1.16, 2003도5693

02 **강도사건 피의자 甲은 2014. 4. 12. 09 : 00 체포영장이 발부되어 2014. 4. 13. 10 : 00 체포되었다. 이에 甲의 변호인은 체포 당일 체포적부심을 청구하였고, 2014. 4. 14. 11 : 00 수사 관계서류와 증거물이 법원에 접수되어 청구기각결정 후 2014. 4. 15. 13 : 00 검찰청에 반환되었다. 이 때 검사가 甲에 대한 구속영장을 법원에 청구할 수 있는 일시는 (㉠)까지이고, 사법경찰관이 구속영장에 의해 甲을 구속한 후 사법경찰관이 구속할 수 있는 일시는 (㉡)까지이다. 괄호 안에 들어갈 일시로 옳은 것은?**
15. 9급 검찰 · 마약 · 교정 · 보호 · 철도경찰

	㉠	㉡
①	2014. 4. 15. 10 : 00	2014. 4. 22. 24 : 00
②	2014. 4. 16. 12 : 00	2014. 4. 22. 24 : 00
③	2014. 4. 16. 12 : 00	2014. 4. 24. 24 : 00
④	2014. 4. 16. 24 : 00	2014. 4. 24. 24 : 00

Answer 01. ② 02. ③

해설 체포한 피의자를 구속하고자 할 때에는 체포한 때부터 48시간 이내(2014. 4. 15. 10 : 00까지)에 구속영장을 청구하여야 하나(제200조의 2 제5항), 서류가 접수 후 반환할 때까지의 시간(2014. 4. 14. 11 : 00~2014. 4. 15. 13 : 00)은 48시간에 산입하지 않으므로(제214조의 2 제13항), 2014. 4. 16. 12 : 00까지 구속영장을 청구하여야 한다. 수사기관이 피의자를 구속할 수 있는 기간은 10일인데(제202조, 제203조), 피의자를 실제로 체포한 날로부터 기산한다(제203조의 2). 검사는 10일을 초과하지 아니하는 범위 내에서 1차에 한하여 구속기간 연장허가를 받을 수 있지만(제205조 제1항), 사법경찰관에게는 구속기간연장제도가 없으므로 사법경찰관은 2014. 4. 22. 24 : 00까지 피의자를 구속할 수 있으나, 서류가 접수되어 반환된 때까지의 일수인 14일과 15일은 구속기간에 산입하지 않으므로(제203조의 2), 결국 사법경찰관은 2014. 4. 24. 24 : 00까지 甲을 구속할 수 있다.

03 **다음 중 체포 · 구속적부심사에 관한 설명으로 가장 옳지 않은 것은?**(다툼이 있는 경우 판례에 의함)

24. 해경승진

① 법원은 체포 또는 구속된 피의자에 대한 심문이 종료된 때로부터 24시간 이내에 체포 · 구속적부심사청구에 대한 결정을 하여야 한다.

② 체포 · 구속적부심사 청구를 받은 법원은 청구된 날의 다음 날까지 심문하여야 한다.

③ 청구권자 아닌 자의 청구, 동일한 체포영장 또는 구속영장의 발부에 대한 재청구, 공범 또는 공동피의자의 순차청구가 수사방해 목적임이 분명한 때 등은 심문 없이 결정으로 구속적부심사청구를 기각할 수 있는 사유이다.

④ 구속적부심사 절차에서 피구속자의 변호를 맡은 변호인은 수사기록 중 고소장과 피의자신문조서를 열람 · 등사할 권리가 있다.

해설 ① 규칙 제106조
② 체포 · 구속적부심사 청구를 받은 법원은 청구서가 접수된 때부터 48시간 이내에 체포되거나 구속된 피의자를 심문하여야 한다(제214조의 2 제4항). ③ 제214조의 2 제3항 ④ 헌재결 2003.3.27, 2000헌마474

04 **체포 · 구속적부심사에 관한 설명으로 가장 적절하지 않은 것은?**(다툼이 있는 경우 판례에 의함)

24. 경찰승진

① 체포되거나 구속된 피의자 또는 그 변호인, 법정대리인, 배우자, 직계친족, 형제자매나 가족, 동거인 또는 고용주는 관할법원에 체포 또는 구속의 적부심사를 청구할 수 있다.

② 법원은 청구권자 아닌 사람이 구속의 적부심사를 청구하는 경우에는 심문 없이 결정으로 청구를 기각할 수 있는데, 이와 같은 기각결정에 대해서는 항고할 수 없다.

③ 법원은 구속된 피의자에 대하여 피의자의 출석을 보장할 만한 보증금의 납입을 조건으로 하여 결정으로 석방을 명할 수 있는데, 석방된 피의자가 출석요구를 받고 정당한 이유없이 출석하지 아니하더라도 동일한 범죄사실로 재차 체포하거나 구속할 수 없다.

④ 기소 전 보증금 납입 조건부 석방결정에 대하여 피의자나 검사가 그 취소의 실익이 있는 한 형사소송법 제402조에 의하여 항고할 수 있다.

해설 ① 제214조의 2 제1항 ② 제214조의 2 제3항 · 제8항
③ 석방된 피의자가 출석요구를 받고 정당한 이유없이 출석하지 아니한 때에는 동일한 범죄사실로 재차 체포하거나 구속할 수 있다(제214조의 3 제2항). ④ 대결 1997.8.27, 97모21

Answer 03. ② 04. ③

05 **체포 · 구속적부심사에 관한 다음 설명 중 가장 옳지 않은 것은?** 24. 9급 법원직

① 체포적부심사청구를 받은 법원이 그 청구가 이유 있다고 인정할 때에는 결정으로 체포된 피의자의 석방을 명하여야 하며, 검사는 이 결정에 대하여 항고하지 못한다.

② 구속영장을 발부한 법관은 구속적부심사의 심문 · 조사 · 결정에 관여하지 못하고, 이는 구속영장을 발부한 법관 외에는 심문 · 조사 · 결정을 할 판사가 없는 경우에도 마찬가지이다.

③ 체포영장에 의하여 체포된 피의자뿐만 아니라 체포영장에 의하지 아니하고 긴급체포된 피의자도 체포적부심사의 청구권자에 해당한다.

④ 구속된 피의자로부터 구속적부심사의 청구를 받은 법원이 보증금납입조건부 피의자석방 결정을 내린 경우 보증금이 납입된 후에야 피의자를 석방할 수 있다.

해설 ① 제214조의 2 제4항 · 제8항

② 체포영장이나 구속영장을 발부한 법관은 제4항부터 제6항까지의 심문 · 조사 · 결정에 관여할 수 없다. 다만, 체포영장이나 구속영장을 발부한 법관 외에는 심문 · 조사 · 결정을 할 판사가 없는 경우에는 그러하지 아니하다(제214조의 2 제12항).

③ 제214조의 2 제1항

④ 제214조의 2 제7항, 제100조

Answer 05. ②

9 보석제도

(1) 의의 및 필요성

① **의의** : 보석이라 함은 일정한 조건을 붙여 구속의 집행을 정지하고 구금상태를 해제하는 제도를 말한다. 형사소송법은 피의자에 대하여 보증금납입조건부 석방제도(제214조의 2 제5항)를 도입함으로써 보석제도를 피고인뿐만 아니라 피의자에게도 확대하고 있다.

이하에서는 피고인에 대한 보석을 중심으로 살펴보기로 한다.

종전에는 피의자나 피고인 모두 보증금납부를 조건으로 한 보석제도였으나, 현행법에서는 경제적 무자력자에게도 보석의 기회를 확대하고, 피고인과의 개별사안의 구체적인 사정에 가장 적합한 보석을 허용한다는 측면에서 피고인보석의 경우에는 비금전적인 보석조건을 인정함으로써 보석의 조건을 다양화하였다.

치료감호사건을 조사하면서 인신구속이 필요한 경우에 검사는 관할 지방법원판사에게 청구하여 치료감호영장을 발부받아 보호구속할 수 있다(치료감호 등에 관한 법률 제6조 제2항). 보호구속에 관해서는 피의자구속에 관한 형사소송법의 규정들이 준용되므로 보석이 가능하다(동법 제6조 제3항).

보석은 유효한 구속영장을 전제로 구속의 집행을 정지시키는 것임.

② **제도의 필요성** : 형사절차에서 불구속재판을 보장함으로써 방어권행사를 용이하게 하고, 미결구금에 따른 각종 병폐를 방지하는 데 기여하는 제도이다(영미법에서 발전).

보석과 구속집행정지의 구별

구 분	보 석	구속집행정지
공통점	• 구속영장의 효력은 그대로 유지하면서 집행만을 정지시키는 제도 • 원칙적으로 검사의 의견을 물어야 한다(▶ 보석 ⇨ 급속을 요한 때의 예외규정 적용 ×). • 결정에 대한 검사의 즉시항고 × • 직권 또는 검사의 청구로 취소	
차이점	• 보증금의 납부를 요하는 경우도 있음. • 직권 또는 청구권자의 청구 • 비교적 기간이 길다.	• 보증금의 납부 불요함. • 직 권 • 비교적 기간이 짧다(관혼상제, 대학입시).

보석과 구속취소의 구별

구 분	보 석	구속취소
공통점	• 직권 또는 청구권자의 청구에 의해 결정 • 원칙적으로 검사의 의견을 물어야 한다(▶ 보석 ⇨ 급속을 요한 때의 예외규정 적용 ×).	
차이점	• 구속영장의 효력은 그대로 유지하면서 구속의 집행만을 정지하는 제도 • 보증금의 납부를 요하는 경우도 있음. • 허가결정에 대한 검사의 즉시항고 ×	• 구속영장을 전면적으로 실효시키는 제도 • 보증금의 납부 불요함. • 취소결정에 대한 검사의 즉시항고 ○

피의자보석과 피고인보석의 구별

구 분	피의자보석	피고인보석
공통점	일정한 조건을 붙여 구속의 집행을 정지	
차이점	• 필요적 보석제도 × • 보석취소규정 × • 법원의 직권·재량보석(피의자청구권 ×) • 보증금환부규정 × • 보증금 조건 • 검사의견 ×	• 필요적 보석제도 ○ • 보석취소규정 ○ • 직권/청구(피고인청구권 ○) • 보증금환부규정 ○ • 보석조건의 다양화 • 검사의견 ○

(2) 보석의 종류

보석은 청구 유무에 따라 청구보석과 직권보석, 법원의 재량 유무에 따라 필요적 보석(권리보석)과 임의적 보석(재량보석)으로 나눌 수 있다.

필요적 보석을 원칙으로 하고, 임의적 보석을 예외적으로 인정 09. 순경

① **필요적 보석** : 보석청구가 있으면 다음과 같은 불허사유가 없는 한 보석을 허가하여야 한다(제95조). ⇨ 청구보석에 대하여만 인정 10. 9급 국가직, 12. 경찰승진

필요적 보석의 제외사유(제95조)

1. 피고인이 사형, 무기 또는 장기 10년이 넘는 징역이나 금고에 해당하는 죄를 범한 때(제1호) 11. 경찰승진, 15. 순경 1차, 18. 9급 교정·보호·철도경찰
   ▶ 장기 10년 이상(×), 10년이 넘는(○)
   ▶ 공소사실과 죄명이 예비적·택일적으로 기재된 경우에 그 중 1죄가 여기에 해당하면 족함.
2. 피고인이 누범에 해당하거나 상습범인 죄를 범한 때(제2호)
   ▶ 상습범 규정이 있는 경우뿐만 아니라 범죄가 상습적으로 행해진 경우(예 상습으로 살인) 포함(반대 견해 有)
3. 피고인이 죄증을 인멸하거나 인멸할 염려가 있다고 믿을 만한 충분한 이유가 있는 때(제3호)
   ▶ 단순한 증거인멸 염려(×), 증거인멸 염려에 대한 충분한 이유(○)
4. 피고인이 도망하거나 도망할 염려가 있다고 믿을 만한 충분한 이유가 있는 때(제4호)
5. 피고인의 주거가 분명하지 아니한 때(제5호)
6. 피고인이 피해자, 당해 사건의 재판에 필요한 사실을 알고 있다고 인정되는 자 또는 그 친족의 생명·신체나 재산에 해를 가하거나 가할 염려가 있다고 믿을 만한 충분한 이유가 있는 때(제6호)

제외사유의 판단 ⇨ 구속영장에 기재된 범죄사실만을 대상(다른 견해도 있음)

② **임의적 보석** : 전술한 보석청구가 없는 경우 또는 필요적 보석의 예외사유에 해당하는 경우에도 법원은 상당한 이유(예 질병)가 있으면 직권 또는 보석청구권자의 청구에 의하여 결정으로 보석을 허가할 수 있다(제96조). 10. 경찰승진 ⇨ 직권보석 또는 청구보석에 모두 인정

필요적 보석의 제외사유에 해당하여도 임의적 보석은 가능하다. 10. 9급 법원직

피의자보석 : 구속적부심사의 청구가 있는 경우에 법원은 구속된 피의자에 대하여 피의자의 출석을 보증할 만한 보증금의 납입을 조건으로 하여 결정으로 피의자를 석방할 수 있는 제도(제214조의 2 제5항)를 말하며, 이는 법원의 직권·재량보석으로, 피의자에게 보석청구권을 직접 인정한 것은 아니다.

(3) 보석의 절차

① 보석의 청구

㉠ **청구권자** : 보석청구권자는 피고인, 변호인, 법정대리인, 배우자, 직계친족, 형제자매, 가족, 동거인 또는 고용주이다(제94조). 09. 9급 법원직, 12·14·16. 경찰승진

체포·구속적부심사 청구권자와 동일

피의자, 피의자의 변호인·법정대리인·배우자·직계친족·형제자매·가족·동거인 또는 고용주는 구속된 피의자의 보석을 법원에 청구할 수 있다. (×) 23. 9급 검찰·마약·교정·보호·철도경찰

㉡ **청구방법** : 보석청구는 서면으로 하여야 한다(규칙 제53조 제1항). 공소제기 후 재판확정 전까지는 심급을 불문하고 보석청구를 할 수 있다. 상소기간 중에도 가능하다(제105조). 05. 7급 검찰

예 피고인을 구속하는 경우에는 구속영장이 집행된 후이면 지정된 장소에 인치하기 전에도 보석을 청구할 수 있다. 또한 보석허가 결정이 있기 전까지는 청구를 철회할 수 있다. 보석청구서에는 사건번호, 구속피고인의 성명, 주민등록번호 등, 주거, 청구취지 및 청구이유, 청구인의 성명 및 구속피고인과의 관계를 기재하여야 한다(규칙 제53조).

상소기간 중 또는 상소 중의 사건에 관하여 소송기록이 원심법원에 있는 때에는 보석청구는 원심법원에 하여야 한다(제105조). 10. 경찰승진, 14. 경찰간부, 17. 9급 법원직

구속피고인이 다른 사건으로 집행유예의 기간 중에 있더라도 보석을 허가할 수 있다(대결 1990.4.18, 90모22). 14. 순경 2차, 10·18. 9급 법원직, 12·16·24. 경찰승진

② 법원의 심리

㉠ **검사의견** : 재판장은 보석에 관한 결정을 하기 전에 검사의 의견을 물어야 한다(제97조 제1항). 17. 9급 법원직 검사의 의견을 물을 때에는 보석청구서의 부본을 첨부해야 한다(규칙 제53조 제2항). 검사는 재판장의 의견요청에 대하여 지체 없이 의견을 표명하여야 하는데(제97조 제3항), 이 경우 의견서와 소송서류 및 증거물을 지체 없이 법원에 제출하여야 하며 특별한 사정이 없는 한 의견요청을 받은 다음 날까지 제출하여야 한다(규칙 제54조 제1항).

2007년 개정법에서 검사의 의견을 묻는 주체를 재판장으로 명확히 규정하고, 신속한 신병 결정을 위하여 검사가 3일 이내에 의견표명을 하지 않는 경우 동의 간주하는 규정을 삭제하고 지체 없이 의견을 표명할 의무규정을 신설하였다.

급속을 요하는 경우에도 검사의 의견을 물어야 한다. 11. 9급 법원직, 12. 경찰승진

검사 의견청취는 청구보석·직권보석 모두에 필요함(검사의 의견 ⇨ 법원을 구속하지 않음 ∴ 의견 청취 없어도 보석 취소 ×). 09. 9급 법원직

관련판례

검사의 의견청취의 절차는 보석에 관한 결정의 본질적 부분이 되는 것은 아니므로, 설사 법원이 검사의 의견을 듣지 아니한 채 보석에 관한 결정을 하였다고 하더라도 그 결정이 적정한 이상, 절차상의 하자만을 들어 그 결정을 취소할 수는 없다(대결 1997.11.27, 97모88). 14. 순경 2차, 17. 9급 법원직, 24. 경찰승진

㉡ **피고인심문**

ⓐ 보석의 청구를 받은 법원은 지체 없이 심문기일을 정하여 구속된 피고인을 심문하여야 한다(규칙 제54조의 2 제1항). 10. 경찰승진, 14. 경찰간부

관련판례

형사소송규칙 제54조의 2는 보석청구를 받은 법원이 지체 없이 심문기일을 정하여 구속 피고인을 심문하도록 규정한 것이지 보석청구사건에 관한 항고심에서도 필요적으로 피고인을 심문하도록 규정한 것이 아니다(대결 1991.8.13, 91모53).

심문 없이 결정할 수 있는 경우(동조 제1호~제4호)

1. 보석청구권자 이외의 사람이 보석을 청구한 때
2. 동일한 피고인에 대하여 중복하여 보석을 청구하거나 재청구한 때
3. 공판준비 또는 공판기일에 피고인에게 그 이익되는 사실을 진술한 기회를 준 때
4. 이미 제출한 자료만으로 보석을 허가하거나 불허가할 것이 명백한 때

ⓑ 심문기일을 정한 법원은 즉시 검사·변호인·보석청구인 및 피고인을 구금하고 있는 관서의 장에게 심문기일과 장소를 통지하여야 하고, 피고인을 구금하고 있는 관서의 장은 위 심문기일에 피고인을 출석시켜야 한다(동조 제2항).

ⓒ 위 통지는 서면 외에 전화, 모사전송, 전자우편, 휴대전화, 문자전송 그 밖에 적당한 방법으로 할 수 있다(동조 제3항).

③ **법원의 결정** : 법원은 특별한 사정이 없는 한 보석청구를 받은 날로부터 7일 이내에 보석허가 여부를 결정하여야 한다(규칙 제55조). 17. 9급 법원직

㉠ **청구기각결정** : 법원은 청구가 부적법하거나, 이유 없는 때에는 보석청구를 기각하는 결정을 하여야 한다(필요적 보석의 경우에는 보석 제외사유에 해당하지 않는 한 기각 불가).

청구를 기각한 결정에 대하여 청구권자는 보통항고를 할 수 있다(제403조 제2항). 08. 순경, 10. 9급 국가직

관련판례

보석불허가 이유로 피고인이 죄증을 인멸할 염려가 있다고 믿을 만한 충분한 이유가 있다고 설시한 것은 필요적 보석의 제외사유인 형사소송법 제95조 제3호에 해당함을 명시한 것이므로 형사소송규칙 제55조의 2(보석불허결정에 이유명시)에 위반되지 아니한다(대결 1991.8.13, 91모53).

㉡ **보석허가결정**

ⓐ 보석조건 : 법원은 보석을 허가하는 경우에 필요하고 상당한 범위 내에서 다음의 조건 중 하나 이상의 조건을 정하여야 한다(제98조).

보석의 조건

1. 법원이 지정하는 일시·장소에 출석하고 증거를 인멸하지 않겠다는 서약서를 제출할 것
   ▶ 가장 간편하게 이용할 수 있는 보석의 조건이다.
2. 법원이 정하는 보증금에 해당하는 금액을 납입할 것을 약속하는 약정서를 제출할 것
   ▶ 경제적 약자에게도 보석의 기회를 부여하는 기능을 수행할 것으로 예상
3. 법원이 지정하는 장소로 주거를 제한하고 주거를 변경할 필요가 있는 경우에는 법원의 허가를 받는 등 도주를 방지하기 위하여 행하는 조치를 받아들일 것
   ▶ 치료목적으로 병원에 입원하는 경우 등에 활용이 가능
   ▶ 법원은 법 제98조 제3호(주거제한)의 보석조건으로 석방된 피고인이 보석조건을 이행함에 있어 피고인의 주거지를 관할하는 경찰서장에게 피고인이 주거제한을 준수하고 있는지 여부 등에 관하여 조사할 것을 요구하는 등 보석조건의 준수를 위하여 적절한 조치를 취할 것을 요구할 수 있다(규칙 제55조의 3 제1항).
4. 피해자, 당해 사건의 재판에 필요한 사실을 알고 있다고 인정되는 사람 또는 그 친족의 생명·신체·재산에 해를 가하는 행위를 하지 아니하고 주거·직장 등 그 주변에 접근하지 아니할 것
   ▶ 피해자 보호를 달성하고 증거인멸의 우려를 감소시킬 수 있음
5. 피고인 아닌 자가 작성한 출석보증서를 제출할 것
6. 법원의 허가 없이 외국으로 출국하지 아니할 것을 서약할 것
   ▶ 법원은 법 제98조 제6호의 보석조건을 정한 경우 출입국사무를 관리하는 관서의 장에게 피고인에 대한 출국을 금지하는 조치를 취할 것을 요구할 수 있다(규칙 제55조의 3 제2항).
7. 법원이 지정하는 방법으로 피해자의 권리회복에 필요한 금전을 공탁하거나 그에 상당하는 담보를 제공할 것
8. 피고인이나 법원이 지정하는 자가 보증금을 납입하거나 담보를 제공할 것
9. 그 밖에 피고인의 출석을 보증하기 위하여 법원이 정하는 적당한 조건을 이행할 것

ⓑ 보석조건 결정시 고려사항 : 법원은 보석의 조건을 정할 때 다음의 사항을 고려하여야 하며, 피고인의 자금능력 또는 자산 정도로는 이행할 수 없는 조건을 정할 수 없다(제99조). 09. 7급 국가직

보석조건 결정시 고려사항

07. 9급 법원직, 08·09·13. 순경, 09. 7급 국가직

1. 범죄의 성질 및 죄상(罪狀)
2. 증거의 증명력 ▶ 증거능력(×)
3. 피고인의 전과, 성격, 환경 및 자산 ▶ 피고인경력(×), 피해자에 대한 관계(×)
4. 피해자에 대한 배상 등 범행 후의 정황에 관련된 사항

ⓒ 보석조건의 변경 : 법원은 직권 또는 보석청구권자의 신청에 따라 결정으로 피고인의 보석조건을 변경하거나 일정기간 동안 당해 조건의 이행을 유예할 수 있다(제102조 제1항). 09. 7급 국가직, 10. 경찰승진, 14. 경찰간부 법원은 보석을 허가한 후에 보석의 조건을 변경하거나 보석조건의 이행을 유예하는 결정을 한 경우에는 그 취지를 검사에게 지체 없이 통지하여야 한다(규칙 제55조의 4).

종래 다수설은 보증금은 보석허가결정의 본질적 내용이므로 항고에 의하지 않고는 변경할 수 없다는 입장이었다. 그러나 보석조건에 대한 변경규정을 두고 있는 개정법의 해석상 보증금액의 변경만 달리 볼 이유는 없다고 생각된다.

ⓓ 보석조건의 효력상실 : 구속영장의 효력이 소멸한 때에는 보석의 조건은 즉시 그 효력을 상실한다(제104조의 2 제1항). 07·11. 9급 법원직, 13. 순경 2차, 14·16. 경찰승진 보석이 취소된 경우에도 보석의 조건은 효력을 상실하나, 보증금에 관한 보석의 조건(제98조 제8호)은 자동실효 대상에서 제외된다(제104조의 2 제2항). 18·21. 7급 국가직 보석을 취소할 경우 법원이 보증금을 몰취할 수 있기 때문이다.

ⓔ 보석허가결정 : 보석허가 결정에 대하여는 검사가 즉시항고할 수 없다(제97조 제3항). 10. 9급 국가직

구법하에서는 보석허가 결정에 대하여 검사는 즉시항고할 수 있도록 규정하였으나 위헌결정 후 보석제도 강화를 위해 제8차 개정에서 이를 폐지하였음. 따라서 보석허가 결정에 불복하는 검사는 이제는 보통항고만을 사용할 수 있다(제403조 제2항, 제409조 단서 참조). 10. 9급 국가직, 16. 7급 국가직

관련판례

1. 보석허가결정에 대하여 검사의 즉시항고를 허용하는 규정은 영장주의에 위반되고, 적법절차의 원칙에 반하며, 과잉금지의 원칙에도 위반된다(헌재결 1993.12.23, 93헌가2).
2. 개정된 형사소송법이 시행된 이후에도 검사가 형사소송법 제403조 제2항에 의한 보통항고의 방법으로 보석허가결정에 대하여 불복하는 것은 허용된다(대결 1997.4.18, 97모26). 24. 경찰승진

④ 보석의 집행

㉠ 제98조 제1호(본인 서약서), 제2호(본인 보증금약정서), 제5호(3자의 출석보증서), 제7호(피해액공탁), 제8호(보증금 또는 담보제공)는 선이행 후석방 조건으로 규정하고, 나머지는 선석방 후이행 조건으로 규정하였다(제100조 제1항). 09. 7급 국가직

㉡ 다만, 조건부 석방시 선이행이 필요하다고 판단되면 개별적인 조건의 선이행 여부를 법원이 정할 수 있도록 하였다(동조 제1항 단서).

㉢ 법원은 보석청구자 이외의 자에게 보증금의 납입을 허가할 수 있다(동조 제2항). 18. 9급 교정·보호·철도경찰

㉣ 법원은 유가증권 또는 피고인 외의 자가 제출한 보증서로써 보증금을 갈음할 수 있다(동조 제3항). 13. 순경 2차, 18. 9급 교정·보호·철도경찰

㉤ 법원은 보석허가결정에 따라 석방된 피고인이 보석조건을 준수하는 데 필요한 범위 안에서 관공서나 그 밖의 공사단체에 대하여 적절한 조치를 취할 것을 요구할 수 있다(동조 제5항).

예 ┌ 주거제한조치 : 피고인의 주거지를 관할하는 경찰서장
  └ 출국금지조치 : 출입국관리 관서장

㉥ 보석조건 준수에 필요한 조치를 요구받은 관공서 그 밖의 공사단체의 장은 그 조치의 내용과 경과 등을 법원에 통지하여야 한다(규칙 제55조의 3 제3항).

㉦ 법원은 출석보증(제98조 제5호)을 조건으로 정한 경우에 피고인이 정당한 사유 없이 기일에 불출석한 경우에 결정으로 그 출석보증인에 대하여 500만원 이하의 과태료를 부과할 수 있으며, 이 결정에 대하여는 즉시항고할 수 있다(제100조의 2).

㉧ 법원은 정당한 사유 없이 보석조건을 위반한 경우에는 결정으로 피고인에 대하여 1천만원 이하의 과태료를 부과하거나 20일 이내의 감치에 처할 수 있다(제102조 제3항). 09. 7급 국가직, 13. 순경 2차 감치사유가 있는 날부터 20일이 지난 때에는 감치개시결정을 할 수 없다(규칙 제55조의 5 제2항).

보석조건위반 ┌ 출석보증인 : 과태료(감치 ×) 12. 경찰승진
       └ 피고인 : 과태료 또는 감치

보석조건을 위반한 경우 보석을 취소할 수 있으며, 보석취소가 없는 경우에도 과태료 · 감치처분 등이 가능하다.

(4) 보석의 취소 · 실효, 보증금의 몰수 · 환부

① 보석의 취소

㉠ 아래 사유에 해당하는 경우 법원은 직권 또는 검사의 청구에 의하여 결정으로 보석을 취소할 수 있다(제102조 제2항).

㉡ 보석을 취소한 때에는 취소결정 등본에 의하여 피고인을 재구금해야 하며(규칙 제56조 제1항), 18. 9급 법원직 새로운 구속영장은 필요가 없다. 14. 순경, 15. 순경 1차, 23. 9급 법원직

보석취소사유(제102조 제2항)

1. 피고인이 도망한 때 09. 경찰승진
2. 피고인이 도망하거나 죄증을 인멸할 염려가 있다고 믿을 만한 충분한 이유가 있는 때
3. 소환을 받고 정당한 이유 없이 출석하지 아니한 때
4. 피해자, 당해 사건의 재판에 필요한 사실을 알고 있다고 인정되는 자 또는 그 친족의 생명 · 신체나 재산에 해를 가하거나 가할 염려가 있다고 믿을 만한 충분한 이유가 있는 때
5. 법원이 정한 조건을 위반한 때

㉢ 보석취소 결정에 대하여 항고할 수 있으며(제403조 제2항), 보석취소 결정에 대한 송달은 요하지 않는다.

관련판례

1. 보석허가결정의 취소는 그 취소결정을 고지하거나 결정법원에 대응하는 검찰청 검사에게 결정서를 교부 또는 송달함으로써 즉시 집행할 수 있는 것이고 그 결정등본이 피고인에게 송달(또는 고지)되어야 집행할 수 있는 것은 아니다(대결 1983.4.21, 83모19). 09. 경찰승진
2. 고등법원이 한 보석취소결정에 대하여는 집행정지의 효력을 인정할 수 없다. 형사소송법 제415조가 고등법원의 결정에 대한 재항고를 즉시항고로 규정하고 있다고 하여 당연히 즉시항고가 가지는 집행정지의 효력이 인정된다고 볼 수는 없다. 만약 고등법원의 결정에 대하여 일률적으로 집행정지의 효력을 인정하면, 보석허가, 구속집행정지 등 제1심 법원이 결정하였다면 신속한 집행이 이루어질 사안에서 고등법원이 결정하였다는 이유만으로 피고인을 신속히 석방하지 못하게 되는 등 부당한 결과가 발생하게 되고, 나아가 항소심 재판절차의 조속한 안정을 보장하고자 한 형사소송법 제415조의 입법목적을 달성할 수 없게 되기 때문이다(대결 2020.10.29, 2020모633).

KEY point

'피고인(피의자)이 피해자 또는 그 친족, 당해 사건의 재판에 필요한 사실을 알고 있다고 인정된 자 또는 그 친족의 생명이나 신체·재산에 해를 가하거나 가할 염려가 있다고 믿을 만한 충분한 이유가 있을 때'는 필요적 보석의 제외사유(제95조), 피의자보석불허사유(제214조의 2 제5항), 구속집행정지취소사유(제102조), 보석취소사유(제102조)가 된다.

② **보석의 실효** : 보석이 취소된 경우와 구속영장이 실효된 경우에는 보석의 효력이 즉시 상실된다. 14. 경찰승진, 18. 9급 법원직 구속영장이 실효된 경우로는 무죄, 면소, 형의 선고유예, 집행유예, 벌금, 과료 등의 재판이 선고된 경우와 사형이나 자유형이 확정되는 경우로 나누어 볼 수 있다. 전자의 경우에는 피고인이 완전히 자유를 회복하지만, 후자의 경우에는 형집행단계로 넘어가게 된다. 10. 9급 국가직 보석 중의 피고인에 대해 제1심이나 제2심에서 실형이 선고되더라도 아직 확정되지 않았다면 보석이 취소되지 않는 한 보석의 효력은 지속된다.

③ **보증금의 몰취**

㉠ **임의적 몰취** : 법원이 보석을 취소할 때에는 직권 또는 검사의 청구에 따라 결정으로 보증금의 전부 또는 일부를 몰취할 수 있다(제103조 제1항). 11. 9급 법원직

전부 또는 일부를 몰취하여야 한다. (×)

㉡ **필요적 몰취** : 법원은 보증금의 납입 또는 담보제공을 조건으로 석방된 피고인이 동일한 범죄사실에 관하여 형의 선고를 받고 그 판결이 확정된 후 집행하기 위한 소환을 받고 정당한 이유 없이 출석하지 아니하거나 도망한 때에는 직권 또는 검사의 청구에 따라 결정으로 보증금 또는 담보의 전부 또는 일부를 몰취하여야 한다(제103조 제2항).

보석으로 석방된 피고인이 재판 중 법원의 소환에 불응한 경우 법원은 직권 또는 검사의 청구에 따라 결정으로 보증금의 전부 또는 일부를 몰수하여야 한다. (×) 18. 9급 교정·보호·철도경찰

관련판례

1. **보석보증금을 몰수하려면** 반드시 보석취소와 동시에 하여야만 가능한 것이 아니라 **보석취소 후에 별도로 보증금몰수 결정을 할 수도 있다**(대결 2001.5.29, 2000모22 전원합의체). 16. 9급 검찰·마약·교정·보호·철도경찰, 23. 9급 법원직
   ▶ 보증금의 몰수와 보석취소결정은 동시에 하여야 한다는 종전 결정(대결 1970.3.13)은 폐기됨.
2. 형사소송법 제103조는 "보석된 자가 형의 선고를 받고 그 판결이 확정된 후 집행하기 위한 소환을 받고 정당한 이유 없이 출석하지 아니하거나 도망한 때에는 직권 또는 검사의 청구에 의하여 결정으로 보증금의 전부 또는 일부를 몰수하여야 한다."고 규정하고 있는바, 이 규정에 의한 보증금몰수사건은 그 성질상 당해 형사본안 사건의 기록이 존재하는 법원 또는 그 기록을 보관하는 검찰청에 대응하는 법원의 토지관할에 속하고, 그 법원이 지방법원인 경우에 있어서 사물관할은 법원조직법 제7조 제4항의 규정에 따라 지방법원 단독판사에게 속하는 것이지 **소송절차 계속중에 보석허가결정 또는 그 취소결정 등을 본안 관할법원인 제1심 합의부 또는 항소심인 합의부에서 한 바 있었다고 하여 그러한 법원이 사물관할을 갖게 되는 것은 아니다**(대결 2002.5.17, 2001모53).
3. 제103조 보증금 몰취의 대상은 보석허가 결정에 의하여 석방된 사람 모두를 가리키는 것으로, 판결확정 전에 그 보석이 취소되었으나 도망 등으로 재구금이 되지 않은 상태에 있는 사람도 그 대상에 포함된다(대결 2002.5.17, 2001모53).

④ **보증금의 환부** : 법원은 구속 또는 보석을 취소하거나 구속영장의 효력이 소멸된 때에는 몰수하지 아니한 보증금 또는 담보를 청구한 날로부터 7일 이내에 환부하여야 한다(제104조). 13. 순경 1차, 14·16. 경찰승진

KEY point

- **보석의 대상** ┌ 피의자 : 법원의 직권·재량(청구 ×)
  └ 피고인 : 청구 또는 직권
- **보석의 종류** ┌ 필요적 보석(원칙) : 청구보석
  └ 임의적 보석(예외) : 청구보석 또는 직권보석
- **보석허가결정** : 다양한 보석조건 중 하나 이상의 조건을 정하여야 한다.
- **보석청구** : 재판확정 전까지(∴ 상소기간 중에도 보석청구 가능)
- **필요적 보석 제외사유** : 제95조
- ┌ **보석불허결정** : 보통항고(즉시항고 ×)
  └ **보석허가결정** : 보통항고(즉시항고 ×)
- **보석결정** : 검사의 의견 요함(검사는 지체 없이 의견표명)
- **보석취소사유** : 제102조 제2항(▶ 취소사유존재로 바로 취소되는 것은 아니고 법원의 결정에 의함)
- 보석취소결정(○) ⇨ 취소결정등본에 의해 재구금
- ┌ **보석취소시 보증금** : 임의적 몰취
  └ **형집행을 위한 소환에 불응** : 필요적 몰취
- **보증금 환부** : 청구일로부터 7일 내

정리

필요적 보석 제외사유 (제95조)	피의자보석 제외사유 (제214조의 2 제5항)
1. 피고인이 사형, 무기 또는 장기 10년이 넘는 징역이나 금고에 해당하는 죄를 범한 때 2. 피고인이 누범에 해당하거나 상습범인 죄를 범한 때 3. 피고인이 죄증을 인멸하거나 인멸할 염려가 있다고 믿을 만한 충분한 이유가 있는 때 4. 피고인이 도망하거나 도망할 염려가 있다고 믿을 만한 충분한 이유가 있는 때 5. 피고인의 주거가 분명하지 아니한 때 6. 피고인이 피해자, 당해 사건의 재판에 필요한 사실을 알고 있다고 인정되는 자 또는 그 친족의 생명·신체나 재산에 해를 가하거나 가할 염려가 있다고 믿을 만한 충분한 이유가 있는 때	1. 범죄의 증거를 인멸할 염려가 있다고 믿을 만한 충분한 이유가 있는 때 ▶ 도망 염려 × 2. 피해자, 당해 사건의 재판에 필요한 사실을 알고 있다고 인정되는 사람 또는 그 친족의 생명·신체나 재산에 해를 가하거나 가할 염려가 있다고 믿을 만한 충분한 이유가 있는 때

피고인보석 취소사유 (제102조 제2항)	보석으로 석방된 피의자 재구속사유 (제214조의 3 제2항)
1. 도망한 때 2. 도망하거나 죄증을 인멸할 염려가 있다고 믿을 만한 충분한 이유가 있는 때 3. 소환을 받고 정당한 이유 없이 출석하지 아니한 때 4. 피해자, 당해 사건의 재판에 필요한 사실을 알고 있다고 인정되는 자 또는 그 친족의 생명·신체나 재산에 해를 가하거나 가할 염려가 있다고 믿을 만한 충분한 이유가 있는 때 5. 법원이 정한 조건을 위반한 때	1. 도망한 때 2. 도망하거나 범죄의 증거를 인멸할 염려가 있다고 믿을 만한 충분한 이유가 있는 때 3. 출석요구를 받고 정당한 이유 없이 출석하지 아니한 때 4. 주거의 제한이나 그 밖에 법원이 정한 조건을 위반한 때

CHAPTER
02 기출문제

01 **보석제도에 관한 설명 중 가장 옳은 것은?**(다툼이 있는 경우 판례에 의하고, 전원합의체 판결의 경우 다수의견에 의함) 23. 9급 법원직

① 피고인이 집행유예의 기간 중에 있는 집행유예의 결격자라면 보석을 허가할 수 없다.

② 검사의 의견청취 절차는 보석에 관한 결정의 본질적 부분이 되므로, 법원이 검사의 의견을 듣지 아니한 채 보석에 관한 결정을 하였다면 그 결정이 적정하더라도, 절차상의 하자를 이유로 그 결정을 취소할 수 있다.

③ 법원은 보석을 취소하는 때에는 직권 또는 검사의 청구에 따라 결정으로 보증금 또는 담보의 전부 또는 일부를 몰취할 수 있고, 이때 보석보증금몰수결정은 반드시 보석취소와 동시에 하여야 한다.

④ 형사소송법 제102조 제2항(보석조건의 변경과 취소 등)에 따른 보석취소결정이 있는 때에는 검사가 그 취소결정의 등본에 의하여 피고인을 재구금하므로, 새로운 구속영장을 발부받을 필요가 없다.

해설 ① 피고인이 집행유예의 기간 중에 있어 집행유예의 결격자라고 하여 보석을 허가할 수 없는 것은 아니다(대결 1990.4.18, 90모22). ② 검사의 의견청취의 절차는 보석에 관한 결정의 본질적 부분이 되는 것은 아니므로, 설사 법원이 검사의 의견을 듣지 아니한 채 보석에 관한 결정을 하였다고 하더라도 그 결정이 적정한 이상, 절차상의 하자만을 들어 그 결정을 취소할 수는 없다(대결 1997.11.27, 97모88).
③ 보증금몰수결정은 반드시 보석취소결정과 동시에 하여야만 하는 것이 아니라 보석취소결정 후에 별도로 할 수도 있다(대결 2002.5.17, 2001모53). ④ 규칙 제56조 제1항

02 **보석제도에 관한 설명으로 가장 적절하지 않은 것은?**(다툼이 있는 경우 판례에 의함) 24. 경찰승진

① 보석불허가 이유로 피고인이 죄증을 인멸할 염려가 있다고 믿을 만한 충분한 이유가 있다고 설시한 것은 필요적 보석의 제외 사유에 해당함을 명시한 것이므로, 이를 보석불허가 사유를 명시하도록 한 규정에 어긋나는 설시라고 할 수 없다.

② 법원이 집행유예기간 중에 있는 피고인의 보석을 허가한 것은 누범과 상습범에 대하여는 보석을 허가하지 아니할 수 있다는 형사소송법 제95조 제2호의 취지에 위배되어 위법하다.

③ 법원이 검사의 의견을 듣지 아니한 채 보석에 관한 결정을 하였다고 하더라도 그 결정이 적정한 이상, 그와 같은 절차상의 하자만을 들어 그 결정을 취소할 수는 없다.

④ 제1심이 피고인에 대한 보석허가결정을 하여 그 결정 등본이 검사에게 송달되자, 검사가 그 결정에 대하여 즉시항고가 아닌 보통항고를 하였다면, 항고심이 이에 기하여 제1심의 보석허가 결정을 취소하는 결정을 할 수 있다.

해설 ① 대결 1991.8.13, 91모53
② 집행유예기간 중에 있는 피고인의 보석을 허가한 것이 누범과 상습범에 대하여는 보석을 허가하지 아니할 수 있다는 형사소송법 제95조 제2호의 취지에 위배되어 위법이라고 할 수 없다(대결 1990.4.18, 90모22).
③ 대결 1997.11.27, 97모88 ④ 대결 1997.4.18, 97모26

Answer 01. ④ 02. ②

제4절 압수 · 수색 · 검증

압수 · 수색 · 검증은 증거물 · 몰수물 등의 수집 · 보전을 목적으로 하는 대물적 강제처분이다. 따라서 체포 · 구속과 같은 대인적 강제처분과 구별된다.
대물적 강제처분도 그 주체에 따라 수사기관이 행하는 경우와 법원 또는 법관이 행하는 경우로 나눌 수 있으며, 수사기관의 강제처분은 법원의 강제처분 규정이 준용된다(제219조). 17. 수사경과
대물적 강제처분도 강제처분의 일종인 이상 법률적 규제와 사법적 통제 아래 놓이게 되며(따라서 원칙적으로 영장주의가 그대로 타당하다), 범죄혐의가 있고 필요성 · 상당성이 있는 경우에 한하여 인정된다. 이하에서는 압수 · 수색과 수사기관의 검증을 중심으로 살펴보고, 법원의 검증은 증거물 등의 수집 · 보전을 목적으로 하는 강제처분이 아니라 증거조사의 일종이므로 공판절차편에서 다루기로 한다.

1 압수 · 수색

(1) 압수 · 수색의 의의

① **압수의 의의** : 압수란 증거물 또는 몰수할 것으로 예상되는 물건의 점유를 취득하는 강제처분을 말한다. 압수에는 압류, 영치, 제출명령의 3종류가 있다.

압 류	영장의 발부를 전제로 하여 점유를 취득하는 과정에서 수사기관이나 법원이 강제력을 행사하는 경우를 말하며, 좁은 의미의 압수란 압류를 의미한다.
영 치	영치란 유류물(피의자 기타 타인이 흘린 물건)이나 임의제출물(소유자 · 소지자 또는 보관자가 임의로 제출한 물건)에 대하여 수사기관이나 법원이 점유를 취득하는 경우를 말한다(제218조, 제108조). 영장을 요하지 않는다는 점에서 압류와 구별되며, 점유의 이전이 소유자나 점유자의 의사에 반하지는 않지만, 일단 영치된 물건에 대해서는 임의적으로 회복할 수 없다는 점에서 압수의 일종으로 파악되며 강제처분에 해당한다.
제출명령	제출명령이란 압수할 물건을 지정하여 소유 · 소지 · 보관하고 있는 자에게 제출을 명하는 것을 말한다(제106조 제2항). 이는 점유취득 과정에서 강제력이 행사되지는 않지만 그 대상자에게 제출의무를 부과한다는 점에서 강제처분의 일종이라 할 수 있다. 제출명령에 의하여 물건이 제출되었을 때에는 압수의 효력이 발생하고 이에 응하지 않으면 압수절차를 이용할 수 있다. 제출명령은 법원이 행하는 압수의 한 형태이며, 수사상 압수에는 인정되지 않는다. ▶ 현행법은 제219조를 통하여 수사기관에 대해서도 제106조 제2항을 준용하도록 하고 있으나, 해석상 수사기관에는 제출명령을 할 권한은 인정되지 않는다(통설). 11. 순경 조문의 정비를 요하는 부분이다.

② **수색의 의의** : 수색이란 압수할 물건이나 피의자를 발견하기 위해 사람의 신체나 물건 또는 일정한 장소를 뒤져 찾는 강제처분을 말한다. 수색은 주로 압수와 함께 행해지고 실무상으로도 압수 · 수색영장이라는 단일영장을 사용하고 있다.

(2) 압수 · 수색의 대상

① 압수의 대상

㉠ **증거물 또는 몰수의 대상물** : 압수의 대상은 증거물 또는 몰수할 것으로 예상되는 물건이다(제219조, 제106조 제1항). 단, 법률에 다른 규정이 있는 때에는 예외로 한다(동조 제2항). 부동산도 점유가 가능하므로 압수가 허용된다고 본다. 증거물에 대한 압수는 절차확보라는 의미를 가지는 데 반하여, 몰수물에 대한 압수는 형집행의 확보라는 의미를 가진다.

- 동산 · 부동산 ⇨ 압수의 대상(○)
- 채권 · 전기 ⇨ 압수의 대상(×)
- 사람의 신체 ⇨ 압수대상(×), 신체의 일부(모발 등) ⇨ 압수의 대상(○)

관련판례

1. 검사가 압수 · 수색영장의 효력이 상실되었음에도 다시 그 영장에 기하여 피의자의 주거에 대한 압수 · 수색을 실시하여 증거물 또는 몰수할 것으로 사료되는 물건을 압수한 경우 압수 자체가 위법하게 됨은 별론으로 하더라도, 몰수의 효력에는 영향을 미치지 않는다(대판 2003.5.30, 2003도705). 19. 순경 2차
2. 범인이 직접 또는 간접으로 점유하던 밀수출 대상 물품을 압수한 경우에는 그 물품이 제3자의 소유에 속하더라도 필요적 몰수의 대상이 된다. 피고인 이외의 제3자의 소유에 속하는 물건에 대해 몰수를 선고한 판결의 효력은 원칙적으로 몰수의 원인이 된 사실에 관하여 유죄의 판결을 받은 피고인에 대한 관계에서 그 물건을 소지하지 못하게 하는 데 그치고, 그 사건에서 재판을 받지 아니한 제3자의 소유권에 어떤 영향을 미치는 것은 아니다(대결 2017.9.29, 2017모236).

㉡ **정보저장매체의 압수**

> **제106조** ③ 법원은 압수의 목적물이 컴퓨터용디스크, 그 밖에 이와 비슷한 정보저장매체인 경우에는 기억된 정보의 범위를 정하여 출력하거나 복제하여 제출받아야 한다. 다만, 범위를 정하여 출력 또는 복제하는 방법이 불가능하거나 압수의 목적을 달성하기에 현저히 곤란하다고 인정되는 때에는 정보저장매체 등을 압수할 수 있다. 〈신설 2011. 7. 18〉 14. 경찰간부
> ④ 법원은 제3항에 따라 정보를 제공받은 경우 개인정보 보호법 제2조 제3호에 따른 정보주체에게 해당 사실을 지체 없이 알려야 한다. 〈신설 2011. 7. 18〉

ⓐ 입법취지 : 형사소송법이 물건을 중심으로 압수의 대상을 규정하고 있어 무형의 정보 자체에 대한 압수의 허용 여부에 대하여 다툼이 있어 왔다. 이러한 논의에 대하여 형사소송법은 개정을 통하여 입법적으로 해결하였다.

ⓑ 압수의 방법

㉮ 법원(수사기관)은 압수의 목적물이 컴퓨터용디스크, 그 밖에 이와 비슷한 정보저장매체인 경우에는 기억된 정보의 범위를 정하여 출력하거나 복제하여 제출받아야 한다(제106조 제3항).

㈏ 다만, 범위를 정하여 출력 또는 복제하는 방법이 불가능하거나 압수의 목적을 달성하기에 현저히 곤란하다고 인정되는 때에는 정보저장매체 등을 압수할 수 있다(동조 제3항 단서).

ⓒ 절차상 의무 : 법원은 제3항에 따라 정보를 제공받은 경우 개인정보 보호법 제2조 제3호에 따른 정보주체에게 해당 사실을 지체 없이 알려야 한다(동조 제4항).

관련판례

[전자정보 압수 · 수색 관련판례]

• 혐의사실 관련성

1. 전자정보에 대한 압수·수색영장을 집행할 때에는 원칙적으로 혐의사실과 관련된 부분만을 문서 출력물로 수집하거나 수사기관이 휴대한 저장매체에 해당 파일을 복사하는 방식으로 이루어져야 한다. 17·19·21·22. 수사경과, 21. 경찰승진, 22. 7급 국가직·해경간부 집행 현장의 사정상 혐의사실과 관련된 부분만을 문서 출력물로 수집하거나 수사기관이 휴대한 저장매체에 해당 파일을 복사하는 방식에 의한 집행이 불가능하거나 현저히 곤란한 부득이한 사정이 있더라도 그와 같은 경우에 그 저장매체 자체를 직접 또는 하드카피나 이미징 등 형태로 수사기관 사무실 등 외부로 반출하여 해당파일을 압수·수색할 수 있도록 영장에 기재되어 있고 실제 그와 같은 사정이 발생한 때에 한하여 예외적으로 허용될 수 있을 뿐이다(대결 2011.5.26, 2009모1190). 13. 7급 국가직, 12·16. 9급 검찰·마약수사, 19·21. 수사경과, 15·23. 경찰승진·변호사시험, 16·20·24. 순경 1차, 22·25. 소방간부

   압수·수색영장에 저장매체 자체를 직접 또는 하드카피나 이미징 등 형태로 수사기관 사무실 등 외부로 반출하여 해당 파일을 압수·수색할 수 있도록 기재되어 있지 않더라도, 수사기관이 전자정보의 복사 또는 출력이 불가능하거나 현저히 곤란한 부득이한 사정이 있을 때에는 압수목적물인 저장매체 자체를 수사관서로 반출할 수 있다. (×) 19. 경찰간부, 20·21·23. 경찰승진

   전자정보에 대한 압수·수색영장을 집행할 때에는 원칙적으로 저장매체 자체를 수사기관 사무실 등으로 옮겨 혐의사실과 관련된 부분만을 문서로 출력하거나 해당 파일을 복사하는 방식으로 이루어져야 한다. (×) 17. 순경 2차

2. 수사기관 사무실 등으로 반출된 저장매체 또는 복제본에서 혐의사실 관련성에 대한 구분 없이 임의로 저장된 전자정보를 문서로 출력하거나 파일로 복제하는 행위는 원칙적으로 영장주의 원칙에 반하는 위법한 압수가 된다(대결 2015.7.16, 2011모1839 전원합의체). 16. 7급 국가직·9급 법원직·9급 검찰·마약수사, 19. 경찰간부, 16·20. 순경 1차, 22. 해경간부, 22·23. 경찰승진, 24. 해경순경

3. 저장매체 자체를 수사기관 사무실 등으로 옮긴 후 영장에 기재된 범죄 혐의 관련 전자정보를 탐색하여 해당 전자정보를 문서로 출력하거나 파일을 복사하는 과정 역시 전체적으로 압수·수색영장 집행에 포함된다고 보아야 한다. 따라서 그러한 경우 문서출력 또는 파일복사의 대상 역시 혐의사실과 관련된 부분으로 한정되어야 함은 당연하다(대판 2012.3.29, 2011도10508). 16. 9급 검찰·마약·교정·보호·철도경찰, 17. 수사경과

   저장매체 자체를 수사기관 사무실로 옮긴 후 영장에 기재된 범죄혐의 관련 전자정보를 탐색하여 해당 전자정보를 문서로 출력하거나 파일을 복사하는 과정은 압수·수색영장 집행의 일환에 포함되지 않으므로 문서출력 또는 파일복사 대상은 반드시 혐의사실과 관련된 부분에 한정되지 않는다. (×)

4. 전자정보에 대한 압수·수색이 종료되기 전에 혐의사실과 관련된 전자정보를 적법하게 탐색하는 과정에서 별도의 범죄혐의와 관련된 전자정보를 우연히 발견한 경우라면, 수사기관은 더 이상의 추가

탐색을 중단하고 법원에서 별도의 범죄혐의에 대한 압수·수색영장을 발부받은 경우에 한하여 그러한 정보에 대하여도 적법하게 압수·수색을 할 수 있다(대결 2015.7.16, 2011모1839 전원합의체). 16·20·22. 9급 검찰·마약·교정·보호·철도경찰, 21·23. 경찰승진, 23. 순경 2차, 24. 7급 국가직

5. 수사기관이 피의자 甲의 공직선거법 위반 범행을 영장 범죄사실로 하여 발부받은 압수·수색영장의 집행 과정에서 乙, 丙 사이의 대화가 녹음된 녹음파일을 압수하여 乙, 丙의 공직선거법 위반 혐의사실(영장에 기재된 피의사실과 무관)을 발견한 사안에서, 별도의 압수·수색영장을 발부받지 않고 압수한 위 녹음파일은 위법수집증거로서 乙·丙사건에서 증거능력이 없다(대판 2014.1.16, 2013도7101). 15. 순경 2차, 17. 경찰간부, 20. 순경 1차, 22. 7급 국가직·해경간부, 22·23. 경찰승진

6. 성폭력범죄의 처벌 등에 관한 특례법 위반(카메라 등 이용촬영)죄의 피해자가 임의제출한 피고인 소유·관리의 휴대전화 2대의 전자정보를 탐색하다가 피해자를 촬영한 휴대전화가 아닌 다른 휴대전화에서 다른 피해자 2명에 대한 동종 범행 등에 관한 1년 전 사진·동영상을 발견하고 영장 없이 이를 복제한 CD를 증거로 제출한 사안

[판시사항]

① 전자정보에 대한 수사기관의 압수·수색은 포괄적으로 이루어져서는 안 되고, 비례의 원칙에 따라 최소한의 범위 내에서 이루어져야 한다(대판 2021.11.18, 2016도348 전원합의체). 25. 소방간부

② 수사기관은 특정 범죄혐의와 관련하여 전자정보가 수록된 정보저장매체를 임의제출받아 그 안에 저장된 전자정보를 압수하는 경우 그 동기가 된 범죄혐의사실과 관련된 전자정보의 출력물 등을 임의제출받아 압수하는 것이 원칙이다. 다만, 범위를 정하여 출력 또는 복제하는 방법이 불가능하거나 압수의 목적을 달성하기에 현저히 곤란하다고 인정되는 때에 한하여 예외적으로 정보저장매체 자체나 복제본을 임의제출받아 압수할 수 있다(대판 2021.11.18, 2016도348 전원합의체).

③ 전자정보가 혼재된 정보저장매체를 임의제출받은 경우, 그 정보저장매체에 저장된 전자정보 전부가 임의제출되어 압수된 것으로 취급할 수는 없다. 임의제출자의 의사에 따른 전자정보 압수의 대상과 범위가 명확하지 않거나 이를 알 수 없는 경우에는 임의제출에 따른 압수의 동기가 된 범죄혐의사실과 관련되고 이를 증명할 수 있는 최소한의 가치가 있는 전자정보에 한하여 압수의 대상이 된다. 24. 경위공채 이때 범죄혐의사실과 관련된 전자정보에는 범죄혐의사실 그 자체 또는 그와 기본적 사실관계가 동일한 범행과 직접 관련되어 있는 것은 물론 범행 동기와 경위, 범행 수단과 방법, 범행 시간과 장소 등을 증명하기 위한 간접증거나 정황증거 등으로 사용될 수 있는 것도 포함될 수 있다. 다만, 그 관련성은 구체적·개별적 연관관계가 있는 경우에만 인정되고, 범죄혐의사실과 단순히 동종 또는 유사 범행이라는 사유만으로 관련성이 있다고 할 것은 아니다(대판 2021.11.18, 2016도348 전원합의체).

▶ 카메라의 기능과 정보저장매체의 기능을 함께 갖춘 휴대전화인 스마트폰을 이용한 불법촬영 범죄와 같이 범죄의 속성상 해당 범행의 상습성이 의심되거나 성적 기호 내지 경향성의 발현에 따른 일련의 범행의 일환으로 이루어진 것으로 의심되고, 범행의 직접 증거가 스마트폰 안에 이미지 파일이나 동영상 파일의 형태로 남아 있을 개연성이 있는 경우에는 그 안에 저장되어 있는 같은 유형의 전자정보에서 그와 관련한 유력한 간접증거나 정황증거가 발견될 가능성이 높다는 점에서 이러한 간접증거나 정황증거는 범죄혐의사실과 구체적·개별적 연관관계를 인정할 수 있다(대판 2021.11.18, 2016도348 전원합의체).

④ 피의자가 소유·관리하는 정보저장매체를 피의자 아닌 피해자 등 제3자가 임의제출하는 경우에는, 그 임의제출 및 그에 따른 수사기관의 압수가 적법하더라도 임의제출의 동기가 된 범죄혐의사

실과 구체적·개별적 연관관계가 있는 전자정보에 한하여 압수의 대상이 되는 것으로 더욱 제한적으로 해석하여야 한다(**대판 2021.11.18, 2016도348 전원합의체**).

⑤ **피해자 등** 제3자가 **피의자의 소유·관리에 속하는 정보저장매체를** 영장에 의하지 않고 임의제출한 경우에는 **실질적 피압수자인 피의자가 수사기관으로 하여금 그 전자정보 전부를 무제한 탐색하는 데 동의한 것으로 보기 어려울 뿐만 아니라 피의자 스스로 임의제출한 경우 피의자의 참여권 등이 보장되어야 하는 것과 견주어 보더라도 특별한 사정이 없는 한** 피의자에게 참여권을 보장하고 압수한 전자정보 목록을 교부하는 등 피의자의 절차적 권리를 보장하기 위한 적절한 조치가 이루어져야 한다(**대판 2021.11.18, 2016도348 전원합의체**). 22. 순경 2차, 24. 9급 교정·보호·철도경찰·9급 법원직·경위공채

⑥ **임의제출된 정보저장매체에서 압수의 대상이 되는** 전자정보의 범위를 넘어서는 전자정보에 대해 **수사기관이** 영장 없이 **압수·수색하여** 취득한 증거는 위법수집증거에 해당하고, 사후에 법원으로부터 영장이 발부되었다거나 피고인이나 변호인이 이를 증거로 함에 동의하였다고 하여 **그** 위법성이 치유되는 것도 아니다(**대판 2021.11.18, 2016도348 전원합의체**). 22. 9급 법원직·9급 검찰·마약·교정·보호·철도경찰·순경 1차, 23. 경찰승진, 23·24. 7급 국가직

⑦ **임의제출자인 제3자가 제출의 동기가 된 범죄혐의사실과 구체적·개별적 연관관계가 인정되는** 범위를 넘는 전자정보까지 일괄하여 임의제출한다는 의사를 밝혔더라도, **그 정보저장매체 내 전자정보 전반에 관한 처분권이 그 제3자에게 있거나 그에 관한 피의자의 동의 의사를 추단할 수 있는 등의 특별한 사정이 없는 한, 그** 임의제출을 통해 수사기관이 영장 없이 적법하게 압수할 수 있는 전자정보의 범위는 범죄혐의사실과 관련된 전자정보에 한정된다고 보아야 한다(**대판 2021.11.18, 2016도348 전원합의체**). 22. 9급 검찰·마약·교정·보호·철도경찰

7. **법원은 압수·수색영장의 집행에 관하여 범죄 혐의사실과 관련 있는 전자정보의 탐색·복제·출력이 완료된 때에는 지체 없이 영장 기재 범죄 혐의사실과 관련이 없는 나머지 전자정보에 대해 삭제·폐기 또는 피압수자 등에게 반환할 것을 정할 수 있다.** 수사기관이 범죄 혐의사실과 관련 있는 정보를 선별하여 압수한 후에도 그와 관련이 없는 나머지 정보를 삭제·폐기·반환하지 아니한 채 그대로 보관하고 있다면 **압수의 대상이 되는 전자정보의 범위를 넘어서는 전자정보를 영장 없이 압수·수색하여 취득한 것이어서** 위법하고, 사후에 **법원으로부터** 압수·수색영장이 발부되었다거나 **피고인이나 변호인이** 이를 증거로 함에 동의하였다고 하여 그 위법성이 치유된다고 볼 수 없다(**대결 2022.1.14, 2021모1586**). 23. 순경 2차, 24. 순경 1차

8. **수사기관은 하드카피나 이미징 등 형태(이하 '복제본'이라 한다)에 담긴 전자정보를 탐색하여 혐의사실과 관련된 정보(이하 '유관정보'라 한다)를 선별하여 출력하거나 다른 저장매체에 저장하는 등으로 압수를 완료하면 혐의사실과 관련 없는 전자정보(이하 '무관정보'라 한다)를** 삭제·폐기**하여야 한다.** 수사기관이 새로운 범죄 혐의의 수사를 위하여 무관정보가 남아 있는 복제본을 열람하는 것은 **압수·수색영장으로 압수되지 않은 전자정보를** 영장 없이 수색하는 것과 다르지 않다. **따라서 복제본은 더 이상 수사기관의 탐색, 복제 또는 출력 대상이 될 수 없으며,** 수사기관은 새로운 범죄 혐의의 수사를 위하여 필요한 경우에도 유관정보만을 출력하거나 복제한 기존 압수·수색의 결과물을 열람할 수 있을 뿐이다(**대판 2023.6.1, 2018도19782**).

9. 경찰이 피해자 甲에 대한 범죄 혐의사실로 발부된 제1영장에 따라 2022. 6. 24. 피고인의 휴대전화 및 전자정보에 관한 집행을 완료('1차 압수·수색')한 후 2022. 7. 27. 그 복제본이 저장되어 있던 경찰관의 컴퓨터에서 피해자 乙에 대한 범죄 혐의사실에 관한 증거를 압수('2차 압수·수색')하였다가,

검사의 보완수사요구에 따라 제2영장을 발부받아 2022. 9. 10. 다시 경찰관의 컴퓨터에서 피해자 乙, 丙에 대한 범죄 혐의사실에 관한 증거를 압수('3차 압수 · 수색')한 사안에서, 2차 압수 · 수색이 제1영장을 이용한 것이라면 이는 효력을 상실한 영장을 재집행한 것이 되어 그 자체로 위법하며, 3차 압수 · 수색은 제1영장에 기하여 실시한 1차 압수 · 수색에 따른 복제본이 저장된 경찰관 컴퓨터의 전자정보를 대상으로 발부된 제2영장을 집행한 것인바, 이는 제1영장의 집행이 종료됨에 따라 당연히 삭제 · 폐기되었어야 할 전자정보를 대상으로 한 것이어서 위법하다(대판 2023.10.18, 2023도8752).

• 참여권 보장

1. 저장매체에 대한 압수 · 수색과정에서 범위를 정하여 출력 또는 복제하는 방법이 불가능하거나 압수의 목적을 달성하기에 현저히 곤란한 예외적인 사정이 인정되어, 전자정보가 담긴 저장매체 또는 하드카피나 이미징 등 형태(복제본)를 수사기관 사무실 등으로 옮겨 복제 · 탐색 · 출력하는 경우에도, 그와 같은 일련의 과정에서 피압수자나 변호인에게 참여의 기회를 보장하고 22. 순경 2차, 24. 순경 1차 혐의사실과 무관한 전자정보의 임의적인 복제 등을 막기 위한 적절한 조치를 취하는 등 영장주의 원칙과 적법절차를 준수하여야 한다. 21. 변호사시험 · 순경 1차 만약 그러한 조치가 취해지지 않았다면 피압수자 측에 절차 참여를 보장한 취지가 실질적으로 침해되었다고 볼 수 없을 정도 등의 특별한 사정이 없는 이상 압수 · 수색이 적법하다고 평가할 수 없으며, 비록 수사기관이 저장매체 또는 복제본에서 혐의사실과 관련된 전자정보만을 복제 · 출력하였다 하더라도 위법하다(대결 2015.7.16, 2011모1839 전원합의체). 16. 9급 검찰 · 마약 · 교정 · 보호 · 철도, 17. 순경 2차, 21. 수사경과

   ☎ 전자정보가 담긴 저장매체 또는 복제본을 수사기관 사무실 등으로 옮겨 이를 복제 · 탐색 · 출력하는 경우, 피압수자 측에 절차 참여를 보장한 취지가 실질적으로 침해되었더라도 수사기관이 저장매체 또는 복제본에서 혐의사실과 관련된 전자정보만을 복제 · 출력하였다면 그 압수 · 수색은 적법하다. (×) 21. 경찰승진

   ▶ **비교판례** : 수사기관이 정보저장매체에 기억된 정보 중에서 키워드 또는 확장자 검색 등을 통해 범죄 혐의사실과 관련 있는 정보를 선별한 다음 정보저장매체와 동일하게 비트열 방식으로 복제하여 생성한 파일을 제출받아 압수하였다면 이로써 압수의 목적물에 대한 압수 · 수색 절차는 종료된 것이므로, 수사기관이 수사기관 사무실에서 위와 같이 압수된 이미지 파일을 탐색 · 복제 · 출력하는 과정에서도 피의자 등에게 참여의 기회를 보장하여야 하는 것은 아니다(대판 2018.2.8, 2017도13263). 20. 순경 1차, 20 · 21. 해경, 21. 변호사시험, 22. 소방간부, 20 · 22 · 23. 경찰승진, 22 · 24. 경찰간부, 24. 해경승진, 24. 순경 2차

   ☎ 범위를 정하여 출력 또는 복제하는 방법 등을 취하지 않고, 전자정보가 담긴 컴퓨터 등 저장매체 자체를 압수하여 복제 · 탐색 · 출력하는 위 판례1(대결 2015.7.16, 2011모1839 전원합의체)과 다름에 주의!

2. 검사가 압수 · 수색영장을 발부받아 甲주식회사 빌딩 내 乙의 사무실을 압수 · 수색하였는데, 저장매체에 범죄혐의와 관련된 정보와 범죄혐의와 무관한 정보가 혼재된 것으로 판단하여 甲 회사의 동의를 받아 저장매체를 수사기관 사무실로 반출한 다음 乙 측의 참여하에 저장매체에 저장된 전자정보파일 전부를 '이미징'의 방법으로 다른 저장매체로 복제(제1처분)하고, 乙 측의 참여 없이 이미징한 복제본을 외장 하드디스크에 재복제(이하 '제2처분'이라 한다)하였으며, 乙 측의 참여 없이 하드디스크에서 유관정보를 탐색하는 과정에서 甲회사의 별건 범죄혐의와 관련된 전자정보 등 무관정보도 함께 출력(이하 '제3처분'이라 한다)한 사안에서, 제1처분은 위법하다고 볼 수 없으나, 제2 · 3처분은 제1처분 후 피압수 · 수색 당사자에게 계속적인 참여권을 보장하는 등의 조치가 이루어지지 아니한 채 유관정보는 물론 무관정보까지 재복제 · 출력한 것으로서 영장이 허용한 범위를 벗어나고 적법절차를 위반한 위법한 처분이다(대결 2015.7.16, 2011모1839 전원합의체).

3. 피고인이 모텔 각 방실에 총 8개의 위장형 카메라를 설치하고 다른 사람의 신체를 그 의사에 반하여 촬영하였고, 이 저장매체를 모텔주인이 임의제출한 경우, 전자정보의 혼재 가능성을 상정하기 어려운 경우에는 위 소지·보관자의 임의제출에 따른 통상의 압수절차 외에 별도의 조치가 따로 요구된다고 보기는 어렵다. 따라서 피고인 내지 변호인에게 참여의 기회를 보장하지 않고 전자정보 압수목록을 작성·교부하지 않았다는 점만으로 곧바로 증거능력을 부정할 것은 아니다(대판 2021.11.25, 2019도7342). 24. 경찰간부
4. 정보저장매체를 임의제출한 피압수자에 더하여 임의제출자 아닌 피의자에게도 참여권이 보장되어야 하는 '피의자의 소유·관리에 속하는 정보저장매체'란, 피의자가 압수·수색 당시 또는 이와 시간적으로 근접한 시기까지 해당 정보저장매체를 현실적으로 지배·관리하면서 그 정보저장매체 내 전자정보 전반에 관한 전속적인 관리처분권을 보유·행사하고, 달리 이를 자신의 의사에 따라 제3자에게 양도하거나 포기하지 아니한 경우로써, 피의자를 그 정보저장매체에 저장된 전자정보에 대하여 실질적인 피압수자로 평가할 수 있는 경우를 말하는 것이다. 이에 해당하는지 여부는 민사법상 권리의 귀속에 따른 법률적·사후적 판단이 아니라 압수·수색 당시 외형적·객관적으로 인식 가능한 사실상의 상태를 기준으로 판단하여야 한다. 24. 경찰간부 이러한 정보저장매체의 외형적·객관적 지배·관리 등 상태와 별도로 단지 피의자나 그 밖의 제3자가 과거 그 정보저장매체의 이용 내지 개별 전자정보의 생성·이용 등에 관여한 사실이 있다거나 그 과정에서 생성된 전자정보에 의해 식별되는 정보주체에 해당한다는 사정만으로 그들을 실질적으로 압수·수색을 받는 당사자로 취급하여야 하는 것은 아니다(대판 2022.1.27, 2021도11170). 22. 9급 검찰·마약·교정·보호·철도경찰, 23. 변호사시험, 24. 경찰승진·9급 법원직
5. 수사기관이 임의제출받은 정보저장매체가 그 기능과 속성상 임의제출에 따른 적법한 압수의 대상이 되는 전자정보와 그렇지 않은 전자정보가 혼재될 여지가 거의 없어 사실상 대부분 압수의 대상이 되는 전자정보만이 저장되어 있는 경우에는 소지·보관자의 임의제출에 따른 통상의 압수절차 외에 피압수자에게 참여의 기회를 보장하지 않고 전자정보 압수목록을 작성·교부하지 않았다는 점만으로 곧바로 증거능력을 부정할 것은 아니다(대판 2021.11.25, 2019도7342). 24. 경찰간부

• 기 타

1. 압수물인 디지털 저장매체로부터 출력한 문건을 증거로 사용하기 위해서는 디지털 저장매체 원본에 저장된 내용과 출력한 문건의 동일성이 인정되어야 하고, 이를 위해서는 디지털 저장매체 원본이 압수시부터 문건 출력시까지 변경되지 않았음이 담보되어야 한다. 20. 9급 법원직 그리고 압수된 디지털 저장매체로부터 출력한 문건을 진술증거로 사용하는 경우, 그 기재 내용의 진실성에 관하여는 전문법칙이 적용되므로 형사소송법 제313조 제1항에 따라 공판준비나 공판기일에서의 그 작성자 또는 진술자의 진술에 의하여 그 성립의 진정함이 증명된 때에 한하여 이를 증거로 사용할 수 있다(대판 2013.6.13, 2012도16001). 16. 경찰승진, 14·17. 순경 2차, 19. 경찰간부, 19·21. 수사경과
2. 전자정보에 대한 압수·수색 과정에서 이루어진 현장에서의 저장매체 압수·이미징·탐색·복제 및 출력행위 등 수사기관의 처분은 하나의 영장에 의한 압수·수색 과정에서 이루어지는 것이다. 그러한 일련의 행위가 모두 진행되어 압수·수색이 종료된 이후에는 특정단계의 처분만을 취소하더라도 그 이후의 압수·수색을 저지한다는 것을 상정할 수 없고 수사기관으로 하여금 압수·수색의 결과물을 보유하도록 할 것인지가 문제 될 뿐이다. 그러므로 이 경우에는 준항고인이 전체 압수·수색 과정을 단계적·개별적으로 구분하여 각 단계의 개별 처분의 취소를 구하더라도 준항고법원으로서는

특별한 사정이 없는 한 그 구분된 개별 처분의 위법이나 취소 여부를 판단할 것이 아니라 당해 압수·수색 과정 전체를 하나의 절차로 파악하여 그 과정에서 나타난 위법이 압수·수색 절차 전체를 위법하게 할 정도로 중대한지 여부에 따라 전체적으로 그 압수·수색 처분을 취소할 것인지를 가려야 할 것이다(**대결 2015.7.16, 2011모1839 전원합의체**). 16. 9급 교정·보호·철도경찰, 17. 순경 1차, 21. 9급 법원직

3. 압수·수색할 전자정보가 **압수·수색영장에 기재된 수색장소에 있는 컴퓨터 등 정보처리장치 내에 있지 아니하고 그 정보처리장치와 정보통신망으로 연결되어** 제3자가 관리하는 원격지의 서버 등 저장매체에 저장되어 있는 경우에도, 수사기관이 피의자의 이메일 계정에 대한 접근권한에 갈음하여 발부받은 영장에 따라 **영장 기재 수색장소에 있는 컴퓨터 등 정보처리장치를 이용하여** 적법하게 취득한 피의자의 이메일 계정 아이디와 비밀번호를 입력하는 등 피의자가 접근하는 통상적인 방법에 따라 **그 원격지의 저장매체에 접속하고 그곳에 저장되어 있는** 피의자의 이메일 관련 전자정보를 수색장소의 정보처리장치로 내려받거나 그 화면에 현출시키는 것 역시 허용된다. 이는 원격지의 저장매체가 국외에 있는 경우라 하더라도 달리 볼 것은 아니다(**대판 2017.11.29, 2017도9747**). 19. 순경 1차·9급 법원직, 18·20. 5급 검찰·교정승진, 21. 9급 교정·보호·철도경찰, 22. 경찰간부·변호사시험, 23. 경찰승진, 18·23. 순경 2차
   ▶ **구체적 사안** : 수사기관이 압수·수색영장에 따라 영장제시와 참여기회를 부여하고, 압수·수색영장에 기재된 수색장소인 한국인터넷진흥원에 설치된 인터넷용 컴퓨터에서 외국계 이메일 홈페이지 로그인 입력창에 사전에 적법하게 취득한 아이디와 비밀번호를 입력하여 피의자가 이용하는 외국계 이메일 계정에 접속한 후 위 컴퓨터 화면에 현출된 이메일 본문 및 첨부문서 중 범죄혐의사실과 관련된 부분만을 출력하거나 캡처, 저장하는 등의 방법으로, 이메일 계정의 전체보관함에 저장되어 있는 총 17건의 이메일을 선별 압수·수색하여 총 15건의 이메일 및 그 첨부파일을 추출하여 출력·저장함으로써 압수한 것은 적법하다(대판 2017.11.29, 2017도9747).
4. 전국교직원노동조합 본부 사무실에 대한 압수·수색영장을 집행하면서 영장의 명시적 근거가 없음에도 수사기관이 임의로 정한 시점 이후의 접근 파일 일체를 복사하는 방식으로 8,000여 개나 되는 파일을 복사한 이 사건 영장집행은 원칙적으로 압수·수색영장이 허용한 범위를 벗어난 것으로서 위법하다고 볼 여지가 있으나, 범죄사실 관련성에 관하여 명시적인 이의를 제기하지 아니한 이 사건의 경우, 당사자 측의 참여하에 이루어진 위 압수·수색의 전 과정에 비추어 볼 때, 수사기관이 영장에 기재된 혐의사실의 일시로부터 소급하여 일정 시점 이후의 파일들만 복사한 것은 나름대로 혐의사실과 관련 있는 부분으로 대상을 제한하려고 노력을 한 것으로 보이고, 당사자 측도 그 조치의 적합성에 대하여 묵시적으로 동의한 것으로 봄이 상당하므로, 그 영장의 집행이 위법하다고 볼 수는 없다(대결 2011.5.26, 2009모1190).
5. 증거로 제출된 전자문서 파일의 원본 동일성은 증거능력의 요건에 해당하므로 검사가 그 존재에 대하여 구체적으로 주장·증명해야 한다(**대판 2018.2.8, 2017도13263**). 20. 경찰승진, 22. 순경 2차
6. 수사기관이 인터넷서비스이용자인 피의자를 상대로 피의자의 컴퓨터 등 정보처리장치 내에 저장되어 있는 이메일 등 전자정보를 압수·수색하는 것은 전자정보의 소유자 내지 소지자를 상대로 해당 전자정보를 압수·수색하는 대물적 강제처분으로 형사소송법의 해석상 허용된다(대판 2017.11.29, 2017도9747). 18. 순경 2차·3차
7. 정보처리장치 내에 저장되어 있는 이메일 등 전자정보를 압수·수색하는 것은 전자정보의 소유자 내지 소지자를 상대로 해당 전자정보를 압수·수색하는 대물적 강제처분으로 형사소송법의 해석상 허용된다(**대판 2017.11.29, 2017도9747**). 19. 순경 2차, 22·23. 경찰승진

8. 피고인이 아파트 관리사무소에서 경찰 제출자료 열람을 목적으로 CCTV 영상을 제공받아 열람하던 중 휴대전화로 위 영상을 몰래 촬영함으로써 개인정보를 제공받은 목적 외의 용도로 이용하였다고 기소된 사안에서, 피고인이 위 CCTV 영상을 촬영한 행위는 개인정보 보호법 제19조가 규정한 '이용'에 해당하지 않는다(대판 2022.1.14, 2018도18095).

ⓒ 우체물의 압수

ⓐ 압수의 대상 : 법원은 필요한 때에는 피고(피의)사건과 관계가 있다고 인정할 수 있는 것에 한정하여 우체물 또는 통신비밀보호법 제2조 제3호에 따른 전기통신(이하 "전기통신"이라 한다)에 관한 것으로서 체신관서, 그 밖의 관련 기관 등이 소지 또는 보관하는 물건의 제출을 명하거나 압수를 할 수 있다(제107조 제1항, 제219조).

"전기통신"이라 함은 전화·전자우편·회원제정보서비스·모사전송·무선호출 등과 같이 유선·무선·광선 및 기타의 전자적 방식에 의하여 모든 종류의 음향·문언·부호 또는 영상을 송신하거나 수신하는 것을 말한다(통신비밀보호법 제2조 제3호).

ⓑ 절차상 의무 : 제1항에 따른 처분을 할 때에는 발신인이나 수신인에게 그 취지를 통지하여야 한다. 단, 심리에 방해될 염려가 있는 경우에는 예외로 한다(동조 제3항).

종전에는 피고인(피의자)이 발신인 또는 수신인으로 되어 있는 우체물이나 전신에 관한 것으로서 체신관서 기타 자가 소지·보관하는 것은 제출을 명하거나 압수할 수 있고(제219조, 제107조 제1항), 그 이외의 우체물이나 전신은 피의사건과 관계있다고 인정할 수 있는 것에 한하여 그 대상이 된다고 구분하여 규정(제107조 제2항, 제219조)하고 있었으나, 개정법(2011. 7. 18)은 이러한 구분 없이 모두 피고사건과 관계가 있다고 인정할 수 있는 것으로 한정하여 제출을 명하거나 압수할 수 있도록 하였다(우체물에 대한 특별한 제한규정 ×).

② 수색의 대상

㉠ 수색의 대상은 사람의 신체, 물건 또는 주거 기타 장소이다(제219조, 제109조).

㉡ 법원(수사기관)은 필요한 때에는 피고(피의)사건과 관계가 있다고 인정할 수 있는 것에 한정하여 피고인이나 피의자의 신체, 물건 또는 주거, 그 밖의 장소를 수색할 수 있다(제109조 제1항, 제219조).

㉢ 피고인이나 피의자 아닌 자의 신체, 물건, 주거 기타 장소에 관하여는 압수할 물건이 있음을 인정할 수 있는 경우에 한하여 수색할 수 있다(제109조 제2항, 제219조).

피고인·피의자와 제3자에 대한 수색은 압수할 물건이 있음을 인정할 수 있는 경우에 한하여 가능하다. (×)

(3) 압수·수색의 요건

① **범죄혐의** : 압수·수색도 범죄혐의가 있어야 한다. 다만, 그 혐의 정도에 대해서는 체포·구속의 경우처럼 상당한 범죄혐의를 요한다는 입장과 단순한 혐의만 있으면 족하다는 입장(다수설)이 대립하고 있다.

수사상 압수·수색·검증을 위한 범죄혐의의 정도에 대하여 개정법은 '죄를 범하였다고 의심할 만한 정황이 있을 것'을 요구(제215조)함으로써, 법원의 경우(제106조)와는 달리 규정하고 있다. 피의자구속에 필요한 범죄

혐의는 '죄를 범하였다고 의심할 만한 상당한 이유가 있을 정도'에 이르러야 하지만(제201조 제1항), 수사상 압수 · 수색 · 검증을 위한 범죄혐의는 죄를 범하였다고 의심할 만한 정황이 있으면 족하다. 따라서 개정형사소송법상 수사상 압수 · 수색 · 검증을 위한 범죄혐의의 정도는 피의자구속의 경우보다도 낮은 정도를 의미한다고 볼 수 있을 것이다.

관련판례

합리적인 의심의 여지가 없을 정도로 범죄사실이 인정되는 경우에만 압수할 수 있는 것은 아니라 할 것이다(대결 1997.1.9, 96모34).

② **필요성** : 법원이나 수사기관은 필요성(압수의 대상물과 범죄사실과의 관련성)이 있어야 압수 · 수색을 할 수 있다. 개정법은 '피고(피의)사건과 관계가 있다고 인정할 수 있는 물건이어야 압수할 수 있다.'는 내용을 추가함으로써 '필요성'의 의미를 더욱 명확하게 하였다.

㉠ 법원(수사기관)은 필요한 때에는 피고(피의)사건과 관계가 있다고 인정할 수 있는 것에 한정하여 증거물 또는 몰수할 것으로 사료하는 물건을 압수할 수 있다. 단, 법률에 다른 규정이 있는 때에는 예외로 한다(제106조 제1항, 제215조).

㉡ 법원(수사기관)은 필요한 때에는 피고(피의)사건과 관계가 있다고 인정할 수 있는 것에 한정하여 피고인(피의자)의 신체, 물건 또는 주거, 그 밖의 장소를 수색할 수 있다(제109조 제1항, 제215조).

관련판례

1. 검사나 사법경찰관이 범죄수사에 필요한 때에는 영장에 의하여 압수를 할 수 있으나, 여기서 '범죄수사에 필요한 때'라 함은 단지 수사를 위해 필요할 뿐만 아니라 강제처분으로서 압수를 행하지 않으면 수사의 목적을 달성할 수 없는 경우를 말하고, 그 필요성이 인정되는 경우에도 무제한적으로 허용되는 것은 아니며, 제반 사정을 종합적으로 고려하여 판단해야 한다(대결 2004.3.23, 2003모126). 13. 순경 2차, 17. 경찰간부

   범죄수사에 필요한 때에는 영장에 의하여 압수를 할 수 있으므로 압수물이 증거물 내지 몰수하여야 할 물건으로 보이는 것이라면 언제나 압수할 수 있다. (×)

2. 2014. 9. 25.자 압수 · 수색영장의 발부 사유가 된 혐의사실은 피고인 甲이 2014년 5월에서 6월 사이 피고인 乙의 선거사무소에서 전화홍보원들에게 선거운동과 관련하여 금품을 제공하였다는 것임에도 불구하고, 그 영장을 통하여 압수한 증거물은 2012년 8월에서 2013년 11월 사이에 피고인 甲 · 乙 · 丙 등이 경제연구포럼을 설립 · 운영하고 회비를 조성한 것과 관련하여 유사기관 설치와 사전선거운동으로 인한 공직선거법 위반, 정치자금법 위반의 혐의와 관련이 있는 경우라면, 압수영장의 발부사유가 된 범죄 혐의사실과 관련성이 없으므로 이들은 유죄의 증거로 삼을 수 없다(대판 2017.11.14, 2017도3449).

3. 압수 · 수색영장의 범죄 혐의사실과 관계있는 범죄라는 것은 압수 · 수색영장에 기재한 혐의사실과 객관적 관련성이 있고 압수 · 수색영장 대상자와 피의자 사이에 인적 관련성이 있는 범죄를 의미한다. 그중 혐의사실과의 객관적 관련성은 압수 · 수색영장에 기재된 혐의사실 자체 또는 그와 기본적 사실관계가 동일한 범행과 직접 관련되어 있는 경우는 물론 범행 동기와 경위, 범행 수단과 방법, 범행

시간과 장소 등을 증명하기 위한 간접증거나 정황증거 등으로 사용될 수 있는 경우에도 인정될 수 있다. 그 관련성은 압수·수색영장에 기재된 혐의사실의 내용과 수사의 대상, 수사 경위 등을 종합하여 구체적·개별적 연관관계가 있는 경우에만 인정되고, 혐의사실과 단순히 동종 또는 유사 범행이라는 사유만으로 관련성이 있다고 할 것은 아니다. 그리고 피의자와 사이의 인적 관련성은 압수·수색영장에 기재된 대상자의 공동정범이나 교사범 등 공범이나 간접정범은 물론 필요적 공범 등에 대한 피고사건에 대해서도 인정될 수 있다(대판 2017.12.5, 2017도13458). 20·22. 9급 검찰·마약·교정·보호·철도경찰, 22. 변호사시험, 24. 순경 2차

4. 법인으로부터 압수한 물품에 대하여 몰수의 선고가 없어 그 압수가 해제된 것으로 간주된다고 하더라도 공범자에 대한 범죄수사를 위하여 여전히 그 물품의 압수가 필요하다거나 공범자에 대한 재판에서 그 물품이 몰수될 가능성이 있다면 검사는 그 압수해제된 물품을 다시 압수할 수도 있다(대결 1997.1.9, 96모34).
5. 압수영장의 '압수할 물건'란에는 범죄사실(직무상 비밀누설죄)과 관련하여 甲이 소유하거나 보관 중인 물건들이 열거되어 있고, '법인의 설립 및 운영에 관련된 보고서류, 회계서류, 결재서류, 업무일지, 수첩, 메모지, 명함 등 관련 문서 일체'라고 기재되어 있다. 그런데 이 사건 영장으로 압수한 이 사건 전자정보는 '청와대 인사안', '청와대 및 행정 각부의 보고서', '대통령 일정 관련 자료', '대통령 말씀자료', '외교관계자료' 등으로서, 이 사건 영장 기재 범죄사실에 대한 직접 또는 간접증거로서의 가치가 있다고 보기 어렵다. 따라서 이 사건 전자정보 출력물은 위법수집증거에 해당하여 유죄의 증거로 쓸 수 없다(대판 2018.4.26, 2018도2624).

---

③ **비례성** : 압수·수색을 하지 않고서는 달리 증거를 확보할 수 없는 경우라야 하고 목적달성을 위한 최소한의 범위에 그쳐야 한다(제199조 제1항 단서).

압수·수색·검증의 목적물이 당해 사건과 관련이 있다고 인정되어야 할 뿐 아니라, 이에 '한정'하여 제한적으로 허용된다는 것을 밝히고 있다(제106조 제1항, 제109조 제1항, 제215조).

관련판례

1. 폐수무단방류 혐의가 인정된다는 이유로 공장부지, 건물, 기계류 일체 및 폐수운반차량 7대에 대하여 한 압수처분은 수사상의 필요에서 행하는 압수의 본래의 취지를 넘는 것으로 상당성이 없을 뿐만 아니라, 비례성의 원칙에 위배되어 위법하다(대결 2004.3.23, 2003모126). 08. 경찰승진, 15. 순경 3차
2. 경찰관에게 등을 보인 채 상의를 속옷과 함께 겨드랑이까지 올리고 하의를 속옷과 함께 무릎까지 내린 상태에서 3회에 걸쳐 앉았다 일어서게 하는 방법으로 실시한 정밀 신체수색은 인격권 및 신체의 자유를 침해하는 정도에 이르렀다고 판단된다(헌재결 2002.7.18, 2000헌마327 전원재판부). 15. 경찰승진
3. 출판에 대한 사전검열이 헌법상 금지된 것으로서 어떤 이유로도 행정적인 규제방법으로 사전검열을 하는 것은 허용되지 않으나 출판내용에 형벌법규에 저촉되어 범죄를 구성하는 혐의가 있는 경우에 그 증거물 또는 몰수할 물건으로서 압수하는 것은 재판절차라는 사법적 규제와 관련된 것이어서 행정적인 규제로서의 사전검열과 같이 볼 수 없고, 다만 출판 직전에 그 내용을 문제삼아 출판물을 압수하는 것은 실질적으로 출판의 사전검열과 같은 효과를 가져올 수도 있는 것이므로 범죄혐의와 강제수사의 요건을 엄격히 해석하여야 할 것이다(대결 1991.2.26, 91모1). 12. 경찰승진

압수 · 수색의 요건 정리

구 분	법 원	수사기관
범죄혐의	구속의 경우와 동일한가에 대하여 견해가 대립 • 구속의 경우와 동일설 • 단순한 혐의설(다수설)	• 수사상 압수 · 수색 ⇨ '죄를 범하였다고 의심할 만한 정황이 있을 것'(제215조) • 피의자구속 ⇨ '죄를 범하였다고 의심할 만한 상당한 이유가 있을 것'(제201조 제1항) ∴ 구속 > 압수 · 수색
필요성	필요한 때(피고사건과 관계가 있다고 인정한 때) : 제106조 제1항, 제109조 제1항	필요한 때(피고사건과 관계가 있다고 인정한 때) : 제215조
비례성	해당 사건과 관련성이 인정되는 것에 한정(제한적 허용)	해당 사건과 관련성이 인정되는 것에 한정(제한적 허용)

(4) 압수 · 수색의 제한

군사상 비밀	군사상 비밀을 요하는 장소는 그 책임자의 승낙 없이는 압수 · 수색을 할 수 없다. 그러나 책임자는 국가의 중대한 이익을 해하는 경우가 아니면 승낙을 거부하지 못한다(제219조, 제110조).
공무상 비밀	공무원이나 공무원이었던 자가 소지 · 보관하는 물건은 본인 또는 당해 공무소가 직무상 비밀에 관한 것임을 신고한 때에는 그 소속 공무소 또는 당해 감독관공서의 승낙 없이는 압수하지 못한다. 역시 국가의 중대한 이익을 해하는 경우가 아니면 승낙을 거부하지 못한다(제219조, 제111조). 09. 9급 법원직, 17. 9급 검찰 · 마약수사, 25. 소방간부
업무상 비밀	변호사, 변리사, 공증인, 공인회계사, 세무사, 대서업자, 의사, 한의사, 치과의사, 약사, 약종상, 조산사, 간호사, 종교의 직에 있는 자 또는 이러한 직에 있던 자가 그 업무상 위탁을 받아 소지 또는 보관하는 물건으로 타인의 비밀에 관한 것은 압수를 거부할 수 있다. 단, 그 타인의 승낙이 있거나 중대한 공익상 필요가 있는 때에는 예외로 한다(제112조, 제219조). 09. 순경

(5) 압수 · 수색의 절차

① 수사기관의 압수 · 수색

㉠ 압수 · 수색영장의 청구

ⓐ 검사는 범죄수사에 필요한 때에는 피의자가 죄를 범하였다고 의심할 만한 정황이 있고 해당 사건과 관계가 있다고 인정할 수 있는 것에 한정하여 지방법원판사에게 청구하여 발부받은 영장에 의하여 압수 · 수색 또는 검증을 할 수 있다(제215조 제1항). 17. 9급 검찰 · 마약수사, 17 · 19. 수사경과

☗ 종래에는 범죄수사에 필요한 때에 압수 · 수색 · 검증영장을 청구할 수 있었으나, 개정법(2011. 7. 18)은 필요성 외에 '피의자가 죄를 범하였다고 의심할 만한 정황이 있고, 해당 사건과 관계가 있다고 인정할 수 있을 것'을 추가하여 법원의 압수 · 수색 · 검증의 경우보다 그 요건을 강화하였다.

☗ 검사가 영장을 청구할 때에는 피의자에게 범죄혐의가 있다고 인정되는 자료와 압수의 필요 및 해당 사건과 관련성을 인정할 수 있는 자료를 제출하여야 한다(규칙 제108조 제1항). 피의자가 아닌 자의

신체, 물건, 주거 기타 장소의 수색을 위한 영장의 청구를 할 때에는 압수하여야 할 물건이 있다고 인정할 만한 자료를 제출하여야 한다(동조 제2항).

공소가 제기된 후 법원이 공판정 외에서 압수·수색을 하는 경우에도 영장을 발부해야 하지만 이 경우에는 검사의 청구가 불필요하며 수소법원에서 직권으로 발부하게 된다. 이에 대해서는 후술하기로 한다.

검사 또는 사법경찰관은 압수·수색 또는 검증영장을 청구하거나 신청할 때에는 압수·수색 또는 검증의 범위를 범죄 혐의의 소명에 필요한 최소한으로 정해야 하고, 수색 또는 검증할 장소·신체·물건 및 압수할 물건 등을 구체적으로 특정해야 한다. 이 경우 수사기밀이나 사건관계인의 개인정보가 압수·수색 또는 검증을 필요로 하는 사유의 소명에 필요한 정도를 넘어 불필요하게 노출되지 않도록 유의해야 한다(수사준칙 제37조).

ⓑ 영장의 청구는 일정한 사항을 기재한 서면으로 하여야 한다(규칙 제107조 제1항).

일출 전 또는 일몰 후에 압수·수색 또는 검증을 할 필요가 있는 때에는 그 취지 및 사유를 기재하여야 한다(규칙 제107조 제1항 제4호).

법 제216조 제3항(범죄장소에서 압수·수색·검증)에 따라 청구하는 경우에는 영장 없이 압수·수색 또는 검증을 한 일시 및 장소를 기재하여야 한다(규칙 제107조 제1항 제5호).

법 제217조 제2항(체포현장에서 영장 없이 압수·수색·검증)에 따라 청구하는 경우에는 체포한 일시 및 장소와 영장 없이 압수·수색 또는 검증을 한 일시 및 장소를 기재하여야 한다(규칙 제107조 제1항 제6호).

ⓒ 사법경찰관이 범죄수사에 필요한 때에는 피의자가 죄를 범하였다고 의심할 만한 정황이 있고 해당 사건과 관계가 있다고 인정할 수 있는 것에 한정하여 검사에게 신청하여 검사의 청구로 지방법원판사가 발부한 영장에 의하여 압수·수색 또는 검증을 할 수 있다(제215조 제2항).

㉡ 영장의 발부

ⓐ 압수·수색영장에는 피의자의 성명, 죄명, 압수할 물건, 수색할 장소·신체·물건, 발부년월일, 유효기간(영장유효기간은 7일, 초과기간을 정할 수 있음)과 그 기간을 경과하면 집행에 착수하지 못하며 영장을 반환하여야 한다는 취지, 압수·수색의 사유를 기재하고 지방법원판사가 서명날인하여야 한다(제219조, 제114조 제1항). 다만, 압수·수색할 물건이 전기통신에 관한 것인 경우에는 작성기간을 기재하여야 한다(제219조, 제114조 제1항 단서). 14. 경찰간부 피의자의 성명이 불분명한 때에는 인상·체격 등 피의자를 특정할 수 있는 사항으로 표시할 수 있다.

구속영장의 기재방식으로 '범죄사실의 요지'까지도 기재를 요구함에 반하여(제75조), 압수·수색영장의 경우에는 언급이 없고, 다만 압수·수색영장 청구서에 그 기재를 요구하고 있을 뿐이다(규칙 제107조).

ⓑ 압수·수색영장에는 압수 또는 수색할 대상이 명시적이고 개별적으로 표시되어야 한다. '피의사건과 관계있는 모든 물건'과 같은 식의 일반영장은 위법하다.

ⓒ 별건압수나 별건수색 또한 허용되지 않는다. 즉, 동일한 영장으로 수회 같은 장소에서 압수·수색·검증을 할 수 없고, 13. 순경, 15. 경찰승진 동일한 장소나 물건을 대상으로 하는 처분인 때에도 영장에 기재된 피의사실과 별개의 사실에 대하여 영장을 유용할 수

없다. 압수・수색의 대상을 예비적으로 기재하는 것도 허용되지 않는다. 수개의 목적물이나 장소를 한 통의 영장에 기재하는 것도 위법하다.

ⓓ 지방법원판사의 압수영장 발부 재판에 대하여 준항고나 항고할 수 없다(대결 1997.9.29, 97모66). 08. 순경 1차, 18. 순경 3차

관련판례

1. 수사기관이 압수・수색영장을 제시하고 집행에 착수하여 압수・수색을 실시하고 그 집행을 종료하였다면 이미 그 영장은 목적을 달성하여 효력이 상실되는 것이고, 동일한 장소 또는 목적물에 대하여 다시 압수・수색할 필요가 있는 경우라면 그 필요성을 소명하여 법원으로부터 새로운 압수・수색영장을 발부받아야 하는 것이지, 앞서 발부받은 압수・수색영장의 유효기간이 남아있다고 하여 이를 제시하고 다시 압수・수색을 할 수는 없다(대결 1999.12.1, 99모161). 13・15・19. 경찰간부, 14・15・21. 수사경과, 21. 9급 교정・보호・철도경찰, 15・16・17・19・21・24. 경찰승진, 24. 순경 1차・9급 법원직, 25. 경찰대편입
   아직 유효기간이 남아 있다면 동일 장소 동일 목적물에 대하여 수회 압수・수색하는 것이 허용된다. (×)
2. 압수할 물건을 특정하기 위하여 기재한 문언은 엄격하게 해석하여야 하므로, 압수・수색영장에서 압수할 물건을 '압수장소에 보관 중인 물건'이라고 기재하고 있는 것을 '압수장소에 현존하는 물건'으로 해석할 수는 없다(대판 2009.3.12, 2008도763). 12. 순경・9급 법원직, 14・16. 순경 1차, 14・18. 경찰간부, 18. 순경 2차・3차, 14・17・19. 경찰승진, 13・14・15・17・19・21. 수사경과, 20. 해경
3. 재판장 또는 수명법관이 한 재판이 아닌 지방법원판사가 한 압수영장발부의 재판에 대하여는 준항고로 불복할 수 없고, 법원의 결정이 아닌 지방법원판사가 한 압수영장발부의 재판에 대하여 항고의 방법으로도 불복할 수 없다(대결 1997.9.29, 97모66).
4. 법관의 서명날인란에 서명만 있고 날인이 없는 압수・수색영장은 야간집행을 허가하는 판사의 수기와 날인, 영장앞면과 별지 사이에 판사의 간인이 있어 법관의 진정한 의사에 따라 발부되었다는 점이 외관상 분명한 경우라도 적법하게 발부된 것으로 볼 수 없다. 다만, 이 경우 영장이 형사소송법이 정한 요건을 갖추지 못하여 적법하게 발부되지 못하였다고 하더라도, 절차상의 결함이 있지만 법익침해 방지와 관련성이 적고, 절차 조항 위반의 내용과 정도가 중대하지 않고 절차 조항이 보호하고자 하는 권리나 법익을 본질적으로 침해하였다고 볼 수 없다. 따라서 그 영장에 따라 수집한 이 사건파일 출력물의 증거능력을 인정할 수 있다(대판 2019.7.11, 2018도20504). 20. 경찰승진, 22. 순경 1차

② 법원의 압수・수색

㉠ **공판정에서의 압수・수색** : 공판정에서 법원이 행하는 압수・수색은 영장을 필요로 하지 아니한다.

㉡ **공판정 외에서의 압수・수색** : 공판정 외에서 압수・수색은 법원이 발부하는 영장에 의하며(제113조), 10. 순경 검사의 청구절차 없이 직권으로 발부한다. 13. 순경, 19. 경찰간부 영장의 기재사항은 수사절차의 경우와 동일하나, 영장의 서명날인은 재판장 또는 수명법관이 한다(제114조 제1항).

관련판례

검사가 공소제기 후 형사소송법 제215조(수사절차에서 압수·수색·검증)에 따라 수소법원 이외의 지방법원판사에게 청구하여 발부받은 영장에 의하여 압수·수색을 하였다면, 그와 같이 수집된 증거는 기본적 인권 보장을 위해 마련된 적법한 절차에 따르지 않은 것으로서 원칙적으로 유죄의 증거로 삼을 수 없다(대판 2011.4.28, 2009도10412). 12. 순경, 15. 순경 2차·9급 법원직, 16. 7급 국가직, 17·19. 경찰간부, 20. 경찰승진, 22. 변호사시험·순경 1차

③ 압수·수색영장의 집행

㉠ 집행기관

ⓐ 압수·수색영장은 검사의 지휘에 의하여 사법경찰관리가 집행한다(제219조, 제115조). 17. 수사경과 단, 법원의 압수·수색은 필요한 경우에 재판장은 법원사무관 등에게 그 집행을 명할 수 있다(제115조 제1항).

수사기관의 압수·수색의 경우에도 재판장이 법원사무관 등에게 집행을 명할 수 있다. (×)

ⓑ 검사가 피해자이거나 압수·수색영장의 집행에 참여한 검사가 다시 수사에 관여하였더라도 수사가 위법한 것은 아니다(대판 2013.9.12, 2011도12918). 17. 수사경과, 18. 경찰승진

ⓒ 검사의 집행지휘나 사법경찰관리의 집행은 관할구역 외에서도 할 수 있고, 당해 관할구역의 검사나 사법경찰관리에게 촉탁할 수도 있다(제219조, 제83조, 제115조). 13. 수사경과

㉡ 집행방법

ⓐ 영장의 제시 : 압수·수색영장은 처분을 받는 자에게 반드시 사전에 제시하여야 하고, 처분을 받는 자가 피고인(피의자)인 경우에는 그 사본을 교부하여야 한다. 25. 경찰대편입 다만, 처분을 받는 자가 현장에 없는 등 영장의 제시나 그 사본의 교부가 현실적으로 불가능한 경우 또는 처분을 받는 자가 영장의 제시나 사본의 교부를 거부한 때에는 예외로 한다(제219조, 제118조). 14. 경찰승진, 15. 수사경과, 22. 7급 국가직, 12·23. 9급 법원직, 24. 9급 검찰·마약수사

영장은 원본(정본)을 제시(대판 2017.9.7, 2015도10648) 21. 경찰간부, 23. 경찰승진

형사소송법이 압수·수색영장을 집행하는 경우에 피압수자에게 반드시 압수·수색영장을 제시하도록 규정한 것은 영장주의 원칙을 절차적으로 보장하고, 개인의 사생활과 재산권의 침해를 최소화하는 한편, 준항고 등 피압수자의 불복신청의 기회를 실질적으로 보장하기 위한 것이다(대판 2017.9.21, 2015도12400). 23. 순경 2차

검사 또는 사법경찰관은 피의자에게 영장의 사본을 교부한 경우에는 피의자로부터 영장 사본 교부 확인서를 받아 사건기록에 편철한다(수사준칙 제38조 제4항).

피의자가 영장의 사본을 수령하기를 거부하거나 영장 사본 교부 확인서에 기명날인 또는 서명하는 것을 거부하는 경우에는 검사 또는 사법경찰관이 영장 사본 교부 확인서 끝 부분에 그 사유를 적고 기명날인 또는 서명해야 한다(수사준칙 제38조 제5항). 24. 경찰승진

종전에는 사전제시에 대한 예외규정을 두지 않았으나, 현행법은 예외적인 허용규정을 두고 있다(그러나 영장을 소지하지 아니하는 경우에 행하는 구속의 긴급집행은 압수·수색에는 허용되지 않음).

관련판례

1. 현장에서 압수·수색을 당하는 사람이 여러 명일 경우에는 그 사람들 모두에게 개별적으로 영장을 제시해야 하는 것이 원칙이다. 수사기관이 압수·수색에 착수하면서 그 장소의 관리책임자에게 영장을 제시하였다고 하더라도, 물건을 소지하고 있는 다른 사람으로부터 이를 압수하고자 하는 때에는 그 사람에게 따로 영장을 제시하여야 한다(대판 2009.3.12, 2008도763). 17·21. 변호사시험, 15·18. 순경 2차, 14·16·19. 수사경과, 10·11·17·20·24. 경찰승진, 24. 순경 1차

   압수·수색을 당하는 사람이 여러 명일 경우에는 그 장소의 관리책임자에게 영장을 제시하면 족하고, 물건을 소지하고 있는 다른 사람으로부터 이를 압수하고자 하는 때에도 그 사람에게 따로 영장을 제시할 필요가 없다. (×) 17. 9급 검찰·마약수사

2. 수사기관이 피의자 甲의 공직선거법 위반 범행을 영장 범죄사실로 하여 발부받은 압수·수색영장의 집행 과정에서 乙, 丙 사이의 대화가 녹음된 녹음파일을 압수하여 乙, 丙의 공직선거법 위반 혐의사실(영장에 기재된 피의사실과 무관)을 발견한 사안에서, 별도의 압수·수색영장을 발부받지 않고 압수한 위 녹음파일은 위법수집증거로서 乙·丙사건에서 증거능력이 없다(대판 2014.1.16, 2013도7101). 15. 순경 2차, 17. 경찰간부

3. 형사소송법 제219조가 준용하는 제118조는 "압수·수색영장은 처분을 받는 자에게 반드시 제시하여야 한다."고 규정하고 있으나, 이는 영장제시가 현실적으로 가능한 상황을 전제로 한 규정으로 보아야 하고, 피처분자가 현장에 없거나 현장에서 그를 발견할 수 없는 경우 등 영장제시가 현실적으로 불가능한 경우에는 영장을 제시하지 아니한 채 압수·수색을 하더라도 위법하다고 볼 수 없다(대판 2015.1.22, 2014도10978 전원합의체). 15. 순경 2차, 17. 수사경과, 17·21. 변호사시험, 21. 경찰간부, 17·21·24. 경찰승진

   ▶ **구체적 사안** : 피고인 甲의 주소지와 거소지에 대한 압수·수색 당시 피고인 甲이 현장에 없었던 사실, 피고인 乙과 관련한 ○○평생교육원에 대한 압수·수색 당시 ○○평생교육원 원장 丙은 현장에 없었고 이사장 丁도 수사관들에게 자신의 신분을 밝히지 않은 채 건물 밖에서 지켜보기만 한 사실 등을 인정한 다음, 수사관들이 위 각 압수·수색 당시 피고인 甲과 ○○평생교육원 원장 또는 이사장 등에게 영장을 제시하지 않았다고 하여 이를 위법하다고 볼 수 없다고 판단하였다(대판 2015.1.22, 2014도10978 전원합의체).

   ▶ 이러한 판례의 취지를 반영하여 현행법은 사전제시에 대한 예외를 허용하고 있다.

4. 압수물(피해품)은 피고인에 대한 범죄의 증명이 없게 된 경우에는 압수물의 존재만으로 그 유죄의 증거가 될 수 없다(대판 1984.3.27, 83도3067). 13. 9급 법원직

5. 압수·수색영장을 집행하는 수사기관은 피압수자로 하여금 법관이 발부한 영장에 의한 압수·수색이라는 사실을 확인함과 동시에 형사소송법이 압수·수색영장에 필요적으로 기재하도록 정한 사항이나 그와 일체를 이루는 사항을 충분히 알 수 있도록 압수·수색영장을 제시하여야 한다(대판 2017.9.21, 2015도12400). 19. 변호사시험, 21. 순경 1차

   ▶ **구체적 사안** : 사법경찰관이 피압수자 乙에게 영장 기재 혐의사실의 주요 부분을 요약해서 고지하면서 위 영장 첫 페이지와 乙의 혐의사실이 기재된 부분만 보여주고, 영장의 나머지 부분을 넘겨서 확인하려고 하자 뒤로 넘기지 못하게 하였다. 그리하여 乙은 이 사건 영장의 내용 중 나머지 압수·수색·검증할 물건, 압수·수색·검증할 장소, 압수·수색·검증을 필요로 하는 사유, 압수 대상 및 방법의 제한 등이 기재된 부분을 확인하지 못하였다. 따라서 사법경찰관의 乙에 대한 이 사건 영장 제시는 적법한 압수·수색영장의 제시라고 볼 수 없다(대판 2017.9.21, 2015도12400). 21. 변호사시험, 24. 경찰승진

6. 수사기관이 휴대전화 등을 압수할 당시 압수당한 피의자가 수사기관에게 압수·수색영장의 구체적인 확인을 요구하였으나 수사기관이 영장의 범죄사실 기재 부분을 보여주지 않고 겉표지만 보여주었다면, 그 후 변호인이 피의자조사에 참여하면서 영장을 확인하였더라도 위 압수처분은 위법하다(대결 2020.4.16, 2019모3526). 24. 경찰간부·해경승진
7. 수사기관이 이메일에 대한 압수·수색영장을 집행할 당시 피압수자인 주식회사에 팩스로 영장 사본을 송신했을 뿐 그 원본을 제시하지 않았고, 압수조서와 압수물 목록을 작성하여 피압수·수색 당사자에게 교부하였다고 볼 수도 없다면, 이러한 방법으로 압수된 이메일은 절차를 위반하여 수집한 증거이다(대판 2017.9.7, 2015도10648). 19. 변호사시험, 21. 경찰간부, 22·23. 순경 1차, 23. 경찰승진, 24. 7급 국가직
8. 압수·수색·검증영장의 '압수·수색·검증할 장소 및 신체'란에 피고인의 주거지와 피고인의 신체 등이 기재되어 있으므로, 비록 위 영장이 제시되어 피고인의 신체에 대한 압수·수색이 종료되었다고 하더라도 피고인의 주거지에 대한 압수·수색을 집행한 조치는 위법한 것이 아니다(대판 2013.7.26, 2013도2511).
9. 이미 그 집행을 종료함으로써 효력을 상실한 압수·수색영장에 기하여 다시 압수·수색을 실시하면서 몰수대상 물건을 압수한 경우, 압수 자체가 위법하게 됨은 별론으로 하더라도 그것이 위 물건의 몰수의 효력에는 영향을 미칠 수 없다(대판 2003.5.30, 2003도705).
10. 출판내용에 형벌법규에 저촉되어 범죄를 구성하는 혐의가 있는 경우에 그 증거물 또는 몰수할 물건으로서 압수하는 것은 재판절차라는 사법적 규제와 관련된 것이어서 행정적인 규제로서의 사전검열과 같이 볼 수 없으므로 허용된다. 다만, 출판 직전에 그 내용을 문제삼아 출판물을 압수하는 것은 실질적으로 출판의 사전검열과 같은 효과를 가져올 수도 있는 것이므로 범죄혐의와 강제수사의 요건을 엄격히 해석하여야 할 것이다(대결 1991.2.26, 91모1).
11. 수출입물품 통관검사절차에서 이루어지는 물품의 개봉, 시료채취, 성분분석 등의 검사는 수출입물품에 대한 적정한 통관 등을 목적으로 조사를 하는 것으로서 이를 수사기관의 강제처분이라고 할 수 없으므로, 세관공무원은 압수·수색영장 없이 이러한 검사를 진행할 수 있다. 17. 7급 국가직, 19. 경찰승진·변호사시험, 21. 경찰간부 그러나 마약류 불법거래 방지에 관한 특례법 제4조 제1항에 따른 조치의 일환으로 특정한 수출입물품을 개봉하여 검사하고 그 내용물의 점유를 취득한 행위는 위에서 본 수출입물품에 대한 적정한 통관 등을 목적으로 조사를 하는 경우와는 달리, 범죄수사인 압수 또는 수색에 해당하여 사전 또는 사후에 영장을 받아야 한다(대판 2017.7.18, 2014도8719). 17. 수사경과, 18. 순경 2차, 20. 순경 1차, 21. 7급 국가직

   우편물 통관검사절차에서 압수·수색영장 없이 우편물의 개봉, 시료채취, 성분분석 등 검사가 진행되었다면 이 검사는 특별한 사정이 없는 한 위법하다. (×) 17. 9급 국가직

   ▶ **비교판례** : 피고인이 국제항공특송화물 속에 필로폰을 숨겨 수입할 것이라는 정보를 입수한 검사가, 이른바 '통제배달(적발한 금제품을 감시하에 배송함으로써 거래자를 밝혀 검거하는 수사기법)'을 하기 위해, 세관공무원의 협조를 받아 특송화물을 통관절차를 거치지 않고 가져와 개봉하여 그 속의 필로폰을 취득한 경우, 이는 구체적인 범죄사실에 대한 증거수집을 목적으로 한 압수·수색인데도 사전 또는 사후에 영장을 받지 않았으므로 압수물 등의 증거능력이 부정된다(대판 2017.7.18, 2014도8719).
12. 영장 없는 위법한 압수가 있은 직후에 피의자로부터 그 압수물에 대한 임의제출동의서를 받았더라도 그 압수물은 위법하다(대판 2010.7.22, 2009도14376). 19. 경찰승진

13. 피고인이 아닌 사람을 피의자로 하여 발부된 이 사건 영장을 집행하면서 피고인 소유의 휴대전화 등을 압수한 것은 위법하다(대판 2021.7.29, 2020도14654).
14. 금융계좌추적용 압수・수색영장의 집행에 있어서도 수사기관이 금융기관으로부터 금융거래자료를 수신하기에 앞서 금융기관에 영장 원본을 사전에 제시하지 않았다면 원칙적으로 적법한 집행방법이라고 볼 수는 없다. 다만, 수사기관이 금융거래정보에 대하여 영장 사본을 첨부하여 그 제공을 요구한 결과 금융기관으로부터 회신받은 금융거래자료가 해당 영장의 집행 대상과 범위에 포함되어 있고, 이러한 모사전송 내지 전자적 송수신 방식의 금융거래정보 제공요구 및 자료 회신의 전 과정이 해당 금융기관의 자발적 협조의사에 따른 것이며, 그 자료 중 범죄혐의사실과 관련된 금융거래를 선별하는 절차를 거친 후 최종적으로 영장 원본을 제시하고 위와 같이 선별된 금융거래자료에 대한 압수절차가 집행된 경우로서, 그 과정이 금융실명법에서 정한 방식에 따라 이루어지고 달리 적법절차와 영장주의 원칙을 잠탈하기 위한 의도에서 이루어진 것이라고 볼 만한 사정이 없어, 이러한 일련의 과정을 전체적으로 '하나의 영장에 기하여 적시에 원본을 제시하고 이를 토대로 압수・수색하는 것'으로 평가할 수 있는 경우에 한하여, 예외적으로 영장의 적법한 집행방법에 해당한다고 볼 수 있다(대판 2022.1.27, 2021도11170).
15. 압수・수색영장에 적힌 '압수할 물건'에는 '여성의 신체를 몰래 촬영한 것으로 판단되는 사진, 동영상 파일이 저장된 컴퓨터 하드디스크 및 외부저장매체'가, '수색할 장소'에는 피고인의 주거지가 기재되어 있다. 이 사건 압수・수색영장에 적힌 '압수할 물건'에 원격지 서버 저장 전자정보가 기재되어 있지 않은 이상 압수・수색영장에 적힌 '압수할 물건'은 피고인의 주거지에 있는 컴퓨터 하드디스크 및 외부저장매체에 저장된 전자정보에 한정된다. 24. 해경순경 그럼에도 수사기관이 압수・수색영장으로 압수한 휴대전화가 구글계정에 로그인되어 있는 상태를 이용하여 원격지 서버에 해당하는 구글클라우드에 접속하여 구글클라우드에서 발견한 불법촬영물을 압수한 경우, 이는 압수・수색영장에서 허용한 압수의 범위를 넘어선 것으로 적법절차 및 영장주의의 원칙에 반하여 위법하다(대판 2022.6.30, 2022도1452). 23. 순경 2차, 24. 경찰간부・9급 교정・보호・철도경찰・순경 1차, 23・25. 변호사시험
16. 압수・수색영장에 기재된 '압수할 물건'에 휴대전화에 저장된 전자정보가 포함되어 있지 않다면, 특별한 사정이 없는 한 그 영장으로 휴대전화에 저장된 전자정보를 압수할 수는 없다(대결 2024.9.25, 2024모2020).
17. 수사기관의 압수・수색절차 과정에서 처분을 받는 자가 미성년자인 경우, 의사능력이 있는 한 미성년자에게 영장이 반드시 제시되어야 하고, 그 친권자에 대한 영장제시로 이를 갈음할 수 없다. 또한 의사능력이 있는 미성년자나 그 변호인에게 압수・수색영장 집행 절차에 참여할 기회가 보장되어야 하고, 그 친권자에게 참여의 기회가 보장되었다는 이유만으로 압수・수색이 적법하게 되는 것은 아니다(대판 2024.12.24, 2022도207).

ⓑ 당사자 등에의 통지와 참여

㉮ 검사・피의자(피고인)・변호인은 압수・수색영장의 집행에 참여할 수 있다(제219조, 제121조). 08. 순경, 13. 수사경과, 14. 순경 2차 압수・수색영장을 집행할 때에는 미리 집행일시와 장소를 참여권자에게 통지하여야 한다. 13. 순경 1차・수사경과 단, 참여하지 아니한다는 의사표시를 한 경우 또는 급속을 요하는 때에는 예외로 한다(제219조, 제122조). 11. 순경 2차, 12. 9급 법원직

관련판례

1. 피고인들과 변호인에게 압수·수색 일시와 장소를 통지하지 아니한 경우라도 피고인들은 일부 현장 압수·수색과정에는 직접 참여하기도 하였고, 직접 참여하지 아니한 압수·수색절차에도 피고인들과 관련된 참여인들의 참여가 있었던 경우 등에는 위 압수·수색과정에서 수집된 디지털 관련 증거들은 유죄인정의 증거로 사용할 수 있는 예외적인 경우에 해당한다(대판 2015.1.22, 2014도10978 전원합의체).
2. 수사관들은 거소지에 진입한 이후 30분가량 참여인 없이 수색절차를 진행하다가 곧바로 거소지의 임차인인 甲에게 연락하여 참여할 것을 고지하였고, 甲이 현장에 도착한 때부터는 압수물 선별 과정, 디지털 포렌식 과정, 압수물 확인 과정에 甲과 변호인의 적극적이고 실질적인 참여가 있었으며, 압수·수색의 전 과정이 영상녹화된 점 등 그 판시와 같은 사정을 들어, 위 압수·수색과정에서 수집된 증거들은 유죄인정의 증거로 사용할 수 있는 예외적인 경우에 해당한다(대판 2015.1.22, 2014도10978 전원합의체).
3. 수사관들은 건물에 진입한 이후 수색절차를 진행하지 않은 채 대기하다가 주민센터 직원 甲이 도착한 이후에야 본격적인 수색절차를 진행하였고, 압수·수색과정을 영상녹화하는 등 절차의 적정성을 담보하기 위해 상당한 조치를 취한 경우에 압수·수색과정에서 수집된 증거들도 유죄인정의 증거로 사용할 수 있는 예외적인 경우에 해당한다(대판 2015.1.22, 2014도10978 전원합의체).
4. 피의자 또는 변호인은 압수·수색영장의 집행에 참여할 수 있고, 압수·수색영장을 집행함에는 원칙적으로 미리 집행의 일시와 장소를 피의자 등에게 통지하여야 하나 '급속을 요하는 때'에는 위와 같은 통지를 생략할 수 있다. 여기서 '급속을 요하는 때'라고 함은 압수·수색영장 집행 사실을 미리 알려주면 증거물을 은닉할 염려 등이 있어 압수·수색의 실효를 거두기 어려울 경우라고 해석함이 옳고, 그와 같이 합리적인 해석이 가능하므로 형사소송법 제122조 단서가 명확성의 원칙 등에 반하여 위헌이라고 볼 수 없다(대판 2012.10.11, 2012도7455). 17. 7급 국가직, 22. 순경 1차, 22·23. 순경 2차, 24. 경력채용
5. 형사소송법 제219조, 제121조가 규정한 변호인의 참여권은 피압수자의 보호를 위하여 변호인에게 주어진 고유권이다. 따라서 피압수자가 수사기관에 압수·수색영장의 집행에 참여하지 않는다는 의사를 명시하였다고 하더라도, 특별한 사정이 없는 한 그 변호인에게는 형사소송법 제219조, 제122조에 따라 미리 집행의 일시와 장소를 통지하는 등으로 압수·수색영장의 집행에 참여할 기회를 별도로 보장하여야 한다(대판 2020.11.26, 2020도10729). 21. 순경 1차, 22·23. 7급 국가직, 23. 9급 법원직, 24. 해경승진, 23·24·25. 변호사시험
   ▶ 피압수자 측이 압수·수색영장의 집행 과정에 참여하지 않는다는 의사를 명시적으로 표시하였거나 피압수자에게 절차 참여를 보장한 취지가 실질적으로 침해되었다고 볼 수 없는 경우에는 피압수자에 대한 압수·수색의 적법성을 부정할 수 없다(대판 2020.11.26, 2020도10729). 23. 9급 법원직
6. 인터넷서비스업체(카카오)가 보관하는 준항고인(서비스이용자로서 실질적 피압수자이자 피의자)의 전자정보에 대한 수사기관의 압수·수색영장 집행시 준항고인에게 참여권이 있다는 점을 인정하되, 이 사건은 참여권자에 대한 사전 통지의무의 예외사유인 형사소송법 제122조 단서의 '급속을 요하는 때'에 해당하므로 사전통지를 하지 않은 것 자체는 위법이 아니다. 다만, 이 사건 압수·수색에 압수·수색영장 원본을 제시하지 않은 위법, 인터넷서비스업체로부터 입수한 전자정보에서 범죄 혐의사실과 관련된 부분을 선별해야 하고 그 선별과정에서도 준항고인의 참여권이 보장되어야 하는데 이를 이행하지 않은 위법, 준항고인에게 압수한 전자정보 목록을 교부하지 않은 위법 등 위법의 정도가 중대하여 이 사건 압수·수색 절차 전체가 위법하다(대결 2022.5.31, 2016모587).

7. 영장 집행 과정에 대한 참여권이 충실히 보장될 수 있도록 사전에 피의자 등에 대하여 집행 일시와 장소를 통지하여야 함은 물론 피의자 등의 참여권이 형해화되지 않도록 그 통지의무의 예외로 규정된 '피의자 등이 참여하지 아니한다는 의사를 명시한 때 또는 급속을 요하는 때'라는 사유를 엄격하게 해석하여야 한다(대판 2023.10.18, 2023도8752).

㈏ 공무소, 군사용 항공기 또는 선박·차량 안에서 압수·수색영장을 집행하려면 그 책임자에게 참여할 것을 통지하여야 한다. 그 밖의 타인의 주거, 간수자 있는 가옥, 건조물, 항공기 또는 선박·차량 안에서 압수·수색영장을 집행할 때에는 주거주, 간수자 또는 이에 준하는 사람을 참여케 해야 하고 그렇지 못한 경우에는 이웃사람 또는 지방공공단체의 직원을 참여하게 해야 한다(제219조, 제123조).

예 1. 형사 A는 세무서직원 甲의 탈세혐의에 대하여 조사하던 중 증거자료를 확보하기 위하여 직원 甲의 동료직원인 乙에게 통지하고, 세무서 내 甲의 사무실에 대하여 압수·수색을 실시한 경우에 적법성 여부 ⇨ 공무소 안에서의 압수·수색은 그 책임자에게 참여할 것을 통지하여야 하므로(제219조, 제123조) 동료직원이 아닌 세무서장에게 참여할 것을 통지하여야 한다.

2. 형사 A는 피의자 甲의 집을 압수·수색하기 위하여 방문하였는데 집에는 아무도 없었고, 문은 잠겨 있었다. 형사 A는 甲의 옆집에 사는 乙을 참여하게 한 후, 시정장치를 임의로 부수고 甲의 집에 들어가 압수·수색을 실시한 경우에 적법성 여부 ⇨ 주거지에 대하여 주거자·간수자 또는 이에 준하는 자를 참여시키지 못하면, 옆집 사람이나 주거지 지방공공단체의 직원을 참여하게 하여야 하므로(제219조, 제123조) 위 압수·수색은 적법하다.

공무소, 군사용의 항공기 또는 선박·차량 안에서 압수를 집행함에는 그 책임자를 참여하게 하여야 한다. (×)

관련판례

1. 형사소송법 제123조 제2항에서 정한 주거주 등 또는 이웃 등이 참여하였다고 하더라도 그 참여자에게 최소한 압수·수색절차의 의미를 이해할 수 있는 정도의 능력이 없거나 부족한 경우에는, 주거주 등이나 이웃 등의 참여 없이 이루어진 것과 마찬가지로 형사소송법 제123조 제2항, 제3항에서 정한 압수·수색절차의 적법요건이 갖추어졌다고 볼 수 없으므로 그러한 압수·수색영장의 집행도 위법하다(대판 2024.10.8, 2020도11223).
2. 형사소송법 제123조 제2항, 제3항, 제219조에 따라 압수·수색절차에 참여한 참여자와 관련하여 해당 절차의 적법요건이 갖추어졌는지는, 수사기관이 인식하였거나 인식할 수 있었던 사정 등을 포함하여 압수·수색 당시를 기준으로 외형적으로 인식 가능한 사실상의 상태를 살펴 판단하여야 한다. 압수·수색 당시 수사기관이 인식할 수 없었던 참여자의 내부적, 주관적 사정이나 참여자의 객관적 능력에 관한 법률적·사후적인 판단은 고려대상이 아니다(대판 2024.10.8, 2020도11223).
3. 사법경찰관은 압수·수색영장에 기하여 준항고인이 운영하는 치과병원을 수색하면서 생명보험협회 소속 치과위생사 1명을 참여케 하였는데, 이 사건 압수처분 당시 형사소송법이 규정한 참여권자 또는 참여할 수 있도록 규정된 사람 이외의 제3자인 치과위생사를 압수·수색 전과정에 참여케 한 행위는 강제처분에 있어 헌법과 형사소송법이 정한 절차에 따르지 아니한 것으로 위법하다(대결 2024.12.16, 2020모3326).

㉰ 여자의 신체에 대하여 수색할 때에는 성년의 여자를 참여하게 하여야 한다(제219조, 제124조). 이는 여자의 정조에 대한 감정을 보호하기 위함이다. 09. 9급 국가직, 10. 순경, 13·15. 경찰승진, 21. 해경

☗ 여자의 신체검사 ⇨ 성년의 여자 또는 의사 참여(제219조, 제141조 제3항)

ⓒ 야간집행의 제한 : 야간집행은 영장에 별도의 기재가 없는 한 허용되지 않지만(제219조, 제125조) 풍속에 유해한 장소나 야간에 공중이 출입할 수 있는 장소에 대해서는 이러한 제한을 받지 않는다(제219조, 제126조). 10. 9급 법원직, 13. 순경, 21. 경찰승진, 24. 9급 검찰·마약수사

☗ 야간집행 : 야간에 집행할 수 있다는 별도의 기재 필요(야간집행영장 ×)

☗ 공중이 출입할 수 있는 장소에서 언제나 집행이 가능한 것은 아니고 공개한 시간 내에 한함(제126조 제2호). 16. 수사경과, 20. 9급 검찰·마약·교정·보호·철도경찰

ⓓ 집행의 범위 : 압수·수색·검증영장의 '압수·수색·검증할 장소 및 신체'란에 피고인의 주거지와 피고인의 신체 등이 기재되어 있으므로, 비록 위 영장이 제시되어 피고인의 신체에 대한 압수·수색이 종료되었다고 하더라도 피고인의 주거지에 대한 압수·수색을 집행한 조치는 위법한 것이 아니다(대판 2013.7.26, 2013도2511).

㉢ 수색증명서·압수목록 교부

ⓐ 수색 후 압수대상물이 없으면 수색증명서를 교부하고, 21. 9급 교정·보호·철도경찰 압수한 경우에는 압수목록을 작성하여 소유자, 소지자, 보관자 그리고 이에 준하는 자에게 교부하여야 한다(제219조, 제129조). 08. 순경, 10. 9급 법원직, 15. 경찰승진

ⓑ 수색증명서와 압수목록의 교부자는 법원이 압수·수색을 행한 때에는 참여한 법원사무관이고, 압수·수색영장에 의하여 법원사무관 또는 사법경찰관리가 압수한 때에는 그 집행을 한 자이다(규칙 제61조). 06. 순경

ⓒ 압수·수색영장의 집행에 관한 서류와 압수한 물건은 압수·수색영장을 발부한 법원에 이를 제출하여야 한다. 다만, 검사의 지휘에 의하여 집행된 경우에는 검사를 경유하여야 한다(규칙 제63조).

관련판례

1. 압수물목록은 압수 직후 현장에서 바로 작성하여 교부해야 하는 것이 원칙이다. 같은 취지에서, 작성월일을 누락한 채 일부 사실에 부합하지 않는 내용으로 작성하여 압수·수색이 종료된 지 5개월이나 지난 뒤에 압수물 목록을 교부한 행위는 형사소송법이 정한 바에 따른 압수물 목록 작성·교부에 해당하지 않는다(대판 2009.3.12, 2008도763). 10. 경찰승진, 13. 수사경과, 16. 변호사시험
2. 압수목록 작성·교부 시기는 압수 직후 현장에서 바로 작성하여 교부하는 것이 원칙이다. 임의제출에 따른 압수의 경우에도 영장에 의한 압수와 마찬가지로 객관적·구체적인 압수목록을 신속하게 작성·교부할 의무를 부담한다(대결 2024.1.5, 2021모385). 24. 9급 법원직·경위공채 다만, 예외적으로 압수 직후 현장에서 압수목록을 작성·교부하지 않을 수 있다는 취지가 영장에 명시되어 있고, 이와 같은 특수한 사정이 실제로 존재하는 경우에는 압수영장을 집행한 후 일정한 기간이 경과하고서 압수목록을 작성·교부할 수도 있으나, 예외적 적용의 전제가 되는 특수한 사정의 존재 여부는 수사

기관이 이를 증명하여야 하며, 그 기간 역시 필요 최소한에 그쳐야 한다. 또한 영장에 의한 압수 및 그 대상물에 대한 확인조치가 끝나면 그것으로 압수절차는 종료되고, 압수물과 혐의사실과의 관련성 여부에 관한 평가 및 그에 필요한 추가 수사는 압수절차 종료 이후의 사정에 불과하므로 이를 이유로 압수 직후 이루어져야 하는 압수목록 작성 · 교부의무를 해태 · 거부할 수는 없다(대결 2024.1.5, 2021모385).

3. 법원은 압수 · 수색영장의 집행에 관하여 범죄 혐의사실과 관련 있는 정보의 탐색 · 복제 · 출력이 완료된 때에는 지체 없이 압수된 정보의 상세목록을 피의자 등에게 교부할 것을 정할 수 있다. 압수된 정보의 상세목록에는 정보의 파일 명세가 특정되어 있어야 하고, 수사기관은 이를 출력한 서면을 교부하거나 전자파일 형태로 복사해 주거나 이메일을 전송하는 등의 방식으로도 할 수 있다(대판 2018.2.8, 2017도13263). 18. 순경 2차, 20. 경찰승진, 18 · 21. 7급 국가직, 24. 경찰간부
4. 수사기관이 압수 · 수색영장에 기재된 범죄 혐의사실과의 관련성에 대한 구분 없이 임의로 전체의 전자정보를 복제 · 출력하여 이를 보관하여 두고, 그와 같이 선별되지 않은 전자정보에 대해 구체적인 개별 파일 명세를 특정하여 상세목록을 작성하지 않고, 포괄적인 압축파일만을 기재한 후 이를 전자정보 상세목록이라고 하면서 피압수자 등에게 교부함으로써 범죄 혐의사실과 관련성 없는 정보에 대한 삭제 · 폐기 · 반환 등의 조치도 취하지 아니하였다면, 영장주의와 적법절차의 원칙을 중대하게 위반한 것으로 봄이 타당하다. 사후에 압수 · 수색영장이 발부되었다고 하여 달리 볼 수 없다(대결 2022.1.14, 2021모1586).
5. 압수목록을 작성할 때 압수방법 · 장소 · 대상자별로 명확히 구분하여 압수물의 품종 · 종류 · 명칭 · 수량 · 외형상 특징 등을 최대한 구체적이고 정확하게 특정하여 기재하여야 한다(대결 2022.7.14, 2019모2584).
6. 휴대전화 압수집행 과정에서 압수조서 및 전자정보 상세목록이 작성 · 교부되지 않았지만, 그에 갈음하여 수사보고가 작성된 경우에 적법절차의 실질적인 내용을 침해하였다고 보기는 어렵다(대판 2023.6.1, 2020도12157).

㉣ **압수조서의 작성**

ⓐ 증거물 또는 몰수할 물건을 압수하였을 때에는 조서를 작성하여야 한다(제49조 제1항).

- 압수조서 ⇨ 교부 ×(서류에 편철) 21. 해경
- 수색증명서, 압수목록 ⇨ 교부 ○

임의제출물이나 유류물 압수 : 압수조서 작성(검찰사건사무규칙 제50조 제1항)

피의자신문조서를 작성하던 중 제출된 압수물에 대해서는 피의자신문조서에 그 내용을 기재하면 되고, 별도로 압수조서를 작성할 필요는 없다(수사준칙 제40조).

ⓑ 압수조서에는 압수물의 품종, 외형상의 특징과 수량을 기재하여야 한다(제49조 제3항).

ⓒ 수색증명서 또는 압수목록을 교부하거나 법 제130조의 규정에 의한 처분(압수물의 보관과 폐기)을 한 경우에는 압수 · 수색의 조서에 그 취지를 기재하여야 한다(규칙 제62조).

ⓓ 압수조서에는 조사 또는 처분의 연월일시와 장소를 기재하고 그 조사 또는 처분을 행한 자와 참여한 법원사무관 등이 기명날인 또는 서명하여야 한다. 단, 공판기일 외에 법원이 조사 또는 처분을 행한 때에는 재판장 또는 법관과 참여한 법원사무관 등이 기명날인 또는 서명하여야 한다(제50조).

관련판례

사법경찰리가 작성한 "피고인이 임의로 제출하는 별지 기재의 물건(공소장에 기재된 물건)을 압수하였다."는 내용의 압수조서는, 피고인이 공판정에서 증거로 함에 동의하지 아니하였고 원진술자의 공판기일에서의 증언에 의하여 그 성립의 진정함이 인정된 바도 없다면 증거로 쓸 수 없다(대판 1994.1.24, 94도1476).

KEY point

- **임의제출물 :** 강제처분(영장 ×)
- **제출명령 :** 법원(수사기관 ×)
- **압수제한**
  - 군사상 비밀
  - 공무상 비밀
  - 업무상 비밀
- **압수 · 수색영장 발부**
  - 수사단계 ⇨ 검사청구, 지방법원판사 발부 – 지방법원판사 서명·날인(제219조)
  - 공판단계 ⇨ 수소법원 직권(검사청구 ×) – 재판장 또는 수명법관 서명·날인(제114조 제1항)
- **압수 · 수색영장 집행**
  - 검사지휘, 사법경찰관리 집행
  - 반드시 사전제시(현실적으로 불가능한 경우에는 예외 : 판례)
  - 당사자 참여
- **야간집행 :** 영장에 별도기재(야간영장 ×)
- 수색증명서 또는 압수목록 교부(제129조, 제219조) ▶ 압수조서 ⇨ 교부 ×(제49조 제1항)

(6) 압수물의 처리

압수물의 처리에 관하여도 수사기관이 행하는 경우와 법원이 행하는 경우로 나누어 볼 수 있다.

① **압수물의 보관과 폐기** : 압수물은 압수한 기관의 청사로 운반하여 보관함이 원칙이다(자청보관의 원칙). 그러나 일정한 경우에는 압수물에 대하여 위탁보관, 폐기처분, 대가보관을 할 수 있다.

㉠ **위탁보관** : 운반 또는 보관에 불편한 압수물에 관하여는 간수자를 두거나 소유자 또는 적당한 자의 승낙을 얻어 보관하게 할 수 있다(제130조 제1항, 제219조). 10. 9급 법원직, 17. 경찰승진, 20. 수사경과

관련판례

창고업자에게 보관시켰던 물건을 수사기관이 영장에 의하여 압수하는 동시에 계속하여 동 창고업자의 승낙을 얻어 보관시킨 경우 수사기관은 임치료 지급 의무가 없다(대판 1968.4.16, 68다285).

㉡ **폐기처분**

ⓐ 위험발생의 염려가 있는 압수물은 **폐기할 수 있다**(제130조 제2항, 제219조). 10. 순경

동의(×) 17. 수사경과

위험발생 염려가 있는 압수물은 폐기하여야 한다. (×) 10. 순경

ⓑ 법령상 생산 · 제조 · 소지 · 소유 또는 유통이 금지된 압수물로서 부패의 염려가 있거나 보관하기 어려운 압수물은 소유자 등 권한 있는 자의 동의를 받아 폐기할 수 있다. (동조 제3항, 제219조). 09. 9급 법원직, 20. 순경 2차

🚨 대가보관이 불가능하고, 보관에 많은 비용 고려

🚨 몰수하여야 할 압수물로서 멸실 · 파손 · 부패 또는 보관하기 어려운 압수물은 소유자 등 권한 있는 자의 동의를 받아 폐기하여야 한다. (×) 12. 순경, 17. 경찰승진

🚨 법령상 생산 · 제조 · 소지 · 소유 또는 유통이 금지된 압수물로서 부패의 염려가 있거나 보관하기 어려운 압수물은 소유자 등 권한 있는 자의 동의를 받아 폐기하여야 한다. (×) 15. 순경 3차

🚨 부패의 염려가 있거나 보관하기 어려운 압수물이라 하더라도 법령상 생산 · 제조 · 소지 · 소유 또는 유통이 금지되어 있고, 권한 있는 자의 동의를 받지 못하는 한 이를 폐기할 수 없고, 만약 그러한 요건이 갖추어지지 않았음에도 폐기하였다면 이는 위법하다(대판 2022.1.14, 2019다282197).

ⓒ 사법경찰관이 압수물을 폐기하는 경우에는 폐기조서를 작성하고 사진촬영을 하여 수사기록에 첨부하여야 한다(경찰수사규칙 제68조 제2항). − 검사 또는 법원의 경우도 동일 해석

㉢ **대가보관**(환가처분)

ⓐ 대가보관이란 몰수해야 할 압수물로서 멸실 · 파손 · 부패 또는 현저한 가치감소의 염려가 있거나 보관하기 어려운 경우에 이를 매각하여 대가를 보관할 수 있다(임의적, 제132조 제1항, 제219조 24. 9급 검찰 · 마약수사 ▶ 대가보관을 할 수 있는 물건은 몰수의 대상물에 한한다. 왜냐하면 증거물에 관하여는 그 자체의 존재가 소송법상 중요하므로 대가보관을 인정할 수 없기 때문이다). 11. 경찰승진, 12. 순경, 16 · 20. 수사경과, 21. 해경, 22. 경찰간부

🚨 필요적 대가보관 (×)

🚨 몰수할 물건이 아니라도 멸실 · 파손 등의 염려가 있으면 환가처분이 허용된다. (×)

🚨 증거물은 존재 그 자체가 소송법상 중요하므로 대가보관 ×

🚨 몰수하여야 할 압수물 ⇨ 필요적 몰수나 임의적 몰수 모두 포함

ⓑ 환부하여야 할 압수물 중 환부를 받을 자가 누구인지 알 수 없거나 그 소재가 불명한 경우로서 그 압수물의 멸실, 파손, 부패 또는 현저한 가치감소의 염려가 있거나 보관하기 어려운 경우에도 대가보관을 할 수 있다(제132조 제2항). 11. 경찰승진, 17. 수사경과, 24. 해경경위공채

ⓒ 사법경찰관이 대가보관처분을 하려면 검사의 지휘를 받아야 한다(제219조 단서). 환가처분을 함에는 미리 검사(법원이 행한 경우), 피해자, 피의자(피고인) 또는 변호인에게 통지하여야 한다(제135조, 제219조). 15. 수사경과

관련판례

대가보관금은 몰수대상인 압수물과 동일시 할 수 있으므로 대가를 추징하지 않고 그 대가를 대상으로 몰수할 수 있다(대판 1966.9.20, 66도886).

② **압수물의 환부 · 가환부** : 압수된 물건에 대해 재산권을 가지고 있는 이해관계인의 입장에서 보면 절차가 진행되는 도중이라도 재산권을 신속히 회복하여 이를 활용할 필요가 있는바, 이러한 점을 고려하여 현행법은 압수물의 환부, 압수장물의 피해자 환부, 가환부제도를 마련

하고 있다. 특히 개정 형사소송법은 이해관계인의 신속한 권리회복을 위하여 수사상 압수물의 환부·가환부제도를 정비하였다.

압수물의 환부를 받을 자의 소재가 불명하거나 기타 사유로 인하여 환부를 할 수 없는 경우에는 검사는 그 사유를 관보에 공고하여야 한다(제486조 제1항). 공고한 후 3월 이내에 환부의 청구가 없는 때에는 그 물건은 국고에 귀속한다(동조 제2항). 이 기간 내에도 가치 없는 물건은 폐기할 수 있고 보관하기 어려운 물건은 공매하여 그 대가를 보관할 수 있다(동조 제3항).

㉠ **법원의 압수물 환부**

ⓐ 의의 : 압수물의 환부라 함은 압수물을 종국적(일시적 ×)으로 소유자 또는 제출인에게 반환하는 처분을 말한다. 09. 순경

ⓑ 대상 : 압수를 계속할 필요가 없다고 인정되는 경우(예 증거물로 이용되지도 않고, 동시에 몰수의 대상도 아닌 물건)에는 피고사건 종결 전이라도 결정으로 환부하여야 한다(제133조 제1항). 17. 경찰승진

증거물 또는 몰수물 ⇨ 환부대상(×) 09. 순경

ⓒ 절차 : 환부는 법원이 직권으로 행하나, 소유자 등이 청구할 수는 있다(청구권 인정 ×). 법원이 환부처분을 함에는 검사, 피해자, 피고인 또는 변호인에게 통지하여야 한다(제135조).

ⓓ 효력 : 환부에 의하여 압수는 그 효력을 상실한다. 그러나 압수만 해제될 뿐 실체법상의 권리를 확인하는 효력은 없으므로 이해관계인은 민사소송절차에 의하여 그 권리를 주장할 수 있다(제333조 제4항). 14. 경찰승진 압수한 서류 또는 물품에 대하여 몰수의 선고가 없는 때에는 압수를 해제한 것으로 간주한다(제332조).

관련판례

1. 위조한 약속어음은 범죄행위로 인하여 생긴 문서로서 몰수의 대상이 되므로 환부나 가환부의 대상이 될 수 없다. 다만, 검사가 몰수선고 후에 약속어음에 위조표시를 하여 소지인에게 환부를 할 수는 있으며, 이 경우 환부받은 자는 적법하게 소지할 수 있을 뿐 아니라 민법상의 권리행사의 자료로 활용할 수도 있다(대결 1984.7.24, 84모43). 07·09. 순경, 11·14. 경찰승진
2. 압수된 금괴가 외국에서 생산된 것이라고 하여 당연히 밀수입된 것이라고 추정되는 것은 아니고, 외국산이라고 하여도 언제, 누구에 의하여 관세포탈된 물건인지 알 수 없어 검사가 사건을 기소중지 처분하였다면 그 압수물은 관세장물이라고 단정할 수 없으므로 국고에 귀속시킬 수 없을 뿐 아니라 압수를 더이상 계속할 필요도 없다(대결 1991.4.22, 91모10). 10·14. 경찰승진, 13. 9급 법원직
3. 범인으로부터 압수한 물품에 대하여 몰수의 선고가 없어 그 압수가 해제된 것으로 간주된다고 하더라도 공범자에 대한 범죄수사를 위하여 여전히 그 물품의 압수가 필요하다거나 공범자에 대한 재판에서 그 물품이 몰수될 가능성이 있다면 검사는 그 압수 해제된 물품을 다시 압수할 수도 있다(대결 1997.1.9, 96모34). 20. 7급 국가직
4. 세관이 시계행상이 소지하고 있던 외국산시계를 관세장물의 혐의가 있다고 하여 압수하였던 것을 검사가 그것이 관세포탈품인지를 확인할 수 없어 그 사건을 기소중지처분하였다면 위 압수물은 관세장물이라고 단정할 수 없으므로 국고에 귀속시킬 수 없음은 물론 압수를 더 이상 단속할 필요도 없다(대결 1988.12.14, 88모55). 14·18. 경찰승진, 19. 해경간부, 20. 순경 2차·수사경과

5. 검찰에 의해 압수된 후 피의자에게 환부된 물건에 대해서도 수소법원은 그 피의자였던 피고인에게 몰수를 선고할 수 있다(대판 1977.5.24, 76도4001).
6. 몰수물은 환부할 수 없고(대결 1984.7.24), 증거에 공할 물건도 환부의 대상이 될 수 없다(대결 1966.9.12, 66모58).

㉡ 법원의 압수물 가환부

ⓐ 의의 : 가환부란 압수의 효력을 존속시키면서 압수물을 피압수자에게 잠정적(종국적 ×)으로 돌려 주는 제도이다.

ⓑ 대상 : 가환부의 대상은 증거에 공할 목적으로 압수한 물건, 즉 증거물에 한한다(제133조 제1항).

몰수의 대상이 되는 물건은 가환부할 수 없으나, 증거물의 성격과 임의적 몰수의 대상물(형법 제48조)로서의 성격을 함께 가지고 있는 경우에는 가환부가 가능하다(대결 1998.4.16, 97모25). 10. 경찰승진·순경 2차, 11. 순경

몰수할 것이라고 사료되어 압수한 물건 중 법률의 특별한 규정에 의하여 필요적으로 몰수할 것에 해당하거나 누구의 소유도 허용되지 아니하여 몰수할 것에 해당하는 물건에 대한 압수는 가환부의 대상이 되지 않는다(대결 1998.4.16, 97모25). 17. 9급 법원직

ⓒ 절차 : 가환부는 청구에 의한 경우(제133조 제1항)와 직권에 의한 경우(제133조 제2항)가 있다. 법원이 가환부 결정을 함에는 검사, 피해자, 피고인 또는 변호인에게 미리 통지하여야 한다(제135조).

임의적 가환부	압수계속의 필요가 있는 압수물인 경우에도 증거에 공할(증거로 사용할) 압수물은 소유자, 소지자, 보관자 또는 제출인의 청구에 의하여 가환부할 수 있다(제133조 제1항). 11. 순경 1차, 17. 경찰승진, 20. 순경 2차 ▶ 가환부청구권(○) ▶ 증거에 공할 압수물 ⇨ 증거물 or 증거물+임의적 몰수물(대결 1998.4.16, 97모25) 19. 경찰간부 '증거에 공할 압수물'에는 증거물로서의 성격을 가진 압수물은 포함되나 몰수할 것으로 사료되는 물건으로서의 성격을 가진 압수물은 포함되지 않는다. (×) 18. 경찰승진
필요적 가환부	증거에만 공할 목적으로 압수한 물건으로서 소유자 또는 소지자가 계속 사용해야 할 물건은 사진촬영 기타 원형보존의 조치를 취하고 신속히 가환부하여야 한다(제133조 제2항). 11. 순경, 15·16. 경찰승진·수사경과, 18. 순경 1차 ▶ 의무부과 증거에만 공할 목적으로 압수한 물건은 소유자 또는 소지자가 계속 사용해야 할 물건이더라도 가환부할 수 없다. (×)

ⓓ 효력 : 가환부를 하더라도 압수의 효력은 유지된다. 따라서 환부받은 자는 압수물에 대한 보관의무를 지며, 요구가 있으면 제출의무도 진다. 07. 순경, 09. 순경 1차, 15. 경찰승진 가환부 장물에 대한 별단의 선고가 없으면, 환부선고가 있는 것으로 간주한다(제333조 제3항). 08. 순경, 09. 9급 법원직, 11. 순경 2차, 14. 경찰간부, 19. 경찰승진

가환부를 받은 자는 압수물을 임의로 처분이 가능하다. (×)

관련판례

1. 피고인에게 의견을 진술할 기회를 주지 아니한 채 한 가환부 결정은 형사소송법 제135조에 위배하여 위법하고 이 위법은 재판의 결과에 영향을 미쳤다 할 것이다〔대결 1980.2.5, 80모3 ∴ 통지 × ⇨ 위법(제135조)〕. 09·11. 순경, 13. 경찰간부, 10·14. 경찰승진
2. 증거에 공할 압수물을 가환부할 것인지의 여부는 범죄의 태양, 경중, 압수물의 증거로서의 가치, 압수물의 은닉, 인멸, 훼손될 위험, 수사나 공판수행상의 지장 유무, 압수에 의하여 받는 피압수자 등의 불이익의 정도 등 여러 사정을 검토하여 종합적으로 판단하여야 할 것이다(대결 1994.8.18, 94모42). 10. 경찰승진, 16. 순경 2차
3. 타인의 등록상표를 위조하여 부착한 관세장물인 운동화를 계속 사용하여야 할 필요가 있다고 보기 어렵고, 가환부의 결정이 있는 경우에도 압수의 효력은 지속되므로 가환부를 받은 자는 법원의 요구가 있으면 즉시 압수물을 제출할 의무가 있고 그 압수물에 대하여 보관의무를 부담하며 소유자라 하더라도 그 압수물을 처분할 수는 없는 것이므로, 이를 수사기관의 보관하에 둔다고 하더라도 그에 의하여 재항고인이 어떠한 불이익을 받게 된다고도 보여지지 아니할 뿐더러, 압수물을 재항고인에게 가환부할 경우 그 재제출이 불가능해질 위험성도 배제할 수는 없어 보이는 바, 가환부청구를 기각한 것은 정당하다(대결 1994.8.18, 94모42).

㉢ 수사상 압수물의 환부·가환부

종래에는 법원의 압수물에 대한 환부·가환부에 관한 규정(제133조)을 수사기관의 경우에도 준용하였으나, 개정법(2011. 7. 18)에서는 이해관계인의 신속한 권리회복을 위하여 수사상 압수물의 환부·가환부에 관한 제도를 별도로 신설하였고, 기존의 환부·가환부에 관한 준용규정을 정비하였다.

ⓐ 검사는 사본을 확보한 경우 등 압수를 계속할 필요가 없다고 인정되는 압수물 및 증거에 사용할 압수물에 대하여 공소제기 전이라도 소유자, 소지자, 보관자 또는 제출인의 청구가 있는 때에는 환부 또는 가환부하여야 한다(제218조의 2 제1항). 18. 순경 1차, 16·22. 순경 2차, 22·23. 경찰간부, 24. 경찰승진, 24. 해경경위공채

이해관계인에게 환부·가환부 신청권을 부여

환부 또는 가환부할 수 있다. (×)

관련판례

1. 피압수자 등 환부를 받을 자가 압수 후 소유권을 포기하는 등에 의하여 실체법상의 권리를 상실하더라도 수사기관의 환부의무에 어떠한 영향을 미칠 수 없고, 수사기관에 환부청구권을 포기한다는 의사표시를 하였다 하더라도 그 효력이 없어 수사기관의 환부의무가 면제된다고 볼 수 없으므로 압수물의 소유권이나 그 환부청구권의 포기하는 의사표시로 인하여 환부의무에 대응하는 압수물에 대한 환부청구권이 소멸하는 것은 아니다(대결 1996.8.16, 94모51 전원합의체). 13·15. 수사경과, 14·15. 경찰승진, 16. 순경 2차, 20. 7급 국가직, 17·21. 변호사시험, 17·22. 9급 법원직, 22. 경찰간부, 24. 9급 검찰·마약수사

   피압수자 등 압수물을 환부 받을 자가 수사기관에 대하여 형사소송법상의 환부청구권을 포기한다는 의사표시를 한 경우 그에 의하여 수사기관의 필요적 환부의무가 면제되므로, 그 환부의무에 대응하는 압수물의 환부를 청구할 수 있는 권리도 소멸하게 된다. (×)
2. 수사기관의 압수물의 환부에 관한 처분의 취소를 구하는 준항고는 일종의 항고소송이므로, 통상의 항고소송에서와 마찬가지로 그 이익이 있어야 하고, 소송 계속 중 준항고로써 달성하고자 하는 목

적이 이미 이루어졌거나 시일의 경과 또는 그 밖의 사정으로 인하여 그 이익이 상실된 경우에는 준항고는 그 이익이 없어 부적법하게 된다(대결 2015.10.15, 2013모1970). 16·17. 7급 국가직, 18. 순경 1차, 19. 경찰승진

3. 검사는 증거에 사용할 압수물에 대하여 가환부의 청구가 있는 경우 가환부를 거부할 수 있는 특별한 사정이 없는 한 가환부에 응하여야 한다(대결 2017.9.29, 2017모236). 20. 5급 검찰·교정승진, 18·21. 7급 국가직
4. 밀수출하기 위해 허위의 수출신고 후 선적하려다 미수에 그친 수출물품으로서 甲주식회사 소유의 렌트차량인 자동차를 세관의 특별사법경찰관이 압수·수색·검증영장에 기해 압수하였는데, 甲회사와 밀수출범죄 사이에 아무런 관련성이 없다면, 검사는 甲회사의 가환부 청구를 거부할 수 있는 특별한 사정이 있는 경우라고 보기 어려우므로, 검사는 甲회사에 가환부해주어야 한다(대결 2017.9.29, 2017모236).
5. 수사단계에서 소유권을 포기한 압수물에 대하여 형사재판에서 몰수형이 선고되지 않은 경우, 피압수자는 국가에 대하여 민사소송으로 그 반환을 청구할 수 있다(대판 2000.12.22, 2000다27725). 19. 해경간부

ⓑ 제1항의 청구에 대하여 검사가 이를 거부하는 경우에는 신청인은 해당 검사의 소속 검찰청에 대응한 법원에 압수물의 환부 또는 가환부 결정을 청구할 수 있다(동조 제2항). 23. 경찰간부

거부시 법원에 불복할 수 있는 방법을 인정

ⓒ 제2항의 청구에 대하여 법원이 환부 또는 가환부를 결정하면 검사는 신청인에게 압수물을 환부 또는 가환부하여야 한다(동조 제3항).

ⓓ 사법경찰관의 환부 또는 가환부 처분에 관하여는 제1항부터 제3항까지의 규정을 준용한다. 이 경우 사법경찰관은 검사의 지휘를 받아야 한다(동조 제4항). 13·16. 수사경과

사법경찰관도 환부 및 가환부 권한이 있으며(검사지휘), 검사의 권한을 대신 행사하는 것은 아니다.

ⓔ 수사기관이 환부나 가환부처분을 함에는 피해자, 피의자 또는 변호인에게 미리 통지하여야 한다(제219조, 제135조). 09. 순경, 16. 순경 2차, 23. 경찰간부

ⓕ 압수물의 환부를 받을 자의 소재가 불명하거나 기타 사유로 인하여 환부를 할 수 없는 경우에는 검사는 그 사유를 관보에 공고하여야 한다(제486조 제1항). 공고한 후 3월 이내에 환부의 청구가 없는 때에는 그 물건은 국고에 귀속한다(동조 제2항). 제2항의 기간 내에도 가치없는 물건은 폐기할 수 있고 보관하기 어려운 물건은 공매하여 그 대가를 보관할 수 있다(동조 제3항).

㉣ 압수장물 피해자환부

ⓐ 압수한 장물이 피해자에게 환부할 이유가 명백한 때에는 피고·피의사건의 종결 전이라도 법원 또는 수사기관은 피해자에게 환부결정을 할 수 있다(제134조, 제219조). 13. 순경, 14. 9급 검찰·교정·보호·철도경찰, 17. 경찰승진, 21. 해경, 23. 경찰간부, 24. 9급 검찰·마약수사

이 제도는 범죄 피해자의 신속한 권리구제를 위하여 인정된 제도이기는 하지만 자칫 압수장물의 재산권행사를 둘러싼 분쟁이 발생할 여지가 있기 때문에 환부할 이유가 명백한 경우에 한정하지 않으면 안 된다.

사건 종결 전 ⇨ 환부결정(판결 ×)

ⓑ 피해자환부의 결정을 하는 경우에도 검사(법원이 행한 경우), 피해자, 피의자 · 피고인 또는 변호인에게 미리 통지하여야 한다(제219조, 제135조).

ⓒ 피고사건에 대한 심리를 종결한 때에 피해자에게 환부할 이유가 명백한 때에는 판결로써 피해자에게 환부하는 선고를 해야 한다(제333조 제1항). 09. 순경, 18. 순경 1차 이 경우에 장물을 처분하였을 때에는 판결로써 그 대가로 취득한 것을 피해자에게 교부하는 선고를 하여야 한다(제333조 제2항). 04. 순경

ⓓ 사법경찰관이 압수장물의 피해자환부를 함에는 검사의 지휘를 받아야 한다(제219조 단서). 20. 수사경과

ⓔ 압수장물의 환부가 있더라도 이해관계인이 민사소송에 의하여 그 권리를 주장함에 영향을 미치지 아니한다(제333조 제4항). 14 · 16. 경찰승진

관련판례

1. 형사소송법 제134조 소정의 "환부할 이유가 명백한 때"라 함은 사법상 피해자가 그 압수된 물건의 인도를 청구할 수 있는 권리가 있음이 명백한 경우를 의미하고 위 인도청구권에 관하여 사실상, 법률상 다소라도 의문이 있는 경우에는 환부할 명백한 이유가 있는 경우라고는 할 수 없다(대결 1984.7.16, 84모38). 10. 경찰승진, 17. 수사경과, 19. 해경간부
2. 검사가 사건을 불기소처분하는 경우에 당해사건에 관하여 압수한 압수물은 피해자에게 환부할 이유가 명백한 경우를 제외하고는 피압수자나 제출인 이외의 누구에게도 환부할 수 없다(대판 1969.5.27, 68다824). 10. 경찰승진
3. 장물을 처분하였을 때에는 판결로서 그 대가로 취득한 것을 피해자에게 교부하는 선고를 하여야 한다(제333조 제2항)는 규정의 취지는 범인이 장물을 처분하여 버림으로써, 피해자가 장물의 반환을 받을 수 없게 되는 경우 그 대가로 취득한 것을 피해자에게 피해회복을 받도록 하고자 하는 피해보호의 견지에서 제정된 것이라고 할 것이므로, 이미 장물을 환부받은 피해자에게 그 장물의 처분대가까지 교부할 수는 없다(대판 1985.1.29, 84도2941).
4. 사기행위로 취득한 물건을 위탁받아 창고에 보관하고 있는 경우(장물에 대한 인식 ×) 보관시킨 매수인(사기범죄자)에 대해서는 보관자는 임치료 청구권이 있고 그 채권에 의하여 위 물건에 대한 유치권이 있다고 보여지므로, 사기의 피해자는 보관자에 대하여 위 물건의 반환 청구권이 있음이 명백하다고 보기는 어렵다 할 것이므로, 이를 피해자에게 환부할 것이 아니라 민사소송에 의하여 해결함이 마땅하다(대결 1984.7.16, 84모38).

KEY point

- 검사의 지휘를 요하는 사법경찰관의 압수물 처리 ⇨ 위탁보관, 폐기처분, 대가보관, 압수장물 피해자환부(제219조), 환부, 가환부(제218조의 2 제4항) 17. 수사경과
- **소유권 포기 :** 환부, 가환부 의무 면제 ×(판례)

압수물처리

수사단계	공판단계	선고단계
• 자청보관원칙(수사기관보관) • 위탁보관(제219조) • 폐기처분(제219조) • 대가보관(제219조) ↳ ┌ 몰수대상물(○) └ 증거물(×) • 환부 · 가환부 청구 ⇨ 환부 또는 가환부하여야 함(제218조의 2 제1항) • 압수장물 피해자환부(제219조) : 임의적	• 자청보관원칙(법원보관) • 위탁보관(제130조 제1항) • 폐기처분(제130조 제2항) • 대가보관(제132조) ↳ 수사단계의 내용과 동일 • 환부(제133조 제1항) • 가환부(제133조) : 증거물(○), 몰수대상물(×) ┌ 임의적(제1항) ▶ 증거물 + 임의적 몰수대상 ⇨ ○(판례) └ 필요적(제2항) • 압수장물 피해자환부(제134조) : 임의적	• 몰수선고 × ⇨ 압수해제 간주(제332조) • 가환부 장물 : 별단의 선고 × ⇨ 환부선고 간주(제333조 제3항) • 압수장물 피해자환부 : 판결로 환부선고(제333조 제1항 · 제2항) ⇨ 필요적

(7) 압수 · 수색에서 영장주의의 예외

압수 · 수색도 다른 강제처분과 마찬가지로 사안의 긴급성으로 인하여 영장주의의 예외가 인정되는 경우가 있다(편의상 검증도 함께 설명함).

① **구속 · 체포 목적의 피의자수색** : 검사 또는 사법경찰관은 체포영장에 의한 체포, 긴급체포, 구속영장에 의한 구속, 현행범을 체포하는 경우에 피의자의 발견을 위해 필요시 영장 없이 타인의 주거 또는 간수하는 가옥, 건조물, 항공기, 선차 내에서 피의자를 수색할 수 있다. 22. 순경 2차 다만, 체포영장(제200조의 2)이나 구속영장(제201조)의 집행을 위한 피의자수색은 미리 수색영장을 발부받기 어려운 긴급한 사정이 있는 때에 한정한다(제216조 제1항 제1호). 13. 9급 검찰 · 마약 · 교정 · 보호 · 철도경찰, 13 · 15. 경찰간부, 15. 순경 3차, 16. 순경 2차

☗ 피의자가 타인의 주거 · 건조물 등에 잠복하고 있다고 인정되는 경우에 피의자의 소재를 발견하기 위해 영장 없이 수색할 수 있도록 한 것이다.

☗ 체포 · 구속목적의 피의자수사를 위해 영장 없이 타인의 주거를 수색할 경우에도 주거지 등의 수색에 대한 참여인의 제한과 야간집행의 제한을 받는다. 따라서 영장 없이 수색을 실시함에 있어서도 참여인이 없는 수색과 야간의 수색은 제한된다(체포 · 구속 목적의 피의자수사가 '급속을 요할 때'에는 예외 : 제220조).

☗ 사후에도 영장을 요하지 않음. 11. 경찰승진

☗ 피의자에 대한 추적이 계속되고 있는 경우는 해당 ×

☗ 반드시 체포 전이어야 하며, 3자의 주거도 포함한다(다만, 피의자 소재의 개연성 필요).

☗ 일반인은 체포를 위해 타인의 주거 수색 ×

☗ 헌법 제16조 후문은 "주거에 대한 압수나 수색을 할 때에는 검사의 신청에 의하여 법관이 발부한 영장을 제시하여야 한다."라고 규정하고 있을 뿐 영장주의에 대한 예외를 명문화하고 있지 않다. 그러나 헌법 제12조 제3항과 헌법 제16조의 관계, 주거 공간에 대한 긴급한 압수 · 수색의 필요성, 주거의 자유와 관련하여 영장주의를 선언하고 있는 헌법 제16조의 취지 등을 종합하면, 헌법 제16조의 영장주의에 대해서도 제한적으로 그 예외를 인정할 수 있다고 보는 것이 타당하다(헌재결 2018.4.26, 2015헌바370). 18. 7급 국가직

관련판례

체포영장을 집행하는 경우 필요한 때에는 타인의 주거 등에서 피의자 수사를 할 수 있도록 한 형사소송법 제216조 제1항 제1호 중 제200조의 2에 관한 부분은 영장을 발부받기 어려운 긴급한 사정이 있는지 여부를 구별하지 아니하고 피의자가 소재할 개연성만 소명되면 영장 없이 타인의 주거 등을 수색할 수 있도록 허용하고 있다. 이는 체포영장이 발부된 피의자가 타인의 주거 등에 소재할 개연성은 소명되나, 수색에 앞서 영장을 발부받기 어려운 긴급한 사정이 인정되지 않는 경우에도 영장 없이 피의자 수색을 할 수 있다는 것이므로, 헌법 제16조의 영장주의 예외 요건을 벗어나는 것으로서 영장주의에 위반된다(헌재결 2018.4.26, 2015헌바370). 18. 순경 2차

▶ 위 헌법재판소의 결정에 따라, 형사소송법 제216조 제1항 제1호를 '체포영장이나 구속영장 집행을 위하여 영장 없이 타인의 주거 등을 수색하려는 경우에는 미리 수색영장을 발부받기 어려운 긴급한 사정이 있어야 하는 것'으로 개정하였다(2019. 12. 31. 시행). 21. 경찰간부

② 체포현장에서의 압수 · 수색 · 검증

㉠ 검사 또는 사법경찰관은 피의자를 체포영장에 의해 체포하거나 구속영장에 의해 구속하는 경우, 긴급체포 · 현행범체포를 하는 경우에 필요시 영장 없이 체포현장에서 압수 · 수색 · 검증을 할 수 있다(제216조 제1항 제2호). 10. 교정특채, 13. 9급 검찰 · 마약 · 교정 · 보호 · 철도경찰 · 경찰간부, 15. 순경 1차, 11 · 16. 경찰승진, 16 · 22. 순경 2차

압수 · 수색 · 검증의 성질 : 체포현장에서의 위험을 방지하고 피의자가 증거를 인멸하는 것을 방지하기 위하여 허용한 것이라는 견해인 긴급행위설(타당)과 기본권인 자유권이 적법하게 침해된 때에는 이에 수반하는 보다 경미한 비밀이나 소유권침해도 영장 없이 할 수 있도록 한 것이라는 견해인 부수처분설이 대립되고 있다.

체포와의 시간적 접착성 : 체포현장에서의 압수 · 수색 · 검증이 체포와의 사이에 시간적 접착성을 요하지만 어느 정도의 시간적 접착을 요하는가에 대하여 견해가 나뉘고 있다. 체포행위시에 시간적 · 장소적으로 근접해 있으면 되고, 피의자가 현장에 있거나 체포되었음을 요하지 않으며 체포 전후나 체포의 성공 여부를 묻지 않고 압수 · 수색이 가능하다는 견해(접착설), 피의자가 수색장소에 있고 체포가 현실적으로 착수되어야 한다고 보는 견해(착수설), 피의자가 체포현장에 있고 체포에 성공한 경우에 비로소 압수 · 수색이 허용된다는 견해(체포설), 피의자가 현장에 있을 때 압수 · 수색한 이상 체포 전후 성공 여부를 불문하고 압수 · 수색이 허용된다는 견해(현장설 : 타당)가 대립하고 있다.

압수 · 수색의 장소적 범위 : 압수 · 수색의 장소적 범위도 피체포자의 신체 및 그의 직접 지배하에 있는 장소에 제한된다.

사건과의 관련성 : 무영장 압수 · 수색 · 검증의 대상이 되는 물건은 당해 피의사건과 관련성이 있는 것에 한한다. 따라서 체포하는 자에게 위해를 줄 우려가 있는 무기 등 및 체포원인이 되는 범죄사실에 대한 증거물이다(별건의 증거 발견 ⇨ 임의제출 또는 영장에 의한 압수 필요).

㉡ 검사 또는 사법경찰관은 체포현장에서 압수한 물건을 계속 압수할 필요가 있는 경우에는 지체 없이 압수 · 수색영장을 청구하여야 한다. 이 경우 압수 · 수색영장의 청구는 체포한 때로부터 48시간 이내에 하여야 한다(제217조 제2항). 18. 9급 검찰 · 마약 · 교정 · 보호 · 철도경찰, 19. 수사경과 검사 또는 사법경찰관은 청구한 압수 · 수색영장을 발부받지 못한 때에는 압수한 물건을 즉시 반환하여야 한다(동조 제3항). 09. 교정특채

🚨 검사 또는 사법경찰관이 체포현장에서 영장 없이 압수·수색을 한 경우 체포와의 시간적 접착성이 인정되면 계속 압수할 필요가 있는 경우에도 사후에 별도로 압수·수색영장을 받지 않아도 된다. (×) 15. 9급 법원직

🚨 긴급체포에 의하여 피의자를 체포하는 경우 필요한 때에는 영장 없이 체포현장에서의 압수·수색 또는 검증을 할 수 있으나, 압수한 물건을 계속 압수할 필요가 있는 경우에는 압수한 때부터 48시간 이내에 압수·수색영장을 청구하여야 한다. (×) 18. 경찰간부

🚨 검사가 피의자를 적법하게 체포하는 경우 그 체포현장에서 영장 없이 압수·수색을 할 수 있고, 이때 압수한 물건을 계속 압수할 필요가 있는 경우에는 늦어도 피의자를 체포한 때로부터 48시간 이내에 압수·수색영장을 청구하여야 한다. (○) 17. 9급 검찰·마약수사

관련판례

1. 피의자 체포현장에서 영장 없이 압수한 물건을 계속 압수할 필요가 있는 경우에는 지체 없이 압수·수색영장을 청구하여야 하며, 청구한 압수·수색영장을 발부받지 못한 때에는 압수한 물건을 즉시 반환하여야 한다. 즉시 반환하지 아니한 압수물은 이를 유죄인정의 증거로 사용할 수 없는 것이고, 피고인이나 변호인이 이를 증거로 함에 동의하였다고 하더라도 증거로 할 수 없다(대판 2009.12.24, 2009도11401). 11. 9급 법원직, 12·13. 경찰승진, 13. 7급 국가직, 14·16. 순경 1차, 12·13·16·21. 순경 2차
2. 구 정보통신망 이용촉진 및 정보보호 등에 관한 법률상 음란물 유포의 범죄혐의를 이유로 압수·수색영장을 발부받은 사법경찰리가 피고인의 주거지를 수색하는 과정에서 대마를 발견하자, 피고인을 마약류관리에 관한 법률 위반죄의 현행범으로 체포하면서 대마를 압수하였으나, 그 다음 날 피고인을 석방하였음에도 사후 압수·수색영장을 발부받지 않은 사안에서, 위 압수물과 압수조서는 형사소송법상 영장주의를 위반하여 수집한 증거로서 증거능력이 부정된다(대판 2009.5.14, 2008도10914). 13·14. 순경 1차, 14. 변호사시험, 11·15·19. 경찰승진, 19. 수사경과, 12·23. 7급 국가직

   🚨 음란물유포의 범죄혐의를 이유로 압수·수색영장을 발부받은 사법경찰관이 피의자의 주거지를 수색하는 과정에서 대마를 발견하자 피의자를 마약류관리에 관한 법률 위반죄의 현행범으로 체포하면서 대마를 압수하고 그 다음 날 피의자를 석방하면서 압수한 대마에 대해 사후 압수·수색영장을 발부받은 경우 압수는 적법하다. (○) 17. 9급 교정·보호·철도경찰
3. 경찰이 피고인의 집에서 20m 떨어진 곳에서 피고인을 체포하여 수갑을 채운 후 피고인의 집으로 가서 집안을 수색하여 칼과 합의서를 압수하였을 뿐만 아니라 적법한 시간 내에 압수·수색영장을 청구하여 발부받지도 않았음을 알 수 있는바, 위 칼과 합의서는 영장 없이 위법하게 압수된 것으로서 증거능력이 없고, 추후 피의자로부터 그 압수물에 대한 임의제출 동의서를 받았더라도 그 압수는 위법하다(대판 2010.7.22, 2009도14376). 14·15. 경찰간부, 19. 경찰승진, 20. 9급 법원직

③ 피고인 구속현장에서의 압수·수색·검증

㉠ 검사 또는 사법경찰관이 피고인에 대한 구속영장을 집행하는 경우에 필요시 집행현장에서 영장 없이 압수·수색·검증을 할 수 있다(제216조 제2항). 14·15·16. 경찰승진

🚨 증인에 대한 구인장 집행의 경우에는 무영장 압수·수색·검증 규정 적용 ×

㉡ 피고인에 대한 구속영장의 집행은 재판의 집행기관으로서 활동하는 것이지만, 집행현장에서의 압수·수색·검증은 수사기관의 수사처분이다. 따라서 법관에게 결과보고나 압수물을 제출할 필요는 없다. 07. 7급 검찰, 11. 경찰승진

④ **범죄장소에서의 압수·수색·검증**

㉠ 범행 중 또는 범행 직후의 범죄장소에서 긴급을 요하여 판사의 영장을 받을 수 없을 때에는 영장 없이 압수·수색·검증을 할 수 있다(제216조 제3항). 08. 순경, 09. 순경 2차, 15. 순경 1차·9급 법원직·경찰간부, 15·22. 경찰승진

이 규정은 피의자의 체포·구속을 전제로 하지 않는 경우이며, 범죄현장에서의 증거물의 은닉과 산일(散逸)을 방지하기 위한 것임.

제216조의 규정(구속 체포 목적 피의자 수사, 체포현장에서 압수·수색·검증·범죄 장소 압수·수색·검증)에 의한 처분을 하는 경우에 급속을 요한 때에는 주거자나 간수자 등 참여(제123조 제2항)와 야간집행의 제한(제125조)이 적용되지 않는다(제220조).

범행 직후의 범죄장소에서는 수사상 필요가 있는 경우라면, 긴급한 경우가 아니더라도, 수사기관은 영장 없이 압수·수색 또는 검증을 할 수 있으나, 사후에 지체 없이 영장을 받아야 한다. (×) 18. 순경 2차

㉡ 영장 없이 압수·수색·검증을 한 경우 사후에 지체 없이 압수·수색·검증영장을 발부받아야 한다(제216조 제3항)(예 112 신고를 받고 현장에 출동하였으나 이미 도주해 버린 경우). 07. 7급 국가직, 13·15. 순경 1차, 15. 9급 법원직·경찰간부, 16. 순경 2차, 11·17·23. 경찰승진, 24. 경력채용

사후에 지체 없이 영장을 발부받아야 함(청구만 가지고는 안됨)에 주의!

관련판례

1. 주취운전이라는 범죄행위로 당해 음주운전자를 구속·체포하지 아니한 경우에도 **필요하다면** 그 차량 열쇠는 범행 중 또는 범행 직후의 범죄장소에서의 압수로서 **형사소송법 제216조 제3항에 의하여** 영장 없이 이를 압수할 수 있다(대판 1998.5.8, 97다54482). 15. 9급 검찰·마약·교정·보호·철도경찰, 16. 경찰간부, 11·19. 경찰승진

2. 음주운전 중 교통사고를 야기한 후 피의자가 의식불명 상태에 빠져 있는 등으로 도로교통법이 음주운전의 제1차적 수사방법으로 규정한 호흡조사에 의한 음주측정이 불가능하고 혈액 채취에 대한 동의를 받을 수도 없을 뿐만 아니라 법원으로부터 혈액 채취에 대한 감정처분허가장이나 사전 압수영장을 발부받을 시간적 여유도 없는 긴급한 상황이 생길 수 있다. 이러한 경우 사고현장으로부터 곧바로 후송된 병원 응급실 등의 장소는 형사소송법 제216조 제3항의 범죄 장소에 준한다 할 것이므로, 검사 또는 사법경찰관은 피의자의 혈중알코올농도 등 증거의 수집을 위하여 의료법상 의료인의 자격이 있는 자로 하여금 의료용 기구로 의학적인 방법에 따라 필요최소한의 한도 내에서 피의자의 혈액을 채취하게 한 후 그 혈액을 영장 없이 압수할 수 있다. **다만 이 경우에도** 사후에 지체 없이 **강제채혈에 의한 압수의 사유 등을 기재한 영장청구서에 의하여 법원으로부터** 압수영장을 받아야 한다(대판 2012.11.15, 2011도15258). 13. 순경 1차, 14. 변호사시험, 19. 해경간부, 20. 9급 법원직, 21. 수사경과

3. 사법경찰관 작성의 검증조서 작성이 범죄현장에서 급속을 요한다는 이유로 압수·수색영장 없이 행하여졌는데, 그 후 법원의 사후영장을 받은 흔적이 없다면 **유죄의 증거로 쓸 수 없다**(대판 1990.9.14, 90도1263). 09. 9급 국가직

4. 범행 중 또는 범행직후의 범죄 장소에서 긴급을 요하여 법원 판사의 영장을 받을 수 없는 때에는 영장 없이 압수·수색 또는 검증을 할 수 있으나, 사후에 지체 없이 영장을 받아야 한다(형사소송법 제216조 제3항). 형사소송법 제216조 제3항의 요건 중 어느 하나라도 갖추지 못한 경우에 그러한 압수·수색 또는 검증은 위법하며, **이에 대하여** 사후에 **법원으로부터** 영장을 발부받았다고 하여 그 위법성이 치유되지 아니한다(**대판** 2017.11.29, 2014도16080). 18. 순경 2차

5. 경찰관들이 노래연습장에서의 주류 판매에 대한 신고를 받고 현장에 출동하여 위반 사실을 확인하기 위해 노래연습장 내부를 수색하자, 영업주가 물리력을 행사해 저지한 행위를 공무집행방해죄로 기소한 사건에서, 경찰관들의 행위에 대하여, 형사소송법 제216조 제3항이 정한 '긴급을 요하여 법원 판사의 영장을 받을 수 없는 때'의 요건을 갖추지 못하였고, 현행범 체포에 착수하지 아니한 상태여서 현행범 체포현장에서의 압수·수색' 요건을 갖추지 못하였으므로, 영장 없는 압수·수색업무로서의 적법한 직무집행으로 볼 수 없다(대판 2017.11.29, 2014도16080).
6. 대학생들인 피고인들이 전경 5명을 불법으로 납치, 감금하고 있으면서 경찰의 수회에 걸친 즉시 석방 요구에도 불구하고 불가능한 조건을 내세워 이에 불응하고, 경찰이 납치된 전경들을 구출하기 위하여 농성장소인 대학교 도서관 건물에 진입하기 직전 동 대학교 총장에게 이를 통고하고 이에 동 총장이 설득하였음에도 불구하고 이에 응하지 아니한 상황 아래에서는 현행의 불법감금상태를 제거하고 범인을 체포할 긴급한 필요가 있다고 보여지므로, 경찰이 압수·수색영장 없이 도서관 건물에 진입한 것은 적법한 공무원의 직무집행이라 할 것이다(대판 1990.6.22, 90도767).
7. 형사소송법 제216조 제3항은 "범행 중 또는 범행 직후의 범죄 장소에서 긴급을 요하여 법원판사의 영장을 받을 수 없는 때에는 영장 없이 압수·수색 또는 검증을 할 수 있다. 이 경우에는 사후에 지체 없이 영장을 받아야 한다."라고 규정하고 있다. 이 규정에 따라 압수·수색영장을 청구하였다가 영장을 발부받지 못한 때에는 수사기관은 압수한 물건을 즉시 반환하여야 하고, 즉시 반환하지 아니한 압수물은 유죄의 증거로 사용할 수 없으며, 피고인이나 변호인이 이를 증거로 함에 동의하였다고 하더라도 달리 볼 것은 아니다. 여기서 압수한 물건을 즉시 반환한다는 것은 수사기관이 압수한 물건을 곧바로 반환하는 것이 현저히 곤란하다는 등의 특별한 사정이 없는 한 영장을 청구하였다가 기각되는 바로 그때에 압수물을 돌려주기 위한 절차에 착수하여 그 절차를 지연하거나 불필요하게 수사기관의 점유를 계속하는 등으로 지체함이 없이 적극적으로 압수 이전의 상태로 회복시켜 주는 것을 의미한다(대판 23024.10.8, 2024도10062).

---

⑤ 긴급체포시의 압수·수색·검증

㉠ 검사 또는 사법경찰관은 긴급체포에 따라 체포된 자가 소유, 소지 또는 보관하는 물건에 대하여 긴급히 압수할 필요가 있는 경우에는 체포한 때부터(압수한 때 ×) 24시간 내에 한하여 영장 없이 압수·수색·검증을 할 수 있다(제217조 제1항). 14. 9급 검찰·교정·보호·철도경찰, 15. 9급 법원직, 18. 경찰간부·수사경과, 21. 순경 2차, 17·19·22·23. 경찰승진, 25. 변호사시험

긴급 압수·수색·검증이 허용되는 시간을 종전에는 48시간이었던 것을 개정법에서는 24시간으로 제한하였다.

요급처분에 대한 특칙(제220조)이 적용되지 아니한다.

∴ 긴급체포 후 압수·수색의 경우에도 주거주 등의 참여가 있어야 하며(제123조 제2항), 야간집행 기재가 없으면 집행을 위해 타인의 주거 등에 들어갈 수 없다(제125조).

관련판례

1. 피고인이 보관하던 다른 사람의 주민등록증, 운전면허증 및 그것이 들어있던 지갑으로서, 피고인이 사기죄의 범행을 저질렀다는 범죄사실 등으로 긴급체포된 직후 압수되었는바, 그 압수 당시 위 범죄사실의 수사에 필요한 범위 내의 것으로서 전화사기범행과 관련된다고 의심할 만한 상당한 이유가 있었다고 보이므로, 적법하게 압수되었다고 할 것이다. 따라서 이를 증거로 삼아 점유이탈물횡령죄

의 공소사실을 유죄로 인정한 조치는 정당하다(대판 2008.7.10, 2008도2245). 17. 경찰간부, 18. 경찰승진·수사경과, 23. 7급 국가직

2. 형사소송법 제217조 제1항은 수사기관이 피의자를 긴급체포한 상황에서 피의자가 체포되었다는 사실이 공범이나 관련자들에게 알려짐으로써 관련자들이 증거를 파괴하거나 은닉하는 것을 방지하고, 범죄사실과 관련된 증거물을 신속히 확보할 수 있도록 하기 위한 것이다. 이 규정에 따른 압수·수색 또는 검증은 체포현장에서의 압수·수색 또는 검증을 규정하고 있는 형사소송법 제216조 제1항 제2호와 달리, 체포현장이 아닌 장소에서도 긴급체포된 자가 소유·소지 또는 보관하는 물건을 대상으로 할 수 있다(대판 2017.9.12, 2017도10309). 21. 순경 2차

▶ **구체적 사안** : 경찰관들은 2016. 10. 5. 20 : 00 도로에서 위장거래자와 만나서 마약류 거래를 하고 있는 피고인을 긴급체포한 뒤 현장에서 피고인이 위장거래자에게 건네준 메트암페타민 약 9.50g이 들어 있는 비닐팩 1개를 압수하였다. 위 경찰관들은 같은 날 20 : 24경 영장 없이 체포현장에서 약 2km 떨어진 피고인의 주거지에 대한 수색을 실시해서 작은 방 서랍장 등에서 메트암페타민 약 4.82g이 들어 있는 비닐팩 1개 등을 추가로 찾아내어 이를 압수한 다음 2016. 10. 7. 사후 압수·수색영장을 발부받은 경우, 형사소송법 제217조에 따라 적법하게 압수되었다고 할 것이다(대판 2017.9.12, 2017도10309).

ⓛ 검사 또는 사법경찰관은 전항(제217조 제1항)에 따라 압수한 압수물을 계속 압수할 필요가 있는 경우에는 지체 없이 압수·수색영장을 청구하여야 하며, 이 경우 압수·수색영장 청구는 체포한 때로부터(압수한 때 ×) 48시간 이내에 하여야 한다(제217조 제2항). 17. 경찰승진

사법경찰관은 2017. 3. 1. 10 : 00 보이스피싱 혐의로 피의자를 긴급체포하고 그 다음 날인 3. 2. 09 : 00 피의자가 보관하고 있던 다른 사람의 주민등록증을 발견하고 압수한 다음, 그것을 계속 압수할 필요가 있다고 판단하여 곧바로 검사에게 사후영장 청구를 신청하였고 검사는 같은 날 11 : 00 사후영장을 청구하였다. (○) 17. 9급 교정·보호·철도경찰

ⓒ 검사 또는 사법경찰관은 제217조 제2항에 따라 청구한 압수·수색영장을 발부받지 못한 때에는 압수한 물건을 즉시 반환하여야 한다(제217조 제3항).

즉시 반환하지 아니한 압수물은 피고인이나 변호인이 이를 증거로 함에 동의하였다고 하더라도 유죄인정의 증거로 사용할 수 없다(대판 2009.12.24, 2009도11401). 13. 순경 2차, 23. 순경 1차

사후영장 청구와 발부(정리)

범죄장소에서 영장 없이 행한 압수·수색·검증 (제216조 제3항)	지체 없이 사후영장을 발부받아야 함. 11. 경찰승진
체포·구속현장에서 영장 없이 행한 압수 (제216조 제1항 제2호)	계속 압수할 필요가 있을 경우 지체 없이 압수영장을 청구하되, 체포시부터 48시간 이내에 하여야 함 (압수·수색영장 발부 × ⇨ 즉시 반환).
긴급체포된 자의 소유·소지·보관물에 대해 24시간 이내에 영장 없이 압수(제217조)	

⑥ **유류물 또는 임의제출물의 영치** : 검사 또는 사법경찰관은 피의자, 기타인의 유류한 물건이나 소유자, 소지자 또는 보관자가 임의로 제출한 물건은 영장 없이 압수할 수 있다(제218조). 09. 9급 법원직, 13. 경찰간부, 15. 순경 1차, 15·16·17. 경찰승진, 19. 수사경과

☎ 사후에도 영장을 요하지 않음(대판 2016.2.18, 2015도13726). 11 · 15 · 21. 경찰승진, 21. 순경 2차, 23. 경찰간부, 24. 경위공채 · 순경 2차

☎ 일단 영치된 이상 제출자가 임의로 취거할 수 없다는 점에서 강제처분으로 인정

☎ 영치의 목적물은 반드시 증거물 또는 몰수대상물에 한하지 않으며, 소지자 또는 보관자는 반드시 적법한 권리자일 필요는 없다.

관련판례

1. 형사소송법 제218조는 "사법경찰관은 소유자, 소지자 또는 보관자가 임의로 제출한 물건을 영장 없이 압수할 수 있다."고 규정하고 있는바, 위 규정을 위반하여 소유자, 소지자 또는 보관자가 아닌 자로부터 제출받은 물건을 영장 없이 압수한 경우 그 '압수물' 및 '압수물을 찍은 사진'은 이를 유죄인정의 증거로 사용할 수 없는 것이고, 피고인이나 변호인이 이를 증거로 함에 동의하였다고 하더라도 증거로 사용할 수 없다(대판 2010.1.28, 2009도10092). 13 · 16. 순경 1차, 16 · 19. 수사경과, 18 · 21. 순경 2차, 12 · 21 · 22. 경찰승진, 10 · 23. 7급 국가직, 23. 경찰간부
2. 형사소송법 및 기타 법령상 교도관이 그 직무상 위탁을 받아 소지 또는 보관하는 물건으로서 재소자가 작성한 비망록을 수사기관이 수사 목적으로 압수하는 절차에 관하여 특별한 절차적 제한을 두고 있지 않으므로, 교도관이 재소자가 맡긴 비망록을 수사기관에 임의로 제출하였다면 그 비망록의 증거사용에 대하여도 재소자의 사생활의 비밀 기타 인격적 법익이 침해되는 등의 특별한 사정이 없는 한 반드시 그 재소자의 동의를 받아야 하는 것은 아니다. 18. 7급 국가직 따라서 검사가 교도관으로부터 그가 보관하고 있던 피고인의 비망록을 뇌물수수 등의 증거자료로 임의로 제출받아 이를 압수한 경우, 그 압수절차가 피고인의 승낙 및 영장 없이 행하여졌다고 하더라도 이에 적법절차를 위반한 위법이 있다고 할 수 없다(대판 2008.5.15, 2008도1097). 12. 경찰승진, 14 · 17. 변호사시험, 23. 경찰간부
3. 형사소송법 및 기타 법령상 의료인이 진료 목적으로 채혈한 혈액을 수사기관이 수사 목적으로 압수하는 절차에 관하여 특별한 절차적 제한을 두고 있지 않으므로, 의료인이 진료 목적으로 채혈한 환자의 혈액을 수사기관에 임의로 제출하였다면 그 혈액의 증거사용에 대하여도 환자의 사생활의 비밀 기타 인격적 법익이 침해되는 등의 특별한 사정이 없는 한 반드시 그 환자의 동의를 받아야 하는 것이 아니다. 따라서 경찰관이 간호사로부터 진료 목적으로 이미 채혈되어 있던 피고인의 혈액 중 일부를 임의로 제출 받아 이를 압수한 것으로 보이므로 당시 간호사가 위 혈액의 소지자 겸 보관자인 의료원 또는 담당의사를 대리하여 혈액을 경찰관에게 임의로 제출할 수 있는 권한이 없었다고 볼 특별한 사정이 없는 이상, 그 압수절차가 피고인 또는 피고인의 가족의 동의 및 영장 없이 행하여졌다고 하더라도 이에 적법절차를 위반한 위법이 있다고 할 수 없다(대판 1999.9.3, 98도968). 11. 7급 국가직, 15 · 22. 9급 검찰 · 교정 · 보호 · 철도경찰, 21. 경찰승진 · 순경 2차, 22. 수사경과

   ▶ **비교판례**

   [1] 수사기관이 범죄 증거를 수집할 목적으로 피의자의 동의 없이 피의자의 혈액을 취득 · 보관하는 행위는 법원으로부터 감정처분허가장을 받아 형사소송법 제221조의 4 제1항, 제173조 제1항에 의한 '감정에 필요한 처분'으로도 할 수 있지만, 형사소송법 제219조, 제106조 제1항에 정한 압수의 방법으로도 할 수 있고, 압수의 방법에 의하는 경우 혈액의 취득을 위하여 피의자의 신체로부터 혈액을 채취하는 행위는 혈액의 압수를 위한 것으로서 형사소송법 제219조, 제120조 제1항에 정한 '압수영장의 집행에 있어 필요한 처분'에 해당한다(대판 2012.11.15, 2011도15258). 13. 순경 1차

▶ 강제채혈과 관련하여 기존의 유사판례(대판 2011.4.28, 2009도2109, 대판 2011.5.13, 2009도10871) 보다는 좀 더 구체적이고 분명한 입장을 취하고 있는 판례라는 점에서 의미가 있다.

수사기관이 범죄증거를 수집할 목적으로 피의자의 동의 없이 피의자의 혈액을 취득·보관하는 행위는 '감정에 필요한 처분'에 해당하는 것이지 '압수영장의 집행에 있어서 필요한 처분'에 해당하는 것은 아니다. (×)

수사기관은 형사소송법이 정한 압수의 방법으로 피의자의 동의 없이 그의 혈액을 범죄 증거의 수집 목적으로 취득·보관할 수 있으나, 감정에 필요한 처분으로는 이를 할 수 없다. (×) 18. 순경 3차

[2] 피고인이 오토바이를 운전하여 가다가 교통사고를 야기한 후 의식을 잃은 채 119 구급차량에 의하여 병원 응급실로 후송되었는데, 약 1시간 후에 신고를 받고 병원 응급실로 출동한 경찰관은 법원으로부터 압수·수색 또는 검증 영장을 발부받지 아니한 채 피고인의 아들로부터 동의를 받아 간호사로 하여금 의식을 잃고 응급실에 누워 있는 피고인으로부터 채혈을 하도록 하였다. 사고현장으로부터 곧바로 후송된 병원응급실의 장소는 형사소송법 제216조 제3항의 범죄장소에 준한다 할 것이므로 그 혈액을 영장 없이 압수할 수 있다. 다만, 사후에 지체 없이 압수영장을 받아야 한다. 따라서 위 채혈은 법관으로부터 영장을 발부받지 않은 상태에서 이루어졌고 사후에 영장을 발부받지도 아니하였으므로 피고인의 혈중알코올농도에 대한 국립과학수사연구소의 감정의뢰회보 및 이에 기초한 주취운전자 적발보고서, 주취운전자 정황보고서 등의 증거는 위법수집증거로서 증거능력이 없다(대판 2012.11.15, 2011도15258). 17. 9급 교정·보호·철도경찰, 21. 순경 2차

▶ 경찰관이 간호사로부터 진료목적으로 이미 채혈되어 있던 혈액의 일부를 임의제출 받은 경우에는 적법하다는 위 판례(대판 1999.9.3, 98도968)와 구별을 요한다.

4. 수사기관이 영장발부사유로 된 범죄사실과 무관한 별개의 증거를 압수하였다가 피압수자 등에게 환부하고 후에 임의제출받아 다시 압수하였다면 제출에 임의성이 있다는 점에 관하여는 검사가 합리적 의심을 배제할 수 있을 정도로 증명하여야 하고, 임의로 제출된 것이라고 볼 수 없는 경우에는 증거능력을 인정할 수 없다(대판 2016.3.10, 2013도11233). 16·17·20. 7급 국가직, 23. 경찰승진

▶ 임의성이 인정 ⇨ 유죄인정의 증거사용 가능 21. 9급 교정·보호·철도경찰, 23. 경찰간부

5. 검사 또는 사법경찰관은 피의자 등이 유류한 물건이나 소유자·소지자 또는 보관자가 임의로 제출한 물건은 영장 없이 압수할 수 있으므로, 현행범 체포 현장이나 범죄 장소에서도 소지자 등이 임의로 제출하는 물건은 위 조항에 의하여 영장 없이 압수할 수 있고, 이 경우에는 검사나 사법경찰관이 사후에 영장을 받을 필요가 없다(대판 2016.2.18, 2015도13726). 20. 9급 검찰·마약·교정·보호·철도경찰, 21. 경찰승진, 23. 경찰간부, 18·24. 순경 2차

6. 교통사고를 가장한 살인사건의 범행일로부터 약 3개월 가까이 경과한 후 범죄에 이용된 승용차의 일부분인 강판조각이 범행 현장에서 발견된 경우 이 강판조각은 형사소송법 제218조에 규정된 유류물에 해당하므로 영장 없이 압수할 수 있다(대판 2011.5.26, 2011도1902). 19. 순경 2차

7. 휴대전화기에 대한 압수조서 중 '압수경위'란에 기재된 내용은, 피고인이 공소사실과 같은 범행을 저지르는 현장을 직접 목격한 사람의 진술이 담긴 것으로서 형사소송법 제312조 제5항에서 정한 '피고인이 아닌 자가 수사과정에서 작성한 진술서'에 준하는 것으로 볼 수 있고, 이에 따라 이 사건 휴대전화기에 대한 임의제출 절차가 적법하였는지 여부에 영향을 받지 않는 별개의 독립적인 증거에 해당하므로, 피고인이 증거로 함에 동의한 이상 유죄를 인정하기 위한 증거로 사용할 수 있다(대판 2019.11.14, 2019도13290). 20. 9급 검찰·마약수사, 21. 순경 2차, 22. 경찰승진

8. 피의자가 휴대전화를 임의제출하면서 휴대전화에 저장된 전자정보가 아닌 클라우드 등 제3자가 관리하는 원격지에 저장되어 있는 전자정보를 수사기관에 제출한다는 의사로 수사기관에게 클라우드 등에 접속하기 위한 아이디와 비밀번호를 임의로 제공하였다면 위 클라우드 등에 저장된 전자정보를 임의제출하는 것으로 볼 수 있다(대판 2021.7.29, 2020도14654). 22. 7급 국가직, 23. 순경 2차, 24. 변호사시험 · 순경 1차
9. 위법한 압수가 있은 직후에 피고인으로부터 받은 그 압수물에 대한 임의제출동의서도 유죄인정의 증거로 사용할 수 없다(대판 2010.7.22, 2009도14376). 24. 7급 국가직
10. 임의로 제출된 물건을 압수하는 경우, 그 제출에 임의성이 있다는 점에 관하여는 검사가 합리적 의심을 배제할 수 있을 정도로 증명하여야 하고, 임의로 제출된 것이라고 볼 수 없는 경우에는 증거능력을 인정할 수 없다(대판 2023.6.1, 2020도2550). 25. 변호사시험 · 소방간부
11. 甲은 자신 등의 혐의에 대한 수사가 본격화되자 乙에게 지시하여 하드디스크를 은닉하였는데, 이후 수사기관이 乙을 증거은닉혐의 피의자로 입건하자 乙이 이를 임의제출하였고, 수사기관은 하드디스크 임의제출 및 그에 저장된 전자정보에 관한 탐색 · 복제 · 출력 과정에서 乙측에 참여권을 보장한 반면 甲 등에게는 참여 기회를 부여하지 않아 그 증거능력이 문제 된 사안에서, 乙이 하드디스크를 임의제출한 이상 乙에게 참여권을 인정하는 것으로 충분하고, 甲은 하드디스크에 대한 관리처분권을 사실상 포기하거나 乙에게 양도한 것으로 볼 수 있어 하드디스크 임의제출 과정에서 참여권이 보장돼야 할 실질적 피압수자에 해당한다고 보기 어렵다. 따라서, 증거은닉범행의 피의자로서 하드디스크를 임의제출한 乙에 더하여 임의제출자가 아닌 甲 등에게도 참여권이 보장되어야 한다고 볼 수 없다(대판 2023.9.18, 2022도7453 전원합의체).
12. 유류물, 임의로 제출한 물건은 형사소송법 제218조에 의하여 영장 없이 압수할 수 있으므로 압수 후 압수조서의 작성 및 압수목록의 작성 · 교부 절차가 제대로 이행되지 아니한 잘못이 있다 하더라도, 그것이 적법절차의 실질적인 내용을 침해하는 경우에 해당한다거나 앞서 본 위법수집증거의 배제법칙에 비추어 그 증거능력의 배제가 요구되는 경우에 해당한다고 볼 수는 없다(대판 2011.5.26, 2011도1902). 23. 순경 2차
13. 유류물 압수 · 수색에 대해서는 원칙적으로 영장에 의한 압수 · 수색 · 검증에 관하여 적용되는 형사소송법 제215조 제1항이나 임의제출물 압수에 관하여 적용되는 형사소송법 제219조에 의하여 준용되는 제106조 제1항, 제3항, 제4항에 따른 관련성의 제한이 적용된다고 보기 어렵다. 유류물 압수는 수사기관이 소유권이나 관리처분권이 처음부터 존재하지 않거나, 존재하였지만 적법하게 포기된 물건, 또는 그와 같은 외관을 가진 물건 등의 점유를 수사상 필요에 따라 취득하는 수사방법을 말한다. 따라서 유류물 압수에 있어서는 정보저장매체의 현실적 지배 · 관리 혹은 이에 담겨있는 전자정보 전반에 관한 전속적인 관리처분권을 인정하기 어렵다. 정보저장매체를 소지하고 있던 사람이 이를 분실한 경우와 같이 그 권리를 포기하였다고 단정하기 어려운 경우에도, 수사기관이 그러한 사정을 알거나 충분히 알 수 있었음에도 이를 유류물로서 영장 없이 압수하였다는 등의 특별한 사정이 없는 한, 영장에 의한 압수나 임의제출물 압수와 같이 수사기관의 압수 당시 참여권 행사의 주체가 되는 피압수자가 존재한다고 평가할 수는 없다. 따라서, 범죄수사를 위해 정보저장매체의 압수가 필요하고, 정보저장매체를 소지하던 사람이 그에 관한 권리를 포기하였거나 포기한 것으로 인식할 수 있는 경우에는, 수사기관이 형사소송법 제218조에 따라 피의자 기타 사람이 유류한 정보저장매체를 영장 없이 압수할 때 해당 사건과 관계가 있다고 인정할 수 있는 것에 압수의 대상이나 범위가 한정된다거나, 참여권자의 참여가 필수적이라고 볼 수는 없다(대판 2024.7.25, 2021도1181).

▶ 위 판례는 피고인이 불법 촬영 혐의로 주거지 압수·수색을 받던 중 고층 아파트 바깥으로 저장매체(SSD카드파일) 등이 든 신발주머니를 투척한 사건으로, 피고인이 저장매체를 던진 행위는 소유권을 포기한 것으로 해석할 수 있어 유류물로서 영장 없는 압수가 가능하다고 보았으며(증거능력 인정), 유류물의 압수에 있어서는 일반적인 압수·수색과 달리 압수의 대상이나 범위가 한정된다거나, 참여권자의 참여가 필수적이라고 볼 수는 없다는 입장으로 압수의 허용범위를 넓게 인정하는 것으로 보인다.

14. 피해자들은 피고인 소유·관리의 정보저장매체(USB)에 저장되어 있던 전자정보를 피해자들 소유·관리의 정보저장매체(USB)에 복제한 다음 그 복제된 전자정보가 저장된 피해자들 소유·관리의 정보저장매체를 임의제출한 경우에, 임의제출자인 피해자들(피압수자)에게 형사소송법이 정하는 바에 따라 참여의 기회를 부여하는 것으로 충분하고, 원본 USB 소유·관리자이자 그 저장 전자정보의 관리처분권자인 피고인을 실질적 피압수자로 보아 피고인에게까지 참여의 기회를 부여해야만 그 임의제출이 적법하다고 평가할 수는 없다(대판 2024.12.24, 2023도3626).

KEY point **영장주의의 예외 – 영장이 불필요한 경우**

- 현행범체포(제212조)
- 긴급체포(제200조의 3)
- 임의제출물의 압수(제108조, 제218조)
- 구속·체포를 위한 피의자수색(제216조 제1항 제1호)
- 체포현장에서의 압수·수색·검증(제216조 제1항 제2호)
- 피고인 구속현장에서 압수·수색·검증(제216조 제2항)
- 범죄장소에서의 압수·수색·검증(제216조 제3항)
- 법원의 공판정에서의 압수·수색(제113조)
- 법원의 검증(제139조)
- 긴급체포된 자의 소유·소지·보관물건에 대한 24시간 내 압수·수색·검증(제217조 제1항)

2 수사상 검증

(1) 검증의 의의와 성질

① **의의** : 검증이란 사람이나 물건 또는 장소의 성질과 형상을 시각·청각·후각·미각·촉각 등 오관의 작용에 의하여 인식하는 강제처분을 말한다(승낙검증과 같은 임의적인 방법에 의한 경우는 임의처분에 해당).

② **성질** : 검증에는 주체에 따라 수사기관에 의한 검증(제215조 내지 제217조, 제222조 제1항), 수소법원의 검증(제139조), 증거보전을 위해 판사가 행하는 검증(제184조) 등이 있다.
법원이나 법관에 의한 검증은 증거조사방법의 일종으로 별도의 영장을 필요로 하지 않으나, 수사기관의 검증은 증거확보를 위한 강제처분이므로 원칙적으로 법관의 영장을 필요로 한다(제215조). 뿐만 아니라 법원이나 법관이 작성한 검증조서는 무조건 증거능력이 있으나(제311조), 수사기관이 작성한 검증조서는 일정한 요건하에서만 증거능력이 인정된다(제312조 제6항).

실황조사 : 실황조사란 교통사고나 화재사고 등 각종 재난사고 직후에 수사기관이 사고현장의 상황을 조사하는 것을 말하며, 그 조사의 경위와 결과를 기재한 서면이 실황조사서이다(경찰수사규칙 제41조, 검찰사건사무규칙 제51조). 실황조사는 강제처분이 아니고 임의처분(다수설)이므로 검증이 강제처분으로서 법관이 발부한 영장에 기하여 이루어지는데 반해, 실황조사는 법관의 영장을 요하지 않는 점에 차이가 있다.
수사기관이 행하는 실황조사의 결과를 기재한 서면도 검증조서(제312조 제6항)와 동일한 요건하에서 증거능력을 인정할 것인지의 여부가 문제된다(증거편에서 상술함).

관련판례

1. 사법경찰관 사무취급이 작성한 실황조서가 사고발생 직후 사고장소에서 긴급을 요하여 판사의 영장 없이 시행된 것으로서 형사소송법 제216조 제3항에 의한 검증에 따라 작성된 것이라면 사후영장을 받지 않는 한 유죄의 증거로 삼을 수 없다(대판 1989.3.14, 88도1399).
   사고발생 직후 사고장소에서 사법경찰관 사무취급이 작성한 실황조서가 긴급을 요하여 판사의 영장 없이 작성된 것이어서 형사소송법 제216조 제3항에 의한 검증에 해당한다면, 이 조서는 적법한 절차에 따라 작성된 것이므로 특별한 사유가 없는 한 증거능력이 있다. (×) 18. 순경 2차
2. 수사보고서에 검증의 결과에 해당하는 기재가 있는 경우, 그 기재 부분은 실황조사서에 해당하지 아니하며, 단지 수사의 경위 및 결과를 내부적으로 보고하기 위하여 작성된 서류에 불과하므로 그 안에 검증의 결과에 해당하는 기재가 있다고 하여 '검사 또는 사법경찰관이 검증의 결과를 기재한 조서'라고 할 수 없다(대판 2001.5.29, 2000도2933). 23. 소방간부

(2) 검증의 절차

① 검사는 범죄수사에 필요한 때에는 피의자가 죄를 범하였다고 의심할 만한 정황이 있고 해당 사건과 관계가 있다고 인정할 수 있는 것에 한정하여 지방법원판사에게 청구하여 발부받은 영장에 의하여 압수·수색 또는 검증을 할 수 있다(제215조 제1항). 사법경찰관이 범죄수사에 필요한 때에는 피의자가 죄를 범하였다고 의심할 만한 정황이 있고 해당 사건과 관계가 있다고 인정할 수 있는 것에 한정하여 검사에게 신청하여 검사의 청구로 지방법원판사가 발부한 영장에 의하여 압수·수색 또는 검증을 할 수 있다(동조 제2항).

② 피의자 또는 변호인이 수사기관의 검증영장의 집행에 참여할 권리가 있는지에 대하여 긍정하는 견해와 부정하는 견해가 대립되고 있다(제219조, 제121조, 제122조, 제145조 참조).

③ 검증에 관해서는 검증조서를 작성하여야 한다(제49조 제1항). 검증조서에는 검증의 목적물의 현상을 명확하게 하기 위하여 도화나 사진을 첨부할 수 있다(동조 제2항). 검증조서는 조사 또는 처분의 연월일시와 장소를 기재하고, 그 조사 또는 처분을 행한 자와 참여한 사법경찰관리 등이 기명날인 또는 서명하여야 한다(제50조).

④ 수사기관이 검증을 함에 있어 필요한 경우에는 신체검사, 사체해부, 분묘발굴, 물건파괴 기타 처분을 할 수 있다(제219조, 제140조).

⑤ 검증영장에 야간집행을 할 수 있다는 기재가 없으면 일출 전, 일몰 후에 검증영장을 집행하기 위해 타인의 주거 등에 들어가지 못한다(제219조, 제125조).

(3) 신체검사

① **신체검사의 의의** : 신체검사란 신체 자체를 검사의 대상으로 하는 강제처분을 말하며, 신체 외부와 착의에 대해 증거물을 수색하는 신체수색과 구별된다. 따라서 신체검사는 검증으로서의 성질을 가진다.

② **절 차**

㉠ 신체검사도 원칙적으로 검증영장에 의하여야 한다. 피의자를 대상으로 함이 원칙이나, 피의자 아닌 자(예 피해자)라도 증거가 될만한 흔적을 확인할 수 있는 현저한 사유가 있는 때에 한하여 신체검사를 할 수 있다(제141조 제2항, 제219조). 23. 해경승진

㉡ 검증의 일환으로 피의자 또는 피의자 아닌 자에 대한 신체를 검사하려면 법관의 소환장이 필요하다. 소환장에는 신체검사를 하기 위하여 소환한다는 취지를 기재하여야 한다(규칙 제109조, 제64조).

㉢ 피의자 아닌 자에 대한 소환장에는 그 성명 및 주거, 피의자의 성명, 죄명, 출석일시 및 장소와 신체검사를 하기 위하여 소환한다는 취지를 기재하고 지방법원판사가 기명날인하여야 한다(규칙 제109조, 제65조).

㉣ 수사기관이 여자의 신체를 검사하는 경우에는 의사나 성년의 여자를 참여케 하여야 한다(제219조, 제141조 제3항).

여자의 신체수색 ⇨ 성년의 여자 참여(제124조, 제219조) 21. 해경

㉤ 신체검사를 내용으로 하는 검증을 위한 영장청구서에는 신체검사를 필요로 하는 이유와 신체검사를 받을 자의 성별, 건강상태를 기재하여야 한다(규칙 제107조 제2항).

③ **체내검사**

㉠ **체내검사의 의의** : 체내검사란 신체의 내부에 대한 강제처분으로 신체검사의 특수한 유형이다. 이는 인간의 존엄을 침해할 위험성이 높으므로 엄격한 제한이 요구된다(증거물을 찾기 위한 외과수술은 어떠한 경우에도 불허용).

㉡ **체내검사의 형태**

ⓐ 수사기관 스스로 행하는 체내검사 : 수사기관이 별도의 도구와 전문지식 없이 항문, 질 등의 상태를 인식함으로써 증거를 수집하는 경우에는 검증영장을 발부받아 이루어질 수 있으나, 그 곳에 숨겨 놓은 증거물을 수색하여 압수하는 경우에는 통상의 압수·수색의 경우와는 달리 신체 내부에 대한 검사를 수반하므로, 압수·수색영장과 함께 검증영장도 별도로 발부받아 이루어져야 한다.

ⓑ 전문가의 감정을 통해 이루어져야 하는 체내검사

㉮ 신체에 대한 침해를 내용으로 하는 체내검사(예 강제채혈, 강제채뇨)는 어떠한 성격을 가지며, 어떠한 종류의 영장이 필요한지에 대하여 견해가 대립되어 왔으나, 최근에 구체적이고 분명한 판례가 나와 주목된다.

관련판례

1. 수사기관이 범죄 증거를 수집할 목적으로 피의자의 동의 없이 피의자의 혈액을 취득·보관하는 행위는 법원으로부터 감정처분허가장을 받아 형사소송법 제221조의 4 제1항, 제173조 제1항에 의한 '감정에 필요한 처분'으로도 할 수 있지만, 형사소송법 제219조, 제106조 제1항에 정한 압수의 방법으로도 할 수 있고, 압수의 방법에 의하는 경우 혈액의 취득을 위하여 피의자의 신체로부터 혈액을 채취하는 행위는 혈액의 압수를 위한 것으로서 형사소송법 제219조, 제120조 제1항에 정한 '압수영장의 집행에 있어 필요한 처분'에 해당한다(대판 2012.11.15, 2011도15258). 21. 순경 2차
2. 강제채뇨 관련
   [1] 강제채뇨는 피의자에게 범죄 혐의가 있고 그 범죄가 중대한지, 소변성분 분석을 통해서 범죄 혐의를 밝힐 수 있는지, 범죄 증거를 수집하기 위하여 피의자의 신체에서 소변을 확보하는 것이 필요한 것인지, 채뇨가 아닌 다른 수단으로는 증명이 곤란한지 등을 고려하여 범죄 수사를 위해서 강제채뇨가 부득이하다고 인정되는 경우에 최후의 수단으로 적법한 절차에 따라 허용된다고 보아야 한다. 이때 의사, 간호사, 그 밖의 숙련된 의료인 등으로 하여금 소변 채취에 적합한 의료장비와 시설을 갖춘 곳에서 피의자의 신체와 건강을 해칠 위험이 적고 피의자의 굴욕감 등을 최소화하는 방법으로 소변을 채취하여야 한다(대판 2018.7.12, 2018도6219).
   [2] 수사기관이 범죄 증거를 수집할 목적으로 피의자의 동의 없이 피의자의 소변을 채취하는 것은 법원으로부터 감정허가장을 받아 '감정에 필요한 처분'으로 할 수 있지만, 압수·수색의 방법으로도 할 수 있다. 이러한 압수·수색의 경우에도 수사기관은 원칙적으로 판사로부터 압수·수색영장을 적법하게 발부받아 집행해야 한다(대판 2018.7.12, 2018도6219). 22. 순경 1차
   [3] 압수·수색의 방법으로 소변을 채취하는 경우 압수대상물인 피의자의 소변을 확보하기 위한 수사기관의 노력에도 불구하고, 피의자가 인근 병원 응급실 등 소변 채취에 적합한 장소로 이동하는 것에 동의하지 않거나 저항하는 등 임의동행을 기대할 수 없는 사정이 있는 때에는 수사기관으로서는 소변 채취에 적합한 장소로 피의자를 데려가기 위해서 필요 최소한의 유형력을 행사하는 것이 허용된다(강제로 피고인을 소변 채취에 적합한 장소인 인근 병원 응급실로 데리고 가 의사의 지시를 받은 응급구조사로 하여금 피고인의 신체에서 소변을 채취하도록 한 경우는 '압수영장의 집행에 필요한 처분'으로서 허용된다)(대판 2018.7.12, 2018도6219). 21. 순경 2차, 25. 소방간부
3. 위법한 체포상태에서 마약 투약 혐의를 확인하기 위한 채뇨 요구가 이루어진 경우, 채뇨 요구를 위한 위법한 체포와 그에 이은 채뇨 요구는 마약 투약이라는 범죄행위에 대한 증거 수집을 위하여 연속하여 이루어진 것으로서 개별적으로 그 적법 여부를 평가하는 것은 적절하지 아니하므로 그 일련의 과정을 전체적으로 보아 위법한 채뇨 요구가 있었던 것으로 볼 수밖에 없다(대판 2013.3.14, 2012도13611). 23. 순경 1차, 25. 소방간부

㈏ 연하물의 강제배출이란 피의자 등이 삼킨 물건, 즉 연하물을 구토제나 설사제 등을 사용하여 강제로 배출하게 하는 것을 말한다. 미국 연방대법원은 1952년 로친 판결(Rochin V. California, 342 U.S. 165)에서 구토제에 의한 연하물의 강제배출은 양심에 대한 충격이며 적정절차 위반이라고 판시하였으나, 우리나라에서는 엄격한 요건하에 이를 허용하는 것이 다수설의 입장이다. 따라서 체내에 있는 연하물을 증거물로 수집하기

위해 수사기관은 압수·수색영장을 발부받아야 하고, 전문적인 지식과 방법을 가진 자가 의학적인 방법으로 하여야 하므로 별도로 감정처분허가장을 발부받아야 한다.

KEY point

- **실황조사** : 검사의 지휘 ×
- **수사기관에서 사체해부할 때의 영장** : 검증영장
- **법원·수사기관의 검증** : 당사자 참여권 인정(제121조, 제145조, 제219조)
- 여자의 신체검사 ⇨ 의사나 성년여자 참여(제141조 제3항, 제219조)

3 수사상 감정

(1) 의 의

수사기관이 수사에 필요한 전문지식이나 경험의 부족을 보충하기 위하여 제3자로 하여금 조사시키거나 전문지식을 적용하여 얻은 판단을 보고하게 하는 것을 말하는데, 수사기관으로부터 감정을 위촉 받은 자를 감정수탁자라고 한다.

법원의 감정과의 구별 : 감정수탁자는 선서의무가 없고, 허위감정죄의 적용을 받지 않으며, 소송관계인의 반대신문도 허용되지 않는다는 점에서 법원의 감정과 구별된다.

(2) 수사상 감정유치

① **의의** : 감정유치란 피고인이나 피의자의 정신 또는 신체를 감정하기 위하여 일정기간 동안 병원 기타 적당한 장소에 피고인 또는 피의자를 유치하는 강제처분을 말한다.
감정유치는 공소제기 후 수소법원이 행하는 경우(제172조 제3항)와 공소제기 전에 수사기관의 청구에 의하여 판사가 행하는 경우(제221조의 3)가 있다(수소법원이 행하는 경우는 후술함).

② **감정유치의 대상과 요건**

㉠ **대상** : 수사상 감정유치는 피의자를 대상으로 한다(제3자에 대해서는 불가). 피의자인 이상 구속 중임을 요하지 않는다. 15. 경찰승진

감정유치는 피의자나 피해자의 정신 또는 신체의 감정을 위하여 일정기간 동안 병원 기타 적당한 장소에 유치하는 강제처분을 말한다. (×)

㉡ **요건** : 감정유치를 청구함에는 감정유치의 필요성이 인정될 것을 요한다. 감정유치의 필요성은 정신 또는 신체의 감정을 위하여 계속적인 유치와 관찰이 필요한 때 인정된다. 따라서 유치하지 않아도 병원에 통원함에 의하여 감정할 수 있는 때에는 감정유치를 할 수 없다.

③ **감정유치의 절차** : 수사상 감정유치의 절차는 검사의 청구를 요건으로 하는 것 이외에는 법원의 감정유치에 관한 규정을 준용한다.

㉠ **감정유치의 청구** : 감정유치의 청구권자는 검사에 한한다(제221조의 3 제1항). 따라서 감정유치의 청구에 대한 필요성은 종국적으로 검사가 판단하여야 한다. 감정유치는 검사가 판사에게 청구하여야 하며 13·16. 경찰승진 청구는 감정유치청구서에 의한다.

㉡ **감정유치장의 발부** : 판사는 청구가 상당하다고 인정한 때에는 유치처분을 하여야 하며 이 경우에는 감정유치장을 발부하여야 한다(제221조의 3 제2항). 청구서에 기재된 유치기간이 장기라고 인정될 때에는 법원은 상당한 기간으로 단축하여 감정유치장을 발부할 수 있다. 감정유치를 기각하는 결정에 대해서는 물론이고 유치결정에 대해서도 준항고가 허용되지 않는다(허용을 인정하는 견해도 있음).

법원의 피고인에 대한 감정유치는 불복 가능(제403조 제2항)

㉢ **감정유치장의 집행** : 감정유치장의 집행에 관하여는 구속영장의 집행에 관한 규정이 준용된다. 지방법원판사는 기간을 정하여 병원 기타 적당한 장소에 피의자를 유치하게 할 수 있고 감정이 완료되면 즉시 유치를 해제하여야 한다. 지방법원판사는 직권 또는 신청에 의하여 사법경찰관리에게 피의자의 간수를 명할 수 있다(제221조의 3, 제172조).

㉣ **감정유치기간** : 감정유치에 필요한 유치기간에는 제한이 없다. 수사상 감정유치에 있어서 감정유치장의 유치기간을 연장할 때에는 검사의 청구에 의하여 판사가 결정하여야 한다(제221조의 3 제2항, 제172조 제6항).

④ **감정유치와 구속**

㉠ 감정유치는 감정을 목적으로 하는 것이라 할지라도 실질적으로는 구속에 해당하므로 유치에 관하여는 구속에 관한 규정이 준용된다. 11. 9급 법원직 따라서 미결구금일수의 산입에 있어서 유치기간은 구속으로 간주한다(제221조의 3 제2항, 제172조 제8항). 10. 9급 국가직, 15. 경찰승진, 11 · 21. 9급 법원직

구속취소에 관한 규정도 준용(∴ 감정유치의 취소 청구 가능) 13. 경찰승진

신체구속을 당한 피의자에 해당하므로 접견교통권을 가지며, 구속적부심사를 청구할 수 있다.

감정유치는 감정을 목적으로 하는 처분이므로 보석에 관한 규정은 준용되지 않는다(제172조 제7항, 제221조의 3 제2항, 규칙 제88조). ∴ 감정유치 중에는 보석 불가

㉡ 구속 중인 피의자에 대하여 감정유치장이 집행되었을 때에는 유치되어 있는 기간 동안은 구속의 집행을 정지한 것으로 간주한다(제221조의 3 제2항, 제172조의 2 제1항). 11. 9급 법원직, 18. 경찰승진 따라서 감정유치기간은 검사나 사법경찰관의 구속기간에는 포함되지 않는다. 13 · 16. 경찰승진, 21. 9급 법원직

㉢ 감정유치처분이 취소되거나 유치기간이 만료된 때에는 구속의 집행정지가 취소된 것으로 간주한다(제221조의 3 제2항, 제172조의 2 제2항).

㉣ 유치기간 중이라도 감정에 지장을 초래하지 아니하는 범위 내에서 피의자신문이 가능하다.

KEY point

- **감정유치대상** : 제3자 ×
- **감정유치기간** : 제한 없음
- **감정유치장의 집행**
  ① 구속영장 집행 규정 준용(∴ 미결구금일수에 산입, 감정유치 취소, 접견교통권, 적부심사청구 가능)
  ② 유치기간은 구속의 집행이 정지된 것으로 간주(∴ 구속기간에는 포함 ×)
  ③ 감정유치기간 중에는 보석 불가

(3) 감정에 필요한 처분

수사기관으로부터 감정의 위촉을 받은 자는 감정에 관하여 필요한 때에는 판사의 허가를 얻어 타인의 주거, 간수자 있는 가옥, 건조물, 항공기, 선차 내에 들어갈 수 있고 신체의 검사, 사체의 해부, 분묘의 발굴, 물건의 파괴 등 필요한 처분을 할 수 있다(제221조의 4 제1항). 필요한 처분에 대한 허가는 검사가 청구하여야 하며(동조 제2항), 판사는 청구가 상당하다고 인정한 때에는 허가장을 발부하여야 한다(동조 제3항).

4 통신비밀보호법과 통신제한조치

(1) 의 의

국가기관이 행하는 통신비밀침해 행위를 통신제한조치라고 하는데 통신제한조치는 우편물의 검열과 전기통신의 감청 등으로 이루어진다.

▶ 전기통신(전화 · 전자우편 · 회원제정보서비스 · 모사전송 · 무선호출 등과 같이 유선 · 무선 · 광선 및 기타의 전자적 방식에 의하여 모든 종류의 음향 · 문언 · 부호 또는 영상을 송신하거나 수신하는 것)의 감청이라 함은 전기통신에 대하여 당사자의 동의 없이 전자장치 · 기계장치 등을 사용하여 통신의 음향 · 문언 · 부호 · 영상을 청취 · 공독(共讀)하여 그 내용을 지득 또는 채록하거나 전기통신의 송 · 수신을 방해하는 것을 말한다(통신비밀보호법 제2조).

- 통신비밀보호법은 감청, 우편물의 검열, 통신사실 확인자료 제공, 타인 간의 대화녹음 등을 규정하고 있다.
- 통신비밀보호법상 '통신'이라 함은 우편물 및 전기통신을 말한다(제2조 제1호). 16. 경찰승진
- 무전기와 같은 무선전화기를 이용한 통화 ⇨ 통신비밀보호법상 '전기통신'에 해당 16. 7급 국가직, 14 · 15 · 16. 수사경과, 18. 경찰간부
- 발신자 전화번호 추적이나 전자우편의 IP추적은 감청에 해당하지 않는다.
- 통신제한조치의 대상인 전기통신에는 전화뿐 아니라 전자우편도 포함된다. 15. 경찰승진
- 이미 수신이 완료된 전자우편의 수집행위가 통신비밀보호법이 금지하는 '전기통신의 감청'에 해당한다고 볼 수 없다(대판 2012.11.29, 2010도9007). 14. 순경 1차, 16. 7급 국가직 · 수사경과, 17. 변호사시험

관련판례

1. 전기통신의 '감청'은 전기통신이 이루어지고 있는 상황에서 실시간으로 전기통신의 내용을 지득 · 채록하는 경우와 통신의 송 · 수신을 직접적으로 방해하는 경우를 의미하는 것이지, 이미 수신이 완료된 전기통신에 관하여 남아 있는 기록이나 내용을 열어보는 등의 행위는 포함하지 않는다(대판 2016.10.13, 2016도8137). 20 · 21 · 22. 경찰승진, 22. 소방간부 · 순경 1차 · 9급 교정 · 보호 · 철도경찰 · 해경간부, 24. 순경 2차
2. 통신제한조치허가서에 기재된 통신제한조치의 종류는 전기통신의 '감청'이므로, 수사기관으로부터 집행위탁을 받은 카카오는 통신비밀보호법이 정한 감청의 방식, 즉 전자장치 등을 사용하여 실시간으로 카카오톡에서 송 · 수신하는 음향 · 문언 · 부호 · 영상을 청취 · 공독하여 그 내용을 지득 또는 채록하는 방식으로 통신제한조치를 집행하여야 하고 임의로 선택한 다른 방식으로 집행하여서는 안 된다고 할 것이다. 17. 검찰 · 교정승진 그런데도 카카오는 이 사건 통신제한조치허가서에 기재된 기간 동안, 이미 수신이 완료되어 전자정보의 형태로 서버에 저장되어 있던 것을 3~7일마다 정기적으로 추출하여 수사기관에 제공하는 방식으로 통신제한조치를 집행하였다. 이러한 카카오의 집행은 통신

비밀보호법이 정한 감청이라고 볼 수 없으므로 위법하다고 할 것이고, 이 사건 카카오톡 대화내용은 적법절차의 실질적 내용을 침해하는 것으로 위법하게 수집된 증거라 할 것이므로 유죄인정의 증거로 삼을 수 없다(대판 2016.10.13, 2016도8137). 23. 경찰승진

3. 방송자가 인터넷을 도관 삼아 인터넷서비스제공업체 또는 온라인서비스제공자인 인터넷개인방송 플랫폼업체의 서버를 이용하여 실시간 또는 녹화된 형태로 음성, 영상물을 방송함으로써 불특정 혹은 다수인이 이를 수신·시청할 수 있게 하는 인터넷개인방송은 그 성격이나 통신비밀보호법의 위와 같은 규정에 비추어 전기통신에 해당함은 명백하다. 24. 소방간부 인터넷개인방송의 방송자가 비밀번호를 설정하는 등 그 수신 범위를 한정하는 비공개 조치를 취하지 않고 방송을 송출하는 경우, 시청자가 방송 내용을 지득·채록하는 것은 통신비밀보호법에서 정한 감청에 해당하지 않는다. 그러나 인터넷개인방송의 방송자가 비밀번호를 설정하는 등으로 비공개 조치를 취한 후 방송을 송출하는 경우에는, 방송자로부터 허가를 받지 못한 사람은 당해 인터넷개인방송의 당사자가 아닌 '제3자'에 해당하고, 이러한 제3자가 비공개 조치가 된 인터넷개인방송을 비정상적인 방법으로 시청·녹화하는 것은 통신비밀보호법상의 감청에 해당할 수 있다. 다만, 제3자의 시청·녹화를 사실상 승낙·용인한 것으로 볼 수 있는 경우에는 통신비밀보호법에서 정한 감청에 해당하지 않는다(대판 2022.10.27, 2022도9877). 24. 경찰승진·소방간부

4. 대화가 이미 종료된 상태에서 그 대화의 녹음물을 재생하여 듣는 행위는 통신비밀보호법상 '청취'에 포함되지 않는다. 따라서 피고인이 배우자와 함께 거주하는 아파트 거실에 녹음기능이 있는 영상정보 처리기기(이른바 '홈캠')를 설치하였고, 거실에서 배우자와 그 부모 및 동생이 대화하는 내용이 위 기기에 자동 녹음되었는바. 이후 피고인이 홈캠에 녹음된 내용을 들었더라도 통신비밀보호법상 '청취'에 해당하지 않는다(대판 2024.2.29, 2023도8603).

---

(2) 통신제한조치의 법적 성질

통신비밀보호법이 일정한 요건 아래 법원의 허가를 얻은 때에만 전기통신의 감청을 할 수 있게 하고 있을 뿐 아니라(통신비밀보호법 제6조), 도청이 물리적 강제는 없지만 개인의 프라이버시에 대한 중대한 침해를 가져온다는 점에서 강제수사에 해당한다.

(3) 범죄수사를 위한 통신제한조치

① **통신제한조치 인정요건** : 범죄를 계획 또는 실행하고 있거나 실행하였다고 의심할 만한 충분한 이유가 있고, 다른 방법으로는 그 범죄의 실행을 저지하거나 범인의 체포 또는 증거수집이 어려운 경우에 한하여 허가할 수 있다(동법 제5조). 22. 소방간부

중대한 범죄가 실행 중인 경우뿐만 아니라 예비·음모단계에 있는 경우라도 통신제한조치를 취할 수 있다. (○) 19. 경찰간부

② 통신제한조치가 가능한 범죄(동법 제5조)

형 법	내란의 죄, 18. 수사경과 외환의 죄(전시군수계약불이행죄 제외), 국교에 관한 죄(외국국기국장모독죄 제외), 공안을 해하는 죄(다중불해산죄, 전시공수계약불이행죄 제외), 폭발물에 관한 죄, 공무원 직무에 관한 죄 중 공무상 비밀누설죄와 뇌물죄, 도주와 범인은닉죄(집합명령위반죄 포함), 방화관련 범죄(연소죄, 진화방해죄, 실화죄 제외), 아편에 관한 죄, 통화에 관한 죄, 유가증권에 관한 죄, 살인의 죄(자살방조 포함), 체포·감금죄, 협박죄(존속협박죄 제외), 약취와 유인죄, 강간과 추행죄(미성년자 등에 대한 간음죄, 업무상 위력에 의한 간음죄 제외), 경매입찰방해죄, 인질강요죄, 절도죄, 강도죄, 공갈죄, 상습장물죄
기 타	• 군형법의 일부(예 반란죄, 이적죄, 항명죄, 폭행·협박·상해·살인죄, 군용물죄 등) • 국가보안법에 규정된 범죄 • 군사기밀보호법에 규정된 범죄 • 군사기지 및 군사시설보호법에 규정된 범죄 • 마약류관리에 관한 법률에 규정된 범죄 중 일부 • 폭력행위 등 처벌에 관한 법률에 규정된 범죄 중 제4조 및 제5조의 죄 • 총포·도검·화약류 등의 안전관리에 관한 법률에 규정된 범죄 중 일부 • 특정범죄 가중처벌 등에 관한 법률에 규정된 범죄 중 일부 • 특정경제범죄 가중처벌 등에 관한 법률에 규정된 범죄 중 일부 • 국제상거래에 있어서 외국공무원에 대한 뇌물방지법에 규정된 범죄 중 일부

- **대상범죄 ○** ⇨ 도주와 범인은닉의 죄(집합명령위반죄), 06. 경찰승진 통화에 관한 죄, 08. 순경 살인의 죄(자살방조 포함), 04. 여경 협박죄, 11·12. 경찰승진 강간죄, 04. 여경, 12. 경찰승진 체포·감금죄, 08. 순경 약취·유인죄, 08. 순경 강제추행죄, 미성년자간음죄(형법 제305조), 경매입찰방해죄, 04. 여경, 10·12·14. 경찰승진 인질강요죄, 인질살해(상해)치사(치상)죄, 절도죄, 강도죄, 공갈죄 11·14·15. 경찰승진
- **대상범죄 ×** ⇨ 존속협박죄 08. 순경, 사기죄 04. 여경, 10·21. 경찰승진, 횡령죄, 배임죄, 장물죄, 손괴죄, 권리행사방해죄, 강요죄, 강제집행면탈죄, 자동차불법사용죄, 상해죄, 폭행죄, 공무방해에 관한 죄, 미성년자 등에 대한 간음죄(형법 제302조) 08. 순경, 업무상 위력 등에 의한 간음죄(형법 제303조)

- 강간죄, 협박죄, 경매입찰방해죄는 통신제한조치가 가능한 범죄이다. (○) 15. 수사경과, 18. 경찰승진

③ 통신제한조치의 허가절차

㉠ 검사는 법원에 대하여 피의자별 또는 피내사자별로 통신제한조치를 허가하여 줄 것을 청구할 수 있다(동법 제6조 제1항). 사법경찰관은 검사에게 신청하고 검사는 법원에 대하여 그 허가를 청구할 수 있다(동법 제6조 제2항).

- 각 피의자별 또는 피내사자별로 청구(사건단위 ×) 21. 순경 2차

㉡ 관할법원은 통신당사자의 쌍방 또는 일방의 주소지, 소재지, 범죄지 또는 통신당사자와 공범관계에 있는 자의 주소지, 소재지를 관할하는 지방법원 또는 지원이다(동법 제6조 제3항).

㉢ 청구방식은 반드시 서면이어야 하며, 청구이유에 관한 소명자료를 첨부하여야 한다(동법 제6조 제4항).

㉣ 통신제한조치의 기간은 2개월을 초과하지 못하고 그 기간 중 통신제한조치의 목적이 달성되었을 경우에는 즉시 종료하여야 한다(동법 제6조 제7항). 14. 수사경과, 14·16. 경찰승진, 24. 순경 2차

㉤ 허가의 요건이 존속하는 경우에는 절차에 따라 소명자료를 첨부하여 2개월의 범위 안에서 통신제한조치기간의 연장을 청구할 수 있다(동법 제6조 제7항 단서). 22. 경찰간부

㉥ 검사 또는 사법경찰관이 제7항 단서에 따라 통신제한조치의 연장을 청구하는 경우에 통신제한조치의 총 연장기간은 1년을 초과할 수 없다. 다만, 예외적으로 내란죄·외환죄 등 국가안보와 관련된 범죄 등에 대해서는 통신제한조치의 총 연장기간이 3년을 초과할 수 없다(동법 제6조 제8항). 21. 순경 2차

통신비밀보호법 제6조 제7항 단서 중 전기통신에 관한 '통신제한조치기간의 연장'에 관한 부분은 헌법에 위반된다는 헌법재판소의 헌법불합치결정(헌재결 2010.12.28, 2009헌가30)에 따라 개정된 부분이다.

관련판례

1. 통신제한조치기간의 연장을 허가함에 있어 총연장기간 또는 총연장횟수의 제한을 두지 아니한 통신비밀보호법 제6조 제7항 단서 중 전기통신에 관한 '통신제한조치기간의 연장'에 관한 부분은 헌법에 위반된다 할 것이다(헌재결 2010.12.28, 2009헌가30).
2. 통신제한조치에 대한 기간연장결정을 원허가의 내용에 대하여 단지 기간을 연장하는 것일 뿐 원허가의 대상과 범위를 초과할 수 없다 할 것이므로 통신제한조치허가서에 의하여 허가된 통신제한조치가 '전기통신 감청 및 우편물 검열'뿐인 경우 그 후 연장결정서에 당초 허가내용에 없던 '대화녹음'이 기재되어 있다 하더라도 이는 대화녹음의 적법한 근거가 되지 못한다(대판 1999.9.3, 99도2317). 14·15. 수사경과, 19. 경찰간부, 12·14·22. 경찰승진, 22. 해경간부
3. 통신제한조치에 대한 법원의 허가는 법원의 재판에 해당하므로, 이에 대한 헌법소원 심판청구는 부적법하다(헌재결 2018.8.30, 2016헌마263).
4. 헌법재판소는 인터넷회선감청(패킷감청)을 가능하게 하는 통신비밀보호법 제5조 제2항 중 '인터넷회선을 통하여 송·수신하는 전기통신'에 관한 부분은 인터넷 감청의 특성상 다른 통신제한조치에 비하여 수사기관이 취득하는 자료가 매우 방대함에도 불구하고 수사기관이 감청 집행으로 취득한 자료에 대한 처리 등을 객관적으로 통제할 수 있는 절차가 마련되어 있지 않다는 취지로 헌법불합치결정을 하였다(헌재결 2018.8.30, 2016헌마263).
   - ▶ 이와 같은 헌법불합치 결정에 따라 통신비밀보호법 제12조의 2(감청 집행으로 취득한 자료에 대한 법적통제)가 신설되었으며(신설 2020. 3. 24), 패킷감청의 위헌성은 통신비밀보호법 제12조의 2에 의하여 해소되었다(∴ 패킷감청 허용).
   - ▶ 다만, 패킷감청을 허용하였던 종래의 대법원판례(대판 2012.10.11, 2012도7455)는 헌법불합치 결정이 나온 통신비밀보호법 제5조 제2항에 근거하고 있는 것이므로 폐기하는 것이 적절해 보인다.

(4) 국가안보를 위한 통신제한조치(제7조)

① **인정요건** : 정보수사기관의 장은 국가안전보장에 상당한 위험이 예상되는 경우 또는 대테러활동에 필요한 경우에 한하여 그 위해를 방지하기 위하여 이에 관한 정보수집이 특히 필요한 경우에 통신제한조치를 할 수 있다(특정한 범죄혐의의 존재를 필요로 하지 아니함)(제7조 제1항).

② **허가절차**

㉠ 통신의 일방 또는 쌍방이 내국인인 때에는 고등검찰청 검사의 신청으로 고등법원 수석판사의 허가를 받아 통신제한조치를 할 수 있다(제7조 제1항 제1호). 05. 순경

국가안보를 위한 통신제한조치에서 통신 쌍방 당사자가 내국인인 경우에는 고등법원 수석판사의 허가를 필요로 하고 통신 당사자 일방만 내국인인 경우에는 대통령의 승인이 필요하다. (×) 11. 경찰승진, 19. 경찰간부

㉡ 대한민국에 적대하는 국가, 반국가활동의 혐의가 있는 외국기관·단체·외국인, 대한민국의 통치권이 미치지 아니하는 한반도 내의 집단이나 외국에 소재하는 그 산하단체의 구성원의 통신인 때에는 국가정보원장을 거쳐 대통령의 승인을 얻어 통신제한조치를 할 수 있다(동조 제1항 제2호).

㉢ 통신제한조치기간은 4월을 초과하지 못하며, 그 기간 중 통신제한조치의 목적이 달성되었을 경우에는 즉시 종료하여야 한다. 고등법원의 수석판사의 허가 또는 대통령의 승인을 얻어 4월의 범위 안에서 통신제한조치의 기간을 연장할 수 있다(동조 제2항).

(5) 긴급통신제한조치

① 긴급한 사유가 있는 경우에는 법원의 허가 또는 대통령의 승인 없이 통신제한조치를 할 수 있다(제8조 제1항). 검사, 사법경찰관 또는 정보수사기관의 장은 집행착수 후 지체 없이 법원의 허가(또는 대통령의 승인)를 청구하여야 하며(동조 제2항), 집행한 때로부터 36시간 이내에 법원의 허가 또는 대통령의 승인을 얻지 못하면 즉시 통신제한조치를 중지하고 해당 조치로 취득한 자료를 폐기하여야 한다(제8조 제5항·제10항). 21. 경찰승진, 24. 순경 2차

36시간 이내에 법원의 허가 또는 대통령의 승인을 신청(신고)하여야 한다. (×)

② **긴급처분의 요건** : 검사, 사법경찰관 또는 정보수사기관의 장은 국가안보를 위협하는 음모행위, 직접적인 사망이나 심각한 상해의 위험을 야기할 수 있는 범죄 또는 조직범죄의 계획이나 실행 등과 같은 긴박한 상황이 있고, 법원의 허가나 대통령의 승인에 필요한 절차를 거칠 수 없는 긴급한 사유가 있는 경우에 한하여 긴급처분을 할 수 있다(제8조 제1항). 22. 해경승진

사법경찰관이 긴급통신제한조치를 할 경우에는 미리 검사의 지휘를 받아야 한다. 다만, 특히 급속을 요하여 미리 지휘를 받을 수 없는 사유가 있는 때에는 긴급통신제한조치의 집행착수 후 지체 없이 검사의 승인을 얻어야 한다(제8조 제3항).

③ 검사, 사법경찰관 또는 정보수사기관의 장이 긴급통신제한조치를 하고자 하는 경우에는 반드시 긴급검열서 또는 긴급감청서에 의하여야 하며 소속기관에 긴급통신제한조치대장을 비치하여야 한다(동조 제4항).

④ 검사, 사법경찰관 또는 정보수사기관의 장은 긴급통신제한조치로 취득한 자료를 폐기한 경우 폐기이유·폐기범위·폐기일시 등을 기재한 자료폐기결과보고서를 작성하여 폐기일부터 7일 이내에 허가청구를 한 법원에 송부하고, 그 부본을 피의자의 수사기록 또는 피내사자의 내사사건기록에 첨부하여야 한다(동조 제6항).

⑤ 정보수사기관의 장은 국가안보를 위협하는 음모행위, 직접적인 사망이나 심각한 상해의 위험을 야기할 수 있는 범죄 또는 조직범죄 등 중대한 범죄의 계획이나 실행 등 긴박한 상황에 있고 제7조 제1항 제2호에 해당하는 자에 대하여 대통령의 승인을 얻을 시간적 여유가 없거나 통신제한조치를 긴급히 실시하지 아니하면 국가안전보장에 대한 위해를 초래할 수 있다고 판단되는 때에는 소속 장관(국가정보원장을 포함한다)의 승인을 얻어 통신제한조치를 할 수 있다(동조 제8항). 정보수사기관의 장은 제8항에 따른 통신제한조치의 집행에 착수한 후 지체 없이 제7조에 따라 대통령의 승인을 얻어야 한다(동조 제9항).

(6) 통신제한조치의 집행

① 통신제한조치는 검사·사법경찰관이 집행하며, 통신기관 등에 그 집행을 위탁하거나 협조요청을 할 수 있다(제9조 제1항).

② 통신제한조치의 집행을 위탁하거나 집행에 관한 협조를 요청한 자는 통신기관 등에 통신제한조치 허가서 또는 긴급감청서 등의 표지의 사본을 교부하여야 한다(동조 제2항).

③ 통신제한조치를 집행하는 자와 이를 위탁받거나 이에 관한 협조요청을 받은 자는 당해 통신제한조치를 청구한 목적과 그 집행 또는 협조일시 및 대상을 기재한 대장을 대통령령이 정하는 기간동안 비치하여야 한다(동조 제3항).

관련판례

'대화의 녹음·청취'에 관하여 통신비밀보호법 제14조 제2항은 통신비밀보호법 제9조 제1항 전문을 적용하여 집행주체가 집행한다고 규정하면서도, 통신기관 등에 대한 집행위탁이나 협조요청에 관한 같은 법 제9조 제1항 후문을 적용하지 않고 있으나, 이는 '대화의 녹음·청취'의 경우 통신제한조치와 달리 통신기관의 업무와 관련이 적다는 점을 고려한 것일 뿐이므로, 반드시 집행주체가 '대화의 녹음·청취'를 직접 수행하여야 하는 것은 아니다. 따라서 비례의 원칙에 위배되지 않는 한 제3자에게 집행을 위탁하거나 그로부터 협조를 받아 '대화의 녹음·청취'를 할 수 있다고 봄이 타당하고, 그 경우 통신기관 등이 아닌 일반 사인에게 대장을 작성하여 비치할 의무가 있다고 볼 것은 아니다(대판 2015.1.22, 2014도10978 전원합의체). 22. 경찰간부

④ 통신기관 등은 통신제한조치허가서 또는 긴급감청서 등에 기재된 통신제한조치 대상자의 전화번호 등이 사실과 일치하지 않을 경우에는 그 집행을 거부할 수 있으며, 어떠한 경우에도 전기통신에 사용되는 비밀번호를 누설할 수 없다(동조 제4항). 18. 경찰승진, 22. 경찰간부

⑤ 검사는 통신제한조치를 집행한 사건에 관하여 공소를 제기하거나, 공소의 제기 또는 입건을 하지 아니하는 처분(기소중지 결정, 참고인중지 결정을 제외한다. 24. 순경 2차)을 한 때에는 그 처분을 한 날부터 30일 이내에 우편물 검열의 경우에는 그 대상자에게, 감청의 경우에는 그 대상이 된 전기통신의 가입자에게 통신제한조치를 집행한 사실과 집행기관 및 그 기간 등을 서면으로 통지하여야 한다. 다만, 고위공직자범죄수사처 검사는 고위공직자범죄수사처 설치 및 운영에 관한 법률 제26조 제1항에 따라 서울중앙지방검찰청 소속 검사에게 관계 서류와

증거물을 송부한 사건에 관하여 이를 처리하는 검사로부터 공소를 제기하거나 제기하지 아니하는 처분(기소중지결정, 참고인중지결정은 제외한다)의 통보를 받은 경우에도 그 통보를 받은 날부터 30일 이내에 서면으로 통지하여야 한다(제9조의 2 제1항).

⑥ 사법경찰관은 통신제한조치를 집행한 사건에 관하여 검사로부터 공소를 제기하거나 제기하지 아니하는 처분(기소중지 또는 참고인중지 결정은 제외한다)의 통보를 받거나 검찰송치를 하지 아니하는 처분(수사중지 결정은 제외한다) 또는 내사사건에 관하여 입건하지 아니하는 처분을 한 때에는 그 날부터 30일 이내에 우편물 검열의 경우에는 그 대상자에게, 감청의 경우에는 그 대상이 된 전기통신의 가입자에게 통신제한조치를 집행한 사실과 집행기관 및 그 기간 등을 서면으로 통지하여야 한다(제9조의 2 제2항). 15. 경찰승진, 17. 수사경과, 21. 순경 2차

⑦ 정보수사기관의 장은 통신제한조치를 종료한 날부터 30일 이내에 우편물 검열의 경우에는 그 대상자에게, 감청의 경우에는 그 대상이 된 전기통신의 가입자에게 통신제한조치를 집행한 사실과 집행기관 및 그 기간 등을 서면으로 통지하여야 한다(제9조의 2 제3항).

⑧ 국가의 안전보장・공공의 안녕질서를 위태롭게 할 현저한 우려가 있는 때, 사람의 생명・신체에 중대한 위험을 초래할 염려가 현저한 때에는 통지를 유예할 수 있다(제9조의 2 제4항). 21. 경찰간부

통지 생략은 불가

사법경찰관은 감청의 실시를 종료하면 감청대상이 된 전기통신의 가입자에게 감청사실 등을 통지하여야 하지만, 통지로 인하여 수사에 방해가 될 우려가 있다고 인정할 때에는 통지하지 않을 수 있다. (×) 12. 경찰승진, 15. 수사경과, 21. 해경, 23. 해경승진

⑨ 검사 또는 사법경찰관은 제9조의 2 제4항에 따라 통지를 유예하려는 경우에는 소명자료를 첨부하여 미리 관할 지방검찰청 검사장의 승인을 받아야 한다. 다만, 수사처검사가 동조 제4항에 따라 통지를 유예하려는 경우에는 소명자료를 첨부하여 미리 수사처장의 승인을 받아야 하고, 군검사 및 군사법경찰관이 제4항에 따라 통지를 유예하려는 경우에는 소명자료를 첨부하여 미리 관할 보통검찰부장의 승인을 받아야 한다(동조 제5항).

⑩ 검사, 사법경찰관 또는 정보수사기관의 장은 제4항 각호의 사유가 해소된 때에는 그 사유가 해소된 날부터 30일 이내에 제9조의 2 제1항 내지 제3항의 규정에 의한 통지를 하여야 한다(동조 제6항).

(7) 통신제한조치로 취득한 자료의 사용제한

① 통신제한조치의 목적이 된 범죄나 그와 관련된 범죄를 위하여 사용되어야 한다.

甲의 국가보안법위반죄에 대한 증거의 수집을 위하여 발부된 통신제한조치허가서에 의하여 피고인과 乙 사이 또는 피고인과 丙 사이의 통화내용을 감청하여 작성한 녹취서는 위 통신제한조치의 목적이 된 甲의 국가보안법위반죄나 그와 관련된 범죄를 위하여 사용되어야 한다(대판 2002.10.22, 2000도5461). 21. 해경

② 불법감청 등에 의하여 취득한 자료는 증거사용이 금지된다(제4조).

피고인이나 변호인이 이를 증거로 함에 동의를 하여도 증거사용 ×(대판 2010.10.14, 2010도9016) 16. 7급 국가직, 21. 경찰승진

③ 통신제한조치의 집행으로 인하여 취득된 우편물 또는 그 내용과 전기통신의 내용은 통신제한조치의 목적이 된 범죄나 이와 관련되는 범죄를 수사·소추하거나 그 범죄를 예방하기 위하여 사용하는 경우, 위 범죄로 인한 징계절차에 사용하는 경우, 통신의 당사자가 제기하는 손해배상소송에서 사용하는 경우, 기타 다른 법률의 규정에 의하여 사용하는 경우 이외는 사용할 수 없다(통신비밀보호법 제12조).

(8) 통신제한조치로 취득한 자료의 관리

"인터넷회선감청(패킷감청)을 가능하게 하는 통신비밀보호법 제5조 제2항 중 '인터넷회선을 통하여 송·수신하는 전기통신'에 관한 부분은 이에 대한 법적 통제수단이 미비하여 개인의 통신 및 사생활 비밀의 자유를 침해하므로 헌법에 합치되지 아니한다"는 헌법불합치 결정(헌재결 2018.8.30, 2016헌마263)에 따라 범죄수사를 위하여 인터넷회선에 대한 통신제한조치로 취득한 자료관리에 관한 규정인 제12조의 2를 신설하였다.

① 검사는 인터넷 회선을 통하여 송신·수신하는 전기통신을 대상으로 통신제한조치를 집행한 경우 그 전기통신을 사용하거나 사용을 위하여 보관하고자 하는 때에는 집행종료일부터 14일 이내에 통신제한조치를 허가한 법원에 보관 등의 승인을 청구하여야 한다(통신비밀보호법 제12조의 2 제1항).

② 사법경찰관은 인터넷 회선을 통하여 송신·수신하는 전기통신을 대상으로 통신제한조치를 집행한 경우 그 전기통신의 보관 등을 하고자 하는 때에는 집행종료일부터 14일 이내에 검사에게 보관 등의 승인을 신청하고, 검사는 신청일부터 7일 이내에 통신제한조치를 허가한 법원에 그 승인을 청구할 수 있다(동법 제12조의 2 제2항). 21. 경찰승진·순경 2차, 22. 9급 교정·보호·철도경찰

③ 검사 또는 사법경찰관은 승인 청구나 신청을 하지 아니하는 경우에는 집행종료일부터 14일(검사가 사법경찰관의 신청을 기각한 경우에는 그 날부터 7일) 이내에 통신제한조치로 취득한 전기통신을 폐기하여야 하고, 법원에 승인청구를 한 경우(취득한 전기통신의 일부에 대해서만 청구한 경우를 포함한다)에는 법원으로부터 승인서를 발부받거나 청구기각의 통지를 받은 날부터 7일 이내에 승인을 받지 못한 전기통신을 폐기하여야 한다(동법 제12조의 2 제5항). 21. 경찰승진

④ 검사 또는 사법경찰관은 통신제한조치로 취득한 전기통신을 폐기한 때에는 폐기의 이유와 범위 및 일시 등을 기재한 폐기결과보고서를 작성하여 피의자의 수사기록 또는 피내사자의 내사사건기록에 첨부하고, 폐기일부터 7일 이내에 통신제한조치를 허가한 법원에 송부하여야 한다(동법 제12조의 2 제6항). 22. 소방간부

(9) 통신사실확인자료 제공

① 검사 또는 사법경찰관은 수사 또는 형의 집행을 위하여 필요한 경우 전기통신사업자에게 통신사실 확인자료(예 통신일시, 통신 개시·종료시간, 위치추적자료 등)의 열람이나 제출을 요청할 수 있다(제13조 제1항). 통신사실 확인자료제공을 요청하는 경우에는 요청사유, 해당 가입자와

의 연관성 및 필요한 자료의 범위를 기록한 서면으로 관할 지방법원(보통군사법원을 포함) 또는 지원의 허가를 받아야 한다. 22.경찰승진·소방간부·해경간부 다만, 허가를 받을 수 없는 긴급한 사유가 있는 때에는 통신사실 확인자료제공을 요청한 후 지체 없이 그 허가를 받아 전기통신사업자에게 송부하여야 한다(동조 제3항).

긴급사유시 통신사실 자료제공을 요청한 후 36시간 이내에 법원의 허가를 받아 전기통신사업자에게 송부하여야 한다. (×)

② 검사 또는 사법경찰관은 실시간 위치정보 추적자료요청 및 특정한 기지국에 대한 통신사실 확인자료가 필요한 경우에는 다른 방법으로는 범죄의 실행을 저지하기 어렵거나 범인의 발견·확보 또는 증거의 수집·보전이 어려운 경우 등에만 자료의 열람이나 제출을 요청할 수 있다(제13조 제2항 본문). 24. 9급 교정·보호·철도경찰 다만, 제5조 제1항 각 호(통신제한조치 대상범죄)의 어느 하나에 해당하는 범죄 또는 전기통신을 수단으로 하는 범죄에 대한 통신사실 확인자료가 필요한 경우에는 보충성 요건의 제한을 받지 않고 제13조 제1항에 따라 열람이나 제출을 요청할 수 있다(제13조 제2항 단서).

③ 긴급한 사유로 통신사실 확인자료를 제공받았으나 법원의 허가를 받지 못한 경우에는 지체 없이 제공받은 통신사실 확인자료를 폐기하여야 한다(제13조 제4항).

④ 검사 또는 사법경찰관은 통신사실 확인자료제공을 받은 사건에 관하여 ㉠ 공소를 제기하거나, 공소의 제기·검찰송치를 하지 아니하는 처분(기소중지·참고인중지 또는 수사중지 결정은 제외한다)을 한 경우 그 처분을 한 날부터 30일 이내, 다만 수사처검사가 고위공직자 범죄수사처 설치 및 운영에 관한 법률 제26조 제1항에 따라 서울중앙지방검찰청 소속 검사에게 관계 서류와 증거물을 송부한 사건에 관하여 이를 처리하는 검사로부터 공소를 제기하거나 제기하지 아니하는 처분의 통보를 받은 경우 그 통보를 받은 날부터 30일 이내, 23. 7급 국가직 ㉡ 기소중지결정·참고인중지결정 처분을 한 경우 그 처분을 한 날부터 1년이 경과한 때부터 30일 이내. 다만, 수사처검사가 고위공직자 범죄수사처 설치 및 운영에 관한 법률 제26조 제1항에 따라 서울중앙지방검찰청 소속 검사에게 관계 서류와 증거물을 송부한 사건에 관하여 이를 처리하는 검사로부터 기소중지결정, 참고인중지결정 처분의 통보를 받은 경우 그 통보를 받은 날로부터 1년이 경과한 때부터 30일 이내, ㉢ 수사가 진행 중인 경우는 통신사실 확인자료제공을 받은 날부터 1년이 경과한 때부터 30일 이내에 통신사실 확인자료제공을 받은 사실과 제공요청기관 및 그 기간 등을 통신사실 확인자료제공의 대상이 된 당사자에게 서면으로 통지하여야 한다(제13조의 3 제1항).

▶ 통신사실 확인자료제공을 요청한 사유는 의무적 통지사항 ×

⑤ 국가의 안전보장, 공공의 안녕질서를 위태롭게 할 우려가 있는 경우 등 일정한 경우에는 그 사유가 해소될 때까지 통지를 유예(생략 ×)할 수 있다(제13조의 3 제2항). 사유가 해소된 때에는 그 날로부터 30일 이내에 통지를 하여야 한다(동조 제4항).

⑥ 검사 또는 사법경찰관은 통지를 유예하려는 경우에는 소명자료를 첨부하여 미리 관할 지방검찰청 검사장의 승인을 받아야 한다. 다만, 수사처검사가 통지를 유예하려는 경우에는 소명자료를 첨부하여 미리 수사처장의 승인을 받아야 한다(제13조의 3 제3항).

⑦ 검사 또는 사법경찰관으로부터 통신사실 확인자료제공을 받은 사실 등을 통지받은 당사자는 해당 통신사실 확인자료제공을 요청한 사유를 알려주도록 서면으로 신청할 수 있다(제13조의 3 제5항). 신청을 받은 검사 또는 사법경찰관은 통지유예사유에 해당하는 경우를 제외하고는 그 신청을 받은 날부터 30일 이내에 해당 통신사실 확인자료제공 요청의 사유를 서면으로 통지하여야 한다(제13조의 3 제6항).

관련판례

통신비밀보호법은 통신사실확인자료 제공요청에 의하여 취득한 통신사실확인자료를 범죄의 수사나 소추를 위해 사용하는 경우 그 대상범죄를 통신사실확인자료 제공요청의 목적이 된 범죄나 이와 관련되는 범죄로 한정하고 있는데, 여기서 관련되는 범죄란 통신사실확인자료 제공요청 허가서에 기재한 혐의사실과 객관적 관련성 및 인적 관련성이 인정되는 범죄를 말하며, 혐의사실과 단순히 동종 또는 유사 범행이라는 사유만으로 관련성이 있다고 할 수는 없다. 그리고 피의자와 사이의 인적 관련성은 통신사실확인자료 제공요청 허가서에 기재된 대상자의 공동정범이나 교사범 등 공범이나 간접정범은 물론 필요적 공범 등에 대한 피고사건에 대해서도 인정될 수 있다(대판 2017.1.25, 2016도13489). 22. 순경 1차

▶ 수사기관 등이 전기통신사업자에게 이용자의 성명 등 통신자료의 열람이나 제출을 요청할 수 있도록 한 전기통신사업법 제83조 제3항 중 '검사 또는 수사관서의 장(군 수사기관의 장을 포함한다), 정보수사기관의 장의 수사, 형의 집행 또는 국가안전보장에 대한 위해 방지를 위한 정보수집을 위한 통신자료 제공요청'에 관한 부분에 관한 헌법재판소의 판단

1. 수사기관 등에 의한 통신자료 제공요청은 임의수사에 해당하는 것으로, 전기통신사업자가 이에 응하지 아니한 경우에도 어떠한 법적 불이익을 받는다고 볼 수 없다. 따라서 이 사건 통신자료 취득행위는 헌법소원의 대상이 되는 공권력의 행사에 해당하지 않는다(헌재결 2022.7.21, 2016헌마388).
2. 이 사건 법률조항은 직접성이 인정된다. 직접성을 부정한 헌재 2012.8.23, 2010헌마439 결정은 이 결정과 저촉되는 범위 안에서 이를 변경한다(헌재결 2022.7.21, 2016헌마388).
3. 이 사건 법률조항은 개인정보자기결정권을 제한하나, 영장주의가 적용되지 않으며, 명확성원칙·과잉금지원칙에 위배되지 않는다(헌재결 2022.7.21, 2016헌마388).
4. 이 사건 법률조항은 통신자료 취득에 대한 사후통지절차를 두지 않아 적법절차원칙에 위배된다(헌재결 2022.7.21, 2016헌마388).
5. 이 사건 법률조항은 통신자료 취득 자체가 헌법에 위반된다는 것이 아니라 통신자료 취득에 대한 사후통지절차를 마련하지 않은 것이 헌법에 위반된다는 것이므로, 이 사건 법률조항에 대하여 단순위헌 결정을 하게 되면 법적 공백이 발생하게 된다. 따라서 이 사건 법률조항에 대하여 잠정적용을 명하는 헌법불합치결정을 선고하되, 입법자는 늦어도 2023. 12. 31.까지 개선입법을 하여야 한다(헌재결 2022.7.21, 2016헌마388).

⑽ 타인 간의 대화녹음·청취

누구든지 공개되지 않은 타인 간의 대화를 비밀녹음하거나 청취할 수 없다(동법 제14조). 대화의 일방 당사자가 상대방의 동의를 얻지 않고 녹음하는 행위의 적법성 여부는 명시적인 규정이 없으나, 대법원은 몰래 녹음한 경우에도 증거능력을 인정하고 있다. 16. 7급 국가직

관련판례

1. 렉카회사가 무전기를 이용하여 한국도로공사의 상황실과 순찰차 간의 무선전화통화를 청취한 경우 통신비밀보호법상의 전기통신의 감청에 해당한다(대판 2003.11.13, 2001도6213).
   ▶ 타인 간의 대화청취 × 14. 순경 1차, 12·14·16·20. 경찰승진
2. 전화통화 당사자의 일방이 상대방 모르게 통화내용을 녹음하는 것은 여기의 감청에 해당하지 아니하지만, 24. 소방간부 제3자의 경우는 설령 전화통화 당사자 일방의 동의를 받고 그 통화내용을 녹음하였다 하더라도 그 상대방의 동의가 없었던 이상, 통신비밀보호법 제3조 제1항 위반이 되고, 이러한 불법감청에 의해 녹음된 전화통화 내용은 증거능력이 없다. 이는 피고인이나 변호인이 동의하였다고 하더라도 달리 볼 것은 아니다(대판 2010.10.14, 2010도9016). 14. 순경 1차, 18. 경찰간부, 16·22. 7급 국가직, 22. 9급 교정·보호·철도경찰, 16·21·24. 경찰승진, 24. 순경 2차
3. 수사기관이 甲으로부터 피고인의 마약류관리에 관한 법률 위반(향정) 범행에 대한 진술을 듣고 추가적인 증거를 확보할 목적으로, 구속수감되어 있던 甲에게 그의 압수된 휴대전화를 제공하여 피고인과 통화하고 위 범행에 관한 통화 내용을 녹음하게 한 행위는 불법감청에 해당하므로, 그 녹음 자체는 물론 이를 근거로 작성된 녹취록 첨부 수사보고는 피고인의 증거동의에 상관없이 그 증거능력이 없다(대판 2010.10.14, 2010도9016). 14. 7급 국가직, 16. 9급 교정·보호·철도경찰
4. 3인 간의 대화에 있어서 그중 한 사람이 그 대화를 녹음하는 경우에 다른 두 사람의 발언은 그 녹음자에 대한 관계에서 '타인 간의 대화'라고 할 수 없으므로, 이와 같은 녹음행위가 통신비밀보호법 제3조 제1항에 위배된다고 볼 수는 없다(대판 2006.10.12, 2006도4981). 10. 경찰승진, 17. 변호사시험, 14·18. 수사경과, 22. 경찰간부
5. 甲은 약 8분간의 전화통화를 마친 후 상대방에 대한 예우 차원에서 바로 전화통화를 끊지 않고 乙이 전화를 먼저 끊기를 기다리던 중, 타인과 인사를 나누면서 소개하는 목소리가 甲의 휴대폰을 통해 들려오고, 때마침 乙의 실수로 휴대폰의 통화종료 버튼을 누르지 아니한 채 이를 탁자 위에 놓아두자, 乙의 휴대폰과 통화연결상태에 있는 자신의 휴대폰 수신 및 녹음기능을 이용하여 이 사건 대화를 몰래 청취하면서 녹음한 경우, 甲은 대화에 원래부터 참여하지 아니한 제3자이므로, 통화연결상태에 있는 휴대폰을 이용하여 대화를 청취·녹음하는 행위는 작위에 의한 통신비밀보호법 제3조의 위반행위에 해당한다(대판 2016.5.12, 2013도15616). 17. 7급 국가직, 21. 수사경과
   ▶ **비교판례** : 甲은 평소 친분이 있던 피해자 乙과 휴대전화로 통화를 마친 후 전화가 끊기지 않은 상태에서 "1~2분간 '악' 하는 소리와 '우당탕' 소리를 들었다."고 진술하는 경우, 甲이 들었다는 '우당탕' 소리는 사물에서 발생하는 음향일 뿐 사람의 목소리가 아니므로 통신비밀보호법에서 말하는 타인 간의 '대화'에 해당하지 않는다. '악' 소리도 사람의 목소리이기는 하나 단순한 비명소리에 지나지 않아 그것만으로 상대방에게 의사를 전달하는 말이라고 보기는 어려워 특별한 사정이 없는 한 타인 간의 '대화'에 해당한다고 볼 수 없다. 따라서 그 증거의 제출은 허용된다(대판 2017.3.15, 2016도19843). 21. 해경, 22. 경찰승진·9급 교정·보호·철도경찰·해경간부

6. 골프장 운영업체(강원랜드)가 예약전용 전화선에 녹취시스템을 설치하여 예약담당직원과 고객 간의 골프장 예약에 관한 통화내용을 녹취한 행위는 예약업무를 수행하는 직원이 고객과 통화를 하면서 직접 녹취하는 경우와 다를 바 없고, 이는 결국 강원랜드가 이 사건 전화통화의 당사자로서 통화내용을 녹음한 때에 해당한다고 볼 것이므로 통신비밀보호법 제3조 제1항 위반죄에 해당하지 않는다(대판 2008.10.23, 2008도1237).
7. 이용원을 경영하는 甲이 공중위생법위반죄로 고발하는 데 사용할 목적으로 乙의 동의를 얻어 乙로 하여금 경쟁 미용실 주인인 丙에게 전화를 걸어 "귓불을 뚫어 주느냐."는 용건으로 통화하게 한 다음 그 내용을 녹음한 경우 비록 전화통화 당사자인 乙의 동의를 받고 그 통화내용을 녹음하였다 하더라도 그 상대방의 동의가 없었던 이상 통신비밀보호법 제3조 제1항 위반이 된다(대판 2002.10.8, 2002도123).

▶ 동법 제3조 제1항 '타인간의 대화'에 포함시킬 수는 없고, '전기통신 감청'에 해당한다는 판례임.

8. 공개되지 않은 타인 간의 대화를 녹음 또는 청취하지 못하도록 한 통신비밀보호법 제3조 제1항에서 '공개되지 않았다.'는 것은 반드시 비밀과 동일한 의미는 아니고, 구체적으로 공개된 것인지는 발언자의 의사와 기대, 대화의 내용과 목적, 상대방의 수, 장소의 성격과 규모, 출입의 통제 정도, 청중의 자격 제한 등 객관적인 상황을 종합적으로 고려하여 판단해야 한다(대판 2022.8.31, 2020도1007).
9. 피고인의 배우자가 피고인 모르게 피고인의 휴대전화에 자동녹음 애플리케이션을 실행해 두어 자동으로 녹음된 피고인과 배우자 사이의 전화통화 녹음파일을 증거로 사용할 수 있는지 여부에 대하여, 피고인의 배우자가 전화통화의 일방 당사자로서 피고인과 직접 대화를 나누면서 피고인의 발언 내용을 직접 청취하였으므로 전화통화 녹음파일을 증거로 사용할 수 있다(대판 2023.12.14, 2021도2299).
10. 피해아동의 담임교사인 피고인이 피해아동에게 수업시간 중 교실에서 "학교 안 다니다 온 애 같아."라고 말하는 등 정서적 학대행위를 하였다는 이유로 기소되었는데, 피해아동의 부모가 피해아동의 가방에 녹음기를 넣어 수업시간 중 교실에서 피고인이 한 발언을 몰래 녹음한 녹음파일, 녹취록 등의 증거능력이 문제된 사안에서, 대법원은, "이 사건 녹음파일 등은 통신비밀보호법 제14조 제1항을 위반하여 '공개되지 아니한 타인 간의 대화'를 녹음한 것이므로 통신비밀보호법 제14조 제2항 및 제4조에 따라 증거능력이 부정된다고 보아야 한다."라고 판시하였다(대판 2024.1.11, 2020도1538).
11. 택시 운전기사가 자신의 택시에 승차한 피해자들과 대화한 내용을 몰래 촬영기와 무선통신장치를 이용하여 실시간으로 중계하는 방식으로 인터넷을 통하여 불특정 다수의 시청자에게 공개하였다고 하더라도, 운전기사 역시 피해자들과 사이에 이루어진 대화의 한 당사자로 보일 뿐 그 대화에 참여하지 않은 제3자라고 하기는 어려울 것이며, 피고인 운전기사가 대화 내용을 공개할 의도가 있었다고 하여 달리 볼 것은 아니다. 따라서, 이를 두고 피고인이 통신비밀보호법 제3조 제1항에 위반하여 지득한 타인 간의 대화 내용을 공개한 것으로서 통신비밀보호법 16조 제1항 제2호에 해당한다고 볼 수는 없다(대판 2014.5.16, 2013도16404).
12. 통신비밀보호법 제14조 제1항은 누구든지 공개되지 아니한 타인간의 대화를 녹음하거나 전자장치 또는 기계적 수단을 이용하여 청취할 수 없다고 규정하고 있다. 이는 타인간의 비공개 대화를 자신의 청력을 이용하여 듣는 등의 행위까지 처벌대상으로 할 필요는 없다는 점에서 이를 실시간으로 엿들을 수 있는 전자장치 또는 기계적 수단을 이용하여 이루어지는 청취만을 금지하고자 하는 취지의 조항으로 보인다(대판 2024.2.29, 2023도8603).

13. 부인이 남편의 휴대전화에 몰래 설치한 '스파이앱'을 통해 남편과 피고(내연녀)가 나눈 전화통화를 녹음하여 부정행위의 증거로 제출한 경우 통신비밀보호법상 불법감청에 해당하므로 증거능력이 없다(대판 2024.4.16, 2023므16593).

14. 손님으로 가장한 경찰관이 대화당사자로서 성매매업소를 운영하는 피고인 등과의 대화 내용을 녹음한 것은 통신비밀보호법 제3조 제1항이 금지하는 공개되지 아니한 타인간의 대화를 녹음한 경우에 해당하지 않고, 경찰관이 불특정 다수가 출입할 수 있는 성매매업소에 통상적인 방법으로 들어가 적법한 방법으로 수사를 하는 과정에서 성매매알선 범행이 행하여진 시점에 위 범행의 증거를 보전하기 위하여 범행 상황을 녹음한 것이므로 설령 대화상대방인 피고인 등이 인식하지 못한 사이에 영장 없이 녹음하였다고 하더라도 이를 위법하다고 볼 수 없다(대판 2024.5.30, 2020도9370).

KEY point

- 전기통신 · 감청 의의
- 통신제한 조치 대상범죄
- **통신제한조치 절차**
  - 범죄수사를 위한 제한(2개월 초과 ×) : 검사의 청구로 법원 허가
  - 국가안보를 위한 제한(4개월 초과 ×)
    - 고등검찰청 검사의 신청으로 고등법원 수석판사 허가 (통신의 일방 또는 쌍방이 내국인인 때)
    - 국가정보원장을 거쳐 대통령 승인

  ▶ 총 연장기간은 1년을 초과할 수 없으며, 국가안보 관련범죄는 3년 초과 금지
- **긴급처분** : 집행착수 후 지체 없이 법원의 허가(대통령승인) 청구, 집행한 때로부터 36시간 내 법원 허가(대통령 승인)를 얻지 못하면 통신제한조치 중지
- **집행** : 통신비밀보호법 제9조, 제9조의 2, 제9조의 3
- **통신사실확인자료 제공** : 통신비밀보호법 제13조, 13조의 2, 제13조의 3
- **통신제한조치로 취득한 자료의 관리** : 통신비밀보호법 제12조의 2
- 대화자가 대화 상대방의 진술을 녹음 ⇨ 적법, 제3자가 타인간의 대화 녹음 ⇨ 위법

CHAPTER

02 기출문제

01 **전자정보의 압수 · 수색에 대한 설명으로 가장 적절하지 않은 것은?**(다툼이 있는 경우 판례에 의함) 22. 경찰승진

① 수사기관이 인터넷서비스이용자인 피의자를 상대로 피의자의 컴퓨터 등 정보처리장치 내에 저장되어 있는 이메일 등 전자정보를 압수 · 수색하는 것은 전자정보의 소유자 내지 소지자를 상대로 해당 전자정보를 압수 · 수색하는 대물적 강제처분으로 형사소송법의 해석상 허용된다.

② 수사기관 사무실 등으로 반출된 저장매체 또는 복제본에서 혐의사실 관련성에 대한 구분 없이 임의로 저장된 전자정보를 문서로 출력하거나 파일로 복제하는 행위는 원칙적으로 영장주의 원칙에 반하는 위법한 압수이다.

③ 수사기관이 피의자 甲의 공직선거법위반 범행을 영장 범죄사실로 하여 발부받은 압수 · 수색영장의 집행 과정에서 乙, 丙 사이의 대화가 녹음된 녹음파일을 압수하여 乙, 丙의 공직선거법위반 혐의사실을 발견한 경우, 별도의 압수 · 수색영장을 발부받지 않고 압수한 乙, 丙 사이의 대화가 녹음된 녹음파일은 위법수집 증거로서 증거능력이 없다.

④ 수사기관이 정보저장매체에 기억된 정보 중에서 키워드 또는 확장자 검색 등을 통해 범죄 혐의사실과 관련 있는 정보를 선별한 다음 정보저장매체와 동일하게 비트열 방식으로 복제하여 생성한 파일('이미지 파일')을 제출받아 압수하였다면, 그 이후 수사기관 사무실에서 위와 같이 압수된 이미지 파일을 탐색 · 복제 · 출력하는 모든 과정에서도 피의자 등에게 참여의 기회를 보장하여야 한다.

해설 ① 대판 2017.11.29, 2017도9747 ② 대결 2015.7.19, 2011모1839 전원합의체
③ 대판 2014.1.16, 2013도7101 ④ 수사기관이 정보저장매체에 기억된 정보 중에서 키워드 또는 확장자 검색 등을 통해 범죄 혐의사실과 관련 있는 정보를 선별한 다음 정보저장매체와 동일하게 비트열 방식으로 복제하여 생성한 파일(이하 '이미지 파일'이라 한다)을 제출받아 압수하였다면 이로써 압수의 목적물에 대한 압수 · 수색 절차는 종료된 것이므로, 수사기관이 수사기관 사무실에서 위와 같이 압수된 이미지 파일을 탐색 · 복제 · 출력하는 과정에서도 피의자 등에게 참여의 기회를 보장하여야 하는 것은 아니다(대판 2018.2.8, 2017도13263).

02 **전자정보의 압수 · 수색에 관한 설명으로 옳지 않은 것은?**(다툼이 있는 경우 판례에 의함) 22. 소방간부

① 전자정보에 대한 압수 · 수색영장을 집행할 때에는 원칙적으로 영장 발부의 사유로 된 혐의사실과 관련된 부분만을 문서 출력물로 수집하거나 수사기관이 휴대한 저장매체에 해당 파일을 복사하는 방식으로 이루어져야 한다.

② 수사기관은 전자정보의 복사 또는 출력이 불가능하거나 현저히 곤란한 부득이한 사정이 있는 경우에는, 압수 · 수색영장에 저장매체 자체를 직접 또는 하드카피나 이미징 등 형태로 수사기관 사무실 등 외부로 반출하여 해당 파일을 압수 · 수색할 수 있도록 기재되어 있지 않더라도 압수목적물인 저장매체 자체를 수사관서로 반출할 수 있다.

Answer 01. ④ 02. ②

③ 전자정보가 담긴 저장매체 또는 복제본을 수사기관 사무실 등으로 옮겨 이를 복제·탐색·출력하는 경우 피압수자 측에 절차 참여를 보장한 취지가 실질적으로 침해되었다면 수사기관이 저장매체 또는 복제본에서 혐의사실과 관련된 전자정보만을 복제·출력하였더라도 그 압수·수색은 위법하다.

④ 수사기관이 정보저장매체에 기억된 정보 중에서 키워드 또는 확장자 검색 등을 통해 범죄혐의사실과 관련 있는 정보를 선별한 다음 정보저장매체와 동일하게 비트열 방식으로 복제하여 생성한 파일(이미지 파일)을 제출받아 압수하였다면 이로써 압수의 목적물에 대한 압수·수색 절차는 종료된 것이므로 수사기관의 수사기관 사무실에서 위와 같이 압수된 이미지 파일을 탐색·복제·출력하는 과정에서 피의자 등에게 참여의 기회를 보장하여야 하는 것은 아니다.

⑤ 증거로 제출된 전자문서 파일의 원본 동일성은 증거능력의 요건에 해당하므로 검사가 그 존재에 대하여 구체적으로 주장·증명해야 한다.

해설 ① 대결 2011.5.26, 2009모1190

② 영장 발부의 사유인 혐의사실과 관련된 부분만을 문서 출력물로 수집하거나 수사기관이 휴대한 저장매체에 해당 파일을 복사하는 방식으로 이루어져야 하나, 위와 같은 방식에 의한 집행이 불가능하거나 현저히 곤란한 부득이한 사정이 존재하더라도 저장매체 자체를 직접 혹은 하드카피나 이미징 등 형태로 수사기관 사무실 등 외부로 반출하여 해당 파일을 압수·수색할 수 있도록 영장에 기재되어 있고 실제 그와 같은 사정이 발생한 때에 한하여 위 방법이 예외적으로 허용될 수 있을 뿐이다(대결 2011.5.26, 2009모1190).

③ 대판 2020.11.26, 2020도10729

④⑤ 대판 2018.2.8, 2017도13263

03 전자정보의 압수에 대한 설명으로 옳은 것은?(다툼이 있는 경우 판례에 의함)

22. 9급 검찰·마약·교정·보호·철도경찰

① 피의자 소유 정보저장매체를 제3자가 보관하고 있던 중 이를 수사기관에 임의제출하면서 그 곳에 저장된 모든 전자정보를 일괄하여 임의제출한다는 의사를 밝힌 경우에도 특별한 사정이 없는 한 수사기관은 범죄혐의사실과 관련된 전자정보에 한정하여 영장 없이 적법하게 압수할 수 있다.

② 임의제출된 전자정보매체에서 압수의 대상이 되는 전자정보의 범위를 넘어서는 전자정보에 대해 수사기관이 영장 없이 압수·수색하여 취득한 증거는 위법수집증거에 해당하지만, 사후에 법원으로부터 영장이 발부되었거나 피고인 또는 변호인이 이를 증거로 함에 동의하였다면 그 위법성은 치유된다.

③ 수사기관이 임의제출된 전자저장매체에서 범죄혐의사실이 아닌 별도의 범죄혐의와 관련된 전자정보를 우연히 발견한 경우, 당해 정보저장매체에 대한 임의제출에 기한 압수·수색이 종료되기 전이라면 별도의 영장을 발부받지 않고 이를 적법하게 압수·수색할 수 있으나 임의제출에 의한 압수·수색이 종료되었던 경우에는 별도의 범죄혐의에 대한 압수·수색영장을 발부받아야 이를 적법하게 압수할 수 있다.

Answer 03. ①

④ 정보저장매체를 임의제출 받아 이를 탐색·복제·출력하는 경우, 압수·수색 당시 또는 이와 시간적으로 근접한 시기까지 해당 정보저장매체를 현실적으로 지배·관리하지는 아니하였더라도 그곳에 저장되어 있는 개별 전자정보의 생성·이용 등에 관여한 자에 대하여서는 압수·수색절차에 대한 참여권을 보장해 주어야 한다.

해설 ① 대판 2021.11.18, 2016도348 전원합의체

② 임의제출된 전자정보매체에서 압수의 대상이 되는 전자정보의 범위를 넘어서는 전자정보에 대해 수사기관이 영장 없이 압수·수색하여 취득한 증거는 위법수집증거에 해당하고, 사후에 법원으로부터 영장이 발부되었거나 피고인 또는 변호인이 이를 증거로 함에 동의하였다 하여 그 위법성이 치유되는 것도 아니다(대판 2021.11.18, 2016도348 전원합의체).

③ 임의제출된 정보저장매체에서 압수의 대상이 되는 전자정보의 범위를 초과하여 수사기관이 임의로 전자정보를 탐색·복제·출력하는 것은 원칙적으로 위법한 압수·수색에 해당하므로 허용될 수 없다. 만약 전자정보에 대한 압수·수색이 종료되기 전에 범죄혐의사실과 관련된 전자정보를 적법하게 탐색하는 과정에서 별도의 범죄혐의와 관련된 전자정보를 우연히 발견한 경우라면, 수사기관은 더 이상의 추가 탐색을 중단하고 법원으로부터 별도의 범죄혐의에 대한 압수·수색영장을 발부받은 경우에 한하여 그러한 정보에 대하여도 적법하게 압수·수색을 할 수 있다(대판 2021.11.18, 2016도348 전원합의체).

④ 정보저장매체를 임의제출한 피압수자에 더하여 임의제출자 아닌 피의자에게도 참여권이 보장되어야 하는 '피의자의 소유·관리에 속하는 정보저장매체'라 함은, 피의자가 압수·수색 당시 또는 이와 시간적으로 근접한 시기까지 해당 정보저장매체를 현실적으로 지배·관리하면서 그 정보저장매체 내 전자정보 전반에 관한 전속적인 관리처분권을 보유·행사하고, 달리 이를 자신의 의사에 따라 제3자에게 양도하거나 포기하지 아니한 경우로써, 피의자를 그 정보저장매체에 저장된 전자정보에 대하여 실질적인 피압수자로 평가할 수 있는 경우를 말하는 것이다(대판 2022.1.27, 2021도11170).

04 전자정보의 압수·수색에 대한 설명으로 옳지 않은 것은?(다툼이 있는 경우 판례에 의함)

22. 7급 국가직

① 수사기관의 전자정보에 대한 압수·수색은 원칙적으로 영장 발부의 사유로 된 범죄 혐의사실과 관련된 부분만을 문서 출력물로 수집하거나 수사기관이 휴대한 저장매체에 해당 파일을 복제하는 방식으로 이루어져야 한다.

② 임의제출된 정보저장매체에서 압수의 대상이 되는 전자정보의 범위를 넘어서는 전자정보에 대해 수사기관이 영장 없이 압수·수색하여 취득한 증거는 사후에 피고인이 이를 증거로 함에 동의하였다고 하여 그 위법성이 치유되지 않는다.

③ 피의자가 휴대전화를 임의제출하면서 원격지에 저장되어 있는 전자정보를 수사기관에 제출한다는 의사로 클라우드에 접속하기 위한 아이디와 비밀번호를 임의로 제공하였더라도, 그 클라우드에 저장된 전자정보를 임의제출하는 것으로 볼 수는 없다.

④ 수사기관이 甲을 피의자로 하여 발부받은 압수·수색영장에 기하여 인터넷서비스업체인 A주식회사를 상대로 A주식회사의 본사 서버에 저장되어 있는 甲의 전자정보인 SNS 대화내용 등에 대하여 압수·수색을 실시한 경우, 수사기관은 압수·수색 과정에서 甲에게 참여권을 보장하여야 한다.

Answer 04. ③

해설 ① 대결 2011.5.26, 2009모1190 ② 대판 2021.11.18, 2016도348 전원합의체
③ 피의자가 휴대전화를 임의제출하면서 휴대전화에 저장된 전자정보가 아닌 클라우드 등 제3자가 관리하는 원격지에 저장되어 있는 전자정보를 수사기관에 제출한다는 의사로 수사기관에게 클라우드 등에 접속하기 위한 아이디와 비밀번호를 임의로 제공하였다면 위 클라우드 등에 저장된 전자정보를 임의제출하는 것으로 볼 수 있다(대판 2021.7.29, 2020도14654). ④ 대판 2022.5.31, 2016모587

05 다음 사례에 대한 설명 중 가장 적절한 것은?(다툼이 있는 경우 판례에 의함) 22. 순경 2차

> A는 2022. 2. 10. 甲의 집에서 자고 있는 사이 甲이 자신의 의사에 반해 나체를 촬영한 범행을 저질렀다며 경찰에 甲을 신고하였다. A는 甲을 신고하면서 甲의 집에서 가지고 나온 甲소유의 휴대폰 2대(휴대폰 1, 휴대폰 2)를 사법경찰관 P에게 임의제출하였고, P는 A에게 제출범위에 관한 의사를 따로 확인하지 않았다. P는 휴대폰 1에 저장된 동영상 파일을 통해 甲의 A에 대한 범행을 확인한 후, 휴대폰 2에서도 甲의 범행의 증거를 찾던 중 2021. 1.경 A가 아닌 B와 C의 나체를 불법 촬영한 동영상 30개와 사진을 발견하였다. P는 발견한 동영상과 사진을 CD에 복제한 후, 압수·수색영장을 발부받아 이 CD를 압수하였다.

① 휴대폰은 임의제출물이기 때문에 2대의 휴대폰에 저장된 전자 정보 전부가 임의제출되어 압수된 것으로 취급할 수 있다.
② 2021. 1.경 범행 동영상은 2022. 2. 10. 범행과 동종·유사한 범행이므로 2022. 2. 10. 범행과 구체적·개별적 연관관계가 없다 하더라도 2022. 2. 10. 범행 혐의사실과 관련성이 있다.
③ A가 제출한 휴대폰이 임의제출물이라 하더라도 휴대폰을 탐색하는 과정에서 甲에게 참여권을 보장하고 압수목록을 교부해야 한다.
④ 압수된 CD에 저장된 동영상과 휴대폰2에 저장된 원본 동영상과의 동일성은 검사가 주장·입증해야 하며, 엄격한 증명의 방법으로 증명되어야 한다.

해설 〈경찰이 성폭력범죄의 처벌 등에 관한 특례법 위반(카메라 등 이용촬영)죄의 피해자가 임의제출한 피고인 소유·관리의 휴대전화 2대의 전자정보를 탐색하다가 피해자를 촬영한 휴대전화가 아닌 다른 휴대전화에서 다른 피해자 2명에 대한 동종 범행 등에 관한 1년 전 사진·동영상을 발견하고 영장 없이 이를 복제한 CD를 증거로 제출한 사안〉 대판 2021.11.18, 2016도348 전원합의체의 사실관계를 변형한 사례이다.
① 수사기관이 제출자의 의사를 쉽게 확인할 수 있음에도 이를 확인하지 않은 채 특정 범죄혐의사실과 관련된 전자정보와 그렇지 않은 전자정보가 혼재된 정보저장매체를 임의제출받은 경우, 그 정보저장매체에 저장된 전자정보 전부가 임의제출되어 압수된 것으로 취급할 수는 없다. 제출자의 구체적인 제출범위에 관한 의사를 제대로 확인하지 않는 등의 사유로 인해 임의제출자의 의사에 따른 전자정보 압수의 대상과 범위가 명확하지 않거나 이를 알 수 없는 경우에는 임의제출에 따른 압수의 동기가 된 범죄혐의사실과 관련되고 이를 증명할 수 있는 최소한의 가치가 있는 전자정보에 한하여 압수의 대상이 된다(대판 2021.11.18, 2016도348 전원합의체).
② 범죄발생 시점 사이에 상당한 간격이 있고 피해자 및 범행에 이용한 휴대전화도 전혀 다른 피고인의 2021년 범행에 관한 동영상은 임의제출에 따른 압수의 동기가 된 범죄혐의사실(2022년 범행)과 구체적·개별적 연관관계 있는 전자정보로 보기 어려우므로 수사기관이 사전영장 없이 이를 취득한 이상 증거능력이 없고, 사후에 압수·수색영장을 받아 압수절차가 진행되었더라도 달리 볼 수 없다(대판 2021.11.18, 2016도348 전원합의체).

Answer 05. ③

③ 대판 2021.11.18, 2016도348 전원합의체
④ 원본의 동일성은 증거능력의 요건에 해당하므로 검사가 그 존재에 대하여 구체적으로 주장·증명해야 한다(대판 2018.2.8, 2017도13263). 소송법적 사실이므로 자유로운 증명의 대상

06 **다음은 전자정보의 압수·수색에 대한 설명이다. 아래 ㉠부터 ㉣까지의 설명 중 옳고 그름의 표시(○, ×)가 바르게 된 것은?**(다툼이 있는 경우 판례에 의함) 23. 경찰승진

㉠ 피의자의 이메일 계정에 대한 접근권한에 갈음하여 발부받은 압수·수색영장의 효력은 대한민국의 사법관할권이 미치지 아니하는 해외 이메일서비스 제공자의 해외 서버 및 그 해외 서버에 소재하는 저장매체 속 피의자의 전자정보에 대하여까지 미치지는 않는다.
㉡ 수사기관 사무실 등으로 반출된 저장매체 또는 복제본에서 혐의사실 관련성에 대한 구분 없이 임의로 저장된 전자 정보를 문서로 출력하거나 파일로 복제하는 행위는 원칙적으로 영장주의 원칙에 반하는 위법한 압수가 된다.
㉢ 임의제출된 정보저장매체에서 압수의 대상이 되는 전자 정보의 범위를 넘어서는 전자정보에 대해 수사기관이 영장 없이 압수·수색하여 취득한 증거는 위법수집증거에 해당하고, 사후에 법원으로부터 영장이 발부되었다거나 피고인이나 변호인이 이를 증거로 함에 동의하였다고 하여 그 위법성이 치유되는 것도 아니다.
㉣ 전자정보에 대한 압수·수색영장을 집행할 때에는 원칙적으로 영장 발부의 사유인 혐의사실과 관련된 부분만을 문서 출력물로 수집하거나 수사기관이 휴대한 저장매체에 해당파일을 복사하는 방식으로 이루어져야 하지만, 집행현장 사정상 이러한 방식에 의한 집행이 현저히 곤란한 부득이한 사정이 존재하는 경우에는 영장에의 기재 여부와 상관없이 저장매체 자체를 직접 혹은 하드카피나 이미징 등 형태로 수사기관 사무실 등 외부로 반출하여 해당 파일을 압수·수색할 수 있다.

① ㉠(○), ㉡(×), ㉢(×), ㉣(×)
② ㉠(○), ㉡(×), ㉢(×), ㉣(○)
③ ㉠(×), ㉡(○), ㉢(○), ㉣(×)
④ ㉠(×), ㉡(○), ㉢(○), ㉣(○)

해설 ㉠ ×: 피의자의 이메일 계정에 대한 접근권한에 갈음하여 발부받은 압수·수색영장의 효력은 대한민국의 사법관할권이 미치지 아니하는 해외 이메일서비스 제공자의 해외 서버 및 그 해외 서버에 소재하는 저장매체 속 피의자의 전자정보에 대하여까지 미친다(대판 2017.11.29, 2017도9747).
㉡ ○: 대결 2015.7.16, 2011모1839
㉢ ○: 대판 2021.11.18, 2016도348 전원합의체
㉣ ×: 전자정보에 대한 압수·수색영장을 집행할 때에는 원칙적으로 영장 발부의 사유인 혐의사실과 관련된 부분만을 문서 출력물로 수집하거나 수사기관이 휴대한 저장매체에 해당 파일을 복사하는 방식으로 이루어져야 하고, 집행현장 사정상 위와 같은 방식에 의한 집행이 불가능하거나 현저히 곤란한 부득이한 사정이 존재하더라도 저장매체 자체를 직접 혹은 하드카피나 이미징 등 형태로 수사기관 사무실 등 외부로 반출하여 해당 파일을 압수·수색할 수 있도록 영장에 기재되어 있고 실제 그와 같은 사정이 발생한 때에 한하여 위 방법이 예외적으로 허용될 수 있을 뿐이다(대결 2011.5.26, 2009모1190).

Answer 06. ③

07 **저장매체의 임의제출에 관한 설명 중 가장 적절하지 않은 것은?**(다툼이 있는 경우 판례에 의함)

23. 순경 1차 · 전의경경채

① 임의제출된 정보저장매체에서 압수의 대상이 되는 전자정보의 범위를 넘어서는 전자정보에 대해 수사기관이 영장 없이 압수·수색하여 취득한 증거는 위법수집증거에 해당하지만, 피고인이나 변호인이 이를 증거로 함에 동의하였다면 그 위법성이 치유된다.

② 제3자가 피의자의 소유·관리에 속하는 정보저장매체를 영장에 의하지 않고 임의제출하는 경우, 특별한 사정이 없는 한 피의자에게 참여권을 보장하고 압수한 전자정보 목록을 교부하는 등 피의자의 절차적 권리를 보장하기 위한 적절한 조치가 이루어져야 한다.

③ 피의자가 자기 소유의 휴대전화를 임의제출하면서 클라우드 등 제3자가 관리하는 원격지에 저장되어 있는 전자정보를 수사기관에게 제출한다는 의사로 수사기관에 클라우드 등에 접속하기 위한 자신의 아이디와 비밀번호를 임의로 제공한 경우, 위 클라우드 등에 저장된 전자정보를 임의제출하는 것으로 볼 수 있다.

④ 현행범 체포현장이나 범죄현장에서도 소지자 등이 임의로 제출하는 저장매체는 형사소송법 제218조에 의하여 영장 없이 압수하는 것이 허용된다.

해설 ① 임의제출된 정보저장매체에서 압수의 대상이 되는 전자정보의 범위를 넘어서는 전자정보에 대해 수사기관이 영장 없이 압수·수색하여 취득한 증거는 위법수집증거에 해당하고, 사후에 법원으로부터 영장이 발부되었다거나 피고인이나 변호인이 이를 증거로 함에 동의하였다고 하여 그 위법성이 치유되는 것도 아니다(대판 2021.11.18, 2016도348 전원합의체).

② 대판 2021.11.18, 2016도348 전원합의체

③ 대판 2021.7.29, 2020도14654

④ 대판 2016.2.28, 2015도13726

08 **전자정보 압수·수색에 관한 다음 설명 중 옳지 않은 것은 모두 몇 개인가?**(다툼이 있는 경우 판례에 의함)

23. 순경 2차

㉠ 수사기관이 압수·수색영장에 적힌 '수색할 장소'에 있는 컴퓨터 등 정보처리장치에 저장된 전자정보 외에 원격지클라우드에 저장된 전자정보를 압수·수색하기 위해서는 압수·수색영장에 적힌 '압수할 물건'에 별도로 원격지 클라우드 저장 전자정보가 특정되어 있어야 한다.

㉡ 수사기관이 전자정보에 대한 압수·수색이 종료되기 전에 혐의사실과 관련된 전자정보를 적법하게 탐색하는 과정에서 별도 범죄혐의와 관련된 전자정보를 우연히 발견한 경우, 대법원은 '우연한 육안발견 원칙(plain view doctrine)'에 의해 별도의 영장 없이 우연히 발견한 별도 범죄혐의와 관련된 전자정보를 압수·수색할 수 있다고 판시하였다.

㉢ 수사기관이 피의자의 이메일 계정에 대한 접근권한에 갈음하여 발부받은 압수·수색영장에 따라, 원격지의 저장매체에 적법하게 접속하여 내려받거나 현출된 전자정보를 대상으로 하여 범죄 혐의사실과 관련된 부분에 대하여 압수·수색하는 것은 특별한 사정이 없는 한 허용되지만, 원격지 저장매체가 국외에 있는 경우에는 허용되지 않는다.

Answer 07. ① 08. ②

ⓡ 수사기관이 범죄 혐의사실과 관련 있는 정보를 선별하여 압수한 후에도 그와 관련이 없는 나머지 정보를 법원의 영장 내용에 반하여 삭제·폐기·반환하지 아니한 채 그대로 보관하고 있다면, 범죄 혐의사실과 관련이 없는 부분에 대하여는 압수의 대상이 되는 전자정보의 범위를 넘어서는 전자정보를 영장 없이 압수·수색하여 취득한 것이어서 위법하다.

ⓜ 피의자가 휴대전화를 임의제출하면서 휴대전화에 저장된 전자정보가 아닌 클라우드 등 제3자가 관리하는 원격지에 저장되어 있는 전자정보를 수사기관에 제출한다는 의사로 수사기관에게 클라우드 등에 접속하기 위한 아이디와 비밀번호를 임의로 제공하였다면 위 클라우드 등에 저장된 전자정보를 임의제출하는 것으로 볼 수 있다.

① 1개 ② 2개 ③ 3개 ④ 4개

해설 ㉠ ○ : 대결 2022.6.30, 2020모735

㉡ × : 전자정보에 대한 압수·수색이 종료되기 전에 혐의사실과 관련된 전자정보를 적법하게 탐색하는 과정에서 별도의 범죄혐의와 관련된 전자정보를 우연히 발견한 경우라면, 수사기관으로서는 더 이상의 추가 탐색을 중단하고 법원으로부터 별도의 범죄혐의에 대한 압수·수색영장을 발부받은 경우에 한하여 그러한 정보에 대하여도 적법하게 압수·수색을 할 수 있다고 할 것이다(대결 2015.7.16, 2011모1839 전원합의체).

㉢ × : 원격지의 저장매체가 국외에 있는 경우라 하더라도 그 사정만으로 달리 볼 것은 아니다(대판 2017.11.29, 2017도9747). ㉣ ○ : 대결 2022.1.14, 2021모1586 ㉤ ○ : 대판 2021.7.29, 2020도14654

09 전자정보의 압수·수색절차에 관한 설명으로 옳은 것은 모두 몇 개인가?(다툼이 있는 경우 판례에 의함)

24. 경찰간부

㉠ 수사기관이 임의제출받은 정보저장매체가 대부분 임의제출에 따른 적법한 압수의 대상이 되는 전자정보만이 저장되어 있어서 그렇지 않은 전자정보와 혼재될 여지가 거의 없는 경우라 하더라도, 전자정보인 이상 소지·보관자의 임의제출에 따른 통상의 압수절차 외에 피압수자에게 참여의 기회를 보장하지 않았고 전자정보 압수목록을 작성·교부하지 않았다면 곧바로 증거능력을 인정할 수 없다.

㉡ 압수물 목록은 수사기관의 압수 직후 현장에서 바로 작성하여 교부해야 하는 것이 원칙인데, 압수된 정보의 상세목록에는 정보의 파일명세가 특정되어 있어야 하고 수사기관은 이를 출력한 서면을 교부해야 하며, 이를 전자파일 형태로 복사해 주거나 이메일을 전송하는 등의 방식으로 교부해서는 안 된다.

㉢ 정보저장매체를 임의제출한 피압수자와 임의제출자 아닌 피의자에게도 참여권이 보장되어야 하는 '피의자 소유·관리에 속하는 정보저장매체'에 해당하는지 여부는 압수·수색 당시 외형적·객관적으로 인식가능한 사실상의 상태를 기준으로 판단하는 것이 아니라 민사법상 권리의 귀속에 따른 법률적·사후적 판단을 기준으로 판단하여야 한다.

㉣ 압수·수색영장에 적힌 '압수할 물건'에 컴퓨터 등 정보처리장치 저장 전자정보만 기재되어 있고 별도로 원격지 서버 저장의 전자정보가 특정되어 있지 않았다 하더라도, 영장에 기재된 해당 컴퓨터 등 정보처리장치를 이용하여 로그인되어 있는 상태의 원격지 서버 저장 전자정보를 압수한 경우는 영장주의 원칙에 반하지 않는다.

Answer 09. ①

> ㉤ 수사기관이 압수·수색·검증 영장을 발부받은 후 그 집행현장에서 정보저장매체에 기억된 정보 중에서 키워드 또는 확장자 검색 등을 통해 범죄 혐의사실과 관련 있는 정보를 선별한 다음 정보저장매체와 동일하게 비트열 방식으로 복제하여 생성한 파일을 제출받아 적법하게 압수하였다면, 수사기관은 수사기관 사무실에서 위와 같이 압수된 이미지 파일을 탐색·복제·출력하는 과정에서 피의자 등에게 참여의 기회를 보장해야 하는 것은 아니다.

① 1개 ② 2개 ③ 3개 ④ 4개

해설 ㉠ ×: 수사기관이 임의제출받은 정보저장매체가 그 기능과 속성상 임의제출에 따른 적법한 압수의 대상이 되는 전자정보와 그렇지 않은 전자정보가 혼재될 여지가 거의 없어 사실상 대부분 압수의 대상이 되는 전자정보만이 저장되어 있는 경우에는 소지·보관자의 임의제출에 따른 통상의 압수절차 외에 피압수자에게 참여의 기회를 보장하지 않고 전자정보 압수목록을 작성·교부하지 않았다는 점만으로 곧바로 증거능력을 부정할 것은 아니다(대판 2021.11.25, 2019도7342).

㉡ ×: 압수물 목록은 수사기관의 압수 직후 현장에서 바로 작성하여 교부해야 하는 것이 원칙인데(대판 2009.3.12, 2008도763), 압수된 정보의 상세목록에는 정보의 파일명세가 특정되어 있어야 하고 수사기관은 이를 출력한 서면을 교부해야 하거나 전자파일 형태로 복사해 주거나 이메일을 전송하는 등의 방식으로 할 수 있다(대판 2018.2.8, 2017도13263).

㉢ ×: 이에 해당하는지 여부는 민사법상 권리의 귀속에 따른 법률적·사후적 판단이 아니라 압수·수색 당시 외형적·객관적으로 인식 가능한 사실상의 상태를 기준으로 판단하여야 한다(대판 2022.1.27, 2021도11170).

㉣ ×: 압수·수색영장에 적힌 '압수할 물건'에 원격지 서버 저장 전자정보가 기재되어 있지 않은 이상 압수·수색영장에 적힌 '압수할 물건'은 피고인의 주거지에 있는 컴퓨터 하드디스크 및 외부저장매체에 저장된 전자정보에 한정된다. 그럼에도 휴대전화가 구글계정에 로그인되어 있는 상태를 이용하여 원격지 서버에 해당하는 구글클라우드에 접속하여 구글클라우드에서 발견한 불법촬영물을 압수한 경우, 이는 압수·수색영장에서 허용한 압수의 범위를 넘어선 것으로 적법절차 및 영장주의의 원칙에 반하여 위법하다(대판 2022.6.30, 2022도1452).

㉤ ○: 대판 2018.2.28, 2017도13263

10 **다음 설명 중 가장 옳지 않은 것은?**(다툼이 있는 경우 판례에 의하고, 전원합의체 판결의 경우 다수의견에 의함)

22. 9급 법원직

① 수사기관은 압수의 목적물이 컴퓨터용 디스크 그 밖에 이와 비슷한 정보저장매체인 경우에는 영장 발부의 사유로 된 범죄 혐의사실과 관련 있는 정보의 범위를 정하여 출력하거나 복제하여 이를 제출받아야 하고, 피의자나 변호인에게 참여의 기회를 보장하여야 한다. 다만 수사기관이 정보저장매체에 기억된 정보 중에서 키워드 또는 확장자 검색 등을 통해 범죄 혐의사실과 관련 있는 정보를 선별한 다음 정보저장매체와 동일하게 비트열 방식으로 복제하여 생성한 파일을 제출받아 압수하였다면 이로써 압수의 목적물에 대한 압수·수색 절차는 종료된 것이므로, 수사기관이 수사기관 사무실에서 위와 같이 압수된 이미지 파일을 탐색·복제·출력하는 과정에서도 피의자 등에게 참여의 기회를 보장하여야 하는 것은 아니다.

Answer 10. ④

② 임의제출된 정보저장매체에서 압수의 대상이 되는 전자정보의 범위를 넘어서는 전자정보에 대해 수사기관이 영장 없이 압수·수색하여 취득한 증거는 위법수집증거에 해당하고, 사후에 법원으로부터 영장이 발부되었거나 피고인이나 변호인이 이를 증거로 함에 동의한 경우라도 그 위법성이 치유되는 것도 아니다.

③ 압수·수색영장의 범죄 혐의사실과 관계있는 범죄라는 것은 압수·수색영장에 기재한 혐의사실과 객관적 관련성이 있고 압수·수색영장 대상자와 피의자 사이에 인적 관련성이 있는 범죄를 의미한다. 그중 객관적 관련성은 압수·수색영장에 기재된 혐의사실의 내용과 수사의 대상, 수사 경위 등을 종합하여 구체적·개별적 연관관계가 있는 경우에만 인정되고, 혐의사실과 단순히 동종 또는 유사 범행이라는 사유만으로 관련성이 있다고 할 것은 아니다.

④ 피압수자가 수사 도중 자유로운 의사에 의해 소유권을 포기한 경우에는 국가가 그 소유권을 취득한다고 보아야 하므로, 수사기관의 환부의무는 면제되고, 피압수자의 압수물에 대한 환부청구권도 소멸한다.

해설 ① 대판 2018.2.8, 2017도13263 ② 대판 2021.11.18, 2016도348 전원합의체
③ 대판 2017.12.5, 2017도13458 ; 대판 2021.11.18, 2016도348 전원합의체
④ 피압수자 등 환부를 받을 자가 압수 후 그 소유권을 포기하는 등에 의하여 실체법상의 권리를 상실하더라도 그 때문에 압수물을 환부하여야 하는 수사기관의 의무에 어떠한 영향을 미칠 수 없고, 또한 수사기관에 대하여 형사소송법상의 환부청구권을 포기한다는 의사표시를 하더라도 그 효력이 없어 그에 의하여 수사기관의 필요적 환부의무가 면제된다고 볼 수는 없으므로, 압수물의 소유권이나 그 환부청구권을 포기하는 의사표시로 인하여 위 환부의무에 대응하는 압수물에 대한 환부청구권이 소멸하는 것은 아니다(대결 1996.8.16, 94모51 전원합의체).

11 **다음 사례에서 P가 할 수 있는 조치에 대한 설명으로 옳은 것은?**(다툼이 있는 경우 판례에 의함)

22. 9급 검찰·마약·교정·보호·철도경찰

> 미성년자 甲은 음주운전을 하다가 교통사고를 내고 구급차에 실려 병원으로 이송되었다. 사법경찰관 P는 응급실에 누워있는 甲에게서 술냄새가 강하게 나는 것을 인지하고 甲을 도로교통법위반(음주운전)죄로 입건하기 위해 증거 수집의 목적으로 甲의 혈액을 취득·보관하려고 한다.

① P가 甲의 동의 없이 혈액을 강제로 취득하는 것은 형사소송법이 정한 압수의 방법으로 하여야 하고, 감정에 필요한 처분으로는 이를 할 수 없다.

② 甲이 응급실에서 의식을 잃지 않고 의사능력이 있는 경우라도 甲은 미성년자이므로 P는 甲의 법정대리인의 동의를 얻어야 그의 혈액을 압수할 수 있다.

③ 위 응급실은 형사소송법 제216조 제3항의 범죄 장소에 준한다고 볼 수 없으므로, P는 긴급체포시 압수의 방법으로 영장 없이 甲의 혈액을 취득할 수 있다.

④ P는 당시 간호사가 위 혈액의 소지자 겸 보관자인 의료기관 또는 담당의사를 대리하여 혈액을 경찰관에게 임의로 제출할 수 있는 권한이 없었다고 볼 특별한 사정이 없는 이상, 간호사로부터 진료 목적으로 채혈해 놓은 甲의 혈액을 임의로 제출받아 영장 없이 압수할 수 있다.

Answer 11. ④

해설 ① 수사기관이 범죄 증거를 수집할 목적으로 피의자의 동의 없이 피의자의 소변을 채취하는 것은 법원으로부터 감정허가장을 받아 '감정에 필요한 처분'으로 할 수 있지만, 압수·수색의 방법으로도 할 수 있다. 이러한 압수·수색의 경우에 수사기관은 원칙적으로 형사소송법 제215조에 따라 판사로부터 압수·수색영장을 적법하게 발부받아 집행해야 한다(대판 2018.7.12, 2018도6219).
② 음주운전과 관련한 도로교통법위반죄의 범죄수사를 위하여 미성년자인 피의자의 혈액채취가 필요한 경우에도 피의자에게 의사능력이 있다면 피의자 본인만이 혈액채취에 관한 유효한 동의를 할 수 있고, 피의자에게 의사능력이 없는 경우에도 명문의 규정이 없는 이상 법정대리인이 피의자를 대리하여 동의할 수는 없다(대판 2014.11.13, 2013도1228).
③ 피의자의 생명·신체를 구조하기 위하여 사고현장으로부터 곧바로 후송된 병원 응급실 등의 장소는 형사소송법 제216조 제3항의 범죄 장소에 준한다 할 것이므로, 검사 또는 사법경찰관은 피의자의 혈중알코올농도 등 증거의 수집을 위하여 의료법상 의료인의 자격이 있는 자로 하여금 의료용 기구로 의학적인 방법에 따라 필요최소한의 한도 내에서 피의자의 혈액을 채취하게 한 후 그 혈액을 영장 없이 압수할 수 있다. 다만, 이 경우에도 사후에 지체 없이 법원으로부터 압수영장을 받아야 한다(대판 2012.11.15, 2011도15258).
④ 대판 1999.9.3, 98도968

PART 02

12 압수·수색 절차에 관한 설명으로 가장 적절하지 않은 것은?(다툼이 있는 경우 판례에 의함)

23. 순경 2차

① 압수·수색영장은 원칙적으로 처분을 받는 자에게 반드시 제시하고, 처분을 받는 자가 피의자인 경우에는 그 사본을 교부해야 하는데, 이는 준항고 등 피압수자의 불복신청의 기회를 실질적으로 보장하기 위한 것이다.
② 압수·수색영장을 소지하지 아니한 경우에 급속을 요하는 때에는 피의자에 대하여 공소사실의 요지와 영장이 발부되었음을 고지하고 집행할 수 있다.
③ 압수·수색영장 통지의 예외 사유인 '급속을 요하는 때'란 압수·수색영장 집행 사실을 미리 알려주면 증거물을 은닉할 염려 등이 있어 압수·수색의 실효를 거두기 어려울 경우를 의미한다.
④ 수사기관이 A회사에서 압수·수색영장을 집행하면서 A회사에 팩스로 영장 사본을 송신하기만 하고 영장 원본을 제시하지 않았고 또한 압수조서와 압수물 목록을 작성하여 피압수·수색 당사자에게 교부하지 않은 채 피고인의 이메일을 압수한 후 이를 증거로 제출한 것은 적법절차 원칙의 실질적인 내용을 침해한 것이다.

해설 ① 타당한 내용
② 체포·구속의 경우 급속을 요하는 때에 피의자에 대하여 피의사실의 요지와 영장이 발부되었음을 고지하고 집행할 수 있는 규정이 있으나(제85조 제3항, 제200조의 6), 압수·수색의 경우에는 이러한 규정이 없다.
③ 대판 2012.10.11, 2012도7456
④ 대판 2017.9.7, 2015도10648

Answer 12. ②

13 **압수·수색영장의 집행에 관한 다음 설명 중 가장 옳지 않은 것은?**(다툼이 있는 경우 판례에 의하고, 전원합의체 판결의 경우 다수의견에 의함) **23. 9급 법원직**

① 압수·수색영장은 처분을 받는 자에게 반드시 제시하여야 하나, 처분을 받는 자가 현장에 없는 등 영장의 제시나 그 사본의 교부가 현실적으로 불가능한 경우 또는 처분을 받는 자가 영장의 제시나 사본의 교부를 거부한 때에는 예외로 한다.

② 피압수자가 수사기관에 압수·수색영장의 집행에 참여하지 않는다는 의사를 명시하였다면, 특별한 사정이 없는 한 그 변호인에게는 미리 집행의 일시와 장소를 통지하지 아니한 채 압수·수색을 하더라도 위법하다고 볼 수 없다.

③ 압수·수색영장의 집행에 피압수자나 변호인의 참여 기회를 보장하여야 하나, 피압수자 측이 압수·수색영장의 집행 과정에 참여하지 않는다는 의사를 명시적으로 표시하였거나 절차 위반행위가 이루어진 과정의 성질과 내용 등에 비추어 피압수자에게 절차 참여를 보장한 취지가 실질적으로 침해되었다고 볼 수 없는 경우에는 압수·수색의 적법성을 부정할 수 없다.

④ 수사기관이 압수·수색에 착수하면서 그 장소의 관리책임자에게 영장을 제시하였다고 하더라도, 물건을 소지하고 있는 다른 사람으로부터 이를 압수하고자 하는 때에는 그 사람에게 따로 영장을 제시하여야 한다.

해설 ① 제118조, 제219조

②③ 변호인의 참여권은 피압수자의 보호를 위하여 변호인에게 주어진 고유권이다. 따라서 피압수자가 수사기관에 압수·수색영장의 집행에 참여하지 않는다는 의사를 명시하였다고 하더라도, 특별한 사정(피압수자에게 절차 참여를 보장한 취지가 실질적으로 침해되었다고 볼 수 없을 정도에 해당)이 없는 한 그 변호인에게는 미리 집행의 일시와 장소를 통지하는 등으로 압수·수색영장의 집행에 참여할 기회를 별도로 보장하여야 한다(대판 2020.11.26, 2020도10729).

④ 대판 2017.9.21, 2015도12400

14 **압수·수색에 관한 설명으로 옳은 것은 모두 몇 개인가?**(다툼이 있는 경우 판례에 의함) **24. 경찰간부**

㉠ 압수·수색영장의 집행 과정에서 피압수자의 지위가 참고인에서 피의자로 전환될 수 있는 증거가 발견되었더라도 그 증거가 압수·수색영장에 기재된 범죄사실과 객관적으로 관련되어 있다면 이는 압수·수색영장의 집행 범위 내에 있으므로 다시 피압수자에 대하여 영장을 발부받을 필요는 없다.

㉡ 수사기관이 압수·수색에 착수하면서 그 장소의 관리책임자에게 압수·수색영장을 제시하였더라도, 물건을 소지하고 있는 다른 사람으로부터 이를 압수하고자 하는 때에는 그 소지자에게 따로 영장을 제시하여야 한다.

㉢ 수사기관이 휴대전화 등을 압수할 당시 압수당한 피의자가 수사기관에게 압수·수색영장의 구체적인 확인을 요구하였으나 수사기관이 영장의 범죄사실 기재 부분을 보여주지 않고 겉표지만 보여 주었다 하더라도, 그 후 변호인이 피의자조사에 참여하면서 영장을 확인하였다면 위 압수처분의 위법성은 치유된다.

Answer 13. ② 14. ②

㉣ 수사기관이 압수·수색영장을 제시하고 집행에 착수하여 압수·수색을 실시하고 그 집행을 종료하였으나 동일한 장소 또는 목적물에 대하여 다시 압수·수색할 필요가 있는 경우, 앞서 발부받은 압수·수색영장의 유효기간이 남아있다면 그 영장을 제시하고 다시 압수·수색을 할 수 있다.

① 1개 ② 2개 ③ 3개 ④ 4개

해설 ㉠ ○ : 대판 2017.12.5, 2017도13458
㉡ ○ : 대판 2009.3.12, 2008도763
㉢ × : 수사기관이 휴대전화 등을 압수할 당시 압수당한 피의자가 수사기관에게 압수·수색영장의 구체적인 확인을 요구하였으나 수사기관이 영장의 범죄사실 기재 부분을 보여주지 않고 겉표지만 보여 주었다면, 그 후 변호인이 피의자조사에 참여하면서 영장을 확인하였더라도 위 압수처분은 위법하다(대결 2020.4.16, 2019모3526).
㉣ × : 앞서 발부 받은 압수·수색영장의 유효기간이 남아있다고 하여 이를 제시하고 다시 압수·수색을 할 수는 없다(대결 1999.12.1, 99모161).

15 **다음 중 압수·수색에 관한 설명으로 가장 옳은 것은?**(다툼이 있는 경우 판례에 의함) 24. 해경승진

① 수사기관이 피의자 참여 하에 정보저장매체에 기억된 정보 중에서 키워드 또는 확장자 검색 등을 통해 범죄혐의 사실과 관련 있는 정보를 선별한 다음 정보저장매체와 동일하게 비트열 방식으로 복제하여 생성한 파일을 제출받아 압수한 경우, 수사기관에서 위와 같이 압수된 파일을 탐색·복제·출력하는 과정에서도 피의자 등에게 참여의 기회를 보장하여야 한다.

② 수사기관이 휴대전화 등을 압수할 당시 압수당한 피의자가 수사관에게 압수·수색영장의 내용을 보여달라고 요구하였으나 수사관이 영장의 겉표지만 보여 주고 내용은 확인시켜 주지 않았더라도, 그 후 변호인이 피의자조사에 참여하면서 영장을 확인하였다면 압수처분은 위법하지 아니하다.

③ 사법경찰관은 소유자·소지자 또는 보관자가 임의로 제출한 물건을 영장 없이 압수할 수 있으므로, 현행범 체포현장이나 범죄 현장에서도 소지자들이 임의로 제출하는 물건을 영장 없이 압수하는 것이 허용되고, 이 경우 별도로 사후영장을 받을 필요가 없다.

④ 경찰관이 현행범인 체포 당시 임의제출 방식으로 피의자로부터 압수한 휴대전화기에 대하여 작성한 압수조서 중 압수경위란에 피의자의 범행을 직접 목격한 사람의 진술이 기재된 경우, 이는 형사소송법 제312조 제5항에서 정한 '피고인이아닌 자가 수사 과정에서 작성한 진술서'에 준하며, 휴대전화기에 대한 임의제출 절차가 적법하지 않다면 압수조서에 기재된 진술은 증거로 할 수 없다.

해설 ① 범죄 혐의사실과 관련 있는 정보를 선별한 다음 정보저장매체와 동일하게 비트열 방식으로 복제하여 생성한 파일을 제출받아 압수하였다면 이로써 압수의 목적물에 대한 압수·수색 절차는 종료된 것이므로, 수사기관이 수사기관 사무실에서 위와 같이 압수된 이미지 파일을 탐색·복제·출력하는 과정에서도 피의자 등에게 참여의 기회를 보장하여야 하는 것은 아니다(대판 2018.2.8, 2017도13263).

Answer 15. ③

② 수사기관이 휴대전화 등을 압수할 당시 압수당한 피의자가 수사관에게 압수·수색영장의 내용을 보여달라고 요구하였으나 수사관이 영장의 겉표지만 보여 주고 내용은 확인시켜 주지 않았다면, 그 후 변호인이 피의자조사에 참여하면서 영장을 확인하였더라도 압수처분은 위법하다(대결 2020.4.16, 2019모3526).
③ 대판 2016.2.18, 2015도13726 ④ 이는 형사소송법 제312조 제5항에서 정한 '피고인이 아닌 자가 수사과정에서 작성한 진술서'에 준하며, 휴대전화기에 대한 임의제출절차가 적법하였는지에 영향을 받지 않는 별개의 독립적인 증거에 해당하여, 피고인이 증거로 함에 동의한 이상 유죄를 인정하기 위한 증거로 사용할 수 있다(대판 2019.11.14, 2019도13290).

16 압수·수색에 관한 설명으로 가장 적절하지 않은 것은?(다툼이 있는 경우 판례에 의함) 24. 경찰승진

① 사법경찰관은 사본을 확보한 경우 등 압수를 계속할 필요가 없다고 인정되는 압수물 및 증거에 사용할 압수물에 대하여 공소제기 전이라도 소유자, 소지자, 보관자 또는 제출인의 청구가 있는 때에는 검사의 지휘를 받아 환부 또는 가환부하여야 한다.
② 정보저장매체의 외형적·객관적 지배·관리 등 상태와 별도로 단지 피의자나 그 밖의 제3자가 과거 그 정보저장매체의 이용 내지 개별 전자정보의 생성·이용 등에 관여한 사실이 있다는 사정만으로 그들을 실질적으로 압수·수색을 받는 당사자로 취급하여야 하는 것은 아니다.
③ 피처분자가 현장에 없거나 현장에서 그를 발견할 수 없는 경우 등 영장제시가 현실적으로 불가능한 경우에는 영장을 제시하지 아니한 채 압수·수색을 하더라도 위법하다고 볼 수 없다.
④ 정보저장매체를 임의제출한 피압수자에 더하여 임의제출자 아닌 피의자에게도 참여권이 보장되어야 하는 '피의자의 소유·관리에 속하는 정보저장매체'에 해당하는지 여부는 민사법상 권리의 귀속에 따른 법률적 판단을 기준으로 종합적으로 판단하여야 한다.

해설 ① 제218조의 2 제1항 ② 대판 2022.1.27, 2021도11170 ③ 대판 2015.1.22, 2014도10978
④ 이에 해당하는지 여부는 민사법상 권리의 귀속에 따른 법률적·사후적 판단이 아니라 압수·수색 당시 외형적·객관적으로 인식 가능한 사실상의 상태를 기준으로 판단하여야 한다(대판 2022.1.27, 2021도11170).

17 통신제한조치에 대한 다음 설명으로 가장 적절하지 않은 것은?(다툼이 있는 경우 판례에 의함)

22. 경찰간부

① 통신제한조치의 기간은 2개월을 초과하지 못하고, 그 기간 중 통신제한조치의 목적이 달성되었을 경우에는 즉시 종료하여야 한다. 다만, 범죄수사를 위한 통신제한조치의 허가요건이 존속하는 경우에는 소명자료를 첨부하여 2개월의 범위에서 통신제한조치기간의 연장을 청구할 수 있다.
② 통신기관 등은 통신제한조치허가서에 기재된 통신제한조치 대상자의 전화번호 등이 사실과 일치하지 않을 경우에는 그 집행을 거부할 수 있으며, 어떠한 경우에도 전기통신에 사용되는 비밀번호를 누설할 수 없다.
③ 3인 간의 대화에 있어서 그 중 한 사람이 그 대화를 녹음하는 경우에 다른 두 사람의 발언은 그 녹음자에 대한 관계에서 '타인 간의 대화'라고 할 수 없다.

Answer 16. ④ 17. ④

④ 통신제한조치의 집행주체가 제3자의 도움을 받지 않고서는 '대화의 녹음 · 청취'가 사실상 불가능하거나 곤란한 사정이 있는 경우에는 비례의 원칙에 위배되지 않는 한 제3자에게 집행을 위탁하거나 그로부터 협조를 받아 '대화의 녹음 · 청취'를 할 수 있는데, 이 경우 통신기관 등이 아닌 일반 사인에게는 당해 통신제한조치를 청구한 목적과 그 집행 또는 협조일시 및 대상을 기재한 대장을 작성하여 비치할 의무가 있다.

해설 ① 통신비밀보호법 제6조 제7항
② 통신비밀보호법 제9조 제4항
③ 대판 2006.10.12, 2006도4981
④ 비례의 원칙에 위배되지 않는 한 제3자에게 집행을 위탁하거나 그로부터 협조를 받아 '대화의 녹음 · 청취'를 할 수 있다고 봄이 타당하고, 그 경우 통신기관 등이 아닌 일반 사인에게 대장을 작성하여 비치할 의무가 있다고 볼 것은 아니다(대판 2015.1.22, 2014도10978 전원합의체).

18 **다음은 통신비밀보호법에 대한 설명이다. 아래 ㉠부터 ㉣까지의 설명 중 옳고 그름의 표시(○, ×)가 바르게 된 것은?**(다툼이 있는 경우 판례에 의함) **22. 경찰승진**

> ㉠ 사람의 목소리인 이상 상대방에게 의사를 전달하는 말이 아닌 단순한 비명소리나 탄식 등이라 할지라도 통신비밀보호법이 보호하는 타인 간의 '대화'에 해당한다.
> ㉡ 통신비밀보호법상 '전기통신의 감청'은 전기통신이 이루어지고 있는 상황에서 실시간으로 전기통신의 내용을 지득 · 채록하는 경우와 통신의 송 · 수신을 직접적으로 방해하는 경우뿐만 아니라 이미 수신이 완료된 전기통신에 관하여 남아 있는 기록이나 내용을 열어보는 등의 행위를 포함한다.
> ㉢ 통신제한조치허가서에 의하여 허가된 통신제한조치가 '전기통신 감청 및 우편물 검열'뿐인 경우 그 후 연장결정서에 당초 허가 내용에 없던 '대화녹음'이 기재되어 있다고 하더라도 이는 대화녹음의 적법한 근거가 되지 못한다.
> ㉣ 검사는 형의 집행을 위하여 필요한 경우 전기통신사업법에 의한 전기통신사업자에게 통신사실 확인자료의 열람이나 제출을 요청할 수 있고, 이 경우에는 관할 지방법원(보통군사법원을 포함한다) 또는 지원의 허가를 받아야 한다.

① ㉠(○), ㉡(○), ㉢(×), ㉣(×)
② ㉠(○), ㉡(○), ㉢(×), ㉣(○)
③ ㉠(×), ㉡(×), ㉢(×), ㉣(○)
④ ㉠(×), ㉡(×), ㉢(○), ㉣(○)

해설 ㉠ × : 사람의 목소리인 이상 상대방에게 의사를 전달하는 말이 아닌 단순한 비명소리나 탄식 등이라 할지라도 통신비밀보호법이 보호하는 타인 간의 '대화'에 해당한다고 볼 수 없다(대판 2017.3.15, 2016도19843).
㉡ × : '전기통신의 감청'은 '감청'의 개념 규정에 비추어 전기통신이 이루어지고 있는 상황에서 실시간으로 전기통신의 내용을 지득 · 채록하는 경우와 통신의 송 · 수신을 직접적으로 방해하는 경우를 의미하는 것이지, 이미 수신이 완료된 전기통신에 관하여 남아 있는 기록이나 내용을 열어보는 등의 행위는 포함하지 않는다(대판 2016.10.13, 2016도8137).
㉢ ○ : 대판 1999.9.3, 99도2317
㉣ ○ : 통신비밀보호법 제13조 제1항 · 제3항

Answer 18. ④

19 **다음 중 통신비밀보호법상 통신제한조치에 관한 긴급처분의 요건으로 옳지 않은 것은?** 22.해경승진

① 국가안보를 위협하는 음모행위
② 범인의 체포 또는 증거의 수집이 어려운 경우
③ 조직범죄의 계획이나 실행 등과 같은 긴박한 상황이 있는 경우
④ 직접적인 사망이나 심각한 상해의 위험을 야기할 경우

해설 검사, 사법경찰관 또는 정보수사기관의 장은 국가안보를 위협하는 음모행위, 직접적인 사망이나 심각한 상해의 위험을 야기할 수 있는 범죄 또는 조직범죄의 계획이나 실행 등과 같은 긴박한 상황이 있고, 법원의 허가나 대통령의 승인에 필요한 절차를 거칠 수 없는 긴급한 사유가 있는 경우에 한하여 긴급처분을 할 수 있다(제8조 제2항).

20 **통신비밀보호법상 감청에 관한 설명으로 가장 적절하지 않은 것은?**(다툼이 있는 경우 판례에 의함) 24. 경찰승진

① 전화통화 당사자의 일방이 상대방 모르게 통화내용을 녹음하는 것은 감청에 해당하지 아니하지만, 제3자의 경우는 설령 전화통화 당사자 일방의 동의를 받고 그 통화내용을 녹음하였다 하더라도 그 상대방의 동의가 없었던 이상 통신비밀보호법 제3조를 위반한 불법감청에 해당한다.
② 통신비밀보호법 제3조 제1항 본문에 의하면 누구든지 이 법과 형사소송법 또는 군사법원법의 규정에 의하지 않고는 공개되지 않은 타인 간의 대화를 녹음하거나 청취하지 못하는데, 여기서 말하는 '공개되지 않았다.'는 것은 반드시 비밀과 동일한 의미는 아니다.
③ 인터넷개인방송의 방송자가 비밀번호를 설정하는 등 그 수신범위를 한정하는 비공개 조치를 취하지 않고 방송을 송출하는 경우, 그 시청자는 인터넷개인방송의 당사자인 수신인에 해당하고, 이러한 시청자가 방송 내용을 지득・채록하는 것은 통신비밀보호법에서 정한 감청에 해당하지 않는다.
④ A가 비공개 조치를 한 후 인터넷개인방송을 하는 가정에서 A와 잘 아는 사이인 甲이 불상의 방법으로 접속하거나 시청하고 있다는 사정을 알면서도 방송을 중단하거나 甲을 배제하는 조치를 취하지 아니하고, 오히려 甲의 시청 사실을 전제로 甲을 상대로 한 발언을 하기도 하는 등 계속 진행을 하였더라도, 甲이 해당방송을 시청하면서 음향・영상 등을 청취하거나 녹음하였다면 통신비밀보호법 제3조를 위반한 불법감청에 해당한다.

해설 ① 대판 2010.10.14, 2010도9016
② 대판 2022.8.31, 2020도1007 ③ 대판 2022.10.27, 2022도9877
④ 방송자가 이와 같은 제3자의 시청・녹화 사실을 알거나 알 수 있었음에도 방송을 중단하거나 그 제3자를 배제하지 않은 채 방송을 계속 진행하는 등 허가받지 아니한 제3자의 시청・녹화를 사실상 승낙・용인한 것으로 볼 수 있는 경우에는 그 제3자 역시 인터넷개인방송의 당사자에 포함될 수 있으므로, 이러한 제3자가 방송 내용을 지득・채록하는 것은 통신비밀보호법에서 정한 감청에 해당하지 않는다(대판 2022.10.27, 2022도9877).

Answer 19. ② 20. ④

21 **정보저장매체의 압수·수색에 관한 설명으로 가장 적절하지 않은 것은?**(다툼이 있는 경우 판례에 의함)

24. 순경 1차

① 수사기관의 전자정보에 대한 압수·수색은 원칙적으로 영장 발부의 사유로 된 범죄 혐의사실과 관련된 부분만을 문서 출력물로 수집하거나 수사기관이 휴대한 저장매체에 해당 파일을 복제하는 방식으로 이루어져야 하고, 수사기관 사무실 등 외부로 저장매체 자체를 직접 반출하는 방식으로 압수·수색하는 것은 예외적으로만 허용된다.

② 압수의 목적을 달성하기에 현저히 곤란한 사정이 인정되어 전자정보가 담긴 저장매체를 수사기관 사무실 등으로 옮겨 혐의사실과 관련된 전자정보만을 복제·탐색·출력하는 경우에도, 피압수·수색 당사자나 변호인에게 참여의 기회를 보장하여야 한다.

③ 수사기관이 범죄 혐의사실과 관련 있는 전자정보를 선별 압수한 후 그와 관련이 없는 나머지 정보를 삭제·폐기·반환하지 아니한 채 보관하고 있더라도, 사후에 위 나머지 정보에 대하여 법원으로부터 압수·수색영장을 발부받거나 피고인 또는 변호인이 이를 증거로 함에 동의하였다면 증거로 사용할 수 있다.

④ 수사기관이 압수·수색영장에 적힌 '수색할 장소'에 있는 컴퓨터 등 정보처리장치에 저장된 전자정보 외에 원격지 서버에 저장된 전자정보를 압수·수색하기 위해서는 그 영장에 적힌 '압수할 물건'에 별도로 원격지 서버 저장 전자정보가 특정되어 있어야 하고, '압수할 물건'에 컴퓨터 등 전자처리장치 저장 전자정보만 기재되어 있다면 컴퓨터 등 정보처리장치를 이용하여 원격지 서버 저장 전자정보를 압수할 수는 없다.

해설 ① 대판 2014.2.27, 2013도12155 ② 대판 2020.11.26, 2020도10729

③ 수사기관이 범죄 혐의사실과 관련 있는 정보를 선별하여 압수한 후에도 그와 관련이 없는 나머지 정보를 삭제·폐기·반환하지 아니한 채 그대로 보관하고 있다면 범죄 혐의사실과 관련이 없는 부분에 대하여는 압수의 대상이 되는 전자정보의 범위를 넘어서는 전자정보를 영장 없이 압수·수색하여 취득한 것이어서 위법하고, 사후에 법원으로부터 압수·수색영장이 발부되었다거나 피고인이나 변호인이 이를 증거로 함에 동의하였다고 하여 그 위법성이 치유된다고 볼 수 없다(대결 2022.1.14, 2021모1586).

④ 대판 2022.6.30, 2022도1452

22 **압수·수색에 관한 다음 설명 중 가장 옳지 않은 것은?**

24. 9급 법원직

① 피해자 등 제3자가 피의자의 소유·관리에 속하는 정보저장매체를 임의제출한 경우에는 특별한 사정이 없는 한 피의자에게 참여권을 보장하고 압수한 전자정보 목록을 교부하는 등 피의자의 절차적 권리를 보장하기 위한 적절한 조치가 이루어져야 한다.

② 정보저장매체를 임의제출한 피압수자에 더하여 임의제출자 아닌 피의자에게도 참여권이 보장되어야 하는 '피의자의 소유·관리에 속하는 정보저장매체'에 해당하는지 여부와 관련하여, 정보저장매체의 외형적·객관적 지배·관리 등 상태와 별도로 단지 피의자나 그 밖의 제3자가 과거 그 정보저장매체의 이용 내지 개별 전자정보의 생성·이용 등에 관여한 사실이 있다는 사정만으로 그들을 실질적으로 압수·수색을 받는 당사자로 취급하여야 하는 것은 아니다.

Answer 21. ③ 22. ④

③ 압수목록은 압수 직후 현장에서 바로 작성하여 교부하는 것이 원칙이고, 임의제출에 따른 압수의 경우에도 범죄혐의를 전제로 한 수사 목적이나 압수의 효력은 영장에 의한 경우와 동일하므로, 수사기관은 영장에 의한 압수와 마찬가지로 객관적 · 구체적 압수목록을 신속하게 작성 · 교부할 의무를 부담한다.

④ 수사기관이 압수 · 수색영장을 제시하고 집행에 착수하여 압수 · 수색을 실시하고 그 집행을 종료한 이후에도 압수 · 수색영장의 유효기간이 남아 있고 동일한 장소 또는 목적물에 대하여 다시 압수 · 수색할 필요가 있다면 이를 제시하고 다시 압수 · 수색을 하는 것이 가능하다.

해설 ① 대판 2021.11.18, 2016도348 전원합의체

② 대판 2022.1.27, 2021도11170

③ 대결 2024.1.5, 2021모385

④ 수사기관이 압수 · 수색영장을 제시하고 집행에 착수하여 압수 · 수색을 실시하고 그 집행을 종료하였다면 이미 그 영장은 목적을 달성하여 효력이 상실되는 것이고, 동일한 장소 또는 목적물에 대하여 다시 압수 · 수색할 필요가 있는 경우라면 그 필요성을 소명하여 법원으로부터 새로운 압수 · 수색영장을 발부받아야 하는 것이지, 앞서 발부 받은 압수 · 수색영장의 유효기간이 남아있다고 하여 이를 제시하고 다시 압수 · 수색을 할 수는 없다(대결 1999.12.1, 99모161).

23 **임의제출에 관한 설명으로 옳지 않은 것은?**(다툼이 있는 경우 판례에 의함) **24. 경위공채**

① 형사소송법 제218조의 임의제출에 따른 압수의 경우에도 수사기관은 영장에 의한 압수와 마찬가지로 객관적 · 구체적인 압수목록을 신속하게 작성 · 교부할 의무를 부담한다.

② 피해자 등 제3자가 피의자의 소유 · 관리에 속하는 정보저장매체를 영장에 의하지 않고 임의제출한 경우에는 특별한 사정이 없는 한 실질적 피압수자인 피의자에게 참여권을 보장하고 압수한 전자정보 목록을 교부하는 등 해당 피의자의 절차적 권리를 보장하기 위한 적절한 조치가 이루어져야 한다.

③ 현행범 체포현장이나 범죄 현장에서도 소지자 등이 임의로 제출하는 물건을 형사소송법 제218조에 의하여 영장 없이 압수하는 것이 허용되나, 이 경우 검사나 사법경찰관은 별도로 사후에 영장을 받아야 한다.

④ 임의제출자의 의사에 따른 전자정보 압수의 대상과 범위가 명확하지 않거나 알 수 없는 경우에는 임의제출에 따른 압수의 동기가 된 범죄혐의사실과 관련되고 이를 증명할 수 있는 최소한의 가치가 있는 전자정보에 한해 압수의 대상이 된다.

해설 ① 대결 2024.1.5, 2021모385

② 대판 2021.11.18, 2016도348 전원합의체

③ 형사소송법 제218조에 의하면 검사 또는 사법경찰관은 피의자 등이 유류한 물건이나 소유자 · 소지자 또는 보관자가 임의로 제출한 물건은 영장 없이 압수할 수 있으므로, 현행범 체포 현장이나 범죄 장소에서도 소지자 등이 임의로 제출하는 물건은 위 조항에 의하여 영장 없이 압수할 수 있고, 이 경우에는 검사나 사법경찰관이 사후에 영장을 받을 필요가 없다(대판 2016.2.18, 2015도13726).

④ 대판 2021.11.18, 2016도348 전원합의체

Answer 23. ③

24 **압수·수색에 관한 설명 중 옳고 그름의 표시(○, ×)가 바르게 된 것은?**(다툼이 있는 경우 판례에 의함)

24. 순경 2차

㉠ 압수·수색의 처분을 받는 자가 여럿인 경우에는 모두에게 개별적으로 영장을 제시해야 하며, 이 경우 피의자에게는 개별적으로 해당 영장의 사본을 교부해야 하는데, 피의자에게 영장을 제시하거나 영장의 사본을 교부할 때에는 사건관계인의 개인정보가 피의자의 방어권 보장을 위해 필요한 정도를 넘어 불필요하게 노출되지 않도록 유의해야 한다.

㉡ 압수·수색영장의 범죄 혐의사실과 관계있는 범죄라는 것은 압수·수색영장에 기재한 혐의사실과 객관적 관련성이 있고 압수·수색영장 대상자와 피의자 사이에 인적 관련성이 있는 범죄를 의미하는데, 이러한 인적 관련성은 압수·수색영장에 기재된 대상자의 공동정범이나 교사범 등 공범이나 간접정범에 대한 피고사건에 대해서만 인정되는 것이지, 필요적 공범에 대한 피고사건에 대해서 인정되는 것은 아니다.

㉢ 현행범 체포현장이나 범죄현장에서 소지자 등이 임의로 제출하는 물건은 영장 없이 압수할 수 있으며, 다만 이 경우 검사나 사법경찰관은 사후에 지체 없이 영장을 받아야 한다.

㉣ 수사기관에 의해 참여권을 고지받은 피압수자가 압수·수색현장에 출입한 상태에서 수사기관이 정보저장매체에 기억된 정보 중에서 키워드 또는 확장자 검색 등을 통해 범죄 혐의 사실과 관련 있는 정보를 선별한 다음 정보저장매체와 동일하게 비트열 방식으로 복제하여 생성한 파일을 제출받아 압수한 경우, 수사기관이 수사기관 사무실에서 위와 같이 압수된 이미지 파일을 탐색·복제·출력하는 과정에서도 피의자 등에게 참여의 기회를 보장하여야 한다.

① ㉠(○), ㉡(○), ㉢(×), ㉣(×)
② ㉠(○), ㉡(×), ㉢(×), ㉣(×)
③ ㉠(○), ㉡(×), ㉢(×), ㉣(○)
④ ㉠(×), ㉡(×), ㉢(○), ㉣(○)

해설 ㉠ ○ : 수사준칙 제38조 제2항·제3항

㉡ × : 피의자와 사이의 인적 관련성은 압수·수색영장에 기재된 대상자의 범죄를 의미하는 것이나, 그의 공동정범이나 교사범 등 공범이나 간접정범은 물론 필요적 공범 등에 대한 피고사건에 대해서도 인정될 수 있다(대판 2017.1.25, 2016도13489).

㉢ × : 현행범 체포 현장이나 범죄 장소에서도 소지자 등이 임의로 제출하는 물건은 영장 없이 압수할 수 있고, 이 경우에는 검사나 사법경찰관이 사후에 영장을 받을 필요가 없다(대판 2016.2.18, 2015도13726).

㉣ × : 대판 2018.2.8, 2017도13263

Answer 24. ②

25 **전자정보 압수·수색에 관한 설명으로 옳지 않은 것은?**(다툼이 있는 경우 판례에 의함) 25. 소방간부

① 전자정보에 대한 압수·수색은 사생활의 비밀과 자유, 정보에 대한 자기결정권, 재산권 등을 침해 할 우려가 크므로 포괄적으로 이루어져서는 안 되고 비례의 원칙에 따라 필요한 최소한의 범위 내에서 이루어져야 한다.

② 전자정보에 대한 압수·수색영장을 집행할 때에는 영장 발부의 사유인 혐의사실과 관련된 부분만을 문서 출력물로 수집하거나 수사기관이 휴대한 저장매체에 해당 파일을 복사하는 방식으로 이루어져야 하며, 정보저장매체 자체를 직접 혹은 하드카피나 이미징 등의 형태로 수사기관 사무실 등 외부로 반출하는 것은 원칙적으로 허용되지 않는다.

③ 전자정보에 대한 압수·수색이 종료되기 전에 혐의사실과 관련된 전자정보를 적법하게 탐색하는 과정에서 별도의 범죄혐의와 관련된 전자정보를 우연히 발견한 경우에는, 수사기관은 더 이상의 추가 탐색을 중단하고 법원으로부터 별도의 범죄 혐의에 대한 압수·수색영장을 발부받아 그러한 정보에 대해서도 적법하게 압수·수색을 할 수 있다.

④ 강제처분의 직접 당사자이자 피압수자인 정보저장매체의 현실적 소지·보관자 외에 소유·관리자가 별도로 존재하고, 강제처분에 의하여 정보저장매체의 소유·관리자의 전자정보에 대한 사생활의 비밀과 자유, 정보에 대한 자기결정권, 재산권 등을 침해받을 우려가 있는 경우에는 그 정보저장매체의 소유·관리자에게는 참여권이 보장되어야 한다.

⑤ 법원은 압수·수색영장의 집행에 관하여 범죄 혐의사실과 관련 있는 전자정보의 탐색·복제·출력이 완료된 때에는, 지체 없이 영장 기재 범죄 혐의사실과 관련이 없는 나머지 전자정보에 대해 삭제·폐기 또는 피압수자 등에게 반환할 것을 정할 수 있다.

해설 ① 대판 2021.11.18, 2016도348 전원합의체

② 대결 2011.5.26, 2009모1190

③ 대결 2015.7.16, 2011모1839 전원합의체

④ 이러한 정보저장매체의 외형적·객관적 지배·관리 등 상태와 별도로 단지 피의자나 그 밖의 제3자가 과거 그 정보저장매체의 이용 내지 개별 전자정보의 생성·이용 등에 관여한 사실이 있다거나 그 과정에서 생성된 전자정보에 의해 식별되는 정보주체에 해당한다는 사정만으로 그들을 실질적으로 압수·수색을 받는 당사자로 취급하여야 하는 것은 아니다(대판 2022.1.27, 2021도11170).

⑤ 대결 2022.1.14, 2021모1586

Answer 25. ④

제5절 판사에 대한 강제처분의 청구(판사가 행하는 강제처분)

1 증거보전

(1) 증거보전의 의의

증거보전은 수소법원이 공판정에서 정상적으로 증거를 조사할 때까지 기다릴 경우 그 증거의 사용이 불가능하거나 현저하게 곤란할 염려가 있는 경우에 검사나 피고인·피의자 또는 변호인의 청구로 판사가 미리 증거조사를 하여 그 결과를 보전하여 두는 제도를 말한다(제184조).

증거보전의 주체는 수사기관이 아니라 판사이므로 수사와 성격을 달리한다.

(2) 증거보전의 요건

① **증거보전의 필요성** : 미리 증거를 보전하지 않으면 그 증거를 사용하기 곤란한 사정이 있어야 한다. 10. 교정특채, 16. 경찰승진

② **제1회 공판기일 전** : 증거보전은 제1회 공판기일 전에 한하여 할 수 있고 공소제기 전후를 불문한다. 06. 순경, 08. 7급 국가직, 11. 9급 법원직, 14·16. 순경 2차, 15·16·17. 경찰승진, 19. 경찰간부

제1회 공판기일 후에는 수소법원이 직접 증거조사를 할 수 있으므로 증거보전의 필요가 없기 때문이다. 따라서 공소제기 전이라면 수사절차에서도 증거보전을 청구할 수 있으나, 적어도 수사가 개시된 후에만 가능하므로 입건 이전의 내사단계에서는 증거보전을 청구할 수 없다.

제1회 공판기일 전의 의미에 대하여는 증거조사 개시 전(모두절차가 끝날 때까지)까지로 이해함이 타당할 것으로 보여진다.

제1회 공판기일 전에 증거보전청구〔제1회 공판기일 후에는 증거보전 절차(×)〕 19. 경찰승진

증거보전절차는 공소제기 전에 한하여 허용된다. (×)

관련판례

1. 증거보전은 제1회 공판기일 전에 한하여 인정되므로, 항소심에서는 물론 파기환송 후의 절차에서도 증거보전을 청구할 수 없다. 재심청구사건에서도 증거보전은 인정되지 않는다(대결 1984.3.29, 84모15). 22. 소방간부, 14·16·22·23. 경찰승진, 16·17·23. 순경 2차
2. 증거보전은 피고인 또는 피의자가 형사입건도 되기 전에는 청구할 수 없다(대판 1979.6.12, 79도792). 19. 경찰승진, 22. 해경간부

(3) 증거보전절차

① **증거보전청구**

㉠ **청구권자** : 증거보전청구권자는 검사·피고인·피의자 또는 변호인이다. 08·09·15. 7급 국가직, 13. 9급 검찰·마약수사, 14. 순경 1차, 16. 순경 2차, 17. 경찰승진

입건되기 전의 자(피내사자)는 피의자가 아니므로 청구권 ×(대판 1979.6.12, 79도792) 16. 경찰간부, 23. 경찰승진

사법경찰관, 피해자 ⇨ 청구권 × 20. 해경

변호인의 청구권은 피의자나 피고인의 명시적 의사에 반해서도 행사할 수 있는 독립대리권이다.

㉡ 청구방식

ⓐ 증거보전청구는 수소법원에 대하여 청구하는 것이 아니라 11. 9급 법원직 압수할 물건의 소재지 11. 경찰승진, 수색 또는 검증할 장소·신체 또는 물건의 소재지, 증인의 주거지 또는 현재지, 감정대상의 소재지 또는 현재지를 관할하는 지방법원판사에게 하여야 한다(규칙 제91조). 22. 경찰승진

증거보전청구는 반드시 지방법원판사에게 하여야 하며, 공소제기 후에도 수소법원에 하는 것이 아님.

ⓑ 증거보전청구는 서면으로 한다. 11. 경찰승진 증거보전청구서에는 사건개요, 증명할 사실, 증거 및 보전방법, 증거보전을 필요로 하는 사유 등을 기재하여야 하고(규칙 제92조), 증거보전을 필요로 하는 사유에 대해서는 서면으로 소명을 요한다(제184조 제3항). 10. 교정특채, 13. 순경 1차 · 9급 검찰 · 마약수사, 15. 순경 3차, 12 · 13 · 16. 순경 2차, 11 · 14 · 15 · 16 · 17 · 19. 경찰승진, 19. 경찰간부

서면 또는 구술로 소명해야 한다. (×) 17. 순경 2차, 21. 해경간부 · 해경

ⓒ 증거보전절차에서 행해지는 증인신문의 경우에도 지방법원의 판사는 신문의 일시와 장소를 피의자 · 피고인 및 변호인에게 미리 통지하여야 한다. 만일 미리 통지를 하지 아니하여 증인신문에 참여할 기회를 주지 아니한 경우에는 그 증인신문은 위법하다.

관련판례

증거보전절차에서 증인신문을 하면서 증인신문의 일시와 장소를 피의자 및 변호인에게 미리 통지하지 아니하여 증인신문에 참여할 수 있는 기회를 주지 아니하였고, 또 변호인이 제1심 공판기일에 위 증인신문조서의 증거조사에 관하여 이의신청을 하였다면 위 증인신문조서는 증거능력이 없다 할 것이고, 그 증인이 후에 법정에서 그 조서의 진정성립을 인정한다 하여 다시 그 증거능력을 취득한다고 볼 수도 없다(대판 1992.2.28, 91도2337). 09. 7급 국가직, 13 · 17. 순경 2차, 15. 경찰승진, 21. 해경

▶ **비교판례** : 증거보전절차로 증인신문을 하는 경우에 검사, 피의자 또는 변호인에게 증인신문의 시일과 장소를 미리 통지하여 증인신문에 참여할 수 있는 기회를 주어야 하나, 참여의 기회를 주지 아니한 경우라도 피고인과 변호인이 증인신문조서를 증거로 할 수 있음에 동의하여 별다른 이의 없이 적법하게 증거조사를 거친 경우에는 위 증인신문조서는 증인신문절차가 위법하였는지의 여부에 관계없이 증거능력이 부여된다(대판 1988.11.8, 86도1646). 12. 순경

㉢ 청구내용

ⓐ 증거보전을 청구할 수 있는 것은 압수 · 수색 · 검증 · 증인신문 또는 감정에 한한다(제184조 제1항). 02. 행시, 15. 순경 3차, 16. 순경 2차

ⓑ 검사는 증거보전절차에서 피의자 · 피고인의 신문을 청구할 수 없다. 13. 9급 검찰 · 마약수사, 13 · 14. 순경 2차, 14. 경찰간부, 15. 순경 3차 · 7급 국가직, 11 · 12 · 14 · 15 · 18. 경찰승진

관련판례

피의자신문에 해당하는 사항을 증거보전의 방법으로 청구할 수 없다고 함이 상당할 것인바, 피의자를 그 스스로의 피의 사실에 대한 증인으로 바로 신문한 것은 위법하며 같은 피고인에 대한 증거능력이 없음은 물론 그 신문내용 가운데 다른 공범에 관한 부분의 진술이 있다 하더라도 그 공범이 그 신문당시 형사입건되어 있지 않았다면 그 공범에 관한 증거보전의 효력도 인정할 수 없다(대판 1979.6.12, 79도792).

ⓒ 증거보전절차를 이용하여 공동피고인 또는 공범자를 증인으로 신문하는 것은 가능하다(대판 1988.11.8, 86도1646). 13. 9급 검찰·마약수사, 13·15. 7급 국가직, 10·11·16. 경찰승진, 14·17. 순경 2차, 16·21. 경찰간부

관련판례

공동피고인과 피고인이 뇌물을 주고 받은 사이로 필요적 공범관계에 있다고 하더라도 검사는 수사단계에서 피고인에 대한 증거를 미리 보전하기 위하여 필요한 경우에는 판사에게 공동피고인을 증인으로 신문할 것을 청구할 수 있다(대판 1988.11.8, 86도1646). 11. 순경 1차, 13·17. 순경 2차, 22. 소방간부, 19·22·23. 경찰승진, 24. 해경경위공채

② **증거보전의 처분**

㉠ **지방법원판사의 결정** : 청구를 받은 판사는 청구가 적법하고 필요성이 있다고 인정할 때에는 증거보전을 하여야 한다. 이 경우에는 청구에 대한 재판은 요하지 않는다. 04. 경찰승진 그러나 청구가 부적법하거나 필요 없다고 인정할 때에는 기각하는 결정을 하여야 한다. 증거보전의 청구를 기각하는 결정에 대하여는 3일 이내에 항고할 수 있다(제184조 제4항). 11. 순경 1차, 13. 9급 검찰·마약수사, 12·13·14. 순경 2차, 12·15. 순경 3차, 12·14·16·17·18. 경찰승진, 21. 해경

- 증거보전청구 기각결정 ⇨ 3일 이내 항고 가능
- 참고인에 대한 증인신문청구 기각결정(제221조의 2) ⇨ 불복 ×

㉡ **판사의 권한** : 증거보전청구를 받은 판사는 처분에 관해 법원 또는 재판장과 동일한 권한이 있다(제184조 제2항). 14. 순경 1차, 10·16·18. 경찰승진 따라서 판사는 증인신문의 전제가 되는 소환·구인을 할 수 있고, 법원 또는 재판장이 행하는 경우와 같이 압수·수색·검증·증인신문·감정에 관한 규정이 준용된다. 그러므로 당사자의 참여권이 보장된다. 09. 순경

(4) 증거보전처분 후의 절차

① **증거물의 처리**

㉠ 증거보전절차에 의하여 압수한 물건 또는 작성한 조서는 증거보전을 한 판사가 소속한 법원에서 보관한다. 11. 9급 법원직, 21. 경찰간부

㉡ 검사, 피의자, 피고인 또는 변호인은 판사의 허가를 얻어 서류와 증거물을 열람 또는 등사할 수 있다(제185조). 04·06. 순경, 08. 9급 법원직, 11. 순경 1차, 15. 순경 3차, 16. 순경 2차, 19. 경찰간부 **열람·등사를 청구할 수 있는 시기는 제한이 없다**(제1회 공판기일 전후 불문).

☎ 열람 · 등사 청구권자인 피고인에는 증거보전을 청구한 피고인 뿐만 아니라 공동피고인도 포함되며(반대견해 有), 열람 · 등사청구는 증거보전 청구 상대방에게도 인정

② **조서의 증거능력**

증거보전절차에서 작성된 각종 조서는 당연히 증거능력을 갖는다. 08. 9급 법원직, 14. 순경 2차 그러나 당사자가 이를 증거로 이용하기 위해서는 수소법원에 증거조사를 신청하여야 하며, 수소법원은 증거보전을 한 법원으로부터 증거를 송부받아 증거조사를 하여야 한다.

관련판례

증거보전절차에서 작성된 증인신문조서 중 증인에 대한 반대신문과정에서 피의자였던 피고인이 당사자로 참여하여 자신의 범행사실을 시인하는 전제하에 증인에게 반대신문한 내용이 기재되어 있는 경우, 그 조서 중 피의자진술부분에 대하여는 공판준비 또는 공판기일에 피고인 등의 진술을 기재한 조서도 아니고, 반대신문과정에서 피의자가 한 진술에 관한 한 형사소송법 제184조에 의한 증인신문조서도 아니므로 위 조서중 피의자의 진술기재부분에 대하여는 형사소송법 제311조에 의한 증거능력을 인정할 수 없다(대판 1984.5.15, 84도508). 10 · 12. 경찰승진

☎ 증거보전절차에서 작성된 증인신문조서 중 증인에 대한 반대신문과정에서 피의자였던 피고인이 당사자로 참여하여 자신의 범행사실을 시인하는 전제하에 증인에게 반대신문한 내용이 기재되어 있는 경우, 그 조서 중 피의자 진술부분에 대하여는 형사소송법 제311조에 의한 증거능력을 인정할 수 있다. (×) 18. 경찰승진

KEY point

- **관할법원** : 증거보전청구는 지방법원 판사에게 청구(수소법원에 하는 것이 아님)
- **증거보전청구 가능기간** : 제1회 공판기일 전(공소제기 전 후 불문)
- **청구권자** : 검사와 피의자 · 피고인 또는 변호인
- **청구내용** : 압수, 수색, 검증, 증인신문, 감정(피의자 또는 피고인신문 불가)
  ▶ 공동피고인 또는 공범자를 증인으로 신문 허용
- **증거보전청구**
  - 적법하고 필요성 인정 ⇨ 절차진행(별도재판 ×)
  - 부적법 또는 필요성 부정 ⇨ 기각 : 불복 ○(3일 이내에 항고)
- **증거물의 처리** : 기록의 열람 · 등사 가능(판사의 허가 얻어서)
- **조서의 증거능력** : 당연히 증거능력 인정

2 참고인에 대한 증인신문청구

(1) 증인신문청구의 의의

증인신문청구라 함은 참고인이 출석 또는 진술을 거부하는 경우에 제1회 공판기일 전까지 검사의 청구에 의하여 판사가 그를 증인으로 신문하는 제도를 말한다(제221조의 2).

☎ 일정한 경우 참고인의 수사기관에의 출석과 진술을 강제할 필요에서 인정

KEY point

구 분	증거보전	증인신문청구
청구권자	피의자 · 피고인, 변호인, 검사	검 사
신청기간	제1회 공판기일 전	좌 동
요 건	증거멸실, 증거가치변화 위험	참고인의 출석거부 · 진술거부
내 용	압수, 수색, 검증, 증인신문, 감정	증인신문
판사권한	수소법원 또는 재판장과 동일한 권한	좌 동
절 차	당사자참여권 인정	좌 동
불 복	3일 이내에 항고 가능	불복 ×
소 명	○	○
보전증거 이용	보전을 행한 판사소속 법원에서 보관, 당사자 열람 · 등사권 인정, 증거능력 인정	검사에게 증인신문 조서송부, 당사자 열람 · 등사권 없음, 증거능력 인정

(2) 증인신문의 청구요건

검사가 판사에게 증인신문을 청구하기 위해서는 증인신문의 필요성이 있어야 하고 제1회 공판기일 전에 한하여 허용된다.

① **증인신문의 필요성** : 범죄의 수사에 없어서는 아니 될 사실을 안다고 명백히 인정되는 자가 출석을 거부하거나 출석 후 진술을 거부한 경우에 참고인에 대한 증인신문이 허용된다(제221조의 2 제1항).

진술번복 우려 : 요건 ×(위헌결정으로 삭제됨) 12. 순경 2차

㉠ 범죄수사에 없어서는 아니 될 사실이란 범죄성립 여부에 관한 사실과 정상에 관한 사실로서 기소 · 불기소의 결정과 양형에 중대한 영향을 미치는 사실도 포함된다.

증인신문의 대상은 비대체적 지식이므로 감정인은 대상 ×

㉡ 참고인이 수사기관에 출석하여 진술은 하였지만 진술조서에 서명을 거부한 경우에도 진술거부에 준하여 증인신문이 허용된다고 할 것이다.

② **범죄사실 또는 피의사실의 존재** : 증인신문청구는 증인의 진술이 범죄수사나 범죄증명에 없어서는 안 될 경우에 인정되므로 그 증인의 진술로서 증명할 대상인 피의사실의 존재는 필수적인 요건이다.

관련판례

증인신문청구를 하려면 피의사실이 존재하여야 하고, 피의사실은 수사기관이 어떤 자에 대하여 내심으로 혐의를 품고 있는 정도의 상태만으로는 존재한다고 할 수 없고 고소, 고발 또는 자수를 받거나 또는 수사기관 스스로 범죄의 혐의가 있다고 보아 수사를 개시하는 범죄의 인지 등 수사의 대상으로 삼고 있음을 외부적으로 표현한 때에 비로소 그 존재를 인정할 수 있다(대판 1989.6.20, 89도648). 10. 경찰승진, 23. 순경 2차

③ **제1회 공판기일 전** : 참고인에 대한 증인신문은 제1회 공판기일 전에 한하여 허용된다. 제1회 공판기일 전이란 증거조사가 개시되기 전을 의미한다고 봄이 타당할 것이다.

(3) 증인신문절차

① **증인신문청구** : 판사에 대한 증인신문청구는 검사만이 할 수 있다. 09. 전의경특채 증인신문을 청구할 때에는 서면으로 그 사유를 소명해야 한다(제221조의 2 제3항). 12. 경찰간부

② **청구에 대한 심사** : 판사는 청구가 적법하고 요건을 구비하였는가를 심사하여 요건을 구비하지 못한 경우에는 결정으로 청구를 기각해야 하며, 청구기각결정에 대하여는 불복할 수 없다. 10 · 12 · 16. 경찰승진 요건을 구비한 경우에는 별도의 결정 없이 바로 증인신문에 들어가야 한다.

③ **증인신문의 방법** : 증인신문을 하는 판사는 법원 또는 재판장과 동일한 권한이 있다(제221조의 2 제4항). 따라서 증인신문의 경우도 수소법원의 증인신문에 관한 규정이 준용된다. 증인신문의 청구에 따라 증인신문기일을 정한 때에는 피고인 · 피의자 또는 변호인에게 이를 통지하여 증인신문에 참여할 수 있도록 하여야 한다(제221조의 2 제5항).

당사자참여권을 보장하고 있으나 통지받은 피의자 등이 출석을 하여야만 증인신문절차를 개시한다는 의미는 아니다. 09. 9급 국가직

(4) 증인신문 후의 조치

판사가 검사의 청구에 의하여 증인신문을 할 때에는 참여한 서기에게 증인신문조서를 작성하도록 하여야 하며, 증인신문에 관한 서류를 지체 없이 검사에게 송부하여야 한다(제221조의 2 제6항). 18. 7급 국가직, 12 · 20. 경찰승진

증거보전처분 후 증거물 처리 ⇨ 판사 소속 법원에서 보관

증인신문의 경우는 증거보전과는 달리 피의자 등에게 서류의 열람 · 등사권이 없다. 09 · 23. 순경 2차 또한 증인신문조서는 법관 면전조서로서 당연히 증거능력이 인정된다(대판 1976.9.28, 76도2143).

KEY point

- **참고인에 대한 증인신문 청구권자** : 검사
- **허용시기** : 제1회 공판기일 전
- **청구사유** : 출석거부, 진술거부
- **증거능력** : 무조건 인정
- **참여권** : 피의자 · 피고인 · 변호인의 참여권 인정
- **열람 · 등사** : 서류의 당사자 열람 · 등사권 ×

CHAPTER 02

기출문제

01 **수사상의 증거보전절차에 관한 설명 중 가장 적절하지 않은 것은?** 20. 경찰승진

① 피고인, 피의자 또는 변호인뿐만 아니라 검사도 미리 증거를 보전하지 아니하면 그 증거를 사용하기 곤란한 사정이 있는 때에는 형사소송법 제184조에 따라 제1회 공판기일 전이라도 판사에게 압수, 수색, 검증, 증인신문 또는 감정을 청구할 수 있다. 이때 청구를 받은 판사는 그 처분에 관하여 법원 또는 재판장과 동일한 권한이 있다.

② 범죄의 수사에 없어서는 아니 될 사실을 안다고 명백히 인정되는 자가 형사소송법 제221조에 의한 출석 또는 진술을 거부한 경우에는 검사는 제1회 공판기일 전에 한하여 판사에게 그에 대한 증인신문을 청구할 수 있다.

③ 판사는 형사소송법 제221조의 2에 의한 검사의 증인신문청구에 따라 증인신문기일을 정한 때에는 피고인·피의자 또는 변호인에게 이를 통지하여 증인신문에 참여할 수 있도록 하여야 하며, 증인신문을 한 후에는 이에 관한 서류를 판사 소속법원에 보관하여야 한다.

④ 증거보전 또는 증인신문을 청구하는 자는 그 사유를 서면으로 소명하여야 한다.

해설 ① 제184조 제1항·제2항 ② 제221조의 2 제1항
③ 서류를 검사에게 송부하여야 한다(제221조의 2 제6항). ④ 제184조 제3항, 제221조의 2 제3항

02 **증거보전절차에 관한 설명으로 옳지 않은 것은?**(다툼이 있는 경우 판례에 의함) 22. 소방간부

① 검사는 제1회 공판기일 전이라도 판사에게 증인신문 뿐만 아니라 압수·수색·검증·감정을 내용으로 하는 증거보전을 청구할 수 있다.

② 증거보전은 제1심 제1회 공판기일 전에 한하여 허용되는 것이므로 재심청구사건에서는 증거보전절차는 허용되지 않는다.

③ 피고인뿐만 아니라 피의자도 미리 증거를 보전하지 아니하면 그 증거를 사용하기 곤란한 사정이 있는 때에는 제1회 공판기일 전이라도 판사에게 압수·수색·검증·증인신문 또는 감정을 청구할 수 있다.

④ 공동피고인과 피고인이 뇌물을 주고 받은 사이로 필요적 공범관계인 경우에는 검사는 수사단계에서 피고인에 대한 증거를 미리 보전하기 위해 필요한 경우라도 판사에게 공동피고인을 증인으로 신문할 것을 청구할 수 없다.

⑤ 증거보전을 청구하는 경우에는 서면으로 그 사유를 소명하여야 하며 증거보전청구를 기각하는 결정에 대하여는 항고할 수 있다.

해설 ①③ 제184조 제1항 ② 대결 1984.3.29, 84모15
④ 공동피고인과 피고인이 뇌물을 주고 받은 사이로 필요적 공범관계에 있다고 하더라도 검사는 수사단계에서 피고인에 대한 증거를 미리 보전하기 위하여 필요한 경우에는 판사에게 공동피고인을 증인으로 신문할 것을 청구할 수 있다(대판 1988.11.8, 86도1646). ⑤ 제184조 제3항·제4항

Answer 01. ③ 02. ④

03 **증거보전절차에 대한 설명으로 가장 적절하지 않은 것은?**(다툼이 있는 경우 판례에 의함)

22. 경찰승진

① 검사, 피고인, 피의자 또는 변호인은 미리 증거를 보전하지 아니하면 그 증거를 사용하기 곤란한 사정이 있는 때에는 제1회 공판기일 전이라도 판사에게 압수, 수색, 검증, 증인신문 또는 감정을 청구할 수 있다.

② 압수에 관한 증거보전의 청구는 압수할 물건의 소재지를 관할하는 지방법원판사에게 하여야 한다.

③ 증거보전은 제1심 제1회 공판기일전에 한하여 허용되는 것이므로 재심청구사건에서는 증거보전절차가 허용되지 않는다.

④ 공동피고인과 피고인이 뇌물을 주고 받은 사이로 필요적 공범관계에 있는 경우, 검사는 수사단계에서 피고인에 대한 증거를 미리 보전하기 위해 필요한 경우라고 할지라도 판사에게 공동 피고인을 증인으로 신문할 것을 청구할 수는 없다.

해설 ① 제184조 제1항 ② 규칙 제91조 제1항 제1호 ③ 대결 1984.3.29, 84모15
④ 공동피고인과 피고인이 뇌물을 주고 받은 사이로 필요적 공범관계에 있다고 하더라도 검사는 수사단계에서 피고인에 대한 증거를 미리 보전하기 위하여 필요한 경우에는 판사에게 공동피고인을 증인으로 신문할 것을 청구할 수 있다(대판 1988.11.8, 86도1646).

04 **형사소송법 제184조의 수사상 증거보전과 형사소송법 제221조의 2의 증인신문에 관한 설명으로 가장 적절하지 않은 것은?**(다툼이 있는 경우 판례에 의함)

23. 순경 2차

① 증거보전은 수사단계뿐 아니라 공소제기 이후에도 제1심 제1회 공판기일 전에 한하여 허용되지만, 재심청구사건에서는 증거보전절차가 허용되지 않는다.

② 형사소송법 제221조의 2의 증인신문청구를 하려면 증인의 진술로서 증명할 대상인 피의사실이 존재해야 하는데, 피의사실은 수사기관 내심의 혐의만으로는 존재한다고 할 수 없고, 고소·고발 또는 자수를 받는 등 수사의 대상으로 삼고 있음을 외부로 표현한 때에 비로소 그 존재를 인정할 수 있다.

③ 증거보전을 청구할 수 있는 것은 압수·수색·검증·증인신문·감정이어서 피의자의 신문을 구하는 청구는 할 수 없지만, 필요적 공범관계에 있는 공동피고인을 증인으로 신문할 것을 청구할 수 있다.

④ 형사소송법 제221조의 2의 증인신문에 관한 서류는 증인신문을 한 법원이 보관하므로, 공소제기 이전에도 피의자 또는 변호인은 판사의 허가를 얻어 서류와 증거물을 열람 또는 등사할 수 있다.

해설 ① 대결 1984.3.29, 84모15 ② 대판 1989.6.20, 89도648 ③ 대판 1988.11.8, 86도1646
④ 판사는 형사소송법 제221조의 2의 증인신문에 관한 서류를 검사에게 송부하여야 한다(제221조의 2 제6항). 이 서류에 대하여 피의자 또는 변호인은 열람 또는 등사할 수 없다. 판사의 허가를 얻어 열람·등사할 수 있는 증거보전절차와 다른 점이다(제85조).

Answer 03. ④ 04. ④

CHAPTER 03

수사의 종결

단원 advice

수사종결처분의 종류와 그 처분을 할 수 있는 구체적인 사유, 수사종결처분에 대한 통지, 불기소처분에 대한 불복(특히 재정신청), 공소제기 후의 수사 등에 주의하면서 학습하기 바란다.

제1절 수사종결의 의의 · 종류

1 수사종결의 의의

수사의 종결이라 함은 공소제기 여부를 결정할 수 있을 정도로 피의사건이 해명되었을 때 수사절차를 종료하는 처분을 말한다. 종래 수사종결처분은 검사만이 가능하였으나(단, 즉결심판절차에 의해 처리될 경미사건은 경찰서장이 수사종결권을 가짐), 최근 개정법에 의하면 수사종결은 검사뿐만 아니라 경찰공무원인 일반사법경찰관(형사소송법상 사법경찰관), 공수처검사(판사 · 검사 · 경무관 이상 부패범죄) 등도 가능하게 되었다.

수사를 종결하였다 하여 그 이후에는 절대로 수사를 할 수 없는 것은 아니며, 공소제기 이후에도 검사는 공소유지를 위한 일정한 범위 내의 수사를 할 수 있고, 불기소처분을 한 때에도 언제든지 수사를 재개할 수 있다. 09. 9급 국가직, 15. 경찰승진, 19. 경찰간부, 24. 경력채용

KEY point

- 불기소처분 후에도 언제든지 수사재개 가능
- 공소제기 후에도 제한된 범위 내에서 수사 가능

2 수사종결의 종류

(1) 경찰공무원인 일반사법경찰관의 수사종결

사법 경찰관의 수사종결	유 형	법원송치	촉법소년(형벌법령에 저촉된 행위를 한 10세 이상 14세 미만의 소년)과 우범소년(형벌법령에 저촉된 행위를 할 우려가 있는 10세 이상인 소년)에 대하여 경찰서장은 소년부에 사건을 송치하여야 한다(소년법 제4조 제2항).
		검찰송치	사법경찰관은 범죄혐의가 인정된 경우(고소 · 고발사건 포함) 지체 없이 사건을 검사에게 송치하고 관계 서류와 증거물을 송부하여야 한다(제245조의 5 제1호). 21. 순경 2차 · 해경 · 7급 국가직, 22 · 23. 경찰승진, 24. 해경경위공채
		불송치	① 사법경찰관은 송치할 필요가 없는 경우(고소 · 고발사건 포함)에는 그 이유를 명시한 서면과 함께 서류와 증거물을 지체 없이 검사에 송부하여야 하고 검사는 송부 받은 날부터 90일 이내에 사법경찰관에게 반환하여야 한다(제245조의 5 제2호). 22. 경찰승진 · 소방간부, 24. 경찰간부

			② 불송치는 혐의 없음(범죄구성요건에 해당하지 않는 경우, 증거 불충분), 죄 안됨(위법성조각사유나 책임조각사유의 존재), 공소권 없음(피의자 사망, 공소시효완성 등), 각하
		수사중지	피의자중지, 참고인중지(수사준칙 제51조 제1항 제4호)
		이 송	'죄 안됨', '공소권 없음'에 해당하는 사건이 형법 제10조 제1항(심신상실)에 따라 벌할 수 없는 경우, 기소되어 사실심 계속 중인 사건과 포괄일죄를 구성하거나 상상적 경합관계에 있는 경우의 어느 하나에 해당할 때에는 사건을 검사에 이송한다(수사준칙 제51조 제3항). 22. 순경 1차
	수사 결과 통지와 이의 신청		① 사법경찰관은 불송치(제245조의 5 제2호)의 경우에는 서류와 증거물을 검사에 송부한 날부터 7일 이내에 서면으로 고소인・고발인・피해자 또는 그 법정대리인(피해자가 사망한 경우에는 그 배우자・직계친족・형제자매를 포함한다)에게 사건을 검사에게 송치하지 아니하는 취지와 그 이유를 통지하여야 한다(제245조의 6). 22. 경찰승진, 24. 해경경위공채 ② 사법경찰관은 수사종결(수사준칙 제51조)을 한 경우에는 그 내용을 고소인・고발인・피해자 또는 그 법정대리인(피해자가 사망한 경우에는 그 배우자・직계친족・형제자매를 포함한다. 이하 '고소인 등'이라 함)과 피의자에게 통지해야 한다. 21. 순경 1차, 23. 경찰승진 다만, 제51조 제1항 제4호 가목에 따른 피의자중지 결정을 한 경우에는 고소인 등에게만 통지한다(수사준칙 제53조 제1항). ③ 사법경찰관으로부터 수사준칙 제51조 제1항 제4호에 따른 수사중지결정의 통지를 받은 사람은 해당 사법경찰관이 소속된 바로 위 상급경찰관서의 장에게 이의를 제기할 수 있다(수사준칙 제54조 제1항). 22. 순경 1차, 23. 경찰승진, 24. 경찰간부・해경승진 ④ 사법경찰관은 수사중지 결정(피의자중지, 참고인중지)의 통지를 할 때에는 수사중지 결정이 법령위반, 인권침해 또는 현저한 수사권남용이라고 의심이 되는 경우 검사에게 신고할 수 있다는 사실을 함께 고지하여야 한다(수사준칙 제54조 제3항・제4항). ⑤ 사건불송치 통지를 받은 사람(고발인 제외)은 해당 사법경찰관의 소속 관서의 장에게 이의를 신청할 수 있다(제245조의 7 제1항). 24. 소방간부 – 특별히 기간의 제한은 없음. 24. 해경경위공채 ▶ 사법경찰관으로부터 사건을 검사에게 송치하지 아니하는 취지와 그 이유를 통지받은 사람은 통지를 받은 날로부터 30일 이내에 해당 사법경찰관의 소속 관서의 장에게 이의를 신청하여야 한다. (×) 22. 경찰승진・경찰간부, 23. 해경승진 ⑥ 사법경찰관은 이의신청이 있는 때에는 지체 없이 검사에게 사건을 송치하고 관계 서류와 증거물을 송부하여야 하며, 처리결과와 그 이유를 신청인에게 통지하여야 한다(제245조의 7 제2항).

(2) 검사의 수사종결

검사는 사법경찰관으로부터 사건을 송치받은 사건(제245조의 5 제1호)이나, 직접 수사를 개시한 사건(검찰청법 제4조 제1항 제1호)에 대해 공소제기 또는 불기소처분 등의 수사종결처분을 한다.

① **유 형**

㉠ **공소제기** : 수사결과 범죄의 객관적 혐의가 충분하고 소송조건을 구비하여 유죄판결을

받을 수 있다고 인정한 때에는 공소를 제기한다(제246조). 이는 수사종결의 가장 전형적인 형태이다. 한편 약식사건의 경우에는 공소제기와 동시에 약식명령을 청구할 수 있다(제449조).

검사는 자신이 수사개시한 범죄에 대하여는 공소제기할 수 없다(검찰청법 제4조 제2항).

관련판례

형사재판 과정에서 범죄사실의 존재를 증명함에 충분한 증거가 없다는 이유로 무죄판결이 확정되었다고 하더라도 그러한 사정만으로 바로 검사의 구속 및 공소제기가 위법하다고 할 수 없고, 그 구속 및 공소제기에 관한 검사의 판단이 그 당시의 자료에 비추어 경험칙이나 논리칙상 도저히 합리성을 긍정할 수 없는 정도에 이른 경우에만 그 위법성을 인정할 수 있다(대판 2002.2.22, 2001다23447).

ⓛ **불기소처분**(수사준칙에 의한 구분)

구분	내용
혐의 없음	• 범죄 인정 안됨(범죄구성요건에 해당하지 않는 경우) • 증거불충분 02. 순경
죄 안됨	• 위법성조각사유의 존재 13. 7급 국가직 • 책임조각사유의 존재(예 피의자가 형사미성년자) 13. 7급 국가직, 18. 경찰간부
공소권 없음	1. 확정판결이 있는 경우 2. 통고처분이 이행된 경우 13. 경찰간부 3. 소년법에 의한 보호처분이 확정된 경우 4. 사면이 있는 경우(특별사면 ×) 5. 공소의 시효가 완성된 경우 6. 범죄 후 법령의 개폐로 형이 폐지된 경우 13. 7급 국가직 7. 법률의 규정에 의하여 형이 면제된 경우(예 친족상도례) 8. 피의자에 관하여 재판권이 없는 경우 9. 동일사건에 관하여 이미 공소가 제기된 경우(공소를 취소한 경우를 포함한다. 다만, 다른 중요한 증거를 발견한 경우에는 그러하지 아니하다.) 10. 친고죄 및 공무원의 고발이 있어야 논하는 죄의 경우에 고소 13. 경찰간부 또는 고발이 없거나 그 고소 또는 고발이 무효 또는 취소된 때 18. 경찰간부 11. 반의사불벌죄의 경우 처벌을 희망하지 아니하는 의사표시가 있거나 처벌을 희망하는 의사표시가 철회된 경우 12. 피의자가 사망하거나 피의자인 법인이 존속하지 아니하게 된 경우 15·16. 경찰승진, 18·19. 경찰간부
각 하	• 고소·고발이 있는 사건에 대하여 고소인 또는 고발인의 진술이나 고소장 또는 고발장에 의하여 혐의 없음, 죄 안됨, 공소권 없음의 사유에 해당함이 명백한 경우 • 고소·고발이 형사소송법 제224조(고소제한), 제232조 제2항(고소취소) 또는 제235조(고발제한)에 위반하는 경우 • 동일사건에 관하여 검사의 불기소처분이 있는 경우(새로이 중요증거가 발견되어 그 사유를 소명한 때에는 제외) 18. 경찰간부 • 고소권자가 아닌 자가 고소한 경우 13. 경찰간부

	• 고소 · 고발장을 제출한 후 고소인 또는 고발인이 출석을 불응하거나 소재불명되어 고소 · 고발사실에 대한 수사를 개시 · 진행할 자료가 없는 경우(검찰사건사무규칙 제115조 제3항 제5호) 18. 경찰간부
기소유예	피의사실은 인정되지만 형법 제51조의 각 호 등을 참작하여 공소를 제기하지 않는 경우를 말한다.

㉢ **이 송**

ⓐ 검사는 직접수사가 가능한 범죄에 해당되지 아니한 범죄에 대한 고소 · 고발 · 진정 등이 접수된 때에는 사건을 검찰청 이외 수사기관에 이송해야 한다(수사준칙 제18조 제1항).

ⓑ 검사는 다음 각 호의 어느 하나에 해당하는 때에는 사건을 검찰청 외의 수사기관에 이송할 수 있다(수사준칙 제18조 제2항).

1. 법 제197조의 4 제2항 단서에 따라 사법경찰관이 범죄사실을 계속 수사할 수 있게 된 때 2. 그 밖에 다른 수사기관에서 수사하는 것이 적절하다고 판단되는 때

검사는 수사준칙 제2항 제2호에 따른 이송을 하는 경우에는 특별한 사정이 없으면 사건을 수리한 날부터 1개월 이내에 이송해야 한다(수사준칙 제18조 제4항).

㉣ **기소중지 · 참고인중지** : 기소중지는 피의자소재불명시 그 사유가 해소될 때까지 일시적으로 수사를 종결하는 결정이다(참고인중지 ⇨ 참고인의 소재불명시 그 사유가 해소될 때까지 일시적 수사종결).

㉤ **보완수사요구** : 검사는 사법경찰관으로부터 송치받은 사건이나 사법경찰관이 영장 신청한 사건에 관하여 필요한 경우 보완수사를 요구할 수 있다(제197조의 2 제1항).

㉥ **공소보류** : 검사는 국가보안법위반죄를 범한 자에 대하여 정상을 참작하여 공소제기를 보류할 수 있다(공소보류를 받은 자가 공소의 제기 없이 2년을 경과한 때에는 소추할 수 없음)(국가보안법 제20조 제1항).

㉦ **각종 보호사건의 송치** : 소년보호사건의 송치(수사준칙 제52조 제1항 제8호, 소년법 제49조 제1항), 가정보호사건(수사준칙 제52조 제1항 제9호, 가정폭력처벌법 제9조 · 제11조) 등

㉧ **타관송치** : 검사는 사건이 그 소속검찰청에 대응한 법원의 관할에 속하지 아니한 때에는 사건을 서류와 증거물과 함께 관할법원에 대응한 검찰청검사에게 송치하여야 한다(제256조).

② **수사결과의 통지**

㉠ 검사는 수사종결(수사준칙 제52조)에 따른 결정을 한 경우에는 그 내용을 고소인 · 고발인 · 피해자 또는 그 법정대리인(피해자가 사망한 경우에는 그 배우자 · 직계친족 · 형제자매를 포함한다. 이하 "고소인 등"이라 한다)과 피의자에게 통지해야 한다. 다만, 기소중지 결정을 한 경우이거나 제52조 제1항 제7호에 따른 이송(법 제256조에 따른 송치는 제외한다) 결정을 한 경우로서 검사가 해당 피의자에 대해 출석요구 또는 제16조 제1항(수사개시사유) 각 호의 어느 하나에 해당하는 행위를 하지 않은 경우에는 고소인 등에게만 통지한다(수사준칙 제53조 제1항).

㉡ 검사는 고소 또는 고발 있는 사건에 관하여 공소를 제기하거나 제기하지 아니하는 처분, 공소의 취소 또는 타관송치를 한 때에는 그 처분한 날로부터 7일 이내에 서면으로 고소인 또는 고발인에게 그 취지를 통지하여야 한다(제258조 제1항).

㉢ 검사는 고소 또는 고발 있는 사건에 관하여 공소를 제기하지 아니하는 처분을 한 경우에 고소인 또는 고발인의 청구가 있는 때에는 7일 이내에 고소인 또는 고발인에게 그 이유를 서면으로 설명하여야 한다(제259조). 23. 7급 국가직

㉣ 검사는 범죄로 인한 피해자 또는 그 법정대리인(피해자가 사망한 경우에는 그 배우자・직계 친족・형제자매를 포함한다)의 신청이 있는 때에는 당해 사건의 공소제기 여부, 공판의 일시・장소, 재판결과, 피의자・피고인의 구속・석방 등 구금에 관한 사실 등을 신속하게 통지하여야 한다(제259조의 2).

㉤ 검사는 불기소 또는 타관송치의 처분을 한 때에는 피의자에게 즉시 그 취지를 통지하여야 한다(제258조 제2항). 23. 해경승진 – 공소제기의 경우는 통지 불요(공소제기가 되면 법원으로부터 피고인에게 공소장부본이 송달되기 때문)

③ 수사종결처분과 압수물의 환부

㉠ **불기소처분과 압수물의 환부** : 피의사건에 대하여 불기소처분을 내리는 경우에는 검사는 압수물을 원래의 점유자에게 필요적으로 환부하여 압수 이전의 상태로 환원시켜야 한다. 그러나 불기소사건이 고소・고발사건인 경우에는 검찰항고 또는 재정신청 등에 의하여 절차가 계속 진행될 여지가 있으므로 검사는 불기소처분된 고소・고발사건에 관한 압수물 중 중요한 증거가치가 있는 압수물에 관하여는 그 사건에 대한 검찰항고나 재정신청절차가 종료된 후에 압수물 환부절차를 취하여야 한다(검찰압수물사무규칙 제56조 제1항).

㉡ **기소중지처분 등과 압수물의 환부** : 기소중지・참고인중지의 경우에도 압수물의 환부가 필요적인가에 대하여 논의가 있다. 피의자・참고인 등의 소재가 파악되면 다시 수사를 진행하여 공소제기할 가능성이 있기 때문이다. 이 문제와 관련하여 판례는 압수물의 환부의무를 지우고 있다. 이에 대하여 공범자에게 유죄의 확정판결이 있는 경우에는 공동피의자로 입건된 자가 조사에 응하지 아니하여 기소중지처분 등이 내려졌다고 할지라도 기소중지자에 대한 관계에 있어서 검사에게 압수물 환부의무가 발생하지 않는다.

관련판례

1. 甲의 직원 乙이 甲의 소유인 일화를 甲의 지시에 따라 일본국으로 반출하려다가 이를 압수당하고 甲과의 공범으로 재판을 받아 특정경제범죄 가중처벌 등에 관한 법률위반죄(재산국외도피)로 징역형의 선고유예 및 위 일화에 대한 몰수의 확정판결을 받았고, 甲은 위 직원 乙과 공동피의자로 입건되고서도 조사에 응하지 아니하여 기소중지처분이 되어 지금까지 그 피의사건이 완결되지 아니하고 있다면, 그 일화에 대한 압수의 효력은 甲에 대한 관계에 있어서는 여전히 남아 있으므로, 검사는 환부의무가 없다(대판 1995.3.3, 94다37097).
2. 금의 수입이 금지되어 있는 것도 아니므로 압수된 금괴가 외국에서 생산된 것이라고 하여 당연히 밀수입된 것이라고 추정되는 것은 아니고, 외국산이라고 하여도 언제, 누구에 의하여 관세포탈된 물건

인지 알 수 없어 검사가 사건을 기소중지처분하였다면 그 압수물은 관세장물이라고 단정할 수 없으므로 국고에 귀속시킬 수 없을 뿐 아니라 압수를 더 이상 계속할 필요도 없다(대결 1991.4.22, 91모10).

(3) 고위공직자범죄수사처(공수처)의 수사종결처분

① 공소제기대상이 아닌 사건과 수사종결처분

㉠ 공수처검사는 공소제기대상 사건이 아닌 사건에 대하여 수사를 한 때에는 관계서류와 증거물을 지체 없이 서울중앙지방검찰청 소속 검사에게 송부하여야 한다(공수처법 제26조 제1항).

㉡ 공수처법 제26조 제1항에 따라 관계 서류와 증거물을 송부받아 사건을 처리하는 검사는 처장에게 해당 사건의 공소제기 여부를 신속하게 통보하여야 한다(동조 제2항).

② 공소제기대상인 사건과 수사종결처분

㉠ 공수처검사는 판사, 검사, 경무관 이상 경찰공무원이 범한 고위공직자범죄 등에 관하여 수사를 한 때에는 공소제기 또는 불기소의 결정을 한다(공수처법 제20조 제1항).

㉡ 공수처검사가 공소제기를 하는 경우에 제1심 재판은 서울중앙지방법원의 관할로 한다. 다만, 범죄지, 증거의 소재지, 피고인의 특별한 사정 등을 고려하여 공수처검사는 형사소송법에 따른 관할 법원에 공소를 제기할 수 있다(공수처법 제31조).

③ 재정신청

㉠ 고소·고발인은 수사처검사로부터 공소를 제기하지 아니한다는 통지를 받은 때에는 서울고등법원에 그 당부에 관한 재정을 신청할 수 있다(공수처법 제29조 제1항).

㉡ 공수처법 제29조 제1항에 따른 재정신청을 하려는 사람은 공소를 제기하지 아니한다는 통지를 받은 날부터 30일 이내에 처장에게 재정신청서를 제출하여야 한다(동법 제29조 제2항).

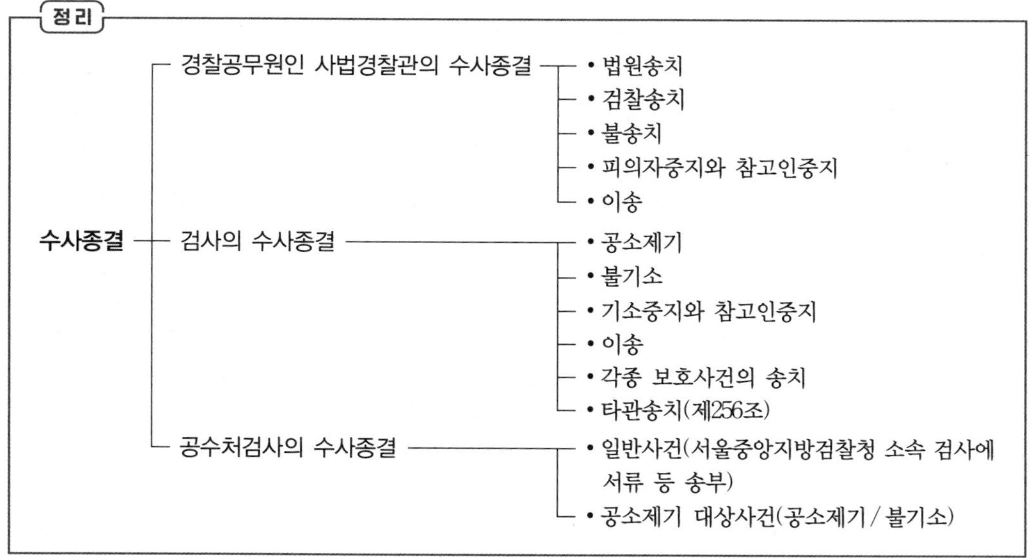

CHAPTER 03

기출문제

01 **사법경찰관의 수사종결에 대한 설명으로 가장 적절하지 않은 것은?** 22. 경찰승진

① 사법경찰관은 고소·고발 사건을 포함하여 범죄를 수사한 때에는 범죄의 혐의가 있다고 인정되는 경우에는 지체 없이 검사에게 사건을 송치하고, 관계 서류와 증거물을 검사에게 송부하여야 한다.

② 사법경찰관은 고소·고발 사건을 포함하여 범죄를 수사한 때에는 범죄의 혐의가 있다고 인정되는 경우를 제외한 그 밖의 경우에는 그 이유를 명시한 서면과 함께 관계 서류와 증거물을 지체 없이 검사에게 송부하여야 한다.

③ 사법경찰관은 고소·고발 사건을 포함하여 범죄를 수사한 때에는 범죄의 혐의가 있다고 인정되는 경우를 제외한 그 밖의 경우에는 그 이유를 명시한 서면과 함께 관계 서류와 증거물을 지체 없이 검사에게 송부하여야 하고, 그 송부한 날부터 7일 이내에 서면으로 고소인·고발인·피해자 또는 그 법정대리인(피해자가 사망한 경우에는 그 배우자·직계친족·형제자매를 포함한다)에게 사건을 검사에게 송치하지 아니하는 취지와 그 이유를 통지하여야 한다.

④ 사법경찰관으로부터 사건을 검사에게 송치하지 아니하는 취지와 그 이유를 통지받은 사람은 통지를 받은 날로부터 30일 이내에 해당 사법경찰관의 소속 관서의 장에게 이의를 신청하여야 한다.

해설 ① 제245조의 5 제1호 ② 제245조의 5 제2호 ③ 제245조의 6
④ 사법경찰관으로부터 사건을 검사에게 송치하지 아니하는 취지와 그 이유를 통지받은 사람은 해당 사법경찰관의 소속 관서의 장에게 이의를 신청하여야 한다(제245조의 7 제1항). – 특별히 기간의 제한은 없다.

02 **수사의 종결에 관한 설명 중 가장 적절하지 않은 것은?**(다툼이 있는 경우 판례에 의함) 20. 경찰승진

① 검사가 고소 또는 고발에 의하여 범죄를 수사할 때에는 고소 또는 고발을 수리한 날로부터 3월 이내에 수사를 완료하여 공소제기 여부를 결정하여야 한다.

② 검사가 불기소처분을 한 후에도 공소시효가 완성되기 전이면 언제라도 공소를 제기할 수 있으나, 세무공무원 등의 고발이 있어야 공소를 제기할 수 있는 조세범처벌법위반죄에 관하여 종전 세무공무원 등의 고발에 대한 불기소처분이 있었던 경우는 세무공무원 등의 새로운 고발이 있어야 공소를 제기할 수 있다.

③ 고소장의 기재만으로는 고소 사실이 불분명함에도 고소장 제출 후 고소인이 출석요구에 불응하거나 소재불명이 되어 고소 사실에 대한 진술을 청취할 수 없는 경우는 불기소처분 중 각하 사유에 해당한다.

④ 반의사불벌죄의 경우 처벌을 희망하지 아니하는 의사표시가 있거나 처벌을 희망하는 의사표시가 철회된 경우는 불기소처분 중 공소권 없음 사유에 해당한다.

Answer 01. ④ 02. ②

해설 ① 제257조, 수사준칙 제16조의 2 제2항
② 종전의 고발은 여전히 유효하므로, 새로운 고발이 있어야 하는 것은 아니다(대판 2009.10.29, 2009도6614).
③ 검찰사건사무규칙 제115조 제3항 제5호 ④ 검찰사건사무규칙 제115조 제3항 제4호

03 다음 중 공소권 없음을 주문으로 불기소처분을 하는 경우에 해당하는 것은 모두 몇 개인가?

22. 해경간부

㉠ 통고처분이 이행된 경우
㉡ 고소사건에서 동일사건에 관하여 이미 검사의 불기소처분이 있는 경우
㉢ 고소가 형사소송법 제224조 소정의 '고소의 제한'에 위반한 경우
㉣ 소년법에 의한 보호처분이 확정된 경우
㉤ 친고죄의 경우에 고소가 없거나 무효인 경우
㉥ 고소권자가 아닌 자가 고소한 경우

① 3개 ② 4개 ③ 5개 ④ 6개

해설 ㉠㉣㉤이 공소권 없음의 대상(검찰사건사무규칙 제115조 제3항 제4호, 경찰수사규칙 제108조 제1항 제3호)이고, ㉡㉢㉥은 '각하' 주문의 불기소처분을 하여야 한다(검찰사건사무규칙 제115조 제3항 제5호, 경찰수사규칙 제108조 제1항 제4호).

04 수사의 종결에 관한 설명으로 가장 적절하지 않은 것은?(다툼이 있는 경우 판례에 의함) 22. 순경 1차

① 사법경찰관은 사건을 수사한 경우에는 혐의 없음, 죄가 안됨, 공소권 없음, 각하와 같은 불송치 결정을 할 수 있지만 기소유예는 할 수 없다.
② 검사와 사법경찰관의 상호협력과 일반적 수사준칙에 관한 규정 제53조 및 제54조에 의하면 사법경찰관은 수사종결 후 그 내용을 고소인등과 피의자에게 통지해야 하는데, 특히 수사중지 결정 통지를 받은 사람은 해당 사법경찰관이 소속된 경찰관서의 장에게 이의를 제기할 수 있다.
③ 검사가 수사를 종결하고 공소제기한 이후 형사소송법 제215조에 따라 수소법원 이외의 지방법원 판사에게 청구하여 발부받은 영장에 의하여 압수・수색을 하였다면 이는 위법한 압수・수색에 해당한다.
④ 검사의 무혐의 불기소처분에 대해 재정신청을 받은 법원은 당해 불기소처분이 위법하다 하더라도 기록에 나타난 제반사정을 고려하여 기소유예의 불기소처분을 할 만한 사건이라고 인정되는 경우에는 재정신청을 기각할 수 있다.

해설 ① 수사준칙 제51조
② 수사중지 결정 통지를 받은 사람은 해당 사법경찰관이 소속된 바로 위 상급경찰관서의 장에게 이의를 제기할 수 있다(수사준칙 제54조 제1항).
③ 대판 2011.4.28, 2009도10412 ④ 대결 1997.4.22, 97모30

Answer 03. ① 04. ②

05 **검사와 사법경찰관의 상호협력과 일반적 수사준칙에 관한 규정에 따른 수사의 종결에 대한 설명으로 가장 적절하지 않은 것은?** 23. 경찰승진

① 사법경찰관은 사건을 수사한 경우에는 피의자중지, 참고인중지와 같은 수사중지 결정을 할 수 있으며, 이 경우 7일 이내에 사건기록을 검사에게 송부해야 한다.

② 사법경찰관은 피의자중지 결정 후 그 내용을 고소인·고발인·피해자 또는 그 법정대리인(피해자가 사망한 경우에는 그 배우자·직계친족·형제자매를 포함한다)에게 통지해야 한다.

③ 사법경찰관으로부터 수사중지 결정의 통지를 받은 사람은 해당 사법경찰관이 소속된 바로 위 상급경찰관서의 장에게 이의를 제기할 수 있다.

④ 사법경찰관으로부터 수사중지 결정의 통지를 받은 사람은 해당 수사중지 결정이 법령에 위반되는 경우에 한하여 검사에게 형사소송법 제197조의 3 제1항에 따른 신고를 할 수 있다.

해설 ① 수사준칙 제51조 제1항 제4호, 제4항 ② 수사준칙 제53조 제1항(피의자에 통지 ×)
③ 수사준칙 제54조 제1항 ④ 사법경찰관으로부터 수사중지 결정의 통지를 받은 사람은 해당 수사중지 결정이 법령위반, 인권침해 또는 현저한 수사권 남용이라고 의심되는 경우 검사에게 형사소송법 제197조의 3 제1항에 따른 신고를 할 수 있다(수사준칙 제54조 제3항).

06 **수사의 종결에 관한 설명으로 옳고 그름의 표시(○, ×)가 바르게 된 것은?**(다툼이 있는 경우 판례에 의함) 24. 경찰간부

> ㉠ 고소인과 고발인은 사법경찰관으로부터 사건불송치 통지를 받은 경우에 해당 사법경찰관의 소속 관서의 장에게 이의를 신청할 수 있다.
> ㉡ 사법경찰관은 범죄혐의가 인정되지 않는다고 판단하는 경우 검사에게 사건을 송치할 필요는 없으나, 불송치결정서와 함께 압수물 총목록, 기록목록 등 관계서류와 증거물을 검사에게 송부하여야 한다.
> ㉢ 검사의 불기소처분에 의해 기본권을 침해받은 자는 헌법소원을 제기할 수 있으므로 고소하지 않은 피해자 및 기소유예 처분을 받은 피의자는 헌법소원을 제기할 수 있으나 고발인은 특별한 사정이 없는 한 자기관련성이 없으므로 헌법소원심판을 청구할 수 없다.
> ㉣ 검사의 불기소처분에 대한 헌법소원에 있어서 그 대상이 된 범죄에 대하여 공소시효가 완성되었더라도 헌법소원을 제기할 수 있다.

① ㉠(○), ㉡(×), ㉢(○), ㉣(○)　② ㉠(○), ㉡(×), ㉢(×), ㉣(×)
③ ㉠(×), ㉡(○), ㉢(○), ㉣(×)　④ ㉠(×), ㉡(○), ㉢(×), ㉣(○)

해설 ㉠ × : 제245조의 6의 통지를 받은 사람(고발인을 제외한다)은 해당 사법경찰관의 소속 관서의 장에게 이의를 신청할 수 있다(제245조의 7 제1항).
㉡ ○ : 수사준칙 제62조 제1항
㉢ ○ : 헌재결 2003.3.27, 2003헌마21, 헌재결 1992.10.1, 91헌마169
㉣ × : 검사의 불기소처분에 대한 헌법소원에 있어서 그 대상이 된 범죄에 대한 공소시효가 완성되었을 때에는 권리보호의 이익이 없어 헌법소원을 제기할 수 없다(헌재결 2010.5.27, 2010헌마71).

Answer 05. ④ 06. ③

제2절 검사의 불기소처분에 대한 불복

불기소처분에 대한 불복방법으로는 검찰항고(검찰청법 제10조), 재정신청(제260조 이하), 헌법소원(헌법 제111조 제1항, 헌법재판소법 제68조 제1항) 등이 있다.

검사의 불기소처분 : 행정소송제기 ×(대판 1989.10.10, 89누2271)

검사의 공소제기 : 행정소송제기 ×(대판 2000.3.28, 99두11264)

1 검찰항고

(1) 항 고

① 검사의 불기소처분에 불복이 있는 고소인 또는 고발인이 그 검사 소속의 지방검찰청 또는 지청을 거쳐 서면으로 관할 고등검찰청 검사장에게 불기소처분의 시정을 구하는 제도를 말한다(검찰청법 제10조). 09. 9급 국가직, 20. 경찰승진

② 지방검찰청 또는 지청의 검사는 항고가 이유 있다고 인정하는 때에는 그 처분을 경정하여야 한다(동조 제1항). 10. 9급 법원직 고등검찰청 검사장은 항고가 이유 있다고 인정하는 때에는 소속 검사로 하여금 지방검찰청 또는 지청 검사의 불기소처분을 직접 경정하게 할 수 있다(동조 제2항).

③ 항고는 형사소송법 제258조 제1항에 따른 통지를 받은 날부터 30일 이내에 하여야 한다(동조 제4항).

(2) 재항고

① 항고를 기각하는 처분에 대하여는 검찰총장에게 재항고할 수 있다(동조 제3항).

② 제3항의 재항고는 항고기각 결정을 통지받은 날 또는 항고 후 항고에 대한 처분이 이루어지지 아니하고 3개월이 지난 날부터 30일 이내에 하여야 한다(동조 제5항).

검찰항고제도는 검찰내부적 견제장치라는 점에서 재정신청이나 헌법소원과 구별된다.

검찰재항고는 재정신청(제260조)할 수 있는 자는 제외된다(검찰청법 제10조 제3항). 고소인은 모두 재정신청권자이므로 재항고는 고발인에 대해서만 인정되는 결과가 된다.

2 재정신청

(1) 의의 및 인정이유

① **의의** : 고소권자로서 고소를 한 자(형법 제123조 내지 제126조의 죄에 대하여는 고발을 한 자를 포함한다)는 검사로부터 공소를 제기하지 아니한다는 통지를 받은 때에는 그 검사 소속의 지방검찰청 소재지를 관할하는 고등법원에 그 당부에 관한 재정(裁定)을 신청할 수 있는 제도를 말한다(제260조 제1항). 13. 경찰승진, 24. 9급 법원직

☎ 재정신청에 대하여 법원이 공소제기결정을 한 경우에 검사에게 공소제기를 강제하는 제도(기소강제절차)라는 점에서 재정신청에 대한 법원의 결정에 의하여 공소제기가 있는 것으로 간주되는 종래의 준기소절차와 구별된다.

② **인정이유** : 검사의 독선과 자의적인 공소권 행사가 이루어질 우려가 있으므로 검사의 부당한 불기소처분으로 인한 폐단을 막기 위해 인정된 제도이다. 14. 경찰승진

재정신청에 대한 특례

형사소송법상의 재정신청제도와는 달리, 최근에 제정(2020.1.14.)된 '고위공직자범죄수사처 설치 및 운영에 관한 법률(이하 공수처법)'에 '재정신청에 대한 특례'가 마련되었다.
공수처검사에 의한 공소제기가 가능한 범죄사건(판사·검사·경무관 이상 경찰관)의 경우, 고소·고발인은 공수처검사로부터 불기소처분통지를 받은 때에는 '서울고등법원'에 재정신청을 할 수 있다(공수처법 제29조 제1항). ▶ 상세한 설명은 '고위공직자범죄수사'편에서 다루기로 한다.

(2) 재정신청

① **신청권자** : 신청권자는 검사로부터 불기소처분의 통지를 받은 고소인이며, 형법 제123조(직권남용), 제124조(불법체포, 감금), 제125조(폭행가혹행위), 제126조(피의사실공표)의 죄에 대해서는 고발을 한 자도 신청권이 있다(제260조 제1항). 08. 7급·9급 국가직, 10. 순경 1차, 11·15. 순경 2차, 14·15. 경찰간부, 10·14·16. 경찰승진

☎ 다만, 형법 제126조(피의사실공표)의 죄에 대하여는 피공표자의 명시한 의사에 반하여 재정신청을 할 수 없다(제260조 본문 단서).

☎ 직무유기죄에 대한 고발자 ⇨ 재정신청 ×

② **대상** : 재정신청의 대상은 검사의 불기소처분이 내려진 모든 범죄(고발의 경우는 대상범죄에 제한이 있음)이며, 불기소처분의 이유는 불문한다. 따라서 기소유예처분에 대해서도 가능하다. 16. 경찰승진·9급 교정·보호·철도경찰, 17. 9급 법원직, 22. 경찰간부

☎ 검사의 공소제기, 공소취소, 내사종결 등 ⇨ 재정신청 대상 ×

☎ 고소인 또는 고발인은 대상범죄에 제한없이 모든 범죄에 대하여 재정신청을 할 수 있다. (×)

관련판례

1. 대통령에게 제출한 청원서를 대통령비서실로부터 이관받은 검사가 진정사건으로 내사 후 내사종결처리한 경우, 위 내사종결처리는 고소 또는 고발사건에 대한 불기소처분이라고 볼 수 없어 재정신청의 대상이 되지 아니한다(대결 1991.11.5, 91모68). 04. 순경, 08. 9급 법원직, 10. 순경 1차, 11. 7급 국가직, 11·15. 경찰승진, 14·21. 경찰간부, 23. 9급 검찰·마약·교정·보호·철도경찰
2. 검사의 불기소처분 당시에 공소시효가 완성되어 공소권이 없는 경우에는 위 불기소처분에 대한 재정신청은 허용되지 않는다(대결 1990.7.16, 90모34). 04. 행시, 12. 순경
3. 법원이 재정신청 대상 사건이 아닌 공직선거법 제251조의 후보자비방죄에 대하여 재정신청을 인용하여 공소제기결정이 이루어진 경우, 그에 따른 공소가 제기되어 본안사건의 절차가 개시된 후에는 다른 특별한 사정이 없는 한 본안사건에서 위와 같은 잘못을 다툴 수 없다(대판 2017.11.14, 2017도13465). 23. 7급 국가직

③ 방 법

㉠ 재정신청을 하려면 검찰항고를 거쳐야 한다(제260조 제2항). ⇨ 검찰항고전치주의 16. 경찰간부

☎ 재정신청을 함에 있어 거쳐야 하는 항고는 고등검찰청 검사장에게 하는 항고를 의미하며, 재정신청을 할 수 있는 자는 검찰총장에게 하는 검찰재항고를 할 수 없다(검찰청법 제10조 제3항).

㉡ 검찰항고를 거치지 않고 재정신청을 할 수 있는 경우는 다음과 같다(제260조 제2항 단서).

> ⓐ 항고 이후 재기수사가 이루어진 다음에 다시 공소를 제기하지 아니한다는 통지를 받은 경우 12. 경찰승진
> ⓑ 항고신청 후 항고에 대한 처분이 행하여지지 아니하고 3개월이 경과한 경우
> ⓒ 검사가 공소시효 만료일 30일 전까지 공소를 제기하지 아니하는 경우 12. 순경 1차 · 9급 법원직, 14. 9급 검찰 · 마약수사, 21. 경찰간부

㉢ 재정신청을 하려는 자는 항고기각결정을 통보 받은 날 또는 검찰항고를 거치지 않고 재정신청을 할 수 있는 사유가 발생한 날부터 10일 이내 08 · 12. 9급 법원직에 지방검찰청 검사장 또는 지청장에게 재정신청서를 제출하여야 한다(제260조 제3항 본문). 10 · 24. 9급 법원직 다만, 공소시효 만료일 30일 전까지 공소제기를 하지 아니하여 재정신청을 하는 경우에는 공소시효 만료일 전날까지 재정신청서를 제출할 수 있다(동조 제3항 단서). 10. 순경 1차, 12 · 14. 순경 2차, 14 · 19. 경찰승진, 12 · 22. 9급 법원직 재정신청기간은 불변기간이므로 기간을 지나 신청함은 허용되지 않는다(대결 1967.3.8, 65모59).

☎ 고등법원에 직접 제출 ×

☎ 재정신청기간을 제한하는 것은 이미 검사의 불기소처분을 받은 피고소인 또는 피고발인의 지위가 계속 불안정하게 되는 불이익을 고려한 것임.

㉣ 재정신청서에는 재정신청의 대상이 되는 사건의 범죄사실 및 증거 등 재정신청을 이유 있게 하는 사유를 기재하여야 한다(제260조 제4항). 09. 경찰승진

관련판례

재정신청서에 형사소송법 제260조 제4항에 정한 사항의 기재가 없어서 법원으로서는 그 재정신청이 법률상의 방식에 위배된 것으로서 이를 기각하여야 함에도 간과한 채, 공소제기결정을 하여 공소제기가 이루어졌다면 다른 특별한 사정이 없는 한 그 본안 사건에서 위와 같은 잘못을 다툴 수 없으며, 공소사실에 대한 실체판단에 나아간 제1심판결은 정당하다(대판 2010.11.11, 2009도224). 12. 순경 3차, 17 · 19. 경찰승진, 24. 9급 법원직

㉤ 재정신청은 대리인에 의하여도 할 수 있다(제264조 제1항). 12. 순경 3차, 14. 순경 2차, 16. 경찰승진

관련판례

1. 재정신청서에 대하여는 재소자에 대한 특례규정(제344조)이 없으므로 구금 중인 고소인이 재정신청서를 그 기간 안에 교도소장 또는 그 직무를 대리하는 사람에게 제출하였다 하더라도 재정신청서가 위의 기간 안에 불기소처분을 한 검사가 소속한 지방검찰청의 검사장 또는 지청장에게 도달하지 아니한 이상 적법한 재정신청서 제출이라고 할 수 없다(대결 1998.12.14, 98모127). 10. 9급 법원직, 11. 7급 국가직, 18. 순경 2차, 19. 순경 1차, 22. 경찰승진, 23. 변호사시험 · 9급 검찰 · 마약 · 교정 · 보호 · 철도경찰

2. 재정신청 제기기간이 경과된 후에 재정신청보충서를 제출하면서 원래의 재정신청에 재정신청 대상으로 포함되어 있지 않은 고발사실을 재정신청의 대상으로 추가한 경우, 그 재정신청보충서에서 추가한 부분에 관한 재정신청은 법률상 방식에 어긋난 것으로서 부적법하다(대결 1997.4.22, 97모30). 10. 경찰승진, 15. 경찰간부

④ 효 력

㉠ 공동신청권자 중 1인의 신청은 그 전원을 위하여 효력을 발생한다(제264조 제1항). 11. 경찰승진, 12. 순경 3차, 14. 순경 2차, 16. 경찰승진 · 9급 교정 · 보호 · 철도경찰

㉡ 재정신청이 있으면 결정이 확정될 때까지 공소시효의 진행이 정지된다(제262조의 4 제1항).

결정이 있을 때까지 ⇨ 결정이 확정될 때까지(2016. 1. 6. 개정)

재정결정이 있을 때까지 공소시효의 진행이 정지된다. (×) 10 · 13. 경찰승진, 12. 7급 국가직, 15. 순경 1차

⑤ 취 소

㉠ 재정신청은 고등법원의 결정이 있을 때까지 취소할 수 있다. 취소한 자는 다시 재정신청을 할 수 없다(제264조 제2항). 11 · 16. 경찰승진, 12. 7급 국가직, 07 · 22. 9급 법원직

심리가 개시된 후에는 재정신청을 취소할 수 없다. (×)

㉡ 재정신청의 취소는 다른 공동신청권자에게 효력을 미치지 아니한다(동조 제3항). 11. 경찰승진, 12. 7급 국가직, 16. 9급 교정 · 보호 · 철도경찰, 15 · 21. 경찰간부

㉢ 재정신청의 취소는 관할 고등법원에 서면으로 하여야 한다(규칙 제121조 제1항). 다만, 기록이 관할 고등법원에 송부되기 전에는 그 기록이 있는 검찰청 검사장 또는 지청장에게 하여야 한다(동조 제1항 단서).

㉣ 취소서를 제출받은 고등법원의 법원사무관 등은 즉시 고등검찰청 검사장 및 피의자에게 그 사유를 통지하여야 한다(동조 제2항).

(3) 지방검찰청 검사장의 처리

① **검찰항고를 거친 경우** : 재정신청서를 제출받은 지방검찰청 검사장 또는 지청장은 재정신청서를 제출받은 날로부터 7일 이내(10일 이내 ×)에 재정신청서, 의견서, 수사관계서류 및 증거물을 관할 고등검찰청을 거쳐 고등법원에 송부하여야 한다(제261조). 12. 9급 법원직, 14. 순경 2차 · 9급 교정 · 보호 · 철도경찰

② **검찰항고를 거치지 아니한 경우** : 지방검찰청 검사장 또는 지청장은 신청이 이유 있다고 인정되면 즉시 공소를 제기하고 그 취지를 관할 고등법원과 재정신청인에게 통지하고, 신청이 이유 없다고 인정되면 30일 이내에 관할 고등법원에 송부한다(동조 제1호 · 제2호).

(4) 고등법원의 심리와 결정

① **기소강제절차의 구조** : 재정신청서를 접수한 고등법원은 검사의 불기소처분에 대한 당부를 판단하게 된다. 이와 관련하여 기소강제절차의 구조를 어떻게 파악할 것인가에 대하여 견해의 대립이 나타나게 된다. 어떻게 파악하는가에 따라 신청인과 피의자의 절차관여 범위가

달라지기 때문이다. 기소강제절차는 수사절차가 아닌 재판절차이며 형사소송유사의 재판절차로 파악하는 견해(형사소송유사설)가 다수설이다. 다만, 그것은 공소제기 전의 절차이며 수사와 유사한 성질을 가지고 있으므로 당사자가 대립하는 소송구조의 절차가 아니라 밀행성의 원칙과 직권주의가 지배하는 소송절차로 본다.

관련판례

재정신청절차는 고소·고발인이 검찰의 불기소처분에 불복하여 법원에 그 당부에 관한 판단을 구하는 절차로서 검사가 공소를 제기하여 공판절차가 진행되는 형사재판절차와는 다르며, 또한 고소·고발인인 재정신청인은 검사에 의하여 공소가 제기되어 형사재판을 받는 피고인과는 지위가 본질적으로 다르다(대결 2015.7.16, 2013모2347 전원합의체).

② **관할** : 불기소처분을 한 검사 소속의 지방검찰청 소재지를 관할하는 고등법원의 관할에 속한다(제260조 제1항). 13·17·19. 경찰승진, 20. 해경

③ **통지** : 법원은 재정신청서를 송부받은 때에는 송부받은 날로부터 10일 이내에 피의자와 재정신청인에게 그 사실을 통지하여야 한다(제262조 제1항, 규칙 제120조). 12. 순경 3차, 13. 순경 1차, 16. 9급 교정·보호·철도경찰, 23. 9급 검찰·마약·교정·보호·철도경찰, 12·21·24. 9급 법원직

관련판례

법원이 재정신청서를 송부받았음에도 송부받은 날부터 형사소송법 제262조 제1항(송부받은 때로부터 10일 이내에 피의자에 통지)에서 정한 기간 안에 피의자에게 그 사실을 통지하지 아니한 채 형사소송법 제262조 제2항 제2호에서 정한 공소제기결정을 하였더라도, 그에 따른 공소가 제기되어 본안사건의 절차가 개시된 후에는 다른 특별한 사정이 없는 한 본안사건에서 위와 같은 잘못을 다툴 수 없다(대판 2017.3.9, 2013도16162). 19. 경찰승진, 20. 7급 국가직, 22. 경찰간부·9급 법원직

④ **사실조사와 강제처분** : 고등법원은 재정신청을 송부받은 날로부터 3개월 이내에 항고의 절차에 준하여 결정하여야 하며, 필요한 때에는 증거조사를 할 수 있다(제262조 제2항). 11. 순경 2차, 17. 9급 검찰·마약·교정·보호·철도경찰 피의자신문, 참고인조사, 검증 이외의 구속·압수·수색 등 강제처분도 할 수 있으며, 기피신청도 가능하다고 봄이 다수설이다.

⑤ **심리의 비공개** : 재정신청사건은 특별한 사정이 없는 한 심리를 공개하지 아니한다(제262조 제3항). 08. 순경·9급 법원직, 09·11·13. 경찰승진, 12. 순경 3차, 21. 해경

⑥ **재정신청사건기록의 열람·등사의 제한** : 재정신청사건의 심리 중에는 관련서류 및 증거물을 열람 또는 등사할 수 없다. 09·11·12. 경찰승진, 11. 순경 2차, 10·17. 9급 법원직
다만, 법원은 직권으로 증거조사 과정에서 작성된 서류의 전부 또는 일부의 열람 또는 등사를 허가할 수 있다(제262조의 2). 10. 경찰승진, 10·21. 9급 법원직, 19·21·22. 경찰간부
재정신청사건의 심리 중에도 원칙적으로 관련서류 및 증거물을 열람 또는 등사할 수 있다. (×)

⑦ **재정결정** : 관할 고등법원은 재정신청을 송부 받은 날로부터 3개월 이내에 항고절차에 준하여 결정을 내려야 한다(제262조 제2항). 23. 9급 검찰·마약·교정·보호·철도경찰

㉠ **기각결정** : 재정신청서를 송부받은 고등법원은 3개월 이내에 재정신청이 법률상의 방식에 위배되거나 이유 없는 때에는 신청을 기각한다(제262조 제2항 제1호). 기각결정이 확정되면 다른 중요한 증거를 발견하는 경우를 제외하고는 소추할 수 없다(동조 제4항). 02. 행시, 12. 순경, 14. 9급 검찰·마약수사, 17. 경찰간부, 17. 9급 검찰·마약·교정·보호·철도경찰

재정신청 기각결정이 확정된 사건에 대하여는 다른 중요한 증거를 발견한 경우라도 법원의 허가를 받아 소추하여야 한다. (×)

'다른 중요 증거발견'을 요건으로 하는 경우
- 피의자 재구속의 제한(제208조 제1항)
- 재정신청 기각결정 확정된 사건의 소추(제262조 제4항)
- 공소취소 후 재기소(제329조)

관련판례

1. 검사의 무혐의 불기소처분이 위법하다 하더라도 기소유예의 불기소처분을 할 만한 사건인 때에는 재정신청을 기각할 수 있다(대결 1997.4.22, 97모30). 07. 9급 법원직, 10·12·17. 경찰승진, 18. 순경 2차, 15·19·22. 경찰간부, 22. 경력채용·순경 1차, 23. 7급 검찰, 24. 해경승진
2. 형사소송법 제262조 제1항이 20일 이내에 재정결정을 하도록 규정한 것은 훈시적 규정에 불과하므로 그 기간이 지난 후에 재정결정을 하였다 하여 재정결정 자체가 위법한 것은 아니다(대결 1990.12.13, 90모58). – 종전규정에 대한 판례이며, 현행 제262조 제2항 14. 경찰승진·순경 2차, 24. 9급 법원직
3. 형사소송법 제262조 제4항 후문은 재정신청 기각결정이 확정된 사건에 대하여는 다른 중요한 증거를 발견한 경우를 제외하고는 소추할 수 없다고 규정하고 있다. 여기에서 '다른 중요한 증거를 발견한 경우'란 재정신청 기각결정 당시에 제출된 증거에 새로 발견된 증거를 추가하면 충분히 유죄의 확신을 가지게 될 정도의 증거가 있는 경우를 말하고, 21. 경찰간부, 22. 경찰승진 단순히 재정신청 기각결정의 정당성에 의문이 제기되거나 범죄피해자의 권리를 보호하기 위하여 형사재판절차를 진행할 필요가 있는 정도의 증거가 있는 경우는 여기에 해당하지 않는다. 23. 변호사시험·7급 국가직 그리고 관련 민사판결에서의 사실인정 및 판단은, 그러한 사실인정 및 판단의 근거가 된 증거자료가 새로 발견된 증거에 해당할 수 있음은 별론으로 하고, 그 자체가 새로 발견된 증거라고 할 수는 없다(대판 2018.12.28, 2014도17182). 21. 9급 법원직

   형사소송법 제262조 제4항 후문에서 말하는 '재정신청 기각결정이 확정된 사건'이라 함은 재정신청 사건을 담당하는 법원에서 공소제기의 가능성과 필요성 등에 관한 심리와 판단이 현실적으로 이루어져 재정신청 기각결정의 대상이 된 사건만을 의미한다. (○) 18. 경찰승진
4. 법원이 재정신청서에 재정신청을 이유 있게 하는 사유가 기재되어 있지 않음에도 이를 간과한 채 형사소송법 제262조 제2항 제2호 소정의 공소제기결정을 한 관계로 그에 따른 공소가 제기되어 본안사건의 절차가 개시된 후에는, 다른 특별한 사정이 없는 한 이제 그 본안사건에서 위와 같은 잘못을 다툴 수 없다(대판 2010.11.11, 2009도224). 24. 9급 법원직
5. 검사의 불기소처분 당시에 공소시효가 완성되어 공소권이 없는 경우에는 위 불기소처분에 대한 재정신청은 허용되지 않는다. 따라서 기각결정은 정당하다(대결 1990.7.16, 90모34).
6. 1개의 고소로서 수인을 무고하여 피해자의 수만큼 무고죄가 성립한다 할지라도 피해자 중의 한사람이 한 고소에 대하여 검사의 혐의 없다는 불기소처분이 있었고 이에 대한 고소인의 재정신청이 이유 없다 하여 기각된 이상 그 기각된 사건 내용과 동일한 사실로서는 소추할 수 없다 할 것이다(대판 1967.7.25, 66도1222).

㉡ **공소제기결정** : 재정신청서를 송부받은 고등법원은 3개월 이내에 재정신청이 이유 있는 때에는 공소제기결정을 한다(동조 제2항 제2호). 공소제기결정을 하는 때에는 죄명과 공소사실이 특정될 수 있도록 이유를 명시하여야 한다(규칙 제122조).

재정결정의 심판범위 : 재정결정시를 기준으로 한다. 따라서 불기소처분 이후 새로이 발견된 증거나 발생한 사실(피의자와의 합의 등)을 판단자료로 할 수 있다.

신청이 이유 있는 때에는 부심판결정을 한다. (×)

⑧ **재정결정서의 송부** : 고등법원이 신청기각 내지 공소제기결정을 한 때에는 즉시 그 정본을 재정신청인, 피의자와 관할 지방검찰청 검사장 또는 지청장에게 송부하여야 한다. 이 경우 공소제기 결정시에는 관할 지방검찰청 검사장 또는 지청장에게 사건기록을 함께 송부하여야 한다(제262조 제5항). 관할 고등법원으로부터 재정결정서를 송부받은 지방검찰청의 검사장(지청장)은 지체 없이 담당검사를 지정하고, 11. 순경 2차, 14. 9급 검찰·마약수사 지정받은 검사는 공소를 제기하여야 한다(제262조 제6항). 14. 9급 검찰·마약수사, 21. 경력채용, 24. 해경경위공채

고등법원의 결정으로 공소제기가 있는 것으로 간주하는 종래의 준기소절차와는 달리 검사가 공소를 제기하므로, 불고불리원칙의 예외가 아니다(공소유지 또한 검사가 행한다는 점에서 종전 지정변호사가 행하는 점과 차이가 있다).

⑨ **비용부담** : 고등법원은 재정신청의 기각결정이나 재정신청의 취소가 있는 경우에는 결정으로 재정신청인에게 신청절차에 의하여 생긴 비용의 전부 또는 일부를 부담하게 할 수 있으며(제262조의 3 제1항), 08. 순경, 10. 순경 1차, 12. 순경 2차, 17. 9급 검찰·마약·교정·보호·철도경찰, 18. 경찰간부, 17·19·22. 경찰승진 법원은 직권 또는 피의자의 신청에 따라 재정신청인에게 피의자가 재정신청절차에서 부담하였거나 부담할 변호인의 선임료 등 비용의 전부 또는 일부의 지급을 명할 수 있다(동조 제2항). 14. 순경 2차, 16. 경찰승진 위의 결정(제1항과 제2항)에 대하여 즉시항고할 수 있다(동조 제3항). 11·13. 경찰승진, 12. 순경 3차·7급 국가직, 19. 경찰간부

재정신청이 이유가 없어 재정신청인에게 소송비용을 부담하도록 하는 경우에도 듣거나 말하는데 장애가 있는 사람을 위한 통역비용 등은 그 부담의 범위에서 제외된다(규칙 제122조의 2 제1호 : 2020.6.26. 개정).

⑩ **재정결정에 대한 불복** : 제2항 제1호의 고등법원의 재정신청기각결정(제262조 제2항 제1호)에 대하여는 제415조에 따른 즉시항고(재항고)를 할 수 있고, 17. 순경 1차 공소제기결정(제262조 제2항 제2호)에 대하여는 불복할 수 없다(제262조 제4항). <2016. 1. 6. 개정> 10. 경찰승진, 12. 순경 1차, 08·17. 9급 법원직, 18·19. 경찰간부

고등법원의 재정결정에 대하여는 불복할 수 없다. (×) 20. 해경

형사절차상 주요불복제도 정리

구분	불복
증거보전청구 기각결정	3일 내에 항고(제184조 제4항)
재정신청기각결정	즉시항고(재항고)(제262조 제4항)
구속영장청구 기각결정	항고 불가(판례)
기피신청기각결정	즉시항고(제23조 제1항)
재심개시결정	즉시항고(제437조)

관련판례

1. 법 제262조 제4항(개정 전)의 "불복할 수 없다."는 부분은, 재정신청 기각결정에 대한 '불복'에 법 제415조의 '재항고'가 포함되는 것으로 해석하는 한, 재정신청인인 청구인들의 재판청구권을 침해하고, 또 법 제415조의 재항고가 허용되는 고등법원의 여타 결정을 받은 사람에 비하여 합리적 이유 없이 재정신청인을 차별취급함으로써 청구인들의 평등권을 침해한다(헌재결 2011.11.24, 2008헌마578). 따라서 제415조에 의한 즉시항고는 가능
   ▶ 위와 같은 헌법재판소 결정이 나온 이후 제415조에 따른 즉시항고 가능 규정이 신설됨(제262조 제4항).
2. 재정신청에 대한 기각결정 또는 공소제기결정에 불복할 수 없으나(제262조 제4항 : 개정 전), 재정신청이 법률상의 방식에 위배되었다는 형식적인 사유로 기각한 경우에는 불복할 수 있다(대결 2011.2.1, 2009모407).
3. 형사소송법 제262조 제2항 · 제4항은 검사의 불기소처분에 따른 재정신청에 대한 법원의 재정신청기각 또는 공소제기의 결정에 불복할 수 없다고 규정(개정 전)하고 있는데, 공소제기결정에 대하여는 법 제415조의 재항고가 허용되지 않는다고 보아야 한다(대결 2012.10.29, 2012모1090). 22. 9급 법원직
4. 재정신청인이 교도소에 수감되어 있는 경우 재정신청기각결정에 대한 재항고의 법정기간 준수 여부는 재항고장을 교도소장에게 제출한 시점을 기준으로 하여 판단할 것이 아니라(재소자 특칙이 적용되지 아니하므로), 재항고장이나 즉시항고장이 법원에 도달한 때를 기준으로 판단하여야 한다(대결 2015.7.16, 2013모2347 전원합의체). 17 · 23. 9급 검찰 · 마약 · 교정 · 보호 · 철도경찰

⑪ **공소시효의 정지** : 재정신청이 있으면 재정결정이 확정될 때까지 공소시효의 진행이 정지된다. 10 · 13. 경찰승진, 17 · 21. 9급 법원직, 18. 순경 2차 신청이 이유가 있어 공소제기결정이 있는 경우에는 공소시효에 관하여 그 결정이 있는 날에 공소제기된 것으로 본다(제262조의 4). 10 · 22. 경찰승진, 12 · 15. 순경 1차, 18. 순경 2차 따라서 검사의 공소제기가 언제 있었느냐와 상관없이 공소시효에 관해서는 법원의 공소제기결정이 있는 날에 공소가 제기된 것으로 본다.

⑫ **공소취소의 제한** : 검사는 고등법원의 공소제기결정에 따라 공소를 제기한 때에는 이를 취소할 수 없다(제264조의 2). 12. 순경 3차, 14 · 16. 9급 교정 · 보호 · 철도경찰, 12 · 17. 경찰승진, 12 · 18. 순경 2차, 19. 순경 1차, 22. 경찰간부, 24. 소방간부

공소취소 이외는 통상 사건의 경우와 같다. 따라서 검사는 공소장을 제출하여야 하며, 공소장변경은 물론 상소를 제기할 수도 있다.

(5) 재정신청사건에 대한 경과 조치

① 2007년 개정법 규정은 이 법 시행(2008. 1. 1) 후 최초로 불기소처분된 사건, 이 법 시행 전에 검찰청법에 따라 항고 또는 재항고를 제기할 수 있는 사건, 이 법 시행 당시 항고 또는 재항고가 계속 중인 사건에 적용한다. 다만, 이 법 시행 전에 동일한 범죄사실에 대하여 이미 불기소처분을 받은 경우에는 그러하지 아니하다(형사소송법 부칙 제5조 제1항).

관련판례

형사소송법(2007. 6. 1. 법률) 부칙 제5조 제1항 단서에서 같은 법 시행 전에 동일한 범죄사실에 대하여 이미 불기소처분을 받은 경우에는 재정신청 관련 개정 규정을 적용하지 아니하도록 한 것이, 고소인인 청구인을 관련 개정 규정이 적용되는 다른 사건의 고소인들과 차별하여 그의 평등권을 침해하는 것은 아니다(헌재결 2009.9.24, 2008헌마255 전원재판부).

② 이 법 시행 전에 지방검찰청 검사장 또는 지청장에게 재정신청서를 제출한 사건은 종전의 규정에 따른다(부칙 동조 제2항).

③ 이 법 시행 전에 재항고할 수 있는 사건의 재정신청기간은 이 법 시행일부터 10일 이내에 대검찰청에 재항고가 계속 중인 사건의 경우에는 재항고기각결정을 통지받은 날로부터 10일 이내로 한다(부칙 동조 제3항).

관련판례

형사소송법 부칙 제5조 제3항 "재항고기각결정을 통지받은 날부터 10일"이라는 기간은 고소인 또는 고발인이 재정신청의 이유를 기재하기에 지나치게 짧아 재판절차진술권이나 재판청구권을 침해할 정도로 볼 수 없다(헌재결 2009.6.25, 2008헌마259 전원재판부).

KEY point

- **재정신청의 대상범죄** : 제한 ×(고발의 경우는 제한)
- **재정신청**
  - 원칙 : 검찰항고전치주의
  - 예외 : 제260조 제2항 각 호
- **관할** : 불기소처분을 한 검사 소속 지방검찰청 소재지를 관할하는 고등법원(신청서는 지방검철청 검사장 또는 지청장에게 제출)
- **고등법원의 심리** : 비공개
- **재정신청의 효력**
  - 공동신청권자 중 1인의 신청 ⇨ 전원에 효력 ○
  - 재정신청 취소 ⇨ 다른 공동신청권자에 효력 ×
- **재정신청**
  - 이유 × ⇨ 기각
  - 이유 ○ ⇨ 공소제기결정
- **재정결정**(기각 / 공소제기) : 기각 ⇨ 즉시항고 가능, 공소제기 ⇨ 불복 ×
- **재정신청기각이 확정된 사건** : 다른 중요한 증거가 발견된 경우가 아니면 공소제기 ×
- **열람 · 등사** : 기록 열람 · 등사 불가(원칙), 증거조사과정에서 작성된 서류(예외)
- **공소시효**
  - 재정신청이 있을 때부터 재정결정이 확정될 때까지 공소시효 정지
  - 공소제기 결정이 있는 경우 공소시효에 관하여 공소제기 결정이 있는 날에 공소가 제기된 것으로 본다.
- **공소제기결정에 의한 공소제기** : 공소취소 ×

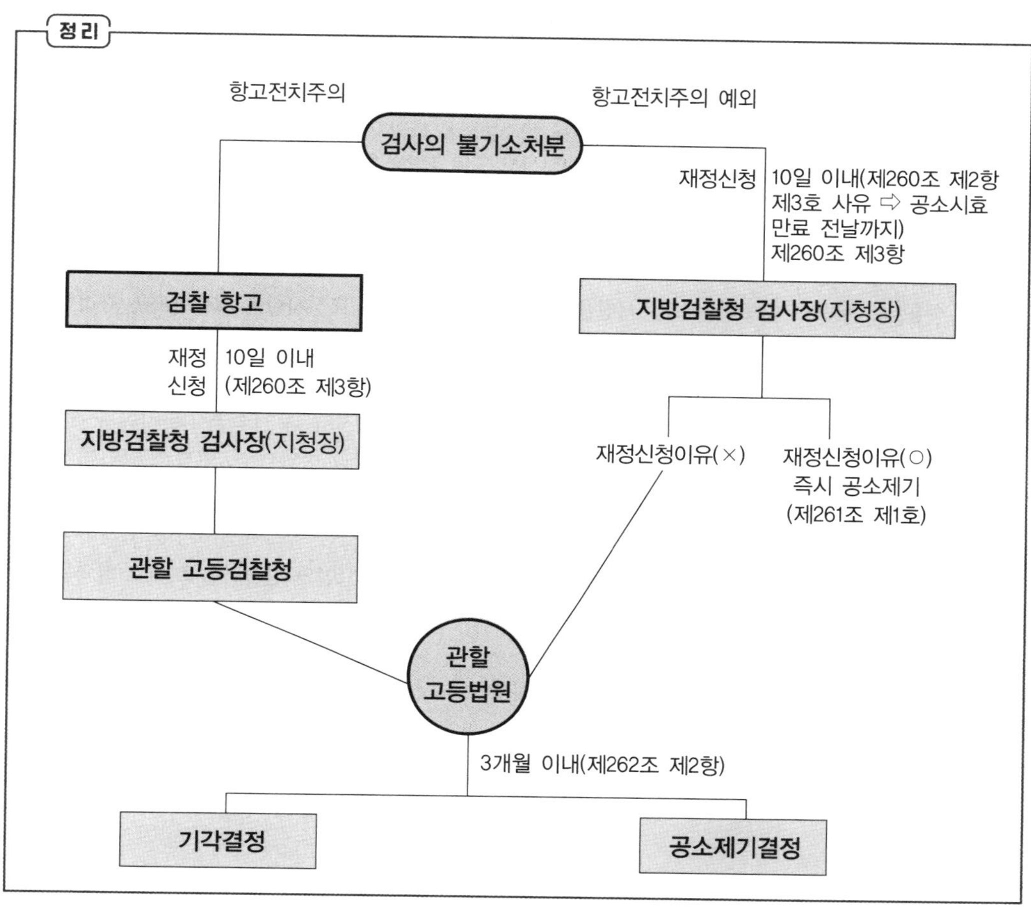

3 헌법소원

(1) 의 의

헌법소원이란 공권력의 행사 또는 불행사로 인하여 헌법상 보장된 기본권을 침해받은 자가 헌법재판소에 권리구제를 청구하는 것을 말한다(헌법 제111조 제1항 제5호, 헌법재판소법 제68조 제1항).

(2) 대 상

검사의 불기소처분은 헌법소원의 대상이 되는데, 협의의 불기소처분과 기소유예, 기소중지 및 참고인중지의 처분도 포함된다. 검사의 공소제기는 법원의 재판을 통한 구제절차가 남아 있고 기본권 침해 여부가 재판을 통하여 판단되기 때문에 헌법소원의 대상이 아니다. 법원의 재판에 대해서는 헌법소원을 청구할 수 없다(헌법재판소법 제68조 제1항 본문).

☞ 재정신청에 의한 고등법원의 재정결정도 재판이므로 헌법소원의 대상이 될 수 없다. 종래에는 제한된 범위 내에서만 고소인은 재정신청을 할 수 있었으므로, 불기소처분에 대한 헌법소원은 헌법재판소에 청구된 헌법소원의 대부분을 차지하고 있었다. 그러나 2007년 개정형사소송법이 재정신청의 대상범죄를 모든 범죄로 확대함에 따라, 이제는 불기소처분에 대한 고소인의 헌법소원은 불가능하게 되었다.

☞ 진정에 따른 내사사건의 내사종결처분은 재정신청 또는 헌법소원의 대상이 아니다. 15. 경찰승진

관련판례

• **헌법소원 대상 ○**

1. 수용자가 밖으로 내보내는 모든 서신을 봉함하지 않은 상태로 교정시설에 제출하도록 규정하고 있는 형의 집행 및 수용자의 처우에 관한 법률 시행령 제65조 제1항은 통신비밀의 자유를 침해하는 것이다(헌재결 2012.2.23, 2009헌마333).
2. 검사가 기소중지처분을 한 사건에 관하여 그 고소인이나 피의자가 그 기소중지의 사유가 해소되었음을 이유로 수사재기신청을 하였는데도 검사가 재기불요결정을 하였다면, 헌법소원의 대상이 되는 공권력의 행사에 해당한다(헌재결 2009.9.24, 2008헌마210).
3. 기소유예처분이란 검사가 공소를 제기함에 충분한 혐의가 있음에도 제반사항을 고려하여 공소를 제기하지 않는다는 내용의 처분이므로 피해자에게 유리한 참고인의 진술만을 토대로 혐의를 인정한 후 타협적으로 기소유예 처분한 것은 청구인의 헌법상 기본권인 평등권, 행복추구권을 침해하였다고 할 것이다(헌재결 2002.10.31, 2002헌마176).
4. '혐의 없음' 처분을 하였어야 함에도 불구하고, '기소유예' 처분을 한 것은 재판청구권과 평등권을 침해한 것이다(헌재결 1996.3.28, 95헌마170 전원재판부).
5. 기소유예처분 자체가 검사가 가지는 소추재량권의 일탈이나 남용에 해당하는 경우에도 헌법소원의 대상이 된다(헌재결 1996.3.28, 95헌마208).

• **헌법소원 대상 ×**

1. 벌금형미납자를 노역장에 유치할 수 있도록 규정한 형법 제69조 제2항 및 제70조가 청구인의 기본권을 직접 침해하지 않아(벌금 등을 납부하면 기본권 제한의 여지가 없으므로) 위 법률조항들에 대한 헌법소원은 부적법하다(헌재결 2012.10.25, 2012헌마107).
2. 형의 집행 및 수용자의 처우에 관한 법률 제32조 제2항, 교도관 직무규칙 제33조 제1항들은 두발을 단정하게 유지하여야 한다는 내용일 뿐이므로, 청구인의 주장과 같은 강제적 두발규제에 의하여 기본권이 제한되려면, 구체적이고 개별적인 집행행위가 매개되어야 한다. 따라서 위 조항들은 기본권침해의 직접성이 인정되지 아니한다(헌재결 2012.4.24, 2010헌마751).
3. 교도소장으로 하여금 수용자가 주고받는 서신에 금지 물품이 들어 있는지를 확인할 수 있도록 규정하고 있는 형의 집행 및 수용자의 처우에 관한 법률 제43조 제3항이 청구인의 기본권을 직접 침해한다고 볼 수는 없다(헌재결 2012.02.23, 2009헌마333).
4. 검사의 불기소처분에 대한 헌법소원에 있어서 그 대상이 된 범죄에 대한 공소시효가 완성되었을 때에는 권리보호의 이익이 없어 헌법소원을 제기할 수 없으며, 불기소처분에 대한 헌법소원에서 그 대상이 된 범죄가 형사소송법 제326조 제1호 소정의 "확정판결이 있은 때"에 해당하는 경우에는 이 사건 피의사실에 대하여 따로 공소를 제기할 수 없으므로, 불기소처분의 취소를 구할 권리보호이익이 인정되지 아니한다(헌재결 2010.5.27, 2010헌마71). 24. 경찰간부

5. 검사는 피고인을 구금하는 사실행위를 행하는 기관이라고 볼 수 없다. 따라서, 검사가 구속피고인을 구속 내지 감금한다는 사실행위는 존재하지 아니하므로, 검사의 구속 내지 감금행위를 심판대상으로 하는 헌법소원심판청구는 부적법하다(헌재결 1997.12.24, 95헌마247).
6. '혐의 없음' 결정이나 '죄가 안됨' 결정 모두 소추장애사유가 있어 기소할 수 없다는 내용의 동일한 처분으로(소추장애가 없음에도 기소하지 않는 기소유예와 본질적으로 다름) 검사가 자신은 '혐의 없음'을 주장하는 형사미성년자인 피의자에 대하여 '죄 안됨' 결정을 하였다고 하여 기본권을 침해하는 공권력행사라고 할 수 없다. 따라서 헌법소원의 대상이 아니다(헌재결 1996.11.28, 93헌마229). 뿐만 아니라 '혐의 없음' 결정을 하지 않고 '공소권 없음'의 결정을 한 것도 헌법소원의 대상이 되지 아니한다(헌재결 2009.5.12, 2009헌마218).
7. 재정신청에 대하여 고등법원의 기각결정 및 그에 대한 대법원의 재항고 기각결정은 법원의 재판에 해당하므로 이에 대한 헌법소원은 인정되지 않는다(헌재결 1994.2.24, 93헌마82).
8. 내사종결처리는 수사기관의 내부적 사건처리 방식에 지나지 아니하므로 헌법소원의 대상이 되지 아니한다(헌재결 1990.12.26, 89헌마277).
   ▶ 피청구인이 청구인으로부터 고소장을 제출받고도 부적법하게 진정사건으로 접수하여 내사종결처분을 하였으므로 내사종결처분은 수사기관의 내부적 사건처리방식에 지나지 않는다고 할 수 없고, 헌법소원의 대상인 공권력의 행사에 해당한다(헌재결 2000.11.30, 2000헌마356 참조).
9. 수사 중인 사건은 특단의 사정이 없는 한 구체적인 공권력의 행사 또는 불행사가 있다고 볼 수 없으므로 헌법소원을 제기할 수 없다(헌재결 1989.9.11, 89헌마169).
10. 수사기관 등에 의한 통신자료 제공요청은 임의수사에 해당하는 것으로, 전기통신사업자가 이에 응하지 아니한 경우에도 어떠한 법적 불이익을 받는다고 볼 수 없다. 따라서 이 사건 통신자료 취득행위는 헌법소원의 대상이 되는 공권력의 행사에 해당하지 않는다(헌재결 2022.7.21, 2016헌마388).

(3) 전제조건

검사의 불기소처분에 대해서 헌법소원을 청구하기 위해서는 ① 헌법상 보장된 자신의 기본권이 직접적 · 현실적으로 침해당하였을 것을 주장해야 하며 ② 다른 법률에 구제절차가 있는 경우에는 그 절차를 모두 마친 경우가 아니면 헌법소원을 청구할 수 없다(다만, 피의자는 헌법재판소에 바로 제기할 수 있다).

관련판례

체포에 대하여는 헌법과 형사소송법이 정한 체포적부심사라는 구제절차가 존재함에도 불구하고, 체포적부심사절차를 거치지 않고 제기된 헌법소원심판청구는 법률이 정한 구제절차를 거치지 않고 제기된 것으로서 보충성의 원칙에 반하여 부적법하다. 한편 체포적부심사절차의 존재를 몰랐다는 점은 정당한 이유 있는 착오라고 볼 수 없다(헌재결 2010.9.30, 2008헌마628).

(4) 청구권자

불기소처분에 대해 헌법소원을 청구할 수 있는 자는 고소하지 아니한 피해자이거나 피의자이다.

피의자에게는 검사의 불기소처분에 대한 불복제도가 마련되어 있지 않기 때문에 바로 헌법소원이 가능

고발인은 사건과 자기관련성이 없어 헌법소원청구권 × 24. 경찰간부

고소한 피해자는 불기소처분의 취소를 구하는 헌법소원심판을 청구할 수 있으나, 고소하지 아니한 피해자 또는 고발인은 헌법소원심판을 청구할 수 없다. (×) 17. 9급 검찰・마약수사

관련판례

• 헌법소원 청구권자 ○

1. 헌법재판소에 의하면 고소하지 않은 범죄피해자도 불기소처분에 대한 헌법소원의 청구인적격은 인정되지만, 고소하지 않은 피해자에 대해 검사의 불기소처분이 기본권 침해를 한 것으로는 볼 수 없다고 하여 헌법소원청구를 기각한 바 있다(헌재결 2003.3.27, 2003헌마21). 역시 아버지가 범죄피해자인 아들을 대신하여 고발한 사건에 대하여 검사가 불기소처분하자 피해자인 아들과 함께 헌법소원을 청구한 경우 아버지의 청구는 형사피해자의 청구가 아니므로 자기관련성이 없어 청구인적격이 부정되나, 범죄피해자인 아들의 청구는 고소한 바 없다 하더라도 청구인적격은 인정되지만 기본권의 침해를 인정할 수 없다 하여 기각하였다(헌재결 2004.11.25, 2004헌마595).
2. 수사기록 열람・등사에 관하여 헌법재판소는 변호인의 열람・등사권이 신체 구속된 피의자・피고인의 변호인의 조력을 받을 권리의 핵심적 내용에 속한다고 보아 변호인에게도 헌법소원청구권을 인정하였다(헌재결 2003.3.27, 2000헌마474).
3. 교통사고로 사망한 사람의 부모는 형사소송법상 고소권자의 지위에 있을 뿐만 아니라, 비록 교통사고처리특례법의 보호법익인 생명의 주체는 아니라고 하더라도, 그 교통사고로 자녀가 사망함으로 인하여 극심한 정신적 고통을 받은 법률상 불이익을 입게 된 자임이 명백하므로, 헌법상 재판절차진술권이 보장되는 형사피해자의 범주에 속한다(헌재결 2002.10.31, 2002헌마453 전원재판부).
4. 기소유예처분을 받은 피의자는 항고나 재항고를 제기할 수 있는 법률의 규정이 없고, 검사에 재기신청을 낸다든지 또는 진정서를 제출하여 검사의 직권발동을 촉구하는 등의 절차는 기소유예처분에 대한 법률이 정한 직접적인 구제절차가 아닐 뿐더러 그 밖에도 달리 다른 법률에 정한 구제절차가 없으므로 기소유예처분에 대하여 직접 헌법소원심판을 청구한 심판청구는 적법하다(헌재결 1992.10.1, 91헌마169 전원재판부).

• 헌법소원 청구권자 ×

1. 청구인이 주식회사의 대표이사일 뿐인 경우에는 주식회사에 대한 범죄행위에 대하여 간접적・사실적 또는 경제적 이해관계가 있을지는 몰라도 법적인 이해관계가 있다고 할 수는 없으므로 청구인의 이 사건 헌법소원심판청구는 자기관련성이 없어 부적법하다. 다만, 범죄의 피해자가 주식회사인 경우에 그 주식회사의 주주도 역시 범죄의 피해자로 볼 수 있기 때문에 청구인이 위 회사의 주주 겸 대표이사인 경우라면 헌법소원심판을 청구할 수 있다(헌재결 1995.5.25, 94헌마100).
2. 고소를 취소한 자는 그 불기소처분에 대한 헌법소원심판을 청구할 수 없다(헌재결 1998.8.27, 97헌마79).

⑸ 청구절차

헌법소원은 그 사유가 있음을 안 날로부터 90일 이내에 그 사유가 있은 날로부터 1년 이내에 청구하여야 한다. 다만, 다른 법률에 의한 구제절차를 거친 헌법소원의 심판은 그 최종결정을 통지받은 날로부터 30일 이내에 청구하여야 한다(헌법재판소법 제69조).

헌법소원청구가 있어도 공소시효 진행정지 ×(헌재결 1993.9.27, 92헌마284)

⑹ 효 과

헌법재판소가 검사의 불기소처분에 대한 헌법소원을 인용한 때에는 피청구인은 결정취지에 따라 새로운 처분을 하여야 한다(동법 제75조 제4항). 다만, 검사의 불기소처분이 기본권침해에 해당할 때 헌법재판소가 어떤 결정주문을 사용해야 하는가에 대하여 헌법재판소는 불기소처분을 취소하는 결정을 할 수 있을 뿐이고 검사에 대해 공소제기를 강제할 수 없다는 견해와 취소결정에 수반하여 검사에게 재수사명령이나 공소제기명령을 할 수 있다는 견해가 대립한다.
이에 관하여 헌법재판소는 검사불기소처분에 대한 헌법소원을 인용한 경우 "검사불기소처분을 취소한다."는 주문형식을 취하고 있다.

관련판례

1. 검사의 불기소처분을 취소하는 헌법재판소의 결정이 있는 때에는 그 결정에 따라 불기소한 사건을 재기하여 수사하는 검사로서는 헌법재판소가 그 결정의 주문 및 이유에서 밝힌 취지에 맞도록 성실히 수사하여 결정하여야 한다(헌재결 1997.7.16, 95헌마290). 03. 7급 검찰
2. 헌법재판소의 결정에 대하여서는 불복신청이 허용될 수 없을 뿐만 아니라, 즉시항고는 헌법재판소법상 인정되지 아니한다(헌재결 1990.10.12, 90헌마170).

KEY point

- **헌법소원** ┌ ○ : 검사불기소처분
  └ × : 공소제기, 재판, 내사종결
- **헌법소원 청구권자 :** 고소하지 않은 피해자(고소인 ×, 고발인 ×), 피의자
  ▶ 고소하지 않은 피해자의 헌법소원 청구인적격 여부 ⇨ 긍정(헌법재판소)
- **헌법소원청구 :** 공소시효 진행정지 ×

불기소처분에 대한 불복제도의 단계별 정리

- **고소사건** : 검찰항고(고등검찰청 검사장) ⇨ 재정신청(고등법원)
- **고발사건**
  ┌ 형법 제123조 ~ 제126조 범죄사건 ⇨ 검찰항고(고등검찰청 검사장) ⇨ 재정신청(고등법원)
  └ 나머지 범죄 ⇨ 검찰항고(고등검찰청 검사장) ⇨ 검찰재항고

CHAPTER

03 기출문제

01 **재정신청에 대한 설명으로 가장 적절하지 않은 것은?**(다툼이 있는 경우 판례에 의함) 22. 경찰승진

① 법원은 재정신청의 기각결정 또는 재정신청의 취소가 있는 경우에는 결정으로 재정신청인에게 신청절차에 의하여 생긴 비용의 전부 또는 일부를 부담하게 할 수 있다.

② 구금 중인 고소인이 재정신청서를 재정신청이 허용되는 기간 내에 교도소장에게 제출하였다면, 재정신청서가 이 기간 내에 불기소 처분을 한 검사가 소속한 지방검찰청 검사장 또는 지청장에게 도달하지 않았더라도 적법한 재정신청서의 제출이라고 할 수 있다.

③ 재정신청이 있으면 재정결정이 확정될 때까지 공소시효의 진행이 정지되고 공소제기결정이 있는 때에는 공소시효에 관하여 그 결정이 있는 날에 공소가 제기된 것으로 본다.

④ 형사소송법 제262조 제4항 후문은 재정신청 기각결정이 확정된 사건에 대하여는 다른 중요한 증거를 발견한 경우를 제외하고는 소추할 수 없다고 규정하고 있는데, 여기에서 '다른 중요한 증거를 발견한 경우'란 재정신청 기각결정 당시에 제출된 증거에 새로 발견된 증거를 추가하면 충분히 유죄의 확신을 가지게 될 정도의 증거가 있는 경우를 말한다.

해설 ① 제262조의 3 제1항

② 재정신청서는 같은 법 제260조 제2항이 정하는 기간 안에 불기소 처분을 한 검사가 소속한 지방검찰청의 검사장 또는 지청장에게 도달하여야 하고, 설령 구금중인 고소인이 재정신청서를 그 기간 안에 교도소장 또는 그 직무를 대리하는 사람에게 제출하였다 하더라도 재정신청서가 위의 기간 안에 불기소 처분을 한 검사가 소속한 지방검찰청의 검사장 또는 지청장에게 도달하지 아니한 이상 이를 적법한 재정신청서의 제출이라고 할 수 없다(대결 1998.12.14, 98모127).

③ 제262조의 4 제1항 · 제2항 ④ 대판 2018.12.28, 2014도17182

02 **재정신청에 관한 다음 설명 중 가장 옳지 않은 것은?**(다툼이 있는 경우 판례에 의하고, 전원합의체 판결의 경우 다수의견에 의함) 22. 9급 법원직

① 검사가 공소시효 만료일 30일 전까지 공소를 제기하지 아니하는 경우에는 검사의 불기소처분에 대한 항고를 거치지 않고도 재정신청을 할 수 있다.

② 법원이 재정신청서를 송부받은 날부터 10일 이내에 피의자에게 그 사실을 통지하지 않았는데 재정신청이 이유 있다고 보아 공소제기결정을 하였고 그에 따라 공소가 제기되어 본안사건의 절차가 개시되었다면, 피고인은 본안사건에서 그와 같은 잘못을 다툴 수 있다.

③ 재정신청은 그에 대한 결정이 있을 때까지 취소할 수 있으나, 이를 취소한 자는 다시 재정신청을 할 수 없다.

④ 재정신청에 따른 공소제기의 결정에 대하여는 형사소송법 제415조의 재항고가 허용되지 않으며, 그러한 재항고가 제기된 경우에 원심법원은 결정으로 이를 기각하여야 한다.

Answer 01. ② 02. ②

해설 ① 제260조 제2항 제3호
② 법원이 재정신청서를 송부받았음에도 송부받은 날부터 형사소송법 제262조 제1항에서 정한 기간 안에 피의자에게 그 사실을 통지하지 아니한 채 형사소송법 제262조 제2항 제2호에서 정한 공소제기결정을 하였더라도, 그에 따른 공소가 제기되어 본안사건의 절차가 개시된 후에는 다른 특별한 사정이 없는 한 본안사건에서 위와 같은 잘못을 다툴 수 없다(대판 2017.3.9, 2013도16162).
③ 제264조 제2항
④ 대결 2012.10.29, 2012모1090

03 재정신청에 대한 설명으로 옳은 것은?

23. 9급 검찰 · 마약 · 교정 · 보호 · 철도경찰

① 법원은 재정신청서를 송부받은 때에는 송부받은 날부터 7일 이내에 피의자에게 그 사실을 통지하여야 하고, 재정신청서를 송부받은 날부터 3개월 이내에 항고의 절차에 준하여 결정한다.
② 검사의 불기소처분은 물론 진정사건에 대한 입건 전 조사(내사) 종결처분도 재정신청의 대상이 된다.
③ 재정신청인이 자기 또는 대리인이 책임질 수 없는 사유로 인하여 재정신청 기각결정에 대한 재항고 제기기간을 준수하지 못한 경우, 형사소송법 제345조(상소권회복청구권자)에 따라 재항고권 회복을 청구할 수 있다.
④ 재정신청의 대상은 검사의 불기소처분이 내려진 모든 범죄(고발의 경우는 대상범죄에 제한이 있음)이며, 불기소처분의 이유는 불문한다. 따라서 기소유예처분에 대해서도 가능하다. 재소자인 재정신청인이 재정신청 기각결정에 불복하여 재항고를 제기하는 경우, 그 제기기간 내에 교도소장이나 구치소장 또는 그 직무를 대리하는 사람에게 재항고장을 제출한 때에 재항고를 한 것으로 간주한다.

해설 ① 법원은 재정신청서를 송부받은 때에는 송부받은 날부터 10일 이내에 피의자에게 그 사실을 통지하여야 하고(제262조 제1항), 재정신청서를 송부받은 날부터 3개월 이내에 항고의 절차에 준하여 결정한다(제262조 제2항).
② 재정신청의 대상은 검사의 불기소처분이 내려진 모든 범죄(고발의 경우는 대상범죄에 제한이 있음)이며, 불기소처분의 이유는 불문한다. 따라서 기소유예처분에 대해서도 가능하다. 그러나 진정사건에 대한 입건 전 조사(내사) 종결처분은 재정신청의 대상이 되지 아니한다(대결 1991.11.5, 91모68).
③ 제339조, 제345조
④ 재정신청 기각결정에 대한 재항고나 그 재항고 기각결정에 대한 즉시항고로서의 재항고에 대한 법정기간의 준수 여부는 도달주의 원칙에 따라 재항고장이나 즉시항고장이 법원에 도달한 시점을 기준으로 판단하여야 하고, 거기에 재소자 피고인 특칙은 준용되지 아니한다(대결 2015.7.16, 2013모2347 전원합의체).

04 재정신청에 대한 설명으로 옳지 않은 것은?

23. 7급 국가직

① 법원이 재정신청 대상사건이 아님에도 이를 간과한 채 형사소송법 제262조 제2항 제2호에 따라 공소제기결정을 하였더라도 그에 따른 공소가 제기되어 본안사건의 절차가 개시된 후에는 다른 특별한 사정이 없는 한 본안사건에서 위와 같은 잘못을 다툴 수 없다.

Answer 03. ③ 04. ③

② 재정신청 기각결정에 대한 재항고나 그 재항고 기각결정에 대한 즉시항고로서의 재항고에 대한 법정기간의 준수 여부는 도달주의 원칙에 따라 재항고장이나 즉시항고장이 법원에 도달한 시점을 기준으로 판단하여야 하고, 거기에 재소자에 대한 특칙(형사소송법 제344조 제1항)은 준용되지 아니한다.

③ 공소를 제기하지 아니하는 검사의 처분의 당부에 관한 재정신청이 있는 경우, 법원은 검사의 무혐의 불기소처분이 위법하면 기소유예의 불기소처분을 할 만한 사건으로 인정되더라도 재정신청을 기각할 수 없다.

④ 형사소송법 제262조 제4항 후문의 '다른 중요한 증거를 발견한 경우'란 재정신청 기각결정 당시에 제출된 증거에 새로 발견된 증거를 추가하면 충분히 유죄의 확신을 가지게 될 정도의 증거가 있는 경우를 말하고, 단순히 재정신청 기각결정의 정당성에 의문이 제기되거나 범죄 피해자의 권리를 보호하기 위하여 형사재판절차를 진행할 필요가 있는 정도의 증거가 있는 경우는 여기에 해당하지 않는다.

해설 ① 대판 2017.11.14, 2017도13465 ② 대결 2015.7.16, 2013모2347 전원합의체
③ 법원은 검사의 무혐의 불기소처분이 위법하다 하더라도 기록에 나타난 여러 가지 사정을 고려하여 기소유예의 불기소처분을 할 만한 사건이라고 인정되는 경우에는 재정신청을 기각할 수 있다(대결 1997.4.22, 97모30).
④ 대판 2018.12.28, 2014도17182

05 **재정신청에 관한 다음 설명 중 가장 옳지 않은 것은?** 24. 9급 법원직

① 고소권자인 고소인 또는 공무원의 일부 직무상 범죄(형법 제123조부터 제126조)에 대한 고발인은 검사로부터 공소를 제기하지 아니한다는 통지를 받은 때에는 그 검사 소속의 지방검찰청 소재지를 관할하는 고등법원에 그 당부에 관한 재정을 신청할 수 있다.

② 재정신청은 서면으로 불기소처분을 한 검사 소속의 지방검찰청 소재지를 관할하는 고등법원에 신청하되, 재정신청서는 그 검사가 소속한 지방검찰청 검사장 또는 지청장에게 제출하여야 한다.

③ 법원은 재정신청서를 송부받은 때에는 송부받은 날부터 10일 이내에 피의자에게 그 사실을 통지하여야 하며, 3개월 이내에 항고의 절차에 준하여 결정하여야 하나, 3개월의 처리기간은 훈시기간에 해당한다.

④ 재정신청서에 재정신청을 이유 있게 하는 사유가 기재되어 있지 않음에도 이를 간과한 채 공소제기결정을 하였다면, 본안 사건 재판부는 원칙적으로 공소제기의 절차가 법률에 위반되어 무효인 경우에 해당함을 이유로 공소기각판결을 하여야 한다.

해설 ① 제260조 제1항 ② 제260조 제3항 ③ 제262조 제1항 · 제2항; 대결 1990.12.13, 90모58
④ 법원이 재정신청서에 재정신청을 이유 있게 하는 사유가 기재되어 있지 않음에도 이를 간과한 채 형사소송법 제262조 제2항 제2호 소정의 공소제기결정을 한 관계로 그에 따른 공소가 제기되어 본안사건의 절차가 개시된 후에는, 다른 특별한 사정이 없는 한 이제 그 본안사건에서 위와 같은 잘못을 다툴 수 없다(대판 2010.11.11, 2009도224).

Answer 05. ④

제3절 공소제기 후의 수사

1 의의 및 필요성

수사결과 검사가 피의자의 혐의를 인정하고 공소를 제기하면 수사는 원칙적으로 종결된다. 그러나 공소제기 후에도 공소유지를 위하여 또는 공소유지 여부를 결정하기 위한 수사의 필요성은 여전히 존재한다. 그렇다고 공소제기 이후의 수사를 무제한으로 허용할 수는 없다. 17. 수사경과 법원의 심리에 지장을 줄 수 있을 뿐 아니라 피고인의 당사자적 지위에 위협을 초래할 우려가 있기 때문이다. 따라서 공소제기 이후의 수사허용 범위가 문제된다.

2 공소제기 후의 강제수사

(1) 피고인구속

공소제기 후의 피고인구속은 법원의 권한에 속한다(제70조). 따라서 피고인의 구속상태를 계속 유지할 것인지의 여부에 대한 판단은 전적으로 당해 수소법원의 전권에 속한다. 17 · 19. 경찰승진 공판절차에서 피고인은 검사와 대등한 지위를 가지는 당사자이므로 수사기관이 피고인을 구속할 수 없다는 점에 대하여는 의문의 여지가 없다. 21. 경찰승진 따라서 법원이 피고인에 대하여 구속영장을 발부하는 경우 검사의 신청을 필요로 하지 않는다(대결 1996.8.12, 96모46). 14. 경찰승진

☎ 공소제기 후에 수사기관은 피고사건에 관하여 수소법원이 아닌 지방법원 판사로부터 구속영장을 발부받아 피고인을 구속할 수 없다(대판 2011.4.28, 2009도1042). 17. 7급 국가직, 22. 해경승진

(2) 압수 · 수색 · 검증

공소제기 후에 수사기관이 수소법원과는 별개로 압수 · 수색 · 검증을 할 수 없다고 봄이 다수설이다(단, 임의제출물의 압수, 피고인 구속영장 집행과정에서 압수 · 수색 · 검증은 무방). 17. 7급 국가직, 17 · 19. 경찰승진, 21. 순경 2차 · 9급 검찰 · 마약 · 교정 · 보호 · 철도경찰

☎ 공소제기 후의 압수 · 수색은 법원의 권한에 속하므로 형사소송법에는 공소제기 후의 수사기관의 압수 · 수색 영장청구에 관한 규정이 존재하지 않는다. 14. 경찰승진, 18. 수사경과

☎ 공소제기 후 제3자가 임의로 제출하는 피고사건에 대한 증거물을 수사기관이 압수하는 것은 위법하다. (×) 19. 경찰승진

☎ 검사가 공소제기 후 수소법원 이외의 지방법원 판사에게 청구하여 발부받은 영장에 의하여 압수 · 수색을 하였다면, 유죄의 증거로 삼을 수 없다(대판 2011.4.28, 2009도10412). 21. 순경 2차 · 9급 검찰 · 마약 · 교정 · 보호 · 철도경찰, 23. 경찰승진

3 공소제기 후의 임의수사

(1) 피고인신문

공소제기 후에 수사기관이 피고인을 신문할 수 있는가에 대하여 적극설(판례)과 소극설(다수설)의 대립이 있다.

관련판례

검사 작성의 피고인에 대한 진술조서가 공소제기 이후에 작성된 것이라는 이유만으로는 증거능력이 없다고 할 수는 없다(대판 1984.9.25, 84도1646). 13·21. 9급 검찰·마약·교정·보호·철도경찰, 18. 수사경과, 21. 순경 2차, 16·17·19·21·23. 경찰승진

임의수사라면 기소 후에 피고인에 대한 조사도 가능하지만 실무상 이 경우에는 피의자신문이 아닌 참고인 진술의 형태로 하고 있다(검찰사건사무규칙 제38조 제2항). 16. 경찰간부

구속 기소한 이후, 재차 소환하여 신문을 하면서 피의자신문조서의 형식이 아니라 일반적인 진술조서의 형식을 취하였다고 하더라도 그 내용은 피의자의 진술을 기재한 피의자신문조서와 실질적으로 같다 할 것이므로, 미리 진술거부권이 있음을 고지한 사실을 인정할 만한 아무런 자료가 없다면 진술의 임의성이 인정되는 경우라도 위법하게 수집된 증거로서 증거능력이 없다(대판 2009.8.20, 2008도8213).

(2) 기타 임의수사

공소제기 후의 임의수사는 원칙적으로 허용된다. 그러므로 참고인조사, 감정, 통역 또는 번역의 위촉(제221조)과 공무소에의 조회(제199조 제2항)와 같은 임의수사는 제1회 공판기일 전후를 불문하고 허용된다고 해야 한다. 그러나 임의수사라고 하여 무제한으로 허용되는 것은 아니다.

관련판례

공판준비 또는 공판기일에서 이미 증언을 마친 증인을 검사가 소환한 후 피고인에게 유리한 그 증언 내용을 추궁하여 이를 일방적으로 번복시키는 방식으로 작성한 진술조서를 유죄의 증거로 삼는 것은 당사자주의·공판중심주의·직접주의를 지향하는 현행 형사소송법의 소송구조에 어긋나는 것일 뿐만 아니라, 헌법 제27조가 보장하는 기본권, 즉 법관의 면전에서 모든 증거자료가 조사·진술되고 이에 대하여 피고인이 공격·방어할 수 있는 기회가 실질적으로 부여되는 재판을 받을 권리를 침해하는 것이므로, 이러한 진술조서는 피고인이 증거로 할 수 있음에 동의하지 아니하는 한 그 증거능력이 없다고 하여야 할 것이고, 그 후 원진술자인 종전 증인이 다시 법정에 출석하여 증언을 하면서 그 진술조서의 성립의 진정함을 인정하고 피고인측에 반대신문의 기회가 부여되었다고 하더라도 그 증언 자체를 유죄의 증거로 할 수 있음은 별론으로 하고 위와 같은 진술조서의 증거능력이 없다(대판 2000.6.15, 99도1108 전원합의체). 13. 경찰간부·9급 검찰·교정·보호·철도경찰, 14·16·17. 경찰승진, 10·17. 7급 국가직, 18. 수사경과, 22. 해경승진

피고인에게 유리한 증언을 한 증인을 수사기관이 법정 외에서 다시 참고인으로 조사하면서 그 증언을 번복하게 하여 작성한 참고인 진술조서는 피고인이 동의하더라도 증거로 사용할 수 없다. (×) 17. 7급 국가직

▶ **유사판례**

① 제1심에서 피고인에 대하여 무죄판결이 선고되어 검사가 항소한 후, 수사기관이 항소심 공판기일에 증인으로 신청하여 신문할 수 있는 사람을 특별한 사정 없이 미리 수사기관에 소환하여 작성한 진술조서는 피고인이 증거로 할 수 있음에 동의하지 않는 한 증거능력이 없다. 위 참고인이 나중에 법정에 증인으로 출석하여 위 진술조서의 성립의 진정을 인정하고 피고인 측에 반대신문의 기회가 부여된다 하더라도 위 진술조서의 증거능력을 인정할 수 없음은 마찬가지이다(대판 2019.11.28, 2013도6825). 23. 경찰승진

② 공판준비 또는 공판기일에서 이미 증언을 마친 증인을 검사가 소환한 후 피고인에게 유리한 그 증언 내용을 추궁하여 이를 일방적으로 번복시키는 방식으로 작성한 진술조서는 피고인이 증거로 할 수 있음에 동의하지 아니하는 한 증거능력이 없고, 그 후 원진술자인 종전 증인이 다시 법정에 출석하여 증언을 하면서 그 진술조서의 성립의 진정함을 인정하고 피고인 측에 반대신문의 기회가 부여되었다고 하더라도 그 증언 자체를 유죄의 증거로 할 수 있음은 별론으로 하고 위와 같은 진술조서의 증거능력이 없다는 결론은 달리할 것이 아니다. 이는 검사가 공판준비 또는 공판기일에서 이미 증언을 마친 증인에게 수사기관에 출석할 것을 요구하여 그 증인을 상대로 위증의 혐의를 조사한 내용을 담은 피의자신문조서의 경우도 마찬가지이다(**대판** 2013.8.14, 2012도13665). 14. 9급 법원직

CHAPTER 03

기출문제

01 **공소제기 후의 수사에 관한 설명으로 가장 적절하지 않은 것은?**(다툼이 있는 경우 판례에 의함)

21. 순경 2차

① 검사가 공소제기 후 형사소송법 제215조에 따라 수소법원이외의 지방법원 판사에게 청구하여 발부받은 영장에 의하여 압수·수색을 하였다면, 이는 적법한 절차에 따르지 않은 것으로서 원칙적으로 유죄의 증거로 삼을 수 없다.

② 검사작성의 피고인에 대한 진술조서가 공소제기 후에 작성된 것이라는 이유만으로는 곧 그 증거능력이 없다고 할 수 없다.

③ 검사 또는 사법경찰관이 피고인에 대한 구속영장을 집행하는 경우에 필요한 때에는 그 집행현장에서 영장 없이 압수, 수색, 검증을 할 수 있다.

④ 제1심에서 피고인에 대하여 무죄판결이 선고되어 검사가 항소한 후 수사기관이 항소심 공판기일에 증인으로 신청하여 신문할 수 있는 사람을 특별한 사정 없이 미리 수사기관에 소환하여 작성한 진술조서는 피고인이 증거로 할 수 있음에 동의하지 않는 한 증거능력이 없다. 그러나 그 참고인이 나중에 법정에 증인으로 출석하여 진술조서의 성립의 진정을 인정하고 피고인 측에 반대신문의 기회가 부여되면 그 진술조서를 증거로 할 수 있다.

해설 ① 대판 2011.4.28, 2009도10412 ② 대판 1984.9.25, 84도1646 ③ 제216조 제2항
④ 제1심에서 피고인에 대하여 무죄판결이 선고되어 검사가 항소한 후 수사기관이 항소심 공판기일에 증인으로 신청하여 신문할 수 있는 사람을 특별한 사정 없이 미리 수사기관에 소환하여 작성한 진술조서는 피고인이 증거로 할 수 있음에 동의하지 않는 한 증거능력이 없다. 위 참고인이 나중에 법정에 증인으로 출석하여 위 진술조서의 성립의 진정을 인정하고 피고인 측에 반대신문의 기회가 부여된다 하더라도 위 진술조서의 증거능력을 인정할 수 없음은 마찬가지이다(대판 2019.11.28, 2013도6825).

02 **다음 중 공소제기 후 수사에 관한 내용으로 옳은 것은 모두 몇 개인가?**(다툼이 있는 경우 판례에 따름)

22. 해경승진

㉠ 공소제기된 피고인의 구속상태를 계속 유지할 것인지 여부에 관한 판단은 전적으로 당해 수소법원의 전권에 속한다.
㉡ 공소제기 후에도 수사기관은 피고사건에 관하여 수소법원이 아닌 지방법원 판사로부터 구속영장을 발부받아 피고인을 구속할 수 있다.
㉢ 피고인에게 유리한 증언을 한 증인을 수사기관이 법정 외에서 다시 참고인으로 조사하면서 그 증언을 번복하게 하여 작성한 참고인 진술조서는 피고인이 동의하더라도 증거로 사용할 수 없다.
㉣ 검사는 공소를 제기한 피고사건에 대하여 판결이 확정될 때까지 그 공소를 취소할 수 있다.

Answer 01. ④ 02. ②

① 없 음　　② 1개　　③ 2개　　④ 3개

해설 ㉠ ○ : 대결 1997.11.27, 97모88
㉡ × : 공소가 제기된 후에는 그 피고사건에 관하여 검사로서는 법 제215조에 의하여 압수·수색을 할 수 없다고 보아야 하며, 그럼에도 검사가 공소제기 후 법 제215조에 따라 수소법원 이외의 지방법원 판사에게 청구하여 발부받은 영장에 의하여 압수·수색을 하였다면, 그와 같이 수집된 증거는 기본적 인권 보장을 위해 마련된 적법한 절차에 따르지 않은 것으로서 원칙적으로 유죄의 증거로 삼을 수 없다(대판 2011.4.28, 2009도10412).
㉢ × : 피고인이 동의를 한 경우라면 증거로 사용할 수 있다(대판 2000.6.15, 99도1108 전원합의체).
㉣ × : 공소는 제1심판결의 선고 전까지 취소할 수 있다(제255조 제1항).

03 **공소제기 후의 수사에 대한 설명으로 가장 적절한 것은?**(다툼이 있는 경우 판례에 의함) 23. 경찰승진

① 검사가 공소제기 후 형사소송법 제215조에 따라 수소법원 이외의 지방법원 판사에게 청구하여 발부받은 영장에 의하여 압수·수색을 하였다면, 원칙적으로 유죄의 증거로 삼을 수 있다.
② 형사소송법 제215조는 검사가 압수·수색 영장을 청구할 수 있는 시기를 공소제기 전으로 명시적으로 한정하고 있다.
③ 제1심에서 피고인에 대하여 무죄판결이 선고되어 검사가 항소한 후 수사기관이 항소심 공판기일에 증인으로 신청하여 신문할 수 있는 사람을 특별한 사정 없이 미리 수사기관에 소환하여 작성한 진술조서는 피고인이 증거로 할 수 있음에 동의하지 않는 한 증거능력이 없지만, 참고인이 나중에 법정에 증인으로 출석하여 진술조서의 성립의 진정을 인정하고 피고인측에 반대신문의 기회가 부여된 경우에는 그 진술조서를 증거로 할 수 있다.
④ 검사작성의 피고인에 대한 진술조서가 공소제기 후에 작성된 것이라는 이유만으로는 곧 그 증거능력이 없다고 할 수 없다.

해설 ① 검사가 공소제기 후 형사소송법 제215조에 따라 수소법원이외의 지방법원 판사에게 청구하여 발부받은 영장에 의하여 압수·수색을 하였다면, 원칙적으로 유죄의 증거로 삼을 수 없다(대판 2011.4.28, 2009도10412).
② 형사소송법 제215조는 검사가 압수·수색 영장을 청구할 수 있는 시기를 공소제기 전으로 명시적으로 한정하고 있지 않다.
③ 제1심에서 피고인에 대하여 무죄판결이 선고되어 검사가 항소한 후, 수사기관이 항소심 공판기일에 증인으로 신청하여 신문할 수 있는 사람을 특별한 사정 없이 미리 수사기관에 소환하여 작성한 진술조서는 피고인이 증거로 할 수 있음에 동의하지 않는 한 증거능력이 없다. 위 참고인이 나중에 법정에 증인으로 출석하여 위 진술조서의 성립의 진정을 인정하고 피고인 측에 반대신문의 기회가 부여된다 하더라도 위 진술조서의 증거능력을 인정할 수 없음은 마찬가지이다(대판 2019.11.28, 2013도6825).
④ 대판 1984.9.25, 84도1646

Answer 03. ④

CHAPTER 04

공소의 제기

단원 advice

공소취소, 공소사실의 특정과 관련한 판례, 공소장일본주의, 공소제기의 효과, 공소시효(특히 중요) 등은 출제가 잘 되는 분야이다.

제1절 공소 및 공소권

1 공소의 제기

수사절차는 검사의 공소제기에 의하여 공판절차로 넘어가게 된다. 따라서 공소제기는 수사의 종결과 심판의 개시라는 이중적 의미를 가진다고 할 수 있다. 공소제기는 수소법원이 사건에 대하여 심판을 할 수 있는 권한을 발생시키며(불고불리의 원칙), 피의자로부터 피고인의 신분으로 변화시키는 등 형사절차상 매우 중요한 의미를 가지는 소송행위이다.

2 공소권남용이론

(1) **의 의**

공소권남용이란 형식적으로는 적법한 공소제기가 이루어졌으나 실질적으로는 공소권행사가 재량범위를 일탈한 경우를 말한다. 공소권남용이 있는 경우에 공소기각재판이나 면소판결과 같은 형식재판으로 소송을 종결시켜야 한다는 이론을 공소권남용이론이라 한다.

이는 형식재판으로 조기에 피고인을 해방시키고 검사의 부당한 공소권행사를 통제하자는 목적에서 주장된 이론으로서, 판례는 긍정하는 입장에 있다.

관련판례

1. 공소장에 공소범죄사실 이외의 사실을 불필요하게 자세하게 기재하였다고 하여도 공소권을 남용한 것이라고는 할 수 없고, 공소사실이 아닌 부분을 적시하였다고 하여 위법이라고 할 수 없다(대판 1988.11.8, 88도1630). 14. 경찰승진
2. 공소제기된 피고인의 범죄사실 중 일부에 대하여 검사의 일차 무혐의결정이 있었고, 이에 대하여 그 고소인이 항고 등 아무런 이의를 제기하지 않고 있다가 그로부터 약 3년이 지난 뒤에야 뒤늦게 다시 피고인을 동일한 혐의로 고소함에 따라, 검사가 새로이 수사를 재기하게 된 것이라 하더라도, 검사가 그 수사결과에 터잡아 재량권을 행사하여 공소를 제기한 것은 적법하다고 아니할 수 없으며, 이를 가리켜 공소권을 남용한 경우라고 볼 수 없다(대판 1995.3.10, 94도2598). 10. 경찰승진
3. 검사가 자의적으로 공소권을 행사하여 피고인에게 실질적으로 불이익을 줌으로써 소추재량권을 현저히 일탈하였다고 보여지는 경우에는 이를 공소권남용으로 보아 공소제기의 효력을 부인할 수 있다(대판 2004.4.27, 2004도482).

4. 검사가 공소를 제기한 후 공소장을 2회에 걸쳐 변경한 것이 피고인의 방어권 행사에 불이익이나 곤란을 주기 위한 것이 아니라고 판단한 것은 정당하고, 거기에 공소권남용에 관한 법리를 오해한 잘못이 없다(대판 1995.9.15, 94도3336).
5. 검사가 사기죄에 대하여 약식명령의 청구를 한 다음, 피고인이 약식명령의 고지를 받고 정식재판의 청구를 하여 그 사건이 제1심법원에 계속 중일 때, 사기죄의 수단의 일부로 범한 사문서위조 및 동행사죄에 대하여 추가로 공소를 제기하였더라도, 일사부재리의 원칙에 위반되거나, 공소권을 남용한 것으로서 공소제기의 절차가 법률의 규정에 위반하여 무효인 때에 해당한다고 볼 수 없다(대판 1990.2.23, 89도2102).
6. 피고인이 배우자인 피해자에게 상해를 가하였다는 범죄사실로 가정폭력범죄의 처벌 등에 관한 특례법 제37조 제1항 제1호에 의거 불처분결정을 하여 확정되었다. 그 후 피해자가 피고인을 다시 고소하자, 검사가 같은 범죄사실에 대하여 공소를 제기하였다거나 법원이 이에 대하여 유죄판결을 선고하였다고 하더라도 이중처벌금지의 원칙 내지 일사부재리의 원칙에 위배된다고 할 수 없다. 다만, 가정보호사건의 확정된 불처분결정의 효력을 뒤집을 특별한 사정이 없음에도 불구하고 이 사건 공소제기가 단지 고소인의 개인적 감정에 영합하거나 이혼소송에서 유리한 결과를 얻게 할 의도만으로 이루어진 것이라면 이러한 조치는 공소권의 남용으로서 위법한 것으로 볼 수 있다(대판 2017.8.23, 2016도5423).

(2) 공소권남용의 유형별 고찰

공소권남용에 해당하는 유형들에 대한 해결방안을 검토하기로 한다.

① **혐의 없는 사건의 공소제기** : 범죄의 객관적 혐의가 없음에도 불구하고 검사가 공소제기를 한 경우 법원은 어떠한 재판을 하여야 하느냐에 관하여 공소기각설과 무죄판결설(다수설)의 대립이 있다. 혐의 없는 경우는 공소기각 재판사유(제327조, 제328조)에 해당하지 않을 뿐 아니라, 무죄판결을 하게 되면 일사부재리의 효력이 발생하여 결코 피고인에게 불리하지 않다 할 것이므로 다수설이 타당하다. 공소권남용이론을 긍정하게 되면 공소기각설에 따르게 될 것이다.

② **소추재량을 일탈한 공소제기** : 기소유예처분을 함이 상당한 사건을 검사가 공소제기한 경우에 대하여 공소기각설과 면소판결설 및 유죄판결설의 대립이 있다.

관련판례

검사는 종전에 기소유예 처분을 하였다가 4년여가 지난 시점에 다시 기소하였고, 종전 피의사실과 공소사실 사이에 이를 번복할 만한 사정변경이 없는 점 등 여러 사정을 종합하면, 위 공소제기는 검사가 공소권을 자의적으로 행사한 것으로서 소추재량권을 현저히 일탈하였다고 보아 제327조 제2호에 따라 공소를 기각한 판결은 정당하다(대판 2021.10.14, 2016도14772). 22 · 24. 7급 국가직

③ **선별적 공소제기** : 범죄의 성질과 내용이 비슷한 여러 피의자들 가운데 일부만을 선별하여 공소제기하고 나머지는 기소유예 또는 무혐의 처리하는 경우에 공소기각판결설과 유무죄의 실체판결설(다수설)의 대립이 있다.
현행법이 기소편의주의를 채택하고 있는 점에서 볼 때 다수설이 타당하다 하겠다.

관련판례

1. 동일한 범죄구성요건에 해당하는 행위를 한 공동피의자 중 일부만을 기소하고 다른 일부에 대해서는 불기소처분을 하였다고 할지라도 평등권을 침해한 차별적 공소제기로 볼 수 없어 검사가 공소권을 남용하여 공소를 제기한 것이 아니다(대판 1990.6.8, 90도646). 05. 순경
2. 하나의 행위가 여러 범죄의 구성요건을 동시에 충족하는 경우 공소제기권자는 자의적으로 공소권을 행사하여 소추 재량을 현저히 벗어났다는 등의 특별한 사정이 없는 한 증명의 난이 등 여러 사정을 고려하여 그중 일부 범죄에 관해서만 공소를 제기할 수도 있다(대판 2017.12.5, 2017도13458). 21. 7급 국가직

   ▶ **유사판례** : 하나의 행위가 부작위범인 직무유기죄와 작위범인 범인도피죄의 구성요건을 동시에 충족하는 경우 공소제기권자는 재량에 의하여 작위범인 범인도피죄로 공소를 제기하지 않고 부작위범인 직무유기죄로만 공소를 제기할 수도 있다(대판 1999.11.26, 99도1904).

④ **위법수사에 따른 공소제기** : 위법한 수사절차였음에도 불구하고 검사가 공소제기하는 것이 공소권남용에 해당하는지에 대하여 견해가 나누어지나 대법원은 "증거를 배제할 이유는 될지언정 공소제기절차 자체가 위법하여 무효는 아니다."라고 판시하였다.

관련판례

불법연행 등 위법사유가 사실이라고 하더라도 그 위법한 절차에 의하여 수집된 증거를 배제할 이유는 될지언정 공소제기의 절차자체가 위법하여 무효인 경우에 해당한다고 볼 수 없다(대판 1990.9.25, 90도1586). 23. 9급 검찰 · 마약수사 ▶ 그러나 위법한 함정수사 ⇨ 공소제기 무효(대판 2005.10.28, 2005도1247) ∴ 공소기각판결

⑤ **누락 공소제기** : 누락기소라 함은 검사가 실체적 경합관계에 있고 동시에 기소해야 할 사건 가운데 일부를 누락시켜 먼저 기소한 사건에 대하여 항소심판결이 선고된 후에 누락된 사건을 다시 기소하는 것을 말한다. 피고인의 입장에서는 검사의 누락기소로 인해 병합심리를 통한 양형의 혜택을 받을 수 없게 되었으므로 공소권남용을 인정하여 형식재판으로 절차를 종료할 수 있는지가 문제된다. 대법원은 검사가 자의적으로 공소권을 행사하여 피고인에게 실질적인 불이익을 줌으로써 소추재량권을 현저히 일탈하였다고 보여지는 경우에 공소권남용을 인정하여 공소제기의 효력을 부인할 수 있다고 하면서 단순히 직무상 과실로는 부족하고 적어도 미필적 고의가 있어야 한다고 판시하고 있다.

관련판례

1. 검사가 자의적으로 공소권을 행사하여 피고인에게 실질적인 불이익을 줌으로써 소추재량권을 현저히 일탈하였다고 보여지는 경우에 이를 공소권의 남용으로 보아 공소제기의 효력을 부인할 수 있는 것이고, 여기서 자의적인 공소권의 행사라 함은 단순히 직무상의 과실에 의한 것만으로는 부족하고 적어도 미필적이나마 어떤 의도가 있어야 한다(대판 1999.12.10, 99도577). 06. 9급 법원직, 10 · 14. 경찰승진, 20. 7급 국가직, 23. 9급 검찰 · 마약수사

2. 검사가 여러 범죄행위를 일괄 기소하지 아니하고 수사진행 상황에 따라 여러 번에 걸쳐 분리기소한 경우, 소추재량권의 일탈로 볼 수 없다(대판 2007.12.27, 2007도5313). 10 · 14. 경찰승진
3. 피고인이 절취한 차량을 무면허로 운전하다가 적발되어 절도범행의 기소중지자로 검거되었음에도 무면허운전의 범행만이 기소되어 유죄의 확정판결을 받고 그 형의 집행 중 가석방되면서 다시 그 절도범행의 기소중지자로 긴급체포되어 절도범행과 이미 처벌받은 무면허운전의 일부 범행까지 포함하여 기소된 경우 형을 복역하다가 가석방된 사실을 알고 있었음에도 종전사건의 내용을 확인하지도 아니한 채 기소한 것은 공소권남용에 해당한다(대판 2001.9.7, 2001도3026). 05. 순경, 09. 경찰승진
4. 공소가 종전사건의 항소심 판결 선고 전에 제기되지 아니하여 피고인이 관련사건과 병합하여 재판을 받지 못하게 된 불이익을 받게 되었다고 하더라도, 그것이 검사가 자의적으로 공소권을 행사하여 소추재량권을 현저히 일탈한 위법으로 인한 것으로는 볼 수 없다면, 그 공소가 공소권을 남용하여 제기된 것이라고는 볼 수 없다(대판 1998.7.10, 98도1273).
5. 1인이 범한 다수의 범죄사실 중 그 일부에 대하여 먼저 기소한 결과 형이 분리되어 확정되었다고 하여 그 공소제기가 절차상 위법하다고 볼 수 없다(대판 1998.4.24, 98도248).
6. 검사의 기소가 증거확보 때문에 늦어져 관련 사건에 대한 항소심 판결이 선고된 후에야 공소제기가 이루어진 경우, 검사의 공소권남용이라고 볼 수 없다(대판 1996.9.24, 96도1730).

KEY point

- 공소권남용이론 ⇨ 부당기소 통제이론(부적법한 공소제기는 공소권남용 ×)
- ┌ 자의적인 공소권행사로 소추재량권 현저한 일탈(최소한 미필적 의도 필요) ⇨ 공소권 남용 ○
  └ 단순한 직무상 과실에 의한 공소제기 ⇨ 공소권 남용 ×

제2절 공소제기

1 공소제기의 기본원칙

(1) 국가소추주의

형사소송법 제246조는 "공소는 검사가 제기하여 수행한다."라고 규정함으로써 국가소추주의를 선언하고 있다.

(2) 기소독점주의

① **의의** : 국가기관 중에서 검사만이 공소를 제기하고 수행할 권한을 갖는 것을 기소독점주의라 하며, 형사소송법 제246조는 국가소추주의와 함께 기소독점주의를 규정하고 있다.

기소독점주의의 장 · 단점

1. **장점** : 공소권 행사의 공정성 보장
2. **단점** : 검사의 자의와 독선 우려

② **기소독점주의에 대한 규제** : 기소독점주의가 검사동일체 원칙 및 기소편의주의와 결합한 때에는 검사의 권한이 강대해지는 폐단이 있다. 이러한 기소독점주의의 폐단을 막기 위해 현행법은 다음과 같은 법적 규제를 가하고 있다.

㉠ **재정신청절차** : 고소사건의 범죄에 대하여 불기소처분이 있는 때에 고소인은 법원에 재정신청을 할 수 있는바, 재정신청이 받아들여진 경우에는 고등법원은 공소제기결정을 한다.

㉡ **불기소처분에 대한 항고제도** : 검찰청법상 불기소처분에 대한 항고(검찰항고)도 이론적으로는 기소독점주의를 규제하는 제도이다. 그러나 검사동일체원칙이 지배하는 검찰사회에서 하급검찰이 행한 불기소처분을 상급검찰이 시정하는 자기 모순적 태도를 기대하기는 무리라 생각된다.

㉢ **불기소처분의 고지제도** : 고소・고발인에게 불기소처분의 취지를 통지하게 하고(제258조) 청구가 있는 때에는 그 이유를 설명할 것을 요구하는 것(제259조)은 재정신청이나 항고의 기초를 제공하고 검사의 불기소처분의 투명성을 확보해 줌으로써 검사의 공소권행사를 심리적으로 견제하는 의미를 지닌다.

㉣ **헌법소원** : 불기소처분이 적절하지 못한 경우 헌법재판소에 헌법소원을 제기할 수 있도록 한 제도는 기소독점주의를 규제하는 의미가 있다.

㉤ **기타** : 친고죄나 반의사불벌죄를 인정함으로써 간접적으로 기소독점주의의 경직성에 대처하고 있다.

③ **기소독점주의의 예외**

㉠ **경찰서장의 즉결심판청구** : 즉결심판청구권자가 검사가 아니라 경찰서장이므로 즉결심판의 청구도 기소독점주의의 예외가 된다. 13. 경찰간부

㉡ **법정경찰권에 의한 제재** : 법정경찰권에 의한 감치나 과태료의 부과(법원조직법 제61조 제1항)도 검사의 소추 없이 법원의 직권으로 이루어지는 것이나 이는 형벌이 아니라 질서벌의 성질을 가지므로 형벌을 전제로 하는 기소독점주의에 대한 예외로 보기는 어렵다.

㉢ **공수처검사의 공소제기** : 종래에는 검찰청법상 검사만이 기소권을 독점하고 있었으나, 이제는 판사・검사・경무관급 이상 경찰의 부패범죄에 대하여 공수처검사가 기소권을 가지게 되었다(공수처법 제20조 제1항, 제3조 제1항 제2호).

(3) 기소편의주의

① **서 설**

㉠ **의의** : 기소편의주의란 범죄의 혐의가 존재하고 소송조건을 갖추고 있음에도 검사의 재량으로 불기소처분을 할 수 있도록 하는 제도를 말하며, 현행 형사소송법 제247조에서 이를 채택하고 있다.

기소법정주의

범죄의 혐의가 충분하고 소송조건을 갖추고 있는 경우에는 검사는 반드시 공소를 제기하여야 한다는 원칙 (기소법정주의 원칙 채택국가 : 독일)

㉡ **기소편의주의 · 기소법정주의의 장 · 단점**

구 분	기소편의주의	기소법정주의
장 점	• 형사사법의 탄력적 운용으로 구체적 정의실현에 기여 • 피의자의 조속한 해방과 효율적인 형사사법의 운용으로 일반예방·특별예방에 기여 • 불필요한 기소억제로 소송경제에 기여	• 검사의 자의개입 배제 • 정치적 영향 배제 • 법적 안정성 유지
단 점	• 검사의 자의개입 우려 • 정치적 영향 가능성 • 법적 안정성에 위협 초래	• 형사사법의 경직을 초래하여 구체적 정의실현에 지장 • 법원이나 피고인에게 불필요한 절차상의 부담을 주어 소송경제에 반함.

어떠한 입장을 취하든 반대입장을 취함에 따른 이익을 충분히 고려할 필요가 있다. 따라서 현행법과 같이 기소편의주의를 취하더라도 자의적인 공소권행사를 규제하기 위한 법적 장치가 필요하게 된다.

② **기소편의주의의 내용**

㉠ **기소유예제도** : 형사소송법은 제247조에서 "검사는 형법 제51조의 사항을 참작하여 공소를 제기하지 아니할 수 있다."라고 규정하여 기소편의주의를 선언하고 있는데, 이를 근거로 하여 행하여지는 불기소처분을 기소유예라 한다(기소유예처분은 확정력이 인정되지 아니하므로 검사가 기소유예처분을 한 것을 다시 공소제기하여도 기소의 효력에는 영향이 없고 이에 대해 법원이 유죄판결을 하였다 하여도 일사부재리의 원칙에 반하지 않음).

㉡ **기소변경주의** : 일단 공소를 제기한 후에 공소의 취소를 인정하는 기소변경주의는 기소편의주의의 논리적 귀결이라고 해석함이 다수설의 입장이다(따라서 기소법정주의하에서는 공소취소 불인정).

KEY point

• 기소독점주의의 규제 예
- 재정신청
- 불기소처분에 대한 항고제도
- 불기소처분에 대한 고지제도
- 헌법소원
- 친고죄 또는 반의사불벌죄 인정

• 기소독점주의의 예외 예 경찰서장 즉결심판청구

(4) 공소의 취소

① **서 설**

㉠ **의의** : 공소의 취소란 일단 제기한 공소를 검사 스스로 철회하는 법률행위적 소송행위를 말한다. 형사소송법은 제255조 제1항에서 "공소는 제1심판결 선고 전까지 취소할 수 있다."

고 규정하여 기소변경주의를 선언하고 있다.

공소취소제도는 무용한 절차의 진행 방지(소송조건의 흠결이 판명되는 등으로), 증거불충분으로 공소유지 곤란 방지, 피고인에게 발생한 새로운 사정을 배려 등을 위함이다.

㉡ 공소사실의 철회와 구별

구 분	공소의 취소	공소사실의 철회(공소장변경)
개 념	공소장에 기재된 수개의 공소사실이 서로 동일성이 없는 경우에 수개의 공소사실의 전부 또는 일부의 철회	동일성이 인정되는 하나의 범죄사실의 일부에 대한 철회
시 기	제1심판결 선고 전	명문규정 ×(항소심에서도 가능)
방 식	서면 또는 구술	서면(원칙)
소송계속	종 결	유 지
법원조치	공소기각결정	법원의 허가 要

관련판례

1. 실체적 경합관계에 있는 수개의 공소사실 중 어느 한 공소사실을 전부 철회하거나 그 공소사실의 소추대상에서 피고인을 완전히 제외하는 검사의 공소장변경신청이 있는 경우 이것이 그 부분의 소송을 취소하는 취지가 명백하다면 공소취소신청이라는 형식을 갖추지 아니하였더라도 이를 공소취소로 보아 공소기각을 하여야 한다(대판 1988.3.22, 88도67). 13 · 14. 9급 법원직
2. 공소장변경의 방식에 의한 공소사실 또는 적용법조의 철회는 공소사실의 동일성이 인정되는 범위 내의 일부 공소사실 또는 적용법조에 한하여 가능한 것이므로, 공소장에 기재된 수개의 공소사실이 서로 동일성이 없고 실체적 경합관계에 있는 경우에 그 일부를 소추대상에서 철회하려면 공소장변경의 방식에 의할 것이 아니라 공소의 일부 취소절차에 의하여야 한다(대판 1986.9.23, 86도1487). 08. 순경 2차, 12. 경찰승진, 22. 경찰간부

② 공소취소의 절차

㉠ **취소사유** : 공소취소사유는 법률상 제한은 없다. 그러나 전형적인 예를 들면 다음과 같다.

예
- 공소제기 후 사정변화로 가벌성 희박(재산죄의 경우 예상과는 달리 피해액 소액으로 확인)
- 공소제기 후 소송조건 흠결(피고인 사망, 반의사불벌죄에 있어 합의서 제출)
- 기소유예를 해야 할 사유가 드러난 경우(피해자와 합의 등)
- 증거불충분으로 공소유지 곤란

㉡ **주체** : 공소취소는 검사만이 할 수 있다.

㉢ **방법** : 공소취소는 이유를 기재한 서면으로 하여야 한다. 다만, 공판정에서는 구술로도 할 수 있다(제255조 제2항). 10. 교정특채, 11 · 13 · 15. 9급 법원직, 15. 순경 2차, 16 · 19. 경찰간부, 19. 경찰승진

㉣ **시기** : 공소취소는 제1심판결 선고 전까지 가능하다. 11 · 15. 9급 법원직, 19. 경찰승진 이는 검사의 처분에 의하여 재판의 효력이 좌우되는 것을 방지하기 위함이다. 여기서 제1심판결 선고는 실체판결인가, 형식판결인가를 묻지 않는다.

예 • 면소판결이나 공소기각판결이 선고된 경우에도 공소취소 불가
• 제1심판결에 대하여 상소심의 파기환송이나 이송판결이 있는 경우에도 공소취소 불가
• 약식명령 발부 후에도 공소취소 불가(단, 정식재판청구로 공판절차가 개시된 경우에는 공소취소 가능 14. 9급 법원직)
• 재심절차 중에도 공소취소 불가(대판 1976.12.28, 76도3203) 13·16. 9급 법원직

ⓜ **통지** : 검사는 고소 또는 고발 있는 사건에 관하여 공소를 취소한 때에는 7일 이내에 서면으로 고소인 또는 고발인에게 그 취지를 통지하여야 한다(제258조 제1항). 13. 경찰승진

③ **공소취소의 효과**

㉠ **공소기각결정** : 공소취소가 된 경우 결정으로 공소를 기각하여야 한다(제328조 제1항 제1호). 13·19. 경찰승진 공소기각결정에 대하여 즉시항고 할 수 있다(제328조 제2항).

㉡ **재기소의 제한** : 공소취소에 의한 공소기각결정이 확정된 때에는 공소취소 후 그 범죄사실에 대한 다른 중요한 증거를 발견한 경우에 한하여 다시 공소를 제기할 수 있다(제329조). 15. 9급 법원직, 17. 경찰간부, 22. 해경간부·7급 국가직, 19·23. 경찰승진

관련판례

1. 형사소송법 제329조는 공소취소에 의한 공소기각의 결정이 확정된 때에는 공소취소 후 그 범죄사실에 대한 다른 중요한 증거를 발견한 경우에 한하여 다시 공소를 제기할 수 있다고 규정하고 있는바, 이는 단순일죄인 범죄사실에 대하여 공소가 제기되었다가 공소취소에 의한 공소기각결정이 확정된 후 다시 종전 범죄사실 그대로 재기소하는 경우뿐만 아니라 **범죄의 태양, 수단, 피해의 정도, 범죄로 얻은 이익 등** 범죄사실의 내용을 추가 변경하여 재기소하는 경우에도 마찬가지로 적용된다고 할 것이다. **따라서 단순일죄인 범죄사실에 대하여 공소취소로 인한 공소기각결정이 확정된 후에 종전의 범죄사실을 변경하여 재기소하기 위하여는** 변경된 범죄사실에 대한 다른 중요한 증거가 발견되어야 할 것이다(**대판 2009.8.20, 2008도9634**). 13. 경찰승진
2. **공소사실의 동일성이 인정되지 아니하고 실체적 경합관계에 있는 수개의 공소사실의 전부 또는 일부를 철회하는** 공소취소의 경우 **그에 따라** 공소기각의 결정이 확정된 때에는 **그 범죄사실에 대하여는 형사소송법 제329조의 규정에 의하여** 다른 중요한 증거가 발견되지 않는 한 재기소가 허용되지 아니하지만, **이와 달리** 포괄일죄로 기소된 **공소사실 중 일부에 대하여 형사소송법 제298조 소정의 공소장변경의 방식으로 이루어지는** 공소사실의 일부 철회의 경우에는 그러한 제한이 적용되지 아니한다(**대판 2004.9.23, 2004도3203**). 23. 소방간부

   포괄일죄로 기소된 공소사실 중 일부에 대하여 공소장변경의 방식으로 이루어지는 공소사실의 일부 철회의 경우에 다른 중요한 증거가 발견되어야만 재기소가 허용된다. (×)
3. 공소취소 후 재기소는 엄격하게 해석해야 한다. 따라서 '다른 중요한 증거를 발견한 경우'란 공소취소 전에 가지고 있던 증거 이외의 증거로서 공소취소 전의 증거만으로서는 증거불충분으로 무죄가 선고될 가능성이 있으나 새로 발견된 증거를 추가하면 충분히 유죄의 확신을 가지게 될 정도의 증거가 있는 경우를 말하고, **공소취소 전에 충분히 수집 또는 조사하여 제출할 수 있었던 증거들은 새로 발견된 증거에 해당한다고 보기 어렵다(대판 2024.8.29, 2020도16827).**

KEY point

- 공소취소와 공소장변경 형태인 공소사실 철회 구별
- 공소취소의 시기 ⇨ 제1심판결 선고 전
- 공소취소의 방식 ⇨ 서면 or 구술
- 공소취소가 있을 경우 법원의 조치 ⇨ 공소기각결정
- 공소취소 후 재공소제기 ⇨ 다른 중요한 증거발견 요함.

2 공소제기의 방식

(1) 공소장의 제출

공소를 제기할 때에는 공소장을 관할법원에 제출하여야 한다(제254조 제1항). 따라서 아무리 급속을 요하는 경우라도 구두나 전보 또는 팩시밀리에 의한 공소제기는 허용되지 않는다.

공소장에는 피고인 수에 상응하는 부본을 첨부하여야 하고 공소장 부본은 늦어도 제1회 공판기일 5일 전까지 피고인 또는 변호인(피고인 및 변호인 ×)에게 송달하여야 한다. 피고인 또는 변호인은 송달된 공소장부본을 토대로 공소사실인정 여부 등을 기재한 의견서를 준비하게 된다(제266조의 2 제1항).

공소장제출기한 규정은 두고 있지 않다.

형사소송법은 수사의 신속한 종결을 위해 체포 또는 구속된 날로부터 30일 이내에 공소장을 제출하도록 규정하고 있다. (×) 11. 순경, 20. 순경 2차

관련판례

1. 공소장의 제출일자와 법원직원이 접수인을 찍은 날짜가 다르다면, 공소장에 접수일로 찍혀 있는 날짜는 공소제기일로 추정된다(대판 2002.4.12, 2002도690). 13. 순경
2. 검사에 의한 공소장의 제출이 없는 이상 기록을 법원에 송부한 사실만으로 공소제기가 성립되었다고 볼 수 없다 할 것이고, 소송행위로서의 공소제기가 있었으나 공소제기의 절차가 법률의 규정에 위반하여 무효인 경우에 해당한다고 할 수 없다. 이와 같이 소송행위로서 요구되는 본질적인 개념요소가 결여되어 소송행위로 성립되지 아니한 경우에는 하자의 치유문제는 발생하지 않는다. 추후 당해 소송행위가 적법하게 이루어진 경우에는 그때부터 소송행위가 성립된 것으로 볼 수 있다(대판 2003.11.14, 2003도2735).

▶ **비교판례** : 필로폰 판매행위에 대하여 공소가 제기되었으나 검사는 제1심 계속중 필로폰 매매 알선행위를 예비적으로 추가하는 내용의 공소장변경 허가신청서를 제출하여 법원으로부터 변경허가를 받았으나, 법원이 동일성이 없다는 이유로 공소장변경허가결정을 취소함에 따라 검사는 그 자리에서 공소장변경신청서로 필로폰 매매 알선행위에 대한 공소장을 갈음한다고 하자 피고인과 변호인은 이의 없다고 진술하여 제1심판결이 선고된 경우 알선행위에 대한 공소의 제기는 법 제254조에 규정된 형식적 요건을 갖추지 못한 이 사건 변경신청서에 기하여 이루어졌을 뿐만 아니라, 공소장부본 송달 등의 절차 없이 공판기일에서 변경신청서로 공소장을 갈음한다는 검사의 구두진술에 의한 것이라서, 그 공소제기의 절차에는 법률의 규정에 위반하여 무효라고 볼 정도의

현저한 방식위반이 있다고 봄이 상당하고, 피고인과 변호인이 그에 대하여 이의를 제기하지 않았다고 하여 그 하자가 치유된다고 볼 수는 없으므로, 알선행위 부분에 대한 공소사실에 대하여는 판결로써 공소기각의 선고를 하여야 한다(대판 2009.2.26, 2008도11813). 24. 7급 국가직

공소장부본 송달 등의 절차 없이 검사가 공판기일에 공소장의 형식적 요건을 갖추지 못한 공소장변경허가신청서로 공소장을 갈음한다고 구두 진술한 것만으로는 유효한 공소제기가 있다고할 수 없고, 피고인과 변호인이 그에 대해 이의를 제기하지 않았다 하더라도 그 하자는 치유되지 않는다. (○) 17. 9급 검찰·마약수사

공소의 제기에 있어서 현저한 방식위반이 있는 경우에는 공소제기의 절차가 법률의 규정에 위반하여 무효인 경우에 해당된다고 할 것이고, 위와 같은 절차위배의 공소제기에 대하여 피고인과 변호인이 이의를 제기하지 아니하고 변론에 응하였다고 하여 그 하자가 치유되지는 않는다. (○) 12. 9급 검찰·마약·교정·보호·철도경찰, 18. 5급 검찰·교정승진, 24. 7급 국가직

3. 검사가 공소사실의 일부가 되는 범죄일람표를 컴퓨터 프로그램을 통하여 열어보거나 출력할 수 있는 전자적 형태의 문서로 작성한 후, 종이문서로 출력하여 제출하지 아니하고 전자적 형태의 문서가 저장된 저장매체 자체를 서면인 공소장에 첨부하여 제출한 경우에는, 서면인 공소장에 기재된 부분에 한하여 공소가 제기된 것으로 볼 수 있을 뿐이고, 저장매체에 저장된 전자적 형태의 문서 부분까지 공소가 제기된 것이라고 할 수는 없다. 이는 전자적 형태의 문서의 양이 방대하여 그와 같은 방식의 공소제기를 허용해야 할 현실적인 필요가 있다거나 피고인과 변호인이 이의를 제기하지 않고 변론에 응하였다고 하여 달리 볼 것도 아니다. 그리고 앞서 본 법리는 검사가 공소장변경허가신청서에 의한 공소장변경허가를 구하면서 변경하려는 공소사실을 전자적 형태의 문서로 작성하여 그 문서가 저장된 저장매체를 첨부한 경우에도 마찬가지로 적용된다. 나아가 검사가 위와 같은 방식으로 공소를 제기하거나 공소장변경허가신청서를 제출한 경우, 법원은 저장매체에 저장된 전자적 형태의 문서 부분을 고려함이 없이 서면인 공소장이나 공소장변경신청서에 기재된 부분만을 가지고 공소사실 특정 여부를 판단하여야 한다(대판 2016.12.15, 2015도3682). 22. 9급 법원직, 22·24. 7급 국가직

검사가 공소사실의 일부가 되는 범죄일람표를 컴퓨터 프로그램을 통하여 열어보거나 출력할 수 있는 전자적 형태의 문서로 작성한 후, 종이문서로 출력하여 제출하지 아니하고 위 전자적 형태의 문서가 저장된 저장매체 자체를 서면인 공소장에 첨부하여 제출한 경우, 법원은 저장매체에 저장된 전자적 형태의 문서 부분을 고려함이 없이 서면인 공소장이나 공소장변경신청서에 기재된 부분만을 가지고 공소사실 특정 여부를 판단하여야 한다. (○) 18. 경찰간부·순경 3차, 19. 7급 국가직

▶ **유사판례** : 피고인이 재정하는 공판정에서 피고인에게 이익이 되거나 피고인이 동의하는 예외적인 경우에 한하여 법원은 구술에 의한 공소장변경을 허가할 수 있다(형사소송규칙 제142조 제1항, 제5항). 따라서 검사가 구술로 공소장변경허가신청을 하면서 변경하려는 공소사실의 일부만 진술하고 나머지는 전자적 형태의 문서로 저장한 저장매체를 제출하였다면, 공소사실의 내용을 구체적으로 진술한 부분에 한하여 공소장변경허가신청이 된 것으로 볼 수 있을 뿐이다(대판 2016.12.29, 2016도11138).

4. 검사의 기명날인 또는 서명이 없는 상태로 관할법원에 제출된 공소장은 법률의 규정에 위반하여 무효인 때(형사소송법 제327조 제2호)에 해당한다. 다만, 이 경우 공소를 제기한 검사가 공소장에 기명날인 또는 서명을 추완하는 등의 방법에 의하여 공소의 제기가 유효하게 될 수 있다(대판 2012.9.27, 2010도17052). 17. 9급 검찰·마약수사, 21. 경찰간부·7급 국가직, 22. 9급 법원직

5. 공소장에 검사의 간인이 없더라도 그 공소장의 형식과 내용이 연속된 것으로 일체성이 인정되고 동일한 검사가 작성하였다고 인정되는 한 그 공소장을 형사소송법 제57조 제2항에 위반되어 효력이

없는 서류라고 할 수 없다. 이러한 공소장 제출에 의한 공소제기는 그 절차가 법률의 규정에 위반하여 무효인 때에 해당한다고 할 수 없다(대판 2021.12.30, 2019도16259). 23. 소방간부, 24. 경찰승진

---

(2) 공소장의 기재사항

① **필요적 기재사항** : 공소장에는 피고인, 죄명, 공소사실, 적용법조를 기재하여야 하며(제254조 제3항), 17. 경찰간부 피고인의 구속 여부도 기재하여야 한다(규칙 제117조 제1항 제2호).

실무상으로는 이 외에도 공소장이라는 표제, 검사의 서명날인, 소속검찰청의 표시, 관할법원을 기재하고 있다.

㉠ **피고인의 성명 기타 피고인을 특정할 수 있는 사항** : 공소장에는 피고인을 특정해야 한다. 피고인을 특정할 수 있는 사항으로는 피고인의 성명 이외에 생년월일 · 주민등록번호 · 직업 · 주거 및 등록기준지를 기재하여야 하며, 피고인이 법인인 때에는 사무소 및 대표자의 성명과 주소를 기재하여야 한다(규칙 제117조 제1항 제1호). 다만, 이러한 사항이 명백하지 아니한 때에는 그 취지를 기재하고 인상 · 체격의 묘사나 사진의 첨부에 의하여도 특정할 수 있다. 전과사실이나 소년부송치처분을 받은 사실을 기재하는 것도 피고인을 특정하는 방법이 될 수 있다(판례). 피고인이 특정되지 아니하면 공소제기는 무효이며 법원은 공소기각판결을 하여야 한다(제327조 제2호). 07. 9급 국가직

관련판례

1. 공소장의 공소사실 첫머리에 피고인이 전에 받은 소년부송치처분과 직업 없음을 기재하였다 하더라도 이는 형사소송법 제254조 제3항 제1호에서 말하는 피고인을 특정할 수 있는 사항에 속하는 것이어서 그와 같은 내용의 기재가 있다 하여 공소제기의 절차가 법률의 규정에 위반된 것이라고 할 수 없고 또 헌법상의 형사피고인에 대한 무죄추정조항이나 평등조항에 위배되는 것도 아니다(대판 1990.10.16, 90도1813). 13. 경찰승진
2. 공소장에 기재할 피고인의 성명은 반드시 재판을 받아야 할 그 피고인 고유의 성명을 기재해야 하는 것도 아니며 또 그 기재에 오기가 있다고 하더라도 본적, 주소, 생년월일, 직업 또는 인상, 체격을 기재하거나 사진을 첨부하는 등 피고인을 특정할 수 있는 정도이면 된다(대판 1982.10.12, 82도2078).
3. 공소장에 누범이나 상습범을 구성하지 않는 전과사실을 기재하였다 하더라도 이는 피고인을 특정할 수 있는 사항에 속한다 할 것으로서 그 공소장기재는 적법하다 할 것이다(대판 1966.7.19, 66도793).

㉡ **죄명** : 공소장에는 죄명을 기재하여야 한다. 죄명은 범죄의 유형적 성질을 가리키는 명칭으로서 적용법조의 기재와 함께 공소제기의 범위를 정하는 보조적 기능을 한다.
죄명의 표시가 틀린 경우에도 피고인의 방어권행사에 실질적인 불이익을 초래하지 않는 한 공소제기의 효력에는 영향이 없다. 따라서 공소사실이 복수인 때에는 명시된 공소사실을 구체적으로 모두 표시해야 하나, 다수의 공소사실에 대하여 일괄하여 죄명을 표시하였다 하여 죄명이 특정되지 않았다고 할 수는 없다(대판 1969.9.23, 69도1219).
뿐만 아니라 죄명이 기재되지 않았더라도 공소사실을 통해 그것을 확인할 수 있는 경우에는 공소제기는 유효하다(대판 1984.2.14, 83도2897).

㉢ 공소사실

ⓐ 의의 : 공소장에는 공소사실을 기재하여야 한다. 공소사실이라 함은 법원에 심판을 청구한 범죄사실을 말하며, 공소사실의 기재는 범죄의 일시·장소·방법 등을 명시하여 사실을 특정할 수 있도록 하여야 한다(제254조 제4항). 22. 해경승진 이는 심판의 대상을 명확히 하여 심판의 능률과 신속을 기하는 동시에 피고인의 방어권 행사를 용이하게 하려는 데 주된 이유가 있다.

ⓑ 특정의 정도 : 공소사실의 특정은 다른 공소사실과 구별할 수 있을 정도로 구체적인 기재가 있어야 한다.

관련판례

1. 특정범죄 가중처벌 등에 관한 법률에서 말하는 공무원의 직무에 속하는 사항의 알선에 관하여 금품이나 이익을 수수한다 함은 공무원의 직무에 속한 사항을 알선한다는 명목으로 금품 등을 수수하는 행위로서 반드시 알선의 상대방인 공무원이나 그 직무내용이 구체적으로 특정될 필요는 없다(대판 2001.10.26, 2000도2968).
2. "피고인은 1996. 7. 내지 10. 일자 불상경 장소 불상에서 불상의 방법으로 메스암페타민 불상량을 투약하였다."라는 공소사실만으로는 형사소송법 제254조 제4항의 요건에 맞는 구체적인 사실의 기재라고 볼 수 없다(대판 1999.6.11, 98도3293).
3. 음화가 게재된 도서의 판매에 관한 죄의 공소사실에 있어서는 우선 행위의 객체인 당해 도서가 특정되어야 하고 나아가 그 도서에 게재된 도화가 음란성 있는 도화에 해당한다는 구체적 사실도 특정하여 기재되어야 하는 것이다(대판 1991.12.27, 91도2492).
4. 공모의 시간·장소·내용 등을 구체적으로 명시하지 아니하였다거나 일부가 다소 불명확하더라도 그와 함께 적시된 다른 사항들에 의하여 공소사실을 특정할 수 있고, 피고인의 방어권 행사에 지장이 없다면, 공소사실이 특정되지 아니하였다고 할 수 없다. 그러나 공모가 공모공동정범에서의 '범죄될 사실'인 이상, 범죄에 공동가공하여 범죄를 실현하려는 의사결합이 있었다는 것은, 실행행위에 직접 관여하지 아니한 자에게 다른 공범자의 행위에 대하여 공동정범으로서의 형사책임을 지울 수 있을 정도로 특정되어야 한다(대판 2016.4.2, 2016도2696).
5. 제3자 뇌물수수죄는 공무원 또는 중재인이 직무에 관하여 부정한 청탁을 받고 제3자에게 뇌물을 공여하게 하는 행위를 구성요건으로 하고 있고, 그중 부정한 청탁은 명시적인 의사표시뿐만 아니라 묵시적인 의사표시로도 가능하며 청탁의 대상인 직무행위의 내용도 구체적일 필요가 없다. 부정한 청탁의 내용이 구체적으로 기재되어 있지 않더라도 공무원 또는 중재인의 직무와 제3자에게 제공되는 이익 사이의 대가관계를 인정할 수 있을 정도로 특정되면 충분하다(대판 2017.3.15, 2016도19659).
6. 성매매처벌법 제19조에서 정한 성매매알선죄는 알선자의 개입이 없더라도 당사자 사이에 성매매에 이를 수 있을 정도의 주선행위만 있으면 족하고, 성매매죄와 별개의 독자적인 정범을 구성하므로 피고인이 성매매 당사자인 단속 경찰관과 성매매 여성 사이에 성매매에 이를 수 있을 정도의 주선행위를 한 이상 단속 경찰관에게 성매수 의사가 있었는지 여부와 무관하게 성매매처벌법 위반(성매매알선 등)죄가 성립하며, 이 사건 공소사실 기재 범행은 피고인이 2017. 10. 10.부터 2017. 10. 12.까지 자신이 운영하던 성매매업소에서 성매매 광고를 보고 방문한 손님들에게 대금 10만원을 받고 종업원

인 태국 국적 여성 6명과의 성매매를 알선하였다는 것으로서 그 전체가 포괄일죄 관계로서 공소사실이 특정되었다고 보아야 한다(대판 2023.6.29, 2020도3626).

ⓒ **특정방법** : 공소사실의 특정을 지나치게 엄격하게 요구하게 되면 공소제기나 유지에 지장을 초래할 수 있으므로, 범행일시 · 장소 · 방법 등의 기재는 개별사안에 따라 피고인의 방어권 행사에 지장이 없는 범위 내에서 어느 정도 완화할 필요가 있다.

㉮ 일시 · 장소 · 방법 : 범행일시는 이중기소나 시효에 저촉되지 않는 정도로, 범행장소도 토지관할을 가늠할 수 있을 정도로, 범행의 방법은 구성요건을 밝히는 정도로 기재하면 족하다(판례). 따라서 범죄일시와 장소가 불명확한 경우 '몇 시경', '어디 부근'이라는 식으로 개괄적으로 기재해도 상관없다(대판 1964.10.27, 64도413).

관련판례

1. 공소사실의 특정방법을 규정한 형사소송법 제254조 제4항에서 말하는 범죄의 "시일"은 이중기소나 시효에 저촉되지 않는 정도의 기재를 요하고 "장소"는 토지관할을 가름할 수 있는 정도의 기재를 필요로 하며 "방법"은 범죄의 구성요건을 밝히는 정도의 기재를 요하는 것이고 이와 같은 공소사실의 세가지 특정요소를 갖출 것을 요구하고 있는 법의 취지는 결국 피고인의 방어의 범위를 한정시켜 방어권행사를 쉽게 해 주게 하기 위한 데에 있는 것이므로, 공소사실은 위 세 가지 특정요소를 종합하여 범죄구성요건에 해당하는 구체적 사실을 다른 사실과 판별할 수 있는 정도로 기재하여야만 한다(대판 1989.12.12, 89도2020). 13. 경찰승진, 19. 변호사시험
2. 공소장에 범죄의 시일, 장소 등이 구체적으로 적시되지 않았더라도 공소범죄의 성격에 비추어 그 개괄적 표시가 부득이 하며, 또한 그에 대한 피고인의 방어권 행사에 지장이 없다고 보여지는 경우에는 그 공소내용이 특정되지 않아 공소제기가 위법하다고 할 수 없다(대판 1991.10.25, 91도2085). 16. 경찰간부

   〈개괄적 표시가 부득이한 경우의 예〉
   - 살인죄에 있어 범죄의 일시 · 장소와 방법은 범죄의 구성요건이 아닐 뿐만 아니라 이를 구체적으로 명확히 인정할 수 없는 경우에는 개괄적으로 설시하여도 무방하다. 따라서 '2005. 1. 28 03 : 00경부터 05 : 20경 사이에 피고인의 집에서 불상의 방법으로 피해자를 살해하였다.'는 내용의 공소사실의 기재가 특정되었다고 판단한 것은 정당하다(대판 2008.3.27, 2008도507). 15 · 21. 경찰간부, 22. 해경승진
   - 문서위조죄는 피고인들이 그 범행을 자백하지 아니한 이상 언제 어디에서 문서를 위조한 것인지 알기가 어려우며 그 범죄일시를 일정한 시점으로 특정하기 곤란하여 부득이하게 개괄적으로 표시할 수밖에 없다고 보아 유가증권위조의 점에 관한 공소사실의 범죄의 일시를 '2000. 초경부터 2003. 3.경 사이에'로 비교적 장기간으로 기재하였으나 공소사실이 불특정된 것으로 볼 수 없다(대판 2006.6.2, 2006도48). 11. 9급 국가직
3. 범죄의 일시 · 장소 등을 특정 일시나 상당한 범위 내로 특정할 수 없는 부득이한 사정이 존재하지 아니함에도 공소의 제기 혹은 유지의 편의를 위하여 범죄의 일시 · 장소 등을 지나치게 개괄적으로 표시함으로써 사실상 피고인의 방어권 행사에 지장을 가져오는 경우에는 형사소송법 제254조 제4항에서 정하고 있는 구체적인 범죄사실의 기재가 있는 공소장이라고 할 수 없다(대판 2023.4.27, 2023도2102).

㉯ 유형별 특정

ⓘ 교사범·방조범 : 교사범과 방조범의 공소사실에는 교사·방조사실뿐만 아니라 정범의 범죄사실도 특정하여야 한다. 09. 9급 국가직, 14. 순경 1차, 16. 9급 법원직, 14·19. 변호사 시험 공범(교사범, 방조범)이 성립하려면 정범이 실행행위에 나아가야 하기 때문이다.

관련판례

1. 공소사실 중 "피고인들은 공모하여, 甲이 의약품을 판매할 수 없음에도 염산날부핀을 일반인들을 상대로 판매한다는 정을 알면서 甲에게 염산날부핀을 판매함으로써, 甲이 염산날부핀을 일반인들을 상대로 판매할 수 있도록 공급하여 이를 방조하였다."라는 점에 관하여 보면, 위 공소사실 부분은 정범인 甲의 염산날부핀 판매행위라는 범죄사실이 전혀 특정되지 않았으므로 방조범인 피고인들의 위 공소사실 부분 역시 특정되었다고 할 수 없다(대판 2001.12.28, 2001도5158).
2. 직무유기의 교사죄는 피교사자인 공무원별로 1개의 죄가 성립하는 것이므로 피교사자인 공무원별로 사실을 특정할 수 있도록 공소사실을 기재하여야 한다(대판 1997.8.22, 95도984).
3. 방조범의 공소사실을 기재함에 있어서는 그 전제가 되는 정범의 범죄구성을 충족하는 구체적 사실을 기재하여야 한다(대판 1988.4.27, 88도251).
4. "판매할 목적으로 납사와 벤젠을 섞어 소위 가짜 휘발유를 제조하여 이를 정상 휘발유와 혼합하여 그들이 경영하는 각 주유소를 통하여 그 정을 모르는 고객들에게 판매하려고 한다는 정을 알면서도 범행을 도울 목적으로, 1979. 4. 28 – 1979. 6. 7.경 및 1980. 1. 3.부터 동월 26. 사이에 경인에너지로부터 매입한 납사와 벤젠 각 525드럼을 甲에게 1979. 2.부터 1980. 9. 25. 사이에 납사 1,480드럼 벤젠 및 토루엔 합계 1,480드럼을 乙에게, 1979. 4. 28. – 1980. 9. 25. 사이에 납사 1,980드럼과 벤젠, 토루엔, 커시덴 합계 1,980드럼을 丙에게 각 공급하여, 그들이 자신들 소유의 공소장기재 각 주유소의 휘발유탱크에 부어넣어 그 안에 있는 수량 미상의 휘발유와 혼합시켜 판매의 목적으로 휘발유의 품질을 저하시키고, 위 기간 중 위 각 주유소에서 저질 휘발유를 마치 정상품인 것처럼 가장하여 그 정을 모르는 주유소 고객 성명미상 다수인에게 각 요구량을 판매하여 각 휘발유 대금을 편취하는 것을 각 용이하게 하여 방조하였다."고 기재한 사실은 특정되었다고 할 수 없다(대판 1982.5.25, 82도715). – 위 3번 판례와 동일 취지
5. "솔벤트 4,696드럼을 공급하여 줌으로써, 甲(정범)이 판매의 목적으로 휘발유의 품질을 각 저하시키고 각 휘발유 대금을 편취하는 것을 각 용이하게 하여 방조하였다."는 기재사실은 특정된 것이 아니다(대판 1982.2.23, 81도822). – 정범이 어떠한 방법을 써서 품질을 어떻게 저하시킨 것인지의 구체적 행위의 기재가 없고, 언제 누구를 어떻게 속여 누구에게 처분함으로써 어떠한 재산상 이득을 얻었는지에 관하여도 아무런 기재도 없기 때문(교사·방조의 경우, 그 전제인 정범에 대한 구체적인 사실기재가 필요)

ⓙ 경합범 : 경합범의 경우에는 개별범죄사실을 각기 구체적으로 기재하여야 한다. 동종의 범행을 반복한 경우라도 경합범 관계에 있는 때에는 개별범죄사실을 특정하여야 한다.

관련판례

1. 사기죄에 있어서 수인의 피해자에 대하여 각별로 기망행위를 하여 각각 재물을 편취한 경우에 그 범의가 단일하고 범행방법이 동일하다고 하더라도 포괄1죄가 되는 것이 아니라 피해자별로 1개씩의 죄가 성립하는 것으로 보아야 할 것이고, 이러한 경우 그 공소사실은 각 피해자와 피해자별 피해액을 특정할 수 있도록 기재하여야 할 것인바, '일정한 기간 사이에 성명불상의 고객들에게 1일 평균 매상액 상당을 판매하여 그 대금 상당액을 편취하였다.'는 내용은 피해자나 피해액이 특정되었다고 할 수 없다. 15. 9급 검찰·교정·보호·철도경찰, 21. 경찰간부
   ▶ **구체적 사안** : "피고인이 1992. 9. 1.경부터 1994. 7. 11.까지 사이에 성명불상의 고객들에게 위와 같은 방법으로 가공일을 변작한 소양, 소천엽, 닭다리, 닭가슴살, 닭어깨살, 닭날개 등 소부산물 및 계육 등 1일 평균 10개, 대금 합계 25,000원 상당을 판매하여 그 대금 상당액을 편취하였다."는 부분에 관하여는 피해자의 숫자조차 특정되어 있지 않는 등 공소장에 구체적인 범죄사실의 기재가 없어 공소사실이 특정된 것이 아니다(대판 1996.2.13, 95도2121).
2. 무거래 세금계산서 교부죄는 각 세금계산서마다 하나의 죄가 성립하므로, 세금계산서마다 그 공급가액이 공소장에 기재되어야 개개의 범죄사실이 구체적으로 특정되었다고 볼 수 있고, 세금계산서의 총 매수와 그 공급가액의 합계액이 기재되어 있다고 하여 공소사실이 특정되었다고 볼 수는 없다(대판 2006.10.26, 2006도5147). 10. 경찰승진, 15. 9급 검찰·교정·보호·철도경찰
3. 수개의 무신고수입행위를 경합범으로 기소하는 경우에는 각 행위마다 그 일시와 장소 및 방법을 명시하여 기재하지 않았다면 불특정에 해당한다(대판 2007.1.11, 2004도3870).
4. "피고인이 상습으로 2000년 4월 일자 불상경 부천시 원미구 중동에 있는 주식회사 동방클래식 부천지점 사무실에서 공소외인이 그의 하급자인 피해자에게 고액 배당을 약속하는 수법으로 거짓말하게 하여, 이에 속은 피해자에게 즉석에서 유사 금융상품 4천만원 상당을 매도하면서 현금 4천만원을 교부받아 이를 편취하는 등 1999년 8월경부터 2000. 5. 24.경까지 인천과 부천시 등지에서 피해자를 비롯한 회원들로부터 같은 수법으로 총 2,321회에 걸쳐 합계 173억 7,984만원을 교부받아 편취하였다."는 공소사실의 경우, 피해자와 피해자별 피해금액 조차 전혀 알 수 없는 피고인으로서는 그 방어권 행사에 커다란 불이익을 입었을 것임에 의문의 여지가 없고, 이러한 공소사실의 기재는 범죄사실이 특정된 것으로 볼 수 없다(대판 2001.4.10, 2001도661).
5. 자동차관리법 위반죄는 각 해체행위마다 1개의 죄가 성립되는 것이므로 각 해체행위마다 그 일시·장소와 방법을 구체적으로 명백히 하여야만 공소사실이 특정되어 있다고 할 것이다. 따라서 "피고인이 1995. 9.경부터 1998. 1. 6.경까지 경기도 소재 甲상사에서 자동차 동력 전달장치의 일종으로 해체가 금지되어 있는 자동차 부품인 등속조인트를 가공·재생하여 판매할 목적으로 폐차된 자동차의 부품인 등속조인트 약 2,918개 시가 금 81,410,000원 상당을 분해하여 자동차의 장치를 무단해체하였다."고 기재한 경우 적법한 공소사실의 기재로 볼 수 없다(대판 1999.4.23, 98도4455).
6. 밀수품의 취득죄는 각 취득행위마다 1개의 죄가 성립하는 것이므로 수 개의 취득행위를 경합범으로 기소하는 경우에는 각 행위마다 그 일시와 장소 및 방법을 명시하여 사실을 특정할 수 있도록 공소사실을 기재하여야 한다. 따라서 '1992. 2.경부터 1996. 6. 7.경까지 수회에 걸쳐' 밀수품을 취득하였다는 방식으로 공소사실을 기재하는 것은 범행의 회수조차 특정되지 아니하여 적법한 공소사실의 기재로 볼 수 없다(대판 1999.1.26. 98도1480).

7. 직무유기교사죄는 피교사자인 공무원별로 1개의 죄가 성립되는 것이므로 피교사자인 공무원별로 사실을 특정할 수 있도록 공소사실을 기재하여야 한다. 따라서, 직무유기교사죄의 공소사실 중 "전기협 회원들에 대하여 불법파업을 하여 직무유기할 것을 결의하게 하고, 전기협 회원 6,500여 명이 이에 따라 같은 해 6. 23. 04 : 00경부터 불법파업에 돌입하게 하여 직무유기를 교사하였다."는 것만으로는 피교사자인 공무원들의 숫자조차 특정되어 있지 않아 구체적인 범죄사실의 기재가 없어 그 공소제기의 절차가 법률의 규정에 위반하여 무효인 때에 해당한다(대판 1997.8.22, 95도984).
8. 폭행은 피해자별로 1개의 죄가 성립되는 것으로 각 피해자별로 사실을 특정할 수 있도록 공소사실을 기재하여야 할 것인바, 공소사실 중 '피고인들이 공동하여, 성명불상 범종추측 승려 100여 명의 전신을 손으로 때리고 떠밀며 발로 차서 위 성명불상 피해자들에게 폭행을 각 가한 것이다.'는 부분은 피해자의 숫자조차 특정되어 있지 않아 도대체 몇 개의 폭행으로 인한 폭력행위 등 처벌에 관한 법률 위반죄를 공소제기한 것인지 조차 알 수가 없으므로, 공소장 기재는 무효인 경우에 해당한다(대판 1995.3.24, 95도22).
9. 사문서위조죄와 조세범처벌법에서 말하는 세금계산서 허위기재죄는 각 문서마다 1개의 죄가 성립한다. 피고인이 수차에 걸쳐 수개의 세금신고서를 위조하였다는 공소사실 중 그 세금신고서 전체의 개수, 위조한 세금신고 및 허위기재한 세금계산서의 명의자 성명, 각자별 문서의 수와 각자별 그 지급액 등이 모두 불명확하다면 공소장에 기재되어야 할 개개의 범죄사실이 구체적으로 특정되었다고 볼 수 없다. 따라서 "피고인이 1980.1.19 시간미상경 주식회사 합동의 사무실에서 甲 명의의 부가가치세 30,931원에 대한 확정신고서 1매를 위조한 것을 비롯하여 동년 1. 25까지간에 31명의 영업자들 명의의 합계 2,680,674원에 해당하는 부가가치세 신고서를 각 위조하고, 각 작성일시에 이를 세무서에 제출하여 행사하였다."는 공소사실은 개개의 범죄사실이 구체적으로 특정되었다고 볼 수 없다(대판 1982.12.14, 82도1362).
10. 미성년자의제강간죄 또는 미성년자의제강제추행죄는 행위시마다 1개의 범죄가 성립하므로, 공소사실 중 "피고인이 1980. 12. 일자 불상경부터 1981. 9. 5 전일경까지 사이에 피해자를 협박하여 약 20여회 강간 또는 강제추행하였다."는 부분은 그 범행일시가 명시되지 아니하여 공소사실부분에 대한 공소는 기각을 면할 수 없다(대판 1982.12.14, 82도2442).

ⅲ 포괄1죄 : 포괄1죄에 대해서는 1죄의 일부를 구성하는 개별행위에 대해 구체적으로 특정하지 않더라도 그 전체범행의 시기와 종기, 범행방법, 범행횟수 또는 피해액의 합계 및 피해자나 상대방을 명시하면 족하다.

관련판례

- **특정을 인정한 경우**

1. 2006. 12. 14.경부터 2007. 2. 15.경까지 2회에 걸쳐 합계 5천만원을 받았다는 공소사실은 피고인이 수회에 걸쳐 돈을 받은 행위를 포괄일죄로 하여 공소제기된 것임이 명백하고, 포괄일죄에 있어서는 그 일죄를 구성하는 개개의 행위에 대하여 구체적으로 특정하지 아니하더라도 그 전체 범행의 시기와 종기, 범행방법과 장소, 상대방, 범행횟수나 피해액의 합계 등을 명시하면 이로써 그 범죄사실은 특정되었다고 할 것이므로, 이 사건 공소장에 피고인이 위 각 일시에 받은 구체적 금액을 기재하지 않았다 할지라도 공소사실 특정이 인정된다(대판 2008.12.24, 2008도9414). 15. 9급 검찰 · 교정 · 보호 · 철도경찰, 19. 변호사시험

2. 포괄일죄인 상습사기의 공소사실에 있어서 그 범행의 모든 피해자들의 성명이 명시되지 않았다 하여 범죄사실이 특정되지 아니하였다고 볼 수 없다(대판 1990.6.26, 90도833). 10. 경찰승진, 17. 해경간부
3. 포괄1죄에 있어서는 1죄의 일부를 구성하는 개개의 행위에 대하여 구체적으로 사실을 특정할 필요는 없고, "1971년 말경부터 1972년 말경까지 사이에 비밀요정 등지에서 금 1,200,000원 상당의 향응을 제공받았다."는 공소사실과 같이 범행의 시기, 장소, 방법 등이 기재된 이상 공소사실은 특정되었다 할 것이다(대판 1975.7.22, 75도1680). 03. 경찰승진
4. 보건범죄단속에 관한 특별조치법위반죄의 공소사실은 일정기간 계속된 피고인의 각 의료행위를 포괄하여 일죄를 구성하는 것으로 공소를 제기하면서 전체 범행의 시기와 종기, 범행방법, 성명 불상 다수의 환자들을 상대한 범행내용 등을 명시함으로써 공소사실을 특정하였다고 할 것이고, 이 부분 공소사실 중 일죄의 일부를 구성하는 개개의 행위에 관하여 그 범행대상이 되는 다수의 환자들을 구체적으로 특정하지 않았다고 하더라도 심판의 대상이 불분명해진다거나 피고인에게 방어의 어려움을 초래한다고 볼 수 없다(대판 2002.6.20, 2002도807 전원합의체).
5. 포괄일죄에 해당하는 구 공직선거 및 선거부정방지법상 기부행위제한위반죄의 범죄사실은 그 죄의 일부를 구성하는 개개의 기부행위에 대하여 구체적으로 특정하지 아니하더라도 그 기부행위의 전제가 된 선거, 전체 기부행위의 시기와 종기, 기부행위의 장소, 방법, 그 대상이 된 대략의 선거구민을 명시하면 이로써 특정되는 것이다(대판 1999.10.12, 99도3335).
6. "1995. 8. 11.경부터 1995. 9. 6.까지 전국 연근해에서 근해선망어선 제62 세길호를 타고 다니며 선망의 주요 부분의 망목내경이 법령이 정한 제한기준에 미달하는 25mm짜리 어망을 사용 조업하였다."는 공소사실은 단일의사로 계속하여 반복된 것으로서 포괄하여 직업범으로서 1죄를 구성한다고 볼 것이고, 어구사용의 장소를 일일이 특정하지 아니하고 그 범행장소를 개괄적으로 표시하였다고 할지라도 그로 인하여 피고인의 방어권행사에 지장이 없다(대판 1997.5.30, 97도414).
7. 포괄1죄에 있어서는 그 1죄의 일부를 구성하는 개개의 행위에 대하여 구체적으로 특정되지 아니하더라도 그 전체 범행의 시기와 종기, 범행방법, 범행횟수 또는 피해액의 합계 및 피해자나 상대방을 명시하면 이로써 그 범죄사실은 특정된다(대판 1995.2.17, 94도3297). 17. 7급 국가직
8. 무면허 의료행위는 그 범죄의 구성요건의 성질상 동 범행의 반복이 예상되는 것이므로 반복된 수개의 행위는 포괄적으로 한개의 범죄로 처단되는 것으로 공소사실도 포괄적으로 기재하는 것으로 족하다(대판 1984.2.28, 83도3313).
9. "피고인은 성동등기소 조사계장으로 재임 중이던 1977. 4. 15.경 동 등기소 사무실에서 등기 신청사건을 접수처리함에 있어서 신속히 처리하여 달라는 부탁조로 1건당 금 1,000원씩 도합 금 111,000원을 속칭 급행료라는 명목으로 교부받은 것을 비롯하여 같은해 9. 10.경까지 사이에 전후 7회에 걸쳐 각종 등기사건을 접수처리하면서 공동피고인으로부터 같은 명목으로 도합 금 828,000원을 교부받아 그 직무에 관하여 뇌물을 수수하였다."는 공소사실은 포괄1죄를 구성한다고 할 것이므로, 개개의 행위에 대하여 구체적으로 사실을 특정하지 아니하더라도 위 공소장의 기재와 같이 범행의 시기와 종기, 범행장소, 범행방법 등을 기재하면 공소사실은 특정된다 할 것이다(대판 1982.10.26, 81도1409).

• 특정을 부정한 경우

1. 포괄일죄로 기소된 이 사건 공소사실에는 '피고인이 일정 기간 동안 손님들에게 눈썹문신, 아이라인, 입술문신을 시술해주고 해당 시술료를 받는 영업을 하였다.'는 피고인의 영업 내용이 기재되어 있을

뿐, 보건범죄단속에 관한 특별조치법 제5조의 '의료행위'에 해당하는 구성요건사실로서 특정인에 대한 특정 치료행위 등이 전혀 기재되어 있지 않고, 전체 범행의 범행횟수나 수입액수 등 범행규모의 대강을 짐작할 수 있는 사항도 기재되어 있지 않다. 따라서 이 사건 공소사실은 구성요건을 충족하는 사실이 특정되었다고 볼 수 없다(**대판** 2009.7.23, 2008도5930).

2. 피고인은 '甲의 집에 침입하여 라디오 1대를 훔친 것을 비롯하여 그 후 4회에 걸쳐 상습적으로 타인의 재물을 절취하였다.'라는 공소사실 기재는 추상적인 범죄구성요건의 문구만이 적시되고 그 내용을 이루는 구체적인 범죄사실의 기재가 없으므로 범죄사실을 특정하였다고 볼 수 없다(대판 1971.10.12, 71도1615).

3. 포괄일죄에 있어서 특성상 비록 개괄적인 기재가 불가피한 경우가 있다 하더라도, 사실상 피고인의 방어권행사에 지장을 가져오는 경우에는 형사소송법 제254조 제4항에서 정하고 있는 구체적인 범죄사실의 기재가 있는 공소장이라고 할 수 없다(대판 2000.11.24, 2000도2119). 21. 7급 국가직

ⓓ 불특정의 효과 : 공소사실이 특정되지 아니한 경우에 그 공소제기는 무효이므로 공소기각판결을 하여야 한다. 공소사실이 전혀 특정되지 아니한 때에는 공소제기의 하자가 치유될 수 없다고 보아야 할 것이나 구체적 범죄구성요건사실이 표시되어 있는 때에는 검사 또는 법원의 석명에 의하여 불명확한 점을 보정할 수 있다고 보아야 한다.

관련판례

공소장에 피고인인 계주가 조직한 낙찰계의 조직일자, 구좌 · 계금과 계원들에게 분배하여야 할 계금이 특정되어 있고 피해자인 계원들의 성명과, 피해자별 피해액만이 명확하지 아니한 경우에는 법원은 검사에게 석명을 구하여 만약 이를 명확하게 하지 아니한 경우에 공소사실의 불특정을 이유로 공소기각을 할 것이고 이에 이르지 않고 바로 공소기각의 판결을 하였음은 심리미진의 위법이 있다(대판 1983.6.14, 83도293). 19. 변호사시험, 24. 경찰승진

✔ 특정에 관한 판례정리

[마약류 관련]

대법원은 마약류 사건에 대하여 공소사실 특정을 인정함에 있어서 2000년 이전에는 일반사건 보다는 비교적 관대한 편이었으나, 2000년 이후부터서는 구체적인 기재를 요구하고 있어 불특정판례가 주류를 이룬다. 마약류 범죄는 투약시마다 성립하는 범죄이므로, 특정을 위해서는 범행일시(너무 길면 그 사이에 다른 투약행위가 있을 수 있기 때문에 불특정)와 횟수와 관련한 기재('수회'라고 기재하는 것은 구체적 사실의 기재가 아님)가 중요하다.

• 특정을 부정한 판례

1. "피고인은 2000. 11. 2.경부터 2001. 7. 2.경까지 사이에 인천 이하 불상지에서 향정신성의약품인 메스암페타민 불상량을 불상의 방법으로 수회 투약하였다."는 공소사실의 경우, 투약량은 물론 투약방법을 불상으로 기재하면서, 그 투약의 일시와 장소마저 위와 같이 기재한 것만으로는 구체적 사실의 기재라고 볼 수 없다(**대판** 2002.9.27, 2002도3194). 03. 경찰승진, 08. 순경 2차, 21. 경찰간부

2. 피고인이 '2010. 2. 초순경부터 2010. 4. 18.경 사이에 향정신성의약품인 메스암페타민 약 0.03g을 투약하였다.'는 내용으로 기소된 사안에서, 투약시기에 관한 위와 같은 기재만으로는 마약류관리에 관한 법률 위반 공소사실이 특정되었다고 볼 수 없다(대판 2011.6.9, 2011도3801). 21. 해경
3. "2008년 1월경부터 같은 해 2월 일자 불상 15 : 00경까지 사이에 인천 남구 용현동 물텀벙사거리에 있는 상호불상의 오락실 앞 노상에서 甲으로부터 1회용 주사기에 담긴 메스암페타민 약 0.7g을 매수한 외에, 그때부터 2009년 2월 내지 3월 일자 불상 07 : 00경까지 총 21회에 걸쳐 매수 · 투약하였다."는 공소사실의 경우, 메스암페타민의 매수 및 투약시기에 관한 위와 같은 개괄적인 기재만으로는 공소사실이 특정되었다고 볼 수 없다(대판 2010.10.14, 2010도9835).
4. '2009년 3월 말경부터 같은 해 6월 말경까지 진주시 이하 장소를 알 수 없는 곳에서, 메스암페타민불상양을 불상의 방법으로 1회 투약하였다.'는 공소사실의 경우, 투약시기에 관한 위와 같은 기재만으로는 공소사실이 특정되었다고 볼 수 없다(대판 2010.4.29, 2010도2857).
5. "2009. 2. 13.경부터 같은 해 4. 10.경까지 사이에 서울 내지 의정부시 일대에서 메스암페타민 불상량을 불상의 방법으로 투약하였다."는 기재만으로는 피고인의 방어권 행사에 지장을 초래할 위험성이 크고, 단기간 내에 반복되는 공소 범죄사실의 특성에 비추어 볼 때 위 투약시기로 기재된 위 기간 내에 복수의 투약 가능성이 높아 심판대상이 한정되었다고 보기도 어렵다(대판 2010.2.25, 2009도13872).
6. 메스암페타민 투약시기에 관하여 "2009. 2. 13.경부터 같은 해 4. 10.경까지 사이"라는 기재만으로는 피고인의 방어권 행사에 지장을 초래할 위험성이 크고, 심판대상이 한정되었다고 보기도 어려워, 공소사실이 특정되었다고 볼 수 없다(대판 2010.2.25, 2009도13872).
7. "2007. 4.경 내지 6.경 사이에 알 수 없는 곳에서, 향정신성의약품인 엠디엠에이(MDMA, 일명 '엑스타시')를 알 수 없는 방법으로 투약하였다."는 것인바, 엠디엠에이의 투약시기, 투약장소, 투약방법에 관한 위와 같은 기재만으로는 피고인의 방어권의 행사에 지장을 초래할 위험성이 크고, 위 투약시기로 기재된 위 기간 내에 복수의 투약가능성도 충분히 있으므로 위 공소사실에 대하여는 특정되었다고 볼 수 없다(대판 2009.5.14, 2008도10914).
8. "2005. 3. 15.경부터 같은 해 4. 10.경까지 사이 일시불상경 진해시내 일원에서 필로폰 불상량을 불상의 방법으로 수회 투약하였다."는 것인바, 이는 필로폰의 투약회수와 투약방법이 특정되지 아니한 것이고, 그 투약의 일시와 장소를 위와 같은 정도로 기재한 것만으로는 공소사실이 특정되었다고 할 수 없다(대판 2006.4.28, 2006도391).
9. "피고인이 1999년 5월 중순경부터 같은 해 11월 19일경까지 사이에 부산 이하 불상지에서 향정신성의약품인 메스암페타민 약 0.03g을 1회용 주사기를 이용하여 팔 등의 혈관에 주사하거나 음료수 등에 타 마시는 방법으로 이를 투약하였다."는 공소사실의 경우, 그 투약량은 메스암페타민 투약자들이 보통 1회에 투약하는 최소한의 단위로 알려진 것이고, 그 투약방법 역시 어느 것이나 메스암페타민 투약자들이 일반적으로 사용하는 방법에 지나지 않는 것을 막연히 기재한 것에 불과할뿐더러 그 투약의 일시와 장소마저 위와 같은 정도로 기재한 것만으로는 공소사실이 특정되었다고 할 수 없다(대판 2000.10.27, 2000도3082).
10. "피고인은 1996. 7. 내지 10. 일자 불상경 장소 불상에서 불상의 방법으로 메스암페타민 불상량을 투약하였다."라는 것인바, 여기서 '불상…' 부분은 내용이 공허한, 아무런 의미가 없는 기재이므로 이를 빼고 공소사실을 다시 적으면, 단순히 "피고인은 1996. 7.에서 1996. 10. 사이에 메스암페타민을 투약하였다."라는 것으로 된다. 위와 같은 기재만으로는 공소사실이 특정된 것이 아니다(대판 1999.6.11, 98도3293).

11. "1988. 6. 중순 일자 불상경부터 1989. 2. 일자 불상경까지 사이에 수회에 걸쳐 향정신성의약품인 메스암페타민을 투약하였다."라고 기재한 것은 추상적인 범죄구성요건 문구만이 적시되었을 뿐 개개의 범죄행위의 내용을 이루는 구체적인 범죄사실의 기재가 없어 적법한 공소사실기재로 볼 수 없다(대판 1989.12.12, 89도2020).

• **모발 및 소변감정결과에 의한 투약추정기간**

마약류 투약범죄의 투약시기를 모발감정결과에 기한 투약가능기간 범위 내로 기재한 경우에 대법원은 2000년 이전에는 대체로 특정을 인정하였으나, 그 이후에는 대부분 특정을 부정하고 있다. 그러나 소변감정에 기한 투약추정기간에 대하여 대체로 공소사실의 특정을 인정하고 있는데 이는 공소장기재 범행일자가 10일 이내의 단기라는 점을 고려한 결과로 보인다.

〈감정결과에만 기초한 경우〉

1. 모발감정결과가 있는 경우 검사가 투약행위의 일시를 모발감정에서 메스암페타민성분이 검출될 수 있는 기간의 범위 내로 하는 한 그 장소나 방법 및 투약량을 불상으로 기재하더라도 마약범죄의 특성상 공소사실이 특정되었다고 보아야 한다(대판 1998.2.24, 97도1376).
2. 뚜렷한 증거가 확보되지 않았음에도 모발감정결과에 기초하여 그 투약가능 기간을 추정한 다음 개괄적으로만 그 범행시기를 적시하여 공소사실을 기재한 경우에 그 공소내용이 특정되었다고 볼 것인지는 매우 신중히 판단하여야 할 것이다(공소사실에 기재된 범행일시인 '2010. 11.경'은 4~5cm 가량 길이의 피고인의 모발에서 필로폰 양성반응이 나왔다는 모발감정 결과에 기초하여 투약가능 기간을 역으로 추산해서 그 범행시기를 정한 것이고, 투약장소도 '부산 사하구 이하 불상지'라고 기재하였을 뿐이라면, 구체적 사실의 기재라고 보기 어렵다 : 대판 2012.4.26, 2011도11817). 15. 9급 검찰·교정·보호·철도경찰
3. 마약류 투약사실을 밝히기 위한 모발감정은 모발 성장속도에 개인차가 있고, 모발의 채취 부위, 건강상태 등에 따라 편차가 있는 등으로 인해 정확성을 신뢰하기 어려운 문제가 있다. 또한 마약류 투약범죄의 특성상 그 기간 동안 여러 번의 투약가능성을 부정하기 어려운 점에 비추어 볼 때, 그와 같은 방법으로 추정한 투약가능기간을 공소제기된 범죄의 범행시기로 인정하는 것은, 피고인의 방어권 행사에 현저한 지장을 초래할 수 있고, 매 투약시마다 별개의 범죄를 구성하는 마약류 투약범죄의 성격상 이중기소 여부나 일사부재리의 효력이 미치는 범위를 판단하는 데에도 곤란한 문제가 생길 수 있다. 그러므로 모발감정결과만을 토대로 마약류 투약기간을 추정하고 유죄로 판단하는 것은 신중하여야 한다(대판 2017.3.15, 2017도44).
4. 길이 4~5cm 가량의 피고인의 모발을 대상으로 메스암페타민 검출실험을 한 결과 양성반응이 나왔다는 감정결과가 나오자 메스암페타민 성분이 위 모발의 어느 부위에서 검출된 것인지, 더 짧은 길이로 분할분석은 할 수 없는지, 검출된 양은 어느 정도인지 등에 관한 구체적인 확인이나 조사도 없이 단지 위 길이 정도의 모발에서 메스암페타민 성분이 검출된 경우 그 검출가능한 기간을 모발 채취일인 2008. 1. 10.로부터 역으로 추산한 2008. 1. 초순경부터 2007. 8. 초순경까지 사이의 전 기간을 범행일시로 하고, 범행장소는 그 기간 동안 주로 생활한 곳 일원으로 하며, 투약량 및 투약방법은 불상으로 하여 이 부분 공소를 제기한 것으로서 이러한 공소사실의 기재는 특정한 구체적 사실의 기재에 해당된다고 볼 수 없다(대판 2009.5.14, 2008도10885).

5. 검사가 단지 4~7cm인 피고인의 모발을 대상으로 실험을 한 결과 메스암페타민 양성반응이 나왔다는 국립과학수사연구소의 감정결과만에 기초하여 위 정도 길이의 모발에서 메스암페타민이 검출된 경우 그 사용가능한 기간을 역으로 추산한 다음 그 전 기간을 범행일시로 하고, 위 기간 중의 피고인의 행적에 대해서도 별다른 조사를 하지 아니한 채 피고인의 주거지인 의왕시를 범행장소로 하여 공소를 제기한 경우 공소사실의 특정이라고 볼 수 없다(대판 2000.11.24, 2000도2119).
6. 메스암페타민의 양성반응이 나온 소변감정결과에 의하여 그 투약일시를 '2009. 8. 10.부터 2009. 8. 19.까지 사이'로, 투약장소를 '서울 또는 부산 이하 불상'으로 공소장에 기재한 사안에서, 공소사실이 향정신성의약품투약 범죄의 특성을 고려하여 합리적인 정도로 특정된 것으로 볼 수 있다(대판 2010.8.26, 2010도4671). 21. 해경

〈감정결과에만 기초하지 아니한 경우〉

1. 피고인이 마약류취급자가 아니면서 2010년 1월에서 3월 사이 일자 불상 03 : 00경 서산시 소재 상호불상의 모텔에서, 甲과 공모하여 여자 청소년 乙에게 메스암페타민을 투약하였다고 하여 구 마약류 관리에 관한 법률위반으로 기소된 사안의 경우, 위 공소사실은 투약 대상인 乙의 진술에 기초한 것이라는 점에서 피고인에 대한 모발 등의 감정결과에만 기초하여 공소사실을 기재한 경우와는 달리 볼 필요가 있는 점 등 제반 사정에 비추어 볼 때, 위 공소사실에서 일시나 장소가 다소 개괄적으로 기재되었더라도 그 기재가 다른 사실과 식별이 곤란하다거나 피고인의 방어권 행사에 지장을 초래할 정도라고 보기 어려워 공소사실이 특정되었다고 볼 수 있다(대판 2014.10.30, 2014도6107). 16. 경찰간부
2. 검사가 모발을 성장기간 별로 구분하여 투약시기를 세분하여 감정한 모발감정 결과에 기초하거나 피고인의 행적 등 다른 증거들에 의하여 모발감정에서 성분이 검출될 수 있는 기간의 범위 내에서 투약시기를 가능한 한 최단기간으로 특정하고, 장소도 토지관할의 구분이 가능할 정도로 특정하고 있다면, 그 시기 · 장소 · 방법 · 투약량 등을 불상으로 기재하더라도 공소사실이 특정되었다고 보아야 할 것이다(대판 2005.5.13, 2005도1765).
3. 모발에 대한 감정을 실시한 결과 모발에서 메스암페타민 성분이 검출되어 피고인이 메스암페타민을 투약한 사실이 판명된 경우에 검사가 기소 당시의 증거에 의하여 가능한 한 특정한 것이라면, 위와 같이 시일을 일정 범위의 기간내로 기재하고 장소를 '인천 또는 불상지'라고 기재하였다고 하더라도, 범죄의 특성상 공소사실이 특정되어 있다고 보아야 할 것이다(대판 1994.12.9, 94도1680).

[기타 범죄 관련]

• 특정을 인정한 판례

1. 공모공동정범에 있어서 실행정범의 인적사항이 적시되지 아니하고 범행일시나 장소가 명백히 표시되지 아니하였으나 그 공모관계, 실행정범의 실행행위가 모두 표시되어 공소사실이 특정되었다고 보아야 한다(대판 1997.7.8, 97도632). 11. 경찰승진
2. 당첨이 된 손님들에게 위조상품권을 직접 교부한 것이 아니라, 미리 오락기에 일련번호가 모두 같은 위조된 상품권을 여러 장 투입해 두고 그후 오락기 이용자가 게임에서 당첨이 되면 오락기에서 자동으로 그 당첨액수에 상응하는 상품권이 배출되는 방식의 위조유가증권을 행사한 죄에 있어서, 각각의 상품권 사용시에 몇 매가 함께 사용되었는지, 행사 상대방이 누구인지 등의 특정은 불가능하다고 보아야 하므로, 이에 관한 공소사실은 상품권 사용일자의 범위와 장소, '경품용으로 지급'하였다는 용도 정도가 기재되어 있으면 특정된 것으로 보아야 한다(대판 2007.4.12, 2007도796). 11. 9급 교정 · 보호직

▶ **구체적 사안** : "위조된 문화상품권 30,000장을 2006. 7. 일자 불상경부터 같은 해 9. 5.경까지 불특정 다수의 손님에게 경품용으로 지급함으로써 행사하였다."는 이 부분 공소사실은 구체적인 범죄사실을 특정하여 기재한 것이라고 볼 수 있다.

3. 뇌물수수의 공소사실 중 수뢰금액을 '2억원 상당'으로 기재하였더라도 공소사실을 특정할 수 있어 공소제기의 효력에 영향이 없다(대판 2010.4.29, 2010도2556). 11. 9급 교정·보호직

4. 문서의 위조 여부가 문제되는 사건에서 그 위조된 문서가 압수되어 현존하고 있는 이상, 그 범죄일시와 장소, 방법 등은 범죄의 동일성 인정과 이중기소의 방지, 시효저촉 여부 등을 가름할 수 있는 범위에서 사문서의 위조사실을 뒷받침할 수 있는 정도로만 기재되어 있으면 충분하다(대판 2009.1.30, 2008도6950). 10. 경찰승진

▶ **구체적 사안** : 외국 유명대학교의 박사학위를 위조·행사하였다는 공소사실에 대하여 박사학위기 위조 부분은 피고인이 위조하였다는 문서의 내용 및 그 명의자가 특정되었을 뿐 아니라 위조일시, 방법이 개괄적으로 기재되어 있으며, 위조박사학위기 행사 부분은 위조문서의 내용, 행사일시, 장소, 행사 방법 등이 특정되어 기재되어 있고, 기록상 위조되었다는 예일대학교 박사학위기와 동일하다고 하는 박사학위기 사본이 현출되어 있으므로 이로써 공소사실은 특정되었다고 볼 것이다(대판 2009.1.30, 2008도6950). 11. 경찰승진, 21. 경찰간부

※ 원심은 박사학위기 원본이 제출되지 않았으므로, 존재하지 않는 문서에 대한 것으로서 범죄의 일시, 장소, 방법, 위조 내용을 전혀 알 수 없어 공소사실이 특정되지 아니한 때에 해당한다고 판시하였다.

5. 주식회사 맥시칸의 맥시칸 양념통닭에 관한 상품표지와 유사한 것을 사용한 사실로 기소하면서 공소장에 "위 주식회사 맥시칸에서 제작하여 각종 광고 매체를 통해 국내에서 소비자들에게 널리 인식시킨 자신의 상품임을 표시한 표지"라고만 기재하고 그 표지가 별도로 특정되지 않았다 하더라도 다른 사실과 구별하기에 충분하니 위 공소사실은 특정된 것이라 할 것이다(대판 1996.5.31, 96도197). 08. 순경 2차

6. "피고인이 파일 공유 사이트인 '○○○○○○' 사이트를 운영하면서 원심판결 별지 채증리스트 기재와 같이 성명불상의 이용자들로 하여금 피해자 성명불상자가 저작권을 가지고 있는 영상저작물을 업로드하게 한 후 불특정 다수의 이용자들로 하여금 이를 언제든지 쉽게 복제·전송받아 사용할 수 있게 하여 저작권 침해행위를 방조하였다."라는 공소사실에는 피해자인 저작재산권자의 성명 등이 특정되어 있지 않으나, 정범의 범죄 구성요건적 행위에 해당하는 '○○○○○○' 사이트 이용자들의 영상저작물 업로드 행위에 관하여 그 행위자의 아이디, 업로드 파일의 파일명, 저작권침해 확인일시, 검색어 등이 기재되어 있어서 침해 대상 저작물과 침해 방법을 특정할 수 있으므로, 구성요건 해당사실을 다른 사실과 구별할 수 있을 정도로 공소사실이 특정되었다고 볼 수 있다(대판 2016.12.15, 2014도1196). 21. 해경승진

7. 부정경쟁방지 및 영업비밀보호에 관한 법률 위반 사건의 공소사실에 '영업비밀'이라고 주장된 정보가 상세하게 기재되어 있지 않다고 하더라도, 다른 정보와 구별될 수 있고 그와 함께 적시된 다른 사항들에 의하여 어떤 내용에 관한 정보인지 알 수 있으며, 또한 피고인의 방어권 행사에도 지장이 없다면, 그 공소제기의 효력에는 영향이 없다(대판 2009.7.9, 2006도7916).

▶ **구체적 사안** : 이 사건 공소사실에는 피고인이 누설하고, 나머지 피고인들이 사용한 영업비밀에 관하여 "경부선 전동차 160량의 설계도면 캐드파일"로 기재되어 있는바, 이 사건 캐드파일은 다른 정보와 구별될 수 있고 어떤 내용에 관한 정보인지 충분히 알 수 있으며, 피고인들의 방어권 행사에도 지장이 있는 것으로 보이지 않는다. 따라서 이 사건 캐드파일에 관한 기재가 영업비밀로서 특정되었다고 판단한 것은 정당하다(대판 2009.7.9, 2006도7916).

8. 무거래 세금계산서 교부죄의 공소사실에 기재된 공급가액이 피고인이 실제 교부한 세금계산서에 기재된 공급가액이 아니라 주류판매계약서에 기재된 공급가액이라 하더라도 공소사실이 특정되었다(대판 2009.2.12, 2008도10577).
9. 유가증권변조의 공소사실이 범행일자를 "2005. 1. 말경에서 같은 해 2. 4. 사이"로, 범행장소를 "서울 불상지"로, 범행방법을 "불상의 방법의 수취인의 기재를 삭제"한 것으로 된 경우, 변조된 유가증권이 압수되어 현존하고 있는 이상 위 공소사실이 특정되었다(대판 2008.3.27, 2007도11000).
10. "피고인이 2005. 2. 하순경 피해자 운영의 유황오리식당 내부 천장에 감시용 CCTV 카메라 3대 및 계산대 위 천장 틈새에 도청마이크 1개를 은닉하여 설치하고 피고인의 개인 사무실에 CCTV 녹화기 및 녹음기를 설치한 다음, 2005. 5. 초순경부터 같은 해 9. 29.경까지 위 식당 내에서 행하여지는 피해자 등의 대화에 관하여 위 마이크를 통하여 녹음을 시도하거나, 청취함으로써 공개되지 아니한 타인 간의 대화를 녹음하려다 그 뜻을 이루지 못하고 미수에 그치거나, 이를 청취하였다."는 공소범죄사실은 피고인의 방어권 행사에 지장이 없을 정도로 특정되었다고 할 것이다(대판 2007.12.27, 2007도9053).
11. 공모의 시간·장소·내용 등을 구체적으로 명시하지 아니하였다거나 그 일부가 다소 불명확하더라도 그와 함께 적시된 다른 사항들에 의하여 그 공소사실을 특정할 수 있고, 그리하여 피고인의 방어권 행사에 지장이 없다면 그와 같은 이유만으로 공소사실이 특정되지 아니하였다고 할 수 없다(대판 2007.6.14, 2004도5561).
12. 노동조합 및 노동관계조정법 위반죄의 구성요건인 '노동조합의 운영에 개입'에 해당하는 공소사실에 대하여 일시, 방법(현장관리자들의 조합원 설득을 위한 구체적인 지시 사항) 등을 구체적으로 적시하고 있고 위 구성요건 해당사실을 다른 사실과 충분히 구별할 수 있으며, 피고인들의 지시에 따라 이후에 이루어진 현장관리자들의 설득의 내용과 그 대상자 등이 공소사실에 일일이 적시되지 않았다고 하더라도 피고인들의 방어권 행사에 지장이 없어 이 부분 공소사실이 특정되었다(대판 2006.9.8, 2006도388).
13. 유가증권위조의 점에 관한 공소사실의 범죄의 일시를 '2000. 초경부터 2003. 3.경 사이에'로 비교적 장기간으로 기재하였더라도 공소사실이 불특정된 것으로 볼 수 없다(대판 2006.6.2, 2006도48).
14. 범죄를 목적으로 단체 등을 구성하는 범죄(폭력행위 등 처벌에 관한 법률 제4조)에서 규정하는 단체는 그 범죄를 한다는 공동의 목적 아래 최소한의 통솔체계를 갖추면 되는 것이고, 폭력행위의 방법에 의하여 범죄를 범하는 것을 목적으로 하는 이상, 동법 제2조 제1항의 범죄 중 어느 범죄를 범하는 것을 목적으로 하는가 여부까지 기재가 없더라도 공소사실은 특정된 것이다(대판 1997.10.10, 97도1829).
15. "피고인이 백화점 상계점의 식품팀을 총괄하는 식품담당 차장으로서 정육팀 종업원과 공모하여 1994. 7. 7. 12 : 13경 위 백화점 지하 1층 식품판매장에서 판매하다 남은 재고 정육상품으로서 가공일이 같은 달 4. 또는 같은 달 5.로 표시된 소천엽, 소양 등에 부착되어 있는 바코드와 비닐랩 포장을 벗겨낸 다음 다시 새로운 비닐랩으로 재포장한 후 그 위에 가공일이 1994. 7. 7.로 기재된 바코드와 백화점 상표를 부착하여 진열대에 진열하여 마치 위 상품이 판매 당일 구입되어 가공된 신선한 것처럼 고객인 피해자 甲을 기망하여 그에게 위 소천엽 1개를 대금 2,440원에, 위 소양 1개를 대금 1,201원에 판매하여 그 대금 상당액을 편취하였다."고 기재하는 것은 공소사실이 특정된 것이다(대판 1996.2.13, 95도2121).
16. 피고인들은 공모하여 1991. 10. 하순경부터 1992. 11. 하순경까지 사이에 여수시 교동 등지에서 여수지역 폭력세계의 주도권을 확립하여 유흥업소, 인근 보호수면에 서식중인 어패류 채취 등의 이권과

그에 대한 지배권을 장악할 목적으로 여수시 교동 등지에서 조직의 명칭은 "신시민파"로 피고인 A는 두목급 수괴로, 피고인 B는 고문급 간부로, 피고인 C, D 등은 참모급 간부로, 피고인 E 등은 행동대장급 간부로, 피고인 F 등은 행동대원으로 하는 등 조직원들의 업무분장을 정하고, 폭력행사를 목적으로 하는 속칭 "신시민파"라는 범죄단체를 구성하였다는 것으로 그 범죄의 일시, 장소, 방법 등을 모두 구체적으로 명시하고 있어 다른 범죄사실과의 구별이 가능하고 피고인들의 방어의 범위를 한정하여 그 방어권을 침해하였다고 볼 수도 없으므로 공소사실이 특정되었다(대판 1994.9.23, 94도1853).

17. 의료인이 아닌 자가 일정기간 동안 여러 사람을 상대로 성기의 표피를 절개한 후 그 안에 육질형 실리콘을 집어 넣고 봉합하는 수술을 하여 준 다음 대가를 받아 의료행위를 업으로 하였다는 취지의 보건범죄단속에 관한 특별조치법 위반의 공소사실이 특정되었다고 본다(대판 1992.9.25, 92도1671). 21. 해경
18. 폭력행위 등 범죄를 목적으로 하는 단체를 구성하였다는 요지의 폭력행위 등 처벌에 관한 법률 위반 공소사실을 기록에 의하여 살펴보면 그 공소사실은 특정되어 있다고 보여지고, 그 범죄의 "시일이 1985. 1. 3. 이후 같은 해 월일 불상경"으로, 범죄장소가 "수원지 북문소재 장소 불상지"로 다소 구체적으로 적시되지 않았다 하더라도 공소제기가 위법하다고는 볼 수 없다(대판 1991.10.25, 91도2085).
19. "차입금 및 부금 명목으로 받은 금 10,919,486,000원을 차입금원장 및 부금원장 등에 기장하고 그 돈을 동 금고에 납입하여 관리하여야 함에도 불구하고 그 임무에 위배하여 그 돈을 동 금고에 납입치 아니하고 비밀장부에 기장한 후 이를 빼내어 동 금고의 방계회사기업의 사업자금과 피고인들 개인 명의로 부동산을 매입하는 등으로 사용함으로써 피고인 등이 동액 상당의 이득을 취득하고 동 금고에 동액상당의 손해를 가하였다."고 적시하여 공소를 제기한 경우 그 범행방법 또한 특정되었다 할 것이다(대판 1984.9.25, 84도1581).
20. 업무상 과실치상 공소사실 중 그 일부 피해자에 대하여 치료기간이 미상이라고 기재하고 있다고 하더라도 공소사실의 기재는 범죄의 시일, 장소와 방법을 명시하여 사실을 특정할 수 있도록 하면 되는 것이고, 치상의 경우 그 치료기간은 필요적 기재사항이라고 할 수는 없는 것이니 위의 공소사실은 모두 특정되어 있다 할 것이다(대판 1984.3.13, 83도3006). 20. 해경승진
21. 튀김용 호마유를 제조한 점에 관한 본건 공소사실 중 그 위반내용에 관한 사항이 구체적으로 적시되지 아니하고 단지 "보건사회부령으로 정한 규격과 기준에 맞지 아니한 튀김용 호마유를 제조"하였다고만 기재되어 있어 그 내용이 다소 명확하지 아니하나, 범죄의 시일, 장소와 제조원료 등 다른 사항의 기재내용과 종합하여 보면 공소장에 위 규정위반의 내용을 구체적으로 적시하지 아니하였다 하더라도 위의 본건 공소사실 그 자체를 특정할 수 없는 것은 아니라고 할 것이다(대판 1982.7.27, 82도1393).

- **특정을 부정한 판례**

1. 사문서변조의 공소사실에는 그 변조의 대상이 된 예금잔액증명서의 발급경위와 이미 금액란의 변조가 마쳐진 상태의 예금잔액증명서가 피고인에게 전달된 과정이 기재되어 있을 뿐 사문서변조의 범죄구성요건에 해당하는 구체적 사실에 관해서는 그 일시·장소와 방법의 기재가 모두 빠져 있고, 변조의 실행행위를 한 사람도 전혀 나타나 있지 않으며(공범자도 성명불상자로만 기재되어 있을 뿐이다), 그 외에 이 사건 공소장 내에 적시된 여타 사항들만으로는 다른 사실과 구별될 수 있는 사문서변조에 관한 구체적 공소사실을 파악하기 어려운 경우, 이와 같은 공소사실은 범죄구성요건의 특정요소에 관한 기재 자체가 누락된 것이어서, 공소사실이 특정되었다고 볼 수 없다(대판 2009.1.15, 2008도9327). 11. 경찰승진, 20. 9급 검찰·마약·교정·보호·철도경찰

2. '피고인이 2010. 1. 1.부터 2014. 2. 28.까지 의사인 본인이 의약품을 직접 조제하거나 또는 환자에 대한 복약지도를 전혀 하지 않고 간호사가 단독으로 입원환자에 대한 의약품을 조제하였음에도 마치 의사가 직접 의약품을 조제하고 입원환자에 대한 복약지도를 한 것처럼 약제비, 복약지도료 명목 등으로 피해자 국민건강보험공단으로부터 수급자 2,907명과 관련하여 합계 18,470,704원을, 피해자 A주식회사로부터 수급자 516명과 관련하여 합계 7,336,665원을, 피해자 B주식회사로부터 수급자 362명과 관련하여 합계 6,979,967원을 교부받아 이를 편취하였다.'는 공소사실 중 사기의 점에 관하여, 피고인은 약사를 고용하여 1주일 중 월요일과 목요일에는 약사로 하여금 약을 조제하도록 하였고, 이 부분 공소사실의 편취금액에는 간호사가 아닌 약사가 약을 직접 조제한 부분과 관련된 보험금이 포함되어 있다는 것인데, 위와 같이 병원을 운영하면서 1주일에 2회는 약사로 하여금 약을 조제하도록 한 피고인으로서는 이 부분 공소사실의 기재에 의하여 개별 수급자와 수급자별 피해금액조차 알 수 없어 방어권행사에 지장을 겪게 되므로, 이 부분 공소사실이 특정되었다고 보기 어렵다(대판 2017.2.21, 2016도19186).
3. 피고인 乙의 부인이고 피고인 A 주식회사의 경리 담당 직원인 피고인 甲이 피고인 乙과 '공모하여' 관세법위반의 범행을 저질렀다는 공소사실에 대하여, 피고인 甲이 피고인 乙과 공모하였다고 판단할 수 있으려면, 피고인 甲에 대한 공소사실에 피고인 乙과 범죄를 실현하려는 의사의 합치가 있었던 시간ㆍ장소ㆍ내용 등이 구체적으로 명시되어 있거나, 공소사실에 적시된 다른 사항들에 의하여 피고인 甲이 범죄에 공동가공하였다는 점이 특정되어야 하는데, 의사의 합치가 있었다는 사실이 시간ㆍ장소ㆍ내용 등으로 구체적으로 명시되어 있지 않다. 또한, 피고인 甲에 대한 공소사실은 피고인 乙의 부인으로서 또는 경리 담당 직원으로서 피고인 A주식회사를 실제 대표이사와 같이 독자적인 권한을 가지고 운영하였다는 취지로 보이지 않고, 피고인 甲이 범죄에 공동가담한 내용이 개별적으로 특정되어 있지도 아니하다(대판 2016.4.2, 2016도2696).
4. 피고인들이 불특정 다수 인터넷 이용자들의 컴퓨터에 자신들의 프로그램을 설치하여 경쟁업체 프로그램이 정상적으로 사용되거나 설치되지 못하도록 함으로써 인터넷 이용자들의 인터넷 이용에 관한 업무를 방해하였다고 하여 '컴퓨터 등 장애 업무방해'로 기소된 사안의 경우, 공소장 기재만으로는 업무 주체인 피해자와 방해된 업무 내용을 알 수 없으므로, 공소사실이 특정되지 않았다고 보아야 한다(대판 2011.5.13, 2008도10116).
5. 컴퓨터 등 장애 업무방해죄에 관한 공소사실에 '컴퓨터 사용자들의 컴퓨터 사용에 관한 업무'라고 기재한 것만으로는 피해자나 방해된 업무의 내용을 알 수 없어 그 공소사실이 특정되지 않았다(대판 2009.3.12, 2008도11187). 21. 해경
6. "피고인이 2001. 2.부터 2002. 6.까지 보따리상을 통하여 장뇌삼 9,398뿌리 외 7종 시가 1억 99,928,460원 상당품을 밀수입하고, 2002. 9.경부터 2003. 2.경까지 보따리상을 통하여 중국산 장뇌삼 9,529뿌리 외 3종 시가 1억 60,673,000원 상당의 물품을 밀수입하였다."는 공소사실은 그 수입의 일시, 방법, 품목, 수량 등이 기재되어 있지 않는 등으로 공소사실이 특정되지 아니하여 공소제기의 절차가 법률에 위반하여 무효인 때에 해당한다(대판 2007.1.11, 2004도3870).
7. 유사석유제품 원료의 판매자인 피고인이 원료를 혼합하는 구매자와 함께 유사석유제품 제조의 공동정범으로 기소된 사안에서, 피고인의 상대방 공모공동정범이 누구인지, 몇 명인지, 그 상대방이 언제, 어디서 원료혼합행위를 하였는지를 밝히지 않았다면 공소사실이 특정되지 않았다고 할 것이다(대판 2006.6.15, 2005도3777).

8. '1992. 2.경부터 1996. 6. 7.경까지 수회에 걸쳐 밀수품을 취득하였다.'는 방식으로 공소사실을 기재하는 것은 범행의 회수조차 특정되지 아니하여 적법한 공소사실의 기재로 볼 수 없다(대판 1999.1.26, 98도1480).
9. 음화가 게재된 도서의 판매에 관한 죄의 공소사실에 있어서는 우선 행위의 객체인 당해 도서가 특정되어야 하고 나아가 그 도서에 게재된 도화가 음란성 있는 도화에 해당한다는 구체적 사실도 특정하여 기재되어야 하는 것이다. 10. 경찰승진 따라서 피고인이 1990. 10. 9. 그가 경영하는 서점에서 거창공동정류소 서점을 경영하는 성명 불상자에게 여자가 나체로 성교하는 자세로 누워 있는 사진으로 구성된 월간지인 "걸", "포토스타" 등 22종 500권을 금 562,500원에 판매한 것을 비롯하여 같은 해 1. 1.경부터 12. 6.경까지 사이에 그곳에서 음란도화가 첨부된 월간지를 공급받아 김천, 구미, 상주, 문경, 거창 등지의 서점에 권당 1,200원 내지 1,300원의 가격으로 매월 2,400권 가량을 공급함으로써 음화를 판매하였다는 것인바, 위 공소사실 중 "걸", "포토스타" 두 월간지에 관하여는 도서의 특정과 함께 음란성의 요건 사실도 비교적 구체적으로 특정하여 기재하고 있으나, 다른 월간지들에 관하여는 음란성의 요건사실에 관한 기재는 물론 그 도서를 특정할 수 있는 명칭조차 기재되어 있지 아니하다(대판 1991.12.27, 91도2492).
10. "피고인이 甲과 공모하여 1987. 9. 20. 14 : 00경 경남 창녕읍 교동 280 경일교통사 사무실에서 같은 날 09 : 00경 발생된 교통사고 피의사건과 아무런 관련이 없는 경남 1바1229호 택시를 이용하여 그것이 범죄사실과 관계가 있는 것처럼 꾸며 증거를 위조하였다."는 공소사실의 기재로써는 피고인이 무슨 증거를 어떻게 위조하였다는 것인지 구체적인 범죄사실이 특정되어 있지 않다(대판 1990.3.13, 89도1688).
11. 만연히 "사위의 방법으로 … 포탈한 것이다."라고 기재하였다면 구체적인 사실의 기재가 특정되어 있지 않다(대판 1984.5.22, 84도471).
12. 사문서위조 공소사실을 기재함에 있어서 2인의 명의만 특정하였을 뿐 나머지 채권자 4명에 대하여는 그 명의를 구체적으로 특정하지 않은 채 만연히 채권자들이라고만 지적하였다면 공소사실이 특정되었다고 할 수 없다(대판 1983.9.13, 82도2063).
13. 피고인이 절취하였다는 물품이 "품명불상의 재물"이라고만 표현되었음은 그것이 과연 재물성을 가진 것인지조차 알 길이 없어 이 사건 범죄의 특별구성요건을 충족하는 구체적 사실이라고 할 수 없고 또 피고인이 "성명불상자들과 합동하여 통행 중인 성명불상 여자로부터 품명불상의 재물을 절취하였다."는 공소장의 기재는 공소의 원인 사실이 다른 사실과 구별될 수 있도록 특정된 것이라고 볼 수도 없다(대판 1975.11.25, 75도2946).
14. "피고인이 2018. 11. 4.경부터 11. 15.경까지 사이에 불상의 장소에서 피고인 명의의 새마을금고 계좌(계좌번호를 기재함)에 연결된 체크카드 1장 및 비밀번호를 불상의 자에게 불상의 방법으로 건네주어 접근매체를 양도하였다"는 공소사실 기재에 관하여, 이 사건 공소사실은 범행 일시가 12일에 걸쳐 있고, 범행 장소가 불상으로 기재되어 있을뿐더러 접근매체의 교부 상대방과 교부 방법이 불상으로 기재되어 있는 등 상당 부분이 사실상 특정되지 않는 내용으로 구성, 표시되어 있다(대판 2022.12.29, 2020도14662).

㉣ **적용법조** : 공소장에는 적용법조를 기재하여야 한다. 이는 공소사실의 법률적 구성을 명확히 하여 피고인의 방어권을 보장하고자 함에 있다. 적용법조의 기재에 오기가 있거나 누락이 있는 경우라 할지라도 피고인의 방어에 실질적 불이익이 없는 한 공소제기의 효력에는 영향이 없다 할 것이나(판례), 17. 경찰간부 공소사실의 기재만 있고 죄명과 적용법조의 기재가 전혀 없는 때에는 그 부분에 대한 공소제기는 무효라고 보아야 하고 공소기각판결을 선고해야 한다는 견해와 보정지시를 한 후 실체판결을 해야 한다는 견해가 대립한다.

관련판례

1. 공소장에는 죄명 · 공소사실과 함께 적용법조를 기재하여야 하지만(형사소송법 제254조) 공소장에 적용법조를 기재하는 이유는 공소사실의 법률적 평가를 명확히 하여 공소의 범위를 확정하는 데 보조기능을 하도록 하고, 피고인의 방어권을 보장하고자 함에 있을 뿐이고, 법률의 해석 및 적용 문제는 법원의 전권이므로, 공소사실이 아닌 어느 처벌조항을 준용할지에 관한 해석 및 판단에 있어서는 법원은 검사의 공소장 기재 적용법조에 구속되지 않는다(대판 2018.7.24, 2018도3443). 22. 경찰간부
2. 공소장에 적용법조를 기재하는 이유는 공소사실의 법률적 평가를 명확히 하여 피고인의 방어권을 보장하고자 함에 있으므로, 적용법조의 기재에 오기나 누락이 있는 경우라 할지라도 이로 인하여 피고인의 방어에 실질적인 불이익을 주지 않는 한 공소제기의 효력에는 영향이 없고, 법원으로서도 공소장변경의 절차를 거치지 않고 곧바로 공소장에 기재되어 있지 않은 법조를 적용할 수 있다(대판 2012.11.15, 2010도11382). 18. 5급 검찰 · 교정승진, 24. 경찰승진

KEY point

- 필요적 기재사항 ⇨ 피고인 인적사항, 죄명, 공소사실, 적용법조, 피고인구속 여부 ▶ 정상참작 사항 ⇨ ×
- 공소사실 특정에 관한 판례 총정리

② **임의적 기재사항**

㉠ **예비적 · 택일적 기재**

ⓐ 의의 및 제도적 취지 : 공소장에는 수개의 범죄사실과 적용법조를 예비적 또는 택일적으로 기재할 수 있다(제254조 제5항). 14. 9급 검찰 · 마약 · 교정 · 보호 · 철도경찰 이를 인정하는 것은 공소장의 기재방법에 융통성을 갖게 하여 공소제기를 용이하게 하고 무죄판결을 방지하고자 함에 있으며, 법원에게는 사건에 대한 문제점을 예고하여 신중을 기하게 할 수 있다. 예비적 · 택일적 기재는 공소제기시에 뿐만 아니라 공소장변경시에도 가능하다. 14. 9급 검찰 · 마약 · 교정 · 보호 · 철도경찰

ⓑ 예비적 기재 : 예비적 기재란 수개의 범죄사실 또는 적용법조에 대하여 심판 순서를 정하여 선순위의 사실 또는 법조의 존재가 인정되지 않으면 후순위의 사실 또는 법조의 존재의 인정을 구하는 공소장 기재방식을 말한다.

예 1차적으로 살인, 2차적으로 과실치사의 심판을 구하는 방식

예비적 기재사실을 먼저 판단함은 위법이다.

ⓒ 택일적 기재 : 택일적 기재란 수개의 범죄사실 또는 적용법조에 대하여 심판 순서를 정하지 않고 그 가운데 어느 것이라도 하나만 인정되면 충분하다고 하는 취지를 기재하는 공소장 기재방식을 말한다.

예 • 우편배달부가 우편행낭의 내용물을 영득한 범죄행위를 공소장에 절도의 공소사실과 업무상 횡령의 공소사실을 택일적으로 기재
• 채무자가 채권자를 살해한 경우 강도살인의 범죄사실과 살인의 범죄사실을 택일적으로 기재

관련판례

강도살인죄와 살인 및 절도죄를 택일적으로 공소제기한 경우, 살인 및 절도죄에 대하여 유죄로 인정한 이상 검사는 중한 강도살인죄를 유죄로 인정하지 아니한 것이 위법이라는 이유로 상소할 수 없다(대판 1981.6.9, 81도1269).

㉡ **허용범위** : 예비적·택일적 기재가 허용되는 범위에 대하여 견해의 대립이 있다. 다수설은 범죄사실의 동일성이 인정되는 범위 내에서만 허용된다고 하나, 판례는 별개의 범죄사실에 대해서도 허용된다는 견해를 취하고 있다. 07. 7급 국가직
생각건대 별개의 범죄사실에 대해서도 허용하는 것은 조건부 공소제기를 인정하는 셈이 된다 할 것이므로 피고인 보호관점에서 동일성이 인정되지 않는 수개의 범죄사실은 경합범으로 기소함이 타당하다. 따라서 동일성이 인정되지 않는 사실을 예비적·택일적으로 기재한 경우에는 법원은 경합범 형식의 공소장을 보정하게 하는 것이 바람직하다 하겠다.

관련판례

형사소송법 제254조 제5항은 검사가 공소를 제기함에 있어 수개의 범죄사실과 적용법조를 예비적 또는 택일적으로 기재하여 그중 어느 하나의 범죄사실만의 처벌을 구할 수 있다는 것이며 그들 수개의 범죄사실간에 범죄사실의 동일성이 인정되는 범위 내에서 예비적 또는 택일적으로 기재할 수 있음은 물론이나 그들 범죄사실 상호간에 범죄의 일시·장소·수단 및 객체 등이 달라서 수개의 범죄사실로 인정되는 경우에도 이들 수개의 범죄사실을 예비적 또는 택일적으로 기재할 수 있다고 해석할 것이다(대판 1966.3.24, 65도114 전원합의체). 18. 순경 3차, 19. 해경간부, 22. 경찰간부

㉢ **법원의 심리·판단**

ⓐ 심판의 대상 : 예비적·택일적 기재를 하는 경우에는 예비적 또는 택일적으로 기재한 모든 공소사실이 법원의 심판대상이 된다. 즉, 예비적 기재의 경우에는 본위적(주위적) 공소사실뿐만 아니라 예비적 공소사실도 심판의 대상이 된다. 택일적 기재의 경우에도 공소사실 전부가 심판의 대상이 된다. 항소심에 있어서도 같다.

관련판례

1. 공소사실과 적용법조가 택일적으로 기재되어 공소가 제기된 경우에 그중 어느 하나의 범죄사실만에 관하여 유죄의 선고가 있은 제1심판결에 대하여 항소가 제기되었을 때 항소심에서 항소이유 있다고 인정하여 제1심판결을 파기하고 자판을 하는 경우에는 다시 사건 전체에 대하여 판결을 하는 것이어

서 택일적으로 공소제기된 범죄사실 가운데 제1심판결에서 유죄로 인정된 이외의 다른 범죄사실이라도 그것이 철회되지 아니하는 한 당연히 항소심의 심판의 대상이 된다(대판 1975.6.24, 70도2660).

2. 주위적 · 예비적 공소사실의 일부에 대한 상소제기의 효력은 나머지 공소사실 부분에 대하여도 미치는 것이고, 동일한 사실관계에 대하여 서로 양립할 수 없는 적용법조의 적용을 주위적 · 예비적으로 구하는 경우에는 예비적 공소사실만 유죄로 인정되고 그 부분에 대하여 피고인만 상소하였다고 하더라도 주위적 공소사실까지 함께 상소심의 심판대상에 포함된다고 볼 것이다(대판 2006.5.25, 2006도1146). 24. 경찰승진

ⓑ **판단순서** : 예비적 기재의 경우 예비적 기재사실을 먼저 판단하면 위법이며 상소이유가 된다. 택일적 기재는 어느 사실을 먼저 심판하여도 적법하다.

ⓒ **판단방법** : 예비적 · 택일적 기재의 경우 법원이 그 어느 하나로 유죄를 선고한 경우에는 판결주문에 다른 부분에 대한 판단은 할 필요가 없으나, 예비적 기재의 경우에 후위적 공소사실로 유죄를 인정하는 경우에는 판결이유에서 본위적 사실에 대해 판단을 밝혀야 한다고 함이 판례의 입장이다. 한편, 예비적 · 택일적 기재의 경우 법원이 공소사실 모두에 대해 무죄를 선고하는 때에는 판결이유에서 모든 공소사실과 적용법조를 배척함을 밝혀야 한다(통설). 14. 9급 검찰 · 마약 · 교정 · 보호 · 철도경찰

관련판례

1. 예비적 · 택일적 기재를 한 경우에 어느 하나로 유죄를 선고한 경우, 판결주문에 다른 부분에 대해서는 판단을 할 필요가 없으나, 예비적 기재의 경우에 후위적 공소사실로 유죄를 인정한 경우에는 판결이유에서 본위적 공소사실에 대해 판단을 밝혀야 한다(대판 1976.5.26, 76도1126).
2. 강간치상의 사실을 본래적 공소사실로 상해의 사실을 예비적 공소사실로 하여 공소를 제기한 후 공소사실변경의 절차가 없음에도 불구하고 강제추행치상죄로 처단함은 위법하다(대판 1968.9.29, 68도776).

KEY point

- **허용범위** : 동일성 인정범위(다수설), 별개 범죄에도 허용(판례)
- **판단방법** ┌ 예비적 기재의 경우 후위적 사실로 유죄를 인정한 경우 판결이유에서 본위적 사실 판단을 밝혀야 함.
  └ 예비적 · 택일적 기재의 경우 모두 무죄선고 ⇨ 판결이유에서 배척함을 밝혀야 함.
- **판단순서** : 예비적 기재의 경우에 본위적 사실에 대한 판단 ×, 예비적 사실에 대한 판단 ○ ⇨ 위법
- **예비적 · 택일적 기재 시기** : 공소제기시 or 공소장변경시

(3) 공소장일본주의

① **의의** : 공소제기시에 법원에 제출한 것은 공소장 하나이며, 법원에 예단을 생기게 할 수 있는 서류나 물건은 첨부하여서는 안 된다는 것을 공소장일본주의라 한다(규칙 제118조 제2항). 13. 경찰승진

☎ 형사소송법에 규정 ×, 형사소송규칙에 규정 ○
☎ 군사법원법에도 규정(군사법원법 제296조) 04. 행시

② **공소장일본주의의 이론적 근거** : 공소장일본주의는 당사자주의, 예단배제원칙, 공판중심주의, 위법증거배제원칙, 전문법칙에 의해 요청된다.

㉠ **당사자주의** : 당사자주의 소송구조에서는 당사자의 소송활동을 중심으로 공판심리가 진행되고 법원은 제3자적 판단자의 지위에 있는 것이므로, 법관이 사건에 관하여 백지상태에서 공판심리에 임하도록 하는 것은 공소장일본주의가 요청하는 것이다.

㉡ **예단배제의 원칙** : 예단배제의 원칙이란 구체적 사건의 심판에 있어 법관의 예단과 편견을 방지하여 공정한 재판을 보장하려는 원칙을 말하며, 이 원칙에 의해 공소장일본주의가 요청된다.

㉢ **공판중심주의** : 공판중심주의란 법관의 유무죄 심증형성은 공판기일의 심리를 통해서만 이루어져야 한다는 원칙을 말한다. 공소장일본주의는 법관이 공판기일의 심리가 아닌 공소장을 통해 심증을 형성하지 못하도록 한다는 점에서 공판중심주의를 실현하는 제도라 할 수 있다. 뿐만 아니라 공판중심주의가 직접주의와 구두변론주의를 전제로 한다는 점에서 공소장일본주의는 직접주의와 구두변론주의를 실현하기 위한 제도라고도 할 수 있겠다.

㉣ **위법증거배제원칙** : 공소장일본주의는 법원의 위법한 증거에 대한 공판 전의 접촉을 차단하기 위하여도 필요하다는 견해가 있다.

③ **공소장일본주의의 내용**

㉠ **서류 또는 물건의 첨부금지** : 공소장에는 사건에 예단을 생기게 할 수 있는 서류 기타 물건을 첨부하여서는 안 된다(규칙 제118조 제2항). 11. 9급 교정·보호·철도경찰 그러나 예단 염려가 없는 서류나 물건은 첨부가 가능하다.

☎ 공소사실을 별지로 작성하여 첨부하는 것은 공소장일본주의에 반하지 않음.
☎ 공소장에는 변호인 선임서, 보조인 신고서, 특별대리인 결정등본, 체포영장, 긴급체포서, 구속영장, 기타 구속에 관한 서류 등은 첨부하여야 한다(규칙 제118조 제1항). 08. 9급 법원직, 21. 경찰간부

㉡ **인용의 금지** : 공소장일본주의의 취지에 비추어 공소장에 증거 기타 예단을 발생시킬 수 있는 문서내용을 인용하는 것이 금지되는 것은 당연하다 하겠다. 물론 공소사실을 특정하는 데 필요한 경우에는 인용이 금지되지 않는다. 예 문서를 수단으로 한 협박·공갈·명예훼손 등의 사건에 있어 문서의 기재내용 그 자체가 범죄구성요건에 해당하는 중요한 사실이므로 공소사실을 특정하기 위하여 문서의 내용을 인용하는 것은 적법하다.

㉢ **여사기재금지** : 여사기재란 공소장에 필요적 기재사항(제254조) 이외의 사항이 기재된 경우를 말하며, 이와 관련하여 문제되는 것은 다음과 같다.

ⓐ 피고인 전과 : 전과가 구성요건요소가 되는 경우(예 상습범)나 범죄사실의 내용이 되는 경우(예 전과를 수단으로 한 공갈)에는 당연히 그 기재가 허용된다. 그러나 그 이외의 피고인 전과를 기재함은 공소장일본주의에 반한다고 해야 한다(판례는 공소장에 전과기재는 피고인을 특정할 수 있는 사항에 속하는 것으로 허용된다고 함).

관련판례

1. 누범이나 상습범을 구성하지 않는 전과사실을 기재하더라도 이는 피고인을 특정할 수 있는 사항에 속한다 할 것이므로 그 공소장 기재는 적법하다(대판 1966.7.19, 66도793). 13 · 14. 9급 법원직, 14. 7급 국가직
2. 공소장의 공소사실 첫머리에 피고인이 전에 받은 소년부송치처분과 직업 없음을 기재하였다 하더라도 이는 형사소송법 제254조 제3항 제1호에서 말하는 피고인을 특정할 수 있는 사항에 속하는 것이어서 그와 같은 내용의 기재가 있다 하여 공소제기의 절차가 법률의 규정에 위반된 것이라고 할 수 없고, 또 헌법상의 형사피고인에 대한 무죄추정조항이나 평등조항에 위배되는 것도 아니다(대판 1990.10.16, 90도1813). 09. 9급 국가직, 13. 경찰승진, 14. 경찰간부

ⓑ 피고인의 악성격 · 악경력 : 피고인의 악성격이나 악경력이 범행수단이 되는 경우(예 공갈의 수단)나 상습범 인정자료로 사용되는 경우를 제외하고는 그 기재가 허용되지 않는다 할 것이다.

관련판례

공소장에는 법령이 요구하는 사항만 기재할 것이고 공소사실의 첫머리에 공소사실과 관계없이 법원의 예단만 생기게 할 사유를 불필요하게 나열하는 것은 옳다고 할 수 없고, 공소사실과 관련이 있는 것도 원칙적으로 범죄의 구성요건에 적어야 할 것이고, 이를 첫머리 사실로서 불필요하게 길고 장황하게 나열하는 것을 적절하다고 할 수 없다(대판 1992.9.22, 92도1751).

ⓒ 범행동기 : 범행동기도 원칙적으로는 기재가 허용되지 않는다고 보아야 한다. 다만, 살인이나 방화 등은 동기가 공소사실과 밀접 불가분하거나 공소사실을 명확하게 하기 위하여 필요한 것이므로 이를 기재하는 것이 허용된다고 할 것이다.

관련판례

1. 살인, 방화 등의 경우 범죄의 직접적인 동기 또는 공소범죄사실과 밀접불가분의 관계에 있는 동기를 공소사실에 기재하는 것이 공소장일본주의 위반이 아님은 명백하고, 설사 범죄의 직접적인 동기가 아닌 경우에도 동기의 기재는 공소장의 효력에 영향을 미치지 아니한다(대판 2007.5.11, 2007도748). 11. 9급 국가직, 14. 9급 법원직 · 7급 국가직, 14 · 21. 경찰간부, 18 · 24. 경찰승진
2. 국가공무원법 위반의 공소사실 기재 부분 중 피고인들이 상고이유에서 지적하고 있는 부분은 피고인들이 국가공무원법 제66조 제1항의 '공무 외의 일을 위한 집단행위'에 이르게 된 동기와 경위 등을 명확히 하기 위한 것으로 보일 경우에는 그와 같은 기재가 공소장일본주의에 위배된다고 볼 수는 없다(대판 2012.4.19, 2010도6388 전원합의체). 13. 9급 법원직

ⓓ 여죄사실 : 여죄(심판의 대상이 되는 범죄사실 이외의 다른 범죄사실)의 기재는 법관의 예단 가능성이 있다 할 것이므로 허용되지 않는다고 볼 것이다(판례는 허용).

관련판례

형사소송법 제254조 제3항은 공소장에 동항 소정의 사항들을 필요적으로 기재하도록 한 규정에 불과하고 그 이외의 사항의 기재를 금지하고 있는 규정이 아니므로 공소시효가 완성된 범죄사실을 공소범죄 사실 이외의 사실로 기재한 공소장이 위 형사소송법 제254조 제3항의 규정에 위배된다고 볼 수 없다(대판 1983.11.8, 83도1979). 23. 9급 검찰·마약수사

④ **공소장일본주의 위반의 효과** : 공소장일본주의의 위반은 공소제기에 관한 중요한 방식위반이므로 공소장일본주의에 위반한 공소제기는 무효이며, 법원은 판결로 공소를 기각하여야 한다(제327조 제2호). 11·12. 9급 국가직, 14·15. 경찰간부, 17. 7급 국가직, 13·18. 경찰승진

관련판례

1. 공소장일본주의에 위배된 공소제기라고 인정되는 때에는 그 절차가 법률의 규정에 위반하여 무효인 때에 해당하는 것으로 보아 공소기각의 판결을 선고하는 것이 원칙이다(대판 2017.11.9, 2014도15129). 20. 9급 법원직
2. 공소장일본주의에 위배되는 공소제기라 할지라도 공소장 기재의 방식에 관하여 피고인 측으로부터 아무런 이의가 제기되지 아니하였고 법원 역시 범죄사실의 실체를 파악하는 데 지장이 없다고 판단하여 그대로 공판절차를 진행한 결과 증거조사절차가 마무리되어 법관의 심증형성이 이루어진 단계에서는 소송절차의 동적 안정성 및 소송경제의 이념 등에 비추어 볼 때 이제는 더 이상 공소장일본주의 위배를 주장하여 이미 진행된 소송절차의 효력을 다툴 수는 없다(대판 2009.10.22, 2009도7436 전원합의체). 12. 9급 검찰·마약·교정·보호·철도경찰, 13. 9급 법원직·경찰승진, 13·14. 7급 국가직, 14·17. 경찰간부, 17. 9급 검찰·마약수사
   - ▶ **비교판례** : 피고인 측으로부터 이의가 유효하게 제기되어 있는 이상 공판절차가 진행되어 법관의 심증형성의 단계에 이르렀다고 하여 공소장일본주의 위배의 하자가 치유된다고 볼 수 없다(대판 2015.1.29, 2012도2957). 24. 경찰승진

⑤ **공소장일본주의의 예외**

㉠ **약식절차** : 검사가 약식명령을 청구할 때에는 공소제기와 동시에 수사기록과 증거물을 법원에 제출하여야 하므로(제449조) 공소장일본주의가 적용되지 않는다. 10. 9급 국가직 그러나 약식명령청구가 있는 경우에도 법원이 약식명령을 할 수 없거나 부당하다고 인정하여 공판절차에 의해 심판하거나(제450조) 정식재판의 청구가 있는 때에는 공소장일본주의가 적용된다.

관련판례

검사가 약식명령을 청구하는 때에는 약식명령의 청구와 동시에 약식명령을 하는 데 필요한 증거서류 및 증거물을 법원에 제출하여야 하는바(형사소송규칙 제170조), 이는 공소장일본주의의 예외를 인정한 것이므로 공소장일본주의를 위반하였다 할 수 없고, 그 후 약식명령에 대한 정식재판청구가 제기되었음에도 법원이 증거서류 및 증거물을 검사에게 반환하지 않고 보관하고 있다고 하여 그 이전에 이미 적법하게 제기된 공소제기의 절차가 위법하게 된다고 할 수도 없다(대판 2007.7.26, 2007도3906). 13. 9급 법원직, 18. 경찰승진

㉡ **즉결심판의 경우** : 즉결심판에 대하여 정식재판청구가 있는 경우에는 경찰서장은 지체 없이 관할 지방경찰청 또는 지청의 장에게 사건기록과 증거물을 송부하여야 하며, 그 검찰청 또는 지청의 장은 지체 없이 관할법원에 송부하여야 하므로(즉결심판에 관한 절차법 제14조 제3항), 이는 공소장일본주의의 예외이다. 20. 9급 법원직

㉢ **공소제기 이후** : 공소장일본주의는 공소제기에 한하여 적용되는 원칙이며, 일단 공소가 제기된 후에는 적용되지 아니한다.

- 상소심절차나 파기환송 후의 절차에서 이 원칙이 적용 × 03. 행시
- 공판절차갱신 후의 절차에서도 이 원칙이 적용 ×

⑥ **관련문제**

㉠ **공판기일 전의 증거조사, 증거제출** : 형사소송법은 공판기일 전의 증거조사(제273조)와 증거제출(제274조)을 인정하고 있다. 공판기일 전에 증거조사나 증거제출을 인정하게 되면 수소법원이 사건의 실체에 대하여 예단을 가지게 되므로 공소장일본주의에 반한 것이 아닌가 하는 의문이 제기된다. 따라서 위 규정에서의 공판기일 전이라 함은 '제1회 공판기일 이후의 공판기일 전'을 의미한다고 해석함이 타당하다(다수설).

㉡ **증거개시의 문제** : 형사소송법은 피고인과 변호인에게 소송계속 중의 관계서류 또는 증거물에 대한 열람·등사권을 인정하고 있다(제35조). 그러나 공소장일본주의에 의해 공소제기 후에 증거물과 수사기록은 검사가 보관하게 되어 있기 때문에 피고인이나 변호인이 검사에게 그 기록의 열람·등사를 청구할 수 있는가 하는 문제가 생긴다.

소송계속 중의 관계서류란 공소제기 이후의 서류를 의미하는 것이며, 반드시 법원이 보관하고 있는 것을 요하지 아니한다 할 것이므로 이를 인정함이 타당하다는 것이 헌법재판소의 입장이었으나(헌재결 1997.11.27, 94헌마60), 2007년 개정법에서 피고인 또는 변호인은 공소제기 이후 검사가 보관하고 있는 서류나 물건 등을 열람·등사할 수 있는 근거를 마련함으로써 입법적으로 해결하였다(제266조의 3).

KEY point

- **공소장일본주의 이론적 근거** : 당사자주의, 예단배제원칙, 공판중심주의, 위법증거배제
- **공소장**
  - 첨부금지서류 : 예단을 줄 수 있는 각종 서류, 물건 예 피의자신문조서
  - 첨부서류 : 변호인선임서, 구속관련서류 등
- **공소장 기재금지**
  - 피고인 전과(판례 ⇨ 기재허용)
  - 피고인의 악경력, 악성격
  - 여죄기재(판례 ⇨ 허용, 다수설 ⇨ 부정)
- **공소장일본주의 예외**
  - 약식명령
  - 즉결심판
  - 상소심절차
  - 파기환송 후 절차
  - 공판절차 갱신 후의 절차

3 공소제기의 효과

공소제기에 의해 사건은 법원에 계속(소송계속)되고, 공소시효 진행이 정지되며, 법원의 심판범위가 한정된다. 23. 경찰승진

공소제기로 인하여 피의자는 피고인으로 바뀌지만 형사소송법에 명문의 규정이 있는 것은 아니다.

(1) 소송계속

검사의 지배하에 있는 사건이 공소제기로 인하여 법원의 지배하로 넘어가게 되는데 이것을 소송계속이라 한다.

소송계속은 검사의 공소제기에 의해서 발생하는 것이 원칙이지만, 예외적으로 공소제기가 없는 경우에도 발생할 수 있다(법원이 공소제기 없는 사건을 공소제기가 있다고 오인하여 심리를 개시한 경우). – 형식재판으로 종결

① **소송계속의 적극적 효과** : 소송이 계속되면 법원은 심판을 할 권리와 의무를, 양 당사자는 심판을 받을 권리와 의무를 가지게 된다. 이러한 권리・의무는 공소제기의 적법・부적법을 불문하고 발생되며 공소제기가 적법・유효한 경우(실체적 소송계속)에는 법원은 실체재판을 선고하고, 부적법・무효인 경우(형식적 소송계속)에는 사건의 실체에 대한 심판을 함이 없이 형식재판으로 소송을 종결한다.

② **소송계속의 소극적 효과** : 일단 공소가 제기되면 동일사건에 대해 다시 공소를 제기할 수 없는데, 이를 이중기소금지라 한다.

이중기소에 대한 처리

1. 동일사건을 동일법원에 이중기소 : 나중에 제기한 공소를 판결로 기각(제327조 제3호) 08. 9급 국가직, 10・23. 경찰승진
2. 동일사건을 다른법원에 이중기소
   - 사물관할을 달리하는 경우에는 법원합의부가 심판하고(제12조) 심판을 할 수 없게 된 다른 법원은 결정으로 공소를 기각(제328조 제3호)
   - 사물관할은 같지만 토지관할을 달리한 경우에는 먼저 공소제기된 법원이 심판하고(제13조), 심판할 수 없게 된 다른 법원은 결정으로 공소를 기각(제328조 제3호) 13. 경찰승진

관련판례

1. 포괄1죄를 구성하는 행위의 일부에 관하여 추가기소하는 것은 1죄를 구성하는 행위 중 누락된 부분을 추가 보충하는 취지라고 볼 것이어서 거기에 이중기소의 위법은 없다(대판 1993.10.22, 93도2178).
2. 검사가 단순1죄라 하여 특수절도 범행을 먼저 기소하고 포괄1죄인 상습특수절도 범행을 추가기소하였으나, 심리과정에서 전후에 기소된 범죄사실이 모두 포괄하여 상습특수절도인 특정범죄 가중처벌 등에 관한 법률위반의 1죄를 구성하는 것으로 밝혀진 경우, 추가기소에 의하여 전후에 기소된 각 범죄사실 전부를 포괄일죄로 처벌할 것을 신청하는 취지가 포함되었다고 볼 수 있어, 먼저 기소된 공소장에 누락된 것을 추가 보충하고 죄명과 적용법조를 포괄일죄의 죄명과 적용법조로 변경하는 취지의 것으로서 1개의 죄에 대하여 중복하여 공소를 제기한 것이 아님이 분명하여진 경우에는 그

추가기소에 의해 공소장변경이 이루어진 것으로 보아 전후에 기소된 범죄사실 전부에 대하여 실체판단을 하여야 하고, 추가기소에 대하여 공소기각판결을 할 필요가 없다(대판 1996.10.11, 96도1698).

3. 제1상습 사기범죄에 대하여 약식명령이 발령된 후 다시 행해진 제2상습 사기범죄에 대하여 기소되었으나 종전의 약식명령에 대하여 정식재판청구권 회복의 결정이 내려진 경우, 제2상습 사기범죄에 대한 공소제기가 이중기소에 해당하여 공소기각판결을 선고하여야 한다(대판 2004.8.20, 2004도3331).
4. 적용법조의 기재에 오기나 누락이 있는 경우라 할지라도 이로 인하여 피고인의 방어에 실질적인 불이익을 주지 않는 한 공소제기의 효력에는 영향이 없고, 법원으로서도 공소장 변경의 절차를 거치지 않고 곧바로 공소장에 기재되어 있지 않은 법조를 적용할 수 있다(대판 2006.4.28, 2005도4085). 24. 경찰승진

---

(2) 심판범위의 한정

법원은 검사가 공소제기한 사건에 대해서만 심판할 수 있다(불고불리원칙). 따라서 법원의 심판범위는 검사의 공소제기에 의해서 한정된다. 즉, 법원의 심판범위는 공소제기의 효력이 미치는 범위 이내로 한정된다.

① **공소제기의 인적 효력범위** : 공소제기는 검사가 공소장에 피고인으로 지정한 자 이외의 다른 사람에게는 효력이 미치지 않는다(제248조)(이 점에서 고소의 주관적 불가분원칙과 차이가 있음). 14. 경찰승진 따라서 공범자 가운데 일부에 대한 공소제기의 효력은 다른 공범자에게는 미치지 아니하며, 16. 9급 법원직, 23. 경찰승진 공소제기 후에 진범인이 발견되어도 공소제기의 효력은 진범인에게 미치지 않는다. 12. 순경

② **공소제기의 물적 효력범위** : 범죄사실의 일부에 대한 공소제기는 전부에 대해 효력이 미친다(제248조 제2항). 08·11. 9급 법원직, 15. 순경 2차, 16. 경찰간부 이것을 공소불가분의 원칙이라 한다. 따라서 포괄1죄나 과형상 1죄의 일부에 대한 공소제기는 그 효력이 전부에 미치게 되고, 13. 경찰승진, 14. 순경 2차 다시 공소제기를 하게 되면 이중기소에 해당한다. 공소제기 효력이 미치는 범위 내라 할지라도 공소장에 기재된 부분만이 법원의 현실적 심판대상이 되고 12. 순경 1차 나머지는 잠재적인 심판대상일 뿐이다. 97. 9급 검찰 잠재적 심판대상은 공소장변경을 통하여만 현실적 심판대상이 될 수 있으므로 공소제기의 효력이 미치는 범위와 법원의 현실적 심판범위와는 반드시 일치하지는 않는다.

고소불가분의 원칙과는 달리 공소불가분의 원칙은 객관적 불가분의 원칙에만 적용됨에 주의!

[일부에 대한 공소제기 문제]

1. 일죄의 일부에 대한 공소제기 : 1죄의 일부에 대한 공소제기라 함은 검사가 그 범죄를 구성하는 다수의 행위 가운데 일부를 분리하여 그 분리된 부분에 대해서만 공소제기를 할 수 있는가의 문제를 말한다(예 강도상해의 사실을 강도로 공소제기). 다양한 학설들이 제기되고 있으나 기소독점주의 및 기소편의주의하에서 공소제기는 검사의 권한이므로 가분적인 범죄사실의 일부에 대한 공소제기도 가능하다는 적극설이 타당하다 하겠다. 판례도 부작위범인 직무유기죄와 작위범인 범인도피죄

의 구성요건이 동시에 충족되는 경우 검사는 재량에 의하여 부작위범인 직무유기죄만 공소제기할 수 있다고 판시함으로써 일죄의 일부에 대한 공소제기를 인정하는 태도를 취하고 있다(대판 1999.11.26, 99도1904). 09. 7급 국가직, 14. 9급 교정·보호·철도경찰

2. 친고죄에 대한 일부기소 : 친고죄에 대해 고소가 없는 경우에 비친고죄로 되는 일부사실에 대해서만 공소제기하는 것은 허용되지 않는다. 인정하게 되면 친고죄를 인정하게 된 취지에 반하게 되고 고소불가분의 원칙에도 반하기 때문이다. 이 점에 대해서는 학설·판례가 일치하고 있다.

▶ 강간죄(현재는 비친고죄)에 대하여 고소가 없거나 고소취소가 있는 경우에 그 수단인 폭행만을 분리하여 공소제기하였다면, 공소제기가 위법한 경우에 해당하여 공소기각판결을 하여야 한다(대판 2002.5.16, 2002도51 전원합의체). 09. 7급 국가직, 10. 경찰승진 – 그러나 강간죄 등 각종 성범죄가 이제는 친고죄에서 일반범죄로 전환(2013. 6. 19. 시행)되었으므로, 종래의 판례는 그 의미를 상실하게 되었다.

3. 포괄일죄에 대한 일부기소

- 상습범에 있어서 공소제기의 효력은 공소가 제기된 범죄사실과 동일성이 인정되는 범죄사실 전체에 미치는 것이며, 또한 공소제기의 효력이 미치는 시적 범위는 사실심리의 가능성이 있는 최후의 시점인 판결 선고시를 기준으로 삼아야 할 것이므로, 검사가 일단 상습사기죄로 공소제기한 후 그 공소의 효력이 미치는 위 기준시까지의 사기행위 일부를 별개의 독립된 상습사기죄로 공소제기를 하는 것은 공소가 제기된 동일사건에 대한 이중기소에 해당되어 허용될 수 없다(대판 2001.7.24, 2001도2196).

  ▶ 포괄일죄의 일부에 대한 공소제기 후 나머지 일부에 대하여 추가 기소된 경우 이중기소금지의 원칙에 해당되어 허용되지 않으며, 나머지부분을 공소사실로 추가하기 위해서는 공소장변경을 요한다.

- 검사가 단순일죄라고 하여 사기 범행을 먼저 기소하고 포괄일죄인 상습사기 범행을 추가로 기소하였으나 그 심리과정에서 전후에 기소된 범죄사실이 모두 포괄하여 상습사기의 일죄를 구성하는 것으로 밝혀진 경우에는, 석명에 의하여 추가기소의 공소장의 제출은 포괄일죄를 구성하는 행위로서 먼저 기소된 공소장에 누락된 것을 추가 보충하고 죄명과 적용법조를 포괄일죄의 죄명과 적용법조로 변경하는 취지의 것으로서 1개의 죄에 대하여 중복하여 공소를 제기한 것이 아님이 분명하여진 경우에는 위의 추가기소에 의하여 공소장변경이 이루어진 것으로 보아 전후에 기소된 범죄사실 전부에 대하여 실체판단을 하여야 하고 추가기소에 대하여 공소기각판결을 할 필요는 없다(대판 1999.11.26, 99도3929).
- 검사가 수개의 협박 범행을 먼저 기소하고 다시 별개의 협박 범행을 추가로 기소하였는데 이를 병합하여 심리하는 과정에서 전후에 기소된 각각의 범행이 모두 포괄하여 하나의 협박죄를 구성하는 것으로 밝혀진 경우, 석명절차를 거치지 아니하였다 하더라도 법원은 전후에 기소된 범죄사실 전부에 대하여 실체판단을 할 수 있고, 추가기소된 부분에 대하여 공소기각판결을 할 필요는 없다(대판 2007.8.23, 2007도2595). 17. 검찰·교정승진

(3) 공소시효의 정지

공소가 제기되면 당해 사건에 대한 공소시효의 진행이 정지되며, 공소기각 또는 관할위반의 재판이 확정된 때부터 다시 진행한다(제253조 제1항). 13 · 14. 경찰승진

- 공범 1인에 대한 시효의 정지는 다른 공범자에게도 효력이 미친다(동조 제2항). 05. 순경, 08 · 10. 9급 법원직, 14. 순경 2차 · 9급 교정 · 보호 · 철도경찰, 12 · 15. 순경 1차, 13 · 14 · 23. 경찰승진
- 범죄증명이 없다는 이유로 공범 중 1인이 무죄확정판결이 선고된 경우, 진범에 대한 공소시효정지의 효력이 없다(대판 1999.3.9, 98도4621). 18. 순경 3차
- 공소제기가 무효인 경우에도 공소시효는 정지된다.

관련판례

형사소송법 제253조 제1항은 "시효는 공소의 제기로 진행이 정지되고 공소기각 또는 관할위반의 재판이 확정된 때로부터 진행한다."라고 정하고 있다. 피고인의 신병이 확보되기 전에 공소가 제기되었다고 하더라도 그러한 사정만으로 공소제기가 부적법한 것이 아니고, 공소가 제기되면 위 규정에 따라 공소시효의 진행이 정지된다(대판 2017.1.25, 2016도15526).

4 공소시효

(1) 의의와 본질

① **의의** : 공소시효라 함은 범죄행위가 종료한 후 공소가 제기됨이 없이 일정기간 경과하면 그 범죄에 관한 공소권을 소멸시키는 제도를 말한다. 공소시효는 형의 시효와 함께 형사시효의 일종이다.

형사시효의 비교 정리

구 분	공소시효	형의 시효
공통점	• 형사시효제도 • 사실상의 상태를 유지 · 존중하기 위한 제도	
차이점	• 확정판결 전 시효제도 • 면소판결 • 형사소송법상 제도	• 확정판결 후 시효제도 • 형집행면제 • 형법상 제도

② **인정이유** : 시간의 경과로 인한 사회적 관심의 감소, 일정기간 계속된 기존의 평온상태의 존중 · 유지, 입증의 곤란, 장기간 도피로 인한 범인의 고통 등을 들 수 있다.

- 확정된 형벌집행 곤란 ⇨ 형의 시효제도 존재 이유임.

③ **본질** : 공소시효의 본질에 관하여 실체법설(공소시효를 형벌권 소멸사유로 파악)과 소송법설(공소시효를 소추권 소멸사유로 파악)의 대립이 있으나 공소시효가 완성되면 무죄판결을 하는 것이 아니고 면소판결을 선고한다는 점(제326조)을 고려할 때 소추권 소멸사유로 보는 것이 타당하다.

(2) 공소시효의 기간

① 시효기간

㉠ **공소시효기간**(제249조 제1항) 10. 순경 · 9급 법원직, 13. 순경 1차, 12 · 14 · 16. 순경 2차, 11 · 12 · 17. 경찰승진

사형에 해당하는 범죄	25년
무기징역(무기금고)	15년
장기 10년 이상 징역(금고)	10년
장기 10년 미만 징역(금고)	7년
장기 5년 미만의 징역(금고)	5년 24. 해경경위공채
장기 10년 이상의 자격정지	
벌 금	
장기 5년 이상의 자격정지	3년
장기 5년 미만의 자격정지	1년
구 류	
과 료	
몰 수	

사람을 살해한 범죄의 공소시효 : 사람을 살해한 범죄(종범은 제외한다)로 사형에 해당하는 범죄에 대하여는 제249조부터 제253조까지에 규정된 공소시효를 적용하지 아니한다(제253조의 2 : 2015. 7. 31. 신설). 17. 7급 국가직, 24. 경찰승진 제253조의 2 개정규정은 이 법 시행 전에 범한 범죄로 아직 공소시효가 완성되지 아니한 범죄에 대하여도 적용한다(부칙 제2조). 15. 순경 3차, 18. 9급 검찰 · 마약수사

사람을 살해한 범죄(종범을 포함)로 사형에 해당하는 범죄에 대하여는 공소시효를 적용하지 아니한다. (×) 18. 경찰간부

공직선거법위반죄의 공소시효 : 공무원이 지위를 이용하여 범한 공직선거법위반죄의 경우 일반인이 범한 공직선거법위반죄와 달리 공소시효를 10년으로 정한 것'에 관한 부분은 평등원칙에 위반되지 않는다(헌재결 2022.8.31, 2018헌바440).

㉡ **의제공소시효**(제249조 제2항) : 공소제기 후 확정판결 없이 25년을 경과하면 공소시효가 완성된 것으로 간주한다. 08. 9급 법원직, 12. 경찰승진, 09 · 13. 순경 1차, 13 · 14. 경찰간부, 11 · 14 · 16. 순경 2차

▶ 공소시효를 적용하지 아니한 범죄 ⇨ 의제공소시효 적용 ×

모든 범죄는 공소제기 후 확정판결 없이 25년을 경과하면 공소시효가 완성된 것으로 간주한다. (×)

관련판례

개정 형사소송법(2007. 12. 21) 부칙 제3조는 '공소시효에 관한 경과조치'라는 표제 아래 "이 법 시행 전에 범한 죄에 대하여는 종전의 규정을 적용한다."라고 규정하고 있다. '종전의 규정'에는 '구 형사소송법 제249조 제1항'뿐만 아니라 '같은 조 제2항'도 포함된다고 봄이 타당하다. 따라서 개정 형사소송법 시행(2007. 12. 21) 전에 범한 죄에 대해서는 부칙조항에 따라 구 형사소송법 제249조 제2항이 적용되어 판결의 확정 없이 공소를 제기한 때로부터 15년이 경과하면 공소시효가 완성한 것으로 간주된다(대판 2022.8.19, 2020도1153).

② 시효기간의 기준

㉠ 공소시효기간의 기준이 되는 형은 처단형이 아니라 법정형이다. 2개 이상의 형을 병과(2개 이상의 주형을 병과하는 경우)하거나, 2개 이상의 형에서 1개를 과할 범죄(여러 개의 형이 선택적으로 규정된 경우)에는 무거운 형이 기준이 된다(제250조). 11. 교정특채, 12·13. 순경 2차, 15. 9급 법원직, 17. 경찰승진

㉡ 형법에 의하여 형을 가중 또는 감경할 경우에는 가중 또는 감경하지 아니한 형이 시효기간의 기준이 된다(제251조). 13. 순경 2차, 15. 순경 1차, 16. 9급 교정·보호·철도경찰, 15·18. 경찰승진, 18·19. 경찰간부, 20·22. 9급 법원직 가중·감경은 필요적인 경우와 임의적인 경우를 모두 포함한다.

㉢ 특별법에 의한 형의 가중·감경은 가중·감경된 특별법상 법정형을 기준으로 공소시효의 기간을 결정한다. 09. 순경, 11. 9급 법원직, 12·15. 순경 2차

관련판례

특정범죄 가중처벌 등에 관한 법률 제8조의 위반죄는 조세범처벌법 제9조 제1항의 행위와 연간 포탈세액이 일정액 이상이라는 가중사유를 합쳐서 구성요건화한 하나의 범죄유형으로 그에 대한 법정형을 규정하고 있는 것이라 할 것이므로, 위 특정범죄 가중처벌 등에 관한 법률 제8조 위반죄의 공소시효기간은 동법 조항의 법정형에 따라 결정하여야 하고, 가중되기 전의 조세범처벌법 제17조의 규정에 의할 수는 없다(대판 1980.10.14, 80도1959).

㉣ 교사범·종범은 정범의 법정형을 기준으로 한다.

㉤ 범죄 후 법률의 개정에 의하여 법정형이 가벼워진 경우에는 당해 범죄사실에 적용될 가벼운 법정형(신법의 법정형)이 공소시효기간의 기준으로 된다(대판 1987.12.22, 87도84). 12. 순경 2차, 15. 순경 1차, 12·17. 9급 검찰·마약·교정·보호·철도경찰, 21. 경찰간부, 24. 경찰승진, 25. 변호사시험

㉥ 양벌규정에 의하여 종업원 이외에 법인이나 사업주도 처벌하는 경우에 법인이나 사업주의 시효기간은 사업주에 대한 법정형을 기준으로 해야 한다는 견해와 행위자 본인(종업원)에 대한 법정형을 기준으로 해야 한다는 견해가 대립한다.

헌법재판소는 종업원이 위법행위를 한 경우 법인이나 영업주까지 함께 처벌하도록 하고 있는 규정은 책임주의 원칙에 위배된다는 이유로 청소년보호법·의료법 등 6개의 양벌규정에 대하여 위헌결정을 내린 바 있다(헌재결 2009.7.30, 2008헌가16 전원재판부).

㉦ 과형상 1죄의 경우 가장 중한 죄의 형을 기준으로 하여야 한다는 견해가 있으나, 각 죄에 대하여 개별적으로 판단해야 한다는 견해가 다수설·판례(대판 2006.12.8, 2006도6356)의 입장이다. 12. 경찰승진, 21. 경찰간부, 11·24. 7급 국가직, 25. 변호사시험

관련판례

1개의 행위가 여러 개의 죄에 해당하는 경우에 공소시효를 적용함에 있어서는 각 죄마다 따로 따져야 할 것인바, 공무원이 취급하는 사건에 관하여 청탁 또는 알선을 할 의사와 능력이 없음에도 청탁 또는 알선을 한다고 기망하여 금품을 교부받은 경우에 성립하는 사기죄와 변호사법 위반죄는 상상적 경합의 관계에 있으므로, 변호사법 위반죄의 공소시효가 완성되었다고 하여 그 죄와 상상적 경합관계에

있는 사기죄의 공소시효까지 완성되는 것은 아니다(대판 2006.12.8, 2006도6356). 18. 순경 1차, 20. 경찰승진, 22. 경찰간부, 17·24. 9급 검찰·마약·교정·보호·철도경찰

ⓞ 공소장에 수개의 범죄사실이 예비적·택일적으로 기재된 경우 공소시효는 가장 중한 죄에 정한 형을 기준으로 한다는 견해도 있으나, 각 범죄사실에 대하여 개별적으로 결정해야 함이 타당하다는 견해가 판례·다수설이다. 10. 경찰승진

ⓩ 공소장변경이 있는 경우에 공소시효완성 여부는 당초 공소제기가 있었던 시점을 기준으로 판단할 것이고 공소장변경시를 기준으로 삼을 것은 아니다. 공소장변경절차에 의하여 공소사실이 변경됨에 따라 그 법정형에 차이가 있는 경우에는 변경된 공소사실에 대한 법정형이 공소시효기간의 기준이 된다.

- 공소장변경이 있는 경우에 공소시효완성 여부는 공소장변경시를 기준으로 한다. (×) 20. 9급 법원직
- 공소장변경으로 법정형에 차이가 있는 경우에 본래의 공소사실에 대한 법정형이 시효기간의 기준이 된다. (×)

관련판례

1. 공소장변경이 있는 경우라도 공소사실의 동일성에는 아무런 차이가 없으므로, 공소시효의 완성 여부는 당초의 공소제기가 있었던 시점을 기준으로 판단할 것이고, 공소장변경시를 기준삼을 것은 아니라 할 것이다(대판 1982.5.25, 82도535). 16. 9급 검찰·마약수사, 14·16·18. 9급 법원직, 13·18. 순경 2차, 11·14·19. 경찰승진, 16·22. 7급 국가직, 23. 변호사시험, 24. 해경경위공채·9급 검찰·마약·교정·보호·철도경찰
2. 공소장변경절차에 의하여 공소사실이 변경됨에 따라 그 법정형에 차이가 있는 경우에는 변경된 공소사실에 대한 법정형이 공소시효기간의 기준이 된다(대판 2001.8.24, 2001도2902). 15. 순경 1차, 16. 9급 검찰·마약수사·7급 국가직, 14·18. 9급 법원직, 18. 순경 2차, 23. 변호사시험, 24. 해경경위공채
3. 공소제기 당시의 공소사실에 대한 법정형을 기준으로 하면 아직 공소시효가 완성되지 않았으나 법원이 공소장을 변경하지 않고도 범죄사실을 인정하는 경우, 그 범죄사실에 대한 법정형을 기준으로 하면 공소제기 당시 이미 공소시효가 완성되었다면 법원은 면소판결을 선고하여야 한다(대판 2013.7.26, 2013도6182). 18. 7급 국가직, 21. 경찰승진, 22. 9급 법원직
4. 사기죄로 공소가 제기된 범죄사실에 대하여 예비적으로 배임죄를 추가하는 공소장변경된 경우에는 배임죄에 대한 공소시효의 완성여부는 본래의 공소제기시를 기준으로 하여야 하고 공소장 변경시를 기준으로 삼아서는 아니된다(대판 1981.2.10, 80도3245). 24. 소방간부

Q 1. 피고인 甲이 1987. 12. 11. 분묘를 발굴하였다고 하여 1989. 8. 24. 검사에 의해 기소되었다. 검사 乙은 1991. 10. 24. 항소심 절차에서 "甲은 1987. 12. 11. 관계당국에 신고하지 않고 분묘를 개장하였다."는 사유로 매장 및 묘지에 관한 법률위반(공소시효 3년)**을 예비적으로 추가하는 공소장변경을 하였을 경우 법원의 조치는?**(판례에 의함)

➡ 공소시효 3년 완성 여부는 공소장변경 시점에서 따질 것이 아니고 이와 동일한 사건에 대한 최초 공소제기 시점을 기준으로 하여야 한다는 것이 판례의 입장이다. 따라서 아직 공소시효가 완성되지 아니한 것으로 보아야 할 것이므로 유죄판결을 하여야 한다(대판 1992.4.24, 91도3105).

2. 검사가 2000. 2. 20. 피고인에 대하여 피고인이 1995. 7. 하순 무렵 한 병원 지하문서고에 들어가 병록지 22매를 절취하였다는 내용을 공소사실로 하여 절도죄로 공소를 제기하였다가 2001. 3. 21.에 이르러 피고인에 대한 공소사실을 종전의 절도죄에서 피고인이 1995. 7. 하순 무렵 한 병원 지하문서고에 들어가 건조물에 침입하였다는 내용의 건조물침입죄로 변경하는 경우 법원의 조치는?(절도죄 공소시효 : 5년, 건조물침입죄 공소시효 3년) (판례에 의함)

➡ 판례에 의하면 먼저 공소시효가 완성되었는가는 공소를 제기한 시점인 2000. 2. 20.을 기준으로 한다. 절도죄는 공소시효가 5년이므로 아직 시효가 완성되지 않은 상태에서 공소제기된 것이 되나, 건조물침입죄는 공소시효가 3년으로서 2000. 2. 20. 이미 시효가 완성되었다. 따라서 판례에 의하면 시효가 완성된 사건을 공소제기한 것이나 다름 없어 면소판결을 하게 될 것이다(대판 2001.8.24, 2001도2902).

개정법(2007. 12. 21. 공포)에 의하면 절도죄와 건조물침입죄의 공소시효가 각각 7년과 5년으로 변경되었으나, 개정법 시행일 이전에 범한 죄에 대해서는 종전의 규정을 적용하도록 하고 있다(부칙 제3조).

③ 공소시효의 기산점

㉠ 공소시효는 범죄행위가 종료한 때부터 진행한다(제252조 제1항). 10. 9급 법원직, 11. 7급 국가직·교정직 특채, 12. 순경 2차, 14·15·17. 경찰승진 범죄행위가 종료한 때란 결과범의 경우에는 결과가 발생한 때를 말하며(결과적 가중범의 경우에는 중한 결과가 발생한 때), 11. 경찰승진 거동범과 미수범의 경우에는 실행행위가 종료된 때를 그리고 계속범의 경우에는 법익침해가 종료된 때로부터 공소시효가 진행된다. 포괄1죄에 있어서 공소시효기산점은 최종 범죄행위가 종료한 때(각 행위에 대하여 개별적으로 판단 ×)이다. 10·12. 경찰승진, 09·15. 순경 1차, 15. 경찰간부, 14·18. 9급 법원직

㉡ 이에 반하여 과형상 1죄에 있어서는 실질적으로 수죄이므로 개별적으로 판단해야 한다. 공범(공동정범, 교사, 방조·필요적 공범 포함)은 최종행위가 종료한 때로부터 전공범에 대한 시효기간을 기산한다(제252조 제2항). 13. 순경 2차, 18. 경찰간부

㉢ 처벌조건을 요하는 범죄의 경우에는 당해 조건을 성취한 때를 기준으로 한다. 신고기간이 정해져 있는 범죄의 시효기산점에 관하여는 신고기간의 경과시라는 견해와 신고의무의 소멸시라는 견해가 대립되고 있으나, 대법원은 후설을 취하고 있다(대판 1978.11.14, 78도2318).

성폭력범죄의 공소시효

1. 미성년자에 대한 성폭력범죄의 공소시효 ⇨ 피해자가 성년에 달한 날부터 진행(성폭력범죄의 처벌 등에 관한 특례법 제21조 제1항)
2. 강간·강제추행 등의 죄 ⇨ DNA 등 과학적 증거가 있는 때에는 공소시효 10년 연장(동법 제21조 제2항)
3. 13세 미만 사람 및 신체적 또는 정신적인 장애가 있는 사람에 대한 강간·강제추행·준강간·준강제추행·강간 등 상해(치상)·강간 등 살인(치사) ⇨ 공소시효 적용 ×(동법 제21조 제3항)
4. 강간 등 살인(치사 ×) ⇨ 공소시효 적용 ×(제21조 제4항)

아동학대처벌법이 제34조 제1항(피해아동이 성년에 달한 날부터 공소시효진행)의 소급적용 등에 관하여 명시적인 경과규정을 두고 있지는 아니하나, 피해아동 보호라는 입법 목적 등을 비추어 보면 그 시행일인 2014. 9. 29. 당시 범죄행위가 종료되었으나 아직 공소시효가 완성되지 아니한 아동학대범죄에 대하여도 적용된다고 해석함이 타당하다(대판 2016.9.28, 2016도7273). 24. 9급 검찰·마약수사

아동학대범죄의 처벌 등에 관한 특례법 제34조는 "학대범죄의 공소시효는 형사소송법 피해아동이 성년에 달한 날부터 진행한다."라고 규정하고 있는데, 피해아동 A가 위 법 시행일인 2014. 9. 29. 이전인 2013. 7. 1.

이미 성년에 달한 이상 그 공소시효의 진행은 정지되지 않는다(대판 2023.9.21, 2020도844). 따라서, 공소시효가 완성되었다면 면소판결을 하여야 함.

공소시효를 정지·연장·배제하는 내용의 특례조항을 신설하면서 소급적용에 관한 명시적인 경과규정을 두지 아니한 경우에 그 조항을 소급하여 적용할 수 있다고 볼 것인지에 관하여는 이를 해결할 보편타당한 일반원칙이 존재할 수 없는 터이므로, 16. 순경 1차 법적 안정성과 신뢰보호원칙을 포함한 법치주의 이념을 훼손하지 아니하도록 신중히 판단하여야 한다. 성폭력범죄의 처벌 등에 관한 특례법은 제20조 제3항에서 "13세 미만의 여자 및 신체적인 또는 정신적인 장애가 있는 여자에 대하여 강간 등을 범한 경우에는 공소시효를 적용하지 아니한다."고 규정하여 공소시효 배제조항을 신설하면서도 소급적용에 관하여는 경과규정을 두지 않고 있으므로 이를 소급하여 적용할 수 없다(대판 2015.5.28, 2015도1362).

헌정질서 파괴범죄의 공소시효

헌정질서 파괴범죄(형법상 내란죄·외환죄, 군형법상 반란죄·이적죄 등), 형법 제250조의 죄로서 집단살해죄의 방지와 처벌에 관한 협약에 규정된 집단살해에 해당하는 범죄 ⇨ 공소시효 적용 배제(헌정질서 파괴범죄의 공소시효 등에 관한 특례법 제3조)

공소시효기산점 정리

결과범	결과발생한 때 ▶ 결과적 가중범 ⇨ 중한 결과 발생한 때 11. 경찰승진, 18. 9급 검찰·마약수사
거동범, 미수범	실행행위가 종료된 때
계속범	법익침해행위가 종료된 때
포괄일죄	최종의 범죄행위가 종료된 때 09. 순경, 10·12. 경찰승진
과형상 일죄	각 죄에 관하여 개별적 판단
공 범	최종행위가 종료한 때 20. 경찰승진
처벌조건을 필요로 하는 범죄	당해 조건 성취한 때

관련판례

1. 허위의 채무를 부담하는 내용의 채무변제계약 공정증서를 작성한 후 이에 기하여 채권압류 및 추심명령을 받은 때에, 강제집행면탈죄가 성립함과 동시에 그 범죄행위가 종료되어 공소시효가 진행한다(대판 2009.5.28, 2009도875). 12. 9급 검찰
2. 국가보안법에 규정된 반국가단체를 구성하는 죄는 그 범죄의 성립과 동시에 완성하는 즉시범으로서 그 범죄구성과 동시에 공소시효가 진행된다(대판 1970.11.24, 70도1860). 12. 9급 검찰
3. 甲주식회사 대표이사인 피고인이 주주총회 의사록을 허위로 작성하고 이를 근거로 피고인을 비롯한 임직원들과 주식매수선택권부여계약을 체결함으로써 甲회사에 재산상 손해를 가하였다고 하며 특정경제범죄 가중처벌 등에 관한 법률 위반(배임)으로 기소된 사안에서, 피고인에 대한 업무상 배임죄는 피고인이 의도한 배임행위가 모두 실행된 때로서 최종적으로 주식매수선택권이 행사되고 그에 따라 신주가 발행된 시점에 종료되었다고 보아야 하는데도, 이와 달리 계약을 체결한 시점에 범행이 종료되었음을 전제로 공소시효가 완성되었다고 보아 면소를 선고한 원심판결에는 법리오해의 위법이 있다(대판 2011.11.24, 2010도11394). 12. 9급 검찰
4. 부정수표단속법 제2조 제2항 위반의 범죄는 예금부족으로 인하여 제시일에 지급되지 아니할 것이라는 결과 발생을 예견하고 발행인이 수표를 발행한 때에 바로 성립하는 것이고 수표소지인이 발행

일자를 보충기재하여 제시하고 그 제시일에 수표금의 지급이 거절된 때에 범죄가 성립하는 것은 아니다(대판 2003.9.26, 2003도3394). 11. 경찰승진

5. 공소시효의 기산점에 관하여 규정한 형사소송법 제252조 제1항에 정한 '범죄행위'에는 당해 범죄행위의 결과까지도 포함하는 취지로 해석함이 상당하므로, 교량붕괴사고에 있어 업무상 과실치사상죄, 업무상 과실일반교통방해죄 및 업무상 과실자동차추락죄의 공소시효도 교량붕괴사고로 인하여 피해자들이 사상에 이른 결과가 발생함으로써 그 범죄행위가 종료한 때로부터 진행한다고 보아야 한다(대판 1997.11.28, 97도1740). 11. 경찰승진
6. 공소시효는 범죄행위를 종료한 때로부터 진행하는데, 공무원이 직무에 관하여 금전을 무이자로 차용한 경우에는 차용 당시에 금융이익 상당의 뇌물을 수수한 것으로 보아야 하므로, 공소시효는 금전을 무이자로 차용한 때로부터 기산한다(대판 2012.2.23, 2011도7282). 09. 순경, 21. 변호사시험
7. 정보통신망을 이용한 명예훼손의 경우에, 게시행위 후에도 독자의 접근가능성이 기존의 매체에 비하여 좀 더 높다고 볼 여지가 있다 하더라도 그러한 정도의 차이만으로 정보통신망을 이용한 명예훼손의 경우에 범죄의 종료시기가 달라진다고 볼 수는 없다. 따라서 정보통신망을 이용한 명예훼손의 경우 게재행위만으로 범죄가 성립하고 종료하므로 그때부터 공소시효를 기산해야 하고, 게시물이 삭제된 시점을 범죄의 종료시기로 보아서 그때부터 공소시효를 기산해야 하는 것은 아니다(대판 2007.10.25, 2006도346). 17. 9급 검찰·마약·교정·보호·철도경찰, 22. 경찰간부
8. 미수범의 범죄행위는 행위를 종료하지 못하였거나 결과가 발생하지 아니하여 더 이상 범죄가 진행될 수 없는 때에 종료하고, 그때부터 미수범의 공소시효가 진행한다(대판 2017.7.11, 2016도14820). 18. 7급 국가직·순경 2차, 20. 9급 법원직, 21. 경찰간부, 24. 해경경위공채
   ▶ **구체적 사안** : 피고인이 분양대책위원회의 공동대표로서 업무상 임무에 위배하여 2006. 3. 3. 주상복합아파트 2층 오피스텔 28세대에 관한 분양계약서를 받아 그에 관한 소유권이전등기를 하여 재산상 이익을 취득하려고 하였으나 소유권이전등기를 마치지 못하여 미수에 그친 경우, 업무상 배임미수죄에 있어 범죄행위의 종료시기는 금전지급약정 및 분양계약서 반환으로 더 이상 소유권이전등기절차를 진행할 수 없게 된 때이다.
9. 거짓이나 그 밖의 부정한 방법으로 북한이탈주민의 보호 및 정착지원에 관한 법률에 따른 보호 및 지원을 받은 경우, 공소시효는 북한이탈주민법에 의한 보호 또는 지원을 최종적으로 받은 때로부터 진행한다(대판 2015.10.29, 2014도5939).
10. 공무원이 정당 그 밖의 정치단체에 가입한 죄는 공무원이나 사립학교의 교원 등이 정당 등에 가입함으로써 즉시 성립하고 그와 동시에 완성되는 즉시범이므로 그 범죄성립과 동시에 공소시효가 진행한다(대판 2014.5.16, 2012도12867).
11. 공유수면인 바닷가를 허가 없이 점용·사용하는 행위는 그 공유수면을 무단으로 점용·사용하는 한 가벌적인 위법행위가 계속 반복되고 있는 계속범이라고 보아야 하므로, 상태범 내지 즉시범에 해당함을 전제로, 피고인의 최초 점용시를 공소시효의 기산점으로 보아 이미 공소시효가 완성되었다고 판단하여 면소를 선고한 판결은 위법하다(대판 2010.9.30, 2008도7678).
12. 관할관청의 허가 없이 주유소에 판매대 등의 시공을 완료한 때 위험물안전관리법 제36조 제2호, 제6조 제1항 후단의 위반죄가 기수에 이르렀다고 보아야 하며, 이때부터 공소시효는 진행한다(대판 2009.4.9, 2008도11572).

13. 농지에 잡석 등을 깔아 정지작업이 이루어져 사실상 원상회복이 어렵게 된 토지를 전용하였다는 공소사실에 대하여, 공소 범행 당시 농지로서의 현상을 상실한 토지를 사용한 것이 농지전용죄를 구성하는지 여부를 먼저 살펴본 다음 공소시효의 기산점을 판단하여야 하므로, 정지작업의 종료시점을 공소시효의 기산점으로 보아 공소시효가 완성되었다고 본 원심판결은 파기되어야 한다(대판 2009.4.16, 2007도6703 전원합의체).
14. 직무유기죄는 그 직무를 수행하여야 하는 작위의무의 존재와 그에 대한 위반을 전제로 하고 있는바, 그 작위의무를 수행하지 아니함으로써 구성요건에 해당하는 사실이 있었고 그 후에도 계속하여 그 작위의무를 수행하지 아니하는 위법한 부작위상태가 계속되는 한 가벌적 위법상태는 계속 존재하는 계속범이므로 이와 같은 가벌적인 위법상태가 소멸해야 비로소 공소시효가 진행하게 된다(대판 1997.8.29, 97도675 ; 대판 2009.1.30, 2008도8130).
15. 무고죄는 타인으로 하여금 형사처분 등을 받게 할 목적으로 공무소 등에 허위의 사실을 신고함으로써 성립하는 범죄이므로, 그 신고 된 범죄사실이 이미 공소시효가 완성된 것이어서 무고죄가 성립하지 아니하는 경우에 해당하는지 여부는 그 신고시를 기준으로 하여 판단하여야 한다고 할 것이다(대판 2008.3.27, 2007도11153).
16. 건설산업기본법 제96조 제4호, 제21조에 규정된 '건설업자가 다른 사람에게 자기의 성명 또는 상호를 사용하여 건설공사를 수급 또는 시공하게 하는 행위'는 다른 사람에게 자기의 성명 또는 상호를 사용하여 건설공사를 수급하게 하거나 공사에 착수하게 한 때에 완성되어 기수가 되고 그 후 공사 종료시까지는 그 법익침해의 상태가 남아있을 뿐이다. 따라서 이 사건 공소사실에 대하여 건설공사의 착수시기로부터 기산하여 3년의 공소시효가 완성되었음을 이유로 면소를 선고한 제1심판결을 그대로 유지한 것은 정당하다(대판 2007.4.12, 2007도883).
17. 공익근무요원의 복무이탈죄는 정당한 사유 없이 계속적 혹은 간헐적으로 행해진 통산 8일 이상의 복무이탈행위 전체가 하나의 범죄를 구성하는 것이고, 그 공소시효는 위 전체의 복무이탈행위 중 최종의 복무이탈행위가 마쳐진 때부터 진행한다(대판 2007.3.29, 2005도7032).
18. 수개의 업무상 횡령행위라 하더라도 피해법익이 단일하고, 범죄의 태양이 동일하며, 단일 범의의 발현에 기인하는 일련의 행위라고 인정될 때에는 포괄하여 1개의 범죄라고 봄이 타당하고, 포괄일죄의 공소시효는 최종의 범죄행위가 종료한 때부터 진행한다(대판 2006.11.9, 2004도4234).
19. 공익법인이 주무관청의 승인 없이 기본재산인 건물 중 일부를 예식장업자에게 임대한 경우, 임대행위를 계속하는 한 공소시효는 진행하지 않는다(대판 2006.9.22, 2004도4751).
20. 지정문화재 등을 은닉한 자를 처벌하도록 한 규정은 지정문화재 등임을 알고 그 소재를 불분명하게 함으로써 발견을 곤란 또는 불가능하게 하여 그 효용을 해하는 행위를 처벌하려는 것이므로, 그러한 은닉범행이 계속되는 한 발견을 곤란케 하는 등의 상태는 계속되는 것이어서 공소시효가 진행되지 않는 것으로 보아야 한다(대판 2004.2.12, 2003도6215).
21. '문화재관리국에 등록하지 아니한 자로 하여금 지정문화재를 수리하게 한' 죄가 성립하기 위해서는 미등록 문화재수리업자 등에게 그 수리를 하게 하는 도급 등의 행위뿐만 아니라, 이에 따라 미등록 문화재수리업자 등이 실제로 수리하는 행위가 있어야 하므로, 수리하게 하는 행위 및 이에 따른 그 결과로서의 수리행위 전체를 하나의 구성요건 실현행위로 보아야 하고, 따라서 미등록 문화재수리업자 등이 수리에 착수한 때 곧바로 범죄행위가 종료된 것으로 볼 것은 아니고 그 수리가 완료되거나 중단되는 등으로 사실상 마쳐질 때 그 범죄행위로서의 수리하게 하는 행위의 결과 발생이 종료되어 범죄행위가 종료된 것으로 보아야 한다(대판 2003.9.26, 2002도3924).

22. 법원으로부터 유리한 판결을 받지 못하고 소송이 종료됨으로써 미수에 그친 경우에, 그러한 소송사기 미수죄에 있어서 범죄행위의 종료시기는 위와 같이 소송이 종료된 때라고 할 것이다(대판 2000. 2.11, 99도4459).
23. 건축물의 용도변경행위는 유형적으로 용도를 변경하는 행위뿐만 아니라 다른 용도로 사용하는 것까지를 포함하며, 이와 같이 허가를 받지 아니하거나 신고를 하지 아니한 채 건축물을 다른 용도로 사용하는 행위는 계속범의 성질을 가지는 것이어서 허가 또는 신고 없이 다른 용도로 계속 사용하는 한 가벌적 위법상태는 계속 존재하고 있다고 할 것이므로, 그러한 용도변경행위에 대하여는 공소시효가 진행하지 아니하는 것으로 보아야 한다(대판 2001.9.25, 2001도3990).
24. 구 주차장법(1995. 12. 29. 법률 제5115호로 개정되기 전의 것) 제29조 제1항은 "부설주차장을 주차장 외의 용도로 사용"한 경우를 처벌하도록 규정하고 있으므로, 피고인이 부설주차장을 임대하여 주차장 외의 용도로 사용하게 하였다면 주차장 외의 용도로 사용하는 행위와 이로 인한 위법 상태는 계속되고 있었으므로(계속범) 그때까지는 공소시효가 진행되지 아니한다(대판 1999.3.9, 98도4582).
25. 폭력행위 등 처벌에 관한 법률 제4조 소정의 단체 등의 조직죄는 같은 법에 규정된 범죄를 목적으로 한 단체 또는 집단을 구성함으로써 즉시 성립하고 그와 동시에 완성되는 즉시범이므로, 범죄성립과 동시에 공소시효가 진행되는 것이다(대판 1995.1.20, 94도2752).
26. 도주죄는 즉시범으로서 범인이 간수자의 실력적 지배를 이탈한 상태에 이르렀을 때에 기수가 되어 도주행위가 종료하는 것이므로(대판 1991.10.11, 91도1656), 그 후에는 도주 중에 공소시효는 진행한다(대판 1979.8.31, 79도622).
27. 허가를 받지 아니하고 시장을 개설하는 행위는 계속범의 성질을 가지는 것이어서 허가를 받지 않은 상태가 계속되는 한 무허가 시장개설행위에 대한 공소시효는 진행하지 아니한다(대판 1981.10.13, 81도1244).
28. 형법 제98조 제1항에 규정된 간첩행위는 기밀에 속한 사항 또는 도서, 물건을 탐지 수집한 때에 기수가 되는 것이고 간첩이 탐지 수집한 사항을 타인에게 보고, 누설하는 행위는 간첩행위 자체라고는 볼 수 없다(대판 1982.2.23, 81도3063).
29. 지정되지 아니한 일반동산문화재의 등록의무는 문화재보호법시행령 소정의 30일이 경과함으로써 소멸되는 것이 아니므로 위 문화재의 등록위반죄에 대한 공소시효는 위 기간이 경과한 때부터 진행된다고 볼 것이 아니라 그후 위 등록의무의 이행이나 기타 사정으로 등록의무가 소멸한 때를 기준으로 하여 그 기간을 기산함이 옳다(대판 1978.11.14, 78도2318).
30. 강제집행 면탈의 목적으로 채무자가 그의 제3채무자에 대한 채권을 허위로 양도한 경우에 제3채무자에게 채권 양도의 통지가 행하여짐으로써 통상 제3채무자가 채권 귀속의 변동을 인식할 수 있게 된 시점에서는 채권 실현의 이익이 해하여질 위험이 실제로 발현되었다고 할 것이므로, 늦어도 그 통지가 있는 때에는 그 범죄행위가 종료하여 그때부터 공소시효가 진행된다고 볼 것이다(대판 2011.10.13, 2011도6855). 18. 5급 검찰 · 교정승진
31. 공정거래법 제19조 제1항 제1호에서 정한 가격 결정 등의 합의 및 그에 기한 실행행위가 있었던 경우에 부당한 공동행위가 종료한 날은 그 합의가 있었던 날이 아니라 그 합의에 기한 실행행위가 종료한 날을 의미하므로, 공정거래법 제66조 제1항 제9호 위반죄의 공소시효는 그 실행행위가 종료한 날부터 진행한다(대판 2015.9.10, 2015도3926).

32. 피고인이 허위사실이 기재된 귀화허가신청서를 담당공무원에게 제출하여 그에 따라 귀화허가업무를 담당하는 행정청이 그릇된 행위나 처분을 하여야만 위계에 의한 공무집행방해죄가 기수 및 종료에 이른다고 할 것이고, 한편 단지 허위사실이 기재된 귀화허가신청서를 제출하여 접수되게 한 사정만으로는 구체적인 직무집행을 저지하거나 현실적으로 곤란하게 하는 데까지 이르렀다고 단정할 수 없다(대판 2017.4.27, 2017도2583).
33. 공직선거법 제268조 제1항 본문은 "이 법에 규정한 죄의 공소시효는 당해 선거일 후 6개월(선거일 후에 행하여진 범죄는 그 행위가 있는 날부터 6개월)을 경과함으로써 완성한다."라고 규정하고 있다. 여기서 말하는 "당해 선거일"이란 그 선거범죄와 직접 관련된 공직선거의 투표일을 의미한다. 이는 선거범죄가 당내경선운동에 관한 공직선거법 위반죄인 경우에도 마찬가지이므로, 그 선거범죄에 대한 공소시효의 기산일은 당내경선의 투표일이 아니라 그 선거범죄와 직접 관련된 공직선거의 투표일이다(대판 2019.10.31, 2019도8815). 22. 경찰간부
34. 구 수산업협동조합법 제178조 제5항 본문은 "제1항 내지 제4항에 규정된 죄의 공소시효는 해당 선거일 후 6월(선거일 후에 행하여진 죄는 그 행위가 있는 날부터 6월)을 경과함으로써 완성한다."고 규정하고 있는데, 여기서 선거일까지 발생한 범죄의 공소시효 기산일인 '선거일 후'는 '선거일 당일'이 아니라 '선거일 다음 날'을 의미한다(대판 2012.10.11, 2011도17404). 21. 순경 1차
35. 공무원이 동일한 사안에 관한 일련의 직무집행 과정에서 단일하고 계속된 범의로 일정기간 계속하여 저지른 직권남용행위가 직권남용권리행사방해죄의 포괄일죄가 되는 경우, 그 공소시효는 최종 범죄행위가 종료된 때부터 진행한다(대판 2021.3.11, 2020도12583).
36. 횡령으로 인한 특정범죄 가중처벌 등에 관한 법률위반(국고 등 손실)죄는 형법상 횡령죄 내지 업무상 횡령죄에 대한 가중규정으로서 신분관계로 인한 형의 가중이 있는 것이고, 회계관계직원 내지 업무상 보관자라는 신분 없는 피고인이 위 죄의 범행에 방조범으로 가담하였다면 공소시효 기간의 기준이 되는 법정형은 형법상 단순 횡령방조죄의 법정형에 의하여야 한다(대판 2020.10.29, 2020도3972).
37. 변호사법은 제31조 제1항 제3호에서 '변호사는 공무원으로서 직무상 취급하거나 취급하게 된 사건에 관하여는 그 직무를 수행할 수 없다.'고 규정하면서, 동법 제113조 제5호에서 '공무원으로서 직무상 취급하거나 취급하게 된 사건'을 '수임'한 행위를 처벌하고 있다. 위 변호사법 위반죄(제31조 제1항 제3호, 제113조 제5호)의 공소시효는 그 범죄행위인 '수임'행위가 종료한 때로부터 진행된다고 봄이 타당하고, 수임에 따른 '수임사무의 수행'이 종료될 때까지 공소시효가 진행되지 않는다고 해석할 수는 없다(대판 2022.1.14, 2017도18693).
38. 국외여행허가의무 위반으로 인한 병역법 위반죄는 국외여행의 허가를 받은 병역의무자가 기간만료 15일 전까지 기간연장허가를 받지 않고 정당한 사유 없이 허가된 기간 내에 귀국하지 않은 때에 성립함과 동시에 완성되는 이른바 즉시범으로서, 그 이후에 귀국하지 않은 상태가 계속되고 있더라도 위 규정이 정한 범행을 계속하고 있다고 볼 수 없다. 따라서 위 범죄의 공소시효는 범행종료일인 국외여행허가기간 만료일부터 진행한다(대판 2022.12.1, 2019도5925).

---

④ **시효기간의 계산방법** : 초일은 1일로 산정하고 기간의 말일이 공휴일 또는 토요일이라도 시효기간에 산입한다(제66조).

(3) 공소시효의 정지

① **의의** : 공소시효는 일정한 사유가 있으면 그 진행이 정지되며, 그 사유가 없어지면 나머지 기간이 다시 진행된다. 따라서 중단사유가 소멸하면 시효가 처음부터 다시 진행하는 시효중단과 구별된다.

형사소송법은 시효중단제도는 인정하지 않음. 10. 경찰승진, 13. 순경

② **공소시효의 정지사유**

㉠ **공소제기** : 공소시효는 공소제기로 진행이 정지(중단 ×)되고 공소기각 또는 관할위반의 재판이 확정된 때로부터 다시 진행한다(제253조 제1항). 14. 9급 법원직, 14 · 16. 순경 2차, 13 · 14 · 18. 경찰승진, 19. 경찰간부 공소제기가 무효인 경우에도 공소시효는 정지된다. 08. 9급 국가직, 10. 9급 법원직

관련판례

형사소송법 제253조 제1항은 "시효는 공소의 제기로 진행이 정지되고 공소기각 또는 관할위반의 재판이 확정된 때로부터 진행한다."라고 정하고 있다. 피고인의 신병이 확보되기 전에 공소가 제기되었다고 하더라도 그러한 사정만으로 공소제기가 부적법한 것이 아니고, 공소가 제기되면 위 규정에 따라 공소시효의 진행이 정지된다(대판 2017.1.25, 2016도15526). 18. 9급 검찰 · 마약수사

㉡ **국외도피**

ⓐ 범인이 형사처분을 면할 목적으로 국외에 있는 경우에 그 기간 동안 공소시효가 정지된다(제253조 제3항). 11. 9급 법원직, 15. 순경 2차

도피한 자에게만 시효정지의 효과가 미치고, 다른 공범자에게는 미치지 아니한다. 16. 변호사시험

ⓑ 피고인이 형사처분을 면할 목적으로 국외에 있는 경우 그 기간 동안 제249조 제2항(의제공소시효)에 따른 기간의 진행은 정지된다(제253조 제4항 : 2024. 2. 13. 신설).

관련판례

1. 제253조 제3항의 입법 취지는 범인이 우리나라의 사법권이 실질적으로 미치지 못하는 국외에 체류한 것이 도피의 수단으로 이용된 경우에 체류기간 동안은 공소시효가 진행되는 것을 저지하여 범인을 처벌할 수 있도록 하여 형벌권을 적정하게 실현하고자 하는 데 있다(대판 2015.6.24, 2015도5916). 17. 9급 법원직
2. 범인의 국외체류의 목적은 오로지 형사처분을 면할 목적만으로 국외체류하는 것에 한정되는 것은 아니고, 범인이 가지는 여러 국외체류 목적 중 형사처분을 면할 목적이 포함되어 있으면 족하다(대판 2003.1.24, 2002도4994). 06. 9급 법원직, 14. 경찰승진, 17. 경찰간부
3. 법정최고형이 징역 5년인 부정수표단속법 위반죄를 범한 사람이 중국으로 출국하여 체류하다가 그곳에서 징역 14년을 선고받고 8년 이상 복역한 후 우리나라로 추방되어 위 죄로 공소제기된 사안에서, 그 범행에 대한 법정형이 당해 범죄의 법정형보다 월등하게 높고, 실제 그 범죄로 인한 수감기간이 당해 범죄의 공소시효 기간보다도 현저하게 길어서 범인이 수감기간 중에 생활근거지가 있는 우리나라로 돌아오려고 했을 것으로 넉넉잡아 인정할 수 있는 사정이 있다면, 그 수감기간에는 '형사처분을 면할 목적'이 유지되지 않았다고 볼 여지가 있다. 따라서 위 수감기간 동안에는 형사소송법 제253조 제3항의 '형사처분을 면할 목적'을 인정할 수 없어 공소시효의 진행이 정지되지 않는다(대판 2008.12.11, 2008도4101). 10. 경찰승진, 18. 7급 국가직

4. '범인이 형사처분을 면할 목적으로 국외에 있는 경우'는 범인이 국내에서 범죄를 저지르고 형사처분을 면할 목적으로 국외로 도피한 경우에 한정되지 아니하고, 범인이 국외에서 범죄를 저지르고 형사처분을 면할 목적으로 국외에서 체류를 계속하는 경우도 포함된다고 볼 것이다(대판 2015.6.24, 2015도5916). 16·17. 7급 국가직, 18. 순경 1차, 19. 경찰승진, 22. 9급 법원직, 24. 소방간부·9급 검찰·마약·교정·보호·철도경찰, 23·25. 변호사시험
5. 피고인이 당해 사건으로 처벌받을 가능성이 있음을 인지하였다고 보기 어려운 경우라면 피고인이 다른 고소사건과 관련하여 형사처분을 면할 목적으로 국외에 있은 경우라고 하더라도 당해 사건의 형사처분을 면할 목적으로 국외에 있었다고 볼 수 없다(대판 2014.4.24, 2013도9162). 17. 9급 법원직, 18. 7급 국가직
6. 범인이 국외에 있는 것이 형사처분을 면하기 위한 방편이었다면 '형사처분을 면할 목적'이 있었다고 볼 수 있고, 위 '형사처분을 면할 목적'과 양립할 수 없는 범인의 주관적 의사가 명백히 드러나는 객관적 사정이 존재하지 않는 한 국외 체류기간 동안 '형사처분을 면할 목적'은 계속 유지된다(대판 2008.12.11, 2008도4101).
7. 형사소송법 제253조 제3항은 "범인이 형사처분을 면할 목적으로 국외에 있는 경우 그 기간 동안 공소시효는 정지된다."라고 규정하고 있다. 위 조항은 형사소송법 제249조 제2항에서 말하는 '공소시효'는 여기에 포함되지 않는다고 봄이 타당하다. 따라서 공소제기 후 피고인이 처벌을 면할 목적으로 국외에 있는 경우에도 그 기간 동안 형사소송법 제249조 제2항에서 정한 기간의 진행이 정지되지는 않는다(대판 2022.9.29, 2020도13547). – 제253조 제4항의 신설에 따라 이제는 의미를 상실한 판례이다.

㉢ **재정신청** : 재정신청이 있는 경우 고등법원의 결정이 확정될 때까지 공소시효의 진행이 정지된다(제262조의 4 제1항). 15. 순경 1차, 18. 경찰승진 공소제기의 결정이 있는 때에는 공소시효에 관하여는 그 결정이 있는 날에 공소제기된 것으로 본다(동조 제2항). 18. 9급 검찰·마약수사

'재정결정이 있을 때까지 공소시효진행이 정지된다.' ⇨ '재정결정이 확정될 때까지 공소시효진행이 정지된다.'로 개정(2016. 1. 6. 시행)

검찰항고, 헌법소원 신청 ⇨ 시효정지 ×

㉣ **소년보호사건의 심리개시결정** : 소년부 판사가 소년보호사건의 심리개시결정을 하면 그 결정이 있는 때로부터 보호처분결정이 확정될 때까지 공소시효의 진행이 정지된다(소년법 제54조). 10. 경찰승진

㉤ **5·18특별법에 의한 정지** : 5·18 민주화운동 등에 관한 특별법(1995. 12. 21. 공포)은 1979년 12월 12일과 1980년 5월 18일을 전후하여 발생한 헌정질서 파괴범죄 행위에 대하여 국가의 소추권행사에 장애사유가 존재한 기간(당해범죄 종료일부터 1993. 2. 24. 이전까지 기간)은 공소시효의 진행이 정지된 것으로 본다고 규정하고 있다.

관련판례

1. 과거에 이미 행한 범죄에 대하여 공소시효를 정지시키는 법률이라 하더라도 그 사유만으로 형벌불소급의 원칙에 언제나 위배되는 것으로 단정할 수는 없다(헌재결 1996.2.16, 96헌가2).
2. 공소시효가 완성된 범죄를 소급하여 처벌하기 위한 진정소급입법은 헌법에 위배되지만, 기존의 법을 변경하여야 할 공익적 필요는 심히 중대한 반면에 그 법적 지위에 대한 개인의 신뢰를 보호하여야 할 필요가 상대적으로 적어 개인의 신뢰이익을 관철하는 것이 객관적으로 정당화될 수 없는 경우에는

예외적으로 허용될 수 있다(헌재결 1996.2.16, 96헌가2).

3. 공소시효가 아직 완성되지 않은 경우 공소시효를 연장하는 법률로써 이른바 부진정소급효를 갖게 되나, 공소시효제도에 근거한 개인의 신뢰와 공시시효의 연장을 통하여 달성하려는 공익을 비교형량하여 공익이 개인의 신뢰보호이익에 우선하는 경우에는 소급효를 갖는 법률도 헌법상 정당화될 수 있다(헌재결 1996.2.16, 96헌가2).

☎ 헌법재판소는 아직 공소시효가 완성되지 않은 이상, 예상된 시기에 이르러 공소시효가 완성되리라는 것에 대한 보장은 불확실한 기대일뿐이므로 공소시효에 의하여 보호될 수 있는 신뢰보호이익은 극히 미약한 것으로, 이 경우에 공소시효를 사후에 연장 폐지하는 것은 항상 허용될 수 있다고 한다. (×) 10. 경찰승진
– 항상 허용되는 것이 아니라 공익이 우선하는 경우에 예외적 허용

ⓗ **대통령의 재직기간** : 재직 중인 대통령에 대해서는 내란죄와 외환죄를 제외하고는 형사소추가 불가능하므로(헌법 제84조) 대통령이 내란·외환죄 이외의 범죄를 범한 경우 재직기간에는 공소시효의 진행이 정지된다는 것이 헌법재판소의 견해(헌재결 95.1.20, 94헌마246)이며, 17. 경찰간부 우리나라 헌법학계의 통설이다.

③ **시효정지 효력이 미치는 범위** : 공소제기의 효력은 공소제기된 피고인에 대하여만 미친다. 그러나 공범 1인에 대한 공소시효의 정지는 다른 공범자에 대하여도 효력이 미치고, 12. 순경 1차·9급 검찰·마약·교정·보호·철도경찰, 16·21. 경찰간부, 14·23. 경찰승진 당해 사건의 재판이 확정된 때(최종행위가 종료한 때 ×)부터 공소시효가 진행한다(제253조 제2항). 15. 경찰간부, 16. 9급 교정·보호·철도경찰

관련판례

1. 공범의 1인으로 기소된 자가 구성요건에 해당하는 위법행위를 공동으로 하였다고 인정되기는 하나 책임조각을 이유로 무죄로 되는 경우와는 달리 범죄의 증명이 없다는 이유로 공범 중 1인이 무죄의 확정판결을 선고받은 경우에는 그를 공범이라고 할 수 없어 그에 대하여 제기된 공소로써는 진범에 대한 공소시효정지의 효력이 없다(대판 1999.3.9, 98도4621). 16. 경찰간부, 13·18. 순경 1차, 20·22. 경찰승진

☎ 책임조각으로 무죄가 확정된 공범에 대한 공소제기는 다른 공범에 대한 공소시효정지효력이 인정된다. (○) 10·24. 경찰승진

☎ 공범의 1 인으로 기소된 자가 책임조각을 이유로 무죄로 되거나 범죄의 증명이 없다는 이유로 공범 중 1 인이 무죄의 확정판결을 선고받은 경우에는 그를 공범이라고 할 수 없으므로 그에 대하여 제기된 공소로써는 진범에 대한 공소시효정지의 효력이 인정되지 않는다. (×) 16. 7급 국가직

2. 뇌물공여죄와 뇌물수수죄 사이와 같은 이른바 대향범 관계에 있는 자는 강학상으로는 필요적 공범이라고 불리고 있으나, 서로 대향된 행위의 존재를 필요로 할 뿐 각자 자신의 구성요건을 실현하고 별도의 형벌규정에 따라 처벌되는 것이어서, 2인 이상이 가공하여 공동의 구성요건을 실현하는 공범관계에 있는 자와는 본질적으로 다르며, 대향범 관계에 있는 자 사이에서는 각자 상대방의 범행에 대하여 형법 총칙의 공범규정이 적용되지 아니한다. 이러한 점들에 비추어 보면, 형사소송법 제253조 제2항(공범 1인에 대한 시효정지는 다른 공범자에게 효력이 미친다)에서 말하는 '공범'에는 뇌물공여죄와 뇌물수수죄 사이와 같은 대향범 관계에 있는 자는 포함되지 않는다(대판 2015.2.12, 2012도4842). 15. 순경 3차, 16. 9급 교정·보호·철도경찰, 16·17. 경찰간부, 18. 9급 검찰·마약수사·순경 2차, 16·18. 7급 국가직, 20. 9급 법원직, 21·23. 변호사시험, 19·20·22. 경찰승진

3. 형사소송법 제253조 제2항은 공범 중 1인에 대한 공소의 제기로 다른 공범자에 대한 공소시효까지 정지한다고 규정하면서도 다시 공소시효가 진행하는 시점에 관해서는 위 제253조 제1항과 달리 공소

기각 또는 관할위반의 재판인 경우로 한정하고 있지 않다. 따라서 공범 중 1인에 대한 공소의 제기로 다른 공범자에 대한 공소시효의 진행이 정지되더라도 공소가 제기된 공범 중 1인에 대한 재판이 확정되면, 그 재판의 결과가 공소기각 또는 관할위반인 경우뿐 아니라 유죄, 무죄, 면소인 경우에도 그 재판이 확정된 때로부터 다시 공소시효가 진행된다고 볼 것이고, 이는 약식명령이 확정된 때에도 마찬가지라고 할 것이다. 22. 경찰승진 형사소송법이 공범 중 1인에 대한 공소의 제기로 다른 공범자에 대하여도 공소시효가 정지되도록 한 것은 공소제기 효력의 인적 범위를 확장하는 예외를 마련하여 놓은 것이므로, 이는 엄격하게 해석하여야 하고 피고인에게 불리한 방향으로 확장하거나 축소하여 해석해서는 아니 된다. 그렇다면 공범 중 1인에 대해 약식명령이 확정된 후 그에 대한 정식재판청구권회복결정이 있었다고 하더라도 그 사이의 기간 동안에는, 다른 공범자에 대한 공소시효는 정지함이 없이 계속 진행한다고 보아야 할 것이다(대판 2012.3.29, 2011도15137). 22. 7급 국가직, 17·24. 9급 검찰·마약·교정·보호·철도경찰, 25. 변호사시험

공범 중 1인에 대해 약식명령이 확정된 후 그에 대한 정식재판청구권회복결정이 있었다고 하면 그 사이의 기간 동안에는, 특별한 사정이 없는 한, 다른 공범자에 대한 공소시효는 정지된다. (×) 18. 경찰승진

4. 피고인과 공범관계에 있는 자가 같은 범죄사실로 공소제기가 된 후 1992. 11. 27. 대법원에서 상고기각됨으로써 유죄판결이 확정되었다면, 공범자인 피고인에 대하여도 적어도 1991. 6. 14.(당해사건의 제1심판결 선고일)부터 그 재판이 확정된 1992. 11. 27.까지의 기간 동안은 공소시효의 진행이 정지되었음이 명백하다(대판 1995.1.20, 94도2752). 22. 경찰승진

(4) 공소시효완성의 효과

공소제기 없이 공소시효기간이 경과하였거나, 공소가 제기되었으나 판결이 확정되지 않고 25년을 경과한 때에는 공소시효가 완성된다. 09. 순경, 14. 9급 검찰·마약·교정·보호·철도경찰, 19. 경찰간부, 24. 소방간부 수사 중인 피의사건에 대하여 공소시효가 완성되면 검사는 공소권 없음을 이유로 불기소처분을 하여야 하며, 공소제기된 후에 공소시효가 완성된 것이 판명된 때에는 법원은 면소판결로서 소송을 종결하여야 한다(이에 위반하여 실체판결을 한 경우에는 상소이유가 됨). 09. 9급 국가직, 13. 순경, 14. 경찰승진, 15. 9급 법원직

KEY point

- **공소시효기간 :** 제249조 제1항·제2항
- **공소시효기간 결정기준 :** 법정형(▶ 처단형 ×)
- **공소시효기산점 :** 범죄 종료시
- **공소시효기간 계산방법 :** 초일산입, 말일이 공휴일 또는 토요일이어도 산입
- **공소시효정지사유**
  - 공소제기
  - 국외도피
  - 재정신청
  - 소년보호사건의 심리개시결정
  - 5·18 특별법
  - 대통령 재직기간
- **시효정지효력이 미치는 범위 :** 공범 1인에 대한 시효정지는 다른 공범자에게도 효력이 미침.

CHAPTER 04

기출문제

01 **공소의 취소에 대한 설명으로 가장 적절하지 않은 것은?**(다툼이 있는 경우 판례에 의함) 22. 경찰간부

① 공소장에 기재된 수개의 공소사실이 서로 동일성이 없고 실체적 경합관계에 있는 경우에 그 일부를 소추대상에서 철회하려면 공소장변경의 방식에 의할 것이 아니라 공소의 일부 취소절차에 의하여야 한다.

② 재정신청이 이유 있는 때에 해당하여 사건에 대한 공소를 제기하는 결정에 따라 공소가 제기된 경우에는 공소를 취소할 수 없다.

③ 공소사실에 대하여 제1심 판결이 선고되고 동 판결이 확정되었지만, 이에 대한 재심소송절차가 진행 중인 경우에는 공소취소를 할 수 있다.

④ 공소취소에 의한 공소기각의 결정이 확정된 때 다시 공소를 제기하는 요건으로서 '다른 중요한 증거를 발견한 경우'라 함은 공소취소 전의 증거만으로는 증거 불충분으로 무죄가 선고될 가능성이 있으나 새로 발견된 증거를 추가하면 충분히 유죄의 확신을 가지게 될 정도의 증거가 있는 경우를 말한다.

해설 ① 대판 1992.4.24, 91도1438
② 제264조의 2
③ 제1심판결이 확정된 이상 이에 대한 재심소송절차가 진행 중에 있다 하여도 공소취소를 할 수 없다(대판 1976.12.28, 76도3203).
④ 대판 1977.12.27, 77도1308

02 **공소제기에 대한 설명으로 옳지 않은 것은?** 23. 9급 검찰 · 마약수사

① 형사소송법 제254조 제3항은 공소장에 동항 소정의 사항들을 필요적으로 기재하도록 한 규정에 불과하고 그 이외의 사항의 기재를 금지하고 있는 규정이 아니므로, 공소시효가 완성된 범죄사실을 공소범죄사실 이외의 사실로 기재한 공소장은 위 규정에 위배된다고 볼 수 없다.

② 세무서장 등의 고발을 공소제기의 요건으로 하는 조세범처벌법 위반사건에 대해 수사기관이 고발에 앞서 수사를 하고 구속영장을 발부받은 후 검찰의 요청에 따라 세무서장이 고발조치를 한 경우, 그 고발이 있은 후에 공소제기가 있었다면 공소제기의 절차가 법률의 규정에 위반하여 무효라고 할 수 없다.

③ 검사가 자의적으로 공소권을 행사하여 피고인에게 실질적인 불이익을 줌으로써 소추재량권을 현저히 일탈한 경우에는 이를 공소권의 남용으로 보아 공소제기의 효력을 부인할 수 있고, 여기서 '자의적인 공소권의 행사'란 단순히 직무상의 과실에 의한 것만으로는 부족하고 적어도 미필적이나마 어떤 의도가 있어야 한다.

Answer 01. ③ 02. ④

④ 공소제기된 사건에 대하여 불법연행, 불법구금 또는 구금장소의 임의적 변경의 위법사유가 있으면 그 위법한 절차에 의하여 수집된 증거가 배제되는 것은 물론, 공소제기의 절차 자체가 위법하여 무효인 경우에 해당한다.

해설 ① ○ : 대판 1983.11.8, 83도1979
② ○ : 대판 1995.3.10, 94도3373
③ ○ : 대판 1999.12.10, 99도577
④ × : 공소제기된 사건에 대하여 불법연행, 불법구금 또는 구금장소의 임의적 변경의 위법사유가 있으면 그 위법한 절차에 의하여 수집된 증거가 배제할 이유는 될지언정, 공소제기의 절차 자체가 위법하여 무효인 경우에 해당한다고 볼 수 없다(대판 1990.9.25, 90도1586).

03 **공소제기에 관한 설명으로 가장 적절한 것은?**(다툼이 있는 경우 판례에 의함) **24. 경찰승진**

① 공소사실의 특정은 공소제기의 유효조건이므로 공소장의 기재가 불명확한 경우는 공소제기의 절차가 법률의 규정을 위반하여 무효일 때에 해당하여 법원은 즉시 공소기각의 판결을 선고해야 한다.
② 동일한 사실관계에 대하여 서로 양립할 수 없는 적용법조의 적용을 주위적·예비적으로 구하는 경우 예비적 공소사실만 유죄로 인정되고 그 부분에 대하여 피고인만 상소하였다면 예비적 공소사실만 상소심의 심판대상에 포함되고 주위적 공소사실은 상소심의 심판대상에 포함되지 않는다.
③ 공소장에 적용법조의 오기나 누락이 피고인의 방어에 실질적인 불이익을 주더라도 법원은 공소장 변경 없이 공소장에 기재되어 있지 않은 법조를 적용할 수 있다.
④ 공소장에 검사의 간인이 없더라도 그 공소장의 형식과 내용이 연속된 것으로 일체성이 인정되고 동일한 검사가 작성하였다고 인정되는 한, 이러한 공소장 제출에 의한 공소제기는 그 절차가 법률의 규정에 위반하여 무효인 때에 해당한다고 할 수 없다.

해설 ① 공소장에 피고인인 계주가 조직한 낙찰계의 조직일자, 구좌·계금과 계원들에게 분배하여야 할 계금이 특정되어 있고 피해자인 계원들의 성명과, 피해자별 피해액만이 명확하지 아니한 경우에는, 법원은 검사에게 석명을 구하여 만약 이를 명확하게 하지 아니한 경우에 공소사실의 불특정을 이유로 공소기각을 할 것이고 이에 이르지 않고 바로 공소기각의 판결을 하였음은 심리미진의 위법이 있다(대판 1983.6.14, 83도293).
② 주위적·예비적 공소사실의 일부에 대한 상소제기의 효력은 나머지 공소사실 부분에 대하여도 미치는 것이고, 동일한 사실관계에 대하여 서로 양립할 수 없는 적용법조의 적용을 주위적·예비적으로 구하는 경우에는 예비적 공소사실만 유죄로 인정되고 그 부분에 대하여 피고인만 상소하였다고 하더라도 주위적 공소사실까지 함께 상소심의 심판대상에 포함된다고 볼 것이다(대판 2006.5.25, 2006도1146).
③ 적용법조의 기재에 오기나 누락이 있는 경우라 할지라도 이로 인하여 피고인의 방어에 실질적인 불이익을 주지 않는 한 공소제기의 효력에는 영향이 없고, 법원으로서도 공소장 변경의 절차를 거치지 않고 곧바로 공소장에 기재되어 있지 않은 법조를 적용할 수 있다(대판 2006.4.28, 2005도4085).
④ 대판 2021.12.30, 2019도16259

Answer 03. ④

04 공소사실의 특정과 관련된 설명 중 옳은 것은 모두 몇 개인가?(다툼이 있는 경우 판례에 따름)

21. 해경

㉠ 메스암페타민의 양성반응이 나온 소변감정결과에 의하여 그 투약일시를 '2009. 8. 10.부터 2009. 8. 19.까지 사이'로, 투약장소를 '서울 또는 부산 이하 불상'으로 공소장에 기재한 사안에서, 공소사실이 향정신성의약품투약 범죄의 특성을 고려하여 합리적인 정도로 특정된 것이라고 볼 수 없다.

㉡ 컴퓨터 등 장애 업무 방해죄에 관한 공소사실에 '컴퓨터 사용자들의 컴퓨터 사용에 관한 업무'라고 기재한 것만으로는 피해자나 방해된 업무의 내용을 알 수 없어 그 공소사실이 특정되지 않았다.

㉢ 의료인이 아닌 자가 일정기간 동안 여러 사람을 상대로 성기의 표피를 절개한 후 그 안에 육질형 실리콘을 집어 넣고 봉합하는 수술을 하여 준 다음 대가를 받아 의료행위를 업으로 하였다는 취지의 보건범죄단속에 관한 특별조치법 위반의 공소사실은 특정되었다고 본다.

㉣ 피고인이 '2010. 2. 초순경부터 2010. 4. 18.경 사이에 향정신성의약품인 메스암페타민(일명 필로폰) 약 0.03g을 투약하였다'는 내용으로 기소된 사안에서, 투약시기에 관한 위와 같은 기재만으로는 마약류관리에 관한 법률 위반(향정) 공소사실이 특정되었다고 볼 수 없다.

㉤ 뇌물수수의 공소사실 중 수뢰금액을 '2억원 상당'으로 기재하였더라도 공소사실을 특정할 수 있어 공소제기의 효력에 영향이 없다.

① 2개 ② 3개 ③ 4개 ④ 5개

해설 ㉠ × : 향정신성의약품인 메스암페타민의 양성반응이 나온 소변의 채취일시, 메스암페타민의 투약 후 소변으로 배출되는 기간에 관한 자료와 피고인이 체포될 당시까지 거주 또는 왕래한 장소에 대한 피고인의 진술 등 기소 당시의 증거들에 의하여 범죄일시를 '2009. 8. 10.부터 2009. 8. 19.까지 사이'로 열흘의 기간 내로 표시하고, 장소를 '서울 또는 부산 이하 불상'으로 표시하여 가능한 한 이를 구체적으로 특정한 것으로 볼 수 있다(대판 2010.8.26, 2010도4671).

㉡ ○ : 대판 2009.3.12, 2008도11187

㉢ ○ : 대판 1992.9.25, 92도1671

㉣ ○ : 대판 2011.6.9, 2011도3801

㉤ ○ : 대판 2010.4.19, 2010도2556

05 공소사실의 특정에 관하여 옳지 않은 것만을 모두 고르면?(다툼이 있는 경우 판례에 의함)

21. 경찰간부

㉠ 수인의 피해자에 대하여 각 별도로 기망행위를 하여 각각 재물을 편취한 사기죄에 있어 '일정한 기간 사이에 성명불상의 고객들에게 1일 평균 매상액 상당을 판매하여 그 대금 상당액을 편취하였다'고 기재한 때에는 공소사실의 특정이 인정된다.

㉡ 살인죄에 있어 범죄의 일시·장소와 방법을 구체적으로 규명할 수 없어 '2020. 1. 28. 03 : 00경부터 05 : 20경까지 피고인의 집에서 불상의 방법으로 피해자를 살해하였다'라고 기재한 때에는 공소사실의 특정이 인정된다.

Answer 04. ③ 05. ②

㉢ 마약류 범죄에 있어 '피고인은 2019. 11. 2.경부터 2020. 7. 2.경까지 사이에 인천 이하 불상지에서 향정신성의약품인 메스암페타민 불상량을 불상의 방법으로 수 회 투약하였다'라고 기재한 때에는 공소사실의 특정이 인정된다.
㉣ 외국 유명대학의 박사학위기를 위조하여 행사했다는 공소사실에 대해 위조문서의 내용, 행사 일시, 장소, 행사방법 등이 특정되어 기재되어 있고, 박사학위기 사본이 현출된 경우에는 공소사실의 특정이 인정된다.

① ㉠, ㉡ ② ㉠, ㉢ ③ ㉡, ㉣ ④ ㉢, ㉣

해설 ㉠ × : 수인의 피해자에 대하여 각 별도로 기망행위를 하여 각각 재물을 편취한 경우 피해자별로 각 1개씩 죄가 성립하므로 그 공소사실은 각 피해자와 피해자별 피해액을 특정할 수 있도록 기재하여야 할 것인바, '일정한 기간 사이에 성명불상의 고객들에게 1일 평균 매상액 상당을 판매하여 그 대금 상당액을 편취하였다'는 내용은 피해자나 피해액이 특정되었다고 할 수 없다(대판 1996.2.13, 95도2121).
㉡ ○ : 대판 2008.3.27, 2008도507
㉢ × : 투약량은 물론 투약방법을 불상으로 기재하면서, 그 투약의 일시와 장소마저 위와 같이 기재한 것만으로는 구체적 사실의 기재라고 볼 수 없으므로 공소사실이 특정되었다고 할 수 없다(대판 2002.9.27, 2002도3194).
㉣ ○ : 대판 2009.1.30, 2008도6950

06 **공소장일본주의에 관한 설명 중 가장 옳지 않은 것은?**(다툼이 있는 경우 판례에 의함) 20. 9급 법원직

① 검사가 공소를 제기할 때에는 원칙적으로 공소장 하나만을 제출하여야 하고 그 밖에 사건에 관하여 법원에 예단을 생기게 할 수 있는 서류 기타 물건을 첨부하거나 그 내용을 인용하여서는 안 된다.
② 공소장에 법령이 요구하는 사항 외의 사실로서 법원에 예단이 생기게 할 수 있는 사유를 나열하는 것이 허용되지 않는다는 것도 이른바 '기타 사실의 기재 금지'로서 공소장일본주의의 내용에 포함된다.
③ 공소장일본주의에 위배된 공소제기라고 인정되는 때에는, 그 절차가 법률의 규정에 위반하여 무효인 때에 해당하는 것으로 보아 공소기각의 판결을 선고하는 것이 원칙이다.
④ 공소장일본주의는 즉결심판절차에서는 배제되지만, 피고인이 즉결심판에 대하여 정식재판을 청구하는 경우에는 적용된다.

해설 ① 규칙 제118조 제2항
② 대판 2015.1.29, 2012도2957
③ 대판 2017.11.9, 2014도1519
④ 공소장일본주의는 즉결심판절차의 경우는 물론, 즉결심판에 대하여 정식재판을 청구하는 경우에도 적용되지 아니한다(즉심법 제4조, 제14조, 대판 2011.1.27, 2008도7375).

Answer 06. ④

07 **공소제기의 효과에 대한 설명으로 가장 적절하지 않은 것은?**(다툼이 있는 경우 판례에 의함)

23. 경찰승진

① 공소제기에 의해 사건은 법원에 계속되고 공소시효의 진행이 정지되며 법원은 검사가 공소제기한 사건에 한하여 심판하여야 한다.

② 공소가 제기되면 동일사건에 대해 다시 공소를 제기할 수 없으므로 동일사건에 대하여 동일법원에 다시 공소가 제기된 경우에는 후소에 대하여 공소기각의 판결을 해야 한다.

③ 피고인에 대한 공소가 제기된 후에 진범이 발견되어도 그 공소제기의 효력은 진범에게 미치지 아니한다.

④ 공범의 1인에 대한 공소제기가 있어도 다른 공범자에 대하여는 그 효력이 미치지 않으며, 공범의 1인에 대한 공소시효 정지의 효과도 다른 공범자에 대하여는 미치지 아니한다.

해설 ① 제253조 제1항, 제254조 참조 ② 제327조 제3호 ③ 제248조 제1항
④ 공범의 1인에 대한 공소제기가 있어도 다른 공범자에 대하여는 그 효력이 미치지 않으나(제248조 제1항), 공소제기로 인한 공소시효 정지의 효과는 다른 공범자에도 효력이 미치고 당해사건의 재판이 확정된 때부터 공소시효가 진행한다(제253조 제2항).

08 **공소시효에 관한 다음 설명 중 가장 옳지 않은 것은?**(다툼이 있는 경우 판례에 의하고, 전원합의체 판결의 경우 다수의견에 의함)

22. 9급 법원직

① 공소제기 당시의 공소사실에 대한 법정형을 기준으로 하면 공소제기 당시 아직 공소시효가 완성되지 않았으나 변경된 공소사실에 대한 법정형을 기준으로 하면 공소제기 당시 이미 공소시효가 완성된 경우에는 공소기각의 판결을 선고하여야 한다.

② 공소시효 기간은 두 개 이상의 형을 병과하거나 두 개 이상의 형에서 한 개를 과할 범죄에 대해서는 무거운 형을 기준으로 적용하고, 형법에 의하여 형을 가중 또는 감경한 경우에는 가중 또는 감경하지 아니한 형을 기준으로 적용한다.

③ 형사소송법 제253조(시효의 정지와 효력) 제3항은 범인이 형사처분을 면할 목적으로 국외에 있는 경우 그 기간 동안 공소시효는 정지된다고 규정하고 있는데, 이 때 범인의 국외체류의 목적은 오로지 형사처분을 면할 목적만으로 국외체류하는 것에 한정되는 것은 아니고 범인이 가지는 여러 국외체류 목적 중 형사처분을 면할 목적이 포함되어 있으면 족하다.

④ 사람을 살해한 범죄로 사형에 해당하는 범죄에 대하여는, 종범을 제외하고 형사소송법 제249조(공소시효의 기간)부터 제253조(시효의 정지와 효력)까지에 규정된 공소시효를 적용하지 아니한다.

해설 ① × : 공소장변경절차에 의하여 공소사실이 변경됨에 따라 그 법정형에 차이가 있는 경우에는 변경된 공소사실에 대한 법정형이 공소시효기간의 기준이 된다고 보아야 하므로 공소제기 당시의 공소사실에 대한 법정형을 기준으로 하면 공소제기 당시 아직 공소시효가 완성되지 않았으나 변경된 공소사실에 대한 법정형을 기준으로 하면 공소제기 당시 이미 공소시효가 완성된 경우에는 공소시효의 완성을 이유로 면소판결을 선고하여야 한다(대판 2001.8.24, 2001도2902). ② ○ : 제250조, 제251조
③ ○ : 대판 2015.6.24, 2015도5916 ④ ○ : 제253조의 2

Answer 07. ④ 08. ①

09 **공소시효에 대한 설명으로 가장 적절하지 않은 것은?**(다툼이 있는 경우 판례에 의함) 22. 경찰승진

① 형사소송법 제253조 제2항은 "공범의 1인에 대한 전항의 시효정지는 다른 공범자에 대하여 효력이 미치고 당해 사건의 재판이 확정된 때로부터 진행한다."고 규정하는바, 여기서 말하는 '공범'에는 뇌물공여죄와 뇌물수수죄 사이와 같은 대향범 관계에 있는 자는 포함되지 않는다.

② 공범 중 1인에 대한 공소의 제기로 다른 공범자에 대한 공소시효의 진행이 정지되더라도 공소가 제기된 공범 중 1인에 대한 재판이 확정되면, 그 재판의 결과가 공소기각 또는 관할위반인 경우뿐만 아니라 유죄, 무죄, 면소인 경우에도 그 재판이 확정된 때로부터 다시 공소시효가 진행되지만, 약식명령이 확정된 때에는 그러하지 아니하다.

③ 공범의 1인으로 기소된 자가 범죄의 증명이 없다는 이유로 무죄의 확정판결을 선고받은 경우, 그에 대하여 제기된 공소로써는 진범에 대한 공소시효 정지의 효력이 없다.

④ 피고인과 공범관계에 있는 자가 같은 범죄사실로 공소제기가 된 후 대법원에서 상고기각됨으로써 유죄판결이 확정되었다면, 공범자인 피고인에 대하여도 그 공범관계에 있는 자가 공소제기된 때부터 그 재판이 확정된 때까지의 기간 동안은 공소시효의 진행이 정지된다.

해설 ① 대판 2015.2.12, 2012도4842
② 약식명령이 확정된 때에도 동일하다(대판 2012.3.29, 2011도15137).
③ 대판 1999.3.9, 98도4621 ④ 대판 1995.1.20, 94도2752

10 **공소시효에 대한 설명으로 옳지 않은 것은?**(다툼이 있는 경우 판례에 의함) 22. 7급 국가직

① 공무원이 동일한 사안에 관한 일련의 직무집행 과정에서 단일하고 계속된 범의로 일정기간 계속하여 저지른 직권남용행위가 직권남용권리행사방해죄의 포괄일죄가 되는 경우, 그 공소시효는 최종 범죄행위가 종료된 때부터 진행한다.

② 공소장변경절차에 의하여 공소사실이 변경되어 그 법정형에 차이가 있는 경우, 공소장 변경 전 공소사실에 대한 법정형이 공소시효 기간의 기준이 된다.

③ 횡령으로 인한 특정범죄 가중처벌 등에 관한 법률위반(국고 등 손실)죄는 형법상 횡령죄 내지 업무상 횡령죄에 대한 가중규정으로서 신분관계로 인한 형의 가중이 있는 것이고, 회계관계직원 내지 업무상 보관자라는 신분 없는 피고인이 위 죄의 범행에 방조범으로 가담하였다면 공소시효 기간의 기준이 되는 법정형은 형법상 단순 횡령방조죄의 법정형에 의하여야 한다.

④ 공범 중 1인에 대해 약식명령이 확정된 후 그에 대한 정식재판청구권회복결정이 있었다고 하더라도, 그 사이의 기간 동안에는 특별한 사정이 없는 한 다른 공범자에 대한 공소시효는 정지함이 없이 계속 진행한다.

해설 ① 대판 2021.3.11, 20도12583
② 공소장변경절차에 의하여 공소사실이 변경되어 그 법정형에 차이가 있는 경우, 공소장 변경된 공소사실에 대한 법정형이 공소시효 기간의 기준이 된다(대판 2001.8.24, 2001도2902).
③ 대판 2020.10.29, 2020도3972 ④ 대판 2012.3.29, 2011도15137

Answer 09. ② 10. ②

11 **공소제기에 대한 설명으로 옳지 않은 것은?** 24. 7급 국가직

① 공소장부본의 송달 없이 공소를 제기한 경우와 같이 공소제기에 현저한 방식 위반이 있는 경우 공소제기 절차가 무효인 경우에 해당하지만, 이러한 공소제기에 대하여 피고인과 변호인이 이의를 제기하지 아니하고 변론에 응하였다면 그 하자는 치유된다.

② 경찰서장의 청구에 의해 즉결심판을 받은 피고인으로부터 적법한 정식재판의 청구가 있는 경우 경찰서장의 즉결심판 청구는 공소제기와 동일한 소송행위이므로 공판절차에 의하여 심판하여야 한다.

③ 검사가 공소사실의 일부가 되는 범죄일람표를 전자적 형태의 문서로 작성한 후 종이 문서로 출력하여 제출하지 아니하고 전자적 형태의 문서가 저장된 저장매체 자체를 서면인 공소장에 첨부하여 제출한 경우, 저장매체에 저장된 전자적 형태의 문서 부분까지 공소가 제기된 것이라고 할 수는 없다.

④ 공소장에 범죄의 일시 · 장소 · 방법 등이 구체적으로 적시되지 않았더라도 공소사실을 특정하도록 한 형사소송법의 취지에 반하지 아니하고 공소범죄의 성격에 비추어 개괄적 표시가 부득이한 경우에는 공소제기가 위법하다고 할 수 없다.

해설 ① 공소의 제기에 현저한 방식 위반이 있는 경우에는 공소제기의 절차가 법률의 규정에 위반하여 무효인 경우에 해당하고, 위와 같은 절차위배의 공소제기에 대하여 피고인과 변호인이 이의를 제기하지 아니하고 변론에 응하였다고 하여 그 하자가 치유되지는 않는다(대판 2009.2.26, 2008도11813).
② 대판 2017.10.12, 2017도10368 ③ 대판 2016.12.15, 2015도3682 ④ 대판 1991.10.25, 91도2085

12 **공소시효에 대한 설명으로 옳지 않은 것은?** 24. 9급 검찰 · 마약 · 교정 · 보호 · 철도경찰

① 공소장변경이 있는 경우에 공소시효의 완성 여부는 당초의 공소 제기가 있었던 시점을 기준으로 판단할 것이고 공소장변경시를 기준으로 삼을 것은 아니다.

② 사기죄가 변호사법위반죄와 상상적 경합관계에 있는 경우, 변호사법위반죄의 공소시효가 완성되었다고 하여 사기죄의 공소시효까지 완성되는 것은 아니다.

③ 형사소송법 제253조 제2항의 '공범'을 해석할 때에는 이 조항이 공소제기 효력의 인적 범위를 확장하는 예외를 마련하여 놓은 것이므로 원칙적으로 엄격하게 해석하여야 하고 피고인에게 불리한 방향으로 확장하여 해석해서는 아니 된다.

④ 형사소송법 제253조 제3항이 정한 '범인이 형사처분을 면할 목적으로 국외에 있는 경우'는 범인이 국내에서 범죄를 저지르고 형사처분을 면할 목적으로 국외로 도피한 경우에 한정되고, 국외에서 범죄를 저지르고 형사처분을 면할 목적으로 국외에서 체류를 계속하는 경우는 포함되지 않는다.

해설 ① 대판 2018.10.12, 2018도6252 ② 대판 2006.12.8, 2006도6356 ③ 대판 2015.2.12, 2012도4842
④ '범인이 형사처분을 면할 목적으로 국외에 있는 경우'는 범인이 국내에서 범죄를 저지르고 형사처분을 면할 목적으로 국외로 도피한 경우에 한정되지 아니하고, 범인이 국외에서 범죄를 저지르고 형사처분을 면할 목적으로 국외에서 체류를 계속하는 경우도 포함된다고 볼 것이다(대판 2015.6.24, 2015도5916).

Answer 11. ① 12. ④

13 공소시효에 관한 설명 중 옳지 않은 것은?(다툼이 있는 경우 판례에 의함) 25. 변호사시험

① 공범 중 1인에 대해 약식명령이 확정된 후 그에 대한 정식재판청구권회복결정이 있었다고 하더라도 그 사이의 기간 동안에는 특별한 사정이 없는 한 다른 공범자에 대한 공소시효는 정지함이 없이 계속 진행한다.

② 형사소송법 제253조 제3항의 '범인이 형사처분을 면할 목적으로 국외에 있는 경우'는 범인이 국내에서 범죄를 저지르고 형사처분을 면할 목적으로 국외로 도피한 경우에 한정되고, 범인이 국외에서 범죄를 저지르고 형사처분을 면할 목적으로 국외에서 체류를 계속하는 경우는 포함되지 않는다.

③ 범죄 후 법률의 개정에 의하여 법정형이 가벼워진 경우에는 「형법」 제1조 제2항에 의하여 당해 범죄사실에 적용될 가벼운 법정형(신법의 법정형)이 공소시효기간의 기준이 된다.

④ 사기죄와 변호사법위반죄가 상상적 경합의 관계에 있는 경우, 변호사법위반죄의 공소시효가 완성되었다고 하여 사기죄의 공소시효까지 완성되는 것은 아니다.

⑤ 미수범의 범죄행위는 행위를 종료하지 못하였거나 결과가 발생하지 아니하여 더 이상 범죄가 진행될 수 없는 때에 종료하고, 그때부터 미수범의 공소시효가 진행한다.

해설 ① 대판 2012.3.29, 2011도15137

② '범인이 형사처분을 면할 목적으로 국외에 있는 경우'는 범인이 국내에서 범죄를 저지르고 형사처분을 면할 목적으로 국외로 도피한 경우에 한정되지 아니하고, 범인이 국외에서 범죄를 저지르고 형사처분을 면할 목적으로 국외에서 체류를 계속하는 경우도 포함된다(대판 2015.6.24, 2015도5916).

③ 대판 1987.12.22, 87도84

④ 대판 2006.12.8, 2006도6356

⑤ 대판 2017.7.11, 2016도14820

Answer 13. ②

조충환·양건

형사소송법

소송주체와 소송절차의 기본이론

제1장 소송의 주체

제2장 소송절차의 일반이론

CHAPTER 01

소송의 주체

단원 advice

소송은 일정한 주체를 전제로 하여 그 주체의 활동에 의하여 비로소 성립하고 발전하게 된다. 따라서 본 장의 내용들은 잘 정리해두어야 할 부분이며, 특히 법원의 관할, 피고인과 그 보조자인 변호인 등은 학습에 주의를 기울여야 할 부분이다.

소송의 주체는 법원, 검사, 피고인이다. 법원은 형사사건을 심판하는 자이고, 검사는 소추하는 자이며, 피고인은 검사로부터 소추를 받는 자이다. 여기서 검사와 피고인을 당사자라 하며 검사의 보조자로는 사법경찰관리가 있고, 피고인의 보조자로는 변호인(제30조)·보조인(제29조)·법정대리인(제26조)·대표자(제27조)·특별대리인(제28조) 등이 있다. 소송당사자와 보조자를 합하여 소송관계인이라 하며, 증인·감정인·고소인·고발인 등을 소송관여자라고 한다.

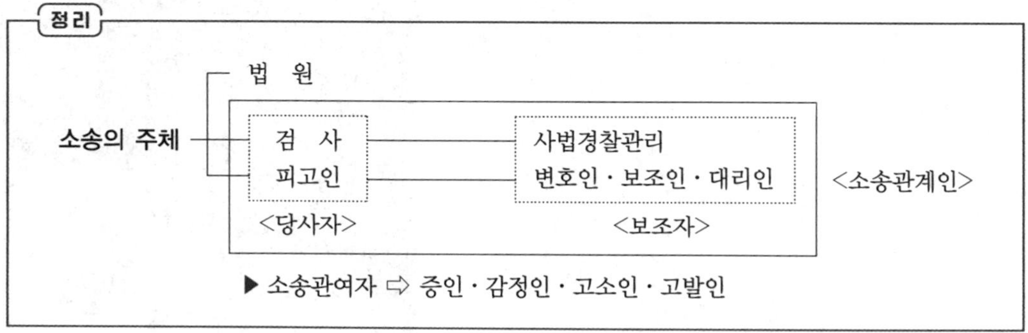

제1절 법 원

1 법원의 의의·종류

(1) 법원의 의의

법원은 국법상 의미의 법원과 소송법상 의미의 법원이라는 두 가지 의미로 사용되고 있다.

① **국법상 의미의 법원** : 국법상 의미의 법원이란 사법행정상 의미에 있어서의 법원을 말하며 이는 다시 관청인 법원과 관서로서의 법원으로 구분된다. 전자는 사법행정에 관한 의사표시의 주체가 되는 법원을 말하고, 후자는 인적·물적 설비를 총칭하는 사법행정상 단위를 의미하는 데 불과하다.

② **소송법상 의미의 법원** : 소송법상 의미의 법원이란 구체적 사건에 대한 재판기관으로서의 법원, 즉 합의제법원(합의부) 또는 단독제법원(단독판사)을 말한다.

형사소송법에서 법원이라 할 때에는 보통 소송법상 의미의 법원을 말한다. 제1심 법원은 단독제와 합의제를 병용하고 있으나(단독제가 원칙) 상소법원은 합의제에 의한다.

제1심법원은 단독제와 합의제를 병용(단독제 원칙)하고 있으며, 고등법원은 항상 판사 3명으로 구성된 합의부에서 심판한다. 대법원은 원칙적으로 대법관 전원의 3분의 2 이상의 합의체에서 행사하며, 대법원장이 재판장이 된다. 그러나 대법관 3명 이상으로 구성된 부에서 먼저 사건을 심리하여 의견이 일치한 경우에는 그 부에서 심판할 수 있다(법원조직법 제7조).

소송법적 의미의 법원은 사건의 심리와 재판을 행하는 과정에서 여러 형태로 법관이 개입하는바, 그러한 법관의 유형은 다음과 같다.

재판장	법원이 합의체로 구성되어 있는 경우에는 구성원 중 1인이 재판장이 된다. 재판장 이외의 합의체 구성법관을 합의부원이라 한다. 재판장은 소송절차의 진행과 관련하여 우월한 권한을 가질 뿐 피고사건의 심리·재판에 관해서는 다른 법관과 대등하다. 14. 9급 교정·보호·철도경찰
수명법관	합의체법원이 그 구성원인 법관에게 특정한 소송행위를 하도록 명하였을 때 그 명을 받은 법관을 말한다. 예 법정 외 증인신문
수탁판사	하나의 법원이 다른 법원의 법관에게 일정한 소송행위를 하도록 촉탁하는 경우에 촉탁을 받은 법관을 말한다. 예 증인소재지 판사에게 증인신문 촉탁
수임판사	전술한 수명법관·수탁판사로서가 아니고 공소를 제기받은 법원과는 독립하여 소송법상의 권한을 행사할 수 있는 개개의 법관을 말한다. 판례는 수임판사가 행하는 재판은 수소법원을 구성하는 재판장이나 수명법관으로서의 재판이 아니므로 그 재판에 대해서는 준항고의 방법으로 불복할 수 없다는 입장을 취하고 있다(대결 1986.7.12, 86모25). 예 • 수사기관의 청구에 의하여 각종 영장을 발부하는 판사(제200조의 2, 제201조, 제215조) 14. 9급 교정·보호·철도경찰 • 증거보전절차를 행하는 판사(제184조) • 수사상 증인신문을 행하는 판사(제221조의 2)

용어 해설 수소법원

수소법원이라 함은 형사피고사건이 소송계속된 법원을 말한다. 따라서 즉결심판청구를 받은 법원, 약식명령의 청구를 받은 법원, 재정신청에 대한 고등법원의 공소제기결정에 따라 공소제기받은 법원도 수소법원에 해당한다. 그러나 재정신청을 받은 고등법원, 증거보전청구를 받은 법원, 비상상고의 신청을 받은 법원, 구속영장의 청구를 받은 법원 등은 형사피고사건이 공소제기된 법원이 아니므로 수소법원이 아니다.

2 제척·기피·회피제도

(1) 제도의 필요성

재판은 공정해야 한다. 그러나 법원이 불공평한 재판을 할 우려가 있는 법관으로 구성된다면 공정한 재판을 기대할 수 없다. 따라서 공평한 법원의 구성을 구체적으로 보장하기 위한 제도가 필요하게 되는바, 이것이 제척·기피·회피제도이다.

제척 · 기피 · 회피제도의 구별

제 척	사유에 해당하면 당연히 그 법관을 직무집행에서 배제
기 피	당사자의 신청과 이에 대한 법원의 결정으로 그 법관을 직무집행에서 배제
회 피	법관 자신의 신청과 이에 대한 법원의 결정으로 그 법관을 직무집행에서 배제

(2) 제 척

① **의의** : 제척이란 구체적 사건의 심판에 있어서 법관이 불공평한 재판을 할 우려가 현저한 경우를 유형적으로 설정해 놓고 그 사유에 해당하는 법관은 자동적으로 직무집행에서 배제시키는 제도를 말한다.

② **제척사유**(제17조) : 임의적 확장 불가. 아래와 같은 사유에 해당하면 법관은 당연히 직무에서 배제된다.

㉠ 법관이 피해자인 때(제1호)

직접피해자에 한하고 간접피해자는 포함되지 아니한다. 간접피해자인 경우까지 포함시키면 그 범위가 불명확하여 법적 안정성을 해할 우려가 있기 때문이다.

㉡ 법관이 피고인 또는 피해자의 친족 또는 친족관계가 있었던 자인 때(제2호)

예 이혼한 전처

㉢ 법관이 피고인 또는 피해자의 법정대리인, 후견감독인인 때(제3호)

㉣ 법관이 사건에 관하여 증인, 감정인, 피해자의 대리인으로 된 때(제4호)

사건이란 형사사건만을 의미하며, 증인 또는 감정인으로 된 때란 단순히 그러한 자격으로 채택 · 소환된 때를 의미하는 것이 아니고 실제로 증언이나 감정을 행한 때를 말하며, 수사기관에서 참고인으로 조사를 받거나 감정인으로 위촉된 경우는 여기에 포함되지 않는다.

㉤ 법관이 사건에 관하여 피고인의 대리인, 변호인, 보조인으로 된 때(제5호)

㉥ 법관이 사건에 관하여 검사 또는 사법경찰관의 직무를 행한 때(제6호)

법관이 임관 전에 검사 또는 사법경찰관으로서 범죄수사를 하거나 공소제기를 한 경우가 이에 해당한다.

㉦ 법관이 사건에 관하여 전심재판 또는 전심재판의 기초가 되는 조사 · 심리에 관여한 때(제7호)

제17조 제8호 · 제9호 추가 〈시행일 2021. 6. 9〉

- 제8호 : 법관이 사건에 관하여 피고인의 변호인이거나 피고인 · 피해자의 대리인인 법무법인, 법무법인(유한), 법무조합, 법률사무소, 「외국법자문사법」 제2조 제9호에 따른 합작법무법인에서 퇴직한 날부터 2년이 지나지 아니한 때
- 제9호 : 법관이 피고인인 법인 · 기관 · 단체에서 임원 또는 직원으로 퇴직한 날부터 2년이 지나지 아니한 때

제17조 제7호의 구체적 검토

1. 전심재판에 관여한 때

① 전심재판 : 전심이란 제2심에 대한 제1심, 제3심에 대한 제2심 또는 제1심을 말한다. 그리고 전심재판은 당해 사건의 전심에 제한된다.

관련판례

1. 파기환송 전의 원심에 관여했던 법관이 파기환송 후의 재판에 관여한 경우 전심이 아니므로 제척사유에 해당하지 않는다(대판 1979.2.27, 78도3204). 04 · 05 · 08. 경찰승진, 10. 순경, 11 · 12. 9급 국가직, 13. 9급 법원직, 16. 경찰간부, 17. 순경 2차, 21. 7급 국가직
2. 재심청구 대상인 확정판결에 관여했던 법관이 재심을 담당한 경우 전심을 담당한 법관이 아니므로 제척사유에 해당되지 아니한다(대결 1982.11.15, 82모11). 11. 9급 검찰, 12. 경찰승진, 23. 7급 국가직
3. 상고법원(제3심)이 판결정정신청(제400조)절차의 전심은 아니므로 상고심판결을 내린 법관이 판결정정절차에 관여하였더라도 제척원인이 되지 않는다(대결 1967.1.18, 66초67). 05 · 06. 경찰승진, 08 · 10. 순경
4. 형사소송법 제17조 제7호에서 말하는 전심은 당해 사건의 전심에 제한되므로, 아무리 동일 피고인이라도 다른 사건에 대해서는 해당이 없다(대판 1965.4.8, 66로2). 08. 경찰승진

약식명령이나 즉결심판을 행한 법관의 검토

- 약식명령이나 즉결심판에 관여한 법관이 정식재판에 관여 ⇨ 제척사유 ×
- 약식명령이나 즉결심판에 관여한 법관이 정식재판 항소심에 관여 ⇨ 제척사유 ○

관련판례

1. 약식절차와 정식재판절차는 동일심급 내에서 서로 절차만 달리할 뿐이므로, 약식명령을 발부한 법관이 정식재판인 제1심의 공판절차에 관여하였더라도 제척사유가 아니다(대판 2002.4.12, 2002도944). 10 · 11. 순경, 16. 9급 검찰 · 마약수사 · 경찰간부, 14 · 17. 경찰승진, 12 · 18. 9급 교정 · 보호 · 철도경찰, 21. 7급 국가직
2. 약식명령을 발부한 법관이 정식재판의 항소심에 관여한 경우에는 제척사유가 된다. 약식절차나 정식재판절차는 모두 제1심으로 항소심의 전심에 해당되기 때문이다(대판 1985.4.23, 85도281). 03. 행시, 08. 순경, 11. 9급 검찰, 14. 경찰간부, 17. 9급 교정 · 보호 · 철도경찰

② '관여한 때'의 의미 : 재판의 내부적 성립(합의부 재판의 경우에는 합의가 성립한 때, 단독판사 재판의 경우에는 재판서 작성을 마친 때)에 실질적으로 관여한 때를 말한다. 따라서 내부적 성립에 관여하지 않은 경우는 여기에 해당하지 않는다(예 재판의 선고에만 관여한 경우, 공판기일을 연기하는 재판에만 관여한 경우, 공판에 관여하였으나 판결 전에 경질된 경우). 08. 경찰승진

관련판례

약식명령을 발부한 법관이 정식재판절차의 항소심에 관여한 바는 있으나 제5차 공판 도중에 경질되어 판결에는 관여하지 않았다면 당해 사건의 재판에 관여했다고 볼 수 없다(대판 1985.4.23, 85도281). 16. 9급 검찰 · 마약수사, 18. 순경 2차

2. 전심재판의 기초가 되는 조사 · 심리에 관여한 때

① 의의 : 공소제기의 전후를 불문하고 전심재판의 내용을 형성하는 데 영향을 미치는 경우를 말한다.

관련판례

법관이 사건에 대하여 그 기초가 되는 조사에 관여한 때란 전심재판의 내용형성에 사용될 자료의 수집·조사에 관여하여 그 결과가 전심재판의 사실인정 자료로 쓰여진 경우를 말한다(대판 1999.4.13, 99도155).
☗ 판결의 선고에만 관여한 경우나 증거로 채택되지 아니한 경우는 포함되지 아니한다.

② 구체적 검토

전심재판의 기초가 되는 조사·심리에 관여한 경우의 예 (제척사유 ○)	• 수탁판사로서 증거조사를 한 경우 08. 경찰승진 • 재정신청절차에서 공소제기결정을 한 경우 • 증거보전절차에 관여한 경우(다수설) • 참고인에 대한 증인신문절차에 관여한 경우
전심재판의 기초가 되는 조사·심리에 관여한 경우가 아닌 예 (제척사유 ×)	• 증거보전절차에 관여한 경우(대판) • 수사단계에서 구속영장을 발부한 경우(대판) • 구속적부심절차에 관여한 경우 • 보석허가결정에 관여한 경우 • 공판기일 연기재판에만 관여한 경우 • 선거관리위원장으로서 수사기관에 수사의뢰를 한 경우(대판)

관련판례

1. 제1심판결에서 피고인에 대한 유죄의 증거로 사용된 증거를 조사한 판사는 전심재판의 기초가 되는 조사·심리에 관여하였다고 할 것이고, 그와 같이 전심재판의 기초가 되는 조사·심리에 관여한 판사는 직무집행에서 배제되어 항소심재판에 관여할 수 없다(대판 1999.10.22, 99도3534). ∴ 제척사유 ○ 08. 경찰승진, 21. 7급 국가직

   ☗ 제1심 공판기일에서 증거조사를 하고 그 증거들이 제1심 판결에서 유죄의 증거로 사용되었으나 판결은 그 이후 경질된 판사가 하였다면, 제1심에서 증거조사를 한 판사가 항소심 재판을 하는 것은 제척사유에 해당하지 않는다. (×) 17. 9급 교정·보호·철도경찰
2. 공소제기 전 증거보전청구에 의하여 증인신문을 한 법관은 전심재판의 기초가 되는 조사·심리에 관여한 법관이라고 할 수 없다(대판 1971.7.6, 71도974). ∴ 제척사유 × 11. 9급 검찰, 13. 7급 국가직, 12. 9급 교정·보호·철도경찰, 17. 순경 2차, 24. 9급 검찰·마약·교정·보호·철도경찰
3. 법관이 수사단계에서 구속영장을 발부한 경우는 형사소송법 제17조 제7호 소정의 "법관이 사건에 관하여 전심재판 또는 그 기초되는 조사, 심리에 관여한 때"에 해당한다고 볼 수 없다(대판 1989.9.12, 89도612). 07. 9급 국가직, 11. 순경 2차, 12. 9급 교정·보호·철도경찰·9급 법원직 12·14. 경찰승진, 21. 7급 국가직
4. 선거관리위원장으로서 선거부정혐의 사실에 대하여 수사기관에 수사를 의뢰하고, 그후 당해 형사사건 재판을 담당하는 경우라도, 이는 사건에 관하여 그 기초가 되는 조사에 관여한 법관은 아니다(대판 1999.4.13, 99도155). ∴ 제척사유 × 10. 순경, 17. 경찰승진·9급 교정·보호·철도경찰
5. 고발인 甲의 피고인에 대한 고발사실 중 검사가 불기소한 부분에 관하여 한 재정신청사건에 관여하여 이를 기각한 법관들이, 甲의 위 고발사실 중 공소가 제기된 사건의 항소심에서 재판장과 주심판사로 관여한 사안에서, 고발사실의 일부에 대한 재정신청사건에 관여하여 그 신청을 기각한 것이 그 나머지 부분에 대한 사건에 있어 형사소송법 제17조 제7호에 정한 '법관이 사건에 관하여 전심재판 또는 그 기초되는 조사, 심리에 관여한 때'에 해당하지 않는다(대판 2014.1.16, 2013도10316). 18. 순경 2차

③ **제척의 효과** : 제척사유에 해당하는 법관은 당해 사건의 직무집행에서 당연히 배제되며, 배제되지 않을 경우 당사자가 기피신청을 할 수 있다. 제척사유가 있는 법관이 관여한 판결은 당연무효는 아니고 상소이유가 된다(제361조의 5 제7호, 제383조 제1호). 14. 경찰간부

제척사유가 있는 법관이 관여한 판결은 무효가 된다. (×)

(3) 기 피

① **의의** : 기피라 함은 법관이 제척사유가 있음에도 재판에 관여하거나 기타 불공평한 재판을 할 사정이 있는 경우에 당사자의 신청에 의하여 법원의 결정으로 당해 법관을 직무집행에서 탈퇴케 하는 제도를 말한다.

② **기피사유**(제18조 제1항) : 다음의 사유가 있는 때에는 당사자는 법관의 기피신청을 할 수 있다.

㉠ 법관이 제척사유에 해당한 때

제척사유는 모두 기피사유가 될 수 있다. (○)

기피사유는 제척원인을 제외하고 법관이 불공평한 재판을 할 염려가 있는 경우이다. (×)

㉡ 법관이 불공평한 재판을 할 염려가 있는 때 13. 9급 법원직

관련판례

불공평한 재판을 할 염려라 함은 당사자의 주관적인 판단을 기준으로 할 것이 아니라 일반인의 입장에서 볼 때 법관과 사건과의 관계상 법관이 편파적이거나 불공평한 재판을 할 의혹을 갖는 것이 합리적이라고 인정할 만한 객관적인 사정을 말한다(대결 2001.3.21, 2001모2). 15. 순경 1차, 16. 경찰승진·9급 교정·보호·철도경찰

예 • 법관과 함께 같은 재판부에서 함께 근무했던 경우
• 법관과 약혼, 친구 사이
• 법관이 증명되지 않는 사실을 언론에 발표한 경우

법관의 종교·세계관·변호인과의 친소관계
정치적 신념·성별·소송지휘권 행사 ⇨ 기피사유 ×

제척사유 ⇨ 유형적이며 제한적 열거, 기피사유 ⇨ 비유형적이며 예시 01. 경찰승진

관련판례

• **기피사유 ○**

법관이 피고인의 유죄를 확신하거나 유죄에 대한 예단을 주는 발언을 한 경우 불공평한 재판을 할 염려가 있어 기피사유에 해당한다(대결 1974.10.16, 74모68). 06. 순경, 07. 7급 국가직

• **기피사유 ×**

1. 증거신청을 채택하지 아니하거나 이미 행한 증거결정을 취소한 사실 또는 피고인의 증인에 대한 신문을 제지한 사실 등은 기피사유에 해당한다고 할 수 없다(대결 1994.11.3, 95모10). 06·11. 순경, 14. 경찰승진, 15. 순경 1차, 07·18. 7급 국가직, 23. 9급 검찰·마약·교정·보호·철도경찰
2. 검사의 공소장변경허가신청에 대해 불허결정을 한 사실만으로는 기피사유에 해당한다고 할 수 없다(대결 2001.3.21, 2001모2).

3. 법관이 피고인에게 소송지휘권 행사의 일환으로 피고인에게 공판기일에 어김없이 출석하라고 촉구한 사실만으로는 기피사유에 해당한다고 볼 수 없다(대결 1969.1.6, 68모57). 06. 순경
4. 피고인의 소송기록열람신청에 대하여 국선변호인이 선임되어 있으니 국선변호인을 통하여 소송기록의 열람 및 등사신청을 하도록 한 경우 기피사유에 해당하지 않는다(대결 1996.2.9, 95모93). 07. 7급 국가직
5. 소송 이송신청에 대한 가부판단 없이 소송을 진행한 사실이 있다 하더라도 그 사유만으로는 기피사유가 되지 아니한다(대결 1982.11.5, 82마637).
6. 재판장이 재판진행 중 소송당사자에 대하여 상기된 어조로 "이 사람아"라고 칭하였고 이로 인하여 위 당사자가 모욕감을 느꼈다고 하더라도 이것만으로는 재판의 공정을 기대하기 어려운 객관적인 사정이 있는 때에 해당한다고 할 수 없다(대결 1987.10.21, 87두10).
7. 기피의 대상으로 하고 있는 법관이 이미 당해 구체적 사건의 직무집행으로부터 배제되어 있다면 그 법관에 대한 피고인의 기피신청은 부적법하다(대결 1986.9.24, 86모48). 23. 9급 법원직

---

③ 기피신청

㉠ **신청권자** : 신청권자는 검사 또는 피고인이다(제18조 제1항). 16. 9급 교정 · 보호 · 철도경찰 **변호인도 피고인의 명시한 의사표시에 반하지 않는 한 기피신청을 할 수 있다**(동조 제2항). 11. 순경, 16. 9급 교정 · 보호 · 철도경찰 **변호인의 기피신청권은 대리권이므로 피고인이 기피신청권을 포기한 때에는 변호인의 기피신청권도 소멸한다.** 08. 7급 국가직

㉡ **신청의 대상** : 기피신청은 불공평한 재판을 할 염려가 있다고 인정되는 개별법관을 대상으로 하여야 한다. 기피신청 대상은 법관이므로 재판부 자체에 대한 기피신청은 인정되지 않지만 합의부를 구성하는 모든 법관에 대한 기피는 가능하다. 그러나 대법원의 경우 전원합의체를 구성하는 대법관 전원에 대한 기피신청하는 것은 허용되지 않는다. 이는 기피신청을 판단할 법원을 구성할 수가 없기 때문이다.

어떠한 사유에 의했건 기피의 대상으로 하고 있는 법관이 이미 당해 구체적 사건의 직무집행으로부터 배제되어 있다면 그 법관에 대한 피고인의 기피신청은 부적법하다(대결 1986.9.24, 86모48).

㉢ **신청방법**

ⓐ 기피신청은 서면 또는 구두(공판정에서)로 할 수 있다. 기피신청을 함에는 기피원인이 되는 사실을 구체적으로 명시해야 하고(규칙 제9조 제1항), 기피사유는 3일 이내에 서면으로 소명하여야 한다(제19조 제2항). 08. 7급 국가직, 11. 순경, 13 · 17. 경찰승진, 17. 순경 2차

ⓑ 합의부 법관에 대한 기피는 그 법관 소속의 법원에 신청하고, 수명법관 · 수탁판사 · 단독판사에 대한 기피는 당해 법관(소속법원 ×)에게 신청하여야 한다(제19조 제1항). 08. 7급 국가직, 13 · 17. 경찰승진

㉣ **신청시기** : 현행법상 기피신청의 시기에 관하여 제한규정이 없다. 따라서 판결선고시까지 가능하다는 판결선고시설(다수설)과 일단 변론이 종결되어 판결선고의 단계로 넘어가게 되면 기피신청은 허용되지 않는다는 변론종결시설이 대립하고 있다. 판례는 변론종결시설을 따른 것으로 보인다.

관련판례

피고사건의 판결선고절차가 시작되어 재판장이 이유의 요지를 설명하는 도중에 기피신청을 하는 것은 소송의 지연만이 그 목적이라고 볼 수 있으므로 부적법하다(대결 1985.7.23, 85모19). 14. 9급 검찰·마약·교정·보호·철도경찰, 23. 9급 법원직

㉤ 신청의 효과

ⓐ 기피신청이 있는 경우는 간이기각결정의 경우와 급속을 요하는 경우(예 증인위독, 증거멸실우려, 공소시효임박 등)를 제외하고는 소송진행을 정지해야 한다(제22조). 여기서 정지해야 하는 소송진행은 본안의 소송절차를 말하며, 구속기간의 갱신이나 공판기일 연기, 판결의 선고 등은 이에 해당하지 않는다.

ⓑ 기피신청으로 공판절차가 정지된 기간은 구속기간에 산입하지 아니한다(제92조 제3항).

공판절차 정지로 인한 피고인 구속기간 불산입

- 기피신청으로 인한 공판절차 정지(제22조)
- 공소장변경으로 인한 공판절차 정지(제298조)
- 피고인의 심신상실로 인한 공판절차 정지(제306조)

관련판례

1. 정지해야 할 소송진행에 대해 견해의 대립이 있으나, 판례는 본안에 대한 소송절차를 말하며, 구속기간의 갱신이나 판결선고와 같은 절차는 정지해야 할 소송절차에 해당하지 않는다(대결 1987.5.28, 87모10). 08. 순경
2. 법관에 대한 기피신청 때문에 소송의 진행이 정지되더라도, 구속기간의 진행은 정지되지 아니하는 것이므로 구속기간의 만료가 임박한 때에는 특별한 사정이 없는 한 소송진행정지의 예외사유인 급속을 요하는 경우에 해당한다고 보아야 할 것이니, 피고인들에 대한 구속기간이 만료되기 불과 24일 가량을 앞둔 제1심 제8회 공판기일에 피고인들과 변호인들이 법원에 대하여 기피신청을 하였음에도 법원이 소송진행을 정지하지 아니하고 그대로 진행한 조치는 정당하다(대판 1990.6.8, 90도646). 08. 순경, 24. 경찰승진

   ▶ 공판절차가 정지된 기간에도 구속기간은 진행된다는 종전의 규정하에서 나온 판례로써, 공판절차 정지기간은 구속기간에 산입되지 아니한다는 현행법(제92조 제3항)하에서는 그 의미를 잃었지만 간혹 출제된 적이 있어 그대로 존치해둔다.
3. 법관에 대한 기피신청이 있는 경우 정지되는 소송진행에 판결의 선고는 포함되지 아니하므로 피고인이 변론 종결 뒤 재판부에 대한 기피신청을 하였지만, 법원이 소송진행을 정지하지 아니하고 판결을 선고한 것은 정당하다(대판 2002.11.13, 2002도4893). 13·16·23. 7급 국가직, 23. 9급 검찰·마약수사
4. 기피신청을 받은 법관이 형사소송법 제22조에 위반하여 본안의 소송절차를 정지하지 않은 채 그대로 소송을 진행하여서 한 소송행위는 그 효력이 없고, 이는 그 후 그 기피신청에 대한 기각결정이 확정되었다고 하더라도 마찬가지이다(대판 2012.10.11, 2012도8544). 18. 순경 2차·5급 검찰·교정승진, 19. 경찰승진·7급 국가직, 20. 경찰간부, 22. 해경간부, 23. 9급 법원직

④ 기피신청에 대한 재판

㉠ 신청을 접수한 법원 · 법관의 처리

ⓐ 간이기각결정 : 기피신청을 접수한 법원 또는 법관은 기피신청이 소송의 지연을 목적으로 함이 명백하거나, 제19조(기피신청방식)의 규정에 위배된 때에는 법원 또는 법관은 결정으로 이를 기각하여야 한다(제20조 제1항). 07. 7급 국가직, 11. 순경, 12. 경찰승진, 14. 9급 검찰 · 마약 · 교정 · 보호 · 철도경찰 이 결정에 대하여 즉시항고할 수 있으나 즉시항고가 있다 하여도 재판의 집행을 정지하는 효력은 없다. 따라서 소송은 그대로 진행하게 된다. 11. 순경, 14. 7급 국가직 · 9급 검찰 · 마약 · 교정 · 보호 · 철도경찰, 17. 순경 2차, 19. 9급 법원직

관련판례

1. 소송지연을 목적으로 함이 명백한 경우에 기피신청을 받은 법원 또는 법관이 이를 기각할 수 있도록 규정한 형사소송법 제20조 제1항은 헌법상 보장되는 공정한 재판을 받을 권리를 침해하였다고 할 수 없다(헌재결 2006.7.27, 2005헌바58). 16. 경찰간부
2. 기피신청이 소송의 지연을 목적으로 함이 명백한 경우에는 그 신청 자체가 부적법한 것이므로 신청을 받은 법원 또는 법관은 이를 결정으로 기각할 수 있는 것이고, 소송지연을 목적으로 함이 명백한 기피신청인지의 여부는 기피신청인이 제출한 소명방법만에 의하여 판단할 것은 아니고, 당해 법원에 현저한 사실이거나 당해 사건기록에 나타나 있는 제반 사정들을 종합하여 판단할 수 있다(대결 2001.3.21, 2001모2).
3. 변호인의 신청으로 6회에 걸쳐 공판기일이 변경되거나 연기되었고, 여러 명의 증인신문과 수회의 공판기일이 진행된 상황에서 법원이 공소장변경을 불허하고, 변호인의 증거신청을 기각하자 변호인이 기피신청을 하였다면 이는 소송지연의 목적으로 한 것으로 볼 수 있다(대결 2001.3.21, 2001모2).
4. 기피사유를 3일 내에 서면으로 소명하지 아니한 경우 제19조의 규정에 위배된 때에 해당한다(대결 1961.6.26, 4294형항25).

ⓑ 의견서제출 : 기피신청이 적법한 경우 기피당한 법관은 지체 없이 기피신청에 대한 의견서를 제출하여야 한다(제20조 제2항).

기피당한 법관이 기피신청을 이유 있다고 인정한 때에는 기피신청에 대한 인용결정이 있는 것으로 간주되며(제20조 제3항), 기피신청사건은 그것으로 종결된다.

㉡ 기피신청에 대한 재판

ⓐ 관할 : 기피신청사건에 대한 재판은 기피당한 법관의 소속법원 합의부에서 결정으로 행한다(제21조 제1항). 06. 순경, 11. 순경 1차, 13 · 14. 경찰승진, 15 · 16. 경찰간부 기피당한 법관은 여기에 관여하지 못한다(동조 제2항). 13. 경찰승진 기피당한 판사의 소속법원이 합의부를 구성하지 못한 때에는 직근상급 법원(바로 위의 상급 법원)이 결정하여야 한다(동조 제3항). 13. 경찰승진, 16. 경찰간부, 18. 9급 교정 · 보호 · 철도경찰

ⓑ 기피신청에 대한 재판 : 기피신청이 이유 없다고 인정한 때에는 기피신청을 기각하며, 이 기각결정에 대하여 즉시항고를 할 수 있다(제23조 제1항). 05 · 07. 9급 법원직, 13. 경찰승진 · 7급 국가직 이 경우의 즉시항고는 간이기각결정의 즉시항고와는 달리 집행정지의 효

력이 있다(제23조 제2항). 14. 9급 검찰·마약·교정·보호·철도경찰 따라서 절차의 진행이 다시 정지된다. 기피신청이 이유 있다고 인정한 때에는 기피당한 법관을 당해 사건의 절차에서 배제하는 결정을 내린다(제21조 제1항). 이 인용결정에 대하여는 항고하지 못한다(제403조). 13. 경찰승진

기피신청을 인용한 결정 및 기각결정에 대하여는 즉시항고가 허용된다. (×) 18. 9급 교정·보호·철도경찰

⑤ **기피의 효과** : 기피신청이 이유 있다는 결정이 있는 때에는 법관은 당해 사건의 직무집행으로부터 탈퇴되며, 이의 위반은 절대적 항소이유(제361조의 5 제7호)와 상대적 상고이유(제383조 제1호)가 된다. 14. 9급 검찰·마약·교정·보호·철도경찰

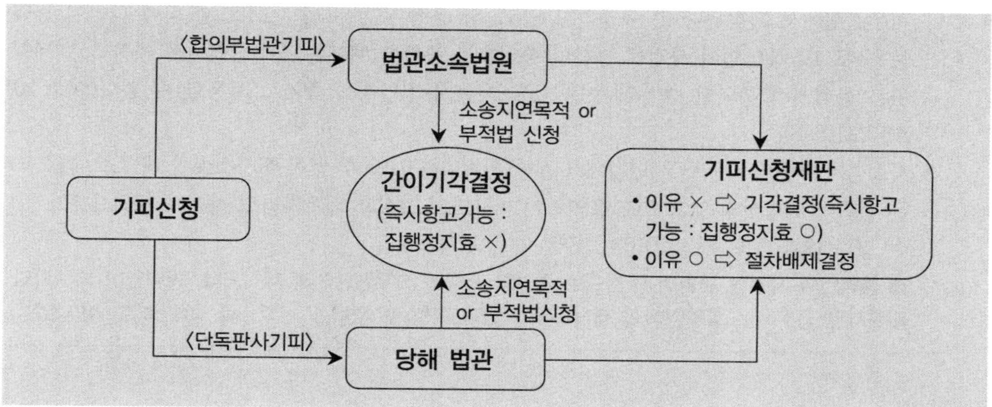

(4) 회 피

① **의의** : 회피란 법관 스스로가 기피원인이 있다고 판단한 때에 자발적으로 직무집행에서 탈퇴하는 제도이다(제24조 제1항). 24. 해경경위공채

② **절차·효과** : 회피신청은 소속법원에 서면으로 한다(제24조 제2항). 11. 순경 신청시기는 제한이 없고 신청에 대한 결정은 기피에 관한 규정이 준용된다(제24조 제3항). 회피결정에 대하여는 항고할 수 없고, 법관이 회피신청을 하지 않았다고 해서 상소이유가 되는 것도 아니다.

기피신청 : 서면 또는 구술
회피신청 : 서면

(5) 법원사무관 등에 대한 제척·기피·회피

① 법관의 제척·기피·회피에 관한 규정은 원칙적으로 법원사무관 등과 통역인에게 준용된다(제25조 제1항). 다만, 직무성격상 법관의 제척사유 중 제17조 제7호(전심재판 또는 그 기초가 되는 조사·심리에 관여한 때)는 이들에게 적용이 없다. 08. 9급 법원직

② 법원사무관 등과 통역인에 대한 기피신청재판은 그 소속법원의 결정으로 한다. 10. 경찰승진, 23. 9급 법원직 그러나 제19조의 규정위반 또는 소송지연을 목적으로 함이 명백한 때에 행하는 간이기각결정은 기피당한 자의 소속법관이 한다(제25조 제2항). 07. 9급 법원직, 18. 9급 교정·보호·철도경찰

③ 소속법관의 간이기각결정은 법원으로서 한 결정이므로 이에 대한 불복은 준항고가 아니라 (제416조) 즉시항고의 방법에 의하여야 한다.

관련판례

1. 서울지방법원 동부지원 형사과 접수계장에 대한 기피신청을 동 법원 판사가 형사소송법 제25조에 의거하여 기각한 결정은 법원의 기관인 재판장 또는 수명법관으로서가 아니라 법원으로서 한 결정이므로, 이에 대한 불복방법은 준항고가 아니라 즉시항고라 할 것이며 설사 위 기각결정에 대하여 준항고 하였다 하더라도 이를 즉시항고로 보고 처리하였음은 정당하다(대결 1984.6.20, 84모24).
2. 형사소송법 제17조 제4호는 '법관이 사건에 관하여 증인, 감정인, 피해자의 대리인으로 된 때에는 직무집행에서 제척된다.'고 규정하고 있고, 위 규정은 같은 법 제25조 제1항에 의하여 통역인에게 준용되므로, 통역인이 사건에 관하여 증인으로 증언한 때에는 직무집행에서 제척되고, 제척사유가 있는 통역인이 통역한 증인의 증인신문조서는 유죄인정의 증거로 사용할 수 없다(대판 2011.4.14, 2010도13583).
3. 사실혼관계에 있는 사람은 민법에서 정한 친족이라고 할 수 없어 형사소송법 제17조 제2호에서 말하는 친족에 해당하지 않으므로, 통역인이 피해자의 사실혼 배우자라고 하여도 제척사유가 있다고 할 수 없다(대판 2011.4.14, 2010도13583). 23. 7급 국가직

   ☎ 통역인이 사건에 관하여 증인으로 증언한 때에는 직무집행에서 제척되나, 통역인이 피해자의 사실혼 배우자인 경우에는 통역인에게 제척사유가 있다고 할 수 없다. (○) 17. 9급 교정 · 보호 · 철도경찰

(6) 기 타

전문 심리위원(제279조의 5), 배심원(국민의 형사재판 참여에 관한 법률 제19조, 제28조, 제30조)에게도 제척 · 기피제도가 인정된다.

KEY point

- **구별개념** : 제척 · 기피 · 회피
- **제척사유** : 제17조 ▶ 특히 제17조 제7호와 관련한 구체적 고찰
- **기피사유** : 제18조
- **기피신청권자** : 검사 · 피고인 · 변호인
- **기피신청방법** : 서면 또는 구술(공판정)
- ┌ 합의부법관에 대한 기피신청 ⇨ 소속법원에
  └ 단독판사에 대한 기피신청 ⇨ 당해 법관에
- **기피신청** : 소송진행정지(원칙)
- **간이기각결정** : 즉시항고(집행정지효 ×)
- **기피재판의 관할** : 소속법원 합의부
- **기피신청 인용결정** : 항고 ×
- **제척 · 기피 · 회피 규정** : 법원사무관 등과 통역인에게 준용(▶검사 ×)

3 법원의 관할

(1) 관할의 개념

① **관할의 의의** : 관할이라 함은 특정한 법원이 특정한 사건을 재판할 수 있는 권한을 말한다(각 법원에 대한 재판권의 분배).

② **구별의 개념**

재판권과의 구별	재판권이란 우리나라 법원이 구체적 사건에 대하여 심판을 행할 수 있는가 하는 일반적・추상적인 권리를 말하며, 관할권은 재판권이 인정될 때 그 사건을 전체 법원 중 어느 법원이 심판할 것인가의 문제이다(관할권은 재판권의 존재를 전제로 한 개념이다). ▶ 재판권이 없으면 공소기각판결을 해야 하나(제327조 제1호), 관할권이 없으면 관할위반의 판결을 하여야 한다(제319조).
사무분배와의 구별	법원 내에 다수의 재판부가 설치되어 있는 경우 특정재판부에 피고사건의 처리를 할당하는 행위를 사건배당(사무분배)이라 하며 이는 사법행정사무에 불과하다.

③ **관할제도의 존재이유** : 관할제도는 심리의 편의와 사건의 능률적 처리, 피고인의 방어권보장이라는 차원에서 인정된 제도이다.

(2) 관할의 종류

관할은 사건관할과 직무관할로 구별되며, 재심・비상상고・재정신청 사건에 대한 관할이 후자에 속한다. 일반적으로 관할이란 사건관할만을 의미한다.

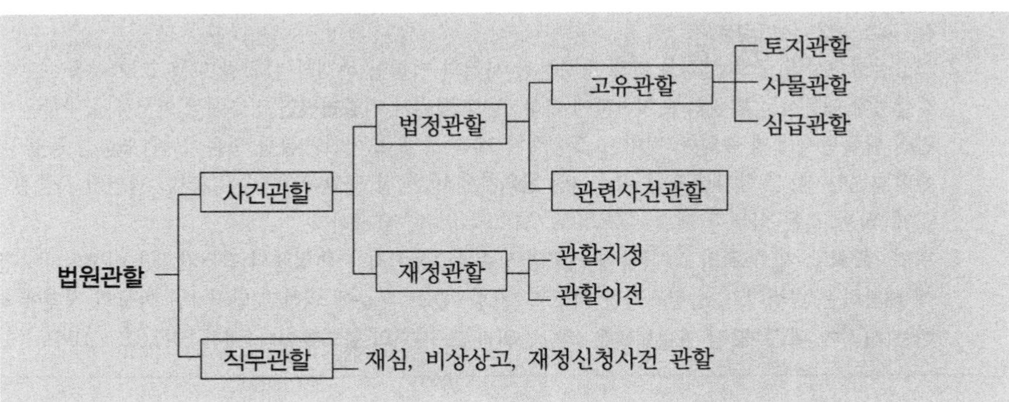

(3) 법정관할

① 고유의 법정관할

㉠ **사물관할** : 사물관할이란 사건의 경・중이나 성질에 의한 제1심 법원의 관할의 분배를 말한다(법원조직법에 규정).

2・3심은 사물관할 문제 ×(합의부에서만 심판)

제1심은 원칙적으로 단독판사가 이를 행하며(법원조직법 제7조 제4항), 다음과 같은 경우에는 지방법원 또는 지원의 합의부에서 심판한다(법원조직법 제32조 제1항).

KEY point 합의부 심판사건

1. 합의부에서 심판할 것으로 합의부가 결정한 사건
2. 사형, 무기 또는 단기 1년 이상의 징역(금고)에 해당하는 사건 또는 이와 동시에 심판할 공범사건 21. 경찰간부
   ▶ 다만, 단기 1년 이상의 법정형이 규정되어 있는 범죄라도 특수절도죄(형법 제331조), 상습절도죄(형법 제332조), 폭력행위 등 처벌에 관한 법률에 규정된 일부 범죄, 병역법위반사건, 특정범죄 가중처벌 등에 관한 법률에 규정된 일부 범죄(예 교통사고 후 도주 ※ 유기도주 ⇨ 합의부), 보건범죄단속에 관한 특별조치법(제5조), 부정수표단속법(제5조) 해당사건 등은 단독판사의 관할에 속한다.
3. 지방법원판사에 대한 제척 · 기피사건 10. 경찰승진, 21. 경찰간부
4. 다른 법률에 의하여 지방법원합의부 권한에 속하는 사건

Q 특수절도죄(법정형은 1년 이상 10년 이하 징역)**의 제1심 관할법원은?**

➡ 지방법원 또는 지원의 단독판사

관련판례

1. 단독판사 관할 피고사건의 항소사건이 지방법원 합의부나 지방법원지원 합의부에 계속 중일 때 그 변론종결시까지 청구된 치료감호사건의 관할법원은 고등법원이고, 피고사건의 관할법원도 치료감호사건의 관할을 따라 고등법원이 된다. 따라서 위와 같은 치료감호사건이 지방법원이나 지방법원지원에 청구되어 피고사건 항소심을 담당하는 합의부에 배당된 경우 그 합의부는 치료감호사건과 피고사건을 모두 고등법원에 이송하여야 한다(대판 2009.11.12, 2009도6946). 14 · 16. 7급 국가직, 15. 9급 검찰 · 마약 · 교정 · 보호 · 철도경찰
2. 보증금몰수사건은 그 성질상 당해 형사본안 사건의 기록이 존재하는 법원 또는 그 기록을 보관하는 검찰청에 대응하는 법원의 토지관할에 속하고, 그 법원이 지방법원인 경우에 있어서 사물관할은 지방법원 단독판사에게 속하는 것이지 소송절차 계속 중에 보석허가결정 또는 그 취소결정 등을 본안 관할법원인 제1심 합의부 또는 항소심인 합의부에서 한 바 있었다고 하여 그러한 법원이 사물관할을 갖게 되는 것은 아니다(대결 2002.5.17, 2001모53). 16. 7급 국가직
3. 형법 제264조, 제258조의 2 제1항에 의하면 상습특수상해죄는 법정형의 단기가 1년 이상의 유기징역에 해당하는 범죄이고, 법원조직법 제32조 제1항 제3호 본문에 의하면 단기 1년 이상의 징역에 해당하는 사건에 대한 제1심 관할법원은 지방법원과 그 지원의 합의부이다(대판 2017.6.29, 2016도18194).

㉡ 토지관할

ⓐ 의의 : 토지관할이란 동등한 법원 상호간에 있어 사건의 지역적 관계에 의한 관할의 분배를 말하며, 토지관할을 재판적이라고도 한다.

☗ 토지관할은 제1심 법원의 관할에 한정된다는 견해가 있으나 이에 한정할 필요는 없다(다수설).

ⓑ 토지관할의 결정표준 : 토지관할을 정하는 표준이 되는 것으로는 범죄지, 주소 · 거소지, 현재지, 선적지 · 기적지 · 선착지 · 기착지이다(제4조). 10. 교정특채

범죄지	범죄지란 범죄사실의 전부 또는 일부가 발생한 장소(중간지)를 말한다. 따라서 범죄실행장소, 결과발생장소, 결과발생의 중간지도 포함된다. 10. 교정특채 ▶ 예비 · 음모를 한 장소 ⇨ 예비 · 음모를 처벌한 범죄의 경우에만 범죄지가 된다. ▶ 공동정범 ⇨ 범죄사실 전부 또는 일부가 발생한 장소 혹은 공모지도 범죄지에 해당 14. 9급 검찰 · 마약 · 교정 · 보호 · 철도경찰, 15. 경찰간부 ▶ 간접정범 ⇨ 이용자의 이용행위장소와 피이용자의 실행행위 및 결과발생장소 모두 범죄지에 해당 ▶ 교사 · 방조 ⇨ 교사 · 방조의 장소뿐만 아니라 정범의 실행행위지와 결과발생지도 범죄지에 포함 10. 교정특채 ▶ 부작위범 ⇨ 부작위의 장소, 작위의무를 행하여야 할 장소, 결과발생의 장소가 모두 범죄지가 될 수 있다.
주소 또는 거소지	주소는 생활의 근거지가 되는 곳을 말하고, 거소는 다소 계속적으로 거주하는 곳을 말한다. ▶ 등록기준지(본적지) ⇨ × 11. 순경 2차
현재지	현재지란 임의 또는 적법한 강제에 의하여 공소제기 당시에 피고인이 현재하는 장소를 말한다(대판 2011.12.22, 2011도12927). 16. 7급 국가직, 20. 9급 검찰 · 마약 · 교정 · 보호 · 철도경찰, 16 · 20. 순경 2차, 21. 경찰간부, 23 · 24. 9급 법원직 현재지의 여부는 공소제기시를 기준으로 판단하므로 공소제기 당시 현재지임이 인정되면 그 후 석방되거나 도망하여도 일단 발생된 토지관할에는 영향을 미치지 않는다. ▶ 불법연행장소 ⇨ 현재지 × ▶ 현재지 관할법원과 주소지관할법원이 다른 경우에 현재지 관할법원이 제1심으로 재판진행 ⇨ 판결이 관할위반의 위법(×) 11. 9급 법원직 ▶ 국군 청해부대에 의해 체포 · 이송되어 국내 수사기관에 인도된 후 구속 · 기소된 소말리아 해적사건의 경우 피고인들이 적법한 체포, 즉시 인도 및 적법한 구속에 의하여 공소제기 당시 국내에 구금되어 있어 현재지인 국내법원에 토지관할이 있다(대판 2011.12.22, 2011도12927).
선박 · 항공기에 대한 특칙	국외에 있는 대한민국의 선박 또는 항공기 내에서 범한 죄에 대하여는 위 기준 외에 선적지 · 기적지 · 선착지 · 기착지도 토지관할의 기준이 된다. 11. 순경, 14. 9급 검찰 · 마약 · 교정 · 보호 · 철도경찰, 15. 9급 법원직

Q 광주에 주소를 둔 甲은 서울에서 빵에 독약을 혼입한 후 대전에 있는 피해자에게 우송하여 피해자는 이를 대전에서 먹고 대구에서 사망하였으며, 가해자 甲은 제주에서 체포되었을 경우 살인사건에 대하여 토지관할권을 가진 법원은?

➡ 광주지방법원(주소지), 서울지방법원(범죄행위지), 대전지방법원(중간지), 대구지방법원(결과발생지), 제주지방법원(현재지) 모두 토지관할권을 가진다.

관련판례

지방법원 본원과 지방법원 지원 사이의 관할의 분배도 단순한 사무분배에 그치는 것이 아니라 소송법상 토지관할의 분배에 해당한다고 할 것이다. 지방법원 지원에 제1심 토지관할이 인정된다는 사정만으로 당연히 지방법원 본원에도 제1심 토지관할이 인정된다고 볼 수는 없다(대판 2015.10.15, 2015도1803). 20. 9급 검찰·마약·교정·보호·철도경찰, 23. 9급 법원직

광주지방법원 해남지원에 범죄지로 인한 토지관할이 인정된다는 이유로 광주지방법원 본원에 공소를 제기한 사건에 관하여 관할위반판결을 한 제1심을 유지한 원심을 수긍한 사안임.

지방법원 본원과 지방법원 지원 사이의 관할의 분배는 지방법원 내부의 사법행정사무로서 행해진 지방법원 본원과 지원 사이의 단순한 사무분배에 그치고 소송법상 토지관할의 분배에 해당한다고 할 수 없다. (×) 19. 순경 2차, 23. 9급 검찰·마약·교정·보호·철도경찰

㉢ **심급관할** : 심급관할이란 상소관계에 있어서의 관할을 말한다. 상소에는 항소·상고·항고가 있다.

ⓐ 지방법원 또는 지방법원 지원의 단독판사의 판결에 대한 항소는 지방법원 본원합의부에서 관할하고(법원조직법 제32조 제2항 제1호), 지방법원 합의부의 제1심 판결에 대한 항소는 고등법원에서 관할한다(동법 제28조 제1호). 제2심 판결에 대한 상고사건과 제1심 판결에 대한 비약상고는 대법원의 관할에 속한다(동법 제14조).

ⓑ 지방법원 단독판사의 결정·명령에 대한 항고는 지방법원 본원합의부에서 관할하고(동법 제32조 제2항 제2호), 지방법원 합의부의 제1심 결정·명령에 대한 항고는 고등법원에서 관할한다(동법 제28조 제2호). 고등법원의 결정·명령과 지방법원 본원합의부의 제2심 결정·명령에 대한 항고는 대법원의 관할에 속한다(동법 제14조 제2호).

정리

제1심		제2심		제3심
지방법원 단독판사의 판결·결정·명령	⇨	지방법원 본원합의부	⇨	대법원
지방법원 합의부의 판결·결정·명령	⇨	고등법원	⇨	대법원

고등법원 설치와 관할구역 : 고등법원은 서울(경기 일부·인천·강원지역 포함), 대전(충남·충북지역 포함), 대구(경북지역 포함), 부산(울산·경남지역 포함), 광주(전남·전북·제주지역 포함), 수원(경기 일부) 등 6개 도시에 설치되어 있으며, 재판 당사자의 사법 접근성을 높이기 위해 춘천, 청주, 창원, 전주 및 제주 ,인천 등에 원외재판부를 설치하여 운영하고 있다.

형사사법절차에서 수사 또는 공소제기 및 유지를 담당하는 주체로서 피의자 또는 피고인과 대립적 지위에 있는 검사에게 어떤 재판에 대하여 어떤 절차를 통하여 어느 범위 내에서 불복방법을 허용할 것인가 하는 점은 더욱 더 입법정책에 달린 문제이다(대결 2006.12.18, 2006모646). 22. 7급 국가직

② **관련사건의 관할** : 고유의 법정관할의 기준에 따른 관할의 결정이 오히려 심리의 지장을 초래하고 피고인에게도 불리한 경우가 생길 수 있는데, 형사소송법은 이러한 문제를 해결하기 위해 고유의 법정관할을 수정하여 원래 관할권 없는 법원도 관련사건임을 이유로 관할을 가

질 수 있도록 하고 있다. 법률의 규정에 의해 인정되는 관할이라는 점에서 재판으로 인정하는 재정관할과 구별된다.

㉠ **관련사건의 의의** : 관련사건이란 사건이 서로 관련되어 있는 것을 말한다.

KEY point 관련사건의 종류(제11조)

1. **1인이 범한 수죄** : 실체적 경합범이 여기에 해당(상상적 경합은 소송법상 1죄이므로 관련사건에 속하지 않음) 16. 경찰간부
2. **수인이 공동으로 범한 죄** : 형법 총칙상의 공범(공동정범, 교사범, 방조범, 간접정범)뿐 아니라 각칙상의 필요적 공범도 해당된다. 13. 7급 국가직
3. **수인이 동시에 동일한 장소에서 범한 죄** : 동시범이 여기에 해당 10. 9급 법원직, 13. 9급 검찰·마약수사
4. **범인은닉죄·증거인멸죄·위증죄·허위감정통역죄·장물에 관한 죄와 그 본범의 죄** : 이들 범죄는 본범과의 사이에 증거가 공통되는 점이 많다는 점에서 관련사건으로 하고 있다.
   ▶ 무고죄와 본범(×)

㉡ **관련사건의 병합관할** : 1개 사건에 대하여 관할권이 있는 법원은 관련사건에 대하여도 관할권을 가진다. 이것을 관련사건의 병합관할이라 한다. 1인이 범한 수죄와 같은 인적관련(주관적 관련)의 경우는 동일 피고인에 대한 이중심리 방지를 위해, 수인이 범한 1죄와 같은 물적 관련(객관적 관련)은 피고인들 간의 모순된 판결을 방지하기 위하여 인정된 것이다.

관련사건의 병합관할은 공소제기 이전의 관할의 문제로서 법원이 관련사건에 대한 심리를 병합 혹은 분리하기 위한 전제로서의 의미를 가진다. 그러나 관련사건의 병합심리는 수개의 관련사건이 이미 각 관할법원에 소송계속된 이후의 문제이다.

ⓐ **사물관할의 병합** : 사물관할을 달리하는 수개의 사건이 관련된 때에는 법원합의부가 병합관할한다. 09. 순경, 13. 9급 검찰·마약수사 다만, 결정으로 관할권 있는 법원단독판사에게 이송할 수 있다(제9조). 09. 9급 국가직 예 甲이 범한 살인죄와 그 甲을 은닉한 乙의 범인은닉죄에 있어 살인죄는 합의부 관할사건이고, 범인은닉죄는 단독판사 관할사건이지만 이들 범죄 간에는 관련사건이므로 합의부가 단독판사사건까지 병합관할하게 된다. 따라서, 검사가 두 사건을 하나의 공소장으로 기소하면 합의부는 두 사건을 모두 심판할 수 있다. 사물관할의 병합관할은 제1심의 관할에 관한 규정이지만, 항소심에서도 인정된다는 견해가 일반적이다. 또한 고유의 법정관할에 따라 일정한 사건에 대하여 무죄, 면소 또는 공소기각의 재판이 선고된 경우에도 이미 발생한 관련사건의 관할은 소멸하지 않는다.

ⓑ **토지관할의 병합** : 사물관할은 같이하나 토지관할을 달리하는 수개의 사건이 관련된 때에는 1개의 사건에 관하여 관할권이 있는 법원은 다른 사건에 대하여도 관할권을 갖는다(제5조). 09. 9급 국가직, 10. 순경, 09·10. 경찰승진 토지관할에 대한 병합관할의 인정은 동일한 사물관할을 가진 법원들 사이에 한정된다. 토지관할의 병합관할이 인정되면 검사는 관련된 수개의 사건을 병합관할이 있는 어느 한 법원에 일괄적으로 기소할 수 있다. 토지관할의 병합 역시 항소심에서 준용된다. 09. 9급 국가직

관련판례

형사소송법 제5조에 정한 관련 사건의 관할은, 이른바 고유관할사건 및 그 관련 사건이 반드시 병합기소되거나 병합되어 심리될 것을 전제요건으로 하는 것은 아니고, 고유관할사건 계속 중 고유관할 법원에 관련 사건이 계속된 이상 그 후 양 사건이 병합되어 심리되지 아니한 채 고유사건에 대한 심리가 먼저 종결되었다 하더라도 관련 사건에 대한 관할권은 여전히 유지된다(대판 2008.6.12, 2006도8568). 10 · 14 · 17. 경찰승진, 20. 순경 2차 · 7급 국가직, 22. 해경승진, 23. 9급 법원직

㉢ **관련사건의 심리** : 관련사건은 병합관할이 가능하므로 이를 토대로 심리의 편의를 위하여 심리를 병합 · 분리할 수 있도록 하고 있다.

ⓐ 심리의 병합 : 관련사건의 병합심리는 수개의 관련사건이 각 관할법원에 소송계속된 이후의 문제이므로 수개의 사건에 대하여 검사의 공소제기가 있었는가 없었는가를 묻지 않고 추상적 · 관념적으로 관할의 유 · 무를 판단하는 관련사건의 병합관할과 구별된다.

㉮ 사물관할의 병합심리

ⓘ 사물관할을 달리하는 수개의 관련사건이 각기 법원합의부와 단독판사에 계속된 때에는 합의부는 결정으로 단독판사에 속한 사건을 병합하여 심리할 수 있다(제10조). 11 · 12. 경찰승진, 13. 9급 검찰 · 마약수사 · 7급 국가직, 14. 순경 2차, 11 · 17. 9급 법원직, 22. 해경승진 사물관할을 달리하는 사건(법원합의부와 단독판사에 계속된 사건)이 토지관할을 달리한 경우에도 동일하다(규칙 제4조 제1항). 10. 순경, 13. 경찰간부, 22. 변호사시험

병합심리결정은 합의부의 재량에 의해 직권으로 하는 것이며, 검사나 피고인의 신청에 의하는 것이 아니라는 점이 토지관할의 병합심리결정과 다르다.

ⓘⓘ 합의부가 관련사건이 단독판사에 계속되어 있다는 것을 안 때에는 직권으로 병합심리결정을 할 수 있으나, 단독판사가 자신이 심리 중인 사건과 관련된 사건이 합의부에 계속된 사실을 알게 된 경우에는 즉시 합의부의 재판장에게 그 사실을 통지하여야 한다(규칙 제4조 제2항).

ⓘⓘⓘ 합의부가 병합심리결정을 한 때에는 즉시 그 결정등본을 단독판사에게 송부하여야 하고, 단독판사는 그 결정등본을 송부받은 날로부터 5일 이내에 소송기록과 증거물을 합의부에 송부하여야 한다(규칙 제4조 제3항).

단독판사는 별도로 이송결정을 하거나, 공소기각 결정을 내릴 필요는 없다.

㉯ 토지관할의 병합심리

ⓘ 사물관할은 같이하나 토지관할을 달리하는 수개의 관련사건이 각각 다른 법원에 계속된 때에는 공통되는 직근상급 법원(바로 위의 상급 법원)은 검사 또는 피고인의 신청에 의하여 결정으로 한 개 법원으로 하여금 병합심리하게 할 수 있다(제6조). 04. 행시, 11. 경찰승진, 13. 경찰간부, 15. 9급 법원직, 22. 변호사시험 이는 항소심에서도 인정된다.

☎ 사물관할은 같지만, 토지관할을 달리하는 수개의 관련사건이 각각 다른 법원에 계속된 때에는 공통되는 직근 상급법원은 직권으로 1개 법원으로 하여금 병합심리하게 할 수 있다. (×) 18. 경찰간부

관련판례

사물관할은 같지만 토지관할을 달리하는 수개의 제1심 법원들에 관련된 사건이 계속된 경우에 제6조(공통되는 직근상급 법원은 검사 또는 피고인의 신청에 의하여 결정으로 1개 법원으로 하여금 병합심리할 수 있다)에서 말하는 공통 직근상급 법원이란 그 소속 고등법원이 같은 경우는 그 고등법원이, 그 소속고등법원이 다른 경우는 대법원이 된다(대결 2006.12.5, 2006초기335 전원합의체). 10. 경찰승진·순경, 11. 순경 1차, 15. 순경 3차, 16. 7급 국가직, 18. 5급 검찰·교정승진

예 피고인 甲사건은 제주지방법원 단독판사에, 乙사건은 광주지방법원 단독판사에 계속되어 있는 경우 토지관할의 병합심리신청은 광주고등법원이 된다. 소속 고등법원이 같기 때문이다.

ⓘⓘ 법원은 병합심리신청이 제기된 경우 그 신청에 대한 결정이 있을 때까지 소송절차를 정지하여야 한다. 다만, 급속을 요하는 경우에는 예외이다(규칙 제7조).

ⓘⓘⓘ 신청을 받은 상급 법원의 결정에 의하여 병합심리하게 된 법원 이외의 법원은 그 결정등본을 송부받은 날로부터 7일 이내에 소송기록과 증거물을 병합심리하게 된 법원에 송부하여야 한다(규칙 제3조 제2항).

㉰ 항소심에서 병합심리

ⓘ 관련사건의 병합심리는 항소심에서도 인정된다. 따라서 사물관할을 달리하는 수개의 관련 항소사건이 각각 고등법원과 지방법원 본원합의부에 계속된 때에는 고등법원은 결정으로 지방법원 본원합의부에 계속한 사건을 병합하여 심리할 수 있다. 또한 사물관할을 달리하는 수개의 관련 항소사건이 토지관할을 달리한 경우에도 같다(규칙 제4조의 2 제1항). 07. 9급 법원직, 13. 9급 국가직, 14. 변호사시험

예 피고인 甲의 A사건은 창원지방법원 본원합의부에 계속되어 있고, B사건은 부산고등법원에 계속되어 있는 경우 A사건은 제1심 때 단독판사사건이고, B사건은 합의부사건이므로, 결국 사물관할과 토지관할이 모두 다른 경우에 해당하는 것으로 규칙 제4조의 2 제1항에 의거 합의부사건이 계속되어 있는 부산고등법원이 병합하여 심리할 수 있다(대결 1990.5.23, 90초56). 11. 9급 법원직

ⓘⓘ 지방법원 본원합의부의 재판장은 그 부에서 심리 중인 항소사건과 관련된 사건이 고등법원에 계속된 사실을 알게 된 때에는 즉시 고등법원의 재판장에게 그 사실을 통지하여야 한다(규칙 제4조의 2 제2항). 09. 9급 법원직, 10. 경찰승진

ⓘⓘⓘ 고등법원이 병합심리결정을 한 때에는 즉시 결정등본을 지방법원 본원합의부에 송부하여야 하고 지방법원 본원합의부는 그 결정등본을 송부받은 날로부터 5일 이내에 소송기록과 증거물을 고등법원에 송부하여야 한다(규칙 제4조의 2 제3항).

ⓑ 심리의 분리

㉮ 사물관할의 심리의 분리 : 사물관할을 달리하는 경우에 합의부는 결정으로 관할권 있는 법원 단독판사에 이송할 수 있다(제9조 단서). 12. 순경 2차

㉯ 토지관할의 심리의 분리 : 토지관할을 달리하는 수개의 관련사건이 동일법원에 계속된 경우에 병합심리의 필요가 없는 때에는 법원은 결정으로 이를 분리하여 관할권 있는 다른 법원에 이송할 수 있다(제7조). 10. 순경, 11. 9급 법원직, 15. 순경 3차, 11 · 18. 경찰승진

KEY point

1. **관련사건의 병합관할**
   - 사물관할의 병합 : 법원합의부가 병합관할(제9조)
   - 토지관할의 병합 : 1개 사건에 관할권 있는 법원은 다른 사건까지 관할(제5조)
2. **관련사건의 병합심리**
   - 사물관할의 병합심리 : 합의부가 병합심리 가능(제10조)
   - 토지관할의 병합심리 : 공통 직근상급 법원의 결정(당사자신청)에 의해 1개의 법원으로 하여금 병합심리 가능(제6조)

(4) **재정관할**

① **의의** : 재정관할이란 법원의 재판에 의하여 정하여지는 관할을 말하며 여기에는 관할의 지정, 관할의 이전이 있다.

② **관할의 지정**

㉠ **의의** : 관할의 지정이란 관할지정 사유가 있을 경우 상급 법원이 사건을 심판할 법원을 지정하는 것을 말한다.

㉡ **관할지정의 사유**(제14조) : 관할의 지정을 신청할 수 있는 사유로는 다음과 같다.

ⓐ 법원의 관할이 명확하지 아니한 때 93. 경찰승진

예 관할구역을 정한 행정구역이 불명확한 경우

범죄사실 or 범죄지의 불명확 ⇨ 관할의 지정사유로 보는 견해와 범죄사실의 불특정문제로 보는 견해가 대립한다.

ⓑ 관할위반을 선고한 재판이 확정된 사건에 대하여 다른 관할법원이 없을 때

예 외국에서 외국인이 한국인을 살해한 경우 형법상 보호주의에 의거 우리나라가 재판권을 가지므로 범죄인인도가 이루어지기 전에 시효 등을 이유로 검사가 소속검찰청에 대응하는 법원에 일단 공소를 제기하였다면, 법원은 관할위반을 선고(관할위반을 선고한 재판은 당 · 부당을 불문)해야 하고, 다른 관할법원이 없으므로 관할의 지정이 필요하게 된다.

㉢ **관할지정의 절차**

ⓐ 관할의 지정은 검사가 관계있는 제1심 법원에 공통되는 직근상급 법원(바로 위의 상급법원)에 신청하여야 한다(제14조). 08 · 10. 9급 법원직, 09. 경찰승진, 14. 순경 2차, 07 · 20. 7급 국가직

피의자 · 피고인 ⇨ 신청권 ×

검사는 제1심법원에 공통되는 직근상급 법원에 신청할 수 있다. (×) 18. 경찰승진

ⓑ 관할지정의 신청은 공소제기 전·후를 불문하며 사유를 기재한 신청서를 직근상급 법원(바로 위의 상급 법원)에 제출하여야 한다(제16조 제1항).

ⓒ 공소제기된 사건에 대하여 관할지정신청을 한 때에는 즉시 공소를 접수한 법원에 통지하여야 한다(동조 제2항). 09. 9급 법원직

ⓓ 관할지정신청이 있으면 급속을 요하는 경우 이외에는 신청에 대한 결정이 있을 때까지 공판절차는 정지된다(규칙 제7조).

㉣ **관할의 지정** : 관할지정의 신청을 받은 직근상급 법원(바로 위의 상급 법원)은 신청이 이유 있다고 인정되면 관할법원을 지정하는 결정을 하고, 그렇지 않으면 신청기각결정을 한다. 관할의 지정이 있으면 당연히 이송의 효과가 발생한다.

PART 03

③ **관할의 이전**

㉠ **의의** : 관할의 이전이란 관할이전 사유가 있을 경우에 검사 또는 피고인의 신청에 의하여 그 법원의 관할권을 관할권 없는 다른 법원으로 옮기는 것을 말한다(관할의 이전은 성질상 토지관할에 대해서만 인정되며 항소심에서도 관할의 이전이 인정된다).

관할권 있는 다른 법원으로 이전하는 사건의 이송과 구별됨.

㉡ **관할이전의 사유**(제15조) : 관할이전의 사유는 다음과 같다.

ⓐ 관할법원이 법률상 이유 또는 특별한 사정으로 재판권을 행사할 수 없을 때 17. 경찰승진

예 • 법률상 이유란 법관의 제척·기피·회피로 인하여 법원을 구성할 수 없는 때를 말함.
• 특별한 사정이란 천재지변 또는 판사의 질병·사망 등으로 장기에 걸쳐 직무를 집행할 수 없는 경우를 말함.

ⓑ 범죄의 성질, 지방의 민심, 소송의 상황 기타 사정으로 재판의 공평을 유지하기 어려울 염려가 있는 때

예 그 지방 주민이 피고인을 증오 또는 동정하고 있어 법원의 재판에 중대한 영향을 미칠 수 있는 상황

관련판례

1. 피고인이 담당법관에 대하여 기피신청을 하였고 위증을 한 증인이 다른 법원 관할 내의 검찰청에서 조사를 받고 있거나(대결 1982.12.17, 82초50), 법원에서 공소장변경을 허용하였다는 것만으로는 재판의 공정을 유지하기 어려운 염려가 있다고 볼 수 없다(대결 1984.7.24, 84초45).
2. 항소심에서 유죄판결을 선고받고 이에 불복하여 상고를 제기한 피고인을 교도소 소장이 검사의 이송 지휘도 없이 다른 교도소로 이송처분한 경우 피고인은 이에 대하여 관할이전신청이나 형사소송법 제489조의 이의신청을 할 수 없다(대결 1983.7.5, 83초20). 12. 경찰승진
3. 법원이 검사의 공소장변경을 허용하였다 하여 재판의 공평을 유지하기 어려울 염려가 있다고 인정되지 아니하므로 이를 이유로 한 관할이전신청은 이유 없다(대결 1984.7.24, 84초45).

㉢ **관할이전의 절차**

ⓐ 관할이전신청은 검사 또는 피고인이 행한다. 피고인도 신청권자라는 점에서 검사만이 신청권자인 관할의 지정과 다르다. 10. 경찰승진

┌ 검사의 관할이전 신청 ⇨ 의무적(사유 있을시 신청하여야 한다 : 제15조) 12. 경찰승진, 22. 해경승진, 24. 9급 법원직
└ 피고인의 관할이전 신청 ⇨ 권리(사유 있을시 신청할 수 있다 : 제15조) 14. 변호사시험

관할법원이 법률상의 이유 또는 특별한 사정으로 재판권을 행사할 수 없을 때에는 검사 또는 피고인은 직근 상급법원에 관할이전을 신청할 수 있다. (×) 17. 경찰승진

ⓑ 검사의 신청은 공소제기 전후를 불문하나, 피고인은 공소제기 후에만 신청이 가능하다.

ⓒ 관할이전신청은 신청서를 직근상급 법원(바로 위의 상급 법원)에 제출하여야 하며, 공소제기 후에 신청을 한 때에는 즉시 공소를 접수한 법원에 통지해야 한다(제16조). 09. 9급 법원직

ⓓ 신청이 있으면 급속을 요하는 경우를 제외하고는 신청에 대한 결정이 있을 때까지 소송절차를 정지하여야 한다(규칙 제7조).

㉣ **관할이전의 결정** : 관할이전신청을 받은 직근상급 법원은 신청이 이유 있다고 인정되면 관할법원을 이전하는 결정을 하고, 그렇지 않으면 신청을 기각하는 결정을 한다.

KEY point 관할의 지정과 관할의 이전

• 관할의 지정 ┌ 사유 : 제14조
├ 절차 : 검사가 제1심법원에 공통되는 직근상급법원에 신청(피의자, 피고인 ⇨ 신청권 ×)
└ 시기 : 공소제기 전후 불문

• 관할의 이전 ┌ 사유 : 제15조
├ 절차 : 직근상급법원에 신청(검사 ⇨ 의무, 피고인 ⇨ 권리)
└ 시기 : 검사 ⇨ 공소제기 전후 불문, 피고인 ⇨ 공소제기 후에만 신청

④ **재정관할에 대한 불복** : 법원의 관할에 관한 결정에 대해서는 즉시항고할 수 있는 경우를 제외하고는 항고하지 못한다(제403조). 따라서 재정관할에 관한 결정에 대해서 불복이 허용되지 않는다.

(5) 관할의 경합

① **의의** : 법원의 관할은 여러 기준에 의해 결정되기 때문에 동일사건에 두 개 이상의 법원이 동시에 관할권을 가지는 경우가 있다. 이를 관할의 경합이라 한다.

관할의 병합 (병합 관할)	수개사건의 일부에 대하여 관할권이 있는 법원은 나머지 관련 사건에 대해서도 관할권을 가진다는 것을 말하며, 관할의 병합은 관련사건의 병합심리의 전제가 된다. ▶ 수개의 관련사건들 간에 관할의 문제임.
관할의 경합	하나의 사건에 대해 2개 이상의 법원이 관할권을 가지는 경우를 말하며, 관할권이 있는 모든 법원에 공소가 제기된 경우에 어느 법원이 재판할 것인가의 문제이다. ▶ 동일사건에 있어서 관할의 문제임.

② **입법적 해결** : 동일사건에 대하여 서로 다른 법원이 이중으로 심리하거나 모순된 판결을 내리는 것은 소송경제에 반할 뿐 아니라 재판에 대한 신뢰를 무너뜨리는 결과를 초래하기 쉽다. 이를 방지하기 위하여 형사소송법은 관할권이 경합한 경우에 일정한 우선순위원칙을 세워 놓고 있다.

③ **사물관할의 경합**(제12조)

㉠ 동일사건이 사물관할을 달리하는 수개의 법원에 계속된 때에는 법원 합의부가 심판한다. 08. 순경, 11. 경찰승진, 12. 순경 2차, 13. 9급 검찰·마약·교정·보호·철도경찰·경찰간부, 20. 7급 국가직

예 범인은닉죄는 원래 단독판사의 관할에 속하나 관련사건의 병합관할제도에 의해 합의부도 관할권을 가지는바, 사건이 단독판사와 합의부에 계속된 때에는 합의부가 심판한다.

㉡ 이때 단독판사는 즉시 공소기각결정을 하여야 하고(제328조 제1항 제3호), 13. 9급 검찰·마약·교정·보호·철도경찰 만일 단독판사의 판결이 먼저 확정되었다면 합의부는 면소판결을 하여야 한다(제326조 제1호). 20. 9급 검찰·마약·교정·보호·철도경찰 수개 법원의 판결이 모두 확정되었다면 나중에 확정된 판결은 당연무효가 된다.

④ **토지관할의 경합**(제13조)

㉠ 동일사건이 사물관할을 같이하는 수개의 법원에 계속된 때에는 먼저 공소를 받은 법원이 심판한다. 08. 9급 법원직, 10·12. 경찰승진, 13. 7급 국가직, 18. 경찰간부

예 관할의 경합은 주로 토지관할의 경우에 발생한다. 범죄지, 피고인의 주소·거소·현재지 등을 관할하는 법원이 각각 다른 경우에는 그 어느 법원이나 모두 관할권을 가지며, 이 경우 이들 법원간에는 아무런 우열이 없으므로 20. 순경 2차 먼저 공소를 받은 법원이 심판한다.

㉡ 다만, 검사 또는 피고인의 신청이 있는 경우에는 각 법원에 공통되는 직근상급 법원(바로 위의 상급 법원)은 결정으로 뒤에 공소를 받은 법원으로 하여금 심판하게 할 수 있다. 12. 순경 2차, 12·14·17.경찰승진, 22. 변호사시험·해경승진, 08·10·15·24. 9급 법원직

㉢ 먼저 공소를 받은 법원이 심판할 경우에는 나머지 법원은 공소기각결정을 하여야 하고(제328조 제1항 제3호), 13. 7급 국가직 나중에 공소를 받은 법원의 판결이 확정되었다면 먼저 공소를 받은 법원은 면소판결을 하여야 한다(제326조 제1호). 04. 순경 수개의 법원의 판결이 모두 확정되었다면 나중에 확정된 판결은 당연무효가 된다.

KEY point **형법과 민사소송법의 비교**

1. **사물관할의 경합**
   합의부가 심판(단독판사는 공소기각결정, 단독판사판결이 먼저 확정 ⇨ 합의부는 면소판결)
2. **토지관할의 경합**
   • 먼저 공소받은 법원이 심판(선착순원칙)
   • 나머지 법원은 공소기각결정, 나머지법원에서 먼저 판결이 확정 ⇨ 먼저 공소받은 법원은 면소판결

(6) 사건의 이송

① **의의** : 사건의 이송이란 수소법원이 계속 중인 사건을 다른 법원으로 이송하는 것을 말한다. 이송결정을 한 때에는 소송기록과 증거물은 다른 법원에 송부하여야 한다. 사건의 이송은 법원의 관할과 관련없는 경우에도 일어날 수 있다.

관할이전	관할권 없는 법원으로 관할을 옮기는 것을 말함.
사건이송	관할권 있는 법원에 사건의 심리를 옮기는 것을 말함.

② **관할과 관련된 사건의 이송**

㉠ **관할의 병합에 의한 사건의 이송**

ⓐ 사물관할의 병합심리결정이 있는 경우에 단독판사가 합의부에 행하는 사건이송(규칙 제4조 제3항)

ⓑ 토지관할의 병합심리결정이 있는 경우에 다른 법원이 병합심리를 행하는 법원에 대하여 하는 사건의 이송(규칙 제3조 제2항)

㉡ **관할의 지정 · 이전에 의한 사건의 이송** : 공소제기된 사건에 대하여 관할의 지정 또는 이전의 결정이 있는 경우에 사건이 계속된 법원이 관할의 지정 또는 이전을 받은 법원에 대하여 행하는 사건의 이송(규칙 제6조 제3항)

㉢ **사건의 직권이송**

ⓐ 현재지 관할법원에 대한 이송 : 피고인이 관할구역 내에 현재하지 않은 경우 특별한 사정이 있으면 법원은 결정으로 사건을 피고인의 현재지를 관할하는 동급 법원에 이송할 수 있다(제8조 제1항). 08 · 09 · 10. 순경, 10 · 15. 9급 법원직

이송하여야 한다. (×)

관련판례

제8조 제1항의 규정은 피고인이 관할구역 내에 현재하지 아니한 경우 심리의 편의와 피고인의 이익을 위하여 피고인의 현재지를 관할하는 동급 법원에 이송할 수 있다는 규정이지, 피고인에 대하여 관할권이 없는 경우에도 필요적으로 이송해야 한다는 뜻은 아니므로 관할권 없는 피고인에 대하여 관할위반 판결을 하는 것은 정당하다(대판 1978.10.10, 78도2225).

ⓑ 합의부에 대한 이송

㉮ 단독판사사건이 공판심리 중 공소장변경에 의하여 합의부의 관할사건으로 변경된 경우에 단독판사는 관할위반의 판결을 선고하지 않고 결정(판결 ×)으로 합의부에 이송한다(제8조 제2항). 11. 경찰승진 · 9급 국가직, 15. 순경 3차, 13 · 21. 경찰간부, 14 · 24. 9급 법원직
항소심에서도 동일하다고 함이 판례의 입장이다.

관련판례

1. 단독판사사건이 항소되어 지방법원 본원 합의부에 계속 중 중한 사건(제1심의 관할법원이 합의부인 사건)으로 공소장이 변경된 경우 지방법원 본원 합의부는 사건을 고등법원으로 이송하여야 한다(대판 1997.12.12, 97도2463). 03. 7급 검찰, 09·16. 9급 법원직, 10. 순경, 13. 7급 국가직, 15. 순경 3차, 18. 경찰간부, 10·14·18. 경찰승진
2. 제1심에서 합의부 관할사건에 관하여 단독판사 관할사건으로 공소장변경허가신청서가 제출되자, 합의부가 공소장변경을 허가하는 결정을 하지 않은 채 착오배당을 이유로 사건을 단독판사에게 재배당한 사안에서, "합의부는 공소장변경허가결정을 하였는지에 관계없이 사건의 실체에 들어가 심판하였어야 하고 사건을 단독판사에게 재배당할 수 없다."라고 판시하였다(대판 2013.4.25, 2013도1658). 14. 7급 국가직, 15. 9급 검찰·마약·교정·보호·철도경찰, 15·17. 9급 법원직, 18. 경찰간부, 22. 변호사시험

PART 03

㉯ 피고인이 국민참여재판을 원하는 의사를 표시한 경우 지방법원 지원 합의부가 제9조 제1항의 배제결정을 하지 아니하는 경우에는 국민참여재판절차 회부결정을 하여 사건을 지방법원 본원 합의부로 이송하여야 한다(국민의 형사재판 참여에 관한 법률 제10조 제1항). 14. 변호사시험

③ **관할과 관련 없는 사건의 이송**

㉠ **사건의 군사법원 이송** : 법원은 공소가 제기된 사건에 대하여 군사법원이 재판권을 가지게 되었거나 가졌음이 판명된 때에는 결정으로 사건을 재판권 있는 같은 심급의 군사법원에 이송하여야 한다. 09·10. 순경, 15. 9급 검찰·마약·교정·보호·철도경찰 이 경우에 이송 전에 행한 소송행위는 이송 후에도 그 효력에 영향이 없으므로 유효하다(제16조의 2). 14. 9급 법원직

- 일반법원과 군사법원 사이의 사건의 이송은 법원의 재판권에 관련된 문제로서 관할과 관련된 사건의 이송과 구별된다.
- 검사가 피고인이 입대하기 전의 행위를 기소하였는데, 공소제기 이후 피고인이 입대하여 군인이 된 경우 법원의 심리결과 공소사실이 유죄로 인정되면 위 행위는 피고인이 군인이 아닐 때 이루어진 것이므로 법원은 유죄판결을 선고하여야 한다. (×) 17. 9급 법원직
- 제2심의 군사법원은 고등군사법원이므로 지방법원 합의부에서 2심으로 심리하는 사건에 대하여 군사법원이 재판권을 가지게 되었다면 고등군사법원으로 이송결정한다.

관련판례

1. 일반 국민이 범한 수 개의 죄 가운데 특정 군사범죄(예 군용물절도)와 그 밖의 일반 범죄(예 방위사업법위반죄)가 경합범 관계에 있다고 보아 하나의 사건으로 기소된 경우, 특정 군사범죄에 대하여는 군사법원이, 일반 범죄에 대하여는 일반법원이 재판권을 가진다(대결 2016.6.16, 2016초기318 전원합의체). 19. 순경 2차, 20. 9급 검찰·마약·교정·보호·철도경찰·순경 2차
2. 피고인이 재판 당시에 군인의 신분을 가지고 있음이 판명된 경우에는 재판권이 없다 하여 공소기각판결을 선고할 것이 아니라 사건을 군사법원으로 이송하여야 한다(대판 1973.7.24, 73도1296).
3. 공소가 제기된 사건에 대하여 군사법원이 재판권을 가졌음이 판명된 때라 함은 공소제기 당시에 이미 군사법원이 재판권을 가지고 있던 경우를 포함한다(대판 1982.6.22, 82도1072).

4. 이송 전에 행한 소송행위는 이송 후에도 그 효력에 영향이 없으므로, 제1심법원에 공소가 제기되기 이전부터 군법 피적용자의 신분을 보유하고 있던 피고인에 대한 제1심법원의 판결선고 후에 항소심 사건을 이송받은 고등군법회의로서는 제1심법원이 피고인에 대한 재판권이 없었다는 이유로 제1심 판결을 파기할 수 없다(대판 1982.6.22, 82도1072).

㉡ **사건의 소년부 송치** : 법원은 소년에 대한 피고사건을 심리한 결과 보호처분에 해당하는 사유가 있다고 인정한 때에는 결정으로 사건을 관할소년부에 송치하여야 한다(소년법 제50조). 14. 변호사시험 소년부는 송치받은 사건을 조사 또는 심리한 결과 19세 이상인 것으로 밝혀지면 결정으로 송치한 법원에 다시 이송하여야 한다(소년법 제51조).

㉢ **가정보호사건 송치** : 가정폭력범죄의 처벌 등에 관한 특례법에 의한 보호처분에 처함이 상당하다고 인정한 때에는 결정으로 가정보호사건의 관할법원에 송치할 수 있다(동법 제12조).

㉣ **성매매사건송치** : 법원은 성매매사건의 심리 결과 성매매알선 등 행위의 처벌에 관한 법률에 의한 보호처분에 처함이 상당하다고 인정한 때에는 결정으로 사건을 보호사건의 관할법원에 송치할 수 있다(동법 제12조 제3항).

KEY point

- 현재지 관할법원의 이송, 가정보호사건송치, 성매매사건의 송치 ⇨ 임의적 이송
- 단독판사사건이 항소심에서 합의부사건으로 공소장변경 ⇨ 고등법원으로 이송
- 일반법원에 제기된 군사법원사건은 군사법원으로 이송(공소기각판결 ×)

④ **이송결정에 대한 항고** : 사건의 이송결정은 법원의 관할에 관한 결정이므로, 즉시항고는 물론 보통항고도 허용되지 않는다(제403조). 이 점은 군사법원의 이송의 경우도 동일하다. 다만, 소년부송치결정의 경우는 판결전 소송절차에 관한 결정이 아니므로 보통항고가 허용된다(대결 1986.7.25, 86모9).

(7) 관할권 부존재의 효과

① **관할위반의 판결** : 관할권의 존재는 소송조건의 하나이다. 따라서 법원은 직권으로 관할을 조사하여야 한다(제1조). 04. 순경, 16. 9급 법원직 관할권이 없음이 명백한 때에는 관할위반의 판결을 선고해야 한다(제319조 본문).

관할위반의 경우에도 절차를 형성하는 개별소송행위(예 증인신문절차)의 효력에는 영향이 없다(제2조). 이는 소송경제를 위하여 절차를 이루는 개개의 소송행위가 유효하다는 의미이며, 법원이 실체판결을 할 수 있다는 것은 아니다. 01. 9급 법원직

관할의 인정 또는 관할위반의 인정이 법률에 위반된 때에는 절대적 항소이유(제361조의5 제3호), 상대적 상고이유(제383조 제1호)가 된다. 13. 경찰승진

관할위반의 재판이 법률에 위반됨을 이유로 원심판결을 파기하는 때에는 판결로써 사건을 원심법원에 환송하여야 한다(제366조). 13. 경찰승진, 14. 9급 법원직

관할인정이 법률에 위반됨을 이유로 원심판결을 파기하는 때에는 판결(결정 ×)로써 사건을 관할법원에 이송하여야 한다(제394조). 13. 경찰승진, 14. 9급 법원직, 18. 경찰간부

관련판례

지방법원과 그 지원의 합의부가 제1심으로 심판하여야 할 사건을 지방법원 지원 단독판사가 제1심으로 심판하고, 그 제1심 사건에 대한 항소심 사건을 지방법원 본원 합의부가 실체에 들어가 심판한 경우, 대법원은 항소심판결 및 제1판결을 파기하고 관할권이 있는 지방법원 지원 합의부에 이송한다(대판 1999.11.26, 99도4398). 23. 9급 법원직

② **예외** : 관할은 법원의 심리의 편의와 피고인의 이익을 보호하기 위하여 인정된 것이므로 이 원칙에 대하여는 예외가 인정되고 있다.

㉠ **토지관할의 위반** : 토지관할에 관하여 법원은 피고인의 신청이 없으면 관할위반의 선고를 할 수 없다(제320조 제1항). 14. 경찰간부, 15. 9급 법원직 피고인의 관할위반신청은 피고사건에 대한 진술 전에 하여야 한다(동조 제2항). 15. 9급 법원직

- 토지관할은 공소제기시에만 존재하면 되나, 사물관할은 공소제기시부터 재판종결시까지 전 과정에 존재하여야 한다.
- 피고인의 토지관할위반 신청은 증거조사를 마치기 전에 하여야 한다. (×)
- 법원은 직권으로 관할을 조사하여야 하므로 법원은 피고인의 신청이 없더라도 토지관할이 없다는 것이 밝혀진 경우 관할위반 판결을 선고하여야 한다. (×) 17. 9급 법원직

㉡ **관할구역 외에서의 집무** : 법원 또는 법관은 원칙적으로 관할구역 안에서 소송행위를 할 수 있다. 그러나 긴급을 요하는 때에는 법원은 관할구역 외에서 직무를 행하거나 사실조사에 필요한 처분을 할 수 있다(제3조). 16. 7급 국가직

KEY point

- **관할권존재** : 직권조사사항
- **토지관할위반판결** : 피고인의 신청 필요
- **관할권의 존재**
  - 토지관할 ⇨ 공소제기시
  - 사물관할 ⇨ 재판종결시까지

CHAPTER 01

기출문제

01 제척과 기피에 대한 설명으로 옳지 않은 것은? 23. 7급 국가직

① 법관에 대하여 기피신청이 있는 경우 형사소송법 제22조에 따라 정지될 소송진행은 그 피고사건의 실체적 재판에의 도달을 목적으로 하는 본안의 소송절차를 말하고, 판결의 선고는 이에 해당하지 않는다.

② 통역인이 피해자의 사실혼 배우자인 경우에는 '피해자의 친족'이 아니므로 형사소송법 제17조 제2호의 제척사유에 해당하지 않는다.

③ 재심청구사건의 담당 법관이 재심대상판결의 제1심에 관여한 경우, 그 법관은 제척 또는 기피의 원인인 전심재판에 관여한 것에 해당한다.

④ 법관이 선거관리위원장으로서 공직선거법위반 혐의사실에 대하여 수사기관에 수사의뢰를 하고, 그 후 당해 형사피고사건의 항소심 재판을 하는 경우, 형사소송법 제17조 제7호에서 말하는 '법관이 사건에 관하여 그 기초되는 조사에 관여한 때'에 해당하지 않는다.

해설 ① 대판 2002.11.13, 2002도4893

② 대판 2011.4.14, 2010도13583

③ 원심판사가 재심대상판결의 제1심에 관여했다 하더라도 재심청구사건에서 제척 또는 기피의 원인이 되는 것이 아니다(대결 1982.11.15, 82모11).

④ 대판 1999.4.13, 99도155

02 법관의 기피에 대한 설명으로 옳은 것은? 23. 9급 검찰 · 마약 · 교정 · 보호 · 철도경찰

① 기피원인으로서의 '불공평한 재판을 할 염려가 있는 때'란 당사자가 불공평한 재판이 될지도 모른다고 추측할 만한 주관적인 사정이 있는 때를 말한다.

② 재판부가 당사자의 증거신청을 채택하지 않았다는 것만으로는 기피사유가 되지 않지만, 이미 행한 증거결정을 취소하였다는 것은 그 자체로서 기피사유가 된다.

③ 재판장이 피고인의 증인신문권의 본질적인 부분을 침해하였다고 볼 만한 소명자료가 없더라도, 재판장이 증인에 대한 피고인의 신문을 제지한 사실이 있다는 것은 그 자체로서 기피사유가 된다.

④ 재판부가 형사소송법에 정한 기간 내에 재정신청사건의 결정을 하지 아니하였다는 사유만으로는 기피사유가 되지 않는다.

해설 ① 기피원인에 관한 형사소송법 제18조 제1항 제2호 소정의 '불공정한 재판을 할 염려가 있는 때'라고 함은 당사자가 불공평한 재판이 될지도 모른다고 추측할 만한 주관적인 사정이 있는 때를 말하는 것이 아니라, 통상인의 판단으로서 법관과 사건과의 관계상 불공평한 재판을 할 것이라는 의혹을 갖는 것이 합리적이라고 인정할 만한 객관적인 사정이 있는 때를 말한다(대결 2001.3.21, 2001모2).

Answer 01. ③ 02. ④

② 재판부가 당사자의 증거신청을 채택하지 아니하거나 이미 한 증거결정을 취소하였다 하더라도 그러한 사유만으로는 재판의 공평을 기대하기 어려운 객관적인 사정이 있다고 할 수 없다(대결 1995.4.3, 95모10).
③ 재판장이 피고인의 증인신문권의 본질적인 부분을 침해하였다고 볼 만한 아무런 소명자료가 없다면, 재판장이 피고인의 증인에 대한 신문을 제지한 사실이 있다는 것만으로는 기피사유가 되지 아니한다(대결 1995.4.3, 95모10).
④ 기피원인에 관한 형사소송법 제18조 제1항 제2호 소정의 '불공평한 재판을 할 염려가 있는 때'라 함은 통상인의 판단으로서 법관과 사건과의 관계상 불공평한 재판을 할 것이라는 의혹을 갖는 것이 합리적이라고 인정할 만한 객관적인 사정이 있는 때를 말하는 것이므로(대결 1996.2.9, 95모93), 재판부가 형사소송법에 정한 기간 내에 재정신청사건의 결정을 하지 아니하였다는 사유만으로는 기피사유가 되지 않는다고 볼 것이다.

03 법원의 관할에 대한 설명으로 옳지 않은 것은?(다툼이 있는 경우 판례에 의함)

20. 9급 검찰 · 마약수사 · 교정 · 보호 · 철도경찰

① 동일 사건이 사물관할에 달리하는 수 개의 제1심 법원에 계속된 때에는 법원 합의부가 심판하게 되는데, 이 경우 단독판사는 즉시 공소기각의 결정을 하여야 하지만 만일 단독판사의 판결이 먼저 확정되었다면 합의부는 면소판결을 하여야 한다.
② 토지관할의 기준으로서 피고인의 현재지는 공소제기 당시 피고인이 현재한 장소를 의미하며, 여기에는 임의에 의한 현재지뿐만 아니라 적법한 강제에 의한 현재지도 포함된다.
③ 지방법원 본원에 제1심 토지관할이 인정된다고 볼 특별한 사정이 없다면, 지방법원 지원에 제1심 토지관할이 인정된다는 사정만으로 지방법원 본원에도 제1심 토지관할이 당연히 인정된다고 볼 수 없다.
④ 일반 국민이 범한 수 개의 죄 가운데 특정 군사범죄와 그 밖의 일반 범죄가 형법 제37조 전단의 경합범 관계에 있다고 보아 하나의 사건으로 일반법원에 기소된 경우, 그 일반법원은 재판권이 없는 군사범죄를 포함하여 기소된 사건 전부를 심판할 수 있다.

해설 ① 제12조, 제328조 제1항 제3호, 제326조 제1호
② 대판 2011.12.22, 2011도12927
③ 대판 2015.10.15, 2015도1803
④ 일반 국민이 특정 군사범죄를 범하였다 하여 그 전에 범한 다른 일반 범죄에 대해서까지 군사법원이 재판권을 가진다고 볼 것은 아니다(대결 2016.6.16, 2016초기318 전원합의체).

04 관할에 관한 다음 설명 중 가장 옳지 않은 것은?(다툼이 있는 경우 판례에 의하고, 전원합의체 판결의 경우 다수의견에 의함)

23. 9급 법원직

① 지방법원과 그 지원의 합의부가 제1심으로 심판하여야 할 사건을 지방법원 지원 단독판사가 제1심으로 심판하고, 그 제1심 사건에 대한 항소심 사건을 지방법원 본원 합의부가 실체에 들어가 심판한 경우, 관할획일의 원칙과 그 위법의 중대성 등에 비추어 이는 판결에 영향을 미쳤음이 명백하므로, 상고심은 직권으로 원심판결 및 제1심판결을 파기하고 사건을 관할권이 있는 지방법원 지원 합의부로 이송하여야 한다.

Answer 03. ④ 04. ②

② 지방법원 지원에 제1심 토지관할이 인정되는 경우, 특별한 사정이 없는 한 그 지방법원 본원에도 제1심 토지관할이 인정된다.

③ 형사소송법 제4조 제1항은 "토지관할은 범죄지, 피고인의 주소, 거소 또는 현재지로 한다."라고 정하고, 여기서 '현재지'라고 함은 공소제기 당시 피고인이 현재한 장소로서 임의에 의한 현재지뿐만 아니라 적법한 강제에 의한 현재지도 이에 해당한다.

④ 형사소송법 제5조에서 정한 관련 사건의 관할은 이른바 고유관할사건 및 그 관련 사건이 반드시 병합기소되거나 병합되어 심리될 것을 전제요건으로 하는 것은 아니고, 고유관할사건 계속 중 고유관할 법원에 관련 사건이 계속된 이상 그 후 양 사건이 병합되어 심리되지 아니한 채 고유사건에 대한 심리가 먼저 종결되었다 하더라도 관련 사건에 대한 관할권은 여전히 유지된다.

해설 ① 대판 1999.11.26, 99도4398

② 지방법원 지원에 제1심 토지관할이 인정된다는 사정만으로 당연히 지방법원 본원에도 제1심 토지관할이 인정된다고 볼 수는 없다(대판 2015.10.15, 2015도1803).

③ 대판 2011.12.22, 2011도12927

④ 대판 2008.6.12, 2006도8568

05 다음 중 법원의 관할에 대한 설명으로 옳은 것은?(다툼이 있는 경우 판례에 의함) 22. 해경승진

㉠ 사물관할을 달리하는 수개의 관련사건이 각각 법원합의부와 단독판사에게 계속된 때에는 합의부는 결정으로 단독판사에게 속한 사건을 병합하여 심리할 수 있다.

㉡ 관할법원이 법률상의 이유 또는 특별한 사정으로 재판권을 행사할 수 없을 때에는 검사 또는 피고인은 직급 상급법원에 관할이전을 신청할 수 있다.

㉢ 동일사건이 사물관할을 같이하는 수개의 법원에 계속된 때에는 먼저 공소를 받은 법원이 심판한다. 단, 각 법원에 공통되는 직근 상급 법원은 검사 또는 피고인의 신청에 의하여 결정으로 뒤에 공소를 받은 법원으로 하여금 심판하게 할 수 있다.

㉣ 고유관할사건 계속 중 고유관할 법원에 관련사건이 계속된 이상 그 후 양 사건이 병합되어 심리되지 아니한 채 고유사건에 대한 심리가 먼저 종결되었다면 관련사건에 대한 관할권은 소멸된다.

① ㉠, ㉡ ② ㉢, ㉣ ③ ㉠, ㉢ ④ ㉡, ㉣

해설 ㉠ ○ : 제10조

㉡ × : 관할법원이 법률상의 이유 또는 특별한 사정으로 재판권을 행사할 수 없을 때에는 검사는 직근 상급법원에 관할이전 신청을 하여야 하나, 피고인은 직급 상급법원에 관할이전을 신청할 수 있다(제15조).

㉢ ○ : 제13조

㉣ × : 고유관할사건 계속 중 고유관할 법원에 관련사건이 계속된 이상 그 후 양 사건이 병합되어 심리되지 아니한 채 고유사건에 대한 심리가 먼저 종결되었다 하더라도 관련사건에 대한 관할권은 여전히 유지된다(대판 2008.6.12, 2006도8568).

Answer 05. ③

06 제척과 기피에 대한 설명으로 옳지 않은 것은? 24. 9급 검찰·마약·교정·보호·철도경찰

① 공소제기 전에 검사의 증거보전청구에 의하여 증인신문을 한 법관이 공소제기 후 제1심 법관으로 관여한 경우, 이는 형사소송법상 제척사유에 해당한다.

② 약식명령을 한 법관이 그 정식재판 절차의 항소심 판결에 관여한 경우, 이는 형사소송법상 제척사유에 해당한다.

③ 법관에 대한 기피신청이 소송의 지연을 목적으로 함이 명백한 경우에는 그 신청 자체가 부적법한 것이므로 신청을 받은 법관은 이를 결정으로 기각할 수 있고, 소송지연을 목적으로 함이 명백한 기피신청인지의 여부는 기피신청인이 제출한 소명방법만에 의하여 판단할 것은 아니고, 당해 법원에 현저한 사실이거나 당해 사건기록에 나타나 있는 제반 사정들을 종합하여 판단할 수 있다.

④ 형사소송법은 전문심리위원의 중립성·공평성을 확보하기 위하여 법관의 제척 및 기피에 관한 형사소송법 제17조부터 제20조까지 및 제23조를 전문심리위원에 대하여 준용하도록 규정하고 있다.

해설 ① 공소제기 전에 검사의 증거보전청구에 의하여 증인신문을 한 법관은 형사소송법 제17조 제7호에 이른바 전심재판 또는 기초되는 조사, 심리에 관여한 법관이라고 할 수 없다(대판 1971.7.6, 71도974).
② 대판 1985.4.23, 85도281
③ 대결 2001.3.21, 2001모2
④ 제279조의 5 제1항

07 관할에 관한 다음 설명 중 가장 옳지 않은 것은? 24. 9급 법원직

① 단독판사의 관할사건이 공소장변경에 의하여 합의부 관할사건으로 변경된 경우에는 단독판사는 관할위반의 판결을 선고하여 사건을 관할권이 있는 합의부에 이송해야 한다.

② 같은 사건이 사물관할을 같이 하는 여러 개의 법원에 계속된 경우에 각 법원에 공통되는 바로 위의 상급법원은 검사나 피고인의 신청에 의하여 결정으로 뒤에 공소를 받은 법원으로 하여금 심판하게 할 수 있다.

③ 관할이전의 사유가 존재하는 경우 검사는 직근 상급법원에 관할의 이전을 신청할 의무가 있다.

④ 토지관할에 있어서 '현재지'는 공소제기 당시 피고인이 현재한 장소로서 임의에 의한 현재지뿐만 아니라 적법한 강제에 의한 현재지도 이에 해당한다.

해설 ① 단독판사의 관할사건이 공소장변경에 의하여 합의부 관할사건으로 변경된 경우에는 법원은 결정으로 관할권이 있는 법원에 이송한다(제8조 제2항).
② 제13조
③ 제15조
④ 대판 2011.12.22, 2011도12927

Answer 06. ① 07. ①

제2절 검 사

1 검사의 의의 · 성격

(1) 검사의 의의

검사란 검찰권을 행사하는 국가기관을 말한다. 현행법하에서 검사는 범죄수사로부터 재판의 집행에 이르기까지 형사절차 전과정에 걸쳐 광범위한 권한을 가지고 있다.

(2) 검사의 성격

① **단독제의 관청** : 검사는 일반 행정공무원과는 달리 개개의 검사가 자기의 책임하에 검찰권을 행사하는 단독제 관청이다.

② **준사법관** : 검사는 행정관인 동시에 준사법관적 성격을 가지고 있다.

2 검찰조직의 특수성

(1) 양면성의 조화

검사는 독립된 관청으로서의 지위를 가지고 있는 동시에 다른 한편으로는 범인의 발견 · 검거, 증거의 수집 · 보전이라는 수사목적을 달성하기 위해서 전국적인 수사조직이 필요하며, 기소 · 불기소의 기준을 전국적으로 통일시키고 검찰권 행사의 공정성을 위해서는 검찰조직의 일체성이 요구된다. 이러한 상호 모순된 양면성의 문제를 어떻게 하면 조화를 이룰 것인가의 여부가 중요한 문제이다.

법무부장관은 검찰사무에 대하여 일반적인 지휘 · 감독권이 있을 뿐 구체적 사건에 대해서는 검찰총장만을 지휘 · 감독한다고 규정(검찰청법 제8조)하여 구체적 사건의 처리가 정치적 영향에 의하여 좌우됨을 막고 있다. 따라서 검사의 독립성은 검찰총장의 인격과 소신에 달려 있다 하겠다. 07. 7급 국가직, 24. 9급 검찰 · 마약수사

보충 검찰청법

검찰청법 전부를 숙지할 필요는 없다 할 것이므로 몇 가지만 살펴본다면 검찰총장 · 고등검사장 · 검사장 및 검사를 검찰총장과 검사로 직급을 일원화하였으며(제6조), 제7조의 검사동일체원칙을 검찰사무에 관한 지휘 · 감독관계로 바꾸었고, 상명하복의 관계를 규정한 동조 제1항을 "검사는 검찰사무에 관하여 소속상급자의 지휘 · 감독에 따른다."로 수정하여 규정하고 있다. 검사는 구체적 사건과 관련된 제7조 제1항의 지휘 · 감독의 적법성 또는 정당성 여부에 관하여 의견이 있는 때에는 이의를 제기할 수 있으며(제7조 제2항), 검찰총장을 제외한 모든 검사는 임명된 해부터 7년이 되는 해마다 법무부에 설치되는 검사적격심사위원회에서 적격심사를 받도록 하고 있다(제39조).

검사동일체원칙의 구체적인 내용인 상명하복관계, 직무승계권, 직무이전권, 직무대리권 중 상명하복관계만 지휘 · 감독관계로 바뀌었고 나머지는 그대로 유지되고 있다. 따라서 엄밀히 말하자면 검사동일체원칙이라고 하는 문구만 삭제되었을 뿐 실제로는 이 원칙이 여전히 유지되고 있다고 볼 수 있다.

(2) 구체적 내용

① **지휘・감독관계** : 검찰청법 제7조 제1항은 "검사는 검찰사무에 관하여 소속 상급자의 지휘・감독에 따른다."고 규정하고 있으며, 22. 해경간부 제2항에서 "검사는 구체적 사건과 관련된 상급자의 지휘・감독의 적법성 또는 정당성 여부에 대하여 이견이 있는 때에는 이의를 제기할 수 있다."고 규정하고 있다. 01. 행시, 24. 9급 검찰・마약수사 2004년 개정 전 검찰청법에서는 상명하복의 관계를 규정하고 있었으나, 검사의 소신 있는 사건처리에 지장을 주고 경직된 검찰구조를 심화시킨다는 이유에서 상급자의 지휘・감독권으로 대처하였다. 지휘・감독권은 기관내부에서만 효력을 가지는 데 그친다. 따라서 소속상급자의 지휘・감독에 따르지 않거나 결재 없이 행해진 처분이라도 여전히 효력을 가진다(단독제 관청이라는 성격 때문). 14. 경찰간부

관련판례

재기수사(再起搜査)의 명령이 있는 사건에 관하여 지방검찰청 검사가 다시 불기소처분을 하고자 하는 경우에는 미리 그 명령청의 장의 승인을 얻도록 한 검찰사건사무규칙의 규정은 검찰청 내부의 사무처리 지침에 불과한 것일 뿐 법규적 효력을 갖는 것은 아니다(헌재결 1991.7.8, 91헌마42).

② **직무승계와 이전의 권한** : 검찰총장과 각급 검찰청의 검사장 및 지청장은 소속검사의 직무를 자신이 직접 처리(직무승계)하거나, 다른 검사로 하여금 이를 처리(직무이전)하게 할 수 있다(검찰청법 제7조의 2 제2항). 98. 7급 검찰, 01. 행시, 02. 경찰승진, 07. 7급 국가직, 15. 9급 검찰・마약수사

법무부장관 ⇨ 직무승계・직무이전권 ×

관련판례

검찰청의 장이 아닌 상급자가 검사의 직무를 다른 검사에게 이전하기 위해서는 검사 직무의 이전에 관한 검찰청의 장의 구체적・개별적인 위임이나 그러한 상황에서의 검사 직무의 이전을 구체적이고 명확하게 정한 위임규정 등이 필요하다(대판 2017.10.31, 2014두45734).

③ **직무대리권** : 각급 검찰청의 차장검사는 소속장에게 사고가 있을 때에는 특별한 수권 없이도 그 직무를 대리하는 권한을 가진다(검찰청법 제13조, 제18조, 제23조).

(3) 효 과

① **검사교체의 효과** : 검사동일체의 원칙상 검사가 검찰사무의 취급 도중에 교체되더라도 그가 행한 행위의 소송법상 효과에는 아무런 영향이 없다. 이는 판사가 경질되면 공판절차의 갱신이 요구되는 경우와 대비된다.

공판 개정 후 검사가 교체된 때에는 공판절차를 갱신하여야 한다. (×) 13. 9급 검찰・마약수사, 22. 해경간부

② **검사에 대한 제척・기피** : 검사에게도 제척・기피제도를 유추적용할 것인가에 대하여 논란이 있으나, 검사동일체 원칙상 특정검사를 직무집행에서 배제함은 아무런 의미가 없다는 이유로 이를 부정함이 다수설이다. 98. 7급 검찰, 13. 9급 국가직

수사기관(검사, 사법경찰관리)의 회피의무 규정 ○(수사준칙 제11조)

3 검사의 소송법상 지위

(1) 수사의 주체로서의 지위

① 수사권

㉠ 검사는 범죄의 혐의가 있다고 사료하는 때에는 범인, 범죄사실과 증거를 수사한다(제196조).

㉡ 검사는 임의수사는 물론 강제수사도 할 수 있으며, 특히 영장청구권(제200조의 2, 제201조, 제215조), 증거보전청구권(제184조), 증인신문청구권(제221조의 2) 등은 사법경찰관에는 허용되지 않고 검사에게만 인정된다.

② **수사지휘권** : 검사의 '형사소송법상' 일반사법경찰관에 대한 수사지휘권은 폐지되었다. 다만, '검찰법상' 일반사법경찰관과 '사법경찰관리의 직무를 수행할 자와 그 직무범위에 관한 법률상'의 특별사법경찰관에 대하여는 검사의 수사지휘권이 인정된다.

검사의 수사지휘권

- 사법경찰관의 직무를 행하는 검찰청직원은 검사의 지휘를 받아 수사하여야 한다(제245조의 9 제2항).
- 특별사법경찰관은 모든 수사에 관하여 검사의 지휘를 받는다(제245조의 10 제2항).

③ **수사종결권** : 종래, 수사종결처분은 검사만이 가능하였으나(단, 즉결심판절차에 의해 처리될 경미사건은 경찰서장이 수사종결권을 가짐), 최근 개정법에 의하면 수사종결은 검사뿐만 아니라 형사소송법상 일반사법경찰관, 공수처검사(판사 · 검사 · 경무관 이상 부패범죄) 등도 가능하게 되었다.

(2) 공소권의 주체로서의 지위

검사는 공소제기의 독점자이며, 공소유지의 담당자이다. 공소제기의 독점자이므로 공소제기권 · 공소취소권 등을 가지며, 공소유지의 담당자이므로 피고인에 대립된 당사자의 지위에 서서 형사소송을 형성하고 법령의 정당한 적용을 청구할 권한을 가진다.

(3) 집행기관으로서의 지위

재판의 집행은 검사가 지휘한다(제460조). 다만, 예외적으로 재판장 · 수명법관 · 수탁판사가 재판의 집행을 지휘할 수 있는 경우도 있다(제81조, 제115조). 검사는 사형 · 자유형의 집행을 위하여 형집행장을 발부하여 구인할 수 있으며(제473조), 검사가 발부한 형집행장은 구속영장과 같은 효력이 있다.

(4) 공익적 지위(객관의무)

검사는 피고인의 반대당사자로 행동할 뿐 아니라, 공익의 대표자로서 피고인의 정당한 이익을 옹호해야 할 의무가 있다. 13. 9급 검찰 · 마약수사 이와 같은 피고인 보호의무를 검사의 객관의무라 한다.

관련판례

1. 검사는 공익의 대표자로서 실체적 진실에 입각한 국가 형벌권의 실현을 위하여 공소제기와 유지를 할 의무뿐만 아니라 그 과정에서 피고인의 정당한 이익을 옹호하여야 할 의무를 진다고 할 것이고, 13. 9급 검찰·마약수사 따라서 검사가 수사 및 공판과정에서 피고인에게 유리한 증거를 발견하게 되었다면 피고인의 이익을 위하여 이를 법원에 제출하여야 한다(대판 2002.2.22, 2001다23447). 15. 9급 검찰·마약수사
2. '직권의 남용'에 해당하는지 그 판단의 대상이 검사의 수사권 행사라면, 수사는 수사의 목적을 달성할 필요가 있는 경우에 한하여 상당하다고 인정되는 방법에 의하여 이루어져야 한다는 수사원칙과 공익의 대표자로서 실체적 진실에 입각한 국가 형벌권의 실현을 위하여 공소를 제기하고 그 과정에서 피고인의 정당한 이익을 옹호하여야 한다는 검사의 의무도 함께 고려되어야 한다(대결 2024.9.19, 2024모179).

PART 03

검사의 직무와 권한 정리(검찰청법 제4조 제1항)

- 범죄수사, 공소의 제기 및 그 유지에 필요한 사항
- 범죄수사에 관한 사법경찰관리 지휘·감독
- 법원에 대한 법령의 정당한 적용 청구
- 재판 집행 지휘·감독
- 국가를 당사자 또는 참가인으로 하는 소송과 행정소송 수행 또는 그 수행에 관한 지휘·감독
- 다른 법령에 따라 그 권한에 속하는 사항

법정질서유지권 ⇨ 검사권한 ×(재판장 권한) 90. 9급 법원직

관련판례

검사직무대리가 처리하지 못하는 합의부의 심판사건은 검사직무대리가 처리할 당시 법원조직법 등 법률 자체로 합의부의 심판사건에 해당하는 사건을 의미하고, 검사직무대리가 처리할 당시에는 법원조직법에 의하더라도 단독판사에게 심판권이 있는 사건인데도 공소가 제기된 후에 합의부의 결정에 따라 비로소 합의부 심판사건으로 되는 재정합의사건과 같은 사건은 특별한 사정이 없는 한 여기에서 제외된다고 보아야 한다(대판 2012.6.28, 2012도3927).

KEY point

- **검사의 성격 :** 단독제 관청, 준사법관
- **검사의 소송법상 지위 :** ① 수사의 주재자 ② 공소권의 주체 ③ 집행기관 ④ 공익적 지위
- **검찰조직의 특수성 :** ① 지휘·감독관계 ② 직무승계·이전권 ③ 직무대리권
- **검사교체 :** 수사절차 갱신 불요
- **검사의 제척·기피·회피제도 :** ×
- **법무부장관 :** 구체적 사건에 대한 검사의 지휘·감독 ×

CHAPTER 01

기출문제

01 **다음 설명 중 가장 옳지 않은 것은?**(다툼이 있으면 판례에 의함) 16. 경찰간부

① 검사 乙이 범죄혐의를 발견하고 수사 중인데, 이 사실을 알게 된 상사 검사인 甲이 乙에게 내사중지 및 종결처리를 명령하였다면, 甲은 정당한 지휘권을 행사한 것이다.

② 검사는 검찰사무에 관하여 소속 상급자의 지휘·감독에 따른다.

③ 사법경찰관은 범죄혐의가 있다고 인식하는 때에는 수사를 개시·진행하여야 한다.

④ 수사기관에 의한 진술거부권 고지 대상이 되는 피의자의 지위는 수사기관이 조사 대상자에 대한 범죄혐의를 인정하여 수사를 개시하는 행위를 한 때 인정된다.

해설 ① 정당한 지휘권행사라고 보기 어려우며, 직권을 남용하여 의무 없는 일을 하게 하거나 권리행사를 방해한 행위로써 직권남용이 될 수 있다(대판 2007.6.14, 2004도5561).
② 검찰청법 제7조 제1항
③ 제196조 제2항
④ 대판 2015.10.29, 2014도5939

02 **다음 중 검사의 권한 내지 지위에 대한 설명으로 가장 옳지 않은 것은?** 22. 해경간부

① 공판개정 후 공소유지를 담당하는 검사가 교체된 때에는 공판절차를 갱신하여야 한다.

② 검사는 검찰사무에 관하여 소속 상급자의 지휘·감독에 따른다.

③ 상급자의 지휘·감독에 위반한 검사의 처분도 대외적 효력은 인정된다.

④ 검사동일체의 원칙의 내용인 직무승계권과 직무이전권은 검찰총장, 검사장 및 지청장만 가지며, 법무부장관은 이를 가질 수 없다.

해설 ① 검사가 교체되더라도 공판절차를 갱신할 필요는 없다.
② 검찰청법 제7조 제1항
③ 상급자의 지휘·감독에 따르지 않거나 결재 없이 행해진 처분이라도 여전히 효력을 가진다(단독제 관청이라는 성격 때문).
④ 검찰청법 제7조의 2 제2항

Answer 01. ① 02. ①

제3절 피고인

1 피고인의 의의

(1) 피고인의 개념

① 피고인이라 함은 국가기관에 의하여 공소제기된 자 또는 공소가 제기된 자로 취급받는 자를 말한다. 따라서 공소가 제기되지 않았음에도 불구하고 피고인으로 출석하여 재판을 받고 있는 자도 피고인이 된다. 또한 즉결심판절차에서 경찰서장(관할 해양경찰서장 포함)에 의하여 시·군법원에 즉결심판이 청구된 자도 피고인에 해당한다(즉결심판에 관한 절차법 제3조).

예 피고인 ○ : 위장출석한 자(부진정피고인), 성명모용의 경우 모용자, 성명모용의 경우 공판정에 출석한 피모용자, 즉결심판이 청구된 자, 약식명령이 청구된 자, 재심개시결정이 확정된 자

예 피고인 × : 성명모용의 경우 공판정에 불출석한 피모용자, 고소를 한 자, 유죄판결이 확정된 자

② 피고인은 공소제기된 자를 의미한다는 점에서 공소제기 전에 수사기관에 의해서 수사의 대상으로 되어 있는 피의자와 구별되며, 유죄판결이 확정된 수형자와도 구별된다.

③ 공소가 제기된 자이면 족하고 진범인가의 여부와 당사자능력과 소송능력의 유무 및 공소제기가 유효한 것인가는 묻지 않는다.

공동피고인 정리

1. 동일한 소송절차에서 공동으로 심판받는 수인의 피고인을 공동피고인이라 한다. 공동피고인은 반드시 공범자임을 요하지 않는다. 12. 9급 국가직, 13. 경찰간부 공동피고인은 각 피고사건이 동일법원에 계속된 경우에 불과하기 때문이다. 1개의 공소장으로 일괄기소되어야 할 필요도 없다. 12. 9급 국가직
2. 공동피고인에 대한 소송관계는 각 피고인마다 별도로 존재하며, 그 1인에 대해 발생한 사유는 원칙적으로 다른 피고인에게는 영향을 미치지 않는다(다만, 피고인을 위하여 원심판결을 파기하는 경우에 파기의 이유가 상소한 공동피고인에게 공통되는 때에는 그 공동피고인에게 대하여도 원심판결을 파기하여야 한다). 17. 7급 국가직
3. 공동피고인의 소송관계가 성립하기 위해서는 각 피고사건이 관련사건임을 요하지 않는다. 12. 경찰승진
4. 공범인 공동피고인은 당해 소송절차에서는 피고인의 지위에 있으므로 다른 공동피고인에 대한 공소사실에 관하여 증인이 될 수 없으나, 소송절차가 분리되어 피고인의 지위에서 벗어나게 되면 다른 공동피고인에 대한 공소사실에 관하여 증인이 될 수 있다(대판 2008.6.26, 2008도3300). 13. 9급 국가직, 18. 순경 3차, 19. 경찰간부, 20. 9급 법원직 대향범도 동일(대판 2012.3.29, 2009도11249) 15·20. 7급 국가직, 22. 9급 검찰·마약·교정·보호·철도경찰
5. 피고인이 공동피고인과 공범관계에 있다고 하더라도 검사는 수사단계에서 피고인에 대한 증거를 미리 보전하기 위하여 필요한 경우라면 판사에게 공동피고인을 증인으로 신문할 것을 청구할 수 있다(대판 1988.11.8, 86도1646). 17. 7급 국가직, 18. 순경 1차
6. 공범이 아닌 공동피고인은 변론을 분리하지 않더라도 다른 공동피고인에 대한 공소사실에 대하여 증인이 될 수 있다(대판 1979.3.27, 78도1031). 13. 9급 국가직, 15. 7급 국가직, 17. 변호사시험
7. 당해 피고인과 공범관계에 있는 공동피고인에 대해 검사 이외의 수사기관이 작성한 피의자신문조서는 그 공동피고인의 법정진술에 의하여 성립의 진정이 인정되더라도 당해 피고인이 공판기일에서 그 조서의 내용을 부인하면 증거능력이 부정된다(대판 2009.10.15, 2009도1889). 13. 9급 국가직, 17. 변호사시험

8. 공동피고인의 법정에서의 자백은 피고인의 자백에 대한 보강증거가 된다(대판 1990.10.30, 90도1939). 13. 9급 국가직
9. 공범관계에 있는 피고인들 중 일부가 국민참여재판을 원하지 않아 국민참여재판의 진행에 어려움이 있다고 인정되는 경우 법원은 결정으로 국민참여재판을 하지 않을 수 있다(국민의 형사재판 참여에 관한 법률 제9조 제1항). 17. 7급 국가직
10. 공범인 공동피고인의 공판정에서의 자백은 이에 대한 피고인의 반대신문권이 보장되어 있어 증인으로 신문한 경우와 다를 바 없으므로 독립한 증거능력이 있고, 이는 피고인들 간에 이해관계가 상반된다고 하여도 독립한 증거능력이 있다(대판 2006.5.11, 2006도1944). 17. 7급 국가직, 25. 변호사시험
11. 피고인과 별개의 범죄사실로 기소되어 병합심리되고 있던 공동피고인은 피고인에 대한 관계에서는 증인의 지위에 있음에 불과하므로 선서 없이 한 그 공동피고인의 법정 및 검찰진술은 피고인에 대한 공소범죄사실을 인정하는 증거로 할 수 없다(대판 1982.6.22, 82도898). 18. 순경 1차

(2) 피고인의 특정

공소장에는 피고인의 성명 기타 피고인을 특정할 수 있는 사항을 기재하여야 한다. 법원은 공소장에 특정된 피고인만을 심판할 수 있고 그 밖의 사람에 대해서는 심판할 수 없다. 그런데 공소장에 기재된 피고인과 현실적으로 법원의 심판을 받는 사람이 일치하지 않는 경우가 있다. 소위 성명모용과 위장출석이 그 예인데 이 경우에 누구를 피고인으로 보아야 할 것인가에 관하여 학설의 대립이 있다.

① **피고인 특정기준에 관한 학설** : 공소장에 피고인으로 표시되어 있는 자가 피고인이라는 견해(표시설), 검사가 공소제기하려고 하는 사람이 피고인이라는 견해(의사설), 실제로 피고인으로 행동하거나, 피고인으로 취급된 자가 피고인이라는 견해(행위설), 표시설을 중심으로 하면서도 행위설과 의사설을 함께 고려하여 피고인을 결정하여야 한다는 견해(실질적 표시설 : 다수설) 등이 있다.

② **문제되는 구체적 사례**

㉠ **성명모용**

ⓐ 의의 : 성명모용이라 함은 수사절차에서 甲이 乙의 성명을 사칭하여 공소장에 乙이 피고인으로 표시되어 공소가 제기된 경우를 말한다. 이 경우에 공소제기의 효과는 모용자에 대해서만 미치고, 성명을 도용당한 피모용자(乙)에게는 미치지 않는다. 05. 순경, 07 · 13. 9급 법원직, 08 · 09 · 13. 7급 국가직, 15. 순경 3차, 12 · 16. 경찰간부, 14 · 18. 9급 교정 · 보호 · 철도경찰, 16 · 18. 9급 검찰 · 마약수사

관련판례

타인의 성명을 사칭하여 기소된 경우에 그 공소제기의 효력은 명의를 사칭한 자에게만 미치고 그 명의를 모용당한 자에게는 미치지 아니한다(대판 1984.9.25, 84도1610).

ⓑ 성명모용사실이 공판심리 중 판명

㉮ 모용자가 공판정에 출석한 경우

ⅰ 모용자에 대한 조치 : 공소제기의 효력은 모용자에 미치므로 모용자만 피고인이

고, 피모용자는 피고인이 아니다. 00. 경찰승진 검사는 공소장정정절차에 의해 피고인 표시를 피모용자에서 모용자로 고쳐야 하며, 12. 9급 국가직 검사가 정정하지 않으면, 공소제기절차가 법률의 규정에 위반하여 무효인 때로 보아 공소기각판결을 하여야 한다. 00. 경찰승진, 11. 순경 2차, 11·13. 7급 국가직, 15. 순경 3차, 18. 9급 검찰·마약·교정·보호·철도경찰, 23. 9급 교정·보호·철도경찰

관련판례

1. 성명모용에 의해 공소장에 피모용자가 피고인으로 표시되었다 하더라도, 검사는 모용자에 대해 공소를 제기한 것이므로 피모용자에게 공소제기의 효력이 미친다고 볼 수 없는바, 검사는 공소장의 기재를 정정하여 바로잡아야 한다. 이는 피고인의 표시상의 착오를 정정하는 것이지, 공소장을 변경하는 것은 아니므로 공소장변경절차를 밟을 필요도 없고, 법원의 허가를 필요로 하지 아니한다(대판 1993.1.19, 92도2554). 12. 경찰승진, 15. 순경 3차, 18. 9급 검찰·마약·교정·보호·철도경찰, 13·21. 7급 국가직, 23. 9급 교정·보호·철도경찰
2. 성명모용의 경우 검사가 피모용자의 것에서 모용자의 것으로 표시정정을 하지 아니한 경우 결국 공소장의 기재는 피고인을 특정할 수 없는 것이어서 공소제기 방식이 법률에 위반하여 무효라 할 것이다(대판 1993.1.19, 92도2554). ⇨ 제327조 제2호에 의해 공소기각판결을 하여야 한다는 판례이다. 24. 경찰승진·해경승진

ⓘ 피모용자에 대한 조치 : 피모용자는 공소장에 피고인으로 기재되었더라도 검사가 공소제기를 의도한 자가 아니므로, 피고인이 아니다. 따라서 단순히 절차에서 배제하는 조치를 취하면 족하며, 특별히 재판을 할 필요는 없다. 12. 경찰간부 이 경우 법원은 피모용자에 대하여 무죄판결을 해서는 안 된다. 판결의 토대가 되는 구두변론이 없기 때문이다.

관련판례

검사는 모용자에 대해 공소를 제기한 것이므로 모용자가 피고인이 되고, 피모용자에게는 공소제기의 효력이 미친다고는 할 수 없다. 19. 경찰간부 따라서 검사가 공소장의 피고인표시를 정정하여 바로잡은 경우에는 처음부터 모용자에 대한 공소의 제기가 있었고, 피모용자에게 공소제기가 있었던 것은 아니므로 법원은 모용자에 대하여 심리하고 재판을 하면 될 것이지, 피모용자에 대하여 심판할 것은 아니다(대판 1997.11.28, 97도2215).

㉯ 피모용자가 공판정에 출석한 경우

ⓘ 피모용자에 대한 조치 : 사실상의 소송계속이 발생하여 피모용자도 형식적인 피고인(부진정피고인)이 된다. 따라서 제327조 제2호를 유추적용하여 공소기각판결을 하여 절차에서 배제시키면 될 것이다.

ⓘ 모용자에 대한 조치 : 검사가 공소장의 피고인표시를 모용자로 정정한 후 모용자에 대하여 심리를 진행한다.

ⓘⓘⓘ 약식명령에 대한 정식재판청구 : 약식명령을 송달받은 피모용자가 정식재판을 청구하고, 공판기일에 출석하여 피고인으로 행동을 한 경우 피모용자도 형식적 피고인(부진정피고인)이다. 법원은 피모용자에 대해서는 적법한 공소제기가 없었음을 확인하는 의미에서 제327조 제2호를 유추적용하여 공소기각판결을 선고해야 한다. 11. 9급 검찰, 18. 9급 검찰·마약·교정·보호·철도경찰 그런 다음 모용자에 대해서는 아직 약식명령의 송달이 없었으므로 공소장의 이름을 모용자로 바꾼 다음 약식명령정본과 피고인표시 경정결정을 모용자에게 송달하여야 하고, 기간 내에 정식재판의 청구가 없으면 약식명령은 확정된다. 만일 검사가 공소장을 정정하지 않으면 법원은 공소기각판결을 하여야 한다.

관련판례

피모용자가 약식명령을 송달받고 이에 대하여 정식재판의 청구를 하여 피모용자를 상대로 심리를 하는 과정에서 성명모용 사실이 발각되고 검사가 공소장을 정정하는 등 사실상의 소송계속이 발생하고 형식상 또는 외관상 피고인의 지위를 갖게 된 경우에는 법원으로서는 피모용자에게 적법한 공소의 제기가 없었음을 밝혀주는 의미에서 형사소송법 제327조 제2호를 유추적용하여 공소기각의 판결을 함으로써 피모용자의 불안정한 지위를 명확히 해소해 주어야 한다. 09. 순경 2차, 14. 9급 교정·보호·철도경찰, 15. 순경 3차, 19. 경찰간부, 20. 9급 검찰·마약수사, 21. 7급 국가직 진정한 피고인인 모용자에게는 아직 약식명령의 송달이 없었다고 할 것이므로 검사는 공소장에 기재된 피고인 표시를 정정하고 법원은 이에 따라 약식명령의 피고인 표시를 정정하여 본래의 약식명령과 함께 이 경정결정을 모용자인 피고인에게 송달하면 이때야 비로소 위 약식명령은 적법한 송달이 있다고 볼 것이고, 이에 대하여 소정의 기간 내에 정식재판의 청구가 없으면 이 약식명령은 확정된다(대판 1997.11.28, 97도2215). 03. 행시·순경, 09. 순경 1차, 13. 7급 국가직

🚨 피모용자에 대하여 공소기각판결이 확정되면 검사는 모용자를 피고인으로 하는 약식명령을 새로이 청구하여야 한다. (×)

ⓒ 성명모용사실이 판결확정 후 판명

㉮ 판결확정 후 성명모용사실이 판명된 경우에 확정판결의 효력은 피모용자에게 미치지 아니하고, 모용자에게 미친다. 23. 9급 교정·보호·철도경찰

🚨 판결경정절차를 통해 모용자에 대하여 형을 집행함.

㉯ 피모용자에 대한 형선고의 판결이 확정되어 수형사실이 수형인명부에 기재된 경우 그 구제방법에 대하여 재심절차에 의해 무죄판결을 받아야 한다는 설, 피모용자가 검사에게 신청하여 전과기록을 말소하여야 한다는 설(다수설), 심판이 법령위반에 해당되어 비상상고를 통하여 바로잡아야 한다는 설 등의 대립이 있다.

㉡ **위장출석**

ⓐ 의의 : 위장출석이라 함은 검사가 甲을 피고인으로 지정하여 공소제기하였는데, 乙이 甲인 것처럼 행세하면서 법정에 출석하여 재판을 받은 경우를 말한다. 이 경우에 甲은 실질적 피고인(진정피고인), 乙은 형식적 피고인(부진정피고인)이 된다. 이때 공소제기의 효력은 실질적 피고인에게만 발생한다.

처음부터 진범인 대신에 다른 사람이 자수를 하여 수사를 받고 검사도 그가 진범인이라고 생각하여 공소를 제기하고 또 그 사람이 피고인으로 출석하여 재판을 받는 경우, 이른바 '몸받이'의 경우는 위장 출석과 구별하여야 한다. 이 경우는 자수한 사람만이 피고인이 될 뿐이다.

ⓑ 공판심리 중 판명

㉮ 인정신문단계 : 인정신문단계에서는 아직 실질적인 소송계속이 이루어지지 않았으므로 위장출석자를 퇴정시키고, 실질적 피고인을 소환하여 절차를 진행하면 족하다. 12. 경찰간부

㉯ 사실심리단계 : 사실심리에 들어간 후에는 형식적 피고인에 대해서도 사실상 소송계속이 발생하였으므로, 제327조 제2호를 유추적용하여 공소기각판결을 하고 실질적 피고인을 소환하여 공판절차를 진행하면 된다. 판결선고 후 위장출석이 발견된 경우에는 상소의 방법에 의해 형식적 피고인에 대한 재판의 시정을 행해야 한다.

㉰ 상소심단계 : 乙의 위장출석이 상소심의 심리 중 판명된 경우 乙에 대해서 공소기각판결을 선고하고, 甲에 대해서는 제1심절차를 다시 진행하여야 한다. 이 경우에도 검사는 甲에 대해 다시 공소를 제기할 필요가 없다.

ⓒ 판결확정 후 판명

㉮ 유죄판결이 확정된 경우에는 그 효력은 위장출석한 형식적 피고인에게 미친다. 형식적 피고인에 대한 확정판결을 바로잡는 방법으로 재심설, 비상상고설의 대립이 있다.

㉯ 실질적 피고인에 대해서는 다시 공소제기할 필요는 없으며 제1심부터 새로이 절차를 진행하면 된다.

KEY point

1. **피고인** ┌ 공소제기 유효 여부 불문
   └ 진범 여부 불문
2. **성명모용**
   ① 공소제기의 효력 : 모용자에 미침
   ② 공판심리 중 판명
   - 모용자 공판정출석 : 공소장표시 정정
   - 피모용자 공판정출석(약식명령에 대한 정식재판청구)
     ┌ 피모용자 : 공소기각판결로 배제
     └ 모용자 : 공소장표시 정정 후 약식명령 정본과 피고인표시 경정결정을 모용자에 송부

   ③ 판결확정 후 판명 : 판결의 효력은 모용자에 미침
3. **위장출석**
   ① 인정신문단계에서 판명 : 위장출석자 퇴정시킨 후, 실질적 피고인 소환
   ② 사실심리단계에서 판명 ┌ 위장출석자(공소기각판결)
   └ 실질적 피고인 소환 후 절차 진행
   ③ 판결확정 후 판명 ┌ 판결효력은 형식적 피고인에 미침(구제방법 ⇨ 재심설, 비상상고설 대립)
   └ 실질적 피고인에 대해 새로이 절차 진행

PART 03

2 피고인의 소송법상 지위

(1) 소송당사자로서의 지위

피고인은 검사의 공격에 대한 방어자로서 수동적인 당사자이다. 이러한 의미에서 검사는 공소권의 주체인 반면 피고인은 방어권의 주체라 할 수 있다.

현행법은 피고인의 당사자적 지위에 기인하여 방어권과 소송절차참여권을 부여하고 있다(피고인의 참여권은 방어권행사를 위한 전제가 되는 권리이다).

피고인에게 인정되는 주요권리

방어권	방어준비를 위한 권리	① 공소장부본송달을 받을 권리(제266조) ② 공판기일변경신청권(제270조) ③ 제1회 공판기일 유예기간 이의신청권(제269조) ④ 공판조서 열람 · 등사권(제55조)
	진술권과 진술거부권	① 이익사실진술권(제286조 제2항) ② 진술거부권, 진술거부권 고지(제283조의 2) 15. 경찰간부
	증거조사에 있어서 방어권	① 증거신청권(제294조) ② 증거조사에 대한 이의신청권(제296조)
	방어권의 보충	① 변호인의 선임권과 의뢰권(제30조) ② 접견교통권(제34조, 제89조) ③ 국선변호인제도(제33조)
소송절차 참여권	법원구성관여권	① 기피신청권(제18조) ② 관할이전신청권(제15조) 15. 순경 3차 ③ 관할위반신청권(제320조) ④ 변론의 분리 · 병합 · 재개신청권(제300조, 제305조)
	공판정출석권	공판정출석권(제276조)
	증거조사참여권	증인신문, 검증, 감정 등에 대한 참여권(제145조, 제163조, 제176조, 제183조)
	강제처분절차참여권	압수 · 수색영장의 집행 참여권(제121조) 15. 순경 3차

(2) 증거방법으로서의 지위

피고인은 당사자의 지위에 있기 때문에 순수한 의미에서의 증거방법(증거조사의 객체)으로는 인정될 수 없다. 그러나 피고인의 임의진술은 증거로 될 수 있으므로(제309조, 제317조 참조) 피고인은 일종의 인적 증거방법이라 할 수 있다. 또한 피고인의 신체는 신체검사(검증)의 대상이 되므로(제139조 이하) 물적 증거방법의 일종이기도 하다.

(3) 절차의 대상으로서의 지위

피고인은 소환 · 구속 · 압수 · 수색 등 강제처분의 객체가 된다. 이것을 피고인의 강제처분 대상으로서의 지위 또는 절차의 대상으로서의 지위라 한다.

KEY point

- **피고인의 소송법상 지위**
  - ① 당사자로서의 지위
  - ② 증거방법으로서의 지위
  - ③ 절차의 대상으로서의 지위
- **피고인의 권리 : 〈도표 참조〉**

3 진술거부권

(1) 서 설

① **의의** : 진술거부권이란 피고인 또는 피의자가 공판절차 또는 수사절차에서 법원이나 수사기관의 신문에 대하여 진술을 거부할 수 있는 권리를 말한다.

묵비권이라고도 하며 침묵할 수 있는 권리와 진술을 거부할 수 있는 권리를 포함한다〔17세기 말 영국에서 확립된 자기부죄거부특권(自己負罪拒否特權)에서 유래되었고, 17. 9급 법원직 미국 수정헌법 제5조가 규정한 자기부죄거부특권에서 처음으로 명문화되었다〕.

관련판례

1. 피의자의 진술거부권은 헌법이 보장하는 형사상 자기에 불리한 진술을 강요당하지 않는 자기부죄거부의 권리에 터 잡은 것이다(대판 1992.6.23, 92도682).
2. 헌법 제12조 제2항은 진술거부권을 보장하고 있으나, 여기서 "진술"이라 함은 생각이나 지식, 경험사실을 정신작용의 일환인 언어를 통하여 표출하는 것을 의미한다(헌재결 1997.3.27, 96헌가11). 11. 경찰승진

② **인정이유** : 피고인 또는 피의자의 인권을 보장하고 당사자주의의 전제인 무기평등의 원칙을 실질적으로 실현하기 위하여 인정된 것이다. 14. 9급 검찰 · 마약수사, 16. 경찰승진

헌법은 제12조 제2항에서 "모든 국민은 고문을 받지 아니하며, 형사상 자기에게 불리한 진술을 강요당하지 아니한다."고 규정하여 진술거부권을 국민의 기본적 인권으로 보장하고 있으며, 이에 따라 형사소송법도 피고인의 진술거부권을 규정하고 있다(제283조의 2).

- 헌법적 근거(○) 10. 교정직 특채
- 형사소송법은 피의자에 대한 진술거부권 인정규정을 직접 규정하고 있지 않고, 제244조의 3에서 피의자에 대하여 진술거부권의 고지의무만을 규정하고 있으나, 진술거부권의 고지는 진술거부권을 전제로 하는 것이므로 피의자에 대하여도 진술거부권을 인정하고 있는 것으로 보는 견해가 일반적이다.
- 형사소송법은 피고인뿐만 아니라 피의자의 진술거부권도 규정하고 있다. (×) 13. 9급 법원직

(2) 진술거부권의 내용

① **주체** : 헌법 제12조 제2항은 모든 국민에게 진술거부권을 보장하고 있으므로 진술거부권의 주체에는 제한이 없다. 의사무능력자의 대리인(제26조), 법인의 대표자도 진술거부권을 가지며, 16. 경찰승진 외국인에게도 인정됨은 물론이다. 21. 경찰승진

② **진술거부권의 범위**

㉠ **진술강요의 금지** : 진술거부권은 형벌 기타 제재에 의한 진술강요의 금지를 본질적 내용으로 한다. 강요당하지 않는 것은 진술에 한하며, 진술인 이상 구두의 진술에 한하지 않고 서면에 대하여도 진술거부권이 적용된다(예 수사기관의 진술서 제출요구 거부). 13. 9급 검찰

보충

1. 지문과 족형(足型)의 채취, 신체의 측정, 사진촬영, 신체검사 등은 진술의 내용 자체가 문제되는 것이 아니라는 점에서 진술거부권이 적용되지 아니한다. 이 영역에는 적법절차의 원칙(헌법 제12조 제1항, 형사소송법 제308조의 2)이 적용될 수 있을 것이다. 13. 경찰간부
2. 거짓말탐지기에 의한 검사는 질문과의 대응관계에서 비로소 의미를 가지는 것이므로 진술거부권의 범주에 속한다고 봄이 타당하다.
3. 마취분석은 직접진술을 얻어내는 것이므로 진술거부권의 침해에 해당한다.
4. 성문분석(聲紋分析)의 경우는 음성이 조사의 대상이지 진술을 내용으로 하는 것은 아니므로 진술거부권이 적용되지 않는 것으로 보는 견해가 타당하다.
5. 음주측정도 호흡측정기에 입을 대고 호흡을 불어 넣음으로써 신체의 물리적 · 사실적 상태를 그대로 드러내는 행위에 불과하므로 진술이라 할 수 없다.

용어 해설 **성문분석 · 마취분석**

1. **성문분석**(聲紋分析) : 목소리는 사람마다 서로 다른 고유의 주파수를 가지고 있는데 이를 성문(聲紋)이라고 한다. 사람마다 지문이 다른 것처럼 성문도 다르기 때문에 성문분석을 통하여 목소리의 주인공을 찾아낼 수 있어 범죄수사에 이용되고 있다.
2. **마취분석** : 정맥에 마취제를 주사하여 반쯤 잠든 상태에서 마음 속에 품고 있는 자신의 생각을 말하게 하는 방법을 말한다.

관련판례

1. 도로교통법에 의한 음주측정은 호흡측정기에 입을 대고 호흡을 불어 넣음으로써 신체의 상태를 그대로 드러내는 행위에 불과하므로 이를 진술이라 할 수 없으므로 음주측정요구에 불응할 경우 처벌한다고 하여도 이는 형사상 불리한 진술을 강요하는 것에 해당한다고 볼 수 없다(헌재결 1997.3.27, 96헌가11). 05 · 06. 순경, 13. 경찰간부 · 9급 검찰, 11 · 17. 9급 법원직, 14 · 17 · 18. 순경 2차
2. 공직선거 및 선거부정방지법 제258조 제1항 제2호에서 선거비용지출보고서의 허위제출죄를 처벌대상으로 규정하고 있는 것은 저비용의 선거풍토 정착이라는 법의 목적을 달성하기 위하여 선거비용의 투명성을 확보하고자 하는 것으로 그 보고의 대상은 선거비용의 수익과 지출이라는 객관적 사항에 그치고 그 지출과 관련한 회계책임자의 형사적 책임에 관한 사항까지 보고의 대상으로 삼고 있는 것은 아니라고 해석되므로 형사상 자기에게 불리한 진술을 강요당하지 아니할 권리를 침해하는 것이라고 볼 수 없다(대판 1999.4.9, 98도1432).

ⓛ **진술의 범위**

ⓐ 진술거부권은 자신의 형사책임에 관한 것이라야 한다(민사책임, 행정책임과 관련한 것은 진술은 거부의 대상 ×). 06. 순경

1. 형사책임에 관한 한 범죄사실 또는 간접사실, 범죄발견의 단서가 되는 사실도 대상이 된다. 13. 9급 법원직
2. 반드시 형사절차에서 행해질 것은 아님(행정절차, 국회 등 어디서나 자신의 형사책임과 관련된 경우에는 기본권으로 보장 : 헌재결 1990.8.27, 89헌가118). 16·17. 순경 2차, 18. 경찰간부, 19. 경찰승진, 22. 9급 검찰·마약·교정·보호·철도경찰, 24. 7급 국가직

PART 03

관련판례

불고지죄는 타인이 국가보안법에 해당하는 죄를 범한 자라는 정을 알면서도 이를 수사기관 또는 정보기관에 신고하지 아니한 경우에 성립하는 범죄이다. 따라서 고지의무의 대상이 되는 것은 자신의 범죄사실이 아니고 타인의 범죄사실에 대한 것이므로 자기에게 불리한 진술을 강요받지 아니할 진술거부권의 문제가 발생할 여지가 없다(헌재결 1998.7.16, 96헌바35).

ⓑ 헌법 제12조 제2항은 형사상 자기에게 불리한 진술의 강요를 금지하고 있으나 형사소송법은 불리한 진술에 국한하지 않고 있다(제283조의 2). 22. 9급 검찰·마약·교정·보호·철도경찰 이러한 의미에서 형사소송법은 헌법상의 진술거부권의 범위를 확장하고 있다 하겠다. 11·23. 경찰승진

증인의 증언거부권(제148조)이 자기에게 불이익한 증언에 제한되어 있는 것과 구별을 요함.

ⓒ **인정신문과 진술거부권** : 인정신문(성명, 연령, 등록기준지, 주거와 직업을 물어 동일인임을 확인하는 것)에 대하여도 진술거부권을 행사할 수 있는가에 대하여 대립이 있었으나, 현행 형사소송규칙에서 인정신문 앞에 진술을 거부할 수 있음을 고지하여야 한다는 규정을 둠으로써 인정신문에 대해서도 진술을 거부할 수 있도록 입법적으로 해결하였다고 볼 수 있다(규칙 제127조). 12. 순경·경찰승진

③ **진술거부권의 고지** : 진술거부권을 행사하기 위해서는 그들이 이러한 권리를 가지고 있음을 알아야 하므로 이를 위해 사전에 진술거부권이 있음을 고지하여야 한다. 따라서 형사소송법은 피의자에 대한 진술거부권고지의무(제244조의 3)와 피고인에 대한 진술거부권고지의무(제283조의 2) 규정을 명문화하고 있다.

피고인에 대한 진술거부권 고지의무 규정은 형사소송규칙에 있었던 것이 개정법(2007. 6. 1)에서 형사소송법에 명문화되었다.

피내사자, 참고인 ⇨ 고지대상 ×

관련판례

1. 헌법 제12조는 제1항에서 적법절차의 원칙을 선언하고, 제2항에서 "모든 국민은 고문을 받지 아니하며, 형사상 자기에게 불리한 진술을 강요당하지 아니한다."고 규정하여 진술거부권을 국민의 기본적 권리로 보장하고 있다. 그러나 진술거부권이 보장되는 절차에서 진술거부권을 고지받을 권리가 헌법 제12조 제2항에 의하여 바로 도출된다고 할 수는 없고, 이를 인정하기 위해서는 입법적 뒷받침이 필요하다(대판 2014.1.16, 2013도5441). 14·16. 9급 검찰·마약수사, 17. 9급 법원직, 18. 경찰간부, 22. 해경승진·9급 검찰·마약·교정·보호·철도경찰, 23. 경찰승진

2. 수사기관에 의한 진술거부권 고지의 대상이 되는 피의자의 지위는 수사기관이 범죄인지서를 작성하는 등의 형식적인 사건수리 절차를 거치기 전이라도 조사대상자에 대하여 범죄의 혐의가 있다고 보아 실질적으로 수사를 개시하는 행위를 한 때에 인정된다. 18. 순경 2차 특히 조사대상자의 진술 내용이 단순히 제3자의 범죄에 관한 경우가 아니라 자신과 제3자에게 공동으로 관련된 범죄에 관한 것이거나 제3자의 피의사실뿐만 아니라 자신의 피의사실에 관한 것이기도 하여 실질이 피의자신문조서의 성격을 가지는 경우에 수사기관은 진술을 듣기 전에 미리 진술거부권을 고지하여야 한다(대판 2015.10.29, 2014도5939). 16·18. 순경 2차, 18. 경찰간부·5급 검찰·교정승진, 19. 경찰승진, 22. 해경승진
3. 검사가 구속영장을 발부받아 피의자신문을 한 다음, 구속 기소한 후 다시 피의자를 소환하여 공범들과의 조직구성 및 활동 등에 관한 신문을 하면서 피의자신문조서가 아닌 일반적인 진술조서의 형식으로 조서를 작성한 경우, 진술조서의 내용이 피의자신문조서와 실질적으로 같고, 진술의 임의성이 인정되는 경우라도 미리 피의자에게 진술거부권을 고지하지 않았다면 위법수집증거에 해당하므로, 유죄인정의 증거로 사용할 수 없다(대판 2009.8.20, 2008도8213). 16. 7급 국가직, 18. 경찰간부, 22. 해경승진
4. "새마을금고나 새마을금고중앙회의 임직원 또는 청산인이 감독기관의 검사를 거부·방해 또는 기피하거나 해당 검사원의 질문에 거짓으로 진술한 경우 3년 이하의 징역이나 500만원 이하의 벌금에 처한다."라는 새마을금고법 제85조 제2항 제9호 처벌규정은 적어도 새마을금고의 임직원이 장차 특정경제범죄법에 규정된 죄로 처벌받을 수도 있는 사항에 관한 질문(예 대출과 관련하여 ○○○로부터 금전적인 사례를 받은 사실이 있느냐?)을 받고 거짓 진술을 한 경우에는 특별한 사정이 없는 한 적용되지 않는다고 해석하여야 한다. 이러한 경우까지 항상 이 사건 처벌규정으로 처벌될 수 있다고 본다면, 이는 실질적으로 장차 형사피의자나 피고인이 될 가능성이 있는 자로 하여금 수사기관 앞에서 자신의 형사책임을 자인하도록 강요하는 것과 다르지 않기 때문이다(대판 2015.5.28, 2015도3136).
5. 수사기관에 의한 진술거부권 고지의 대상이 되는 피의자의 지위는 수사기관이 범죄인지서를 작성하는 등의 형식적인 사건수리 절차를 거치기 전이라도 조사대상자에 대하여 범죄의 혐의가 있다고 보아 실질적으로 수사를 개시하는 행위를 한 때에 인정된다(대판 2015.10.29, 2014도5939). 22. 해경승진, 24. 소방간부, 24. 7급 국가직

㉠ **고지방법** : 진술거부권의 고지는 적극적·명시적으로 하여야 하며, 신문시마다 할 필요는 없지만 시간적 간격이 길거나, 신문자가 경질된 때에는 다시 고지하여야 한다.

공판절차를 갱신하는 경우에도 진술거부권을 다시 고지하여야 한다(규칙 제144조 제1항). 13·18. 9급 법원직, 21. 경찰승진

㉡ **고지의 내용** : 진술거부권의 고지 내용은 피고인과 피의자의 경우에 차이가 있다.

구분	내용
피고인	재판장은 피고인에 대하여 피고인은 진술하지 아니하거나 개개의 질문에 대하여 진술을 거부할 수 있고, 이익이 되는 사실을 진술할 수 있음을 알려주어야 한다(규칙 제127조). 11. 경찰승진
피의자	검사 또는 사법경찰관은 피의자신문 전에 다음의 각 사항을 알려주어야 한다(제244조의 3). 1. 일체의 진술을 하지 아니하거나, 21. 경찰승진 개개의 질문에 대하여 진술을 하지 아니할 수 있다는 것 15. 경찰승진 2. 진술을 하지 아니하더라도 불이익을 받지 아니한다는 것 3. 진술을 거부할 권리를 포기(불행사)하고 행한 진술은 법정에서 유죄의 증거로 사용될 수 있다는 것 09. 9급 법원직 4. 신문을 받을 때에는 변호인을 참여하게 하는 등 변호인의 조력을 받을 수 있다는 것

㉢ **불고지의 효과** : 피의자에 대해 진술거부권을 고지하지 않는 경우 자백의 증거능력을 부정함이 통설과 판례의 입장이다.

관련판례

1. 피의자의 진술을 녹취 내지 기재한 서류 또는 문서가 수사기관에서의 조사과정에서 작성된 것이라면, 그것이 '진술조서, 진술서, 자술서'라는 형식을 취하였다고 하더라도 피의자신문조서와 달리 볼 수 없으므로, 수사기관이 피의자를 신문함에 있어 피의자에게 미리 진술거부권을 고지하지 않은 때에는 그 피의자의 진술은 위법하게 수집된 증거로서 진술의 임의성이 인정되는 경우라도 증거능력이 부인되어야 한다(대판 2011.11.10, 2010도8294). 12. 변호사시험, 13. 9급 검찰, 17. 경찰간부, 18. 순경 3차, 18·21·24. 경찰승진, 18·24. 9급 법원직
2. 수사기관에 의한 진술거부권 고지 대상이 되는 피의자의 지위는 수사기관이 조사대상자에 대한 범죄혐의를 인정하여 수사를 개시하는 행위를 한 때 인정되는 것으로 보아야 한다. 따라서 이러한 피의자의 지위에 있지 아니한 자에 대하여는 진술거부권이 고지되지 아니하였더라도 진술의 증거능력을 부정할 것은 아니다(대판 2011.11.10, 2011도8125). 12. 순경, 13. 9급 검찰, 14. 변호사시험, 16. 순경 2차, 17. 경찰간부·9급 법원직, 18. 경찰승진
3. 사법경찰관이 피의자에게 진술거부권을 행사할 수 있음을 알려 주고 그 행사 여부를 질문하였다 하더라도, 형사소송법 제244조의 3 제2항에 규정한 방식에 위반하여 진술거부권 행사 여부에 대한 피의자의 답변이 자필로 기재되어 있지 아니하거나 그 답변 부분에 피의자의 기명날인 또는 서명이 되어 있지 아니한 사법경찰관 작성의 피의자신문조서는 특별한 사정이 없는 한 형사소송법 제312조 제3항에서 정한 '적법한 절차와 방식'에 따라 작성된 조서라 할 수 없으므로 그 증거능력을 인정할 수 없다(대판 2013.3.28, 2010도3359). 12. 순경, 14. 변호사시험, 20. 9급 검찰·마약·교정·보호·철도경찰, 15·24. 7급 국가직
4. 강도 현행범으로 체포된 피고인에게 진술거부권을 고지하지 아니한 채 강도범행에 대한 자백을 받고, 이를 기초로 여죄에 대한 진술과 증거물을 확보한 후 진술거부권을 고지하여 피고인의 임의자백 및 피해자의 피해사실에 대한 진술을 수집한 사안에서, 제1심 법정에서의 피고인의 자백은 진술거부권을 고지받지 않은 상태에서 이루어진 최초 자백 이후 40여 일이 지난 후에 변호인의 충분한 조력을 받으면서 공개된 법정에서 임의로 이루어진 것이고, 피해자의 진술은 법원의 적법한 소환에 따라 자발적으로 출석하여 위증의 벌을 경고받고 선서한 후 공개된 법정에서 임의로 이루어진 것이어서, 예외적으로 유죄인정의 증거로 사용할 수 있는 2차적 증거에 해당한다(대판 2009.3.12, 2008도11437). 10. 경찰승진
5. 개정된 공직선거법은 제272조의 2 제7항을 신설하여 선거관리위원회의 조사절차에서 피조사자에게 진술거부권을 고지하도록 하는 규정을 마련하였으나, 그 부칙 제1조는 "이 법은 공포한 날부터 시행한다."고 규정하고 있어 그 시행 전에 이루어진 선거관리위원회의 조사절차에서 미리 진술거부권을 고지하지 않았다고 하여 그 조사절차가 위법하다거나 그 과정에서 작성·수집된 선거관리위원회 문답서의 증거능력이 당연히 부정된다고 할 수는 없다(대판 2014.1.16, 2013도5441). 24. 경찰승진
6. 수사과정에서 담당 검사가 피의자인 甲과 그 사건에 관하여 대화하는 내용과 장면을 녹화한 비디오테이프에 대한 법원의 검증조서는 이러한 비디오테이프의 녹화내용이 피의자의 진술을 기재한 피의자신문조서와 실질적으로 같다고 볼 것이므로 피의자신문조서에 준하여 그 증거능력을 가려야 한다.

검사가 녹화 당시 위 甲의 진술을 들음에 있어 동인에게 미리 진술거부권이 있음을 고지한 사실을 인정할 자료가 없으므로 위 녹화내용은 위법하게 수집된 증거로서 증거능력이 없는 것으로 볼 수 밖에 없고, 따라서 이러한 녹화내용에 대한 법원의 검증조서 기재는 유죄증거로 삼을 수 없다(대판 1992.6.23, 92도682).

재판장의 진술거부권 고지의무위반과 증거능력문제
재판장이 공판정에서 피고인에게 진술거부권을 고지하지 아니한 경우에 자백의 증거능력을 인정하여야 하는가에 대하여는 견해가 대립되고 있다. 즉, 공판정에서 진술거부권을 고지하지 않는 위법은 중대한 위법이 아니므로 그 사실 자체만으로 자백의 증거능력을 부정할 수 없다는 입장과 이 경우에도 증거능력을 부정해야 한다는 입장이 그것이다.

④ **진술거부권의 포기**

㉠ **포기의 허용 여부** : 진술거부권의 포기를 허용할 것인가에 대해 논란이 있으나 진술거부권은 헌법상 기본권이기 때문에 부정함이 타당하다.

진술거부권의 포기란 진술거부권의 권리주체의 지위를 단념하는 것을 말하며, 피의자나 피고인이 진술거부권을 행사하지 않고 진술하는 불행사와 구별된다.

㉡ **피고인의 증인적격** : 피고인이 진술거부권을 포기하고 자기의 피고사건에 관하여 증인으로 증언할 수 있는가에 대하여 통설은 부정하고 있다. 14. 변호사시험 만일 인정할 경우 피고인은 증인으로서 증언의무를 지게 되고 이는 진술거부권을 무의미하게 만들기 때문이다.

⑤ **법률상의 기록 · 신고의무** : 행정상의 단속목적을 위하여 각종 행정법규가 그 대상자에게 기장 · 보고 · 신고 · 등록의 의무를 규정하고 있는 것이 진술거부권을 침해하는 것인지 문제가 된다. 예컨대 도로교통법 제50조 제2항에 따른 운전자 등의 교통사고 신고의무가 여기에 해당한다.

관련판례

1. 교통사고를 일으킨 운전자에게 신고의무를 부담시키고 있는 도로교통법 규정(제54조 제2항, 제154조 제4호)은 피해자의 구호 및 교통질서의 회복을 위한 조치가 필요한 범위 내에서 교통사고의 객관적 내용만을 신고하도록 한 것으로 해석하고, 형사책임과 관련되는 사항에는 적용되지 아니한 것으로 해석하는 한 헌법에 위반되지 아니한다(헌재결 1990.8.27, 89헌가118). 13. 경찰간부, 14. 9급 검찰 · 마약수사, 17. 순경 2차, 21. 해경, 24. 경찰승진

   그러나 이 규정(도로교통법 제54조 제2항)의 목적이 교통의 안전확보라는 행정목적 달성에 있다 하더라도 교통사고의 내용 자체에 업무상 과실치사상과 같은 범죄구성요건표지에 속하는 사실이 포함되어 있어 형사책임과 무관하다고 보기 어렵고 경찰에 신고하면 수사가 진행되는 것이 일반적임을 감안할 때 동조는 진술강요에 해당하는 진술거부권을 침해한 것으로 해석하여야 한다는 견해도 있다.

2. 범법자에게 자기의 범죄사실을 반드시 신고하도록 명시하고 그 미신고를 이유로 처벌하는 벌칙을 규정하는 것은 헌법상 보장된 국민의 기본권인 진술거부권을 침해하는 것이 된다. 17 · 18. 순경 2차, 19. 경찰승진 따라서 구 새마을금고법에는 새마을금고 임직원이 감독기관의 검사원의 질문에 거짓으로 진술한 경우 처벌한다는 규정을 두고 있으나, 새마을금고의 임직원인 피고인이 새마을금고 검사원의 '대출과 관련하여 ○○○로부터 금전적인 사례를 받은 사실이 있느냐.'는 질문에 대하여 '전혀

없습니다.'라고 거짓으로 답변하였다고 하더라도 이 규정으로 처벌되지 아니한다. 이러한 경우까지 항상 처벌될 수 있다고 본다면, 이는 실질적으로 장차 형사피의자나 피고인이 될 가능성이 있는 자로 하여금 수사기관 앞에서 자신의 형사책임을 자인하도록 강요하는 것과 다르지 않기 때문이다(대판 2015.5.28, 2015도3136). 17. 경찰간부

3. 복귀명령을 준수하지 아니한 행위를 형사처벌함으로써 군무이탈죄를 범한 자에게 자수의무를 부과하는 결과가 될 수 있다고 하더라도 이는 군병력 유지를 주된 목적으로 하는 복귀명령의 부수적인 효과에 불과하므로 위 복귀명령이 군무이탈자에 대하여 형사상 자기에게 불리한 진술을 강요당하지 아니할 권리의 본질적 내용을 침해하는 것이라고 할 수도 없다(헌재결 1995.5.25, 91헌바20).

(3) 진술거부권의 행사효과

① **법적 제재의 금지** : 진술거부권을 행사하였다는 이유로 형벌 기타 제재를 과할 수 없다.

② **증거능력배제** : 진술거부권을 침해하여 강요에 의하여 받은 자백은 증거능력이 부정된다.

③ **불이익추정의 금지** : 진술거부권을 행사하였다 하여 불리한 추정을 하여서는 안 된다.

④ **양형상 불이익 금지** : 다수설에 의하면 자백에 의하여 개전의 정을 표시한 자와 진술거부권을 행사한 자를 같이 처벌함은 불합리하므로 진술거부권 행사를 양형에서는 고려될 수 있는 것으로 이해한다. 그러나 진술거부권도 다른 권리와 마찬가지로 자유로이 행사될 수 있어야 하므로 양형에서도 불리하게 적용되어서는 안 된다는 견해도 있다.

관련판례

진술거부권행사를 가중적 양형조건으로 삼는 것은 원칙적으로 허용될 수 없으나, 진술거부권 행사의 행위가 피고인에게 보장된 방어권 행사의 범위를 넘어 객관적이고 명백한 증거가 있음에도 진실의 발견을 적극적으로 숨기거나 법원을 오도하려는 시도에 기인한 경우에는 가중적 양형의 조건으로 참작될 수 있다(대판 2001.3.9, 2001도192). 12. 순경, 14. 9급 검찰·마약수사, 14·17. 순경 2차, 18. 9급 법원직·5급 검찰·교정승진, 20. 변호사시험, 12·19·24. 경찰승진, 24. 7급 국가직

KEY point

- 피의자에 대한 진술거부권 고지의무 ⇨ 형사소송법 제244조의 3
- 피고인에 대한 진술거부권 고지의무 ⇨ 형사소송법 제283조의 2
- **진술거부권 적용대상** : 구술 또는 서면에 의한 진술(지문·족형 채취, 신체측정, 사진촬영, 음주측정 ⇨ ×)
- **진술거부대상** : 자신의 형사책임(민사책임 ⇨ ×)
- **인정신문** : 진술거부권 행사 가능
- **진술거부권 불고지의 효과** : 증거능력 부정
- **진술거부권 행사의 효과**(판례) : 양형에서 고려 ┌ ×(원칙) └ ○(예외)

4 무죄추정의 원칙

(1) 의의 및 적용범위

① 의 의

㉠ 무죄추정의 원칙이란 피고인 또는 피의자는 유죄판결이 확정될 때까지 무죄로 추정된다는 것을 말한다(헌법 제27조 제4항, 형사소송법 제275조의 2). 12. 순경 3차, 14. 9급 검찰·마약·교정·보호·철도경찰, 15. 순경 2차, 15·16. 경찰승진, 18. 경찰간부

피고인이 범행한 것이라고 보기에 의심스러운 사정이 병존하고 증거관계 및 경험법칙상 위와 같이 의심스러운 정황을 확실하게 배제할 수 없다면 유죄로 인정할 수 없다. 피고인은 무죄로 추정된다는 것이 헌법상의 원칙이고, 그 추정의 번복은 직접증거가 존재할 경우에 버금가는 정도가 되어야 한다(대판 2023.1.12, 2022도14645).

㉡ 1789년 프랑스혁명에서 나타난 권리선언 제9조에서 누구든지 범죄인으로 선고되기 전까지는 무죄로 추정된다는 원칙이 처음 등장하였고, 1948년 세계인권선언 제11조 제1항에도 규정을 둠으로써, 무죄추정이 원칙이 형사절차에서 시민적 자유를 수호하기 위한 원칙으로 자리잡게 되었다. 우리나라에서도 1980년 제5공화국 헌법에 최초로 도입되었고, 현행 헌법 제27조 제4항과 형사소송법 제275조의 2에서 규정하고 있다. 07. 9급 국가직, 11. 경찰승진

② 적용범위

㉠ 헌법과 형사소송법은 피고인에 대하여만 무죄의 추정을 규정하고 있다. 그러나 피고인뿐만 아니라 피의자에 대하여도 무죄의 추정을 인정해야 한다는 점은 견해가 일치되어 있다(헌재결 1992.1.28, 91헌마111). 07. 순경, 15. 경찰간부 또한 유죄의 확정판결시까지 무죄의 추정을 받는바, 제1심 또는 제2심 판결에서 유죄판결이 선고되었다 하더라도 확정되기 전까지는 무죄의 추정을 받는다. 07. 9급 국가직, 11. 경찰승진, 13. 7급 국가직

㉡ 유죄판결이란 형선고판결뿐 아니라 형면제판결과 선고유예판결을 포함한다. 11. 경찰승진 그러므로 면소·공소기각 또는 관할위반판결 등의 형식재판은 확정되어도 무죄의 추정은 유지된다. 13. 7급 국가직 유죄판결이 확정되면 무죄추정은 깨어지므로 재심청구인은 무죄로 추정되지 않는다고 해석하여야 한다. 재심청구인은 유죄판결이 확정된 자이기 때문이다(반대견해 있음).

(2) 무죄추정의 원칙의 내용

무죄추정의 원칙은 단순한 이념적·선언적 규정이 아니라 수사절차로부터 공판절차에 이르기까지 형사절차 전 과정을 지배하는 지도원리로서 구체적 규범의 성격을 가진다(대판 2017.10.31, 2016도21231). 24. 해경승진·소방간부

① **강제처분의 제한** : 무죄추정의 원칙은 인신구속에 대한 제한원리로 작용한다. 예컨대, 임의수사의 원칙(제199조), 구속의 제한(제201조), 체포구속적부심사제도(제214조의 2), 필요적 보석제도(제95조) 등은 무죄추정의 법리를 그 이념적 기초로 하고 있다.

📢 유죄의 확정판결이 있을 때까지 국가의 수사권은 물론 공소권, 재판권, 행형권 등의 행사에 있어서 피의자 또는 피고인은 무죄로 추정되고 그 신체의 자유를 해하지 아니하여야 한다는 무죄추정의 원칙이 제도적으로 표현된 것으로는, 공판절차의 입증단계에서 거증책임(擧證責任)을 검사에게 부담시키는 제도, 보석 및 구속적부심 등 인신구속의 제한을 위한 제도, 그리고 피의자 및 피고인에 대한 부당한 대우 금지 등이 있다(헌재결 2001.11.29, 2001헌바41). 12. 순경 3차

② **의심스러운 때에는 피고인의 이익으로** : 무죄추정의 원칙은 증거법 분야에서 「의심스러운 때에는 피고인의 이익으로」(in dubio pro reo)라는 원칙으로 나타난다. 21. 7급 국가직 즉, 법원이 최선의 노력을 다하여 피고인의 유죄 · 무죄를 가리기 위한 증거조사를 하였음에도 불구하고 심증형성이 부족하여 아직 합리적 의심의 여지가 남는다면 법원은 "의심스러운 때에는 피고인에게 유리하게"의 법리에 따라서 피고인에게 무죄판결을 선고하여야 한다. 이때 피고인은 자신의 무죄를 적극적으로 주장 · 입증할 필요가 없으며, 검사가 거증책임을 부담하게 된다. 07. 9급 국가직

📢 무죄추정의 원칙은 직권주의 · 당사자주의 소송구조와 관계없이 인정되는 대원칙이다. 11. 경찰승진

③ **불이익처우의 금지** : 국가기관은 피고인을 범죄인이라는 예단을 가지거나 불이익한 처우(무죄추정을 통해 금지되는 불이익처분은 형사절차상의 처분에 의한 불이익뿐만 아니라, 기본권제한과 같은 처분에 의한 불이익도 포함된다 : 헌재결 1990.11.19, 90헌가48 21. 경찰승진, 24. 9급 검찰 · 마약 · 교정 · 보호 · 철도경찰)를 해서는 안 된다는 요구를 하고 있는데, 이는 무죄추정의 원칙의 요청이라 할 수 있다.

무죄추정의 원칙 판례 정리

무죄추정원칙에 위반 ○	무죄추정원칙에 위반 ×
1. 형사사건으로 기소된 교원에 대하여 필요적으로 직위해제처분을 하도록 하는 규정(사립학교법 제58조의 2 제1항 단서)은 무죄추정의 원칙에 위반되며(헌재결 1994.7.29, 93헌가3), 형사사건으로 기소된 국가공무원에 대한 필요적 직위해제처분 규정 역시 무죄추정원칙에 위반한다(헌재결 1998.5.28, 96헌가12). 07. 순경, 16. 경찰승진 ▶ 위헌결정 이후 사립학교법 규정과 국가공무원법 규정은 임의적 사항으로 개정되었고, 그 규정에 대해서는 무죄추정의 원칙에 위배되지 않는다고 하였다[형사사건으로 기소된 국가공무원을 직위해제할 수 있도록 규정한 구 국가공무원법 규정은 이 사건 법률조항은 직위해제처분을 받은 공무원에 대한 범죄사실 인정이나 유죄판결을 전제로 하여 불이익을 과하는 것이 아니므로 무죄추정의 원칙에 위배된다고 볼 수 없다(헌재결 2006.5.25, 2004헌바12)]. 12. 순경	1. 파기환송 사건에 있어서 구속기간의 갱신 및 구속으로 인한 신체의 자유가 제한된 것은 무죄추정의 원칙에 위반되지 아니한다(대판 2001.11.30, 2001도5225). 12. 순경, 14 · 15. 9급 검찰 · 마약 · 교정 · 보호 · 철도경찰, 15. 순경 2차, 18. 경찰간부, 15 · 16 · 17 · 21. 경찰승진 2. 공소장의 공소사실 첫머리에 피고인이 전에 받은 소년부 송치처분과 직업 없음을 기재하였다 하더라도 피고인을 특정할 수 있는 사항에 속하는 것이어서 공소제기의 절차가 법률의 규정에 위반된 것이라고 할 수 없고 무죄추정조항이나 평등조항에 위배되는 것도 아니다(대판 1990.10.16, 90도1813). 14. 9급 검찰 · 마약 · 교정 · 보호 · 철도경찰, 15. 순경 2차, 16 · 17 · 21. 경찰승진 3. 경찰청장이 주민등록발급신청서에 날인되어 있는 지문정보를 보관 · 전산화하고 이를 범죄수사목적에 이용하는 행위는 무죄추정의 원칙과 영장주의 내지 강제수사법정주의에 위배되지 않는다(헌재결 2005.5.26, 99헌마513). 12. 순경 3차, 14 · 15. 경찰승진

2. 형사사건으로 기소된 변호사에 대하여 업무정지를 명할 수 있도록 한 변호사법 제15조는 무죄추정의 원칙에 반한다(헌재결 1990.11.19, 90헌가48). 07. 순경, 24. 9급 검찰·마약·교정·보호·철도경찰
   ▶ 그 후 변호사법 제15조는 삭제되었다.
3. 수사 및 재판을 받는 동안 미결수용자에게 재소자용 의류를 입게 하는 것도 무죄추정의 원칙에 위반한다(헌재결 1999.5.27, 97헌마137). 08. 순경, 09. 전의경
   ▶ 미결수용자에게 시설 안에서 재소자용 의류를 입게 하는 것은 구금 목적의 달성, 시설의 규율과 안전유지를 위한 필요최소한의 제한으로서 정당성·합리성을 갖춘 재량의 범위 내의 조치이다(헌재결 1999.5.27, 97헌마137).
   ▶ 형사재판의 피고인으로 출석하는 수형자에 대하여 교정시설에서 지급하는 의류를 입게 하는 경우 무죄추정의 원칙에 위반된다(헌재결 2015.12.23, 2013헌마712).
   ▶ 민사재판의 당사자로 출석하는 수형자에게 재소자용 의류 착용 ⇨ 가능(헌재결 2015.12.23, 2013헌마712).
4. 지방자치단체의 장이 금고 이상의 선고를 받은 경우 부단체장으로 하여금 그 권한을 대행하도록 한 지방자치법은 무죄추정의 원칙에 위반된다(헌재결 2010.9.2, 2010헌마418). 12. 경찰승진·순경, 15. 경찰간부, 17. 검찰·교정승진
5. '관세법상 몰수할 것으로 인정되는 물품을 압수한 경우에 있어서 범인이 당해관서에 출두하지 아니하거나 또는 범인이 도주하여 그 물품을 압수한 날로부터 4월을 경과한 때에는 당해 물품은 별도의 재판이나 처분 없이 국고에 귀속한다.'는 법률조항은 적법절차의 원칙과 무죄추정의 원칙에 위배된다(헌재결 1997.5.27, 96헌가17). 07·12. 순경
6. 구속 피고인이 고의로 재판을 지연하거나 부당한 소송행위를 하였다고 하더라도 이를 이유로 미결구금기간 중 일부를 형기에 산입하지 않는 것은 처벌되지 않는 소송상의 태도에 대하여 형벌적 요소를 도입하여 제재를 가하는 것으로서 적법절차의 원칙 및 무죄추정의 원칙에 반한다(헌재결 2009.6.25, 2007헌바25).

4. 치료감호의 요건을 사법적 판단에 맡기면서 사회보호위원회로 하여금 감호기간을 정하도록 하였다 하여 죄형법정주의나 무죄추정의 원칙에 반한다고 할 수 없다(대판 1987.5.12, 87감도50). 04. 행시, 07. 순경, 15. 경찰승진
5. 징계혐의 사실의 인정은 형사재판의 유죄확정 여부와는 무관한 것이므로 유죄의 확정판결을 받기 전이라도 징계혐의 사실은 인정될 수 있는 것이며 무죄추정의 원칙에 저촉된다고 볼 수 없다(대판 1986.6.10, 85누407). 12. 순경 1차, 14. 9급 검찰·마약·교정·보호·철도경찰, 15·21. 경찰승진, 21. 7급 국가직
6. 교도소에 수용된 때에는 국민건강보험급여를 정지하도록 한 국민건강보험법 제49조 제4호는 수용자의 의료보장수급권을 직접 제약하는 규정이 아니며, 입법재량을 벗어나 수용자의 건강권을 침해하거나 국가의 보건의무를 저버린 것으로 볼 수 없으므로 수용자의 건강권, 인간의 존엄성, 행복추구권, 인간다운 생활을 할 권리를 침해하는 것이라 할 수 없다. 또한 위 조항은 수용자의 의료보장체계를 일원화하기 위한 입법 정책적 판단에 기인한 것이며, 유죄의 확정 판결이 있기 전인 미결수용자에게 어떤 불이익을 주기 위한 것은 아니므로 무죄추정의 원칙에 위반된다고 할 수 없다(헌재결 2005.2.24, 2003헌마31). 12·17. 경찰승진, 21. 해경
7. 형사소송법 제314조는 피고인을 유죄라는 전제에서 예외적으로 전문증거의 증거능력을 인정하는 것이 아니라, 외국거주의 사유로 원진술자가 법정에서 진술할 수 없어 부득이 피고인이 반대신문을 할 수 없는 경우에 관한 규정이므로 무죄추정의 원칙에 반하는 것이라고 할 수 없다(헌재결 2005.12.22, 2004헌바45). 12. 순경 1차, 16. 경찰간부
8. 수사 담당 경찰 공무원이라 하더라도 증인의 지위에 있을 수 있음을 부정할 수 없고, 무죄추정의 원칙에 반하지 아니한다(헌재결 2001.11.29, 2001헌바41). 16·22. 경찰간부
9. 유죄판결이 확정되지 아니한 자에 대하여 수사기관이 '사건명' 대신에 '죄명'이란 용어를 사용하는 것만으로 무죄추정의 원칙에 위반하는 것은 아니다(헌재결 2005.3.8, 2005헌마169).

7. 공정거래위원회가 당해 사업자단체에 대하여 "법위반사실의 공표"를 명할 수 있도록 한 규정은 무죄추정의 원칙에 위반하는 것이지만, 양심의 자유를 침해하는 것은 아니다(헌재결 2002.1.31, 2001헌바43).
8. 피고인이 제출한 증거만으로 피고인의 주장 사실을 인정하기에 부족하다는 이유를 들어 공소사실에 관하여 유죄 판결을 선고하는 것은 헌법상 무죄추정의 원칙은 물론 형사소송법상 증거재판주의 및 검사의 증명책임에 반하는 것이어서 허용될 수 없다(대판 2024.1.4, 2023도13081).
10. 부당내부거래에 대한 과징금은 부당내부거래 억지라는 행정목적을 실현하기 위하여 그 위반행위에 대하여 제재를 가하는 행정상의 제재금으로서 이중처벌금지원칙에 위반된다거나 무죄추정의 원칙에 위반된다고 할 수 없으며, 적법절차원칙에 위반되거나 권력분립의 원칙에 위반된다고 볼 수 없다(헌재결 2003.7.24, 2001헌가25).
11. 수사기관에서 구속된 피의자의 도주, 항거 등을 억제하는데 필요하다고 인정할 상당한 이유가 있는 경우에는 필요한 한도 내에서 포승이나 수갑을 사용할 수 있는 것이며, 이러한 조치가 무죄추정의 원칙에 위배되는 것이라고 할 수는 없다(대판 1996.5.14, 96도561).

PART 03

KEY point

- **무죄추정원칙 연혁 및 근거** : 인간과 시민의 권리선언 제9조에서 유래(헌법 제27조 제4항, 형사소송법 제275조의 2)
- **무죄추정원칙의 적용범위** : 유죄판결 확정시까지(제1심, 제2심에서 유죄가 선고되어도 확정시까지는 무죄추정)
- **무죄추정원칙 관련 판례** : 필히 정리를 요함!

5 당사자능력과 소송능력

(1) 당사자능력

① **당사자능력의 의의**

㉠ **개념** : 당사자능력이란 소송법상 당사자가 될 수 있는 일반적인 능력을 말한다. 당사자에는 검사와 피고인이 있으나 검사는 자격과 지위에 대하여 법률로 규정되어 있기 때문에 결국 당사자능력은 피고인이 될 수 있는 일반적 능력을 의미하게 된다.

㉡ **구별의 개념**

ⓐ 당사자적격과의 구별 : 당사자능력은 일반적・추상적으로 당사자가 될 수 있는 능력을 의미하는 반면, 당사자적격은 구체적인 특정한 사건에서 당사자가 될 수 있는 자격을 말한다.

ⓑ 형법상 책임능력과의 구별 : 당사자능력은 형사소송법상 개념이므로 형법상의 책임능력과는 다르다. 당사자능력의 결여는 공소기각 결정사유에 해당되나, 형법상의 책임능력의 결여는 범죄가 성립하지 않는 경우이므로 무죄판결을 해야 한다.

② **당사자능력이 있는 자**

㉠ **자연인**

ⓐ 자연인은 연령, 책임능력 여부를 불문하고 언제나 당사자능력을 갖는다. 17. 경찰간부 따라서 형사미성년자도 공소가 제기되면 당사자가 된다.

ⓑ 태아나 사망자는 당사자능력이 부정되지만, 재심절차에서는 피고인의 사망이 영향을 미치지 않는다(제424조, 제438조).

㉡ **법인** : 법인에 대한 처벌규정이 있는 한 당사자능력이 인정된다는 점에는 이론이 없다. 17. 경찰간부 그러나 법인 처벌규정이 없는 경우에도 당사자능력을 인정할 것인가에 대하여는 견해의 대립이 있다. 생각건대 명문의 처벌규정이 없는 경우에도 법인의 형사처벌에 관한 논란의 여지는 남아 있고, 당사자능력은 공소장의 내용을 검토하기 전에 공소사실과 관계없이 일반적 · 추상적으로 판단되어야 할 문제이며, 무죄판결에는 일사부재리의 효력이 인정된다는 점을 고려할 때 당사자능력을 긍정하는 견해가 타당하다고 본다.

㉢ **법인격 없는 사단 · 재단** : 법인격 없는 사단 또는 재단을 처벌하는 예는 매우 드물지만 이론적으로는 법인의 당사자능력에 준하여 해결하는 것이 타당하므로 당사자능력을 인정해야 할 것이다(다수설).

㉣ **조합** : 조합은 2인 이상이 서로 출자하여 공동사업을 경영할 목적으로 결합한 단체를 말하며, 단체로서의 독립성보다는 구성원 모두가 거래의 주체가 된다. 따라서 조합 자체는 당사자능력이 없다.

③ **당사자능력의 소멸**

㉠ 피고인이 사망하거나, 피고인인 법인이 더이상 존속하지 아니하게 되었을 때 당사자능력도 소멸한다. 10. 9급 법원직 따라서 이 경우에는 공소기각결정을 하여야 한다(제328조 제1항).

다만, 유죄의 선고를 받아 확정된 자가 사망하였더라도 그 배우자, 직계친족 또는 형제자매는 재심을 청구할 수 있고, 이 경우 재심사건의 공판절차에서는 사망자에 대한 공소기각결정이 인정되지 않는다(제424조 제4호, 제438조 제1항). 17. 경찰간부

㉡ 법인이 합병에 의하여 해산하는 경우에는 합병시에 법인이 소멸하므로 당사자능력도 합병시에 소멸한다.

㉢ 법인이 공소제기 이후 청산절차를 거쳐 해산된 경우 언제를 당사자능력 소멸시점으로 보아야 할 것인가에 대하여 견해의 대립이 있는데, 피고사건의 소송이 계속되고 있는 한 청산종료등기가 있더라도 법인의 당사자능력은 그대로 존속한다는 견해가 타당하며, 판례의 입장이다.

청산종료등기시에 당사자능력 소멸로 보고 공소기각결정으로 절차를 종결시키게 되면, 국가형벌권실현을 인위적으로 저지하는 문제가 야기될 수도 있기 때문이다.

관련판례

법인세 체납 등으로 공소제기되어 그 피고사건의 공판계속 중에 그 법인의 청산종료의 등기가 경료되었다고 하더라도 동 사건이 종결되지 아니하는 동안 법인의 청산사무는 종료된 것이라고 할 수 없고 형사소송법상 법인의 당사자능력도 그대로 존속한다(대판 1986.10.28, 84도693). 22. 7급 국가직

용어 해설 사단법인 · 재단법인, 법인격이 없는 사단 · 재단

1. **사단법인 · 재단법인**
   법인(法人)이라 함은 사람은 아니지만 법에 의해 사람과 같은 지위가 부여되는 단체를 말하며, 사단법인(여러 사람이 공동의 목적을 위하여 결합된 단체 예 주식회사)과 재단법인(일정한 목적을 위하여 바쳐진 재산을 중심으로 하는 그 관리체 예 학교법인)이 있다.
2. **법인격이 없는 사단 · 재단**
   실체는 사단 또는 재단이면서도 그 설립등기를 갖추지 못하여 법인격을 갖지 못하는 것을 말한다. 통설은 법인격을 전제로 하는 것(예 법인등기)을 제외하고는 사단법인이나 재단법인에 관한 규정을 유추적용되어야 하는 것으로 해석한다. 따라서 그 이름으로 소송상 당사자가 될 수 있다.

④ **당사자능력 흠결의 효과** : 당사자능력의 존재는 소송조건(실체심판의 전제조건)이므로 법원은 직권으로 당사자능력 유무를 조사하여 04. 여경 흠결시에는 공소기각결정을 하여야 한다. 09. 순경, 16. 경찰간부

㉠ 공소제기 후에 당사자능력을 상실한 경우에는 공소기각결정을 하여야 함에는 의문이 없다(제328조 제1항 제2호).

예 재판 도중에 피고인 사망 ⇨ 공소기각결정으로 사건 종결 09. 순경

㉡ 처음부터 피고인에게 당사자능력이 없는데도 공소제기를 한 경우에 있어서도 공소기각결정을 하여야 한다는 견해가 다수설이다.

보충 피의자 · 피고인 · 수형자 사망의 효과

수사단계에서 피의자가 사망하게 되면 검사는 '공소권 없음'이라는 이유로 불기소처분을 내려야 하며 경찰수사단계에서 사망한 경우에는 피의사건을 검찰로 송치하여야 한다(사규 제54조).
공판단계에서 피고인이 사망하면 법원은 공소기각결정을 하게 되며(제328조), 항소심이나 상고심에서 사망한 경우에도 공소기각결정을 하여 사건을 종결한다(제363조, 제382조). 상소기간 중에 사망한 경우에는 상소권이 소멸된다. 피고인 이외의 자의 상소권도 대리권이라는 성질을 고려할 때 소멸된다고 보아야 한다.
재심단계에서 유죄판결을 받은 자가 사망한 경우 법정대리인 등이 재심을 청구할 수 있고(제424조) 재심판결 전에 사망되어도 실체재판을 선고하게 된다(제438조 제2항 제2호).
집행단계에서 수형자가 사망하게 되면 형의 집행권이 소멸된다. 따라서 검사는 형집행불능결정을 하여야 한다. 벌금 등 재산형의 경우 상속재산에 대하여 집행할 수 있는 경우(제478조)를 제외하고는 징수불능결정을 하여야 한다.

KEY point

- **당사자능력** ┌ 자연인 ⇨ 언제나 인정(연령, 책임능력 여부 불문)
  ├ 법인(법인격 없는 단체 포함) ⇨ 견해 대립(긍정설 : 다수설)
  └ 조합 ⇨ 당사자능력 ×
- **당사자능력 소멸시기** : 피고인 사망 or 법인 존속 ×(합병 ⇨ 합병시, 해산 ⇨ 피고사건이 소송 계속 중에 있는 한 당사자능력 존속 : 판례)
- **당사자능력 흠결효과** : 공소기각결정(제328조)

(2) 소송능력

① 소송능력의 의의

㉠ **개념** : 소송능력이라 함은 피고인이 소송당사자로서 유효한 소송행위를 할 수 있는 능력, 즉 자신이 처한 소송상황과 구체적 이해관계를 이해하고 자신을 위하여 적절한 방어행위를 할 수 있는 의사능력을 의미한다(소송상의 행위능력).

㉡ **구별의 개념**

ⓐ 당사자능력과 구별 : 당사자능력은 피고인으로 될 수 있는 일반적 · 추상적 능력을 의미하나, 소송능력은 소송행위를 유효하게 할 수 있는 능력을 말한다.

ⓑ 형법상 책임능력과 구별 : 형법상 책임능력이란 사물을 변별하고 이에 따라 행동할 능력으로서 형사소송법상의 소송능력과 유사하지만 책임능력은 범행시에 존재하여야 하나, 소송능력은 소송행위시에 존재할 것을 요한다.

ⓒ 변론능력과 구별 : 변론능력이란 법정에서 변론할 수 있는 능력을 말하며, 소송능력이 있더라도 변론능력이 제한되는 경우가 있다(예 상고심에서 피고인에게 변론능력 ×). 92. 7급 검찰

② 소송능력 흠결의 효과

㉠ **소송행위의 무효** : 소송능력은 소송행위의 유효요건이므로, 소송능력 없는 자의 소송행위는 원칙적으로 무효이다. 그러나 소송능력은 당사자능력과는 달리 소송조건은 아니므로 흠결이 있다 하여 종국재판으로 절차를 종결할 필요는 없으며, 소송능력 없는 자에 대한 소송행위도 무효로 되지는 않는다(예 소송능력 없는 자에 대한 공소제기나 공소장부본송달 ⇨ 유효). 12. 경찰간부

㉡ **공판절차의 정지** : 피고인이 계속적으로 소송능력이 없는 상태에 있을 때에는 법원은 검사와 변호인 · 의사의 의견을 들어 결정으로 그 상태가 계속되는 기간 공판절차를 정지하여야 한다(제306조 제1항).

- 소송능력 결여 ⇨ 공판절차 정지
- 당사자능력 결여 ⇨ 공소기각 결정

관련판례

1. 형사소송법 제306조 제1항·제2항(사물변별능력 또는 의사결정능력이 없거나 질병시 공판절차의 정지)의 규정은 방어권행사의 침탈과 절차의 공정을 해치는 결과를 방지하려는데 입법의 취지가 있으므로, 피고인의 출정이 있고 또한 피고인이 중요이해를 변식하고 그에 따라 상당한 방어권행사를 할 수 있는 능력이 있다고 인정되는 경우에는 공판절차를 정지할 필요가 없는 것이다(대판 1983.3.8, 82도2873).
2. 피고인은 잔재형 정신분열증의 증상을 가지고 있어 집중력이나 판단력에 장애가 있기는 하지만 보통의 지능을 가지고 있고 의식은 명료하며 지각 및 기억력에도 장애가 없다는 것이고, 같은 의사 작성의 사실조회회신서의 기재에 의하면 피고인은 상고를 포기하면 재판이 끝나고 치료감호를 받아야 된다는 것을 이해하고 있다는 것이며 제1심 및 원심 공판정에서의 피고인의 진술 등을 이와 함께 종합하면 피고인은 상고를 포기할 당시 소송능력이 있었다고 보여지고 따라서 그의 상고포기는 유효하다(대판 1992.4.14, 92감도10).

㉢ **공판절차 정지의 특칙** : 소송능력이 없는 피고인에 대해서도 다음의 경우에는 공판절차를 진행할 수 있다.

ⓐ 무죄·면소·공소기각 등의 재판을 할 경우 : 피고사건에 대하여 무죄·면소·형면제·공소기각의 재판을 할 것이 명백한 때에는 피고인에게 소송능력이 없는 경우에도 피고인의 출정 없이 재판할 수 있다(제306조 제4항).
공판절차의 정지는 피고인의 이익보호를 위한 것인데, 이들 재판은 피고인에게 유리한 것이므로 공판절차의 정지없이 가능한 것이다.

ⓑ 의사무능력자와 소송행위의 대리 : 형법상 책임능력에 관한 규정(형법 제9조~제11조)을 적용받지 않는 범죄사건(예 조세범처벌법 제4조, 관세법 제194조, 담배전매법 제46조, 홍삼전매법 제24조)에 관하여 피고인 또는 피의자가 의사능력이 없는 때에는 그 법정대리인이 소송행위를 대리한다(제26조). 피고인의 법정대리인이 없는 때에는 법원은 직권 또는 검사의 청구에 의하여 특별대리인을 선임하여야 하며, 피의자의 경우는 법원은 검사 또는 이해관계인의 청구에 의하여 특별대리인을 선임하여야 한다(제28조 제1항).

ⓒ 피고인인 법인의 대표 : 법인 기타 단체는 의사능력이 없으므로 소송능력이 없다. 따라서 법인이 피고인인 때에는 법인이 소송행위를 할 수 없으므로 그 기관인 자연인이 법인을 대표하여 소송행위를 할 수밖에 없다. 그러므로 법인이 피고인 또는 피의자인 때에는 그 대표자가 소송행위를 대표하며(제27조 제1항), 수인이 공동하여 법인을 대표하는 경우에도 소송행위에 관하여는 각자 대표한다(동조 제2항). 피고인인 법인에 대표자가 없는 경우에는 법원은 직권 또는 검사의 청구에 의하여 특별대리인을 선임해야 하며, 피의자의 경우는 법원은 검사 또는 이해관계인의 청구에 의하여 특별대리인을 선임하여야 한다(제28조 제1항). 특별대리인은 대표자가 있을 때까지 그 임무를 행한다(동조 제2항).

관련판례

주식회사에 대하여 회사정리개시결정이 내려져 있는 경우라고 하더라도 적법하게 선임되어 있는 대표이사가 있는 한 그 대표이사가 회사를 대표하여 소송행위를 할 수 있고, 정리회사의 관리인은 정리회사의 대표자가 된다고 볼 수 없다(대결 1994.10.28, 94모25).

KEY point

- **소송능력** : 소송의 유효요건(소송조건 ×) ∴ 소송능력 없는 자의 소송행위 ⇨ 무효(소송능력 없는 자에 대한 공소제기, 공소장부본송달 : 그 자체가 무효로 되는 것은 아님)
- **변론능력과의 구별** : 소송능력이 있더라도 변론능력이 없을 수 있음
- **소송능력 흠결의 효과** : 공판절차 정지(예외 : 무죄 · 면소 · 공소기각 · 형면제 등의 재판, 의사무능력자의 소송행위의 대리, 피고인인 법인의 대표)

CHAPTER 01

기출문제

01 **공동피고인에 대한 설명으로 옳지 않은 것은?**(다툼이 있는 경우 판례에 의함)

22. 9급 검찰 · 마약 · 교정 · 보호 · 철도경찰

① 공범인 공동피고인은 당해 소송절차에서 피고인의 지위에 있으므로 소송절차가 분리되지 않으면 다른 공동피고인에 대한 공소사실에 대하여 증인이 될 수 없다.

② 대향범인 공동피고인은 소송절차의 분리로 피고인의 지위에서 벗어나더라도 다른 공동피고인에 대한 공소사실에 관하여 증인이 될 수 없다.

③ 공범이 아닌 공동피고인은 변론을 분리하지 않더라도 다른 공동피고인에 대한 공소사실에 대하여 증인이 될 수 있다.

④ 형사소송법 제310조의 피고인의 자백에는 공범인 공동피고인의 진술은 포함되지 아니하므로 공범인 공동피고인의 진술은 다른 공동피고인에 대한 범죄사실을 인정하는 증거로 할 수 있다.

해설 ① 대판 200.6.26, 2008도3300

② 피고인의 지위에 있는 공동피고인은 다른 공동피고인에 대한 공소사실에 관하여 증인이 될 수 없으나, 소송절차가 분리되어 피고인의 지위에서 벗어나게 되면 다른 공동피고인에 대한 공소사실에 관하여 증인이 될 수 있고, 이는 대향범인 공동피고인의 경우에도 다르지 않다(대판 2012.3.29, 2009도11249).

③ 대판 1979.3.27, 78도1031 ④ 대판 1990.10.30, 90도1939

02 **피고인 특정과 관련하여 아래의 괄호 안에 들어갈 적절한 용어를 모두 고른 것은?**(다툼이 있는 경우 판례에 의함)

24. 경찰승진

> 공판심리 중 성명모용사실이 밝혀지면 검사는 (㉠)절차에 의해 피고인의 표시를 바로 잡아야 한다. 만약 검사가 그 모용관계를 바로 잡지 아니한 경우, 이는 (㉡)에 해당하므로 법원은 (㉢)(으)로 공소를 기각하여야 한다.

① ㉠ 공소장정정 ㉡ 피고인에 대한 재판권이 없는 경우 ㉢ 결정

② ㉠ 공소장변경 ㉡ 적법한 공소제기가 없는 경우 ㉢ 판결

③ ㉠ 공소장변경 ㉡ 피고인에 대한 재판권이 없는 경우 ㉢ 결정

④ ㉠ 공소장정정 ㉡ 적법한 공소제기가 없는 경우 ㉢ 판결

해설 피의자가 다른 사람의 성명을 모용한 탓으로 공소장에 피모용자가 피고인으로 표시된 경우 검사는 공소장의 인적 사항의 기재를 정정하여 피고인의 표시를 바로잡아야 하는 것인바, 이는 피고인의 표시상의 착오를 정정하는 것이지 공소장을 변경하는 것이 아니므로 공소장변경의 절차를 밟을 필요가 없고 법원의 허가도 필요로 하지 아니한다. 검사가 공소장의 피고인 표시를 정정하여 모용관계를 바로잡지 아니한 경우에는 외형상 피모용자 명의로 공소가 제기된 것으로 되어 있어 공소제기의 방식이 형사소송법 제254조의 규정에 위반하여 무효라 할 것이므로 법원은 공소기각의 판결을 선고하여야 한다(대판 1993.1.19, 92도2554).

Answer 01. ② 02. ④

03 **피고인의 특정 및 성명모용에 대한 설명으로 옳지 않은 것은?** **23. 9급 교정 · 보호 · 철도경찰**

① 피고인이 타인의 성명을 모용한 경우 검사가 공소장의 피고인 표시를 정정함에 있어 공소장 변경의 절차를 밟을 필요는 없지만 법원의 허가를 요한다.

② 피고인이 타인의 성명을 모용한 사실이 공판심리 중에 밝혀졌는데도 검사가 공소장의 피고인 표시를 정정하여 모용관계를 바로잡지 아니하면 법원은 공소기각의 판결을 하여야 한다.

③ 검사는 공소장에 피고인을 특정할 수 있는 사항을 기재해야 하고, 공소제기의 효력은 검사가 피고인으로 지정한 사람에게만 미친다.

④ 법원이 성명모용사실을 알지 못하여 외형상으로는 피모용자에 대해 유죄판결을 선고하거나 판결이 확정되어도 그 판결의 효력은 모용자에게만 미치고 피모용자에게는 미치지 않는다.

해설 ① 피고인이 타인의 성명을 모용한 경우 검사가 공소장의 피고인 표시를 정정함에 있어 공소장변경의 절차를 밟을 필요는 없고, 법원의 허가를 요하지도 아니한다(대판 1993.1.19, 92도2554).
② 대판 1982.10.12, 82도2073
③ 검사는 공소장에 피고인을 특정할 수 있는 사항을 기재해야 하고(제254조 제3항 제1호), 공소제기의 효력은 검사가 피고인으로 지정한 사람에게만 미친다(제248조).
④ 통설적인 견해로 타당한 지문이다.

04 **진술거부권에 관한 다음 설명 중 가장 옳은 것은?**(다툼이 있는 경우 판례에 의하고, 전원합의체 판결의 경우 다수의견에 의함) **23. 9급 법원직**

① 수사기관이 피의자가 아닌 참고인으로 조사를 하면서 진술거부권을 고지하지 아니하고 작성한 진술조서는 위법수집증거에 해당한다.

② 수사기관이 피의자를 신문함에 있어서 피의자에게 미리 진술거부권을 고지하지 않은 때에는 그 피의자의 진술은 위법하게 수집된 증거이지만, 진술의 임의성이 인정되는 경우라면 증거능력이 인정된다.

③ 구속영장 발부에 의하여 적법하게 구금된 피의자가 피의자신문을 위한 출석요구에 응하지 아니하면서 수사기관 조사실에 출석을 거부한다면 수사기관은 그 구속영장의 효력에 의하여 피의자를 조사실로 구인할 수 있다고 보아야 하고, 이러한 경우에는 수사기관이 피의자를 신문하기 전에 진술거부권을 고지할 필요가 없다.

④ 비록 사법경찰관이 피의자에게 진술거부권을 행사할 수 있음을 알려 주고 그 행사 여부를 질문하였다 하더라도, 형사소송법 제244조의 3 제2항에 규정한 방식에 위반하여 진술거부권 행사 여부에 대한 피의자의 답변이 자필로 기재되어 있지 아니하거나 그 답변 부분에 피의자의 기명날인 또는 서명이 되어 있지 아니한 사법경찰관 작성의 피의자신문조서는 특별한 사정이 없는 한 형사소송법 제312조 제3항에서 정한 '적법한 절차와 방식'에 따라 작성된 조서라 할 수 없으므로 그 증거능력을 인정할 수 없다.

해설 ① 피의자의 지위에 있지 아니한 자에 대하여는 진술거부권이 고지되지 아니하였다 하더라도 그 진술의 증거능력을 부정할 것은 아니다(대판 2011.11.10, 2011도8125).

Answer 03. ① 04. ④

② 수사기관이 피의자를 신문함에 있어서 피의자에게 미리 진술거부권을 고지하지 않은 때에는 그 피의자의 진술은 위법하게 수집된 증거로서 진술의 임의성이 인정되는 경우라도 증거능력이 부인되어야 한다(대판 1992.6.23, 92도682).
③ 이러한 경우에도 일체의 진술을 하지 아니하거나 개개의 질문에 대하여 진술을 거부할 수 있고, 수사기관은 피의자를 신문하기 전에 그와 같은 권리를 알려주어야 한다(대결 2013.7.1, 2013모160).
④ 대판 2014.4.10, 2014도1779

05 **진술거부권에 관한 설명으로 옳은 것을 모두 고른 것은?**(다툼이 있는 경우 판례에 의함) **24. 경찰승진**

> ㉠ 객관적이고 명백한 증거가 있음에도 진실의 발견을 적극적으로 숨기거나 법원을 오도하려는 시도에 기인한 진술거부권의 행사라 하더라도 이는 가중적 양형의 조건으로 참작될 수 없다.
> ㉡ 수사기관이 피의자를 신문함에 있어서 피의자에게 미리 진술거부권을 고지하지 않은 때에는 진술의 임의성이 인정되는 경우라도 증거능력이 부인되어야 한다.
> ㉢ 교통사고를 야기한 운전자의 교통사고 신고의무를 규정한 구 도로교통법(1984. 8. 4. 법률 제3744호) 제50조 제2항 및 제111조 제3호를 사고 피해자의 구호 및 교통질서의 회복을 위한 조치가 필요한 범위 내에서 교통사고의 객관적 내용만을 신고하도록 한 것으로 해석하고, 형사책임과 관련되는 사항에는 적용되지 않는 것으로 해석하는 한 헌법에 위배되지 않는다.
> ㉣ 선거범죄 조사와 관련하여 선거관리위원회 위원·직원이 관계자에게 질문·조사를 할 수 있다고 규정하면서도 진술거부권의 고지에 관하여는 별도의 규정을 두고 있지 않은 구 공직선거법(2013. 8. 13. 법률 제12111호로 개정되기 전의 것) 제272조의 2에서, 선거범죄 조사와 관련하여 관계자에게 진술거부권 고지 없이 작성·수집된 선거관리위원회의 문답서는 증거능력이 없다.

① ㉠, ㉡　　② ㉠, ㉢　　③ ㉡, ㉢　　④ ㉡, ㉣

해설 ㉠ ×: 객관적이고 명백한 증거가 있음에도 진실의 발견을 적극적으로 숨기거나 법원을 오도하려는 시도에 기인한 진술거부권의 행사라 하더라도 이는 가중적 양형의 조건으로 참작할 수 있다(대판 2001.3.9, 2001도192).
㉡ ○: 대판 2011.11.10, 2010도8294
㉢ ○: 헌재결 1990.8.27, 89헌가118
㉣ ×: 개정된 공직선거법은 제272조의 2 제7항을 신설(2013. 8. 13)하여 선거관리위원회의 조사절차에서 피조사자에게 진술거부권을 고지하도록 하는 규정을 마련하였으나, 그 부칙 제1조는 "이 법은 공포한 날부터 시행한다."고 규정하고 있어 그 시행 전에 이루어진 선거관리위원회의 조사절차에서 미리 진술거부권을 고지하지 않았다고 하여 그 조사절차가 위법하다거나 그 과정에서 작성·수집된 선거관리위원회 문답서의 증거능력이 당연히 부정된다고 할 수는 없다(대판 2014.1.16, 2013도5441).

Answer 05. ③

06 다음 중 진술거부권에 관한 설명으로 옳지 않은 것은 모두 몇 개인가?(다툼이 있는 경우 판례에 따름)

22. 해경승진

㉠ 진술거부권이 보장되는 절차에서 진술거부권을 고지받을 권리는 헌법 제12조 제2항에 의하여 바로 도출되는 것이므로 이를 인정하기 위하여 별도의 입법적 뒷받침이 필요한 것은 아니다.
㉡ 수사기관이 피의자를 신문함에 있어서 피의자에게 미리 진술거부권을 고지하지 않은 때에는 그 피의자의 진술은 이의로 진술한 것이 아니라고 의심할 만한 합리적인 이유가 있는 경우로서 증거능력이 인정되어야 한다.
㉢ 진술거부권 고지의 대상이 되는 피의자의 지위는 수사기관이 범죄인지서를 작성하는 등의 형식적인 사건수리 절차를 거치기 전이라도 조사대상자에 대하여 범죄의 혐의가 있다고 보아 실질적으로 수사를 개시하는 행위를 한 때에는 인정되는 것으로 봄이 상당하다.
㉣ 조사대상자의 진술내용이 단순히 제3자의 범죄에 관한 경우가 아니라 자신과 제3자에게 공동으로 관련된 범죄에 관한 것이거나 제3자의 피의사실 뿐만 아니라 자신의 피의사실에 관한 것이기도 하여 그 실질이 피의자신문조서의 성격을 가지는 경우에 수사기관은 그 진술을 듣기 전에 미리 진술거부권을 고지하여야 한다.

① 1개 ② 2개 ③ 3개 ④ 4개

해설 ㉠ × : 진술거부권을 고지받을 권리가 헌법 제12조 제2항에 의하여 바로 도출된다고 할 수는 없고, 이를 인정하기 위해서는 입법적 뒷받침이 필요하다(대판 2014.1.16, 2013도5441).
㉡ × : 수사기관이 피의자를 신문함에 있어서 피의자에게 미리 진술거부권을 고지하지 않은 때에는 그 피의자의 진술은 위법하게 수집된 증거로서 진술의 임의성이 인정되는 경우라도 증거능력이 부인되어야 한다(대판 2009.8.20, 2008도8213).
㉢㉣ ○ : 대판 2015.10.29, 2014도5939

07 무죄추정의 원칙에 대한 설명으로 가장 적절하지 않은 것은?(다툼이 있는 경우 판례에 의함)

21. 경찰승진

① 무죄추정을 통해 금지되는 불이익한 처분에는 형사절차상의 처분뿐만 아니라 그 밖의 기본권 제한과 같은 처분에 의한 불이익도 포함된다.
② 파기환송사건에 있어서 구속기간 갱신 및 구속으로 인하여 신체의 자유가 제한되는 것은 무죄추정의 원칙에 위배되지 아니한다.
③ 형사재판절차에서 유죄의 확정판결을 받기 전에 처분청이 징계혐의사실을 인정하는 것은 무죄추정의 원칙에 위배되지 아니한다.
④ 공소장의 공소사실 첫머리에 피고인 특정에 필요한 사항으로서 피고인이 전에 받은 소년부송치 처분을 기재하였다면 이는 무죄추정의 원칙에 반한다.

해설 ① 헌재결 1990.11.19, 90헌가48 ② 대판 2001.11.30, 2001도5225 ③ 대판 1986.6.10, 85누407
④ 공소장의 공소사실 첫머리에 피고인 특정에 필요한 사항으로서 피고인이 전에 받은 소년부송치 처분을 기재하였다면 이는 무죄추정의 원칙에 반하지 아니한다(대판 1990.10.16, 90도1813).

Answer 06. ② 07. ④

08 **당사자능력과 소송능력에 대한 설명으로 옳은 것은?**(다툼이 있는 경우 판례에 의함) 19. 7급 국가직

① 형법상 책임무능력자도 형사소송법상 당사자능력을 가질 수 있다.

② 법인에 대한 형사처벌이 양벌규정을 통하여 인정되는 경우에도 법인의 당사자능력은 인정되지 않는다.

③ 소송능력은 소송조건이므로 소송능력이 없는 사람에 대하여 공소를 제기한 경우 공소기각의 결정을 하여야 한다.

④ 반의사불벌죄에 있어서 피해자는 의사능력이 있더라도 피의자에 대한 처벌을 희망하지 않는다는 의사표시를 단독으로 할 수 없다.

해설 ①② 당사자능력이란 당사자가 될 수 있는 일반적·추상적 능력을 의미하는 것이므로 형법상 책임능력 유무를 불문하고 살아 있는 사람은 언제나 당사자능력을 가진다. 법인의 경우도 당사자능력이 인정됨은 물론이다.

③ 소송능력이란 소송조건이 아니라 소송의 유효요건이므로 소송능력이 없는 사람에 대하여 공소제기를 한 경우에는 회복할 때까지 공판절차를 정지하게 된다(제306조).

④ 반의사불벌죄에 있어서 피해자의 피고인 또는 피의자에 대한 처벌을 희망하지 않는다는 의사표시 또는 처벌을 희망하는 의사표시의 철회는, 의사능력이 있는 피해자가 단독으로 이를 할 수 있고, 거기에 법정대리인의 동의가 있어야 한다거나 법정대리인에 의해 대리되어야만 한다고 볼 것은 아니다(대판 2009.11.19, 2009도6058 전원합의체).

09 **무죄추정의 원칙에 대한 설명으로 옳지 않은 것은?** 24. 9급 검찰·마약·교정·보호·철도경찰

① 무죄추정의 원칙은 형사절차뿐만 아니라 기타 일반 법생활영역에서의 기본권 제한과 같은 경우에도 적용된다.

② 형사소송법상의 구속기간은 헌법상의 무죄추정의 원칙에서 파생되는 불구속수사원칙에 대한 예외로서 설정된 기간이다.

③ 구금시설의 소장이 마약류사범인 미결수용자에 대하여 시설의 안전과 질서유지를 위하여 필요한 범위에서 계호를 엄중히 하는 등 다른 미결수용자와 달리 관리할 수 있도록 한 형의 집행 및 수용자의 처우에 관한 법률 규정은 무죄추정의 원칙에 반하지 않는다.

④ 법무부장관이 형사사건으로 공소가 제기된 변호사에 대하여 그 판결이 확정될 때까지 업무정지를 명할 수 있도록 하는 구 변호사법 규정은 무죄추정의 원칙에 반하지 않는다.

해설 ① 헌재결 2015.2.26, 2012헌바435

② 헌재결 2003.11.27, 2002헌마193

③ 헌재결 2013.7.25, 2012헌바63

④ 법무부장관이 형사사건으로 공소가 제기된 변호사에 대하여 그 판결이 확정될 때까지 업무정지를 명할 수 있도록 하는 구 변호사법 규정은 무죄추정의 원칙에 반한다(헌재결 1990.11.19, 90헌가48).

Answer 08. ① 09. ④

10 피의자 및 피고인의 진술거부권에 대한 설명으로 옳지 않은 것은? 24. 7급 국가직

① 진술거부권은 피의자나 피고인으로서 수사 또는 공판절차에 계속 중인 자뿐만 아니라 장차 피의자나 피고인이 될 자에게도 보장되며, 형사절차뿐만 아니라 행정절차나 국회에서의 조사절차 등에서도 보장된다.

② 사법경찰관이 피의자에게 진술거부권을 행사할 수 있음을 알려 주고 그 행사 여부를 질문하였다면, 피의자신문조서 중 진술거부권 행사 여부에 대한 피의자의 답변 부분에 피의자의 기명날인 또는 서명이 되어 있지 아니하였다고 하더라도 그 피의자신문조서의 증거능력이 배제되는 것은 아니다.

③ 형사소송절차에서 피고인은 방어권에 기하여 범죄사실에 대한 진술을 거부하거나 거짓 진술도 할 수 있지만, 그러한 태도나 행위가 피고인에게 보장된 방어권 행사의 범위를 넘어 객관적이고 명백한 증거가 있음에도 진실의 발견을 적극적으로 숨기거나 법원을 오도하려는 시도에 기인한 경우에는 가중적 양형의 조건으로 참작될 수 있다.

④ 수사기관에 의한 진술거부권 고지의 대상이 되는 피의자의 지위는 수사기관이 범죄인지서를 작성하는 등의 형식적인 사건수리 절차를 거치기 전이라도 조사대상자에 대하여 범죄의 혐의가 있다고 보아 실질적으로 수사를 개시하는 행위를 한 때에 인정된다.

해설 ① 헌재결 1990.8.27, 89헌가118

② 사법경찰관이 피의자에게 진술거부권을 행사할 수 있음을 알려 주고 그 행사 여부를 질문하였다 하더라도, 형사소송법 제244조의 3 제2항에 규정한 방식에 위반하여 진술거부권 행사 여부에 대한 피의자의 답변이 자필로 기재되어 있지 아니하거나 그 답변 부분에 피의자의 기명날인 또는 서명이 되어 있지 아니한 사법경찰관 작성의 피의자신문조서는 특별한 사정이 없는 한 형사소송법 제312조 제3항에서 정한 '적법한 절차와 방식에 따라 작성'된 조서라 할 수 없으므로 그 증거능력을 인정할 수 없다(대판 2013.3.28, 2010도3359).

③ 대판 2001.3.9, 2001도192

④ 대판 2015.10.29, 2014도5939

Answer 10. ②

제4절 변호인

1 변호인제도의 의의

(1) 의 의

변호인이라 함은 피고인 또는 피의자의 방어권을 보충하는 것을 임무로 하는 보조자를 말한다.

(2) 형식적 변호와 실질적 변호

변호인에 의한 변호를 형식적 변호라 하고, 법원이나 검사가 공익적 견지에서 담당하는 변호적 기능을 실질적 변호라 한다.

2 변호인의 선임

변호인의 지위는 선임에 의하여 발생하며, 선임방법에 따라 사선변호인과 국선변호인으로 구별된다.

(1) 사선변호인

사선변호인이란 피고인·피의자 또는 그와 일정한 관계에 있는 자가 선임한 변호인을 말한다.

① 선임권자

고유 선임권자	피의자·피고인(제30조 제1항)
선임 대리권자	피의자 또는 피고인의 법정대리인·배우자·직계친족·형제자매는 독립하여 변호인을 선임할 수 있다(제30조 제2항). 04. 9급 법원직, 11. 7급 국가직, 13. 경찰승진 ▶ '독립하여'란 본인의 명시적·묵시적 의사에 반하여도 선임할 수 있다는 의미이다(선임대리권자가 본인의 의사에 반하여 변호인을 선임한 경우에도 본인에게 효과가 발생하며, 00. 7급 검찰 일단 선임한 후에는 본인의 의사에 반하여 해임할 수 없으나 본인은 해임할 수 있다). 08. 9급 국가직 ▶ 배우자 ⇨ 법률상 배우자(다수설) ▶ 동거인, 고용주 ⇨ 선임대리권자 ×

☎ 검사 이외의 재심청구인도 변호인선임권이 있다(제426조).

용어 해설 **직계친족**

친족이라 함은 8촌 이내의 혈족, 4촌 이내의 인척, 배우자를 말하며, 이들 중 직계, 즉 위에서 아래로 이어지는 수직적 관계에 해당하는 자를 직계친족이라 한다.

관련판례

형사소송에 있어서 변호인을 선임할 수 있는 자는 피고인 및 피의자와 형사소송법 제30조 제2항에 규정된 자에 한정되는 것이고, 피고인 및 피의자로부터 그 선임권을 위임받은 자가 피고인이나 피의자를 대리하여 변호인을 선임할 수는 없는 것이므로, 피고인이 법인인 경우에는 형사소송법 제27조 제1항 소정의 대표자가 피고인인 당해 법인을 대표하여 피고인을 위한 변호인을 선임하여야 하며, 대표자가 제3자에게 변호인선임을 위임하여 제3자로 하여금 변호인을 선임하도록 할 수는 없다(대결 1994.10.28, 94모25). 10. 9급 법원직, 12. 순경, 17. 순경 1차, 21. 순경 2차, 22. 경찰간부, 18 · 23. 9급 검찰 · 마약 · 교정 · 보호 · 철도경찰

---

② **피선임자**

㉠ **변호인의 자격** : 변호인은 원칙적으로 변호사 중에서 선임한다(제31조). 그러나 특별한 사정이 있는 경우에 법원의 허가를 얻어 변호사 아닌 자를 변호인으로 선임할 수 있는데 17. 순경 1차, 21. 경찰승진 이를 특별변호인이라 한다(제31조 단서).

단, 상고심은 변호사를 선임하여야 한다.

㉡ **변호인의 수** : 1인의 피의자 · 피고인이 선임할 수 있는 변호인의 수에는 제한이 없다. 16. 경찰간부

대표변호인제도 : 소송지연을 방지하기 위하여 대표변호인제도를 두고 있다(제32조의 2).

1. 피의자나 피고인에게 수인의 변호인이 있는 때에는 재판장은 직권 또는 피고인 · 피의자 또는 변호인의 신청에 의하여 대표변호인을 3인까지 지정할 수 있고, 그 지정을 철회 또는 변경할 수 있다(동조 제1항 · 제2항 · 제3항). 13. 경찰승진
2. 피의자에게 수인의 변호인이 있는 때에 검사가 대표변호인을 지정할 수도 있다(동조 제5항). 08. 9급 국가직
   기소 전 대표변호인 지정 ⇨ 기소 후에도 효력(○)
3. 대표변호인에 대한 통지 또는 서류의 송달은 변호인 전원에 대하여 효력이 있다(동조 제4항).
   통지 또는 서류송달에 관해 대표성을 가지므로 증거조사 등은 다른 변호인도 가능
4. 대표변호인의 지정, 지정의 철회 또는 변경
   - 피고인 또는 피의자 신청에 의한 때 ⇨ 검사 및 대표변호인에게 통지하여야 하고
   - 변호인의 신청에 의하거나 직권에 의한 때 ⇨ 피고인 또는 피의자 및 검사에게 통지하여야 한다(규칙 제13조의 3).

㉢ **선임방법**

ⓐ 변호인선임은 변호인과 선임자가 연명 · 날인한 서면(변호인선임서)을 공소제기 전에는 검사나 사법경찰관에게, 공소제기 이후에는 수소법원에 제출하여야 한다(제32조 제1항). 11. 9급 법원직

ⓑ 변호인의 선임은 법원 또는 수사기관에 대한 소송행위이므로 선임자와 변호인 사이의 민법상의 위임계약이 무효 · 또는 취소되더라도 변호인선임의 효력에는 영향이 없다.

ⓒ 변호인선임은 소송행위이므로 명확성을 기해야 하는바, '구속적부심사청구가 인용되면 계속 변호인으로 선임한다.'와 같은 조건부 선임은 허용될 수 없다.

관련판례

변호인선임신고서는 특별한 사정이 없는 한 원본을 의미한다고 할 것이고, 사본은 이에 해당하지 않는다고 할 것이다(대결 2005.1.20, 2003모429). 12. 9급 법원직

㉣ **선임의 효과** : 변호인의 권리 · 의무는 선임에 의하여 발생한다. 따라서 변호인선임계 없이 제출된 상소이유서는 적법 · 유효하다 할 수 없다.

관련판례

1. 변호인선임계를 제출하지 아니한 채 항소이유서만을 제출하고 항소이유서 제출기간 경과 후에 변호인선임계를 제출하였다면 이는 적법·유효한 항소이유서라 볼 수 없다(대결 1969.10.4, 69모68). 21. 경찰승진, 23. 9급 검찰·마약·교정·보호·철도경찰
2. 변호인선임신고서를 제출하지 아니한 변호인이 변호인 명의로 정식재판청구서만 제출하고, 정식재판청구기간 경과 후에 비로소 변호인선임신고서를 제출한 경우, 위 정식재판청구서는 적법·유효한 정식재판청구로서의 효력이 없다(대결 2001.11.1, 2001도4839). 10. 9급 국가직, 12. 9급 법원직, 17. 경찰간부, 19. 7급 국가직
3. 피고인들의 제1심 변호인에게 변호사법 제31조 제1호의 수임제한 규정을 위반한 위법이 있다 하여도, 피고인들 스스로 위 변호사를 변호인으로 선임한 이 사건에 있어서 다른 특별한 사정이 없는 한 위와 같은 위법으로 인하여 변호인의 조력을 받을 피고인들의 권리가 침해되었다거나 그 소송절차가 무효로 된다고 볼 수는 없다(대판 2009.2.26, 2008도9812). 20. 순경 2차

ⓐ 심급과의 관계 : 변호인선임의 효력은 해당 심급에 대해서만 미친다. 따라서 변호인은 심급마다 선임하여야 한다(제32조 제1항). 16. 경찰간부 여기서 심급이 끝난 시점은 이심의 효력(소송계속이 상소법원에 이전되는 효력)이 발생한 때를 말한다.

이심의 효력이 어느 시점에 발생하는가에 대하여 견해가 대립되나 소송기록을 상소법원에 송부한 때로부터 이심의 효력이 발생한다고 보는 견해가 다수설이다.

특 칙

1. 수사절차에서의 변호인선임 : 공소제기 전에 변호인을 선임한 경우에는 제1심에도 효력이 있다(제32조 제2항). 10. 7급 국가직, 11·16·22. 9급 법원직, 15·17. 순경 1차
2. 환송·이송 후의 절차 : 원심의 변호인선임은 항소심의 파기환송(제366조) 또는 파기이송(제367조)이 있은 후에도 효력이 있다(규칙 제158조). 파기환송·파기이송이 있으면 원심판결선고가 없는 상태로 돌아가므로 선임의 효과가 유지되는 것이라 할 수 있다. 00. 7급 검찰, 08·10. 9급 국가직, 12·13. 9급 법원직, 13. 9급 교정·보호·철도경찰 판례는 상고심에서도 동일하게 해석하고 있다(대판 1968.2.27, 68도64). 12. 9급 법원직 일반법원이 같은 심급의 군사법원으로 사건을 이송하는 경우에도 변호인선임의 효력은 지속된다고 보아야 할 것이다.

ⓑ 사건과의 관계 : 변호인의 선임은 사건을 단위로 하는 것이므로 그 효력은 공소사실의 동일성이 인정되는 사실(소송법상 하나의 사건) 전부에 미치는 것이 원칙이다. 따라서 공소장변경에 의하여 공소사실이 변경된 경우에도 선임의 효력에는 영향이 없다. 다만, 여기에는 아래 표 내용의 두 가지 예외가 있다.

사건의 일부에 대한 변호인선임의 효력	한 사건의 일부에 대한 변호인의 선임도 그 일부분이 다른 부분과 가분적이며, 그 부분만에 대한 선임이 합리적이라 인정되는 경우에만 허용된다. 판례도 구속적부심사청구에만 변호인선임의 효력 의사가 명백하게 표시된 경우에 그러한 제한은 허용된다는 입장이다.
다수의 사건과 변호인선임의 효력	형사소송규칙은 피고인 또는 변호인이 다른 의사표시를 하지 않는 경우에는 추가로 공소제기되어 병합심리된 다른 사건에도 선임의 효력이 미친다고 규정하고 있다(규칙 제13조). 08. 9급 국가직, 09. 순경, 13. 9급 교정·보호·철도경찰

관련판례

1. 변호인을 선임할 권한이 없는 자가 선임한 변호인이 형사공판정에 출석하여 변호권을 행사하였다 하여 판결결과에 하등의 영향을 미치는 것이 아니다(대판 1960.7.13, 4292형상1075).
2. 필요적 변호사건과 다른 사건을 병합하여 심리하는 경우에 변호인의 관여 없이 공판절차를 진행한 위법은 필요적 변호사건이 아닌 다른 사건 부분에도 미친다(대판 2011.4.28, 2011도2279). 20. 9급 검찰 · 마약수사 · 교정 · 보호 · 철도경찰

(2) 국선변호인

① **의의 및 제도적 취지** : 국선변호인이라 함은 법원에 의하여 선임된 변호인을 말한다. 변호인 제도의 취지를 철저화하기 위해서는 사선변호만으로는 불충분하기 때문에 국선변호인 제도가 필요하다(사선변호인의 선임이 있으면 국선변호인을 선정할 수 없음).

관련판례

피고인에게 국선변호인의 조력을 받을 권리를 보장하여야 할 국가의 의무에는 형사소송절차에서 단순히 국선변호인을 선정하여 주는 데 그치지 않고 한 걸음 더 나아가 피고인이 국선변호인의 실질적인 조력을 받을 수 있도록 필요한 업무 감독과 절차적 조치를 취할 책무까지 포함된다고 할 것이다(대결 2012.2.16, 2009모1044 전원합의체). 16 · 19. 7급 국가직, 19. 변호사시험

② **국선변호인의 선정사유** : 국선변호인 선정사유에 해당하는 경우에 피고인에게 변호인이 없거나 변호인이 출석하지 아니한 때에는 개정이나 심리를 진행할 수 없으므로(판결선고시는 예외 : 제282조 단서), 10. 9급 국가직, 12. 변호사시험, 13. 경찰승진 법원은 직권으로 국선변호인을 선정하여야 한다. 10. 경찰승진

선정된 변호인이 공판정에 출석하지 않은 경우에는 국선변호인을 선정할 필요가 없다. (×)

현행법상 국선변호인 선정에는 법원이 반드시 국선변호인을 선정하여야 하는 필요적 국선, 피고인의 청구에 기하여 국선변호인을 선정하는 청구국선, 필요적 국선 사유가 없고 피고인의 청구가 없더라도 법원의 재량으로 국선변호인을 선정할 수 있는 재량국선으로 나누어 볼 수 있다.

국선변호인 선정사유

제33조	〈제1항〉 : 다음 각 호에 해당하는 경우에 변호인이 없는 때에는 법원은 직권으로 변호인을 선정하여야 한다. 1. 피고인이 구속된 때 2. 피고인이 미성년자인 때 12. 변호사시험 3. 피고인이 70세 이상인 때 19. 경찰승진 4. 피고인이 듣거나 말하는데 모두 장애가 있는 사람인 때 5. 피고인이 심신장애의 의심이 있는 때 6. 피고인이 사형 · 무기 또는 단기 3년 이상의 징역이나 금고에 해당하는 사건으로 기소된 때 08. 순경 · 9급 법원직, 09 · 10 · 11. 순경 1차, 11. 7급 국가직, 13. 9급 검찰 · 마약수사, 22. 경찰승진 ▶ 법정형을 기준으로 하며 단기가 3년 미만이라도 사형 · 무기형이 함께 규정되어 있으면 이에 해당한다.

	▶ 피고인이 사형, 무기 또는 장기 3년 이상의 징역이나 금고에 해당하는 사건으로 기소된 때에는 법원은 직권으로 변호인을 선정하여야 한다. (×) 16. 경찰승진 〈제2항〉: 청구국선 ▶ 피고인이 빈곤 그 밖의 사유로 변호인을 선임할 수 없는 경우에 피고인의 청구가 있는 때에는 변호인을 선정하여야 한다(사유 × ⇨ 기각결정). 10. 9급 법원직, 11. 순경, 16. 경찰승진 법원은 피고인이 빈곤 그 밖의 사유로 변호인을 선임할 수 없는 경우에 직권으로 국선변호인을 선정하여야 한다. (×) 18. 경찰승진, 21. 순경 2차 〈제3항〉: 재량국선 ▶ 피고인의 권리보호를 위하여 필요하다고 인정한 때(피고인의 명시적 의사에 반할 수는 없다)에는 변호인을 선정하여야 한다. 08·11. 순경, 12. 7급 국가직, 21. 순경 2차 ▶ 제2항·제3항은 국선변호인이 선정된 경우에 한하여 변호인 없이 개정하지 못함.
체포·구속 적부심사	체포·구속적부심사를 청구한 피의자에게 변호인이 없는 때에는 국선변호사건의 근거규정인 제33조를 준용하여 국선변호인을 선정하여야 한다(제214조의 2 제10항). 11. 9급 법원직, 22. 경찰간부 ▶ 구속피의자는 국선변호인 선정사유이므로, 실제로는 체포적부심절차에서 의미를 가진다.
피의자 심문과 구속	영장실질심사에서 심문할 피의자에게 변호인이 없는 때 지방법원판사는 직권으로 변호인을 선정하여야 한다(이때 선정된 국선변호인은 심문을 통해 피의자가 구속된 경우에 제1심까지 효력이 있다)(제201조의 2 제8항). 08·10. 순경, 12. 7급 국가직, 13. 순경 2차, 18. 경찰승진, 20. 9급 법원직 구속영장의 청구가 기각된 경우에도 선정의 효력은 제1심까지 지속된다. (×) 11. 9급 법원직, 12. 변호사시험, 13. 순경 2차, 22. 경찰승진
재심사건	재심개시결정이 확정된 사건에 있어서 1. 사망자 또는 회복할 수 없는 심신장애자를 위하여 재심청구가 있는 때 2. 유죄의 선고를 받은 자가 재심의 판결 전에 사망하거나 회복할 수 없는 심신장애인으로 된 때 재심청구자가 변호인을 선임하지 아니하면 국선변호인을 선임하여야 한다(제438조 제4항). ▶ 재심개시결정이 확정되어 재심공판절차에 들어간 경우가 아닌 재심개시결정 전의 절차에서는 재심청구인이 국선변호인 선임을 청구할 수 없다(**판례**). 12·17. 경찰간부 사망자를 위하여 재심을 청구한 자가 재심심판절차에서 변호인을 선임하지 않은 때에는 재판장은 직권으로 변호인을 선임하여야 한다. (○) 19. 7급 국가직
공판준비 절차	공판준비기일이 지정된 사건에 관하여 변호인이 없는 때에는 법원은 직권으로 변호인을 선정하여야 한다(제266조의 8 제4항). 10. 순경, 12. 7급 국가직, 16·18. 경찰승진
기 타	다음과 같은 경우에도 국선변호인의 선정이 필요하다. 1. 군사법원 관할사건(군사법원법 제62조 제1항) 2. 치료감호청구사건(치료감호 등에 관한 법률 제15조 제2항) 심신장애, 마약, 알콜중독, 정신성적 장애인 등 모두 대상(개정) 13. 9급 검찰·마약수사 3. 국민참여재판(국민의 형사재판 참여에 관한 법률 제7조) 08·11·13. 순경 2차, 15. 경찰승진·9급 법원직 4. 전자장치부착명령사건(전자장치 부착 등에 관한 법률 제11조)

관련판례

1. 필요적 변호사건의 경우에 변호인 없이 개정 · 심리한 것은 소송절차의 법령위반에 해당하여 무효라 할 것이지만, 피고인에게 유리한 무죄판결이 난 경우에는 그 판결은 유효하다(대판 2003.3.25, 2002도5748). 11 · 20. 경찰승진, 23. 9급 검찰 · 마약 · 교정 · 보호 · 철도경찰, 24. 9급 법원직
2. 필요적 변호사건에서 제1심 공판절차가 변호인 없이 이루어진 경우 무효이므로 항소심절차에서 변호인 있는 상태에서 소송행위를 새로이 한 후 위법한 제1심 판결을 파기하고, 항소심에서의 진술 및 증거조사 등 심리결과에 기하여 다시 판결을 하여야 한다(대판 1995.4.25, 94도2347). 11. 경찰승진, 12. 경찰간부, 20. 순경 1차, 16 · 23. 7급 국가직, 25. 소방간부
3. 공판절차가 아닌 재심개시결정 전의 절차에서 재심청구인이 국선변호인선임청구를 할 수 없다(대결 1993.12.3, 92모49). 12. 경찰간부, 13. 순경 2차, 11 · 15 · 19. 경찰승진
4. 필요적 변호사건에서 피고인이 재판거부의 의사표시 후 재판장의 허가 없이 퇴정하고 변호인마저 이에 동조하여 퇴정해 버린 경우, 수소법원으로서는 피고인이나 변호인의 재정 없이도 심리판결할 수 있으며, 피고인과 변호인이 출석하지 않은 상태에서 증거조사를 할 수 밖에 없는 때에는 피고인의 증거동의가 있는 것으로 간주한다(대판 1991.6.28, 91도865). 11. 경찰승진, 12. 순경, 20. 9급 검찰 · 마약 · 교정 · 보호 · 철도경찰, 22. 7급 국가직
5. 즉결심판을 받은 피고인이 정식재판을 청구하여 공판절차가 개시된 경우에는 통상의 공판절차와 마찬가지로 국선변호인 선정에 관한 규정이 적용된다(대판 1997.2.14, 96도3059). 08. 순경 2차, 11. 7급 국가직, 16. 9급 검찰 · 마약 · 교정 · 보호 · 철도경찰
   ▶ 즉결심판에 관한 절차법에 특별한 규정이 없고 그 성질에 반하지 않는 한 형사소송법 규정은 즉결심판절차에도 준용된다(즉결심판에 관한 절차법 제19조). 이와 관련하여 형사소송법의 국선변호에 관한 규정을 즉결심판에도 적용할 수 있는가에 대하여는 긍정설과 부정설의 대립이 있다. 생각건대 국선변호인제도는 간이 · 신속이라는 즉결심판의 본질과 일치할 수 없으므로 부정설이 타당하다.
7. 빈곤 등을 이유로 국선변호인 선정청구를 하였으나 법원이 정당한 이유 없이 국선변호인을 선정하지 않고 있는 사이에 피고인 스스로 변호인을 선임하였으나 그때는 이미 피고인에 대한 항소이유서 제출기간이 도과해버린 후인 경우에는 법원은 사선변호인에게도 소송기록접수통지를 함으로써 그 사선변호인이 통지를 받은 날로부터 20일 내에 항소이유서를 작성 · 제출할 수 있는 기회를 주어야 한다(대판 2009.2.12, 2008도11486). 04. 행시, 12. 9급 법원직, 18. 경찰승진
8. 필요적 변호사건이라도 일부만이 유죄로 인정되고 유죄부분만이 상소되어 그 범죄사실이 변호인 없이 개정할 수 있는 사건에 해당하게 된 경우라면 필요적 변호사건으로 취급되지 아니한다(대판 2003.3.25, 2002도5748).
9. 필요적 변호사건에 있어서 선임된 사선변호인에 대한 기일통지를 하지 아니함으로써 사선변호인의 출석 없이 제1회 공판기일을 진행하였더라도 그 공판기일에 국선변호인이 출석하였다면 변호인 없이 재판한 잘못이 있다 할 수 없고, 22. 경찰간부 또한 사선변호인이 제2회 공판기일부터는 계속 출석하여 변호권을 행사하였다면 사선변호인으로부터의 변호를 받을 기회를 박탈하였다거나 사선변호인의 변호권을 제한하였다 할 수 없다(대판 1990.9.25, 90도1571). 10. 경찰승진, 20. 순경 1차
10. 필요적 변호사건의 공판절차가 사선변호인과 국선변호인이 모두 불출석한 채 개정되어 국선변호인 선정 취소 결정이 고지된 후 변호인 없이 피해자에 대한 증인신문 등 심리가 이루어진 경우, 그와 같은 위법한 공판절차에서 이루어진 피해자에 대한 증인신문 등 일체의 소송행위는 모두 무효라고

할 것이나, 18 · 22. 7급 국가직, 19. 경찰간부 그 절차에서의 소송행위 외에 다른 절차에서 적법하게 이루어진 소송행위까지 모두 무효로 된다고 볼 수는 없다(대판 1999.4.23, 99도915).09. 10. 경찰승진, 11. 9급 법원직, 12. 순경 · 변호사시험, 14. 9급 검찰 · 마약수사, 15. 7급 국가직

11. 형사소송법 제33조 제1항(국선변호인 선정사유) 제1호의 '피고인이 구속된 때'라고 함은 피고인이 해당 형사사건에서 구속되어 재판을 받고 있는 경우에 한정된다고 볼 수 없고, 피고인이 별건으로 구속영장이 발부되어 집행되거나 다른 형사사건에서 유죄판결이 확정되어 그 판결의 집행으로 구금 상태에 있는 경우 또한 포괄하고 있다고 보아야 한다(대판 2024.5.23, 2021도6357 전원합의체). 24. 7급 국가직, 25. 소방간부 – 대법원은 형사소송법 제33조 제1항 제1호의 '피고인이 구속된 때'라고 함은 피고인이 해당 형사사건에서 구속되어 재판을 받고 있는 경우만를 의미한다는 종전 판례를 변경하였다.
12. 피고인이 2급 시각장애인으로서 점자자료가 아닌 경우에는 인쇄물 정보접근에 상당한 곤란을 겪는 수준임에도, 국선변호인 선정절차를 취하지 아니한 채 공판심리를 진행한 경우에는 제33조 제3항을 위반한 위법이 있으므로, 피고인의 명시적 의사에 반하지 아니하는 범위 안에서 국선변호인을 선정하여 방어권을 보장해 줄 필요가 있다(대판 2010.4.29, 2010도881). 11. 경찰승진, 13. 순경 2차, 25. 소방간부
13. 법원이 피고인 본인의 항소이유서 제출기간 경과 후 국선변호인을 선정하고 그에게 소송기록 접수통지를 하였으나, 국선변호인이 항소이유서를 제출하지 아니한 데 대하여 피고인에게 귀책사유가 있음이 특별히 밝혀지지 않는 한, 항소법원은 종전 국선변호인의 선정을 취소하고 새로운 국선변호인을 선정하여 다시 소송기록접수통지를 함으로써 새로운 국선변호인으로 하여금 그 통지를 받은 때로부터 항소이유서제출기간(제361조의 3 제1항) 내에 피고인을 위하여 항소이유서를 제출하도록 하여야 한다(대결 2012.2.16, 2009모1044 전원합의체). 14. 경찰간부, 18. 9급 법원직, 19. 변호사시험, 20. 9급 검찰 · 마약 · 교정 · 보호 · 철도경찰, 15 · 16 · 22. 7급 국가직
14. 국선변호인 선정의 효력은 선정 이후 병합된 다른 사건에도 미치는 것이므로, 항소심에서 국선변호인이 선정된 이후 변호인이 없는 다른 사건이 병합된 경우에는 항소법원은 지체 없이 국선변호인에게 병합된 사건에 관한 소송기록 접수통지를 함으로써 국선변호인이 통지를 받은 날로부터 20일 내에 피고인을 위하여 항소이유서를 작성 · 제출할 수 있도록 하여야 한다(대판 2010.5.27, 2010도3377). 12. 순경, 24. 9급 법원직
15. 법원은 시각장애인인 피고인의 연령 · 지능 · 교육 정도 등을 확인한 다음 권리보호를 위하여 필요하다고 인정하는 때에는 피고인의 명시적 의사에 반하지 아니하는 범위 안에서 국선변호인을 선정하여야 한다(대판 2014.8.28, 2014도4496). 16. 7급 국가직, 19. 경찰승진 · 7급 국가직, 20. 순경 1차
16. 피고인이 지체(척추) 4급 장애인으로서 국민기초생활수급자에 해당한다는 소명자료를 첨부하여 서면으로 빈곤을 사유로 한 국선변호인 선정청구를 하였고, 위 소명자료에 의하면 피고인이 빈곤으로 인하여 변호인을 선임할 수 없는 경우에 해당하는 것으로 인정할 여지가 충분하며 기록상 이와 달리 판단할 사정을 찾아볼 수 없으므로, 특별한 사정이 없는 한 국선변호인 선정결정을 하여 선정된 변호인으로 하여금 공판심리에 참여하도록 하였어야 하는데도, 위 청구를 기각하는 결정을 한 후 피고인만 출석한 상태에서 심리를 진행하여 판결을 선고한 것은 위법하다(대판 2011.3.24, 2010도18103). 13. 경찰승진
17. 필요적 국선사건이 아님에도 제1심이 국선변호인을 선정하여 준 후 피고인에게 징역 1년의 형을 선고하면서 법정구속을 하지 않았는데, 피고인이 항소장만을 제출한 다음 국선변호인 선정청구를 하지 않은 채 법정기간 내에 항소이유서를 제출하지 아니하자 항소심이 피고인의 항소를 기각한 경우, 국선변호인 선정 없이 공판심리를 진행한 항소심의 판단과 조치 및 절차는 정당하다(대판 2013.5.9, 2013도1886). 22. 7급 국가직

18. 제1심에서 국선변호인 선정청구가 인용되고 불구속 상태로 실형을 선고받은 피고인이 그 후 별건 구속된 상태에서 항소를 제기하여 국선변호인 선정청구를 하였는데, 항소심이 이에 대해 아무런 결정도 하지 않고 공판기일을 진행하여 실질적 변론과 심리를 마치고서야 국선변호인 선정청구를 기각한 경우, 국선변호인 선정에 관한 형사소송법 규정을 위반한 잘못이 있다(대판 2013.7.11, 2012도16334).
19. 법원은 피고인으로부터 국선변호인 선정청구가 있는 경우 또는 직권으로 소송기록과 소명자료를 검토하여 피고인이 형사소송법 제33조 제2항(청구국선) 또는 제3항(재량국선)에 해당한다고 인정되는 경우 즉시 국선변호인을 선정하고, 소송기록에 나타난 자료만으로 그 해당 여부가 불분명한 경우에는 제1회 공판기일의 심리에 의하여 국선변호인의 선정 여부를 결정할 것이며, 제1심에서 피고인의 청구 또는 직권으로 국선변호인이 선정되어 공판이 진행된 경우에는 항소법원은 특별한 사정변경이 없는 한 국선변호인을 선정함이 바람직하다(대판 2013.7.11, 2013도351).
20. 피고인이 필요적 변호사건인 '흉기휴대 상해'의 폭력행위 등 처벌에 관한 법률 위반죄로 기소된 후 '사기죄'의 약식명령에 대해 정식재판을 청구하여 제1심에서 모두 유죄판결을 받고 항소하였는데, 항소심이 국선변호인을 선정하지 아니한 채 두 사건을 병합·심리하여 항소기각 판결을 선고한 경우, 변호인의 관여 없이 공판절차를 진행한 위법은 필요적 변호사건이 아닌 사기죄 부분에도 미치며, 이는 사기죄 부분에 대해 별개의 벌금형을 선고하였더라도 마찬가지다(대판 2011.4.28, 2011도2279). 21. 순경 2차
21. 필요적 변호사건에서 법원이 정당한 이유 없이 국선변호인을 선정하지 않고 있는 사이에 피고인 스스로 변호인을 선임하였으나 그 때는 이미 피고인에 대한 항소이유서 제출기간이 도과해버린 후이어서 그 변호인이 피고인을 위하여 항소이유서를 작성·제출할 시간적 여유가 없는 경우에도 마찬가지로 보호되어야 한다고 할 것이므로, 그 경우에는 법원은 사선변호인에게도 소송기록접수통지를 함으로써 그 변호인이 통지를 받은 날로부터 기산하여 소정의 기간 내에 피고인을 위하여 항소이유서를 작성·제출할 수 있는 기회를 주어야 한다(대판 2000.12.22, 2000도4694).
22. 변호인 없는 불구속 피고인에 대하여 국선변호인을 선정하지 않은 채 판결을 선고한 다음 법정구속한 것이 형사소송법 제33조 제1항 제1호를 위반한 것은 아니다(대판 2011.3.10, 2010도17353). 18. 7급 국가직·9급 법원직, 19. 변호사시험, 20. 5급 검찰·교정승진
23. 피고인에게 소송기록접수통지를 한 다음에 변호인이 선임된 경우에는 변호인에게 다시 같은 통지를 할 필요는 없다. 이는 필요적 변호사건에서, 항소법원이 이미 피고인과 국선변호인에게 소송기록접수통지를 하였으나, 피고인과 국선변호인이 항소이유서를 제출하지 않고 있던 중 항소이유서 제출기간 내에 피고인이 사선변호인을 선임함에 따라 국선변호인 선정결정이 취소된 경우에도 마찬가지이다. 20. 9급 검찰·마약·교정·보호·철도경찰 이러한 경우 항소이유서 제출기간은 국선변호인 또는 피고인이 소송기록접수통지를 받은 날부터 계산하여야 한다. 한편 형사소송규칙 제156조의 2 제3항은 항소이유서 제출기간 내에 피고인이 책임질 수 없는 사유로 국선변호인이 변경되면 그 국선변호인에게도 소송기록접수통지를 하여야 한다고 정하고 있는데, 이 규정을 새로 선임된 사선변호인의 경우까지 확대해서 적용하거나 유추적용할 수는 없다(대판 2018.11.22, 2015도10651 전원합의체). 19·22. 7급 국가직, 20. 순경 2차
24. 피고인에 대하여 제1심법원이 집행유예를 선고하였으나 검사만이 양형부당을 이유로 항소한 사안에서 항소심이 변호인이 선임되지 않은 피고인에 대하여 검사의 양형부당 항소를 받아들여 형을 선고하는 경우에는 판결 선고 후 피고인을 법정구속한 뒤에 비로소 국선변호인을 선정하는 것보다는, 피고

인의 권리보호를 위해 판결 선고 전 공판심리 단계에서부터 형사소송법 제33조 제3항에 따라 피고인의 명시적 의사에 반하지 아니하는 범위 안에서 국선변호인을 선정해 주는 것이 바람직하다(대판 2016.11.10, 2016도7622).

25. 국선변호인 제도는 구속영장실질심사, 체포·구속적부심사의 경우를 제외하고는 공판절차에서 피고인의 지위에 있는 자에게만 인정되고 이 사건과 같이 집행유예의 취소청구 사건의 심리절차에서는 인정되지 않는다(대결 2019.1.4, 2018모3621). 23. 7급 국가직

26. 법원이 국선변호인을 반드시 선정해야 하는 사유로 형사소송법 제33조 제1항 제5호에서 정한 '피고인이 심신장애의 의심이 있는 때'라 함은 진단서나 정신감정 등 객관적인 자료에 의하여 피고인의 심신장애 상태를 확신할 수 있거나 그러한 상태로 추단할 수 있는 근거가 있는 경우는 물론, **범행의 경위, 범행의 내용과 방법, 범행 전후 과정에서 보인 행동 등과 아울러 피고인의 연령·지능·교육 정도 등 소송기록과 소명자료에 드러난 제반 사정에 비추어** 피고인의 의식상태나 사물에 대한 변별능력, 행위통제능력이 결여되거나 저하된 상태로 의심되어 피고인이 공판심리단계에서 효과적으로 방어권을 행사하지 못할 우려가 있다고 인정되는 경우를 포함한다(**대판** 2019.9.26, 2019도8531). 20. 9급 법원직, 21. 경찰간부, 23. 7급 국가직, 25. 소방간부

27. 피고인에게 유리한 양형요소를 주장할 필요성이 있다면 **피고인의 권리보호를 위하여서는** 피고인의 명시적 의사에 반하지 아니하는 범위에서 국선변호인을 선정하여 **방어권을 보장해 줄 필요가 있다고 할 것이다.** 검사만이 양형부당을 이유로 항소한 사안에서 **항소법원이 변호인이 선임되지 않은** 피고인에 대하여 **검사의 양형부당 항소를 받아들여** 형을 선고하는 경우에는 공판심리단계에서부터 국선변호인의 선정을 적극적으로 고려하여야 한다(**대판** 2024.7.11, 2024도4202).

28. **제1심법원이 피고인에 대하여** 벌금형을 선고하였으나 검사만이 양형부당으로 항소한 사안에서, **항소법원이 변호인이 선임되지 않은** 피고인에 대하여 형을 선고하는 경우에는 공판심리단계에서부터 국선변호인의 선정을 적극적으로 고려하여야 한다(**대판** 2024.7.11, 2024도4202).

29. **제1심법원이 피고인에 대하여** 무죄를 선고하였으나 검사가 항소한 사안에서 **항소법원이** 변호인이 선임되지 않은 피고인에 대하여 **검사의 항소를 받아들여** 유죄를 선고하는 경우에는 공판심리단계에서부터 국선변호인의 선정을 더욱 적극적으로 고려하여야 한다. **그리하여 국선변호인이 피고인을 위하여 유죄 증명을 위한 검사의 주장과 증거 제출에 대응하는 데에서 나아가, 제1심의 무죄판결에서는 판단된 바 없는 양형에 관한 주장과 그에 관한 자료를 제출하도록 함으로써 피고인의 권리를 보호할 필요성은 충분하다고 할 것이다**(대판 2024.7.11, 2024도4202).

---

③ **국선변호인 선정절차** : 국선변호인의 선정은 법원의 결정에 의한다.

㉠ **공소제기 전의 국선변호인 선정** : 제201조의 2(영장실질심사), 제214조의 2(체포·구속적부심사)의 규정에 의하여 심문할 피의자에게 변호인이 없는 때에는 법원 또는 지방법원판사는 지체 없이 국선변호인을 선정하고, 피의자와 변호인에게 그 뜻을 고지하여야 한다(규칙 제16조 제1항).

현행법상 피의자에게는 국선변호인제도가 인정되지 않는다. (×)

고지방법

서면 또는 구술, 전화, 모사전송, 전자우편, 휴대전화 문자전송 그 밖의 적당한 방법(규칙 동조 제3항)

㉡ 공소제기의 경우 국선변호인 선정

ⓐ 공소제기가 있는 때에는 재판장은 변호인이 없는 피고인에게 제33조 제1항 제1호 내지 제6호의 어느 하나에 해당하는 때에는 변호인 없이 개정할 수 없는 취지와 피고인 스스로 변호인을 선임하지 아니할 경우에는 법원이 국선변호인을 선정하게 된다는 취지, 제33조 제2항에 해당하는 때에는 법원에 대하여 국선변호인의 선정을 청구할 수 있다는 취지, 제33조 제3항에 해당하는 때에는 법원에 대하여 국선변호인의 선정을 희망하지 아니한다는 의사를 표시할 수 있다는 취지를 고지한다(규칙 제17조 제1항). 고지는 서면으로 하여야 한다(동조 제2항). 09. 경찰승진

ⓑ 법원은 위 고지를 받은 피고인이 변호인을 선임하지 아니하거나 제33조 제2항에 의하여 국선변호인 선정청구가 있거나 동조 제3항에 의하여 국선변호인을 선정하여야 할 때에는 지체 없이 국선변호인을 선정하고 피고인 및 변호인에게 그 뜻을 고지하여야 한다(동조 제3항). 제33조 제2항에 의하여 국선변호인 선정을 청구하는 경우 피고인은 소명자료를 제출하여야 한다. 다만, 기록에 의하여 그 사유가 소명되었다고 인정될 때에는 그러하지 아니하다(규칙 제17조의 2).

ⓒ 이미 선임된 사선변호인 또는 선정된 국선변호인이 출석하지 아니하거나 퇴정한 경우에 부득이한 때에는 피고인 또는 피의자의 의견을 들어 재정(在廷) 중인 변호사 등을 공판정에서 국선변호인을 선정할 수도 있다(규칙 제19조). 이 경우에는 이미 선정되었던 국선변호인에 대하여 그 선정을 취소할 수 있다(동조 제2항).

관련판례

1. 형사소송법 제33조 제5호(현행 제33조 제2항)의 경우에는 피고인의 청구가 있어야 한다. 따라서 피고인의 국선변호인선정청구가 있는 경우에 법원이 아무런 결정을 하지 않는 것은 위법하다(대판 1995.2.28, 94도2880). 04. 순경
2. 피고인이 극빈자이나 수소법원에 국선변호인 선정청구(현 제33조 제2항)를 하지 않는 가운데 법원으로부터 유죄판결을 받았는바, 항소법원이 변론을 종결한 후에 피고인은 청구국선변호인제도를 알게 되었고, 곧바로 국선변호인 청구서와 변론개시 신청서를 항소법원에 제출하였으나 항소법원이 이를 기각하였다 하더라도 법원이 국선변호인선정청구권 있음을 고지해야 할 의무는 없다 할 것이므로 위법이라 할 수 없다(대판 1994.10.25, 94도1467). 04. 행시 · 순경, 12. 9급 법원직
3. 국선변호인 선임청구를 기각한 결정은 판결 전 소송절차이므로 그 결정에 대하여 즉시항고할 수 있는 근거가 없기 때문에 그 결정에 대하여는 재항고도 할 수 없다(대결 1993.12.3, 92모49). 11. 7급 국가직, 09 · 10 · 11 · 13 · 22. 경찰승진
4. 피고인이 빈곤 등을 이유로 국선변호인 선정을 청구하면서, 충분한 시간적 여유를 두고 선정청구를 하였는데도, 법원이 그 선정을 지연하여 항소이유서 제출기간이 경과한 후에야 비로소 선정되었다면, 항소이유서 제출기간의 경과를 이유로 피고인의 항소를 기각하면 안 되고, 국선변호인에게 별도로 소송기록접수통지를 하여 국선변호인이 그 통지를 받은 날로부터 기산하여 20일 내에 항소이유서를 제출할 수 있는 기회를 주어야 한다(대결 2000.11.28, 2000모66). 02. 법원사무관

5. 필요적 변호사건에서, 피고인에게 변호인이 없는 때에는 국선변호인을 선정하여 그 국선변호인으로 하여금 항소이유서를 작성·제출하도록 하여야 하는 것이고, 피고인이 항소이유서 제출기간 이내에 항소이유서를 제출하지 않고, 항소장에도 항소이유를 기재하지 않았다고 하더라도 항소심은 국선변호인 선임 없이는 항소기각결정을 할 수 없다(대결 1996.11.28, 96모100).

ⓒ **자격·수**

ⓐ 국선변호인은 ㉮ 법원의 관할구역 안에서 사무소를 둔 변호사, 그 관할구역 안에서 근무하는 공익법무관(법무부와 그 소속기관 및 각급검찰청에서 근무하는 공익법무관 제외) 또는 그 관할구역 안에서 수습 중인 사법연수생 중에서 선정한다(규칙 제14조 제1항). ㉯ 제1항에서 규정한 자가 없거나 부득이한 때에는 인접한 법원의 관할구역 안에 사무소를 둔 변호사, 그 관할구역 안에서 근무하는 공익법무관 또는 그 관할구역 안에서 수습 중인 사법연수생 중에서 선정할 수 있다(제2항). ㉰ 제1항 및 제2항의 변호사, 공익법무관 또는 사법연수생이 없거나 기타 부득이한 때에는 법원의 관할구역 안에서 거주하는 변호사 아닌 자 중에서 이를 선정할 수 있다(제3항).

관련판례

제1심 법원에서 변호사 아닌 법원사무관을 국선변호인으로 선정하였다고 하여 위법한 것이라고 할 수 없다(대판 1974.8.30, 74도1965). 04. 순경, 09. 경찰승진

ⓑ 국선변호인은 원칙적으로 피의자·피고인마다 1인을 선정한다. 다만, 필요하다고 인정한 때에는 수인의 국선변호인을 선정할 수 있으며, 이해가 상반되지 아니한 때에는 수인의 피의자·피고인을 위하여 동일한 국선변호인을 선정할 수 있다(규칙 제15조). 11. 순경, 12·18. 경찰승진

관련판례

1. 이해가 상반된 공동피고인들 중 어느 피고인이 법무법인을 변호인으로 선임하고, 법무법인이 담당변호사를 지정하였을 때, 법원이 담당변호사 중 1인 또는 수인을 다른 피고인을 위한 국선변호인으로 선정한다면, 국선변호인으로 선정된 변호사는 이해가 상반된 피고인들 모두에게 유리한 변론을 하기 어렵다. 결국 이로 인하여 다른 피고인은 국선변호인의 실질적 조력을 받을 수 없게 되고, 따라서 국선변호인 선정은 국선변호인의 조력을 받을 피고인의 권리를 침해하는 것이다(대판 2015.12.23, 2015도9951). 19. 변호사시험, 17·18·20. 9급 법원직
2. 공범관계에 있지 않은 공동피고인들 사이에 이해가 상반되는 사건에서 동일한 국선변호인이 공동피고인들을 함께 변론한 경우에는 형사소송규칙 제15조 제2항에 위반된다. 21·22. 경찰간부 그리고 그러한 공동피고인들 사이의 이해상반 여부의 판단은 모든 사정을 종합적으로 판단하여야 하는 것은 아니지만, 적어도 공동피고인들에 대하여 형을 정할 경우에 영향을 미친다고 보이는 구체적 사정을 종합하여 실질적으로 판단하여야 한다(대판 2014.12.24, 2014도13797). 19. 경찰간부

④ **국선변호인 선정의 법적 성질** : 국선변호인 선정의 법적 성질에 관하여 재판설, 공법상의 일방행위설, 공법상의 계약설이 대립하고 있다. 재판설은 국선변호인 선정에 당사자의 동의가 필요 없고 한 번 선정된 변호인은 해임명령이 없는 한 해임되지 않는다고 하는 반면, 계약설과 공법상 일방행위설은 국선변호인의 선정에 변호인의 승낙을 필요로 한다는 입장이다. 국선변호인제도의 효율적 운영과 절차의 명확성을 위하여 재판설이 타당하다 하겠다(다수설 · 판례). 13. 9급 검찰 · 마약수사

관련판례

사선변호인의 선임은 피고인 등 변호인 선임권자와 변호인의 사법상 계약으로 이루어지는 반면 국선변호인의 선정은 법원의 재판행위이므로, 양자는 그 성질이 다르다(대판 2018.11.22, 2015도10651 전원합의체).

⑤ **국선변호인 선정의 취소와 사임**

㉠ **선정의 취소**

ⓐ 필요적 취소사유 : 피고인 또는 피의자에게 변호인이 선임된 때, 국선변호인이 자격을 상실한 때, 국선변호인의 사임을 허가한 때에 법원 또는 지방법원판사는 국선변호인 선정을 취소하여야 한다(규칙 제18조 제1항). 09. 순경

ⓑ 임의적 취소사유 : 기타 국선변호인이 그 직무를 성실히 수행하지 아니하거나 기타 상당한 이유가 있는 때에는 선정을 취소할 수 있다(동조 제2항). 09. 경찰승진

㉡ **국선변호인의 사임** : 질병 또는 장기여행으로 인하여 직무수행이 곤란한 때, 피고인 또는 피의자에 대하여 신뢰관계를 지속할 수 없을 때, 피고인 · 피의자로부터 부정한 행위를 종용받았을 때 기타 국선변호인으로서의 직무수행을 할 수 없다고 인정할 만한 상당한 사유가 있을 때에는 법원 또는 지방법원판사의 허가를 얻어 사임할 수 있다(규칙 제20조). 11. 9급 법원직, 12. 경찰승진

⑥ **국선변호인의 보수** : 국선변호인은 일당, 여비, 숙박료 및 보수를 청구할 수 있다(형사소송비용 등에 관한 법률 제1조, 제2조). 다만, 여비와 숙박료는 법원이 정한기일과 장소에 출석한 경우에 한하여 지급된다(동법 제10조). 여비 등의 청구는 판결 전에 하여야 한다(동법 제11조).

3 변호인의 지위

(1) 보호자적 지위

① 변호인은 형사절차에서 피고인 · 피의자의 이익을 보호할 임무가 있다. 이러한 보호자로서의 지위가 변호인의 기본적 지위이다.

② 변호인은 단순히 피의자 · 피고인의 일방적인 이익대변인은 아니다.

③ 따라서 변호인은 피의자 · 피고인에게 이익이 되는 것이면 피의자나 피고인의 반대의사에도 불구하고 이에 구속되지 않고 증거신청 등을 할 수 있다(예 피의자 · 피고인의 근친자에 대한 증인신문신청, 피의자 · 피고인 정신감정신청 등).

(2) 공익적 지위

① 변호인은 피고인・피의자의 정당한 이익을 보호함으로써 국가형벌권의 공정한 실현에 협력할 의무가 있는바, 이를 변호인의 공익적 지위(진실의무)라 한다.

변호인의 지위는 국가적 지위로 판단하여야 한다. (×) 94. 경찰승진

② 그러나 변호인의 진실의무는 적극적으로 진실발견에 협력할 의무를 의미하는 것은 아니고, 변호인이 피고인에 대한 보호적 기능을 행사함에 있어 진실에 구속되어야 한다는 소극적 의미를 갖는 데 그친다.

변호인 진실의무 위반(○)	변호인 진실의무 위반(×)
㉠ 허위진술 권유(대판 2012.8.30, 2012도6027) 14. 경찰간부 ㉡ 위증을 교사 ㉢ 불리한 증거의 인멸 지시 ㉣ 임의자백의 철회 지시	㉠ 유죄확신의 경우에 무죄변론 ㉡ 진술거부권행사 권유(대결 2007.1.31, 2006모656) 12. 순경 1차, 17・22. 9급 법원직 ㉢ 법적 지식 조언(피고인이 악용하는 것을 알면서도 법적 조언을 하는 행위가 무제한적으로 허용되느냐에 관해서는 견해 대립)

4 변호인의 권한

(1) 대리권

변호인은 대리가 허용되는 소송행위에 관하여 포괄적 대리권을 가진다. 이러한 대리권에는 독립대리권과 종속대리권이 있다.

구분		경우	내용
대리권	독립대리권(본인의 의사에 반하여 행사 가능)	본인의 명시적인 의사에 반하여 행사 가능한 경우 05. 9급 검찰, 13. 경찰간부	㉠ 구속의 취소청구(제93조) 13. 9급 국가직・경찰간부 ㉡ 보석청구(제94조) 13. 9급 국가직・경찰간부 ㉢ 증거보전청구(제184조) ㉣ 공판기일 변경신청(제270조 제1항) ㉤ 증거조사 이의신청(제296조 제1항) 13. 경찰간부 ㉥ 재판장 처분에 대한 이의신청권(제304조)
		본인의 묵시적인 의사에 반하여 행사 가능한 경우(명시적 의사에 반해서는 불가)	㉠ 기피신청(제18조) 05. 9급 검찰 ㉡ 상소제기(제341조) 01. 경사승진, 04. 여경, 13. 경찰간부
	종속대리권(본인의 의사에 종속하여 행사)	㉠ 관할이전신청(제15조) ㉡ 관할위반신청(제320조) ㉢ 증거의 동의(제318조) ⇨ 판례는 독립대리권으로 봄 02. 경찰승진, 04. 여경 ㉣ 상소의 취하(제351조) 01・02・04. 여경 변호인은 피고인의 동의를 얻어 상소 취하(○) 17. 9급 법원직 ㉤ 정식재판청구 취하(제454조)	

정식재판청구권(제453조)을 독립대리권으로 볼 것인지, 종속대리권(다수설)으로 볼 것인지에 대하여 견해의 대립이 있다. 형사소송법 제341조에서 "변호인은 피고인의 명시적인 의사에 반하여 상소제기 할 수 없다."라고 하고 있으며, 이 규정을 정식재판청구에 준용하도록 규정하고 있다(제458조). 상소제기를 독립대리(이론 없음)로 본다면, 정식재판청구 역시 이와 달리할 이유가 없다는 점을 감안할 때, 독립대리권설이 타당하다고 본다.

관련판례

1. 형사소송법 제341조 제1항에서 '변호인은 피고인을 위하여 상소할 수 있다' 함은 변호인에게 고유의 상소권을 인정한 것이 아니고 피고인의 상소권을 대리하여 행사하게 한 것에 불과하므로, 변호인은 피고인의 상소권이 소멸된 후에는 상소를 제기할 수 없는 것이고, 상소를 포기한 자는 형사소송법 제354조에 의하여 그 사건에 대하여 다시 상소할 수 없다(대판 1998.3.27, 98도253).
2. 판례는 증거동의에 관하여 변호인은 피고인의 명시한 의사에 반하지 아니하는 한 피고인을 대리하여 증거로 함에 동의할 수 있으므로 피고인이 증거로 함에 동의하지 아니한다고 명시적인 의사표시를 한 경우 이외에는 변호인은 서류나 물건에 대하여 증거로 함에 동의할 수 있고 이 경우 변호인의 동의에 대하여 피고인이 즉시 이의하지 아니하는 경우에는 변호인의 동의로 증거능력이 인정된다(대판 1988.11.8, 88도1628)고 하여 독립대리권으로 보고 있다. 10. 경찰승진, 11. 9급 법원직, 18. 경찰간부
   ▶ 다수설은 종속대리권으로 보고 있다.
3. 변호인의 상소취하에 대한 피고인의 동의도 공판정에서 구술로써 할 수 있다. 다만, 상소취하에 대한 피고인의 구술 동의는 명시적으로 이루어져야만 한다(대판 2015.9.10, 2015도7821).

(2) 고유권

고유권이란 변호인이라는 지위에서 그에게 독자적으로 인정된 권리를 말한다. 고유권은 피의자나 피고인의 권리가 소멸한 경우에도 이에 영향을 받지 않고 변호인이 독자적 입장에서 행사할 수 있다.

고유권	변호인만 가지는 권리 (협의의 고유권) 12. 9급 국가직	① 피의자신문참여권(제243조의 2) ② 피의자 · 피고인과의 접견교통권(제34조) ③ 피고인신문권(제296조의 2) ④ 상고심에서의 변론권(제387조)
	피의자나 피고인과 중복하여 가지는 권리	① 증인신문참여권(제163조) ② 증인신문권(제161조의 2) ③ 강제처분참여권(제121조) ④ 최종의견진술권(제303조) ⑤ 소송기록열람권(제35조, 제266조의 3 내지 4) ⑥ 증거신청권(제294조) ⑦ 체포 · 구속적부심사청구권(제214조의 2) ⑧ 증거조사 이의신청권(제296조) ⑨ 재판장처분에 대한 이의신청권(제304조)

(3) 서류 등 열람등사권

구분	내용
법원이 보관 중인 서류	변호인은 소송계속 중의 관계 서류 또는 증거물을 열람하거나 등사할 수 있다(제35조 제1항).
검사가 보관 중인 서류	변호인은 검사에게 공소제기된 사건에 관한 서류 또는 물건의 목록과 공소사실의 인정 또는 양형에 영향을 미칠 수 있는 다음 서류 등의 열람·등사 또는 서면의 교부를 신청할 수 있다(제266조의 3 제1항).
기 타	① 변호인은 판사의 허가를 얻어 증거보전 처분에 관한 서류와 증거물을 열람 또는 등사할 수 있다(제185조). ② 긴급체포 후 석방된 자의 변호인은 긴급체포자석방통지서 및 관련 서류를 열람하거나 등사할 수 있다(제200조의 4 제5항). ③ 구속 전 피의자 심문에 참여할 변호인은 지방법원판사에게 제출된 구속영장청구서 및 그에 첨부된 고소·고발장, 피의자의 진술을 기재한 서류와 피의자가 제출한 서류를 열람할 수 있다(규칙 제96조의 21 제1항). 09. 7급 국가직 ④ 체포·구속적부심사를 청구한 변호인은 지방법원판사에게 제출된 구속영장청구서 및 그에 첨부된 고소·고발장, 피의자의 진술을 기재한 서류와 피의자가 제출한 서류를 열람할 수 있다(규칙 제104조의 2). 09. 7급 국가직 ⑤ 구속영장이 청구되거나 체포 또는 구속된 피의자의 변호인은 긴급체포서, 현행범인체포서, 체포영장, 구속영장 또는 그 청구서를 보관하고 있는 검사, 사법경찰관 또는 법원사무관 등에게 그 등본의 교부를 청구할 수 있다(규칙 제101조).

보조인

1. 의의 : 일정한 신분관계에 기한 정의(情誼)에 의하여 피고인 또는 피의자의 이익을 보호하는 보조자를 말한다(변호인 제도의 보충).
2. 자 격
   ① 피고인·피의자의 법정대리인·배우자·직계친족·형제자매는 보조인이 될 수 있다(제29조 제1항). 10. 9급 법원직
   ② 보조인이 될 수 있는 자가 없거나 장애 등의 사유로 보조인으로서 역할을 할 수 없는 경우에는 피고인 또는 피의자와 신뢰관계에 있는 자가 보조인이 될 수 있다(동조 제2항 : 2015. 7. 31. 신설).
3. 절차 : 보조인이 되고자 하는 자는 심급별로 그 취지를 신고하여야 한다(동조 제3항). 09. 9급 법원직
4. 권한 : 피고인·피의자의 명시한 의사에 반하지 아니하는 소송행위를 할 수 있다(동조 제4항).
5. 결론 : 변호사에 의한 변호를 받을 기회가 확대될수록 보조인제도의 의미는 감소할 수밖에 없다.

변호인	보조인
변호사 중 선임(원칙)	법정대리인, 배우자, 직계친족, 형제자매, 신뢰관계에 있는 자
선임서 제출	서면 또는 구술(개정 : 서면신고 삭제) ▶ 다만, 신분관계 소명서류첨부(규칙 제11조 제1항)
독립대리권, 고유권	• 고유권 없음 • 명시적 의사에 반하지 않는 소송행위 가능

KEY point

- **변호인제도의 존재이유 :** 무기평등의 원칙
- **변호인의 수**
  - 사선변호인 : 제한 ×
  - 국선변호인 : 원칙적으로 1인
- **대표변호인 :** 3인 초과 금지
- **변호인선임 방법 :** 변호인과 선임자의 연명 · 날인한 서면으로 제출
- **변호인선임 효과**
  - 심급마다 선임(단, 수사절차에서 선임 ⇨ 제1심에서도 효력 인정)
  - 사건단위(동일성이 인정되는 사실전부에 미침)
- **국선변호인 선정사유 :** 〈도표 참조〉
- **변호인의 권한 :** 〈도표 참조〉

CHAPTER

01 기출문제

01 **변호인에 관한 설명으로 가장 적절한 것은?**(다툼이 있는 경우 판례에 의함) 21. 순경 2차

① 피고인 또는 피의자는 변호인을 선임할 수 있으며, 이 경우 피고인 또는 피의자는 제3자에게 선임권을 위임하여 그로 하여금 변호인을 선임하게 할 수 있다.

② 피고인이 구속된 때에 변호인이 없으면 법원은 직권으로 변호인을 선정하여야 하며, 여기서 '피고인이 구속된 때'에는 피고인이 당해 형사사건에서 구속되어 재판을 받고 있는 경우뿐만 아니라 피고인이 별건으로 구속되어 있거나 다른 형사사건에서 유죄로 확정되어 수형 중인 경우도 포함된다.

③ 법원은 피고인이 빈곤을 이유로 변호인을 선임할 수 없는 경우에는 피고인의 명시적 의사에 반하지 아니하는 범위에서 변호인을 선정하여야 하며, 피고인의 나이·지능 및 교육 정도 등을 참작하여 권리보호를 위하여 필요하다고 인정하는 경우에는 피고인의 의사에 반하여도 변호인을 선정할 수 있다.

④ 피고인이 필요적 변호사건인 폭력행위 등 처벌에 관한 법률위반죄로 기소된 후 사기죄의 약식명령에 대한 정식재판을 청구하여 제1심에서 모두 유죄판결을 받고 항소하였는데, 항소심이 국선변호인을 선정하지 아니한 채 두 사건을 병합심리하여 항소기각판결을 선고하였다면 변호인의 관여 없이 공판절차를 진행한 위법은 필요적 변호사건이 아닌 사기죄 부분에도 미친다.

해설 ① 제3자에게 변호인 선임을 위임하여 제3자로 하여금 변호인을 선임하도록 할 수는 없다(대결 1994. 10.28, 94모25).
② 형사소송법 제33조 제1항 제1호의 '피고인이 구속된 때'라고 함은, 피고인이 당해 형사사건에서 구속되어 재판을 받고 있는 경우를 의미하고, 피고인이 별건으로 구속되어 있거나 다른 형사사건에서 유죄로 확정되어 수형 중인 경우는 이에 해당하지 아니한다(대판 2009.5.28, 2009도579).
③ 법원은 피고인이 빈곤 그 밖의 사유로 변호인을 선임할 수 없는 경우에 피고인의 청구가 있는 때에는 변호인을 선정하여야 한다(제33조 제2항). 법원은 피고인의 나이·지능 및 교육 정도 등을 참작하여 권리보호를 위하여 필요하다고 인정하는 때에는 피고인의 명시적 의사에 반하지 아니하는 범위 안에서 변호인을 선정하여야 한다(제33조 제3항).
④ 대판 2011.4.28, 2011도2279

02 **국선변호인에 대한 다음 설명 중 가장 옳지 않은 것은?** 19. 9급 법원직

① 피고인이 2급 시각장애인으로서 점자자료가 아닌 경우에는 인쇄물 정보접근에 상당한 곤란을 겪는 수준임에도 국선변호인 선정절차를 취하지 아니한 채 공판심리를 진행하였다면 위법하다.

② 항소심에서 국선변호인을 선정하고 그에게 소송기록접수 통지를 한 이후에 변호인이 없는 다른 사건이 병합된 경우, 국선변호인 선정의 효력은 선정 이후 병합된 다른 사건에도 미치므로, 항소법원은 국선변호인에게 그 병합된 사건에 관하여도 소송기록 접수통지를 할 필요는 없다.

Answer 01. ④ 02. ②

③ 제1심에서 국선변호인 선정청구가 인용되고 불구속 상태로 실형을 선고받은 피고인이 그 후 별건 구속된 상태에서 항소를 제기하여 다시 국선변호인 선정청구를 하였는데, 원심이 이에 대해 아무런 결정도 하지 않고 공판기일을 진행하여 실질적 변론과 심리를 모두 마치고 난 뒤에 국선변호인 선정청구를 기각하고 판결을 선고하였다면 위법하다.

④ 형사소송법 제33조 제1항 각 호에 해당하는 경우가 아닌 한 법원으로서는 권리보호를 위하여 필요하다고 인정하지 않으면 국선변호인을 선정하지 않아도 위법이 아니다.

해설 ① 대판 2010.4.29, 2010도881

② 항소심에서 국선변호인이 선정된 이후 변호인이 없는 다른 사건이 병합된 경우에는 형사소송법 제361조의 2, 형사소송규칙 제156조의 2의 규정에 따라 항소법원은 지체 없이 국선변호인에게 병합된 사건에 관한 소송기록 접수통지를 함으로써 국선변호인이 통지를 받은 날로부터 기산한 소정의 기간 내에 피고인을 위하여 항소이유서를 작성 · 제출할 수 있도록 하여 변호인의 조력을 받을 피고인의 권리를 보호하여야 한다(대판 2010.5.27, 2010도3377). ③ 대판 2013.7.11, 2012도16334 ④ 대판 2026.8.30, 2016도7672

03 필요적 변호사건에 대한 설명으로 옳은 것만을 모두 고르면?(다툼이 있는 경우 판례에 의함)

20. 9급 검찰 · 마약 · 교정 · 보호 · 철도경찰

㉠ 필요적 변호사건과 다른 사건을 병합하여 심리하는 경우에 변호인의 관여 없이 공판절차를 진행한 위법은 필요적 변호사건이 아닌 다른 사건 부분에는 미치지 않는다.

㉡ 필요적 변호사건에서 항소법원이 국선변호인을 선정하고 피고인과 그 변호인에게 소송기록 접수통지를 한 다음 피고인이 새로이 사선변호인을 선임함에 따라 국선변호인의 선정을 취소한 경우, 항소법원은 사선변호인에게 소송기록접수통지를 다시 하여야 한다.

㉢ 필요적 변호사건의 항소심에서는, 원심법원이 피고인 본인의 항소이유서 제출기간 경과 후 국선변호인을 선정하고 그에게 소송기록접수통지를 하였으나 국선변호인이 법정기간 내에 항소이유서를 제출하지 아니한 경우, 국선변호인의 항소이유서 불제출에 대하여 피고인이 귀책사유가 밝혀지지 아니한 이상 피고인의 항소를 기각할 것이 아니라 국선변호인의 선정을 취소하고 새로운 국선변호인을 선정하는 조치를 취하여야 한다.

㉣ 필요적 변호사건이라 하여도 피고인이 재판거부의사를 표시하고 재판장의 허가 없이 퇴정한 후 변호인마저 이에 동조하여 퇴정해 버린 경우, 피고인과 변호인이 출석하지 않는 상태에서 증거조사를 할 수밖에 없는 때에는 피고인의 증거동의가 있는 것으로 간주한다.

① ㉠, ㉡　　② ㉡, ㉢　　③ ㉢, ㉣　　④ ㉠, ㉢, ㉣

해설 ㉠ × : 필요적 변호사건과 다른 사건을 병합하여 심리하는 경우에 변호인의 관여 없이 공판절차를 진행한 위법은 필요적 변호사건이 아닌 다른 사건 부분에 미친다(대판 2011.4.28, 2011도2279).

㉡ × : 필요적 변호사건에서 항소법원이 국선변호인을 선정하고 피고인과 그 변호인에게 소송기록접수통지를 한 다음 피고인이 새로이 사선변호인을 선임함에 따라 국선변호인의 선정을 취소한 경우, 항소법원은 사선변호인에게 다시 소송기록접수통지를 할 필요는 없다(대판 2018.11.22, 2015도10651 전원합의체). 다시 하여야 한다.

㉢ ○ : 대결 2012.2.16, 2009모1044 전원합의체

㉣ ○ : 대판 1991.6.28, 91도865

Answer 03. ③

04 **국선변호인에 대한 설명으로 가장 적절하지 않은 것은?**(다툼이 있는 경우 판례에 의함) 22. 경찰승진

① 사형, 무기 또는 단기 3년 이상의 징역이나 금고에 해당하는 사건으로 기소된 피고인에게 변호인이 없는 때에는 법원은 직권으로 변호인을 선정하여야 한다.

② 국민참여재판에 관하여 변호인이 없는 때에는 법원은 직권으로 변호인을 선정하여야 한다.

③ 구속영장이 청구되어 심문할 피의자에게 변호인이 없어 지방법원판사가 직권으로 변호인을 선정한 경우 변호인의 선정은 피의자에 대한 구속영장 청구가 기각되어 효력이 소멸하더라도 제1심까지 효력이 있다.

④ 국선변호인선정청구를 기각한 결정은 판결 전의 소송절차이므로, 그 결정에 대하여 즉시항고를 할 수 있는 근거가 없는 이상 그 결정에 대하여는 재항고도 할 수 없다.

해설 ① 제33조 제1항 제6호
② 국민의 형사재판 참여에 관한 법률 제7조
③ 구속영장이 청구되어 심문할 피의자에게 변호인이 없어 지방법원판사가 직권으로 변호인을 선정한 경우 변호인의 선정은 피의자에 대한 구속영장 청구가 기각되어 효력이 소멸한 경우를 제외하고는 제1심까지 효력이 있다(제201조의 2 제8항).
④ 대결 1993.12.3, 92모49

05 **다음 변호인의 대리권 중 본인의 명시한 의사에 반하여 행사할 수 있는 대리권으로 가장 옳지 않은 것은?** 22. 해경승진

① 상소제기권 ② 보석청구권
③ 증거조사에 대한 이의신청권 ④ 구속취소청구권

해설 ① 상소제기권은 피고인의 명시한 의사에 반하여 상소하지 못한다(제341조).
②③④ 피고인의 명시한 의사에 반해서도 할 수 있다. 피고인에 유리한 소송행위이기 때문이다.

06 **변호인에 관한 다음 설명 중 가장 옳지 않은 것은?**(다툼이 있는 경우 판례에 의하고, 전원합의체 판결의 경우 다수의견에 의함) 22. 9급 법원직

① 피고인 또는 피의자의 법정대리인, 배우자, 직계친족과 형제자매는 독립하여 변호인을 선임할 수 있고, 공소제기 전의 변호인 선임은 제1심에도 그 효력이 있다.

② 피고인의 배우자, 직계친족, 형제자매 또는 원심의 대리인이나 변호인은 피고인을 위하여 상소할 수 있지만, 피고인의 명시한 의사에 반하여 하지 못하고, 피고인의 동의를 얻어 상소를 취하할 수 있다.

③ 수인의 변호인이 있는 때에는 재판장은 피고인·피의자 또는 변호인의 신청에 의하여 대표변호인을 지정할 수 있고 그 지정을 철회 또는 변경할 수 있으며, 신청이 없는 때에도 재판장은 직권으로 대표변호인을 지정할 수 있지만, 그 지정을 철회 또는 변경할 수는 없다.

Answer 04. ③ 05. ① 06. ③

④ 변호사인 변호인에게는 변호사법이 정하는 바에 따라서 이른바 진실의무가 인정되는 것이지만, 변호인이 신체구속을 당한 사람에게 법률적 조언을 하는 것은 그 권리이자 의무이므로 변호인이 적극적으로 피고인 또는 피의자로 하여금 허위진술을 하도록 하는 것이 아니라 단순히 헌법상 권리인 진술거부권이 있음을 알려 주고 그 행사를 권고하는 것을 가리켜 변호사로서의 진실의무에 위배되는 것이라고는 할 수 없다.

해설 ① 제30조 제2항, 제32조 제2항
② 제341조 제1항·제2항, 제351조
③ 신청이 없는 때에는 재판장은 직권으로 대표변호인을 지정할 수 있고 그 지정을 철회 또는 변경할 수 있다(제32조의 2 제2항).
④ 대결 2007.1.31, 2006모656

07 변호인에 대한 설명으로 옳지 않은 것은?(다툼이 있는 경우 판례에 의함) 22. 7급 국가직

① 형사소송법 제33조 제1항이 정하는 필요적 변호사건이 아닌 경우에도 제1심법원이 피고인의 청구에 따라 또는 직권으로 국선변호인을 선정하여 공판을 진행하였다면, 항소법원이 특별한 사정변경 없이 국선변호인을 선정하지 않고 심리를 진행하는 것은 위법하다.

② 형사소송규칙은 항소이유서 제출기간 내에 피고인이 책임질 수 없는 사유로 국선변호인이 변경되면 그 국선변호인에게도 소송기록접수통지를 하여야 한다고 정하고 있는데, 이 규정을 새로 선임된 사선변호인의 경우까지 확대해서 적용하거나 유추적용할 수는 없다.

③ 항소법원은 피고인에게 소송기록접수통지를 한 다음에 변호인이 선임된 경우에는 그 변호인에게 다시 같은 통지를 할 필요가 없고, 이는 필요적 변호사건에서 항소법원이 국선변호인을 선정하고 피고인과 그 변호인에게 소송기록접수통지를 한 다음 피고인이 사선변호인을 선임함에 따라 항소법원이 국선변호인의 선정을 취소한 경우에도 마찬가지이다.

④ 피고인과 국선변호인이 모두 법정기간 내에 항소이유서를 제출하지 아니하였더라도, 국선변호인이 항소이유서를 제출하지 아니한 데 대하여 피고인에게 귀책사유가 있음이 특별히 밝혀지지 않는 한, 항소법원은 종전 국선변호인의 선정을 취소하고 새로운 국선변호인을 선정하여 다시 소송기록접수통지를 함으로써 새로운 변호인으로 하여금 그 통지를 받은 때로부터 형사소송법 제361조의 3 제1항의 기간 내에 피고인을 위하여 항소이유서를 제출하도록 하여야 한다.

해설 ① 필요적 변호사건이 아닌 경우에 제1심법원이 피고인의 청구 또는 직권으로 국선변호인을 선정하여 공판을 진행하였더라도 항소심의 판단과 조치 및 절차는 정당하고, 국선변호인을 선정하여 주지 않은 것이 피고인의 방어권을 침해하여 판결에 영향을 미쳤다고 보기도 어렵다(대판 2013.5.9, 2013도1886).
②③ 대판 2018.11.22, 2015도10651 전원합의체
④ 대결 2012.2.16, 2009모1044 전원합의체

Answer 07. ①

08 변호인과 관련된 설명으로 옳지 않은 것은? 24. 7급 국가직

① 필요적 국선변호인 선정 사유 중 하나인 '피고인이 구속된 때'란 피고인이 해당 형사사건에서 구속되어 재판을 받고 있는 경우뿐만 아니라 피고인에게 별건으로 구속영장이 발부되어 집행되고 있는 경우도 포함된다.

② 피고인이 공판기일에 출석하여 증거로 함에 동의하지 않는다는 의견을 진술한 경우에는 그 후 피고인이 출석하지 아니한 공판기일에 변호인만 출석하여 증거로 함에 동의하였다 하더라도 특별한 사정이 없는 한 증거동의의 효력이 발생하지 않는다.

③ 필요적 변호사건에서 항소법원이 국선변호인을 선정하고 피고인과 그 변호인에게 소송기록 접수통지를 한 다음 피고인이 사선변호인을 선임함에 따라 항소법원이 국선변호인의 선정을 취소한 경우, 항소법원은 그 사선변호인에게도 다시 같은 통지를 하여야 한다.

④ 항소심에서 변호인이 선임된 후 동일 피고인에 대한 변호인이 없는 다른 사건이 병합된 경우, 항소법원은 변호인에게 병합된 사건에 관한 소송기록 접수통지를 함으로써 병합된 사건에도 피고인을 위하여 항소이유서를 작성·제출할 수 있게 하여야 하고, 이때 변호인의 항소이유서 제출기간은 변호인이 위 통지를 받은 날부터 계산한다.

해설 ① 대판 2024.5.23, 2021도6357 전원합의체
② 대판 2013.3.28, 2013도3
③ 형사소송법은 항소법원이 항소인인 피고인에게 소송기록접수통지를 하기 전에 변호인의 선임이 있는 때에는 변호인에게도 소송기록접수통지를 하도록 정하고 있으므로(제361조의 2 제2항), 피고인에게 소송기록접수통지를 한 다음에 변호인이 선임된 경우에는 변호인에게 다시 같은 통지를 할 필요가 없다(대결 2018.11.22, 2015도10651 전원합의체).
④ 대판 2010.5.27, 2010도3377

Answer 08. ③

CHAPTER 02

소송절차의 일반이론

www.pmg.co.kr

단원 advice 소송조건의 조사와 흠결의 효과, 소송행위의 대리, 서면방식과 구술방식, 기간의 계산방법, 무효의 치유(특히 고소의 추완), 소송서류의 작성 · 송달 · 열람 · 등사 등을 중심으로 정리해 두어야 한다.

제1절 소송절차의 기본구조

(1) 소송의 실체면

유죄판결의 대상이 되는 실체(범죄사실)가 형성 · 확정되는 과정을 실체면이라고 한다. 소송절차의 초기단계에서는 극히 불명확하지만, 소송의 발전에 따라 점차 명확하게 된다.

(2) 소송의 절차면

실체면을 뺀 나머지 순수한 절차적 측면을 말한다.

(3) 실체면과 절차면의 관계

실체면과 절차면은 분리된 두 측면이 아니며, 밀접한 관련을 가지고 서로 영향을 주고 받는다.

① 실체면이 절차면에 영향을 미치는 경우

㉠ 사물관할의 표준(법원조직법 제32조) 01. 순경
㉡ 고소의 요부(제223조) 01. 순경
㉢ 긴급체포의 요건(제200조의 3) 05. 순경
㉣ 공소시효기간(제249조) 01. 순경
㉤ 필요적 변호의 요부(제282조)
㉥ 피고인의 출석요부(제277조)

소송의 실체(무슨 범죄이며 법정형이 어느 정도인가)는 이들 절차적 사항에 영향을 준다.

② 절차면이 실체면에 영향을 미치는 경우

㉠ 위법수집배제법칙 94. 9급 검찰, 02. 여경
㉡ 자백배제법칙(자백의 임의성 법칙) 05. 순경
㉢ 전문법칙 05. 순경
㉣ 자백보강법칙 05. 순경

이들 절차상의 행위들은 실체형성에 영향을 미친다.

제2절 소송의 조건

1 소송조건의 의의

(1) 개 념

소송조건이란 소송을 계속 추행할 수 있기 위한 조건을 말하며, 소송추행의 핵심은 실체재판에 있으므로 사건에 관하여 실체재판을 하기 위한 전제조건이라고도 할 수 있다. 예를 들면, 채용시험에 응시자격을 둔 경우 그 자격이 없으면 시험조차 볼 수 없다. 여기서 응시자격을 소송조건, 합격 · 불합격을 실체재판(유죄 · 무죄)으로 보면 될 것이다.

(2) 구별개념

소송조건은 소송의 전체과정에 존재함을 필요로 하는 조건이므로 형벌권 발생조건인 처벌조건과 구별된다. 처벌조건이 구비되어 있지 않으면 형면제의 실체재판을 하여야 하나, 소송조건이 결여된 경우에는 형식재판에 의해 소송을 종결시키게 된다.

예 직계혈족의 물건을 훔친 경우 형면제판결을 받게 되나(형법 제328조 제1항), 그 밖의 비동거친족의 물건을 훔친 경우에는 친고죄가 되어(동조 제2항) 피해자의 고소가 없으면 소송조건의 흠결로 공소기각판결을 선고받게 된다.

2 소송조건의 종류

일반적 소송조건과 특별소송조건	전자는 일반사건에 공통으로 요구되는 소송조건(예 재판권, 관할권)을 말하며, 후자는 특수한 사건에 대해서만 요구되는 소송조건(예 친고죄의 고소)을 말한다.
절대적 소송조건과 상대적 소송조건	전자는 법원의 직권으로 조사해야 하는 소송조건(예 재판권, 관할권, 친고죄 고소의 존부 등 대부분의 소송조건이 여기에 해당)을 말하고 후자는 당사자의 신청이 있을 때 심사하는 소송조건(예 토지관할)을 말한다.
적극적 소송조건과 소극적 소송조건	전자는 일정한 사실의 존재가 소송조건이 되는 것을 말하고(예 재판권 · 관할권 존재), 후자는 일정한 사실의 부존재가 소송조건이 되는 것을 말한다(예 동일 법원에 이중기소가 없을 것, 동일사건에 대하여 확정판결이 없을 것, 반의사불벌죄에서 처벌불원의 의사표시가 부존재할 것).
형식적 소송조건과 실체적 소송조건	전자는 절차면에 관한 사유를 소송조건으로 하는 경우를 말하고, 후자는 실체면에 관한 사유를 소송조건으로 하는 경우를 말한다. 형식적 소송조건이 결여되면 공소기각재판(제327조, 제328조), 관할위반판결(제319조) 등을 통하여 형사절차를 종결함에 반하여 실체적 소송조건이 결여(면소판결사유)되면 면소판결(제326조)에 의해 종결하게 된다. 13. 경찰승진

3 소송조건의 조사

(1) 소송조건의 존부는 원칙적으로 법원이 직권으로 조사하여야 한다. 다만, 토지관할 위반의 경우에는 피고인의 신청이 있을 때에만 법원은 조사할 수 있다(제320조 제1항). 소송조건은 공소제기시부터 확정판결시까지 항상 존재하여야 한다. 그러나 토지관할은 공소제기시에만 존재하면 된다.

관련판례

1. 반의사불벌죄에 있어서 처벌불원의 의사표시에 부존재는 소극적 소송조건으로서 직권조사사항이므로 당사자가 항소이유로 주장하지 아니하였다고 하더라도 항소심은 처벌불원의 의사표시 존재 여부에 대하여 직권으로 조사・판단하여야 한다(대판 2002.3.15, 2002도158). 07. 순경, 11. 경찰승진, 13. 7급 국가직
2. 고소권자가 비친고죄로 고소한 사건이더라도 검사가 사건을 친고죄로 구성하여 공소를 제기하였다면 공소장 변경절차를 거쳐 공소사실이 비친고죄로 변경되지 아니하는 한, 법원으로서는 친고죄에서 소송조건이 되는 고소가 유효하게 존재하는지를 직권으로 조사・심리하여야 한다(대판 2015.11.17, 2013도7987). 16. 순경 1차, 21. 경찰간부

(2) 소송조건의 존부는 소송법적 사실에 해당하므로 자유로운 증명으로 충분하다. 따라서 증거능력이 있는 증거를 통하여 정식 증거조사에 의하여 증명할 필요는 없다.

4 소송조건 흠결의 효과

(1) 형식재판에 의한 종결

소송조건이 구비되지 아니한 때에는 유・무죄의 실체재판을 할 수 없으므로 형식재판(공소기각판결, 공소기각결정, 관할위반판결, 면소판결)에 의하여 소송을 종결하여야 한다. 99・08. 9급 검찰

(2) 소송조건 흠결의 경합

① 형식적 소송조건과 실체적 소송조건의 흠결이 경합한 경우에는 형식적 소송조건의 흠결을 이유로 재판을 하여야 한다.

예 공소기각판결사유(제327조)와 면소판결사유(제326조)가 경합되면 공소기각판결로써 절차 종결

② 수개의 형식적 소송조건의 흠결이 경합한 경우에는 하자의 정도가 중한 것을 이유로 재판하여야 한다. 98. 경찰승진

예 공소기각결정사유(제328조) ⇨ 공소기각판결사유(제327조) ⇨ 관할위반사유 순으로 절차 종결

KEY point

- **소송조건 결여 :** 형식재판으로 종결
- **소송조건의 조사 :** 법원의 직권조사(단, 토지관할 위반은 신청을 요건으로 함)
- **소송조건 흠결의 경합 :** 공소기각결정 ⇨ 공소기각판결 ⇨ 관할위반판결 ⇨ 면소판결

제3절 소송행위

1 소송행위의 의의 · 종류

(1) 의 의

소송행위라 함은 형사절차를 조성하는 행위로서 소송법상 효과가 인정되는 것을 말한다. 이는 공판절차뿐만 아니라 수사와 집행절차를 조성하는 행위도 포함한다.

소송행위라 볼 수 없는 경우

1. 소송에 관계있는 행위일지라도 소송절차 그 자체를 조성하지 않는 행위는 소송행위가 아니다(예 법관임면, 재판사무분배). 12. 경찰간부
2. 형사절차의 진행을 현실적으로 촉진하는 행위일지라도 아무런 소송법적 효과가 발생하지 않는 경우에는 소송행위가 아니다(예 법정경위의 법정정리 또는 개정준비행위).

(2) 소송행위의 종류

① 주체에 의한 분류

법원의 소송행위	재판장, 수명법관, 수탁판사의 소송행위뿐만 아니라 법원사무관의 행위도 이에 해당	예 법원의 재판, 강제처분, 증거조사, 법원사무관의 조서작성
당사자의 소송행위	검사와 피고인의 소송행위를 말하며, 변호인 · 보조인 등의 소송행위도 이에 해당	예 관할이전신청, 기피신청, 공소제기, 상소제기
제3자의 소송행위	법원이나 당사자 이외의 자가 행하는 소송행위가 이에 해당	예 고소, 고발, 증언, 감정

② 기능에 의한 분류

취효적 소송행위	그 자체로는 희망하는 소송법적 효과가 바로 발생하지는 않고, 법원의 소송행위가 있을 때 법적 효과가 발생하는 소송행위를 말하며, 효과요구 소송행위라고도 한다.	예 기피신청, 공소제기, 증거조사신청
여효적 소송행위	그 자체만으로 일정한 소송법적 효과가 발생하는 것을 말하며, 효과부여 소송행위라고도 한다.	예 상소취하 · 포기, 고소취소, 정식재판청구취하

③ 성질에 의한 분류

<table>
<tr><td colspan="2">법률행위적 소송행위</td><td>의사표시를 요소로 하지만, 그 내용대로 효과가 발생하지는 않고 소송법이 정하고 있는 정형적(定型的) 효과만 발생한다. 12. 경찰간부</td><td>예 공소제기, 상소제기, 기피신청, 고소, 재판선고</td></tr>
<tr><td rowspan="2">사실행위적 소송행위</td><td>표시행위</td><td>의사표시를 수반하지만, 그에 상응한 소송법적 효과가 인정되지 않는다.</td><td>예 논고, 구형, 변론, 증언</td></tr>
<tr><td>순수 사실행위</td><td>의사표시를 수반하지 않는 소송행위를 말한다.</td><td>예 구속 · 압수 · 수색 등의 영장집행</td></tr>
</table>

복합적 소송행위	법률행위적 소송행위와 사실행위적 소송행위가 복합된 소송행위를 말한다.	예 영장에 의한 강제처분(영장발부 + 영장집행)

④ **목적에 의한 분류**

실체형성행위	법관의 심증형성에 직접적인 역할을 담당하는 소송행위를 말한다.	예 피고인진술, 증인의 증언(02. 7급 검찰), 변호인변론, 증거조사
절차형성행위	형사절차의 진행 자체와 관련한 소송행위를 말한다.	예 공소제기, 상소제기, 소환, 공판기일지정, 재판 증거조사(×) 12. 경찰간부

증거신청 · 증거동의
실체형성행위인가 절차형성행위인가에 대하여 견해가 대립되고 있다(증거편에서 후술함).

2 소송행위의 일반적 요소

(1) 소송행위의 주체

① **소송행위의 적격** : 소송행위의 주체가 자신의 이름으로 소송행위를 할 수 있는 자격을 소송행위적격이라 한다. 소송행위적격은 일반행위적격과 특별행위적격으로 나눌 수 있다.

㉠ **일반행위적격** : 일반적 소송행위적격은 소송행위의 주체가 될 수 있는 자격으로서, 소송행위 일반에 요구되는 것을 말한다. 소송행위의 주체가 되기 위해서는 소송행위능력(소송을 수행하면서 자신의 이익과 권리를 방어할 수 있는 사실상의 능력)이 있어야 한다.

㉡ **특별행위적격** : 개개의 소송행위에 요구되는 행위적격을 말하는데 두 가지 경우가 있다.

ⓐ 소송행위적격이 소송행위의 개념요소로 되어 있는 경우에는 행위적격이 없는 자의 소송행위는 소송행위로서 성립조차 하지 않는다.

예 재판은 법원 또는 법관에 의해 행하여지는 것이 그 개념요소로 되어 있고, 공소제기는 검사에 의하여 행하여지는 것이 그 개념요소로 되어 있다. 이러한 행위를 다른 자가 하였을 때에는 그 소송행위는 불성립한다.

ⓑ 소송행위를 일정한 자의 권한으로만 규정하고 있는 경우에 소송행위 적격이 없는 자의 소송행위는 일단 소송행위로서는 성립하지만 무효인 소송행위에 해당한다.

예 고소권자 아닌 자의 고소, 상소권자 아닌 자의 상소

② **소송행위의 대리**

㉠ **의의** : 행위적격자 이외의 제3자가 행위적격자를 위해 소송행위를 하고, 그 효과가 행위적격자에게 미치는 것을 말한다(대리권 없는 자의 소송행위 ⇨ 무효).

법원과 검사의 소송행위 ⇨ 주체가 법률로 엄격하게 제한되어 있으므로 대리 인정×

㉡ 대리의 허용범위

ⓐ 명문으로 대리를 인정하는 경우

포괄적 대리가 허용되는 경우	• 경미사건에 대한 피고인의 대리(제277조 제1호) 16. 9급 검찰·마약수사 • 공소기각 또는 면소재판이 명백한 사건(제277조 제2호) • 의사무능력자에 대한 법정대리인의 대리(제26조) 10. 9급 법원직, 16. 9급 검찰·마약수사 • 법인의 대표자의 대리(제27조) • 변호인·보조인에 의한 대리(제36조, 제29조)
특정소송행위에 대하여 대리가 허용되는 경우	• 고소 또는 고소취소의 대리(제236조) 16. 9급 검찰·마약수사 • 재정신청의 대리(제264조) • 변호인선임의 대리(제30조) • 상소의 대리(제341조)

대리가 허용되지 아니한 경우의 예
- 고발의 대리(04. 행시, 06. 순경), 공소취소의 대리(94. 7급 검찰), 공소제기의 대리(01. 순경)
- 자수·자백의 대리(06. 순경), 증언의 대리(16. 9급 검찰·마약수사, 22. 해경간부), 피고인이 공판심리 중 심신상실 또는 질병으로 출정할 수 없을 때 소송대리(단, 제277조 사유 제외)

ⓑ 명문의 허용규정이 없는 경우 : 대리를 허용하는 규정이 없는 경우에도 대리가 인정될 것인가에 대하여 긍정설과 부정설(대판) 14. 7급 국가직의 대립이 있다.

관련판례

음주운전과 관련한 도로교통법 위반죄의 범죄수사를 위하여 미성년자인 피의자의 혈액채취가 필요한 경우에도 피의자에게 의사능력이 있다면 피의자 본인만이 혈액채취에 관한 유효한 동의를 할 수 있고, 피의자에게 의사능력이 없는 경우에도 명문의 규정이 없는 이상 법정대리인이 피의자를 대리하여 동의할 수는 없다(대판 2014.11.13, 2013도1228).

피의자에게 의사능력이 없는 때에는 법정대리인의 대리에 의해서 영장 없이 혈액을 채취할 수 있다. (×) 15. 9급 검찰·마약·교정·보호·철도경찰

법정대리인은 피의자의 의사능력유무와 관계없이 미성년자인 피의자를 대리하여 채혈에 관하여 대리할 수 있다. (×) 16. 경찰간부

(2) 소송행위의 내용

소송행위는 표시의 내용이 소송행위 자체에 의하여 명확히 나타나지 않으면 안 된다. 이처럼 소송행위는 형식적 확실성이 요구되므로 조건이나 기한과 같은 부관을 붙이는 것이 원칙적으로 허용되지 아니한다. 그러나 형식적 확실성을 해치지 않고 피고인의 이익에 중대한 영향이 없다면 조건을 붙일 수도 있다(예 공소사실과 적용법조의 예비적·택일적 기재).

용어 해설 **부관**(附款)

법률행위에 따른 효력의 발생 또는 소멸을 제한하기 위하여 부가되는 제한을 말하며, 조건이나 기한 등이 대표적이다. 예 구속적부심사청구가 인용될 것을 조건으로 한 변호인선임

(3) 소송행위의 방식

소송행위의 일반적 방식으로는 구두주의와 서면주의가 있으며, 어느 방식에 의하건 국어를 사용하여야 하고 국어에 능통하지 아니하면 통역을 사용한다(법원조직법 제62조).

① **구두주의** : 구두주의는 표시내용이 신속 · 선명하고, 표시자와 표시가 일치한다는 장점이 있다. 따라서 구두주의는 실체형성행위(법관의 심증형성에 영향을 미치는 소송행위)의 원칙적 방식이 되고 있다. 03. 경찰승진

② **서면주의** : 서면주의는 표시의 내용을 명확하게 하는 점 및 그 표시를 기록에 남겨 둠으로써 절차의 형식적 확실성을 유지할 수 있다는 장점이 있다. 따라서 절차형성행위에 대해서는 서면방식이 원칙이다.

구두주의와 서면주의의 구체적 적용례

구분	적용례
구술에 의해서만 가능한 경우	1. 검사의 모두진술(제285조), 피고인의 모두진술(제286조) 2. 피고인신문(제296조의 2) 3. 증인신문(제161조의 2) 4. 변호인의 최종변론(제303조), 피고인의 최후진술(제303조) 5. 재판장 인정신문(제284조) 6. 판결선고(제43조) 03. 경찰승진 7. 진술거부권고지(제283조의 2 제2항, 제244조의 3)
서면에 의해서만 가능한 경우	1. 공소제기(제254조) 2. 약식명령청구(제449조) 3. 정식재판청구(제453조 제2항) 4. 상소제기(제343조 제1항) 5. 구속통지(제87조, 제209조) 6. 비상상고(제442조) 7. 영장발부(제75조) 8. 변호인선임신고(제32조 제1항) 14. 7급 국가직 9. 불기소통지 및 이유통지(제258조, 제259조) 10. 재정신청(제260조) 11. 관할이전 및 지정신청(제16조) 12. 판결정정신청(제400조) 13. 토지관할 병합심리신청(규칙 제2조) 14. 영장청구(규칙 제93조 제1항) 15. 증거보전청구(규칙 제92조) 16. 공소장변경신청(규칙 제142조 제1항) ⇨ 예외(피고인이 재정하는 공판정에서의 공소장 변경은 피고인에게 이익이 되거나 피고인이 동의하는 경우 구술로도 가능 : 동조 제5항) 17. 보석청구(규칙 제53조 제1항) 18. 재심청구(규칙 제166조)

	19. 체포·구속적부심사청구(규칙 제102조) ⇨ 규칙 제176조를 들어 서면 또는 구술로 가능하다는 견해 有 20. 상소권회복청구(제346조) 21. 공소제기의 경우 국선변호인 선정에 관한 취지 고지(규칙 제17조 제2항)
구술 또는 서면으로 가능한 경우	1. 고소·고발 및 그 취소(제237조 제1항, 제239조) 14. 7급 국가직 2. 공소취소(제255조) 09. 9급 법원직 3. 상소의 포기·취하(제352조) 14. 7급 국가직 4. 정식재판청구 취하(제458조) 5. 기피신청(제18조) 6. 증거조사신청(제273조, 제294조) 7. 증거조사 이의신청(제296조) 8. 재판장 처분에 대한 이의신청(제304조) 9. 변론분리와 병합신청(제300조) 10. 공판기일변경신청(규칙 제176조 제1항)

(4) 소송행위의 일시·장소

① 소송행위의 일시

㉠ **기일** : 기일이란 법관, 당사자 기타 소송관계인이 일정한 장소에 회합하여 소송행위를 하도록 정하여진 때를 말한다(예 공판기일).

㉡ **기 간**

ⓐ 의의 : 기간이란 시기와 종기에 의하여 구획된 시간의 길이를 말한다.

ⓑ 종 류

행위기간	일정한 기간 내에만 적법한 소송행위를 할 수 있는 기간을 말함 예 고소기간(제230조), 08. 7급 국가직 상소기간(제358조, 제374조)
불행위기간	일정기간 내에는 소송행위를 할 수 없는 기간을 말함 예 제1회 공판기일 유예기간(제269조), 08. 7급 국가직 소환장송달유예기간(규칙 제123조)
법정기간	기간의 길이가 법률로 정하여져 있는 것을 말함 ▶ 소송행위의 기간은 대부분 법정기간이다. 예 구속기간(제92조), 상소제기기간(제358조, 제374조)
재정기간	재판에 의해 정하여지는 기간을 말함 예 구속기간 연장(제205조), 감정유치기간(제172조), 7일 넘는 경우의 영장유효기간(규칙 제178조 단서)
효력기간 (불변기간)	기간경과 후에 행한 소송행위가 무효로 되는 경우로서 연장이 허용되지 않는 기간을 말함 예 고소기간(제230조), 재정신청기간(제260조)
훈시기간	기간 후에 소송행위를 하더라도 그 효력에 영향이 없는 기간을 말함 예 검사의 고소사건 처리기간(제257조), 재정결정기간(제262조 제2항), 판결선고기간(제318조의 4), 소송기록과 증거물송부기간(제361조, 제377조), 사형집행기간(제466조)

ⓒ **기간의 계산** : 기간을 시로써 계산하는 경우에는 즉시부터 기산하고(예 체포한 때부터 48시간 이내에 구속영장 청구), 일 · 월 · 연으로 계산하는 것은 초일을 산입하지 않는다(예 상소제기기간은 선고일부터 7일 이내이지만 선고일 다음 날부터 기산13. 순경 1차). **다만, 시효와 구속기간의 초일은 1일로 산정한다**(예 사법경찰관의 피의자 구속기간은 10일인데 체포된 날부터 기산)(제66조 제1항). 07. 9급 법원직 **연 · 월로써 정한 기간은 역서에 따라 계산한다**(연 또는 월 단위로 계산한다)(동조 제2항).

기간의 말일이 공휴일(임시공휴일 포함 : 대결 2021.1.14, 2020모3694) **또는 토요일**에 해당하는 날은 기간에 산입하지 않는다. **다만, 시효와 구속기간에 관해서는 예외로 한다**(동조 제3항). 07. 9급 법원직

ⓓ **법정기간의 연장** : 법정기간은 소송행위를 할 자의 주거 또는 사무소의 소재지와 법원 또는 검찰청 소재지와의 거리 및 교통 · 통신의 불편 정도에 따라 대법원규칙으로 이를 연장할 수 있다(제67조).

소송행위를 할 자가 국내에 있는 경우 주거 또는 사무소의 소재지와 법원 또는 검찰청 소재지와의 거리에 따라 해로는 100km, 육로는 200km마다 각 1일을 부가한다. 그 거리의 전부 또는 잔여가 기준에 미달할지라도 50km 이상이면 1일을 부가한다(규칙 제44조 제1항 본문). 소송행위를 할 자가 외국에 있는 경우의 법정기간에는 그 거주국의 위치에 따라 아시아 · 오세아니아주는 15일, 북아메리카 및 유럽주는 20일, 중남아메리카 및 아프리카주는 30일의 기간이 부가된다(동조 제2항).

② **소송행위의 장소** : 공판기일의 소송행위는 원칙적으로 법원 또는 지원의 건물 내에 있는 법정에서 행한다(제275조 제1항). 그러나 법원장은 필요에 의하여 법원 외의 장소에서 개정하게 할 수 있다(법원조직법 제56조 제2항).

3 소송행위에 대한 가치판단

소송행위에 대한 소송법적 효과는 소송행위의 가치판단에 의해 결정되며, 가치판단에는 ① 성립 · 불성립 ② 유효 · 무효 ③ 적법 · 부적법 ④ 이유의 유 · 무 등을 들 수 있다.

(1) 소송행위의 성립 · 불성립

① **의의** : 소송행위의 성립이란 소송행위의 본질적 구성요소를 구비하여 소송행위의 외관을 갖춘 경우를 말하며, 그렇지 못한 경우를 소송행위의 불성립(예 사인의 공소제기)이라 한다.

② **법적 효과** : 소송행위가 불성립한 경우에는 처음부터 소송행위의 유효 · 무효 문제를 논할 수 없으며, 법원 및 소송관계인은 불성립한 소송행위를 무시하거나 방치할 수 있고 어떠한 별도의 법적 판단을 필요로 하지 않는다.

그러나 소송행위가 성립한 경우에는 무효일지라도 일정한 법률효과가 발생하며 방치할 수 없고 소송법적 판단을 요한다(예 검사가 공소장에 필요적 기재사항을 기재하지 않고 공소제기하였더라도 공소시효 정지효과는 발생하며, 법원은 방치할 수 없고 공소기각판결을 내려야 함). 04. 순경

관련판례

1. 법원이 경찰서장의 즉결심판청구를 기각하자 경찰서장이 사건을 관할지방검찰청으로 송치(송치받은 검사는 공소제기 여부를 결정하게 됨)하였는데, 검사는 즉결심판에 대한 정식재판청구사건으로 오인(정식재판청구사건이라면 관할법원에 송부하여 재판이 진행되는 것이고, 다시 공소제기가 필요한 것은 아님)하고 그 사건기록을 법원에 송부(공소장제출 ×)한 경우라면 이는 공소제기가 성립되었다고 볼 수 없다(대판 2003.11.14, 2003도2735). 14. 9급 검찰·마약수사
2. 소송행위의 본질적인 개념요소가 결여(예 공소장제출이 없는 공소제기)되어 소송행위로 성립되지 아니한 경우에는 소송행위가 성립되었으나 무효인 경우와는 달리 하자의 치유문제는 발생하지 않으나, 18. 순경 3차 추후 당해 소송행위가 적법하게 이루어진 경우에는 그 때부터 위 소송행위가 성립된 것으로 볼 수 있다(대판 2003.11.14, 2003도2735). 15. 9급 검찰·마약·교정·보호·철도경찰, 18. 5급 검찰·교정승진, 25. 소방간부

   원래 공소제기가 없었음에도 피고인의 소환이 이루어지는 등 사실상의 소송계속이 발생한 상태에서 검사가 약식명령을 청구하는 공소장을 제1심법원에 제출하고, 위 공소장에 기하여 공판절차를 진행한 경우 제1심 법원으로서는 이에 기하여 유·무죄의 실체판단을 하여야 한다. (○) 23. 9급 법원직

(2) 소송행위의 유효·무효

① **의의** : 소송행위의 유효·무효는 소송행위가 일단 성립한 것을 전제로 하여 그 소송행위의 본래적 효력(예 공소제기의 본래적 효력은 실체심판을 받을 효력을 말함)을 인정할 것이냐에 대한 가치판단을 말한다. 소송행위의 무효란 소송행위가 지향한 본래적 효력이 인정되지 아니한 것을 말하고 소송법적으로 아무런 법적 효과가 인정되지 않는 것은 아니다(공소제기가 무효인 경우라도 공소시효정지의 효력은 생긴다. 02. 행시, 04. 순경). 따라서 소송행위의 불성립과 구별된다. 무효에는 당연무효와 무효의 선언을 필요로 하는 경우로 나눌 수 있다.

당연무효 : 동일사건에 대한 이중기소, 상소취하 후의 상소심판결, 공소장기재사항을 전혀 기재하지 아니한 검사의 공소제기 등

무효인 소송행위라도 당연무효가 아니라면 소송법적 판단을 요한다.

② **무효의 원인**

㉠ **행위주체에 관한 무효원인**

ⓐ 소송능력이 없는 자가 행한 절차형성행위는 무효이지만, 실체형성행위(예 피고인의 진술, 증인의 증언)는 무효가 아니다는 견해와, 모두 무효라는 견해가 대립한다.

ⓑ 행위주체의 의사표시에 하자가 있는 경우, 즉 행위주체가 사기, 강박, 착오 등에 의해 의사표시를 한 경우에 당해 행위가 무효로 되는가와 관련하여, 실체형성행위의 경우에는 의사의 내용이 아니라 실체와의 합치가 중요하므로 착오 등이 무효원인이 되지 않는다. 그러나 절차형성행위에 관해서는 견해의 대립이 있다.

다수설은 소송의 형식적 확실성을 강조하여 피고인의 이익과 정의가 희생되어서는 안 된다는 이유로 착오 등에 의한 소송행위는 원칙적으로 유효하고, 착오가 책임 있는 사유로 인한 것이 아닌 때에는 무효로 하는 것이 타당하다는 견해이다.

🚨 절차형성행위의 경우 중대한 착오가 있는 이상 귀책사유 유무와 관계없이 무효로 된다. (×) 04. 행시

관련판례

1. 교도관이 내어 주는 상소권포기서를 항소장으로 잘못 믿은 나머지 이를 확인하여 보지도 않고 서명·무인한 경우, 항소포기가 유효하다(대결 1995.8.17, 95모49). 04. 순경
2. 절차형성적 소송행위(예 항소포기)가 착오로 무효로 되기 위하여는 통상인의 판단을 기준으로 하여 만일 착오가 없었다면 그러한 소송행위를 하지 않았으리라고 인정되는 중요한 점에 관하여 착오가 있고, 착오가 행위자 또는 대리인이 책임질 수 없는 사유로 인하여 발생하였으며 그 행위를 유효로 하는 것이 현저히 정의에 반한다고 인정될 것 등 세 가지 요건을 필요로 한다(대결 1992.3.13, 92모1). 02. 행시, 23. 9급 검찰·마약·교정·보호·철도경찰

㉡ **소송행위 자체에 관한 무효원인**

ⓐ 내용상의 무효원인 : 소송행위의 내용은 법이 인정하는 정형적인 것이어야 함은 물론이나, 그 소송행위의 내용이 가능하고 그것을 행할 이익이 있어야 한다.

예 허무인에 대한 공소제기, 법정형을 넘는 형을 선고한 유죄판결 등은 무효이다.

ⓑ 방식상의 무효원인 : 방식에 대한 하자도 방식을 요구하는 목적과 필요성을 고려하여 무효원인이 될 수 있다. 예 구두에 의한 공소제기는 무효

③ **무효의 치유** : 무효의 치유란 무효인 소송행위가 사정변경에 의하여 유효하게 될 수 있는가의 문제를 말한다. 이에는 소송행위의 추완과 공격·방어방법의 소멸에 의한 하자의 치유로 나누어 볼 수 있다.

㉠ **소송행위의 추완** : 소송행위의 추완이란 법정기간이 경과한 후에 이루어진 소송행위에 대하여 그 기간 내에 행한 소송행위와 같은 효력을 인정할 수 있는가의 문제이다. 소송행위의 추완은 추완되는 소송행위 자체가 유효인가의 문제인 단순추완과, 추완에 의하여 다른 소송행위의 효력이 보정될 수 있는가의 문제인 보정적 추완으로 나누어진다.

🚨 추완 ⇨ 불성립한 소송행위를 사후적으로 성립을 인정하는 문제 ×(소송행위가 성립은 되었으나, 부적법·무효인 경우에 사후에 유효하게 취급할 수 있는가의 문제임)

ⓐ 단순추완 : 법정기간이 경과한 후에 소송행위를 하였을 경우에도 그 소송행위 자체가 법정기간 내에 소송행위가 있었던 것과 동일한 효과가 인정되는 경우를 말하며, 형사소송법에 허용하는 명문의 규정에 있다(예 상소기간 만료 후의 상소권회복청구에 의해 다시 상소를 제기한 경우, 약식명령에 대한 정식재판청구권회복청구에 의해 다시 정식재판을 청구한 경우). 08. 순경, 10. 9급 국가직

🚨 현행 형사소송법에는 소송행위의 추완을 인정하는 규정을 두고 있다. (○) 03. 순경

ⓑ 보정적 추완 : 일정한 소송행위의 추완을 통해 다른 소송행위의 하자를 보정하는 것을 말한다. 형사소송법에 명문의 규정은 없으나, 학설은 형사절차의 동적·발전적 성격과 소송경제를 고려하여 보정적 추완을 일정한 범위 내에서 인정함이 일반적이다. 다만, 구체적 인정범위에 대해서는 논란이 있다.

㉮ 변호인선임의 추완 : 변호인선임신고 이전에 변호인으로서 한 소송행위가 선임 신고에 의하여 유효하게 되는가의 문제이다. 판례는 부정하고 있고, 학설은 인정함이 다수설이다.

관련판례

1. 상소이유서 제출기간 경과 후에 변호인선임계를 제출한 경우에는 변호인이 그 기간 경과 전에 상소이유서를 제출하였다 하더라도 적법・유효한 상소이유서로 볼 수 없다(대판 1961.6.7, 4293형상923). 08. 순경, 10. 9급 국가직, 23. 9급 법원직, 25. 소방간부
2. 변호인선임신고서를 제출하지 아니한 변호인이 변호인 명의로 정식재판청구서만 제출하고 정식재판청구기간 경과 후에 비로소 변호인선임신고서를 제출한 경우, 위 정식재판청구서의 정식재판청구로서의 효력이 없다(대결 2005.1.20, 2003모429). 10. 9급 국가직, 12. 9급 법원직, 15・18. 경찰간부・순경 3차, 19. 경찰승진, 14・23. 7급 국가직
   ▶ 정식재판청구서에 첨부된 변호인선임신고서가 원본이 아닌 사본이어서 적법한 변호인선임신고서가 아니고, 변호인선임신고서 원본을 첨부하여 다시 접수한 정식재판청구서는 정식재판청구기간 이후에 제출된 것이므로 적법한 정식재판청구가 이루어지지 않았다고 보아야 한다(대결 2005.1.20, 2003모429).

㉯ 공소장변경에 의한 추완 : 공소장에 공소사실이 특정되지 않아 그 자체로는 무효인 경우라도 공소장변경을 통해 이를 특정하면 무효가 치유되는가의 문제로서, 이 경우에 학설이 대립된다. 공소사실을 공소장에 전혀 기재하지 않는 경우라면 공소장변경에 의해 보정될 수 없지만, 공소제기시에 어느 정도 공소사실이 기재되고 피고인의 방어권 보장에 특별한 영향이 없는 경우에는 공소장변경에 의한 공소사실의 추완을 인정하자는 견해가 타당하다고 본다. 03. 순경

뿐만 아니라, 검사의 공소제기에 하자가 있을지라도 적법하게 공소장이 변경되면 그 하자가 치유되는가에 대하여, 대법원은 긍정하는 입장을 취하고 있다.

관련판례

1. 검사가 고소취소된 사건을 협박죄로 기소하였다가 공갈미수로 공소장을 변경한 경우, 공갈죄의 수단으로 한 협박은 공갈에 흡수될 뿐 별도로 협박죄(반의사불벌죄)를 구성하지 않으므로, 그 범죄사실에 대한 피해자의 고소는 결국 공갈에 대한 것이라 할 것이어서 그 후 고소가 취소되었다 하여 공갈죄로 처벌하는 데 아무런 장애가 되지 아니하므로, 비록 검사가 협박죄로 기소하였다 하여도 그 후 기본적 사실관계가 동일하여 공소사실을 공갈미수로 공소장이 변경된 이상 그 공소제기의 하자는 치유된다(대판 1996.9.26, 96도2151). 09. 경찰승진, 14・18. 경찰간부, 23. 9급 검찰・마약수사, 25. 소방간부
   친고죄에 있어서 피해자의 고소가 없거나 고소가 취소되었음에도 친고죄로 기소되었다가 그 후 당초에 기소된 공소사실과 동일성이 인정되는 비친고죄로 공소장변경이 허용된 경우 그 공소제기의 흠결은 치유된다. (○) 14・16. 9급 법원직
2. 친고죄는 피해자의 고소가 있어야 공소를 제기할 수 있고 공소제기 이후 고소의 추완은 허용되지 아니하고, 이는 비친고죄로 기소되었다가 제1심 공판진행 중 친고죄로 공소장이 변경된 경우에도 동일하며, 어느 경우이든 법원은 검사의 공소제기절차가 법률의 규정에 위반하여 무효임을 이유로 공소기각판결을 선고하여야 한다(대판 1982.9.14, 82도1504). 15. 경찰간부, 19. 경찰승진

3. 친고죄에서 피해자의 고소가 없거나 고소가 취소되었음에도 친고죄로 기소되었다가 그 후 당초에 기소된 공소사실과 동일성이 인정되는 비친고죄로 공소장변경이 허용된 경우 그 공소제기의 흠은 치유된다(대판 2011.5.13, 2011도2233). 23. 9급 법원직
4. 기소 당시에는 이중기소된 위법이 있었다 하여도 그 후 공소사실과 적용법조가 적법하게 변경되어 새로운 사실의 소송계속상태가 있게 된 때에는 이중기소된 위법상태가 계속 존재한다고 할 수는 없다(대판 1989.2.14, 85도1435).

㉰ 고소의 추완 : 친고죄에 있어 고소가 없음에도 공소제기를 하고 그 후에 비로소 고소가 있는 경우에 이미 행한 공소제기가 적법하게 될 수 있는가의 문제이다. 소송경제와 절차유지의 차원에서 고소의 추완을 인정하는 견해도 있으나, 피고인을 소송에서 해방시키는 것은 소송경제보다 중요한 이익이라 할 것이므로 고소의 추완을 부정하는 입장이 타당하다(다수설 · 판례). 10. 9급 국가직 · 7급 국가직

관련판례

1. 비친고죄(강간치사)로 공소제기되었다가 친고죄(강간죄)로 공소장이 변경된 경우 비로소 피해자의 父가 고소장을 제출한 경우에는 강간죄의 공소제기절차는 법률의 규정에 위반하여 무효인 때에 해당한다(대판 1982.9.14, 82도1504). 06 · 12. 순경, 09 · 10. 경찰승진, 12. 9급 국가직, 08 · 14. 7급 국가직, 12 · 14 · 15. 경찰간부 따라서 법원은 공소기각판결(제327조 제2호)을 하여야 한다.
   ▶ 이제는 강간죄가 비친고죄이므로 고소 없이도 실체재판이 가능하게 되었다.
2. 세무공무원의 고발 없이 조세범 사건의 공소가 제기된 후 세무공무원이 비로소 고발을 하더라도 공소제기의 무효가 치유될 수 없다(대판 1970.7.28, 70도942). 08. 순경, 10. 9급 국가직, 12 · 18. 경찰간부, 18. 9급 검찰 · 마약수사, 08 · 19. 경찰승진

㉡ **공격 · 방어방법의 소멸에 의한 하자의 치유** : 소송이 어느 단계에 이르면 무효를 주장할 수 없게 되는 경우(예 토지관할 위반의 신청은 피고사건에 대한 진술 후에는 불가 03. 순경)와 소송관계인이 상당한 기간에 이의를 제기하지 않으면 책문권의 포기로 되어 소송행위의 무효가 치유되는 경우가 있다.

관련판례

- **하자가 치유되는 경우**

1. 공소장의 송달이 부적법하다 하여도 피고인이 제1심에서 이의함이 없이 공소사실에 관하여 충분히 진술할 기회를 부여받은 이상 판결결과에는 영향이 없어 그것이 적법한 상소이유가 된다고 할 수 없다(대판 1992.3.10, 91도3272). 14. 경찰간부, 15 · 18. 9급 검찰 · 마약수사
2. 검사가 주신문을 하면서 허용되지 않는 유도신문을 한 경우, 그 다음 공판기일에 재판장이 증인신문결과 등을 각 공판조서(증인신문조서)에 의하여 고지하였음에도 피고인과 변호인이 '변경할 점과 이의할 점이 없다.'고 진술하여 피고인이 책문권 포기 의사를 명시함으로써 유도신문에 의하여 이루어진 주신문의 하자가 치유되었다(대판 2012.7.26, 2012도2937). 18. 7급 국가직
3. 변호인이 없는 피고인을 일시 퇴정하게 하고 증인신문을 한 경우, 그 다음 공판기일에서 재판장이 증인신문 결과 등을 공판조서(증인신문조서)에 의하여 고지하였는데 피고인이 '변경할 점과 이의할

점이 없다.'고 진술하여 책문권 포기 의사를 명시함으로써 실질적인 반대신문의 기회를 부여받지 못한 하자가 치유되었다(대판 2010.1.14, 2009도9344). 18. 7급 국가직·9급 검찰·마약수사

4. 법원이 피고인에게 증인신문의 시일과 장소를 미리 통지함이 없이 증인들의 신문을 시행하였음은 위법이나 그 후 신문결과를 신문조서에 의하여 소송관계인에게 고지하였던바, 피고인이나 변호인이 이의를 하지 않았다면 위의 하자는 책문권의 포기로 치유된다(대판 1974.1.15, 73도2967).
5. 항소심이 피고인에게 검사의 항소이유서 부본을 송달하지 아니하였는데, 검사의 항소이유서의 요지는 제1심의 피고인에 대한 형량은 너무 가벼워 부당하다는 것이고, 피고인 역시 항소이유로서 사실오인과 양형과중의 사유를 들고 있는 경우, 항소심이 쌍방의 항소를 변론 없이 기록에 나타난 양형의 조건이 되는 제반사항을 참작하여 한 제1심의 형의 양정이 적절하고 무겁거나 가볍다고 볼 수 없다고 하여 쌍방의 항소를 기각한 경우 검사의 항소에 대한 피고인의 방어권을 충분히 참작하였다고 보여지고, 피고인에게 양형에 있어 불이익하게 변경된 바 없으므로 위 하자는 치유되었다 할 것이다(대판 1981.9.8, 81도2040). 18. 7급 국가직

PART 03

- **하자가 치유되지 않은 경우**

엄격한 형식과 절차에 따른 공소장의 제출은 공소제기라는 소송행위가 성립하기 위한 본질적 요소라고 할 것이므로, 공소의 제기에 현저한 방식 위반이 있는 경우에는 공소제기의 절차가 법률의 규정에 위반하여 무효인 경우에 해당하고, 위와 같은 절차위배의 공소제기에 대하여 피고인과 변호인이 이의를 제기하지 아니하고 변론에 응하였다고 하여 그 하자가 치유되지는 않는다(대판 2009.2.26, 2008도11813). 18. 경찰간부·5급 검찰·교정승진

▶ **구체적 사안** : 검사가 새로운 범죄사실을 추가하기 위하여 공소장변경신청을 하였으나 법원이 이를 받아들이지 않자 공소장부본 송달 등의 절차 없이 공판기일에서 당해 공소장변경신청서로 공소장을 갈음한다는 구두진술을 하였고, 피고인의 성명 기타 피고인을 특정할 수 있는 사항, 적용법조 등을 당해 공소장변경신청서에 기재하지 않는 등 공소의 제기에 현저한 방식 위반이 있었지만, 이에 대하여 피고인과 변호인이 이의를 제기하지 아니하고 변론에 응한 경우일지라도 그 하자가 치유된다고 볼 수 없으므로 판결로써 공소기각을 선고하여야 한다(대판 2009.2.26, 2008도11813). 18. 7급 국가직

④ 소송행위의 취소와 철회

㉠ **소송행위의 취소** : 소송행위의 취소란 소송행위의 효력을 소급하여 소멸시키는 것을 말한다. 절차유지의 원칙상 취소는 허용되지 않는다는 견해, 실체형성행위(예 증언)는 사정변경에 유연하게 대처해야 하므로 취소를 인정해야 하지만, 절차형성행위는 절차유지상 취소를 허용해서는 안 된다는 견해가 있다.

㉡ **소송행위의 철회** : 소송행위의 철회는 소송행위의 효력을 장래에 향하여 상실시키는 것을 말한다. 소송행위 철회의 허용 여부와 관련하여, 절차형성행위에 관해서는 명문의 규정이 없더라도 허용된다고 보는 것이 일반적이나 실체형성행위에 관하여는 견해가 대립한다.

- 형사소송법에 규정되어 있는 공소취소(제255조), 고소취소(제232조), 재정신청의 취소(제264조), 상소취하(제349조), 재심청구취하(제429조), 정식재판청구취하(제454조), 재판의 집행에 대한 불복신청의 취하(제490조) 등은 엄격히 말하면 철회에 해당하는 것으로 본다.
- 소송행위 철회 후 재청구 ⇨ 원칙 : 허용 ×, 예외 : 허용 ○〔예 공소취소 후 재기소(제329조)〕

(3) 소송행위의 적법 · 부적법

소송행위가 법률의 규정에 합치되면 적법, 불합치되면 부적법한 것이 된다. 적법 · 부적법도 소송행위의 성립을 전제로 하며, 소송행위의 부적법에는 효력규정 위반뿐만 아니라 훈시규정 위반도 포함된다. 따라서 부적법하다 하여 언제나 무효가 되는 것은 아니다. 효력규정에 위반한 경우는 부적법 · 무효이지만, 훈시규정에 위반한 경우는 부적법하기는 하지만 무효는 아니기 때문이다.

소송행위의 적법 · 부적법 판단은 소송행위의 이유의 유무판단을 위한 전제가 된다.

(4) 소송행위의 이유의 유무

소송행위의 이유 유무란 법률행위적 소송행위에 관하여 그 의사표시의 내용이 정당한가에 대한 가치판단을 의미한다.

KEY point

- **소송행위의 대리가 허용되는 경우 : 도표**
- **구술주의방식과 서면주의방식 : 도표**
- **소송행위의 가치판단**
  - 불성립 : 소송행위의 유효 · 무효 문제를 논할 필요 ×
  - 성립
    - 적법 – 유효 – 이유 유 · 무 판단
    - 부적법
      - 유효
        - 훈시규정 위반
        - 관할권 없는 법원의 소송행위(제2조)
      - 무효 : 무효의 치유
        - 소송행위 추완
          - 단순추완 : 허용규정(○)
          - 보정적 추완
            - 허용규정(×)
            - 판례 → 판례
              - 변호인선임의 추완 : 부정
              - 고소의 추완 : 부정
              - 공소장변경에 의한 추완 : 긍정
        - 공격 · 방어방법의 소멸
- **착오 등에 의한**
  - **실체형성행위** : 유효
  - **절차형성행위**
    - 유효(원칙)
    - 무효(행위자의 귀책 사유 없는 경우)
- **소송행위**
  - **취소**(인정 여부에 견해 대립)
    - 불인정 견해(절차유지를 이유로)
    - 실체형성행위에는 인정, 절차형성행위에는 불인정 견해
  - **철회**
    - 절차형성행위 : 널리 인정
    - 실체형성행위 : 인정 여부에 대해 견해 대립

제4절 소송서류의 작성 · 송달 · 열람

1 소송서류의 작성

(1) 소송서류의 의의 · 종류

① **소송서류의 개념** : 소송서류란 특정한 소송과 관련하여 작성된 일체의 서류를 말한다. 여기의 서류에는 법원에서 작성된 서류뿐만 아니라 소송관계인이 작성하여 법원에 제출한 서류도 포함된다. 법원이 소송서류를 소송절차의 진행순서에 따라 편철한 것을 소송기록이라 한다.

소송서류는 특정한 소송에 관하여 작성되거나 제출된 서류이어야 하므로, 압수된 서류는 단순한 증거물일 뿐 소송서류는 아님.

② **소송서류의 비공개** : 소송서류는 공판개정 전에는 공익상 필요 기타 상당한 이유가 없으면 공개하지 못한다(제47조). 11. 9급 법원직 이는 피고인이나 소송관계인 등의 명예를 보호하고 재판에 대한 외부의 영향을 막기 위함이다.

공판개정 전이란 제1회 공판기일의 개정 전에 한하지 않고, 제2회 공판기일 후에도 전 기일에 공개하지 않은 서류 등은 미리 공개하지 못한다.

다만, 소송서류 비공개원칙하에서도 피고인과 변호인 등은 소송계속 중 소송서류 열람 · 등사권이 인정된다(제35조).

③ **소송서류의 종류**

성질에 따른 분류	의사표시적 문서	의사표시를 내용으로 하는 문서를 말한다. 예 고소장, 공소장, 상소장, 변호인선임계 ▶ 의사표시적 문서 ⇨ 증거능력 ×
	보고적 문서	일정한 사실의 보고를 내용으로 하는 문서를 말한다. 예 공판조서, 검증조서, 각종 신문조서 ▶ 보고적 문서 ⇨ 일정조건하에 증거능력 ○
작성자에 따른 분류	공문서	• 공무원이 작성한 문서를 말한다. • 공무원이 작성하는 서류에는 법률에 다른 규정이 없는 때에는 작성 연월일과 소속공무소를 기재하고 기명날인 또는 서명하여야 한다(제57조 제1항). ▶ 검찰사건사무규칙은 형사소송법 제57조의 적용을 배제하기 위한 '법률의 다른 규정'으로 볼 수 없다(대판 2007.10.25, 2007도4961). 23. 9급 검찰 · 마약 · 교정 · 보호 · 철도경찰 • 문자 변개 ×(제58조 제1항) 01. 법원주사보 • 삽입, 삭제, 난외기재 ⇨ 그 곳에 날인하고 자수기재(동조 제2항)
	사문서	• 공무원 아닌 자가 작성한 문서를 말한다. • 기명날인 또는 서명하며, 인장이 없으면 지장으로 한다(제59조). • 공무원 아닌 자가 서명날인하여야 할 경우에 서명불능인 때에는 타인이 대서한다. 이 경우 대서한 자가 사유를 기재 후 기명날인 또는 서명하여야 한다(규칙 제41조). 09. 9급 법원직

용어 해설 **서명날인 · 기명날인 · 간인**

1. **서명날인**(署名捺印) : 서명이란 문서에 자기 자신의 성명을 자필로 기입하는 것을 말하며, 그 옆에 도장을 찍는 것을 날인이라고 한다.
2. **기명날인**(記名捺印) : 기명이란 문서에 자필 이외의 방법(예 고무인, 인쇄, 타자)으로 성명을 표시하는 것을 말하며, 그 옆에 도장을 찍는 것을 날인이라고 한다.
   ▶ 대부분의 문서는 기명날인할 수 있으나, 판결문이나 각종 영장(감정유치장, 감정처분허가장 포함)은 중요한 문서이므로 서명날인을 요구하고 있다(규칙 제25조의 2). 08. 9급 법원직
3. **간인**(間印) : 간인이란 하나의 서류가 여러 장의 종이로 구성되거나 수개의 서류를 연결 작성하는 경우에 그 계속의 진정함을 확증하기 위하여 서류를 철한 곳 또는 연결한 부분에 하나의 인장을 겹쳐 찍는 것을 말한다.

(2) 조서의 작성

① **조서의 의의** : 조서란 일정한 절차나 사실을 인증하기 위해 소송법상의 기관이 작성하는 공문서를 한다.

② **조서의 분류** : 조서에는 수사기관이 작성하는 조서(수사절차편에서 설명함)와 법원에서 작성하는 조서의 두 가지 형태가 있다. 법원에서 작성하는 조서는 공판기일에 작성한 공판조서와 공판기일 외의 절차에 관한 조서로 나누어 볼 수 있다.

③ **공판조서**

㉠ **의의** : 공판기일의 소송절차가 법정의 방식에 따라 적법하게 행하여졌는지의 여부를 인증하기 위하여 참여한 법원사무관 등이 작성하는 조서를 말한다.

- 작성주체 ⇨ 법원사무관 등(법관 ×) 12. 9급 법원직
- 공판기일에 참석하지 않은 법원사무관이 작성한 공판조서는 무효이다.

㉡ **기재사항**(제51조 제2항)

1. 공판을 행한 일시 · 법원 04. 9급 법원직, 09. 순경
2. 법관, 검사, 법원사무관 등의 관직 · 성명
3. 피고인, 대리인, 대표자, 변호인, 보조인, 통역인의 성명 09. 순경
4. 피고인의 출석 여부 04. 9급 법원직
5. 공개 여부
6. 공소사실의 진술 또는 공소장변경, 서면의 낭독
7. 피고인에게 권리를 보호함에 필요한 진술의 기회를 준 사실과 그 진술한 사실 04. 9급 법원직
8. 피고인, 피의자, 증인, 통역인 또는 번역인의 진술, 증인, 감정인, 통역인, 번역인 등이 선서를 하지 않는 경우에 그 사유
9. 증거조사를 한 때에는 증거될 서류, 증거물과 증거조사방법
10. 공판정에서 행한 검증 또는 압수 09. 순경
11. 변론의 요지
12. 재판장이 기재를 명한 사항 또는 소송관계인의 청구에 의하여 기재를 허가한 사항

13. 피고인 또는 변호인에게 최종진술할 기회를 준 사실과 그 진술한 사실
14. 판결 기타 재판을 선고 또는 고지한 사실

검사의 출석 여부(09. 순경), 변호인의 출석 여부, 구속만기일(04. 9급 법원직), 피고인의 태도, 검사의 서명, 피고인의 서명날인, 사법경찰관의 관직성명 ⇨ 기재사항 ×

보조인·통역인의 성명 ⇨ 기재사항 ○

결심공판에 출석한 검사가 사실과 법률적용에 관하여 의견을 진술하지 않더라도 공판절차가 무효로 되는 것은 아니며, 위 공판조서에 검사의 의견진술이 누락되어 있다 하여도 이로써 판결에 영향을 미친 법률위반이 있는 경우에 해당하지 아니한다(대판 1977.5.10, 74도3293).

㉢ 기명날인 또는 서명

ⓐ 공판조서에는 재판장과 참여한 법원사무관 등이 기명날인 또는 서명하여야 한다(제53조 제1항).

검사의 서명 또는 기명 날인 ⇨ 필요 ×

ⓑ 재판장이 기명날인 또는 서명할 수 없을 때에는 다른 법관이 그 사유를 부기하고 기명날인 또는 서명하여야 하며, 법관 전원이 기명날인 또는 서명할 수 없는 때에는 참여한 법원사무관 등이 그 사유를 부기하고 기명날인 또는 서명하여야 한다(동조 제2항). 05. 순경

ⓒ 법원사무관 등이 기명날인 또는 서명할 수 없는 때에는 재판장 또는 다른 법관이 그 사유를 부기하고 기명날인 또는 서명하여야 한다(동조 제3항).

공판에 참여한 법원사무관이 서명 또는 기명날인할 수 없는 경우 재판장만이 그 사유를 부기하고 서명·날인할 수 있다. (×) 05. 순경

관련판례

1. 공판기일에 열석하지 아니한 판사가 재판장으로서 서명·날인한 경우는 무효이다(대판 1983.2.8, 82도2940). 09·18. 7급 국가직, 18. 9급 법원직
2. 입회하지 아니한 서기가 서명날인한 공판조서는 무효이나(대판 1953.4.28, 4286형상127), 간인이 없다는 것만으로는 무효가 되는 것은 아니다(대판 1960.1.29, 4292형상747).
3. 공판조서에 그 공판에 관여한 법관의 성명이 기재되어 있지 아니하면 공판절차가 법령에 위반되어 판결에 영향을 미친 위법이 있다 할 것이다(대판 1970.9.22, 70도1312).

㉣ 공판조서의 정리

ⓐ 공판조서는 각 공판기일 이후 신속히 정리하여야 한다(제54조 제1항). 11. 9급 법원직

구법에는 5일 이내였으나, 2007년 개정법에서 삭제되었음.

ⓑ 다음회의 공판기일에 있어서는 전회의 공판심리에 관한 주요사항의 요지를 조서에 의하여 고지하여야 한다. 다만, 다음회의 공판기일까지 전회의 공판조서가 정리되지 아니한 때에는 조서에 의하지 아니하고 고지할 수 있다(동조 제2항). 10·11. 9급 법원직

고지를 생략할 수 있다. (×)

ⓒ 검사, 피고인 또는 변호인은 공판조서의 기재에 대하여 변경을 청구하거나 이의를 제기할 수 있다(동조 제3항). 11. 교정특채·9급 법원직, 12. 9급 법원직

ⓓ ⓒ에 따른 청구나 이의가 있는 때에는 그 취지와 재판장(검사 ×)의 의견을 기재한 조서를 작성한 후 당해 공판조서에 첨부하여야 한다(동조 제4항). 11. 9급 법원직

☗ 2007년 개정 전의 형사소송법에 의하면, 재판장의 의견을 기재할지의 여부는 재량사항에 불과하였으나, 개정법은 필요적 사항으로 변경함으로써 공판조서 기재의 정확성을 높이도록 하고 있다.

㉤ **공판조서의 열람 · 낭독**

ⓐ 피고인은 공판조서의 열람 또는 등사를 청구할 수 있다(제55조 제1항). 11. 교정특채

☗ 청구가 있을 경우 법원은 반드시 열람 · 등사를 시켜야 한다.

☗ 변호인이 있는 경우에도 피고인이 청구 가능

ⓑ 피고인이 공판조서를 읽지 못한 경우에는 공판조서의 낭독을 청구할 수 있다(동조 제2항). 10. 9급 법원직

ⓒ ⓐ와 ⓑ의 청구에 응하지 않는 공판조서는 유죄의 증거로 할 수 없다(동조 제3항). 07. 경찰승진, 18. 9급 법원직

ⓓ 공판조서에 대하여 피고인의 낭독청구가 있는 때에는 재판장의 명에 의하여 법원사무관 등이 낭독하거나 녹음물 또는 영상녹화물을 재생한다(규칙 제30조).

관련판례

1. 피고인이 원하는 시기에 공판조서를 열람 · 등사하지 못하였다 하더라도 그 변론종결 이전에 이를 열람 · 등사한 경우에는 그 열람 · 등사가 늦어짐으로 인하여 피고인의 방어권 행사에 지장이 있었다는 등의 특별한 사정이 없는 한 **형사소송법 제55조 제1항 소정의** 피고인의 공판조서의 열람 · 등사청구권이 침해되었다고 볼 수 없어, 그 공판조서를 유죄의 증거로 할 수 있다고 보아야 한다(대판 2007.7.26, 2007도3906). – 피고인방어권행사에 지장이 있으면 그 공판조서는 유죄증거 × 09 · 22. 7급 국가직, 15. 9급 교정 · 보호 · 철도경찰, 23. 소방간부
2. 피고인의 공판조서에 대한 열람 또는 등사청구에 법원이 불응하여 피고인의 열람 또는 등사청구권이 침해된 경우에는 그 공판조서를 유죄의 증거로 할 수 없을 뿐만 아니라, 공판조서에 기재된 당해 피고인이나 증인의 진술도 증거로 할 수 없다(대판 2003.10.10, 2003도3282). 10. 순경, 17. 검찰 · 교정승진, 23. 9급 법원직
3. 피고인의 공판조서 열람 · 등사의 청구에 법원이 응하지 아니한 것이 피고인의 방어권이나 변호인의 변호권을 본질적으로 침해한 정도에 이르지는 않은 경우에는, 그 공판조서는 증거로 사용할 수 있다(대판 2012.12.27, 2011도15869). 15. 9급 검찰 · 마약 · 교정 · 보호 · 철도경찰

공판조서와 피의자신문조서의 비교

구 분	공판조서	피의자신문조서
간인 ×	무효 아님(판례)	증거능력 부정(판례)
열람 · 낭독 ×	증거능력 부정(제55조 제3항)	증거능력 인정(판례)
서명 ○ · 날인 ×	유효(제53조 제1항)	유효(제244조 제3항)

ⓑ 속기, 녹음, 영상녹화

ⓐ 법원은 검사, 피고인 또는 변호인의 신청이 있는 때에는 특별한 사정이 없는 한 공판정에서의 심리의 전부 또는 일부를 속기사로 하여금 속기하게 하거나 녹음장치 또는 영상녹화장치를 사용하여 녹음 또는 영상녹화하여야 하며(할 수 있다. ×), 12. 9급 법원직 필요시 직권으로 명할 수 있다(제56조의 2 제1항). 09. 7급 국가직

속기·녹음·영상녹화 등의 신청 ⇨ 공판기일·공판준비기일을 열기 전까지(규칙 제30조의 2 제1항)

피고인, 변호인 또는 검사의 신청이 있음에도 불구하고 특별한 사정이 있는 때에는 속기, 녹음 또는 영상녹화를 하지 아니하거나 신청하는 것과 다른 방법으로 속기, 녹음 또는 영상녹화를 할 수 있다. 다만, 이 경우 재판장은 공판기일에 그 취지를 고지하여야 한다(규칙 제30조의 2 제2항).

국민참여재판의 경우에는 형사소송법의 규정과는 달리 원칙적으로 속기나 녹화를 하여야 한다(국민의 형사재판 참여에 관한 법률 제40조).

ⓑ 법원은 속기록, 녹음물 또는 영상녹화물을 공판조서와 별도로 보관하여야 한다(제56조의 2 제2항).

공판조서와 함께 보관하여야 한다. (×)

피고인의 낭독청구가 있는 때에는 재판장의 명에 의하여 법원사무관 등이 낭독하거나 녹음물 또는 영상녹화물을 재생한다(규칙 제30조).

속기록, 녹음물, 영상녹화물 또는 녹취서는 전자적 형태로 보관할 수 있으며, 재판이 확정(선고 ×)되면 폐기한다. 12. 9급 법원직, 14. 경찰간부 다만, 속기록, 녹음물, 영상녹화물 또는 녹취서가 조서의 일부가 된 경우에는 폐기하지 아니한다(규칙 제39조). 09. 9급 법원직

ⓒ 검사, 피고인 또는 변호인은 비용을 부담하고 속기록, 녹음물 또는 영상녹화물의 사본을 청구할 수 있다(동조 제3항). 재판장은 피해자 또는 그밖의 소송관계인의 사생활에 관한 비밀보호 또는 신변에 대한 위해방지 등을 위하여 필요하다고 인정한 경우에는 속기록·녹음물 또는 영상녹화물의 사본의 교부를 불허하거나 그 범위를 제한할 수 있다(규칙 제38조의 2 제1항).

ⓢ 공판조서의 증명력

ⓐ 공판기일의 소송절차로서 공판조서에 기재된 것은 그 조서만으로 증명한다(제56조). 따라서 공판조서의 기재가 명백한 오기인 경우를 제외하고는 공판기일의 소송절차로서 공판조서에 기재된 것은 조서만으로써 증명하여야 하고, 그 증명력은 공판조서 이외의 자료에 의한 반증이 허용되지 않는 절대적인 것이다(대판 2002.7.12, 2002도2134). 11·12·18. 9급 법원직 원심의 공판기일에 이루어진 소송절차가 법령에 위반하였는가를 상소심에서 심리하게 되면 공판조서를 작성한 법원사무관이나 원심법관 등을 증인으로 신문해야 하므로 적절하지 않고 오히려 절차의 혼잡을 초래하기 때문이다.

ⓑ 증거목록도 공판조서의 일부인 이상 검사 제출의 증거에 관한 피고인의 동의 또는 진정성립 여부 등에 관한 의견이 증거목록에 기재된 경우에는 명백한 오기가 아닌 이상 그 기재 내용도 절대적인 증명력을 갖는다(대판 1998.12.22, 98도2890).

ⓒ 유효한 공판조서를 전제로 하는 것이므로 공판조서가 무효이거나 멸실된 경우에는 소송절차의 법령위반 여부를 다른 자료에 의해 증명할 수 있다(다수설).

④ **공판기일 외의 절차에 관한 조서** : 공판기일 외의 절차에 관하여 법원에서 작성된 조서에는 공판기일 외에서의 피고인 · 증인 · 감정인 · 통역인 · 번역인에 대한 신문결과를 기재한 각종 신문조서(제48조), 공판기일 외에서의 검증 · 압수 · 수색의 결과를 기재한 조서(제49조) 등이 있다. 이들 조서는 법원에서 작성되는 조서라는 점에서 그 작성방식이 공판조서와 유사하지만, 공판조서 그 자체는 아니기 때문에 기재에 있어서 다소 차이가 있다. 특히 피고인, 증인, 감정인, 통역인, 번역인에 대한 신문 결과를 기재하는 각종 신문조서의 작성에는 그 정확성을 담보하기 위하여 상세한 규정이 마련되어 있다.

㉠ **각종 신문조서**

ⓐ 주체 : 피고인 · 피의자(예 구속영장실질심사) · 증인 · 감정인 · 통역인 · 번역인을 신문할 때에는 참여한 법원사무관 등이 조서를 작성하여야 한다(제48조 제1항).

ⓑ 기재사항 및 조서작성방법(제48조)

1. 피고인, 피의자, 증인, 감정인, 통역인, 번역인의 진술(제48조 제2항 제1호)
2. 증인, 감정인, 통역인, 번역인이 선서를 하지 아니한 때에는 그 사유(제48조 제2항 제2호)
3. 조서는 진술자에게 읽어주거나 열람하게 하여 기재 내용이 정확한지를 물어야 한다(동조 제3항).
4. 진술자가 조서에 대하여 추가, 삭제 또는 변경의 청구를 한 때에는 그 진술내용을 조서에 기재하여야 한다(동조 제4항).
5. 신문에 참여한 검사, 피고인, 피의자 또는 변호인이 조서 기재내용의 정확성에 대하여 이의를 진술한 때에는 그 진술의 요지를 조서에 기재하여야 한다(동조 제5항).
6. 위 5.의 경우 재판장이나 신문한 법관은 그 진술에 관한 의견을 기재하게 할 수 있다(동조 제6항).
7. 조서에는 진술자로 하여금 간인한 후 서명날인하게 하여야 한다. 다만, 진술자가 서명날인을 거부한 때에는 그 사유를 기재하여야 한다(동조 제7항).

조서작성상 비교

공판기일 외의 절차에 관한 조서	공판조서 및 공판기일 외의 증인신문조서
• 진술자에게 읽어주거나 열람하게 하여야 한다(제48조 제3항). • 진술자가 증감변경의 청구를 한 때에는 그 진술을 조서에 기재(제48조 제4항) • 진술자가 간인 후 서명날인 ○(제48조 제7항)	• 진술자의 청구가 있는 경우에 그 진술부분을 읽어주고, 증감변경의 청구가 있는 때에는 그 진술을 기재(제52조) 22. 7급 국가직 • 진술자의 ┌ 간인제도 × └ 서명날인제도 × 00. 경찰승진

㉡ **압수 · 수색 · 검증조서**

ⓐ 공판기일 외에서 행한 압수 · 수색 · 검증에 관하여는 조서를 작성하여야 한다(제49조 제1항).

공판기일에서의 검증 · 압수 ⇨ 공판조서에 기재됨

ⓑ 검증조서에는 검증목적물의 현상을 명확하게 하기 위하여 도화나 사진을 첨부할 수 있다(동조 제2항).

ⓒ 압수조서에는 품종, 외형상의 특징과 수량을 기재하여야 한다(동조 제3항).

㉢ **기명날인 또는 서명** : 위 각종 신문조서(제48조)나 압수 · 수색 · 검증조서(제49조)에는 조사 또는 처분의 연월일시와 장소를 기재하고 그 조사 또는 처분을 행한 자와 참여한 법원사무관 등이 기명날인 또는 서명하여야 한다(제50조). 단, 공판기일 외에 법원이 조사 또는 처분을 한 때에는 재판장 또는 법관과 참여한 법원사무관 등이 기명날인 또는 서명하여야 한다(제50조 단서).

KEY point

- **의사표시적 문서** : 증거능력 ×
- **공판조서와 피의자심문조서의 비교** : 도표
- **공판조서 및 공판 외의 절차에 관한 조서** : 도표
- **공판조서의 작성주체** : 법원사무관 등(법관 ×)
- **공판조서 기재사항** : 도표

2 소송서류의 송달

(1) 송달의 의의

송달이란 당사자 기타 소송관계인에 대하여 소송서류의 내용을 알리는 법원 또는 법관의 직권행위를 말한다.

- 특정방식을 요한다는 점에서 통지와 구별, 상대방이 특정되어 있다는 점에서 공시 또는 공고와 구별
- 송달은 법원사무관의 직권행위(×)

(2) 송달수령인의 신고

① 피고인, 대리인, 대표자, 변호인 또는 보조인이 법원소재지에 서류의 송달을 받을 수 있는 주거 또는 사무소를 두지 아니한 때에는 법원 소재지에 주거 또는 사무소가 있는 자를 송달영수인으로 선임하여 연명한 서면으로 신고하여야 한다(제60조 제1항). 02. 9급 법원직, 19. 7급 국가직

② 송달수령인은 송달에 관하여 본인으로 간주하고 그 주거 또는 사무소는 본인 주거 또는 사무소로 간주한다(동조 제2항).

③ 송달수령인의 선임은 같은 지역에 있는 각 심급 법원에 대하여 효력이 있다(동조 제3항). 25. 소방간부

④ 송달수령인에 관한 규정은 신체구속을 당한 자에 적용하지 않는다(동조 제4항). 이 경우의 송달은 유치기관의 장에게 하면 되기 때문이다. 여기서 신체구속을 당한 자의 범위에 대해 당해 사건에서 신체구속을 당한 자를 말한다(판례).

관련판례

신체구속을 당한 자(제60조 제4항)라 함은 그 사건에서 신체를 구속당한 자를 가리키는 것이며, 다른 사건으로 신체구속을 당한 자는 해당하지 아니한다고 보는 것이 상당하므로 다른 사건으로 신체구속을 당한 자는 송달받기 위한 신고의무를 면제받을 수 없는 것이다. 따라서 신고의무를 이행하지 아니하였으므로 공시송달절차로 하기로 하는 것은 위법이라고 말할 수 없다(대결 1976.11.10, 76모69). 12. 9급 법원직

(3) 송달방법

① 서류의 송달에 관하여 법률에 다른 규정이 없으면 민사소송법에 의한다(제65조).

② 송달은 서류를 받을 자에게 교부하는 교부송달이 원칙이며(민사소송법 제178조), 송달장소는 송달받을 사람(송달수령인 포함)의 주거, 사무소 등이다.

관련판례

1. 피고인이 항소 후 주거지를 변경하고 주민등록까지 옮겨 주민등록상 신고를 하였다면, 종전 주거지는 적법한 송달장소라고 할 수 없으므로, 법원이 종전의 주거지로 송달하여 피고인의 모가 이를 수령한 경우에 그 송달은 효력이 없다(대판 1997.6.10, 96도2814). 10. 경찰승진, 19. 경찰간부
2. 형사피고사건으로 법원에 재판이 계속되어 있는 사람은 공소제기 당시의 주소지나 그 후 신고한 주소지를 옮길 때에는 자기의 새로운 주소지를 법원에 신고하거나 기타 소송 진행 상태를 알 수 있는 방법을 강구하여야 하고, 만일 이러한 조치를 취하지 않았다면 소송서류가 송달되지 않아서 공판기일에 출석하지 못하거나 판결 선고사실을 알지 못하여 상고기간을 도과하는 등 불이익을 받는 책임을 면할 수 없다(대결 2008.3.10, 2007모795).
3. 송달명의인이 체포 또는 구속된 날 소송기록접수통지서 등의 송달서류가 송달명의인의 종전 주·거소에 송달되었다면 송달의 효력 발생 여부는 체포 또는 구속된 시각과 송달된 시각의 선후에 의하여 결정하되, 선후관계가 명백하지 않다면 송달의 효력은 발생하지 않는 것으로 보아야 한다(대결 2017.11.7, 2017모2162). 23. 7급 국가직, 25. 소방간부

③ 교부할 장소에서 송달받을 자를 만나지 못한 때에는 그 사무원, 고용인 또는 동거자로서 그 사리를 분별할 지능이 있는 자에게 교부(보충송달)할 수 있으며, 송달을 받을 자가 정당한 이유 없이 송달받기를 거부한 때에는 송달할 장소에 서류를 놓아둘 수 있다(유치송달)(민사소송법 제186조).

관련판례

1. 8세 4월 정도의 여자 어린이가 송달로 인하여 생기는 형사소송절차에 있어서의 효력까지 이해하였다고는 볼 수 없으나, 그 송달 자체의 취지를 이해하고 영수한 서류를 송달받을 자인 아버지에게 교부하는 것을 기대할 수 있는 능력 정도는 있다(대결 1995.8.16, 95모20)라고 하였으며, 11. 경찰승진 10세 정도의 아동에 대해서도 동일한 판결(대결 1996.6.3, 96모32)을 내림으로써 위 아동들에 대해서 송달받을 능력을 인정하였다.

2. 피고인의 동거 가족에게 서류가 교부되고 그 동거 가족이 사리를 변식할 지능이 있는 이상 피고인이 그 서류의 내용을 알지 못한 경우에도 송달의 효력이 있고, 23. 7급 국가직 사리를 변식할 지능이 있다고 하기 위하여는 사법제도 일반이나 소송행위의 효력까지 이해할 필요는 없더라도 송달의 취지를 이해하고 영수한 서류를 수송달자에게 교부하는 것을 기대할 수 있는 정도의 능력이 있으면 족하다. 피고인의 어머니가 주거지에서 소송기록접수통지서를 송달받은 경우, 그 어머니가 문맹자이고 관절염, 골다공증으로 인하여 거동이 불편하다고 하더라도 그 송달은 유효하다(대결 2000.2. 14, 99모225). 00. 법원사무관, 10 · 11. 경찰승진
3. 피고인에 대한 공소장부본과 두차례의 공판기일소환장을 모두 피고인의 동거자로서 송달받은 바 있다면 동인에 대한 항소기록접수통지서의 송달 역시 적법한 송달이라고 할 것이다(대결 1985.2.13, 85모3).
4. 피수용자 甲의 인신보호법상 구제신청에 대한 제1심법원의 기각결정이 甲이 수용되어 있는 병원에서 병원 직원으로 보이는 乙에게 송달된 경우, 위 송달장소는 甲의 근무장소로 볼 수 없을 뿐 아니라, 이를 甲의 거소로 보더라도 특별한 사정이 없는 한 乙이 민사소송법 제186조 제1항이 규정한 사무원, 피용자 또는 동거인에 해당한다고 단정할 수 없으므로, 위 송달은 甲에 대한 송달로서 적법한 것으로 볼 수 없다(대결 2011.6.14, 2011인마1).
5. 피고인의 배우자가 거주지에서 항소사건 소송기록접수통지서를 송달받았지만 당시 피고인은 이미 호주로 출국하여 2년 이상 외국에서 계속 머물면서 피고인의 배우자와 함께 생활하지 않고 있었던 이상 피고인 배우자의 거주지를 피고인의 실제 생활근거지인 주소, 거소 등 적법한 송달장소로 볼 수 없고, 피고인의 배우자를 피고인의 동거인이라고 볼 수도 없다. 따라서 피고인은 소송기록접수통지서를 송달받았다고 볼 수 없다(대결 2018.3.29, 2018모642).

④ 주거, 사무소 또는 송달영수인의 선임을 신고하여야 할 자가 그 신고를 하지 아니하는 때에는 법원사무관 등은 서류를 우체에 부치거나 기타 적당한 방법에 의하여 송달할 수 있고, 10 · 15 · 16. 9급 법원직 서류를 우체에 부칠 때에는 도달된 때에 송달된 것으로 간주한다(제61조). 10 · 15 · 16. 9급 법원직, 19. 경찰간부, 22. 7급 국가직 검사에 대한 송달은 소속검찰청으로 하여야 하며(제62조), 10 · 11 · 17. 9급 법원직 교도소 또는 구치소에 구속된 자에 대한 송달은 그 소장에게 한다(민사소송법 제182조). 11. 경찰승진, 15 · 17. 9급 법원직

관련판례

1. 교도소 또는 구치소에 구속된 자에 대한 송달은 그 소장에게 송달하면 구속된 자에게 전달된 여부에 관계없이 효력이 생긴다(대결 1972.2.18, 72모3). 12. 9급 법원직, 24. 경찰승진
2. 재판을 받은 자가 구치소에 수용되어 있는 경우 재판서 등본이 모사전송(팩스)의 방법으로 구치소장에게 송부되었다면 그때 재판이 고지되었다고 보아야 한다(대결 2004.8.12, 2004모208).
3. 다른 사건으로 구속된 재감자에 대한 약식명령의 송달을 교도소 등의 소장에게 하지 아니하고 수감되기 전의 종전 주 · 거소에다 하였다면 부적법하여 무효이고, 수소법원이 송달을 실시함에 있어 당사자 또는 소송관계인의 수감사실을 모르고 종전의 주 · 거소에 하였다고 하여도 마찬가지로 송달의 효력은 발생하지 않고, 송달 자체가 부적법한 이상 당사자가 약식명령이 고지된 사실을 다른

방법으로 알았다고 하더라도 송달의 효력은 여전히 발생하지 않는다(대결 1995.6.14, 95모14). 00. 법원사무관, 04. 7급 검찰, 10. 경찰승진, 11. 9급 법원직

4. 교도소·구치소 또는 경찰관서의 유치장에 체포·구속 또는 유치된 사람에게 할 송달은 교도소·구치소 또는 경찰관서의 장에게 하도록 되어 있다. 따라서 재감자에 대한 재심기각결정의 송달을 구치소 등의 장에게 하지 아니하고, 구치소 직원을 통하여 재감자인 피고인에게 송달한 것은 부적법하여 무효이고, 20. 9급 법원직 즉시항고제기기간의 기산일을 정하게 되는 송달 자체가 부적법한 이상 재감자인 피고인이 이 사건 결정등본을 직접 전달받았다 하더라도 송달의 효력은 여전히 발생하지 않는 것이며, 이 사건 결정은 송달받을 사람을 구치소장으로 하여 다시 송달된 때에 비로소 적법하게 송달되었다 할 것이므로, 그로부터 3일의 즉시항고기간 내에 제기된 재감자의 즉시항고는 적법한 것이라 할 것이다(대결 2009.8.20, 2008모630). 10. 9급 법원직

(4) 공시송달

① 공시송달이란 법원사무관 등이 송달서류를 보관하고 그 사유를 법원게시장에 공시하여 행하는 송달을 말한다(제64조 제2항). 10. 9급 법원직, 15. 경찰간부

② 피고인의 주거·사무소·현재지를 알 수 없는 때 또는 피고인이 우리 법원의 재판권이 미치지 아니하는 장소에 있는 경우에 다른 방법으로 송달할 수 없는 때에는 공시송달을 할 수 있다(제63조). 09·15. 9급 법원직

③ 공시송달은 대법원규칙이 정하는 바에 따라 법원이 명하는 때에 한하여 할 수 있고(제64조 제1항), 09·12. 9급 법원직 공시송달사유를 관보나 신문지상에 공고할 것을 명할 수 있다.

법원은 공시송달의 사유가 있다고 인정한 때에는 직권(검사청구 ×)으로 결정에 의하여 공시송달을 명한다(규칙 제43조).

④ 최초의 공시송달은 공시한 날로부터 2주일을 경과하면 그 효력이 발생한다. 다만, 제2회 이후의 공시송달은 5일을 경과하면 효력을 발생한다(제64조 제4항). 10·15·17. 9급 법원직, 15·18. 경찰간부

2회 이후의 공시송달은 다음 날부터 효력이 생긴다. (×)

⑤ 공시송달의 주요한 사유로서 소재불명이 있다. 이 경우 피고인에 대한 송달불능보고서가 접수된 때로부터 6월이 경과하도록 소재조사촉탁, 구인장발부, 검사에 대한 주소보정요구 등의 조치를 취하였음에도 불구하고 피고인의 소재가 확인되지 아니한 때에 피고인에 대한 송달은 공시송달의 방법에 의한다. 다만, 사형·무기 또는 장기 10년이 넘는 징역이나 금고에 해당하는 사건의 경우에는 그러하지 아니한다(소송촉진 등에 관한 특례규칙 제19조 제1항).

제1심 공판절차에서, 법정형이 3년 이하의 징역인 A죄로 공소제기된 피고인에 대한 송달불능보고서가 접수된 때로부터 6개월이 지나도록 검사에게 주소보정을 요구하거나 기타 필요한 조치를 취하였음에도 피고인의 소재를 확인할 수 없는 경우, 피고인에 대한 송달은 공시송달의 방법에 의한다. (○) 19. 7급 국가직

관련판례

• **위법한 공시송달**

1. 항소한 피고인이 거주지 변경신고를 하지 아니한 잘못이 있는 상태라고 할지라도, 법원이 기록에 나타난 피고인의 휴대전화번호로 연락하여 송달받을 장소를 확인해 보는 등의 조치를 취하지 아니한

채 곧바로 공시송달을 명하고 피고인의 진술 없이 판결을 한 것은 위법이다(대판 2010.1.28, 2009도12430). 09 · 11. 9급 법원직, 13 · 22. 7급 국가직

2. 공시송달 방법에 의한 피고인 소환이 부적법하여 피고인이 공판기일에 출석하지 않은 가운데 진행된 제1심의 절차가 위법하고 그에 따른 제1심판결이 파기되어야 한다면, 항소심으로서는 다시 적법한 절차에 의하여 소송행위를 새로이 한 후 항소심에서의 진술과 증거조사 등 심리 결과에 기초하여 다시 판결하여야 한다(대판 2012.4.26, 2012도986). 13. 9급 법원직, 15. 순경 1차 · 9급 법원직

3. 피고인이 구치소나 교도소 등에 수감 중에 있는 경우는 '피고인의 주거, 사무소, 현재지를 알 수 없는 때'나 '피고인의 소재를 확인할 수 없는 경우'에 해당한다고 할 수 없으므로, 법원이 수감 중인 피고인에 대하여 공소장 부본과 피고인소환장 등을 종전 주소지 등으로 송달한 경우는 물론 공시송달의 방법으로 송달하였다면 이는 위법하다(대판 2013.6.27, 2013도2714). 15. 9급 교정 · 보호 · 철도경찰, 20. 9급 법원직

4. 피고인이 검찰에서 자신의 휴대전화번호와 사위의 휴대전화를 진술한 경우, 법원이 공시송달결정을 함에 있어서 피고인이 진술한 각 휴대전화번호로 연락하여 송달받을 장소를 확인해보는 등의 조치를 취하지 아니한 채 피고인의 소재가 파악되지 아니한다는 이유로 공시송달을 명한 것은 위법하다(대판 2010.7.29, 2010도6823). 11. 9급 법원직

5. 공시송달을 명하기에 앞서 피고인이 송달받을 수 있는 장소를 찾아보는 조치들을 다하지 아니한 채 공소장 기재의 주거나 주민등록부의 주소로 우송한 공판기일소환장 등이 이사불명 · 폐문부재 등의 이유로 송달불능되었다는 것만으로 공시송달 요건인 '피고인의 소재가 확인되지 아니한 때'에 해당한다고 보기 어려우므로 공시송달을 명하는 것은 위법하다(대결 2006.2.8, 2005모507). 11. 경찰승진

6. 우편집배원 작성의 주소불명을 이유로 한 소송기록접수통지서의 송달불능보고서를 근거로 피고인의 주거를 알 수 없다고 판단하여 공시송달의 결정을 하였으나, 주소불명을 이유로 송달불능이라고 한 장소가 제1심 판결문상의 피고인의 주거지이고 피고인의 주민등록표상의 주소라면 위 송달불능보고서는 신빙성이 없다고 할 것이므로 원심이 송달불능보고서만으로 피고인의 주거를 알 수 없다고 단정하여 공시송달의 결정을 하였음은 위법이다(대결 1991.1.25, 90모70). 11. 경찰승진

7. 기록상 피고인의 주거가 나타나 있는 경우에는 공시송달을 할 수 없다(대결 1986.2.27, 85모6). 10. 경찰승진

8. 항소심에서 폐문부재로 송달불능이 된 경우 소재조사촉탁이나 집행관 송달 등의 절차 없이 공시송달한 것은 위법하다(대판 2015.2.12, 2014도16822).

9. 소송촉진 등에 관한 특례법 제23조와 같은 법 시행규칙 제19조 제1항에 의하면, 피고인의 소재를 확인하기 위하여 필요한 조치를 취하였음에도 불구하고 피고인에 대한 송달불능보고서가 접수된 때로부터 6월이 경과하도록 피고인의 소재가 확인되지 아니한 때에 비로소 공시송달의 방법에 의하도록 하고 있는데, 피고인 주소지에 피고인이 거주하지 아니한다는 이유로 구속영장이 여러 차례에 걸쳐 집행불능되어 반환된 바 있었다고 하더라도 이를 소송촉진 등에 관한 특례법이 정한 '송달불능보고서의 접수'로 볼 수는 없다(대결 2014.10.16, 2014모1557). 16. 9급 법원직 – 따라서 6개월 경과에 의한 공시송달은 위법

▶ 반면에 소재탐지불능보고서의 경우는 경찰관이 직접 송달 주소를 방문하여 거주자나 인근 주민 등에 대한 탐문 등의 방법으로 피고인의 소재 여부를 확인하므로 송달불능보고서보다 더 정확하게 피고인의 소재 여부를 확인할 수 있기 때문에 송달불능보고서와 동일한 기능을 한다고 볼 수

있으므로 소재탐지불능보고서의 접수는 소송촉진 등에 관한 특례법이 정한 '송달불능보고서의 접수'로 볼 수 있다(대결 2014.10.16, 2014모1557). 23. 7급 국가직

10. 공시송달결정을 하기 전에 기록에 나타난 피고인의 다른 주소지에 송달을 실시하는 등의 시도를 하지 않은 채 피고인의 주거, 사무소와 현재지를 알 수 없다고 단정하여 곧바로 공시송달의 방법에 의한 송달을 하고 피고인의 진술 없이 판결을 한 것은 피고인에게 출석의 기회를 주지 않음으로써 소송절차가 법령에 위배된 것이다(대판 2023.2.23, 2022도15288).
11. 제1심이 공소장 부본을 피고인 또는 변호인에게 송달하지 아니한 채 공판절차를 진행하였다면 이는 소송절차에 관한 법령을 위반한 경우에 해당한다. 이러한 경우에도 피고인이 제1심 법정에서 이의함이 없이 공소사실에 관하여 충분히 진술할 기회를 부여받았다면 판결에 영향을 미친 위법이 있다고 할 수 없으나, 15. 순경 1차 공소장부본을 피고인 또는 변호인에게 송달하지 아니한 채 제1심이 공시송달의 방법으로 피고인을 소환하여 피고인이 공판기일에 출석하지 아니한 가운데 제1심의 절차가 진행되었다면 그와 같은 위법한 공판절차에서 이루어진 소송행위는 효력이 없으므로, 이러한 경우 항소심은 피고인 또는 변호인에게 공소장 부본을 송달하고 적법한 절차에 의하여 소송행위를 새로이 한 후 항소심에서의 진술과 증거조사 등 심리결과에 기초하여 다시 판결하여야 한다(대판 2014.4.24, 2013도9498). 20. 7급 국가직
12. 이미 송달불능된 피고인과 전화통화가 이루어졌음에도 송달장소를 확인하는 등의 시도를 하지 아니한 채 단순히 공판기일에 출석할 것을 통지하는 데 그친 경우, 소재탐지촉탁, 구속영장 발부, 지명수배의뢰 등의 절차를 거쳐 공시송달의 방법으로 공소장 부본 등을 송달한 조치는 위법하다(대판 2012.1.12, 2011도15236).
13. 항고법원이 제1심법원으로부터 소송기록을 송부받고 피고인에게 소송기록접수통지서를 발송한 후 송달보고서를 통해 피고인이 이를 송달받았는지 여부를 확인하지도 않은 상태에서 피고인이 위 통지서를 수령한 다음 날 곧바로 피고인의 즉시항고를 기각한 것은 위법하다(대결 2006.7.25, 2006모389).
14. 피고인의 동거녀의 핸드폰 번호와 주거지가 기록상 나타나 있고 피고인이 검사의 신문을 받으면서 자신의 자택전화 번호로서 동거녀의 핸드폰번호를 진술하고 있으므로 법원으로서는 공시송달 결정을 함에 앞서 피고인의 동거녀의 주거지로 송달이 가능한지의 여부를 살펴보거나 위 전화번호로 연락하여 송달받을 장소를 확인하여 보는 등의 시도를 해 보았어야 할 것이다. 따라서 공시송달에 의한 소송절차는 위법하다(대판 2003.11.14, 2003도4983).
15. 공소장에 피고인의 사무소 주소가 기재되어 있음에도 불구하고 주거지로 우송한 소송기록접수통지서가 송달불능되자 곧바로 공시송달한 것은 위법하다(대결 1996.8.22, 96모59).
16. 주민등록표상의 주소가 불명하다는 우편집배원의 송달불능보고서만으로 피고인의 주거를 알 수 없다고 단정하여 한 공시송달 결정은 위법하다(대결 1991.1.25, 90모70).
17. 피고인이 제1심법원에 자신의 주거를 신고하여 제1심판결서에도 기재되어 있음에도 불구하고 법원이 피고인의 주거가 아닌 곳으로 소송기록접수 통지서를 송달하여 송달불능되자 곧바로 소환장 등의 서류를 공시송달하기로 결정하고, 각 공판기일에 소환장을 모두 공시송달하여 피고인이 공판기일에 한번도 출석하지 아니한 채 공판절차를 진행한 끝에, 판결을 선고하였다면, 법원은 소환장을 공시송달할 사유가 없는데도 공시송달을 한 것이므로 법령을 위반하여 판결에 영향을 미친 위법이 있다고 할 것이다(대판 1990.9.14, 90도1297).

18. 집배원이 2회에 걸쳐 주소지를 찾아갔으나, 그때마다 수취인이 부재하였다 하여 이를 공시송달의 원인이 되는 주거를 알 수 없는 때에 해당하는 사유로 볼 수 없다(대결 1984.11.8, 84모31).
19. 피고인이 재판권이 미치지 아니하는 외국에 거주하고 있는 경우에는 형사소송법 제65조에 의하여 준용되는 민사소송법 제196조 제2항에 따라 첫 공시송달은 실시한 날부터 2월이 지나야 효력이 생긴다고 볼 것이다. 따라서 2개월이 경과하기 전에 피고인의 출석 없이 공판기일을 개정한 것은 형사소송법 제365조에 어긋나고 형사소송법 제370조, 제276조가 규정한 피고인의 출석권을 침해하였다고 보아야 한다(대판 2023.10.26, 2023도3720).

- **적법한 공시송달**

1. '약식명령에 대한 정식재판청구사건'에 관하여는 피고인이 적법한 소환을 받고도 정당한 사유 없이 2회 이상 불출석하면 피고인의 진술 없이 판결을 할 수 있으므로(제458조 제2항, 제365조), 소촉법 제23조 및 그 시행규칙 제19조가 정하는 '피고인에 대한 송달불능보고서가 접수된 때로부터 6개월이 지나도록 피고인의 소재를 확인할 수 없는 경우'에까지 이르지 아니하더라도, 공시송달의 방법에 의하여 피고인의 진술 없이 재판을 함은 적법하다(대판 2013.3.28, 2012도12843).
2. 법원은 공시송달에 있어서 법원서기관 또는 서기가 송달할 서류를 보관한다는 사유를 관보나 신문지상에 공고할 것을 명할 수 있을 뿐 반드시 명하여야 하는 것은 아니고, 법원의 재량에 속하는 것이므로 공고가 없었다고 하더라도 공시송달이 부적법이라 할 수 없다(대판 1966.7.26, 66도599).

KEY point **서류송달방법**

1. **송달영수인신고** : 신체구속을 당하는 자에게는 적용 ×(신체구속 ⇨ 당해사건에서 구속된 자)
2. **송달의 방법**
   - **교부송달**(원칙)
   - **우편송달** : 도달주의 ┌ 검찰청에 송달 ⇨ 소속 검찰청
     └ 교도소·구치소 등에 송달 ⇨ 그 소장
   - **공시송달** ┌ 사유 + 법원이 명하는 때
     ├ 최초 ⇨ 2주 경과시 효력발생
     └ 2회 이후 ⇨ 5일 경과시 효력발생
     ▶ 공시송달 관련 판례

3 소송서류의 열람·등사

(1) 피고인·피의자·변호인의 소송서류 열람·등사

① 피고인과 변호인은 소송계속 중의 관계서류 또는 증거물을 열람하거나 복사할 수 있다(제35조 제1항). 09. 9급 국가직, 15. 순경 3차, 17. 9급 법원직, 23. 경찰승진

소송계속 중이란 공소제기 이후를 의미하는데, 공소제기 이후에 법원이 보관하고 있는 소송서류 또는 증거물이 열람·복사의 대상이 됨은 이론의 여지가 없다. 그 이외에 수사기관에서 보관하고 있는 관계서류가 포함되는지에 대하여 논란이 되어왔으나(헌법재판소는 긍정하는 입장), 2007년 개정법에서 열람·복사를 허용하는 증거개시제도(제266조의 3)를 도입함으로써 입법적으로 해결하였다(상세한 것은 증거개시편에서 후술함).

변호인이 있는 피고인은 소송계속 중 법원이 보관하고 있는 관계 서류 또는 증거물에 대하여는 열람만을 신청할 수 있다. (×) 17. 7급 국가직

비교 : 변호인이 있는 피고인은 공소제기 후 검사가 보관하고 있는 서류 등에 관하여 열람만을 신청할 수 있다(제266조의 3 제1항). 22. 해경간부

피고인 또는 변호인이 검사에 대하여 열람 · 등사를 신청할 수 있는 서류 중에 형사재판 확정기록, 불기소처분기록 등을 포함한다.

② 피고인의 법정대리인, 특별대리인(제28조), 보조인(제29조) 또는 피고인의 배우자, 직계친족, 형제자매로서 피고인의 위임장 및(또는 ×) 신분관계를 증명하는 문서를 제출한 자도 소송계속 중의 관계서류 또는 증거물을 열람 또는 복사할 수 있다(제35조 제2항). 09. 9급 법원직, 15. 9급 검찰 · 마약 · 교정 · 보호 · 철도경찰

③ 재판장은 피해자, 증인 등 사건관계인의 생명 또는 신체의 안전을 현저히 해칠 우려가 있는 경우에는 위 제1항 및 제2항에 따른 열람 · 복사에 앞서 사건관계인의 성명 등 개인정보가 공개되지 아니하도록 보호조치를 할 수 있다(제35조 제3항). 17. 7급 국가직

④ 현행법은 공소제기를 하기 전에 수사서류에 대한 열람 · 등사권을 보장하는 명시적인 규정이 없다. 다만, 헌법재판소는 구속적부심사청구를 의뢰받은 피의자의 변호인이 수사기록이 있는 경찰서의 경찰서장에게 고소장과 피의자신문조서에 대한 정보공개청구를 하였으나 이를 거부한 사안에서 고소장과 피의자신문조서에 대한 열람 및 등사를 거부한 피청구인의 정보비공개결정은 청구인의 피구속자를 조력할 권리 및 알 권리를 침해하여 헌법에 위반된다고 판시한바 있다(헌재결 2003.3.27, 2000헌마474).

⑤ 구속 전 영장실질심사에서 피의자심문에 참여할 변호인, 체포 · 구속적부심사를 청구한 피의자의 변호인은 지방법원판사에게 제출된 구속영장청구서 및 그에 첨부된 고소 · 고발장, 피의자의 진술을 기재한 서류와 피의자가 제출한 서류를 열람(복사 ×)할 수 있다(규칙 제96조의 21, 제104조의 2). 23. 경찰승진 · 소방간부

열람 · 복사할 수 있다. (×) 22. 해경간부

검사는 증거인멸 또는 피의자나 공범관계에 있는 자가 도망할 염려가 있는 등 수사에 방해가 될 염려가 있는 때에는 지방법원판사에게 위 서류(구속영장청구서는 제외한다)의 열람 제한에 관한 의견을 제출할 수 있고, 지방법원판사는 검사의 의견이 상당하다고 인정하는 때에는 그 전부 또는 일부의 열람을 제한할 수 있다(규칙 제96조의 21, 제104조의 2).

구속적부심사사건 피의자의 변호인은 지방법원판사에게 제출된 구속영장청구서 및 그에 첨부된 고소장을 열람 및 복사할 수 있다. (×) 17. 9급 법원직

⑥ 피의자 · 피고인 · 변호인은 증거보전처분에 관한 서류와 증거물(수사기록이 아님)을 판사의 허가를 얻어 열람 · 등사할 수 있다(제185조).

⑦ 긴급체포 후 석방된 자의 변호인은 긴급체포자 석방통지서 및 관련 서류를 열람하거나 등사할 수 있다(제200조의 4 제5항).

⑧ 구속영장이 청구되거나 체포 또는 구속된 피의자의 변호인은 긴급체포서, 현행범인체포서, 체포영장, 구속영장 또는 그 청구서를 보관하고 있는 검사, 사법경찰관 또는 법원사무관 등에게 그 등본의 교부를 청구할 수 있다(규칙 제101조).

(2) 기타자의 소송서류 열람·등사

① 검사는 피고인 또는 변호인이 공판기일 또는 공판준비절차에서 현장부재·심신상실 또는 심신미약 등 법률상·사실상의 주장을 한 때에는 피고인 또는 변호인에게 서류의 열람·등사·서면의 교부를 요구할 수 있으며(제266조의 11), 17. 7급 국가직 증거보전처분에 관한 서류와 증거물을 판사의 허가를 얻어서 열람·등사할 수 있다(제185조).

② 감정인은 감정에 관하여 필요한 경우에는 재판장의 허가를 얻어 서류와 증거물을 열람 또는 등사할 수 있다(제174조 제1항).

③ 증인은 자신에 대한 증인신문조서 및 그 일부로 인용된 속기록, 녹음물, 영상녹화물 또는 녹취서의 열람·등사 또는 사본을 청구할 수 있다(규칙 제84조의 2). 00. 법원주사보

④ 소송계속 중인 사건의 피해자, 피해자의 법정대리인 또는 이들로부터 위임받은 피해자 본인의 배우자, 직계친족, 형제자매, 변호사는 소송기록의 열람 또는 등사를 재판장에게 신청할 수 있다(제294조의 4 제1항). 10. 경찰승진, 12. 9급 국가직, 14. 9급 교정·보호·철도경찰, 15. 경찰승진·순경 1차·2차·3차, 16. 경찰간부, 17. 9급 법원직

⑤ 재판장은 피해자 측의 신청이 있는 때에는 지체 없이 검사, 피고인 또는 변호인에게 취지를 통지하여야 한다(제294조의 4 제2항).

⑥ 재판장은 피해자 등의 권리구제를 위하여 필요하다고 인정하거나 그 밖의 정당한 사유가 있는 경우 범죄의 성질, 심리의 상황, 그 밖의 사정을 고려하여 상당하다고 인정하는 때에는 열람 또는 등사를 허가할 수 있다(제294조의 4 제3항).

재판장은 범죄피해자가 열람 또는 등사 신청을 하면 허가하여야 한다. (×) 09. 9급 국가직, 15. 9급 법원직

⑦ 재판장이 제294조의 4 제3항에 따라 등사를 허가하는 경우에는 등사한 소송기록의 사용목적을 제한하거나 적당하다고 인정하는 조건을 붙일 수 있다(제294조의 4 제4항).

⑧ 재판장의 허가 및 조건부여에 관한 재판(제294조의 4 제3항·제4항)에 대하여는 불복할 수 없다(제294조의 4 제6항). 10. 7급 국가직, 11. 9급 법원직, 15. 순경 2차·9급 교정·보호·철도경찰

소송서류 열람 또는 등사권 정리

피고인 또는 변호인	제35조, 제185조, 제266조의 3, 규칙 제96조의 21, 규칙 제104조의 2
검 사	제185조, 제266조의 11
감정인	제174조 제1항
증 인	규칙 제84조의 2
피해자	제294조의 4 제1항

▶ 공소제기 전의 수사기록에 대한 열람·등사권은 인정되지 아니한다. 다만, 피의자의 변호인은 영장실질심사 또는 체포·구속적부심사 절차에서의 일정서류 열람은 가능

(3) 재판확정기록에 대한 열람 · 등사

① 누구든지 권리구제 · 학술연구 또는 공익목적으로 재판이 확정된 사건의 기록을 보관하고 있는 검찰청에 그 소송기록의 열람 또는 등사를 신청할 수 있다(제59조의 2 제1항). 08. 9급 국가직, 11. 순경 · 경찰승진, 17. 7급 국가직

- 법원에 신청 ×
- 재판확정기록 ⇨ 정보공개법에 의한 공개청구는 허용되지 아니함(대판 2016.12.15, 2013두20882).
- 형사재판확정기록에 관해서는 형사소송법 제59조의 2에 따른 열람 · 등사신청이 허용되고 그 거부나 제한 등에 대한 불복은 준항고에 의하며, 25. 소방간부 형사재판확정기록이 아닌 불기소처분으로 종결된 기록에 관해서는 정보공개법에 따른 정보공개청구가 허용되고 그 거부나 제한 등에 대한 불복은 항고소송절차에 의한다. 형사소송법 제59조의 2의 '재판이 확정된 사건의 소송기록'이란 특정 형사사건에 관하여 법원이 작성하거나 검사, 피고인 등 소송관계인이 작성하여 법원에 제출한 서류들로서 재판확정 후 담당 기관이 소정의 방식에 따라 보관하고 있는 서면의 총체라 할 수 있고, 위와 같은 방식과 절차에 따라 보관되고 있는 이상 해당 형사사건에서 증거로 채택되지 아니하였거나 그 범죄사실과 직접 관련되지 아니한 서류라고 하여 재판확정기록에 포함되지 않는다고 볼 것은 아니다(대결 2022.2.11, 2021모3175).

② 다음과 같은 사유가 있는 경우에는 열람 · 등사를 제한할 수 있다(단, 소송관계인이나 이해관계가 있는 제3자가 열람 또는 등사에 관하여 정당한 사유가 있다고 인정하는 경우에는 제한 × 11. 경찰승진).

제한사유(제59조의 2 제2항)

- 심리가 비공개로 진행된 경우(제1호) 11. 경찰승진
- 소송기록의 공개로 인하여 국가안전보장, 선량한 풍속, 공공의 질서유지 또는 공공복리를 현저히 해할 우려가 있는 경우(제2호)
- 소송기록의 공개로 인하여 사건관계인의 명예나 사생활의 비밀 또는 생명 · 신체의 안전이나 생활의 평온을 현저히 해할 우려가 있는 경우(제3호)
- 소송기록의 공개로 인하여 공범관계에 있는 자 등의 증거인멸 또는 도주를 용이하게 하거나 관련사건의 재판에 중대한 영향을 초래할 우려가 있는 경우(제4호) 22. 9급 법원직
- 소송기록의 공개로 인하여 피고인의 개선이나 갱생에 현저한 지장을 초래할 우려가 있는 경우(제5호)
- 소송기록의 공개로 인하여 사건관계인의 영업비밀이 현저하게 침해될 우려가 있는 경우(제6호)
- 소송기록의 공개에 대하여 당해 소송관계인(예 피고인, 법인대표자, 법정대리인, 특별대리인, 변호인, 보조인, 피해자 등)이 동의하지 아니한 경우(제7호) 18. 9급 법원직

관련판례

1. 형사소송법 제59조의 2 제2항 본문에서 정한 공개제한사유 중 제3호의 사유에 해당하는지 여부는 여러 사정을 종합적으로 고려하여 사회통념에 따라 객관적으로 판단하여야 한다.
2. 형사소송법 제59조의 2 제2항 단서에서 '열람 또는 등사에 관하여 정당한 사유가 있다고 인정되는 경우'란 재판확정기록의 열람 또는 등사로 인하여 국가 · 사회 및 사건관계인 등에게 초래될 불이익보다 이로 인하여 소송관계인이나 이해관계 있는 제3자가 얻게 될 이익이 우월한 경우를 뜻하고, 구체적인 사안이 이에 해당하는지 여부는 형사재판절차와 그 소송기록의 특수성을 고려하여 신청인의 열람 또는 등사의 목적과 필요성, 그로 인하여 생길 수 있는 사건관계인의 피해의 내용과 정도 등 제반 사정을 종합적으로 비교 · 교량하여 신중하게 판단하여야 한다(대결 2024.11.8, 2024모2182).

③ 검사는 소송기록의 열람·등사를 제한하는 경우에는 신청인에게 그 사유를 명시하여 통지하여야 한다(동조 제3항). 11. 순경 1차

④ 검사는 소송기록의 보존을 위하여 필요하다고 인정하는 경우에는 그 소송기록의 등본을 열람 또는 등사하게 할 수 있다. 다만, 원본의 열람 또는 등사가 필요한 경우에는 그러하지 아니하다(동조 제4항). 11. 순경 1차, 22. 9급 법원직

⑤ 소송기록을 열람 또는 등사한 자는 열람 또는 등사에 의하여 알게 된 사항을 이용하여 공공의 질서 또는 선량한 풍속을 해하거나 피고인의 개선 및 갱생을 방해하거나 사건관계인의 명예 또는 생활의 평온을 해하는 행위를 하여서는 아니 된다(동조 제5항). 11. 경찰승진

⑥ 소송기록의 열람 또는 등사를 신청한 자는 열람 또는 등사에 관한 검사의 처분에 불복하는 경우에는 당해 기록을 보관하고 있는 검찰청에 대응한 법원에 그 처분의 취소 또는 변경을 신청할 수 있다(동조 제6항). 11. 경찰승진

당해기록을 보관하고 있는 검찰청에 그 처분의 취소 또는 변경을 신청할 수 있다. (×) 11. 순경 1차

⑦ 불복신청에 대해서는 수사절차상의 준항고(제418조 및 제419조)에 관한 규정이 준용된다(동조 제7항).

관련판례

형사재판확정기록에 관해서는 형사소송법 제59조의 2에서 정한 바에 따라 열람·등사신청이 허용되고 이에 관한 검사의 거부나 제한 처분 등에 대한 불복은 준항고 방식에 의한다. 따라서 준항고를 준용하는 불복절차에서 법원은 소송기록의 열람·등사 제한사유 존부 내지 제한 예외 해당 여부에 관한 판단에 필요한 제반 사정들을 소송서류 등별로 충실하게 심리한 다음, 이를 바탕으로 해당 소송기록의 열람 또는 등사를 거부하거나 제한한 검사의 처분의 위법 여부 및 당부를 판단하여야 하고, 공개가 일부 허용될 필요가 있다고 보더라도 각 소송서류 등 가운데 공개가 가능한 부분과 공개를 제한할 부분이 혼합되어 있는 경우에는 그 분리 가능 여부에 따라 공개 범위 등을 정하여야 하며, 열람 또는 등사 중 합리적이고 적정한 공개 방법 등을 고려하여 그 처분의 취소 여부와 취소 범위를 결정하여야 한다(대결 2024.11.8, 2024모2182).

(4) 확정 판결서 등의 열람·복사

종전에는 확정사건의 기록을 보관하고 있는 검찰청에 대해서만 열람·등사를 신청할 수 있었으나, 개정법(2011. 7. 18)에서는 법원에서 보관하는 확정 판결서 등에 대해서도 열람·복사하는 규정을 신설함으로써 판결서 등에 대한 접근성을 높여 재판의 공개 원칙이 실질적으로 보장되도록 하였다.

① 누구든지 판결이 확정된 사건의 판결서 또는 그 등본, 증거목록 또는 그 등본, 그 밖에 검사나 피고인 또는 변호인이 법원에 제출한 서류·물건의 명칭·목록 또는 이에 해당하는 정보를 보관하는 법원에서 해당 판결서 등을 열람 및 복사(인터넷, 그 밖의 전산정보처리시스템을 통한 전자적 방법을 포함한다)할 수 있다. 다만, 다음 각 호의 어느 하나에 해당하는 경우에는 판결서 등의 열람 및 복사를 제한할 수 있다(제59조의 3 제1항). 22. 9급 법원직

> 1. 심리가 비공개로 진행된 경우
> 2. 소년법 제2조에 따른 소년에 관한 사건인 경우
> 3. 공범관계에 있는 자 등의 증거인멸 또는 도주를 용이하게 하거나 관련 사건의 재판에 중대한 영향을 초래할 우려가 있는 경우
> 4. 국가의 안전보장을 현저히 해할 우려가 명백하게 있는 경우
> 5. 소송기록의 공개로 인하여 사건관계인의 명예나 사생활의 비밀 또는 생명·신체의 안전이나 생활의 평온을 현저히 해할 우려가 있는 경우, 소송기록의 공개로 인하여 사건관계인의 영업비밀이 현저하게 침해될 우려가 있는 경우 18. 9급 법원직

② 법원사무관 등이나 그 밖의 법원공무원은 위 제1항에 따른 열람 및 복사에 앞서 판결서 등에 기재된 성명 등 개인정보가 공개되지 아니하도록 대법원규칙으로 정하는 보호조치를 하여야 한다(제59조의 3 제2항).

③ 위 제2항에 따른 개인정보 보호조치를 한 법원사무관 등이나 그 밖의 법원공무원은 고의 또는 중대한 과실로 인한 것이 아니면 제1항에 따른 열람 및 복사와 관련하여 민사상·형사상 책임을 지지 아니한다(제59조의 3 제3항). 18·22. 9급 법원직

④ 열람 및 복사에 관하여 정당한 사유가 있는 소송관계인이나 이해관계 있는 제3자는 위 제1항 단서에도 불구하고 위 제1항 본문에 따른 법원의 법원사무관 등이나 그 밖의 법원공무원에게 판결서 등의 열람 및 복사를 신청할 수 있다. 이 경우 법원사무관 등이나 그 밖의 법원공무원의 열람 및 복사에 관한 처분에 불복하는 경우에는 위 제1항 본문에 따른 법원에 처분의 취소 또는 변경을 신청할 수 있다(제59조의 3 제4항).

⑤ 위 제4항의 불복신청에 대하여는 제417조(준항고) 및 제418조(준항고의 방식)를 준용한다.

CHAPTER 02

기출문제

01 다음 소송행위의 대리 중 형사소송법상 가장 허용되지 않는 것은?

22. 해경간부

① 다액 500만원 이하의 벌금에 해당하는 사건에 관한 피고인의 출석대리
② 의사무능력자인 피고인의 법정대리인에 의한 소송행위의 대리
③ 증언의 대리
④ 고소취소의 대리

해설 ① 제277조 ② 제26조
③ 성질상 증언은 대리가 허용될 수 없다.
④ 제236조

02 다음 중 반드시 서면으로만 하여야 하는 소송행위는 모두 몇 개인가?

22. 해경승진

㉠ 상소의 제기	㉡ 상소의 포기	㉢ 공소의 제기
㉣ 공소의 취소	㉤ 약식명령 청구	

① 1개 ② 2개 ③ 3개 ④ 4개

해설 서면으로만 하는 소송행위 : ㉠㉢㉤, 서면 또는 구술 가능한 소송행위 : ㉡㉣

03 소송행위에 대한 설명으로 옳지 않은 것은?(다툼이 있으면 판례에 의함)

18. 5급 검찰·교정승진

① 피의자에게 의사능력이 있으면 직접 소송행위를 하는 것이 원칙이고, 피의자에게 의사능력이 없는 경우 형법 제9조 내지 제11조의 규정의 적용을 받지 아니하는 범죄사건에 한하여 예외적으로 그 법정대리인이 소송행위를 할 수 있다.
② 공소제기에 현저한 방식위반이 있는 경우에는 공소제기절차가 법률의 규정에 위반하여 무효인 때에 해당하지만, 피고인과 변호인이 절차위배의 공소제기에 대하여 이의를 제기하지 아니하고 변론에 응한 때에는 그 하자가 치유된다.
③ 필요적 변호사건에서 변호인이 없거나 출석하지 아니한 채 공판절차가 진행되었기 때문에 그 공판절차가 위법한 것이라 하더라도, 그 절차에서의 소송행위 외에 다른 절차에서 적법하게 이루어진 소송행위까지 모두 무효로 된다고 볼 수 없다.
④ 소송행위로서 요구되는 본질적인 개념요소가 결여되어 소송행위로 성립되지 아니한 경우에는 하자의 치유문제가 발생하지 않으나, 추후 당해 소송행위가 적법하게 이루어진 경우에는 그때부터 그 소송행위가 성립된 것으로 볼 수 있다.

Answer 01. ③ 02. ③ 02. [illegible]

⑤ 기피신청을 받은 법관이 형사소송법 제22조에 위반하여 본안의 소송절차를 정지하지 않은 채 그대로 소송을 진행하여서 한 소송행위는 그 효력이 없다.

해설 ① 대판 2014.11.13, 2013도1228
② 엄격한 형식과 절차에 따른 공소장의 제출은 공소제기라는 소송행위가 성립하기 위한 본질적 요소라고 할 것이므로, 공소의 제기에 현저한 방식 위반이 있는 경우에는 공소제기의 절차가 법률의 규정에 위반하여 무효인 경우에 해당하고, 위와 같은 절차위배의 공소제기에 대하여 피고인과 변호인이 이의를 제기하지 아니하고 변론에 응하였다고 하여 그 하자가 치유되지는 않는다(대판 2009.2.26, 2008도11813).
③ 대판 1999.4.23, 99도915 ④ 대판 2003.11.14, 2003도2735 ⑤ 대판 2012.10.11, 2012도8544

04 소송행위에 대한 설명으로 가장 적절하지 않은 것은?(다툼이 있는 경우 판례에 의함) 19. 경찰승진

① 세무공무원의 고발 없이 조세범칙사건의 공소가 제기된 후에 세무공무원이 고발한 경우에는 그 공소절차의 무효가 치유된다.

② 기피신청을 받은 법관이 본안의 소송절차를 정지해야 함에도 그대로 소송을 진행해서 이루어진 소송행위는 그 후 기피신청에 대한 기각결정이 확정되었더라도 무효이다.

③ 변호인선임신고서를 제출하지 아니한 변호인이 변호인 명의로 정식재판청구서만 제출하고, 형사소송법 제453조 제1항이 정하는 정식재판청구기간 경과 후에 비로소 변호인선임신고서를 제출한 경우, 변호인 명의로 제출한 정식재판청구서는 적법·유효한 정식재판청구로서의 효력이 없다.

④ 친고죄는 피해자의 고소가 있어야 공소를 제기할 수 있고 공소제기 이후 고소의 추완은 허용되지 아니하고, 이는 비친고죄로 기소되었다가 제1심 공판진행 중 친고죄로 공소장이 변경된 경우에도 동일하며, 어느 경우이든 법원은 검사의 공소제기절차가 법률의 규정에 위반하여 무효임을 이유로 공소기각 판결을 선고하여야 한다.

해설 ① 세무공무원의 고발 없이 조세범칙사건의 공소가 제기된 후에 세무공무원이 고발한 경우에는 그 공소절차의 무효가 치유된다고 할 수 없다(대판 1970.7.28, 70도942).
② 대판 2012.10.11, 2012도8544 ③ 대결 2005.1.20, 2003모429 ④ 대판 1982.9.14, 82도1504

05 소송행위의 추완에 관한 다음 설명 중 가장 옳은 것은?(다툼이 있는 경우 판례에 의하고, 전원합의체 판결의 경우 다수의견에 의함) 23. 9급 법원직

① 변호인 선임서를 제출하지 않은 채 상고이유서만을 제출하고 상고이유서 제출기간이 지난 후에 변호인 선임서를 제출하였다면 그 상고이유서는 적법·유효한 변호인의 상고이유서로 볼 수 있다.

② 친고죄에서 피해자의 고소가 없거나 고소가 취소되었음에도 친고죄로 기소되었다가 그 후 당초에 기소된 공소사실과 동일성이 인정되는 비친고죄로 공소장변경이 허용된 경우라도 그 공소제기의 흠은 치유될 수 없다.

Answer 04. ① 05. ③

③ 원래 공소제기가 없었음에도 피고인의 소환이 이루어지는 등 사실상의 소송계속이 발생한 상태에서 검사가 약식명령을 청구하는 공소장을 제1심법원에 제출하고, 위 공소장에 기하여 공판절차를 진행한 경우 제1심법원으로서는 이에 기하여 유·무죄의 실체판단을 하여야 한다.

④ 세무공무원의 고발 없이 조세범칙사건의 공소가 제기된 후에 세무공무원이 고발을 한 경우 그 공소절차의 흠은 치유된다.

해설 ① 변호인 선임서를 제출하지 않은 채 상고이유서만을 제출하고 상고이유서 제출기간이 지난 후에 변호인 선임서를 제출하였다면 그 상고이유서는 적법·유효한 변호인의 상고이유서가 될 수 없다(대판 2013.4.11, 2012도15128).
② 친고죄로 기소되었다가 그 후 당초에 기소된 공소사실과 동일성이 인정되는 비친고죄로 공소장변경이 허용된 경우 그 공소제기의 흠은 치유된다(대판 2011.5.13, 2011도2233).
③ 대판 2003.11.14, 2003도2735
④ 세무공무원의 고발 없이 조세범칙사건의 공소가 제기된 후에 세무공무원이 고발을 한 경우 그 공소절차의 흠은 치유된다고 할 수 없다(대판 1970.7.28, 70도942).

06 소송행위에 대한 설명으로 옳지 않은 것은? 23. 9급 검찰·마약수사

① 항소포기와 같은 절차형성적 소송행위가 착오로 인하여 행하여진 경우 그 행위가 무효로 되기 위하여는 그 착오가 행위자 또는 대리인이 책임질 수 없는 사유로 발생하였을 것이 요구된다.

② 검사에 의한 공소장제출은 공소제기라는 소송행위가 성립하기 위한 본질적 요소이므로 공소장제출이 없는 경우에는 공소제기가 성립되었다고 할 수 없다.

③ 형사소송규칙에 따르면 법원은 공시송달의 사유가 있다고 인정한 때에는 직권 또는 검사의 청구에 따라 결정으로 공시송달을 명한다.

④ 검사가 고소 취소된 사건을 반의사불벌죄인 협박죄로 기소하였다가 반의사불벌죄가 아닌 공갈미수로 공소장변경을 신청하여 허가된 경우 공소제기의 하자는 치유된다.

해설 ① 대결 1995.8.17, 95모49 ② 대판 2003.11.14, 2003도2735
③ 법원은 공시송달의 사유가 있다고 인정한 때에는 직권으로 결정에 의하여 공시송달을 명한다(규칙 제43조).
④ 대결 1996.9.26, 96도2151

07 소송서류와 소송행위에 대한 설명으로 옳지 않은 것은?(다툼이 있는 경우 판례에 의함) 22. 7급 국가직

① 피고인에 대한 공판기일 소환은 형사소송법이 정한 소환장의 송달 또는 이와 동일한 효력이 있는 방법에 의하여야 하고, 그 밖의 방법에 의한 사실상의 기일의 고지 또는 통지 등은 적법한 피고인 소환이라고 할 수 없다.

② 공판기일외의 증인신문조서를 작성한 때에는 진술자의 청구가 없더라도 이를 진술자에게 열람하게 하여 기재 내용이 정확한지를 물어야 하고, 진술자가 조서에 대하여 추가, 삭제 또는 변경의 청구를 한 때에는 그 진술내용을 조서에 기재하여야 한다.

Answer 06. ③ 07. ②

③ 피고인이 원하는 시기에 공판조서를 열람·등사하지 못하였다 하더라도 그 변론종결 이전에 이를 열람·등사한 경우에는 그 열람·등사가 늦어짐으로 인하여 피고인의 방어권 행사에 지장이 있었다는 등의 특별한 사정이 없는 한 공판조서의 열람·등사청구권이 침해되었다고 볼 수 없다.

④ 피고인이 즉결심판에 대하여 제출한 정식재판청구서에 피고인의 자필로 보이는 이름이 기재되어 있고 그 옆에 서명이 되어 있어 위 서류가 작성자 본인인 피고인의 진정한 의사에 따라 작성되었다는 것을 명백하게 확인할 수 있다면, 피고인의 인장이나 지장이 찍혀 있지 않다고 하더라도 해당 정식재판청구는 적법하다고 보아야 한다.

해설 ① 대판 2018.11.29, 2018도13377

② 공판조서 및 공판기일외의 증인신문조서에는 제48조 제3항 내지 제7항의 규정을 적용하지 아니한다. 단, 진술자의 청구가 있는 때에는 그 진술에 관한 부분을 읽어주고 증감변경의 청구가 있는 때에는 그 진술을 기재하여야 한다(제52조).

③ 대판 2007.7.26, 2007도3906

④ 대판 2019.11.29, 2017모3458

08 송달에 관한 설명 중 가장 옳지 않은 것은?

21. 9급 법원직

① 피고인이 원심 공판기일에 불출석하자, 검사가 피고인과 통화하여 피고인이 변호인으로 선임한 甲변호사의 사무소로 송달을 원하고 있음을 확인하고 피고인의 주소를 甲변호사 사무소로 기재한 주소보정서를 원심에 제출하였는데, 그 후 甲변호사가 사임하고 새로이 乙변호사가 변호인으로 선임된 사안에서, 원심이 피고인에 대한 공판기일 소환장 등을 甲변호사 사무소로 발송하여 그 사무소 직원이 수령하였더라도 적법한 방법으로 피고인의 소환이 이루어졌다고 볼 수 없다.

② 송달영수인은 송달에 관하여 본인으로 간주하고 그 주거 또는 사무소는 본인의 주거 또는 사무소로 간주한다.

③ 재감자에 대한 약식명령의 송달을 교도소 등의 소장에게 하지 아니하고 수감되기 전의 종전 주·거소에다 한 경우에 수소법원이 당사자의 수감사실을 모르고 종전의 주·거소에 하였고, 당사자가 약식명령이 고지된 사실을 다른 방법으로 알았다면 송달의 효력이 발생한다.

④ 교도소 또는 구치소에 구속된 자에 대한 송달은 그 소장에게 송달하면 구속된 자에게 전달된 여부와 관계없이 효력이 생기는 것이다.

해설 ① 검사가 피고인의 주소로서 보정한 甲변호사 사무소는 피고인의 주소, 거소, 영업소 또는 사무소 등의 송달장소가 아니고, 피고인이 형사소송법 제60조에 따라 송달영수인과 연명하여 서면으로 신고한 송달영수인의 주소에도 해당하지 아니하며, 달리 그곳이 피고인에 대한 적법한 송달장소에 해당한다고 볼 자료가 없으므로, 피고인에 대한 공판기일소환장 등을 甲변호사 사무소로 발송하여 그 사무소 직원이 수령하였더라도 형사소송법이 정한 적법한 방법으로 피고인의 소환이 이루어졌다고 볼 수 없다(대판 2018.11.29, 2018도13377).

② 제60조 제2항

Answer 08. ③

③ 재감자에 대한 약식명령의 송달을 교도소 등의 소장에게 하지 아니하고 수감되기 전의 종전 주・거소에 다 하였다면 부적법하여 무효이고, 수소법원이 송달을 실시함에 있어 당사자 또는 소송관계인의 수감사실을 모르고 종전의 주・거소에 하였다고 하여도 마찬가지로 송달의 효력은 발생하지 않고, 송달 자체가 부적법한 이상 당사자가 약식명령이 고지된 사실을 다른 방법으로 알았다고 하더라도 송달의 효력은 여전히 발생하지 않는다(대결 1995.6.14, 95모14).
④ 대판 1995.1.12, 94도2687

09 **다음 중 기록의 열람・복사에 관한 설명으로 가장 옳지 않은 것은?** 22. 해경간부

① 구속적부심사건 피의자의 변호인은 지방법원 판사에게 제출된 구속영장청구서 및 그에 첨부된 고소장을 열람 및 복사할 수 있다.
② 피고인과 변호인은 소송계속 중의 관계 서류 또는 증거물을 열람하거나 복사할 수 있다.
③ 공소제기 후 검사가 보관하고 있는 서류의 열람・등사에 관하여는 피고인에게 변호인이 있는 때는 피고인은 열람만을 신청할 수 있다.
④ 피해자는 재판장의 허가를 받으면 계속 중인 소송기록을 열람 또는 등사할 수 있다.

해설 ① 구속적부심사를 청구한 피의자의 변호인은 지방법원 판사에게 제출된 구속영장청구서 및 그에 첨부된 고소・고발장, 피의자의 진술을 기재한 서류와 피의자가 제출한 서류를 열람할 수 있다(규칙 제96조의 21 제1항, 제104조의 2).
② 제35조 제1항 ③ 제266조의 3 제1항 ④ 제294조의 4

10 **형사소송법 제59조의 2**(재판확정기록의 열람・등사), **제59조의 3**(확정 판결서 등의 열람・복사)**에 관한 다음 설명 중 가장 옳지 않은 것은?** 22. 9급 법원직

① 법원사무관 등이나 그 밖의 법원공무원은 확정 판결서 등의 열람 및 복사에 앞서 판결서 등에 기재된 성명 등 개인정보가 공개되지 아니하도록 대법원규칙으로 정하는 보호조치를 하여야 하며, 이때 개인정보 보호조치를 한 법원사무관 등이나 그 밖의 법원공무원은 고의로 인한 것이 아니면 위 열람 및 복사와 관련하여 민사상・형사상 책임을 지지 아니한다.
② 검사는 소송기록의 보존을 위하여 필요하다고 인정하는 경우에는 그 소송기록의 등본을 열람 또는 등사하게 할 수 있다. 다만, 원본의 열람 또는 등사가 필요한 경우에는 그러하지 아니하다.
③ 누구든지 판결이 확정된 사건의 판결서 또는 그 등본, 증거목록 또는 그 등본, 그 밖에 검사나 피고인 또는 변호인이 법원에 제출한 서류・물건의 명칭・목록 또는 이에 해당하는 정보를 보관하는 법원에서 해당 판결서 등을 열람 및 복사할 수 있다.
④ 검사는 소송기록의 공개로 인하여 공범관계에 있는 자 등의 증거인멸 또는 도주를 용이하게 하거나 관련 사건의 재판에 중대한 영향을 초래할 우려가 있는 경우에는 소송기록의 전부 또는 일부의 열람 또는 등사를 제한할 수 있다. 다만, 소송관계인이나 이해관계 있는 제3자가 열람 또는 등사에 관하여 정당한 사유가 있다고 인정되는 경우에는 그러하지 아니하다.

Answer 09. ① 10. ①

해설 ① 개인정보 보호조치를 한 법원사무관 등이나 그 밖의 법원공무원은 고의 또는 중대한 과실로 인한 것이 아니면 제1항에 따른 열람 및 복사와 관련하여 민사상·형사상 책임을 지지 아니한다(제59조의 3 제3항).
② 제59조의 2 제4항 ③ 제59조의 3 제1항 ④ 제59조의 2 제2항 제4호

11 변호인의 기록열람·등사권에 대한 설명으로 가장 적절하지 않은 것은? 23. 경찰승진

① 공소제기 전 수사 중인 사건의 피의자심문에 참여할 변호인은 지방법원 판사에게 제출된 구속영장청구서 및 그에 첨부된 고소·고발장, 피의자의 진술을 기재한 서류와 피의자가 제출한 서류를 열람할 수 있다.

② 변호인은 수사 중인 사건의 서류에 대하여 공공기관의 정보 공개에 관한 법률에 따라 수사기관을 상대로 정보공개를 청구할 수 있다.

③ 변호인이 공소제기 후 검사가 보관하고 있는 서류의 열람·등사를 신청하는 경우, 검사는 열람·등사를 허용하지 아니할 상당한 이유가 있다고 인정하는 때에는 그 서류뿐만 아니라 그 목록에 대해서도 열람·등사를 거부할 수 있다.

④ 변호인은 법원이 보관하고 있는 소송계속 중인 사건의 관계 서류 또는 증거물을 열람하거나 복사할 수 있다.

해설 ① 규칙 제96조의 21 제1항
② '정보의 공개에 관하여는 다른 법률에 특별한 규정이 있는 경우를 제외하고는 이 법에서 정하는 바에 따른다'라는 공공기관의 정보공개에 관한 법률 제4조 제1항에 의거 타당한 내용이다.
③ 검사가 서류 등의 열람·등사 또는 서면의 교부를 거부하거나 그 범위를 제한할 수 있는 경우에도 서류 등의 목록에 대하여는 열람 또는 등사를 거부할 수 없다(제266조의 3 제5항).
④ 제35조 제1항

12 소송행위에 대한 설명으로 옳지 않은 것은? 24. 7급 국가직

① 피고인에 대한 공시송달은 피고인의 주거, 사무소, 현재지를 알 수 없는 때에 한하여 할 수 있으므로, 피고인의 주거 등을 파악하기 위해 필요한 조치를 취하지 아니한 채 곧바로 공시송달의 방법으로 송달을 하고 피고인의 진술 없이 판결을 하는 것은 허용되지 않는다.

② 음주운전과 관련한 도로교통법위반죄의 범죄수사를 위하여 미성년자인 피의자의 혈액채취가 필요한 경우에도 피의자에게 의사능력이 있다면 피의자 본인만 혈액채취에 관한 유효한 동의를 할 수 있고, 피의자에게 의사능력이 없는 경우에도 명문의 규정이 없는 이상 법정대리인이 피의자를 대리하여 동의할 수는 없다.

③ 변호인 선임신고서를 제출하지 않은 변호인이 변호인 명의로 재항고장을 제출한 경우, 그 재항고장은 적법·유효한 재항고서의 효력이 없다.

④ 피고인이 즉결심판에 대하여 제출한 정식재판청구서에 피고인의 자필로 보이는 이름이 기재되어 있고 그 옆에 서명이 되어 있더라도 피고인의 인장이나 지장이 찍혀 있지 않다면 정식재판청구는 위법하다.

Answer 11. ③ 12. ④

해설 ① 대판 2015.2.1, 2014도16822
② 대판 2014.11.13, 2013도1228
③ 대결 2017.7.27, 2017모1377
④ 정식재판청구서에는 피고인의 자필로 보이는 이름이 기재되어 있고 그 옆에 서명이 되어 있는 경우라면, 피고인의 인장이나 지장이 찍혀 있지 않다고 하더라도 정식재판청구는 적법하다고 보아야 한다(대결 2019.11.29, 2017모3458).

13 **형사소송법상 송달영수인 신고제도에 관한 다음 설명 중 가장 옳지 않은 것은?** 24. 9급 법원직

① 피고인, 대리인, 대표자, 변호인 또는 보조인이 법원 소재지에 서류의 송달을 받을 수 있는 주거 또는 사무소를 두지 아니한 때에는 법원 소재지에 주거 또는 사무소 있는 자를 송달영수인으로 선임하여 연명한 서면으로 신고하여야 한다.
② 송달영수인 선임 및 신고가 필요한 '법원 소재지'는 당해 법원이 위치한 특별시, 광역시, 시 또는 군이므로, 인천광역시 옹진군이나 대구광역시 달성군에 서류 송달을 받을 수 있는 주거나 사무소를 두고 있는 피고인은 송달영수인을 선임하여 이를 신고할 필요가 없다.
③ 송달영수인의 자격에는 제한이 없으며 자연인은 물론 법인도 송달영수인으로 선임할 수 있으며, 송달영수인의 선임은 같은 지역에 있는 각 심급법원에 대하여 효력이 있으므로, 사건의 이송 또는 상소에 의해서 사건이 다른 지역에 있는 법원에 계속된 경우에는 송달영수인의 선임신고는 당연히 효력을 잃는다.
④ 송달영수인에게 항소기록접수통지서가 송달된 경우 항소이유서를 제출하여야 할 사람은 송달영수인이 아니라 피고인이므로, 항소이유서 제출기간의 연장 여부는 피고인 본인의 주거 또는 사무소를 기준으로 결정된다.

해설 ① 제60조 제1항
② 송달영수인 선임 및 신고가 필요한 '법원 소재지'(제60조)는 당해 법원이 위치한 특별시, 광역시, 시 또는 군(다만, 광역시내의 군은 제외)으로 한다(규칙 제42조). 따라서 피고인은 송달영수인을 선임하여 이를 신고하여야 한다.
③ 제60조 제3항
④ 제67조

Answer 13. ②

공편저자 약력·저서

조충환

- 중앙대학교 법학박사(형사법전공)

現 • 교재집필 및 연구

前 • 박문각 경찰승진 형사소송법 대표교수
- 중앙대·울산대 출강
- 노량진 남부경찰학원 대표강사
- 노량진 남부행정고시학원 대표강사
- 노량진 한교경찰학원 대표강사
- 노량진 베리타스경찰학원 대표강사
- 법무부 출간 교정지 출제위원
- 경찰청 인터넷방송 초빙교수

주요저서

- SPA 형법
- SPA 형사소송법
- 객관식 테마 형법
- 객관식 테마 형사소송법
- ALL THAT 올댓 형사법 형법 총론
- ALL THAT 올댓 형사법 형법 각론
- ALL THAT 올댓 형사법 수사·증거
- 수사경과 대비 형사법능력평가
- COPSPA 경찰 형법
- COPSPA 경찰 형사소송법
- 3+3 형법
- 3+3 형사소송법
- 논문 다수

상 훈

- 중앙대 강의평가 우수강사 총장 표창(3회)
- 모범강사 전국학원연합회 회장표창

양 건

現 • 박문각 경찰승진 형법 대표교수
- 공무원저널 형사법 판례교실 집필위원
- 법률저널 경찰·교정직 집필위원

前 • 조이에듀경찰학원 형법 대표강사
- 신림동 태학관 법정연구회 강의
- 종로행정고시학원 경찰승진 형법 대표강사
- 중앙경찰고시학원 형법 대표강사
- 경찰승진특강
- 노량진 한교경찰학원 대표강사(형법)
- 노량진 베리타스경찰학원 대표강사(형법)

주요저서

- SPA 형법
- SPA 형사소송법
- 객관식 테마 형법
- 객관식 테마 형사소송법
- ALL THAT 올댓 형사법 형법 총론
- ALL THAT 올댓 형사법 형법 각론
- ALL THAT 올댓 형사법 수사·증거
- 수사경과 대비 형사법능력평가
- COPSPA 경찰 형법
- COPSPA 경찰 형사소송법
- 3+3 형법
- 3+3 형사소송법

SPA

2026 판례·기출 증보판

조충환·양건

형사소송법 Ⅰ

초판인쇄 : 2025년 2월 10일
초판발행 : 2025년 2월 15일
편 저 : 조충환·양건
발 행 인 : 박 용
발 행 처 : (주)박문각출판
등 록 : 2015. 4. 29. 제2019-000137호
주 소 : 06654 서울시 서초구 효령로 283 서경 B/D
전 화 : (02) 6466-7202
팩 스 : (02) 584-2927

저자와의 협의하에 인지생략

정가 69,000원

ISBN 979-11-7262-543-6
ISBN 979-11-7262-542-9(세트)